Van Dale Pocketwoorden

van Dale

Van Dale Pocketwoordenboeken

Nederlands
Nederlands voor de basisschool
Nederlands als tweede taal (NT2)

Engels-Nederlands
Nederlands-Engels

Frans-Nederlands
Nederlands-Frans

Duits-Nederlands
Nederlands-Duits

Spaans-Nederlands
Nederlands-Spaans

Italiaans-Nederlands
Nederlands-Italiaans

Engels-Nederlands voor vmbo
Nederlands-Engels voor vmbo

Wist je dat Van Dale van alles heeft op taalgebied?
- **Van Dale-woordenboeken** voor elke gebruikssituatie: online, mobiel, als software en als boek
- **Van Dale Grammatica's** voor een glashelder overzicht op elk taalniveau (ERK)
- **Van Dale Taaltrainingen** voor taaltrainingen op diverse locaties
Het professionele **vertaalbureau Van Dale Vertalingen** voor de beste vertalingen.
En nog meer ... Kijk op: www.vandale.nl of www.vandale.be

Van Dale Pocketwoordenboek
Nederlands-Engels

Vijfde editie

Utrecht - Antwerpen

Van Dale Pocketwoordenboek Nederlands-Engels
vijfde editie
eerste oplage, 2013

Van Dale Uitgevers
ISBN 978 94 6077 053 1
NUR 627

© 2013 Van Dale Uitgevers

Omslagontwerp: Ontwerpstudio Spanjaard
Vormgeving: Pieter Pijlman (b.ont)
Zetwerk nawerk: Julius de Goede
Zetwerk hoofdwerk: Pre Press Media Groep
Projectleiding: María Camarasa (Lijn43)

Correspondentieadres:
Van Dale Uitgevers
Postbus 13288
3507 LG Utrecht
info@vandale.nl

www.vandale.nl / www.vandale.be

Van Dale, altijd een passend woordenboek!

De *Van Dale Pocketwoordenboeken* zijn heel geschikt als je een taal begint te leren, bijvoorbeeld in de onderbouw van het middelbaar onderwijs of bij een cursus. Ze zijn ook heel geschikt als je thuis of op kantoor af en toe een woord wilt opzoeken. Als je verder komt, wil je steeds meer woorden kunnen opzoeken en dan is een *Van Dale Middelgroot woordenboek* of een *Van Dale Groot woordenboek* een betere keuze.

Voor deze nieuwe editie hebben we de *Van Dale Pocketwoordenboeken* grondig bewerkt. We hebben bovendien veel nieuwe woorden en voorbeeldzinnen toegevoegd. Ze zijn dus beter, nieuwer en dikker.

In de voorbeeldzinnen hebben we het belangrijkste woord blauw gemaakt. Vooral in langere artikelen kun je daardoor heel snel vinden wat je zoekt.

We hebben lidwoorden voor de trefwoorden gezet. Dat geeft soms extra informatie en het geeft een duidelijker woordbeeld, wat helpt bij het leren. We doen dit niet alleen bij de vreemde talen, we geven het lidwoord óók bij de trefwoorden in de delen die Nederlands als brontaal hebben. Dit geeft extra ondersteuning aan leerders van het Nederlands.

Wij staan altijd open voor suggesties voor onze woordenboeken. Je kunt die mailen naar redactie@vandale.nl.

We wensen je veel plezier met dit woordenboek.

Van Dale Uitgevers

Lijst van afkortingen

aanw	*aanwijzend*	geol	*geologie*
aardr	*aardrijkskunde*	gesch	*geschiedenis*
abstr	*abstract*	gymn	*gymnastiek*
adm	*administratie*	h	*heeft*
afk	*afkorting*	hand	*handel*
alg	*algemeen*	heral	*heraldiek*
Am	*Amerikaans, in de Verenigde*	hist	*historisch*
	Staten	hoofdtelw	*hoofdtelwoord*
amb	*ambacht*	huish	*huishouden*
anat	*anatomie*	hww	*hulpwerkwoord*
antr	*antropologie*	iem	*iemand*
archit	*architectuur*	ind	*industrie*
astrol	*astrologie*	inf	*informeel*
astron	*astronomie*	iron	*ironisch*
atl	*atletiek*	jarg	*jargon*
bel	*beledigend*	jeugdt	*jeugdtaal*
Belg	*in België, Belgisch(e)*	jur	*juridisch*
bep	*bepaald*	kaartsp	*kaartspel*
bet	*betekenis(sen)*	kindert	*kindertaal*
betr	*betrekkelijk*	koppelww	*koppelwerkwoord*
bez	*bezittelijk*	landb	*landbouw*
Bijb	*Bijbel*	lett	*letterlijk*
biochem	*biochemie*	letterk	*letterkunde*
biol	*biologie*	lidw	*lidwoord*
bk	*beeldende kunst*	lit	*literatuur*
bn	*bijvoeglijk naamwoord*	luchtv	*luchtvaart*
boekh	*boekhouden*	m	*mannelijk*
bouwk	*bouwkunde*	med	*medisch*
bw	*bijwoord*	meetk	*meetkunde*
Can	*Canadees, in Canada*	meteo	*meteorologie*
chem	*chemie*	mijnb	*mijnbouw*
comm	*communicatiemedia*	mil	*militair*
comp	*computer*	min	*minachtend*
cul	*culinair*	muz	*muziek*
dans	*danskunst*	mv	*meervoud*
dierk	*dierkunde*	myth	*mythologie*
Du	*Duits, in Duitsland*	nat	*natuurkunde*
ec	*economie*	Ned	*Nederlands, in Nederland*
elek	*elektriciteit*	neg	*negatief*
enk	*enkelvoud*	nvl	*naamval*
euf	*eufemisme*	o	*onzijdig*
farm	*farmacie*	ond	*onderwijs*
fig	*figuurlijk*	ongev	*ongeveer*
fil	*filosofie*	onov	*onovergankelijk*
fin	*financieel*	onpers	*onpersoonlijk*
form	*formeel*	onv	*onveranderlijk*
foto	*fotografie*	Oost	*Oostenrijks, in Oostenrijk*
Fr	*Frans, in Frankrijk*	ov	*overgankelijk*
fysiol	*fysiologie*	overh	*overheid*
geb	*gebiedend*	overtr	*overtreffend(e)*

paardsp	paardensport	tw	tussenwerpsel
pej	pejoratief	typ	typografie
pers	persoonlijk	univ	universiteit
plantk	plantkunde	v	vrouwelijk
pol	politiek	vakt	vaktaal
pop	populair	vechtsp	vechtsport
pred	predicatief	vergr	vergrotend(e)
prot	protestants	verk	verkeer
psych	psychologie	verko	verkorting
rangtelw	rangtelwoord	vero	verouderd
rekenk	rekenkunde	verz	verzekeringswezen
rel	religie	vnl	voornamelijk
r-k	rooms-katholiek	vnw	voornaamwoord
ruimtev	ruimtevaart	voetb	voetbal
s.o.	someone	volkst	volkstaal
scheepv	scheepvaart	vr	vragend
scheldw	scheldwoord	vulg	vulgair
scherts	schertsend	vw	voegwoord
soc	sociologie	vz	voorzetsel
spoorw	spoorwegen	wdk	wederkerend
spott	spottend	wet	wetenschap
stat	statistiek	wielersp	wielersport
sth	something	wijnb	wijnbouw
taalk	taalkunde	wisk	wiskunde
techn	techniek	ww	werkwoord
technol	technologie	wwb	weg- en waterbouw
telw	telwoord	zelfst	zelfstandig
theat	theater	zn	zelfstandig naamwoord
tuinb	tuinbouw	Zwi	Zwitsers, in Zwitserland

Gebruiksaanwijzing

De gebruikte afkortingen worden verklaard in de *Lijst van afkortingen* op de voorgaande pagina's.

De trefwoorden zijn blauw gedrukt

aanprijzen recommend, praise

Bij trefwoorden die zelfstandig naamwoord zijn, wordt in de kantlijn het lidwoord vermeld

de **satésaus** satay sauce
het **satéstokje** skewer

Wanneer de klemtoon van een trefwoord verwarring kan opleveren, staat er een streepje onder de beklemtoonde klinker

het **kart̲el** cartel, trust

Trefwoorden die gelijk geschreven worden, maar tot verschillende woordsoorten behoren of verschillen qua herkomst, zijn aan het begin van de regel genummerd met 1, 2 enz.

de **¹achteruit** (zn) reverse (gear): *een auto in zijn ~ zetten* put a car into reverse (gear)
²achteruit (bw) back(wards)
het **¹aas** bait: *levend ~* live bait; *van ~ voorzien* bait (the hook, trap)
de **²aas** [kaartspel] ace; *de ~ van harten, ruiten* the ace of hearts, diamonds

Van trefwoorden die een afkorting zijn, wordt eerst de (Nederlandse) verklaring gegeven

a.s. *afk van* aanstaande next: *~ maandag* next Monday

Vertalingen die zeer dicht bij elkaar liggen, worden gescheiden door een komma

de **aardbol** earth, world, globe

Is het verschil wat groter, dan wordt tussen de vertalingen een puntkomma gezet; vaak wordt dan ook tussen haakjes een verklaring van dit kleine verschil in betekenis gegeven

de **aap** monkey; [mensaap] ape

Wanneer het trefwoord duidelijk verschillende betekenissen heeft, worden de vertalingen genummerd met **1, 2** enz.

aanschieten 1 hit: *een aangeschoten hert* a wounded deer **2** [aanspreken] buttonhole, accost: *een voorbijganger ~* buttonhole a passer-by

Soms is bij de vertaling een toelichting nodig. Zo'n toelichting staat tussen vierkante haken

aanmaken 1 [bereiden] mix [verf, deeg]; prepare [groenten]: *sla ~* dress a salad **2** light: *een vuur ~* light a fire

De vertaling kan worden gevolgd door een of meer voorbeelden. Deze staan cursief. In voorbeelden vervangt het teken ~ het trefwoord

aanbellen ring (at the door): *bij iem ~* ring s.o.'s doorbell

Om voorbeelden makkelijker te kunnen vinden, is het belangrijkste woord in de zin blauw gekleurd

de **voorlichting** information: *de afdeling ~ [van een bedrijf]* public relations department; *seksuele ~* sex education; *goede ~ geven* give good advice

Soms wordt een trefwoord alleen in één of meer uitdrukkingen gegeven, zonder dat het zelf vertaald wordt. De uitdrukking volgt dan direct na een dubbelepunt

apegapen: *op ~ liggen* be at one's last gasp

Voorbeelden die niet duidelijk aansluiten bij (een van) de betekenis(sen), worden behandeld na het teken ‖

de **balk** beam ‖ *het geld over de ~ gooien* spend money like water

Wanneer een voorbeeld meer dan één betekenis heeft, worden de betekenissen van elkaar gescheiden met **a)**, **b)** enz.

de **groet** ...: *de ~en!* **a)** [afscheidsgroet] see you!; **b)** [vergeet het maar] not on your life!, no way!

Alternatieve vormen worden tussen haakjes vermeld en ingeleid met *of*

het **haastwerk 1** [in haast gedaan] hasty (*of:* rushed) work **2** [waar haast bij is] urgent (*of:* pressing) work
de **haat** hatred, hate: *blinde ~* blind hate; *~ zaaien* stir up (*of:* sow) hatred

Vertalingen die voornamelijk in het Amerikaans-Engels worden gebruikt, zijn aangegeven met [Am]. Deze aanduiding wordt ook gegeven in samenstellingen en voorbeelden.

het **appartement** flat, [Am] apartment: *een driekamerappartement* a 2-bedroom flat
de **etage** floor, storey: *op de eerste ~* on the first floor; [Am] on the second floor

a

de **a** a, A: *van a tot z kennen* know from A to Z (*of:* from beginning to end); *wie a zegt, moet ook b zeggen* in for a penny, in for a pound

à **1** ± (from …) to, ± or: *2 à 3 maal* 2 or 3 times; *er waren zo'n 10 à 15 personen* there were some 10 to 15 people **2** [per eenheid] at (the rate of): *5 meter à 6 euro, is 30 euro* 5 metres at 6 euros is 30 euros

het **A4'tje** [vel papier] A4 page **2** [tekst] side

de **AA** afk van *Anonieme Alcoholisten* Alcoholics Anonymous

de **aai** stroke; [romantisch] caress; [hond, kat] pet

aaien stroke; [romantisch] caress

de **aak** barge

de **aal** eel

de **aalbes** currant

de **aalmoes** alms

de **aalmoezenier** chaplain

de **aalscholver** cormorant

het **aambeeld** anvil

de **aambeien** piles

¹aan (bn) on: *een vrouw met een groene jurk ~* a woman in (*of:* wearing) a green dress; *de kachel is ~* the stove is on ‖ *het is weer dik ~ tussen hen* it's on again between them; *daar is niets ~* **a)** [gemakkelijk] there's nothing to it; **b)** it's dead easy; **c)** [saai] it's a waste of time

²aan (bw) (+ wat) about, around, away: *ik rotzooi maar wat ~* I'm just messing about ‖ *stel je niet zo ~!* stop carrying on like that!; *daar heeft zij niets ~* that's no use to her; *daar zijn we nog niet ~ toe* we haven't got that far yet; [fig] *zij weet niet waar zij ~ toe is* she doesn't know where she stands; *rustig ~!* calm down!, take it easy!; *van nu af ~* from now on; *van voren af ~* from the beginning; *van jongs af ~* from childhood; *jij kunt ervan op ~ dat …* you can count on it that …

³aan (vz) **1** on, at, by: *vruchten ~ de bomen* fruit on the trees; *~ een verslag werken* work on a report; *~ zee* (*of:* de kust) *wonen* live by the sea (*of:* on the coast) **2** [m.b.t. een figuurlijke verbondenheid] by, with: *dag ~ dag* day by day; *doen ~* do, go in for; *twee ~ twee* two by two **3** [bij werkwoorden die een beweging aanduiden] to: *hij geeft les ~ de universiteit* he lectures at the university; *~ wal gaan* go ashore; *hoe kom je ~ dat spul?* how did you get hold of that stuff? **4** [ten gevolge van] of, from: *sterven ~ een ziekte* die of a disease **5** [wat betreft] of: *een tekort ~ kennis* a lack of knowledge **6** [in de macht van] up to: *het is ~ mij ervoor te zorgen dat …* it is up to me to see that …; *dat ligt ~ haar* [haar fout] that's her fault ‖ *hij heeft het ~ zijn hart* he has got heart trouble; *hij is ~ het joggen* he's out jogging; *hij is ~ het strijken* he's (busy) ironing; *ze zijn ~ vakantie toe* they could do with (*of:* are badly in need of) a holiday

aanbakken burn, get burnt

aanbellen ring (at the door): *bij iem. ~* ring s.o.'s doorbell

aanbesteden put out to tender: *werk ~* put work out to tender, call for (*of:* invite) tenders for work

de **aanbesteding** tender; [aan iem.] contract: *inschrijven op een ~* (submit a) tender for a contract

de **aanbetaling** down payment; [m.b.t. huurverkoop ook] deposit: *een ~ doen van 200 euro* make a down payment of 200 euros

aanbevelen recommend: *dat kan ik je warm ~* I can recommend it warmly to you; *voor suggesties houden wij ons aanbevolen* we welcome any suggestions

aanbevelenswaardig recommendable, advisable

de **aanbeveling** recommendation: *het verdient ~ om …* it is advisable to …

aanbidden 1 worship; [van heilige] venerate **2** [fig] worship; [romantisch ook] adore: *Jan aanbad zijn vrouw* Jan worshipped (*of:* adored) his wife

de **aanbidder 1** worshipper **2** [bewonderaar] admirer: *een stille ~* a secret admirer

aanbieden 1 offer, give: *iem. een geschenk ~* present a gift to s.o.; *hulp* (*of:* diensten) *~* offer help (*of:* services); *zijn ontslag ~* tender one's resignation; *zijn verontschuldigingen ~* offer one's apologies **2** [verkrijgbaar stellen] offer: *iets te koop* (*of:* huur) *~* put sth. up for sale (*of:* rent)

de **aanbieding** special offer, bargain: *goedkope* (*of:* speciale) *~* special offer, bargain; *koffie is in de ~ deze week* coffee is on special offer this week, coffee's reduced this week

aanbinden 1 [vastmaken] fasten on **2** [beginnen te doen] engage

aanblijven stay on: *zij blijft aan als minister* she is staying on as minister

de **aanblik 1** sight, glance: *bij de eerste ~* at first sight (*of:* glance) **2** sight; [persoon] appearance: *een troosteloze ~ opleveren* be a sorry sight, make a sorry spectacle

het **aanbod 1** offer: *iem. een ~ doen* make s.o. an offer; *zij nam het ~ aan* she accepted (*of:* took up) the offer; *zij sloeg het ~ af* she rejected the offer; *een ~ dat je niet kunt weigeren* an offer you can't refuse **2** supply: *vraag en ~* supply and demand

aanboren tap, broach: *een nieuw vat ~* tap (*of:* broach) a new barrel; [fig] *nieuwe belastingbronnen ~* tap new sources of taxation de **aanbouw 1** building; construction [gebouw, schip]: *dit huis is in* ~ this house is under construction **2** extension, annexe: *een ~ aan een huis* an extension (*of:* annexe) to a house

aanbouwen build on, add: *een aangebouwde keuken* a built-on kitchen

aanbranden burn (on): *laat de aardappelen niet ~* mind the potatoes don't boil dry (*of:* get burnt)

[1]**aanbreken** (onov ww) come, break; dawn [dag]; fall [nacht]: *het moment was aangebroken om afscheid te nemen* the moment had come to say goodbye

[2]**aanbreken** (ov ww) [aanspreken] break into [voorraad]; break (into) [geld]; open (up) [fles]: *er staat nog een aangebroken fles* there's a bottle that's already been opened

aanbrengen 1 [in-, toevoegen] put in, put on, install; introduce [veranderingen enz.]; apply [lijm e.d.]: *verbeteringen ~* make improvements; *make-up ~* put on make-up **2** [aangeven] inform on [misdadiger]; report [misdaad]: *een zaak ~* report a matter

de **aandacht** attention, notice: *(persoonlijke) ~ besteden aan* give (*of:* pay) (personal) attention to; *aan de ~ ontsnappen* escape notice; *al zijn ~ richten op ...* focus all one's attention on ...; *iemands ~ trekken* attract s.o.'s attention, catch s.o.'s eye; *de ~ vestigen op* draw attention to; *onder de ~ komen* (of: brengen) *van* come (*of:* bring) to the attention of

aandachtig attentive, intent: *~ luisteren* listen attentively (*of:* intently); *iets ~ bestuderen* examine sth. carefully (*of:* closely)

het **aandachtspunt** point of special (*of:* particular)) interest: *een ~ van iets maken* draw special (*of:* particular) attention to sth.

het **aandeel 1** share, portion: *~ hebben in een zaak* (of: *de winst*) have a share in a business (*of:* the profits) **2** [bijdrage] contribution, part: *een actief ~ hebben in iets* take an active part in sth. **3** [bewijs van aandeel] share (certificate); [Am] stock (certificate): *~ op naam* nominative share, registered share

de **aandeelhouder** shareholder

het **aandenken** keepsake, memento: *iets bewaren als ~* keep sth. as a keepsake

zich **aandienen** present o.s. (as): *er diende zich een mogelijkheid aan om ...* an opportunity to ... presented itself

aandikken [mooier, erger voorstellen] embroider, pile (it) on

aandoen 1 [aantrekken] put on **2** [berokkenen] do to, cause: *iem. een proces ~* take s.o. to court; *iem. verdriet, onrecht ~* cause s.o. grief, do s.o. an injustice; *dat kun je haar niet ~!* you can't do that to her! **3** [in werking stellen] turn on, switch on

de **aandoening** disorder, complaint

aandoenlijk moving, touching

aandraaien [vastdraaien] tighten, screw tighter

aandragen carry, bring (up/along/to)

de **aandrang** insistence, instigation: *~ uitoefenen op* exert pressure on; *~ hebben* [inf] need to go

aandrijven drive: *door een elektromotor aangedreven* driven by an electric motor

de **aandrijving** drive, power: *elektrische ~* electric drive (*of:* power)

aandringen 1 urge: *niet verder ~* not press the point, not insist; *bij iem. op hulp ~* urge s.o. to help **2** insist: *er sterk op ~ dat* strongly insist that; *~ op iets* insist on sth.

aanduiden indicate: *niet nader aangeduid* unspecified; *iem. ~ als X* refer to s.o. as X

aandurven dare to (do), feel up to: *een taak ~* feel up to a task; *het ~ om* dare (*of:* presume) to

aanduwen 1 [vooruitduwen] push (on) **2** [vastduwen] push home, press firm

aaneen [form]: *jaren ~* (for) years on end (*of:* at a time, stretch); *dicht ~* close together; *kilometers ~* kilometres at a stretch

aaneengesloten unbroken, connected, continuous; [fig] united

de **aaneenschakeling** chain, succession, sequence: *een ~ van ongelukken* a series (*of:* sequence) of accidents

aanflitsen flash on

de **aanfluiting** mockery

[1]**aangaan** (onov ww) **1** go (towards), head (for/towards): *achter iem. (iets) ~* **a)** [lett] chase s.o. (sth.) (up); **b)** [fig] go after s.o., go for sth. **2** go on; [verwarming, licht ook] switch on; light [vuur, lucifer]

[2]**aangaan** (ov ww) **1** enter into; [schulden, huwelijk ook] contract: *een lening ~* contract a loan; *de strijd ~* enter into combat (with), fight (with) **2** [betreffen] concern: *dat gaat hem niets aan* that's none of his business; *wat mij aangaat* as far as I'm concerned

aangaande as regards, regarding, with regard (*of:* respect) to, concerning

aangapen gape (at), gawp at, gawk at: *sta me niet zo dom aan te gapen!* stop gaping at me like an idiot!

aangeboren innate, inborn; [med] congenital

aangedaan 1 moved, touched **2** [door ziekte] affected

aangeharkt [fig] manicured, immaculate: *het landschap ligt er ~ bij* the landscape looks well manicured

de **aangeklaagde** accused, defendant

aangelegd -minded: *artistiek ~ zijn* have an artistic bent

de **aangelegenheid** affair, business, matter

aangenaam pleasant; [stem, beeld] pleasing; [omgeving ook] congenial: *ze was ~ verrast* she was pleasantly surprised; *~ (met u* *kennis te maken)* pleased to meet you

aangenomen: ~ *werk* contract work

aangepast (specially) adapted; [geestelijk ook] adjusted: *een ~e versie* an adapted version; *een ~e ingang* a specially adapted entrance; *goed ~ zijn* be well-adapted (*of:* well-adjusted); *slecht ~ zijn* be poorly adapted (*of:* adjusted)

aangeschoten 1 [beetje dronken] under the influence, tipsy **2** [sport] unintentional: ~ *hands* unintentional hands

aangeslagen affected; [sterker] shaken: *hij was ~ door het nieuws* he was shaken (*of:* deeply affected) by the news

aangetekend registered: *je moet die stukken ~ versturen* you must send those items by registered mail

aangetrouwd related by marriage: *~e familie* in-laws

aangeven 1 hand, pass **2** [bekendmaken] indicate, declare: *de trein vertrok op de aangegeven tijd* the train left on time; *tenzij anders aangegeven* except where otherwise specified, unless stated otherwise **3** [bij overheid] report, notify; [douane] declare: *een diefstal ~ report* a theft (to the police); *een geboorte* (*of: huwelijk*) ~ register a birth (*of:* marriage); *hebt u nog iets aan te geven?* do you have anything (else) to declare?; *de dader heeft zichzelf aangegeven* the culprit turned himself in **4** [met tekens] indicate, mark: *de thermometer geeft 30 graden aan* the thermometer is registering 30 degrees; *de maat ~* beat time **5** [voetb] feed; [volleybal] set

de **aangever 1** informant; [bij belasting] person submitting a declaration **2** [voetb] feeder

aangewezen: *de ~ persoon* the obvious (*of:* right) person (for the job); *op iets ~ zijn* rely on sth.; *op zichzelf ~ zijn* be left to one's own devices; *zij zijn op elkaar ~* they depend (*of:* rely) on each other

het **aangezicht** countenance, face

aangezien since, as, seeing (that)

de **aangifte** declaration [waarde, belasting, douane]; report [misdaad]; registration [bevolkingsregister]: *~ inkomstenbelasting* income tax return; *~ doen van een misdrijf* report a crime; [belasting] ~ *doen* make a declaration; *~ doen van geboorte* register a birth; *bij diefstal wordt altijd ~ gedaan* shoplifters will be prosecuted

het **aangifteformulier** tax form; [douane] declaration; [geboorte, overlijden] registration form

aangrenzend adjoining; [huis, vertrek] adjacent; [naburig; land] neighbouring

aangrijpen 1 grip; [emotioneel ook] move; make a deep impression on: *dit boek heeft me zeer aangegrepen* this book has made a deep impression on me **2** [beetpakken] seize (at/ upon), grip: *een gelegenheid met beide handen ~* seize (at/upon) an opportunity with both hands

aangrijpend moving, touching, poignant

aangroeien 1 [toenemen] grow, increase **2** [opnieuw groeien] grow again: *doen ~* regenerate

aanhaken: [fig; sport] *hij kon bij de kopgroep ~* he was able to join the leading group; *ik wilde graag even bij het zojuist gezegde ~* I would like to come in here, could I just follow up on that?

aanhalen 1 caress, fondle **2** [noemen] quote: *als voorbeeld* (of: *bewijs*) ~ quote as an example (*of:* as evidence) **3** pull in; [touw] haul in: *we moeten allemaal de buikriem ~* we'll all have to tighten our belts

aanhalig affectionate: *hij kon zeer ~ doen* he could be very affectionate

de **aanhaling** quotation; [inf] quote

het **aanhalingsteken** quotation mark; [inf] quote; inverted comma: *tussen ~s* in quotation marks, in inverted commas

de **aanhang** following; [partij] supporters: *over een grote ~ beschikken* have a large following; *veel ~ vinden onder* find considerable support among, have a large following among

aanhangen adhere to, be attached to, support: *een geloof ~* adhere to a faith; *een partij ~* support a party

de **aanhanger 1** follower; [partij] supporter: *een vurig* (of: *trouw*) ~ *van* an ardent (*of:* a faithful) supporter of **2** [v wagen] trailer

aanhangig pending, before the courts: *een kwestie ~ maken bij de autoriteiten* take a matter up with the authorities

het **aanhangsel** appendix: *een ~ bij een polis* an appendix to a policy; *het wormvormig ~* the vermiform appendix

de **aanhangwagen** trailer

aanhankelijk affectionate, devoted

aanhebben [dragen] have on, be wearing

aanhechten attach; [met draad] fasten on; [plakken] affix

de **aanhechting** attachment

de **aanhef** opening words; [brief] salutation

aanheffen start, begin; break into [lied]; raise [gejuich]

aanhoren listen to, hear: *iemands relaas geduldig ~* listen patiently to s.o.'s story

[1]**aanhouden** (onov ww) **1** [niet ophouden te doen] keep on, go on, persist (in): *blijven ~* persevere, insist; *je moet niet zo ~* you shouldn't keep going on about it (like that) **2** [voortduren] go on, continue; hold, last, keep up [ook van weer] **3** (+ op) keep [links of rechts]; make (for), head (for) [bepaald doel]: *links* (of: *rechts*) ~ keep to the left (*of:* right); [van richting veranderen] bear left (*of:* right)

²**aanhouden** (ov ww) **1** stop; [door politie] arrest; hold [vasthouden]: *een verdachte ~* take a suspect into custody **2** [bij zich houden] hold on to, keep; continue [abonnement]; stick to [methode] **3** [aan het lijf houden] keep on **4** [aan de gang houden] keep on, keep up; leave on [radio, licht]; keep going [vuur] ‖ *als je het recept aanhoudt, kan er niets misgaan* if you stick to the recipe, nothing can go wrong

aanhoudend 1 continuous, persistent, constant, all the time: *een ~e droogte* a prolonged period of drought **2** [met tussenpozen] continual, repeated, time and again, always

de **aanhouder** sticker, go-getter: *de ~ wint* it's dogged that (of: as) does it; if at first you don't succeed, try, try, try again

de **aanhouding** arrest

aanjagen [veroorzaken bij] fill with: *iem. schrik ~* frighten (of: terrify) s.o.

aankaarten raise: *een zaak ~ bij* raise a matter with

aankijken look at: *elkaar veelbetekenend ~* give each other a meaningful look; *het ~ niet waard* not worth looking at

de **aanklacht** charge; [officieel] indictment; complaint: *een ~ indienen tegen iem. (bij)* lodge a complaint against s.o. (with); *de ~ werd ingetrokken* the charge was dropped

aanklagen [officieel] bring charges against, lodge a complaint against: *iem. ~ wegens diefstal* (of: *moord*) charge s.o. with theft (of: murder)

de **aanklager** accuser; [eiser in zaak] complainant; [jurist] plaintiff; prosecutor: *openbare ~* public prosecutor, Crown Prosecutor

aanklampen stop; [fig] approach, apply to ‖ [sport] *~ bij de kopgroep* join the leaders

aankleden dress, get dressed; [van kleren voorzien] clothe; [van kleren voorzien] fit out: *je moet die jongen warm ~* you must wrap the boy up well; *zich ~* get dressed

de **aankleding** furnishing; [van een kamer] decor; furnishings; [toneel] decor; set(ting)

aanklikken click (on)

aankloppen knock (at the door); [fig] come with a request; appeal (to): *tevergeefs bij iem. ~ om hulp* appeal to s.o. for help in vain

aanknopen 1 tie on **2** enter into: *betrekkingen ~ met* establish relations with; *onderhandelingen ~ met* enter into negotiations with; *een gesprek ~ met* begin (of: strike up) a conversation with

het **aanknopingspunt** clue, lead; [als uitgangspunt] starting point

aankoeken cake, stick: *het eten was aangekoekt* the food had caked (of: stuck) on to the pan

¹**aankomen** (onov ww) **1** arrive, reach;

[trein, boot ook] come in, pull in; [sport] finish: *de trein kan elk ogenblik ~* the train is due at any moment; *daar komt iem. aan* s.o. is coming; *als derde ~* come in third **2** [treffen] hit hard: *de klap is hard aangekomen* **a)** it was a heavy blow; **b)** [fig] it was a great blow to him **3** [komen aanzetten] come (with): *en daar kom je nu pas mee aan?* and now you tell me!; *je hoeft met dat plan bij hem niet aan te komen* it's no use going to him with that plan **4** [naderen] come (along), approach: *ik zag het ~* I could see it coming **5** [bij toeval aanraken] touch, hit, come up (against): *niet* (of: *nergens*) *~!* don't touch!, hands off! **6** [in gewicht toenemen] put on weight

²**aankomen** (onpers ww) come (down) (to): *als het op betalen aankomt* when it comes to paying; *waar het op aankomt* what really matters ‖ *als het erop aan komt* when it comes to the crunch

aankomend prospective, future; [onbedreven] budding; [leerjongen] apprentice; trainee: *een ~ actrice* a starlet, an up-and-coming actress; *een ~ schrijver* a budding author

de **aankomst** arrival, coming (in); [sport] finish(ing); [vliegtuig] landing: [sport] *in volgorde van ~* in (the) order of finishing; *bij ~* on arrival

de **aankomsttijd** time of arrival

aankondigen announce: *de volgende plaat ~ announce* (of: introduce) the next record; *~ iets te zullen doen* announce that one will do sth.

de **aankondiging** announcement, notice; [teken] signal; [inluiding] foreboding; [plechtig] proclamation: *tot nadere ~* until further notice

de **aankoop 1** [handeling] buying: *bij ~ van drie flacons krijgt u een poster cadeau* (you get **a)** free poster with every three bottles **2** [het aangekochte] purchase(s): *grote aankopen doen* make large purchases

aankopen buy, purchase, acquire

aankrijgen get going: *ik krijg de kachel niet aan* I can't get the stove to burn (of: light)

aankruisen tick: *~ wat van toepassing is* tick where appropriate

aankunnen 1 be a match for, (be able to) hold one's own against: *het alleen ~* hold one's own **2** be equal (of: up) to, be able to manage (of: cope with): *zij kon het werk niet aan* she couldn't cope (with the work) ‖ *kan ik ervan op aan, dat je komt?* can I rely on your coming?

aanlanden land (up), arrive at: *waar zijn we nu aangeland?* where have we got to now?

aanlandig onshore: *de wind is ~* there is an onshore wind, the wind is blowing home

de **aanleg 1** construction, building; [weg ook] laying; [kanaal] digging; [stad, tuin] layout:

in ~ under construction; ~ *van elektriciteit* installation of electricity **2** [kunstzinnig] talent; [zaken] aptitude: ~ *tonen voor talen* show an aptitude for languages; ~ *voor muziek* a talent for music; *daar moet je* ~ *voor hebben* it's a gift **3** tendency, predisposition, inclination: ~ *voor griep hebben* be susceptible to flu || [Belg] *rechtbank van eerste* ~ ± county court

¹**aanleggen** (onov ww) [scheepv] moor, tie up; [aandoen] touch (at); berth

²**aanleggen** (ov ww) **1** construct, build; [straat ook] lay; dig [kanaal]; lay out [park, tuin]; install [voorzieningen]; build up [voorraad]: *een spoorweg* (of: *weg*) ~ construct a railway (of: road); *een nieuwe wijk* ~ build a new estate; [Am] build a new development; *voorraden* ~ build up stocks, stock up on provisions **2** aim

de **aanlegplaats** landing stage, landing place, mooring place; berth [vast]

de **aanleiding** occasion, reason, cause: *er bestaat geen* ~ *om* (of: *tot*) there is no reason to (of: for); *iem.* (geen) ~ *geven* give s.o. (no) cause; ~ *zijn tot (geven)* give rise to; *naar* ~ *van* as a result of

aanlengen dilute

aanleren 1 learn, acquire: *slechte manieren* ~ acquire bad manners **2** [onderwijzen] teach: *een hond kunstjes* ~ teach a dog tricks

aanleunen lean (against/towards): [bijvoorbeeld van stijl] ~ *tegen* bear (close) resemblance to || [Belg] ~ *bij* seek support (of: protection) from; *zich iets laten* ~ take (of: put up with, swallow) sth.

de **aanleunwoning** granny house, sheltered accommodation

aanlijnen leash: *aangelijnd houden* keep on the leash (of: lead)

aanlokkelijk tempting, alluring, attractive

de **aanloop 1** run-up: *een* ~ *nemen* take a run-up; *een sprong met* (of: *zonder*) ~ a running (of: standing) jump; *in de* ~ *naar de verkiezingen* in the build-up to the elections **2** visitors, callers; [klanten] customers: *zij hebben altijd veel* ~ they always have lots of visitors

de **aanloopkosten** initial costs (of: expenses)

aanlopen 1 walk (towards), come (towards); [bezoeken] drop in, drop by: *tegen iets* ~ **a)** walk into sth.; **b)** [fig] chance (of: stumble) on sth. **2** [in zijn loop gehinderd worden] [rem] rub; drag **3** [een kleur krijgen] turn … (in the face): *rood* ~ turn red in the face

de **aanmaak** manufacture, production

aanmaken 1 [bereiden] mix [verf, deeg]; prepare [groenten]: *sla* ~ dress a salad **2** light: *een vuur* (of: *de kachel*) ~ light a fire (of: the stove)

aanmanen 1 urge: *tot voorzichtigheid* ~ urge caution **2** [sommeren] order: *iem. tot*

betaling ~ demand payment from s.o.

de **aanmaning 1** reminder: *een vriendelijke* ~ a gentle reminder **2** request for payment, notice to pay: ~ *tot betaling* **a)** [eerste] reminder; **b)** [laatste] final notice

zich **aanmatigen**: *zich een oordeel* ~ take it upon o.s. to pass judgement

aanmatigend presumptuous, arrogant, high-handed: *op* ~*e toon spreken* speak arrogantly (of: in a high-handed manner)

aanmelden 1 announce, report **2** [opgeven] present, enter forward (s.o.'s name), put forward (s.o.'s name)

de **aanmelding** entry; [baan] application; [toetreding] enlistment; enrolment: *de* ~ *is gesloten* applications will no longer be accepted

aanmeren moor, tie up

aanmerkelijk considerable; [merkbaar] appreciable; marked, noticeable: *een* ~ *verschil met vroeger* a considerable change from the past; *het gaat* ~ *beter* things have improved noticeably

aanmerken comment, criticize: *op zijn gedrag valt niets aan te merken* his conduct is beyond reproach

de **aanmerking** comment, criticism, remark: ~*en maken (hebben) op* find fault with, criticize || *in* ~ *nemen* consider; *in* ~ *komen voor* qualify for [bijv. van kosten, voor vergoeding]

aanmeten: *zich een nieuw kapsel laten* ~ change one's hairdo; [fig] *zich een beleefde houding* ~ assume a polite attitude, strike a polite pose

aanmodderen muddle on: *maar wat* ~ mess around

aanmoedigen encourage; [voornamelijk sport] cheer on: *iem. tot iets* ~ encourage s.o. to do sth.

de **aanmoediging** encouragement; [voornamelijk sport] cheers: *onder* ~ *van het publiek* while the spectators cheered him (of: her, them) on; *hij had weinig* ~ *nodig* he needed little encouragement

aanmonsteren sign on

aannaaien sew on || *ik laat mij niets* ~ I wasn't born yesterday

aannemelijk 1 plausible: *een* ~*e verklaring geven voor iets* give a plausible explanation for sth. **2** [aanvaardbaar] acceptable, reasonable: *tegen elk* ~ *bod* any reasonable offer accepted; *iets* ~ *maken* make a reasonable case for sth.

aannemen 1 take, accept; [telec] pick up; [telec] answer: *kan ik een boodschap* ~? can I take a message? **2** [accepteren] accept, take (on); [wet] pass; carry: *een aanbod met beide handen* ~ jump at an offer; *een opdracht* (of: *voorstel*) ~ accept a commission (of: proposal); *met algemene stemmen* ~ carry unanimously; *de uitdaging* ~ accept (*of:* take on) the challenge **3** [geloven] accept, believe: *iets voor waar* ~ accept (*of:* believe) sth.; *stilzwijgend* ~ tacitly accept; *u kunt het van mij* ~ you can take it from me **4** assume, suppose: *algemeen werd aangenomen dat …* it was generally assumed that …; *als vaststaand (vanzelfsprekend)* ~ take for granted **5** [via een contract] undertake, contract for **6** [in dienst nemen] engage, take on: *iem. op proef* ~ appoint s.o. for a trial period ‖ *vaste vorm* ~ take (definite) shape, crystallize

de **aannemer** (building) contractor, builder

de **aanpak** approach: *de* ~ *van dit probleem* the way to deal with (*of:* tackle) this problem; *een zakelijke* ~ a pragmatic approach

aanpakken 1 take, take, catch, get hold of **2** [behandelen] go (*of:* set) about (it); deal with [probleem]; handle [probleem]; tackle [probleem]; seize [gelegenheid]; take [gelegenheid]: *een probleem* ~ tackle a problem; *hoe zullen we dat* ~? how shall we set about it?; *een zaak goed* (of: *verkeerd*) ~ go the right (*of:* wrong) way about a matter; *hij weet van* ~ he's a tremendous worker **3** [(persoon) onder handen nemen] deal with; [aanvallen] attack; [jur] proceed against: *iem. flink* ~ take a firm line with s.o., be tough on s.o.

aanpappen chum (*of:* pal) up (with)

¹**aanpassen** (ov ww) **1** try on, fit on: *een nieuwe jas* ~ try on a new coat **2** [passend maken] adapt (to), adjust (to), fit (to): *de lonen zullen opnieuw aangepast worden* wages will be readjusted

zich ²**aanpassen** (wdk ww) [zich schikken] adapt o.s. (to)

de **aanpassing** adaptation (to), adjustment (to)

het **aanpassingsvermogen** [vermogen om zich te schikken] adaptability (to); [ogen] accommodation: *gebrek aan* ~ lack of flexibility

het **aanplakbiljet** poster, bill

het **aanplakbord** notice board; [reclame] boarding; [Am] billboard

aanplakken affix, paste (up); post (up) [aanplakbiljet]: *verboden aan te plakken* no billposting

de **aanplant** plantings, plants: *nieuwe* (of: *jonge*) ~ new (*of:* young) plantings

aanplanten plant (out), cultivate, grow; afforest [bos]

aanpoten hurry (up), slog away

aanpraten palm off on, talk into: *iem. iets* ~ talk s.o. into (doing) sth., palm sth. off on s.o.

aanprijzen recommend, praise

het **aanraakscherm** [comp] touchscreen

aanraden advise; recommend [product]; suggest [plan]: *iem. dringend* ~ *iets te doen* advise s.o. urgently to do sth.; *dat is niet aan*

te raden that is not advisable, to be recommended

aanraken touch: *verboden aan te raken* (please) do not touch; *met geen vinger* ~ not lay a finger on

de **aanraking** touch ‖ *hij is nog nooit met de politie in* ~ *geweest* he has never been in trouble with the police (*of:* the law)

aanranden assault

de **aanrander** assailant

de **aanranding** (criminal, indecent) assault

het/de **aanrecht** kitchen (sink) unit

het **aanrechtblad** worktop, working top

aanreiken [alg] pass, hand; [inf] reach: *informatie* ~ supply information; *iem. oplossingen* ~ steer (*of:* direct) s.o. towards a solution strategy

aanrekenen blame (for)

aanrichten cause, bring about: *een bloedbad* ~ *(onder)* bring about a massacre (among); *grote verwoestingen* ~ *(bij)* create (*of:* wreak) havoc (on)

aanrijden collide (with), crash (into), run into: *hij heeft een hond aangereden* he hit a dog; *tegen een muur* ~ run (*of:* crash) into a wall

de **aanrijding** collision, crash: *een* ~ *hebben* be involved in a collision (*of:* crash)

aanroepen call on/upon; [in gebed ook] invoke

aanroeren 1 touch: *het eten was nauwelijks aangeroerd* the food had hardly been touched **2** [behandelen] touch upon

aanrommelen mess around

aanrukken: [scherts] *nog een fles laten* ~ have another bottle (up); *versterkingen laten* ~ move up (*of:* call in) reinforcements

de **aanschaf** purchase, buy, acquisition

aanschaffen purchase, acquire

aanscherpen 1 sharpen **2** [fig] accentuate, highlight

aanschieten 1 hit: *een aangeschoten hert* a wounded deer **2** [aanspreken] buttonhole, accost: *een voorbijganger* ~ buttonhole a passer-by

aanschouwelijk clear: *iets* ~ *maken* [met voorbeelden] illustrate sth.; [met proeven] demonstrate sth.

aanschouwen behold, see: *het levenslicht* ~ (first) see the light; *met eigen ogen* ~ behold (*of:* see) with one's own eyes

aanschuiven draw up, pull up: ~ *bij een overleg* join (in on) the meeting

¹**aanslaan** (onov ww) **1** [m.b.t. een motor] start **2** [m.b.t. verkoop, ideeën] catch on, be successful: *dat plan is bij hen goed aangeslagen* that plan has caught on (well) with them

²**aanslaan** (ov ww) **1** touch, strike, hit: *een toets* ~ strike a key; *een snaar* ~ touch a string **2** [van waarde] estimate; assess [onroerend goed e.d.]; tax [belasting e.d.]: *iem. hoog* ~

[waarderen] think highly of s.o.

de **aanslag 1** [muz] touch: *een lichte* (of: *zware*) *~* a light (of: heavy) touch **2** [m.b.t. een vuurwapen] ready: *met het geweer in de ~* with one's rifle at the ready **3** [aanval] attempt, attack, assault: *een ~ op iemands leven plegen* make an attempt on s.o.'s life **4** [aangekoekte laag] deposit; moisture [op ruit]: *een vieze ~ op het plafond* a filthy (smoke) deposit on the ceiling **5** [m.b.t. belasting] assessment: *een ~ van €1000,- ontvangen* get assessed €1000.00 || [fig] *een ~ doen op iemands portemonnee* make inroads upon s.o.'s budget, hurt s.o.'s pocketbook

het **aanslagbiljet** assessment (notice) [onroerendgoedbelasting]; (income) tax return (of: form) [inkomstenbelasting]

aanslibben form a deposit: *aangeslibd land* alluvium, alluvial land

aansluipen: *komen ~* come sneaking along/up

¹**aansluiten** (ov ww) [verbinden] connect, join, link: *een nieuwe abonnee ~* connect a new subscriber [telefoon] || *wilt u daar ~?* will you queue up there, please?

zich ²**aansluiten** (wdk ww) join (in), become a member of: *zich bij de vorige spreker ~* agree with the preceding speaker; *zich bij een partij ~* join a party; *daar sluit ik me graag bij aan* I would like to second that

de **aansluiting 1** joining, association (with): *~ vinden bij iem. (iets)* join in with s.o. (sth.); [fig] *~ zoeken bij* seek contact with **2** [verk] connection: *de ~ missen* miss the connection **3** connection: *~ op het gasnet* connection to the gas mains

aansmeren palm off (on): *iem. een veel te dure auto ~* cajole s.o. into buying far too expensive a car

aansnijden 1 cut (into) **2** [fig] broach, bring up

aanspannen institute: *een proces (tegen iem.) ~* institute (legal) proceedings (against s.o.)

aanspelen [sport] pass, feed, play to

aanspoelen wash ashore, be washed ashore: *er is een fles met een briefje erin aangespoeld* a bottle containing a letter has been washed ashore

aansporen urge (on); spur (on) [dieren]: *iem. ~ tot grotere inspanning* incite s.o. to greater efforts

de **aansporing** incentive: *die beloning was een echte ~ voor hem* that reward was a real incentive to him

de **aanspraak 1** claim: *geen ~ kunnen gelden (op iets)* not be able to lay any claim (to sth.); *~ maken op iets* lay claim to sth. **2** contacts: *weinig ~ hebben* have few contacts

aansprakelijk responsible (for); [jur] liable

(for): *zich voor iets ~ stellen* take responsibility for sth.; *iem. ~ stellen voor iets* hold s.o. responsible for sth.

de **aansprakelijkheid** liability (for), responsibility: *wettelijke ~*, [Belg] *burgerlijke aansprakelijkheid* (legal) liability, liability in law; *~ tegenover derden* third-party liability

de **aansprakelijkheidsverzekering** liability insurance, third party insurance

aanspreekbaar approachable; [inf] get-at-able

aanspreken 1 draw on, break into: *zijn kapitaal ~* break into one's capital **2** [toespreken] speak to, talk to, address: *iem. (op straat) ~* approach s.o. (in the street); *ik voel mij niet aangesproken* it doesn't concern me; *iem. met mevrouw* (of: *meneer*) *~* address s.o. as madam (of: sir); *iem. over zijn gedrag ~* talk to s.o. about his conduct **3** [in de smaak vallen] appeal to: *het boek sprak me niet erg aan* the book had little appeal for me

aanstaan 1 please: *zijn gezicht staat mij niet aan* I do not like the look of him **2** [motor e.d.] be running; be (turned) on [radio enz.]

de ¹**aanstaande** (zn) fiancé; [vrouwelijk] fiancée

²**aanstaande** (bn) **1** next [in de volgende week]; this [deze week]: *~ vrijdag* this Friday **2** [toekomstig] (forth)coming; [komend] approaching: *een ~ moeder* an expectant mother, a mother-to-be

de **aanstalten**: *~ maken om te vertrekken* get ready to leave; *geen ~ maken (om)* show no sign (of: intention) (of)

aanstampen tamp (down)

aanstaren stare at, gaze at: *iem. met open mond ~* stare open-mouthed at s.o., gape at s.o.; *iem. vol bewondering ~* gaze at s.o. admiringly

aanstekelijk infectious, contagious, catching

aansteken 1 light; [vuur ook] kindle; [elektriciteit] turn on, switch on: *die brand is aangestoken* that fire was started deliberately; *een kaars ~* light a candle **2** [besmetten] infect, contaminate: [fig] *ze steken elkaar aan* they are a bad (of: good) influence on one another

de **aansteker** (cigarette) lighter

¹**aanstellen** (ov ww) appoint: *iem. vast ~* appoint s.o. permanently

zich ²**aanstellen** (wdk ww) show off, put on airs, act: *zich belachelijk ~* make a fool of o.s.; *stel je niet aan!* be your age!, stop behaving like a child!

de **aansteller** poseur; [m.b.t. kinderachtig gedrag] baby

aanstellerig affected, theatrical

de **aanstellerij** affectation, pose, showing off || *is het nu uit met die ~?* are you quite finished?

de **aanstelling** appointment: *een vaste* (of: *tijdelijke*) *~ hebben* have a permanent (*of:* temporary) appointment

aansterken get stronger, recuperate, regain one's strength

aanstichten instigate

de **aanstichter** instigator, originator: *de ~ van alle kwaad* the source of all evil

aanstippen 1 [terloops vermelden] mention briefly, touch on **2** [med] dab

aanstoken stir up, incite

aanstonds: *zo ~* presently, in a little while

de **aanstoot** offence: *~ geven* give offence; *~ nemen aan* take offence at

aanstootgevend offensive, objectionable; [sterker] scandalous; [sterker] shocking: *~e passages in een boek* offensive passages in a book

¹**aanstoten** (onov ww) [botsen] knock (against), bump (into): *hij stootte tegen de tafel aan* he bumped into the table

²**aanstoten** (ov ww) nudge: *zijn buurman ~* nudge one's neighbour

aanstrepen mark, check (off), tick (off): *een plaats in een boek ~ mark* a place in a book

aansturen (+ op) [trachten te bereiken, verkrijgen] aim for, aim at, steer towards; [bedoelen] drive at: *ik zou niet weten waar hij op aanstuurt* I don't know what he is driving at

het **aantal** number: *een ~ jaren lang* for a number of years; *een ~ gasten kwam te laat* a number of guests were late; *een flink ~ boeken* quite a few books; *het totale ~ werkende kinderen* the total number of working children

aantasten 1 affect [negatief, schadelijk]; harm, attack: *dit zuur tast metalen aan* this acid corrodes metals; *die roddels tasten onze goede naam aan* those rumours damage (*of:* harm) our reputation **2** [aanvallen] attack: *door een ziekte aangetast worden* be stricken with a disease

aantekenen 1 take (*of:* make) a note of, note down, write down, record; [bijv. in register] register: *brieven laten ~ have* letters registered **2** [vermelden] comment, note, remark: *daarbij tekende hij aan, dat ... he* further observed that ... || *hoger beroep ~* enter (*of:* lodge) an appeal

de **aantekening** note: *~en maken* take notes

de **aantijging** allegation, imputation, accusation: [Belg] *lasterlijke ~* false allegation

de **aantocht**: *in ~ zijn* be on the way

aantonen demonstrate, prove, show: *er werd ruimschoots aangetoond dat ... ample* evidence was given to show that ...

aantoonbaar demonstrable: *dat is ~ onjuist* that is patently incorrect

aantreden: *de manschappen laten ~* fall the

men in; *sinds het ~ van het kabinet* since the government took office

aantreffen 1 [m.b.t. personen] meet, encounter, find: *iem. in bed ~* find s.o. in bed; *iem. niet thuis ~* find s.o. out **2** [m.b.t. zaken] find, come across

aantrekkelijk attractive; inviting [bijv. aanbod]: *ik vind ze erg ~* I find them very attractive

¹**aantrekken** (ov ww) **1** attract, draw: *de aarde wordt door de zon aangetrokken* the earth gravitates towards the sun **2** [vaster trekken] tighten: *een knoop ~* tighten a knot **3** [aantrekkelijk zijn] draw, attract: *zich aangetrokken voelen door* (of: *tot*) *iem. (iets)* feel attracted to s.o. (sth.); *dat trekt mij wel aan* that appeals to me **4** [bij zich verzamelen, werven] attract; draw [een menigte]: *nieuwe medewerkers ~* take on (*of:* recruit) new staff **5** [aandoen] put on: *andere kleren ~* change one's clothes; *ik heb niets om aan te trekken* I have nothing to wear

zich ²**aantrekken** (wdk ww) be concerned about, take seriously: *zich iemands lot ~* be concerned about s.o.('s fate); *trek het je niet aan* don't let that worry you; *zich alles persoonlijk ~* take everything personally

de **aantrekking 1** [nat] attraction; [m.b.t. planeet] gravitation **2** [fig] attraction, appeal

de **aantrekkingskracht 1** attraction, appeal: *een grote ~ bezitten voor iem.* hold (a) great attraction for s.o.; *~ uitoefenen op iem.* attract s.o. **2** (force of) attraction; gravitational force [m.b.t. planeet]

aanvaardbaar acceptable: *~ voor* acceptable to

aanvaarden 1 accept, agree to; take [tegenslag]: *ik aanvaard uw aanbod* I accept your offer; *de consequenties ~* take (*of:* accept) the consequences; *een voorstel ~* accept a proposal **2** [op zich nemen] accept, assume: *de verantwoordelijkheid ~* assume the responsibility

de **aanval 1** attack, assault, offensive: *een ~ ondernemen* (of: *afslaan*) launch (*of:* beat off) an attack; *tot de ~ overgaan* take the offensive; *in de ~ gaan* go on the offensive; *de ~ is de beste verdediging* attack is the best form of defence **2** [med] attack, fit: *een ~ van koorts* an attack of fever; *een ~ van woede* an attack of anger

aanvallen attack, assail, assault: *de vijand in de rug ~* attack (*of:* take) the enemy from the rear

aanvallend offensive, aggressive

de **aanvaller 1** assailant, attacker **2** [sport] attacker; [voetb] forward; striker

de **aanvang** beginning; [form] commencement: *bij ~* at the start, at the onset; *een ~ nemen* commence, open

aanvangen begin, start, commence

aanvankelijk initially, at first, in (*of:* at) the beginning

aanvaren run into, collide with: *een ander schip* ~ collide with another ship

de **aanvaring** collision, crash: *in* ~ *komen met* collide with

aanvechtbaar contestable, disputable: *een* ~ *standpunt* a debatable point of view

aanvechten [betwisten] dispute: *een beslissing* ~ challenge a decision

de **aanvechting** [fig] temptation, impulse: *een* ~ *van (de) slaap* an attack of sleepiness

aanvegen sweep, sweep out

aanverwant related, allied: *de geneeskunde en* ~*e vakken* medicine and related professions

aanvinken check (*of:* tick) off

¹**aanvliegen** (onov ww) fly (towards): *tegen iets* ~ fly (towards) against sth.; [auto ook] crash into sth.

²**aanvliegen** (ov ww) fly at, attack: *de hond vloog de postbode aan* the dog flew at the postman

de **aanvliegroute** approach route

aanvoegend: [taalk] *de* ~*e wijs* the subjunctive mood

aanvoelen feel, sense: *iem.* ~ understand s.o.; [sterker] empathize with s.o.; *een stemming* ~ sense an atmosphere; *elkaar goed* ~ speak the same language || *het voelt koud aan* it feels cold

de **aanvoer** supply, delivery: *de* ~ *van levensmiddelen* food supplies

de **aanvoerder** leader, captain

de **aanvoerdersband** captain's arm band

aanvoeren 1 lead, command, captain: *een leger* ~ command an army **2** [brengen] supply; import [uit buitenland]: *hulpgoederen werden per vliegtuig aangevoerd* relief supplies were flown in **3** [als bewijs] bring forward, advance; produce [reden]; argue: *iets als verontschuldiging* ~ put forward sth. in one's defence, by way of an excuse

de **aanvoering** command, leadership, captaincy: *onder* ~ *van* under the command (*of:* leadership) of

de **aanvraag 1** application, request; inquiry [om inlichtingen]: *een* ~ *indienen* submit an application; *op* ~ *te vertonen* to be shown on demand; ~ *voor een uitkering* application for social welfare payment **2** [bestelling] request, demand, order: *wij konden niet aan alle aanvragen voldoen* we couldn't meet the demand; *op* ~ *verkrijgbaar* available on request

aanvragen 1 apply for, request: *ontslag* ~ apply for permission to make redundant; *een vergunning* ~ apply for a licence **2** [verzoeken] request, order: *vraag een gratis folder aan* send for free brochure; *informatie* ~ *over treinen in Engeland* inquire about trains in England

de **aanvrager** applicant

aanvreten eat away (at), eat into: *door roest aangevreten* corroded by rust; *door gifgas aangevreten longen* lungs attacked by toxic gas

aanvullen complete, finish, fill (up): *de voorraad* ~ replenish stocks; *zij vullen elkaar goed aan* they complement each other well

aanvullend supplementary, additional: *een* ~*e cursus* a follow-up course; *een* ~ *pensioen* a supplementary pension

de **aanvulling** supplement, addition

aanvuren fire; [m.b.t. personen] rouse; incite: *de troepen* ~ rouse the troops

aanwaaien come naturally to: *alles waait hem zomaar aan* everything just falls into his lap

aanwakkeren 1 stir up: *het vuur* ~ fan the fire **2** stimulate, stir up: *de kooplust* ~ stimulate buying

de **aanwas** growth, accretion

aanwenden apply, use: *zijn gezag* ~ use one's authority; *zijn invloed* ~ exert one's influence

zich **aanwennen** get into the habit of: *zich slechte gewoonten* ~ fall into (*of:* acquire) bad habits

aanwerven [Belg] recruit

aanwezig present: *Trudie is vandaag niet* ~ Trudie is not in (*of:* here) today; ~ *zijn bij* be present at; *niet* ~ absent

de **aanwezige** person present: *alle* ~*n keurden het plan goed* all (those) present approved the plan; *onder de* ~*n bevonden zich* … those present included, among those present were …

de **aanwezigheid** presence; [vergadering, school ook] attendance: *uw* ~ *is niet noodzakelijk* your presence is not necessary (*of:* required); *in* ~ *van* in the presence of

aanwijsbaar demonstrable, provable, apparent

de **aanwijsstok** pointer

aanwijzen 1 point to, point out, indicate, show: *de dader* ~ point out (*of:* to) the culprit; *een fout* ~ point out a mistake; *gasten hun plaats* ~ show guests to their seats **2** [toewijzen] designate, assign, allocate: *een acteur* ~ *voor een rol* cast an actor for a part; *een erfgenaam* ~ designate an heir **3** [aangeven] indicate, point to, show: *de klok wijst de tijd aan* the clock shows the time

aanwijzend: [taalk] ~ *voornaamwoord* demonstrative pronoun

de **aanwijzing 1** indication, sign, clue: *er bestaat geen enkele* ~ *dat* … there is no indication whatever that … **2** [inlichting] instruction, direction: *hij gaf nauwkeurige* ~*en* he gave precise instructions; *de* ~*en opvolgen* follow the directions; ~*en voor het gebruik* directions for use de **aanwinst 1** acquisition, addition: *een mooie ~ voor het museum* a beautiful acquisition for the museum **2** [verbetering] gain, improvement, asset: *de computer is een ~ voor ieder bedrijf* the computer is an asset in every business

¹**aanwrijven** (onov ww) [wrijven tegen] rub against; [licht, zachtjes] graze against (*of:* past)

²**aanwrijven** (ov ww) [ten laste leggen] impute, blame: *iem. iets ~* impute sth. to s.o.

aanzeggen give notice, notify, announce: [fig] *iem. de wacht ~* issue a (serious) warning to s.o., give s.o. a talking to

de **aanzet** start, initiative: *de (eerste) ~ geven tot iets* initiate sth., give the initial impetus to sth.

aanzetten 1 put on, sew on, stitch on **2** [in werking stellen] start up, turn on: *de radio ~* turn on the radio **3** [aansporen] spur on, urge, incite, instigate: *iem. tot diefstal ~* incite s.o. to steal || *ergens laat komen ~* turn up late somewhere; *met iets komen ~* turn up with sth.; [idee] come up with sth.

het **aanzicht** aspect, look, view: *nu krijgt de zaak een ander ~* that puts a different light on the matter

het ¹**aanzien** (zn) **1** looking (at), watching: *dat is het ~ waard* that is worth watching (*of:* looking at); *ten ~ van* with regard (*of:* respect) to **2** [aanblik] look, aspect, appearance: *iets een ander ~ geven* put a different complexion on sth. **3** [achting] standing, regard: *een man van ~* a man of distinction; *hij is sterk in ~ gestegen* his prestige has risen sharply

²**aanzien** (ov ww) **1** look at, watch, see: *die film is niet om aan te zien* it's an awful film; *ik kon het niet langer ~* I couldn't bear to watch it any longer; *ik wil het nog even ~* I want to wait a bit, I want to await further developments **2** [beschouwen] consider, regard: *waar zie je mij voor aan?* what do you take me for?; *iem. voor een ander ~* (mis)take s.o. for s.o. else || *ik zie haar er best voor aan* I think she's quite capable of it

aanzienlijk considerable, substantial: *~e schade* serious damage; *een ~e verbetering* a substantial improvement

het **aanzoek** proposal: *de knappe prins deed het meisje een ~* the handsome prince proposed to the girl

aanzuigen [door zuigen ergens heen brengen] suck in || [van wetten e.d.] *een ~de werking hebben* draw in more and more people

aanzuiveren [bijpassen] pay off (*of:* up), settle: *een tekort ~* make up (*of:* good) a deficit

aanzwellen swell (up, out), rise

de **aap** monkey; [mensaap] ape || *~jes kijken* gawk at people

de **aar** ear

de **aard 1** [m.b.t. personen] nature, disposition, character: *zijn ware ~ tonen* show one's true character **2** [m.b.t. dingen] nature, sort, kind: *iets van dien ~* sth. of the sort, that sort, that nature; *schilderijen van allerlei ~* various kinds (*of:* all kinds) of paintings

de **aardappel** potato: *gekookte* (of: *gebakken*) *~s* boiled (*of:* fried) potatoes

het **aardappelmeel** potato flour

het **aardappelmesje** potato peeler

de **aardappelpuree** mashed potato(es)

de **aardas** axis of the earth

de **aardbei** strawberry

de **aardbeving** earthquake

de **aardbodem** surface (*of:* face) of the earth: *honderden huizen werden van de ~ weggevaagd* hundreds of houses were wiped off the face of the earth; [fig] *van de ~ verdwijnen* disappear off the face of the earth

de **aardbol** earth, world, globe

de **aarde 1** earth, world: *in een baan om de ~ in* orbit round the earth; *op ~* on earth, under the sun **2** [bodem] ground; earth [ook elektriciteit] **3** [grond] earth, soil: *dat zal bij haar niet in goede ~ vallen* she is not going to like that; *het plan viel in goede ~* the plan was well received; *ter ~ bestellen* commit to the earth, inhume, inter

het ¹**aardedonker** pitch-darkness: *in het ~* in pitch-darkness

²**aardedonker** (bn) pitch-dark

¹**aarden** (bn) earthen, clay

²**aarden** (onov ww) [groeien, wennen] thrive: *zij kan hier niet ~* she can't settle in here, she can't find her niche; *ik aard hier best* I fit in here, I feel at home here; *dit diertje aardt hier goed* this animal thrives here

³**aarden** (ov ww) [techn] earth

het ¹**aardewerk** (zn) earthenware, pottery

²**aardewerk** (bn): *een ~ schotel* an earthenware dish

het **aardgas** natural gas

¹**aardig** (bn) **1** nice, friendly; [iron] *wat doe je ~!* how charming you are!; *dat is ~ van je!* how nice of you! **2** [aantrekkelijk] nice, pretty: *het is een ~e meid* she's a nice girl; *een ~ tuintje* a nice (*of:* pretty) garden **3** [vrij groot] fair, nice: *een ~ inkomen* a nice income

²**aardig** (bw) [behoorlijk] nicely, pretty, fairly: *dat komt ~ in de richting* that's more like it, *~ wat mensen* quite a few people; *hij is ~ op weg om ... te worden* he is well on his way to becoming ...

de **aardigheid** small present: *ik heb een ~je meegebracht* I have brought a little sth.

de **aardkorst** earth's crust

de **aardlekschakelaar** earth leakage circuit breaker

de **aardolie** petroleum

de **aardrijkskunde** geography
aardrijkskundig geographic(al)
aards earthly, worldly: *~e machten* earthly powers; *een ~ paradijs* paradise on earth; *~e genoegens* worldly pleasures
de **aardschok** earthquake; [fig] upheaval, shock
de **aardverschuiving** landslide [ook m.b.t. verkiezingen]; [fig] upheaval
de **aardworm** (earth)worm
de **aars** arse
het **aartsbisdom** archbishopric
de **aartsbisschop** archbishop
de **aartsengel** archangel
de **aartshertog** archduke
de **aartsvader** patriarch
de **aartsvijand** arch-enemy
aarzelen hesitate: *~ iets te doen* hesitate about doing sth.; *ik aarzel nog* I am still in doubt
de **aarzeling** hesitancy [vnl. weifelachtigheid]; hesitation [vnl. weifeling]; [geaarzel] shilly-shallying; [twijfel] doubt: *na enige ~* after some hesitation
het **¹aas** (zn) bait: *levend ~* live bait; *van ~ voorzien* bait (the hook, trap)
het/de **²aas** (zn) [kaartsp] ace: *de ~ van harten, ruiten* the ace of hearts, diamonds
de **aasgier** vulture
het **abattoir** abattoir, slaughterhouse
het **abc** ABC
het **abces** abscess
de **abdij** abbey
abject despicable, abject
het **ABN** afk van *Algemeen Beschaafd Nederlands* (received) standard Dutch
abnormaal abnormal; [m.b.t. gedrag] deviant; aberrant; [m.b.t. vorm] deformed: *een ~ groot hoofd* an abnormally large head
de **abonnee** subscriber (to)
het **abonneenummer** subscriber('s) number
de **abonneetelevisie** pay television (*of:* cable), subscription television
het **abonnement 1** subscription (to) [krant]; taking (*of:* buying) a season ticket [trein, concertzaal]: *een ~ nemen op ...* [krant enz.] subscribe to ...; *een ~ opzeggen* (*of:* vernieuwen) [krant enz.] cancel (*of:* renew) a subscription **2** [kaart] season ticket
zich **abonneren** subscribe (to), take out a subscription (to)
de **Aboriginal** Aboriginal
aborteren abort (a pregnancy), perform an abortion (on): *zij liet zich ~* she had an abortion
de **abortus** abortion; [miskraam ook] miscarriage
het **abracadabra** abracadabra: [fig] *dat is ~ voor hem* that is all mumbo-jumbo (*of:* Chinese, double Dutch) to him
Abraham Abraham ‖ *hij heeft ~ gezien* he

won't see fifty again; *hij weet waar ~ de mosterd haalt* he has been around
de **abri** bus shelter
de **abrikoos** apricot
abrupt abrupt, sudden: *~ halt houden* stop abruptly (*of:* suddenly)
abseilen abseil
absent absent
de **absentie** absence
de **absolutie** [r-k] absolution: *~ geven* [ook] absolve
absoluut absolute, perfect: *~ gehoor* perfect pitch; *dat is ~ onmogelijk* that's absolutely impossible; *~ niet* definitely (*of:* absolutely) not; *ik heb ~ geen tijd* I simply have no time; *weet je het zeker? ~!* are you sure? absolutely!; *op het absolute hoogtepunt van haar carrière* at the absolute peak (*of:* very height) of her career
absorberen absorb: *~d middel* absorbent, absorbing agent
de **absorptie** absorption
abstract abstract: *~e denkbeelden* abstract (*of:* theoretical) ideas; *~ schilderen* paint abstractly
de **abstractie** abstraction: *onder ~ van* abstracting (from)
abstraheren abstract (from)
absurd absurd, ridiculous, ludicrous: *~ toneel* theatre of the absurd
de **absurditeit** absurdity; [ongerijmdheid] incongruity
de **abt** abbot
het **¹abuis** (zn) mistake: *per (bij) ~* by mistake
²abuis (bn) mistaken: *u bent ~* you are mistaken
abusievelijk mistakenly, erroneously
de **acacia** locust (tree), (false) acacia
de **academicus** university (*of:* college) graduate; [werkzaam aan universiteit] academic
de **academie** university, college: *pedagogische ~* college of education; *sociale ~* college of social studies
academisch academic, university: *een ~e graad* a university degree; *~ ziekenhuis* university (*of:* teaching) hospital; *~ kwartiertje* ± break between lectures; *een ~e vraag* an academic question
de **acceleratie** acceleration
accelereren accelerate
het **accent** accent; stress [ook fig]: *een sterk* (*of:* licht) *noordelijk ~* a strong (*of:* slight) northern accent; *het ~ hebben op de eerste lettergreep* have the accent on the first syllable; *het ~ leggen op* stress
accentueren stress, emphasize, accentuate
acceptabel acceptable
accepteren accept, take: *een wissel ~* accept a bill (of exchange); *zijn gedrag kan ik niet ~* I can't accept (*of:* condone) his behaviour

de **acceptgiro** giro form (of: slip), payment slip

het **accessoire** accessory

de **accijns** excise (duty, tax): *accijnzen heffen (op)* charge excise (on)

de **acclamatie**: *bij ~ aannemen* carry (of: pass) by acclamation; *bij ~ verkiezen* elect by acclamation

acclimatiseren acclimatize, become acclimatized

de **accolade** brace, bracket

de **accommodatie** accommodation; [voorzieningen] facilities: *er is ~ voor tien passagiers* there are facilities for ten passengers

het/de **accordeon** accordion

de **account 1** account: [comp] *een ~ aanmaken* make a new account **2** [klantcontact] client meeting, client contact: *een ~ beheren* manage an account

de **accountant** accountant; [controleur] auditor

de **accountmanager** account manager

accrediteren acknowledge, recognize

de **accu** battery: *de ~ is leeg* the battery is dead; *de ~ opladen* charge (up) the battery; [fig] recharge one's batteries

accuraat accurate, precise, meticulous: *~ werken* work accurately

de **accuratesse** accuracy, precision, meticulousness

de **ace** [tennis] ace

het/de **aceton** acetone

ach oh, ah: *~ wat, ik doe het gewoon!* oh who cares, I'll just do it!; *~, je kunt niet alles hebben!* oh well, you can't have everything!

de **achilleshiel** [fig] weakness, flaw, failing; [m.b.t. persoon] Achilles heel; [m.b.t. plan ook] (soft) underbelly

de **achillespees** Achilles tendon

de **¹acht** (zn) attention, consideration: *~ slaan op* **a)** [aandacht] pay attention to; **b)** [zorg] take notice of; *de regels in ~ nemen* comply with (of: observe) the rules; *voorzichtigheid in ~ nemen* take due care

²acht (hoofdtelw) eight: *nog ~ dagen* another eight days, eight more days; *iets in ~en breken* break sth. into eight pieces; *zij kwamen met hun ~en* eight of them came; *zij zijn met hun ~en* there are eight of them

de **achtbaan** roller coaster: [fig] *een emotionele ~* an emotional roller coaster

achteloos [gedachteloos] careless; negligent, casual; [onbedachtzaam] inconsiderate

achten 1 esteem, respect **2** [menen] consider, think

¹achter (bw) **1** behind, at the rear (of: back): *~ in de tuin* at the bottom of the garden **2** [m.b.t. tijd] slow, behind(hand): *jouw horloge loopt ~* your watch is slow || *ik ben ~ met mijn werk* I am behind(hand) with my work; [sport] *~ staan* be behind (of: trailing);

[sport] *vier punten ~ staan* be four points down

²achter (vz) **1** behind, at the back (of: rear) of: *~ het huis* behind (of: at the back of) the house; *~ haar ouders' rug om* behind her parents' back; *zet een kruisje ~ je naam* put a tick against your name; *~ zijn computer* at his computer; *~ de tralies* behind bars; *pas op, ~ je!* mind your back **2** [m.b.t. tijd] after: *~ elkaar* one after the other, in succession, in a row || *~ iets komen* find out about sth.; [m.b.t. een raadsel] get to the bottom of sth.; *~ iem. staan* stand behind s.o.; *~ iets staan* approve of sth., back sth.; *er zit (steekt) meer ~* there is more to it

achteraan at the back, at (of: in) the rear: *wij wandelden ~* we were walking at the back; *~ in de zaal* at the back of the hall

achteraangaan go after: *ik zou er maar eens ~* you'd better look into that, I'd do sth. about it if I were you

achteraankomen come last: *wij komen wel achteraan* we'll follow on after

achteraanlopen walk on behind

achteraf 1 at the back, in (of: at) the rear; [afgelegen] out of the way: *~ wonen* live out in the sticks, live in the middle of nowhere **2** [later] afterwards, later (on), now, as it is: *~ bekeken zou ik zeggen dat ...* looking back I would say that ...; *~ is het makkelijk praten* it is easy to be wise after the event; *~ ben ik blij dat ...* now I'm glad that ...

de **achterbak** boot

achterbaks underhand, sneaky

de **achterban** supporters, backing; [m.b.t. politieke partij] grassroots (support)

de **achterband** back (of: rear) tyre

de **achterbank** back seat

achterblijven 1 stay behind, remain (behind) **2** [achtergelaten worden] be (of: get) left (behind) **3** [blijven leven] be left: *zij bleef achter met drie kinderen* she was left with three children || *toen iedereen trakteerde, wou hij niet ~* when everyone else paid their round, he felt he had to follow suit

de **achterblijvende** surviving relative

de **achterblijver 1** stay-behind; [die thuisblijft] stay-at-home **2** [m.b.t. ontwikkeling] slow (of: late) developer, backward child

de **achterbuurt** slum

de **achterdeur** back door; rear door [auto]

de **achterdocht** suspicion (of, about): *hij begon ~ te krijgen* he began to get suspicious

achterdochtig suspicious

achtereen in succession: *hij won het kampioenschap driemaal ~* he won the championship three times in succession (of: in a row); *weken ~* (for) weeks on end, week after week

achtereenvolgend successive, consecutive

achtereenvolgens successively

het **achtereind** rear end; [dier] hindquarters

achteren (the) back: *verder naar* ~ further back(wards); *van* ~ from behind; *van* ~ *naar voren* back to front; [spellen ook] backwards

achtergebleven backward, underdeveloped: ~ *gebieden* backward (*of:* underdeveloped) areas

de **achtergrond** background: *de ~en van een conflict* the background to (*of:* of) a dispute || *zich op de* ~ *houden* keep in the background

de **achtergrondinformatie** background (information)

de **achtergrondmuziek** background music; [in warenhuizen e.d.] muzak

achterhaald out of date, irrelevant

achterhalen 1 overtake; [bereiken] catch up with: *de politie heeft de dief kunnen* ~ the police were able to run down the thief **2** [terugvinden] retrieve: *die gegevens zijn niet meer te* ~ those data can no longer be accessed (*of:* retrieved) || *die gegevens zijn allang achterhaald* that information is totally out of date

de **achterhoede** [sport] defence

het **achterhoedegevecht** rearguard action

het **achterhoofd** back of the head; *iets in zijn* ~ *houden* keep sth. at the back of one's mind; *hij is niet op zijn* ~ *gevallen* he was not born yesterday, there are no flies on him

achterhouden 1 [verduisteren] keep back, withhold **2** [nog niet geven, mededelen] hold back

achterin in the back (*of:* rear); [achteraan in] at the back (*of:* rear)

de **achterkamertjespolitiek** backroom (*of:* closed-door) politics

de **achterkant** back, rear (side), reverse (side): *op de* ~ *van het papier* on the back of the paper

de **achterklap** backbiting, gossip, slander

de **achterkleindochter** great-granddaughter

het **achterkleinkind** great-grandchild

de **achterkleinzoon** great-grandson

de **achterklep** lid of the boot [auto met koffer]; hatchback, liftback

het **achterland** hinterland

achterlaten leave (behind): *een bericht* (*of: boodschap*) ~ leave (behind) a note (*of:* message)

het **achterlicht** back (*of:* rear) light; [van fiets ook] rear lamp

achterliggen lie behind; [fig] lag (behind): *drie ronden* ~ be three laps behind, be trailing by three laps

het **achterlijf 1** rump; [van insecten e.d.] abdomen **2** [van kleren] back

¹**achterlijk** (bn) backward, (mentally) retarded: *hij is niet* ~ he's no fool

²**achterlijk** (bw) like a moron, like an idiot:

doe niet zo ~ don't be such a moron

achterlopen 1 be slow, lose time; [van werkzaamheden e.d.] be behind, lag behind **2** [m.b.t. personen] be behind the times

achterna 1 [iem., iets volgend] after, behind **2** [naderhand] afterwards, after the event

de **achternaam** surname, last name, family name

achternagaan go after, follow (behind)

achternalopen follow

achternazitten chase: *de politie zit ons achterna* the police are after us (*of:* on our heels, on our tail)

de **achterneef** second cousin; great-nephew [kind van oom-, tantezegger]

de **achternicht** second cousin; great-niece [kind van oom-, tantezegger]

achterom round the back: *een blik* ~ a backward glance

achterop 1 at (*of:* on) the back: *spring maar* ~! jump on behind me! **2** [m.b.t. werk, mode] behind

achteropraken [werk, betaling] get (*of:* fall) behind; [school, lopen] drop behind

achterover back(wards): *hij viel* ~ *op de stenen* he fell back(wards) onto the stones

achteroverdrukken pinch

de **achterpoot** hind leg

de **achterruit** rear window, back window

de **achterruitverwarming** (rear window) demister

de **achterspeler** back

achterst back, rear, hind(most): *de ~e rijen* the back rows

achterstaan [sport] be behind (*of:* down): *bij de rust stonden we met 3-1 achter* at half-time we were down 3 to 1

achterstallig back, overdue, in arrears: *~e huur* rent arrears, back rent; ~ *onderhoud* overdue maintenance

de **achterstand** arrears; [sport] *een grote* ~ *hebben* be well down (*of:* behind); *de* ~ *inlopen* make up arrears, catch up; *een* ~ *oplopen* [ook sport] fall behind; [sport] *de ploeg probeerde de* ~ *weg te werken* the team tried to draw level

de **achterstandswijk** disadvantaged urban area

het ¹**achterste** (zn) **1** back (part): *niet het* ~ *van zijn tong laten zien* keep one's cards close to one's chest, not commit o.s. **2** [zitvlak] backside, rear (end): *op zijn* ~ *vallen* fall on one's bottom

het/de ²**achterste** (zn) [m.b.t. plaats] back one, hindmost one, rear(most) one

achterstellen slight, neglect: *hij voelde zich achtergesteld* he felt discriminated against

de **achtersteven** stern

achterstevoren back to front

de **achtertuin 1** [tuin] back garden; [Am] backyard **2** [buitenlands gebied] backyard

de **¹achteruit** (zn) reverse (gear): *een auto in zijn ~ zetten* put a car into reverse (gear)

²achteruit (bw) back(wards)

achteruitgaan 1 go back(wards); go astern [schip]; reverse [auto]; back [auto]: *ga eens wat achteruit!* stand back a little! **2** [fig; verminderen] decline, get worse, grow worse; [gezondheid ook] fail: *zijn prestaties gaan achteruit* his performance is on the decline; *haar gezondheid gaat snel achteruit* her health is failing rapidly; *ik ben er per maand honderd euro op achteruitgegaan* I am a hundred euros worse off per month

de **¹achteruitgang** (zn) back exit, rear exit, back door

de **²achteruitgang** (zn) decline: *de huidige economische ~* the present economic decline

de **achteruitkijkspiegel** rear-view mirror

achteruitlopen 1 [teruglopen] walk backwards: *de barometer loopt achteruit* the barometer is falling **2** [fig] decline

achteruitrijden reverse (into), back (into)

achteruitwijken back away, step back, fall back

achtervolgen 1 follow: *die gedachte achtervolgt mij* that thought haunts (of: obsesses) me **2** [met vijandige bedoelingen] pursue; [politie e.d.] persecute

de **achtervolger** pursuer [ook wielersport]

de **achtervolging** pursuit [ook wielersport]; chase; [vervolging] persecution: *de ~ inzetten* pursue, set off in pursuit (of)

de **achtervolgingswaanzin** persecution complex (of: mania), paranoia

¹achterwaarts (bn) backward, rearward: *een ~e beweging* a backward movement

²achterwaarts (bw) back(wards): *een stap ~* a step back(wards)

de **achterwand** back wall, rear wall

achterwege: *een antwoord bleef ~* an answer was not forthcoming; *~ laten* omit; [niet doen ook] leave undone

het **achterwerk** backside, rear (end)

het **achterwiel** back wheel, rear wheel

de **achterzak** back pocket

de **achterzijde** back, rear

de **achting** regard, esteem: *~ voor iem. hebben* have respect for s.o.; *in (iemands) ~ dalen* come down in s.o.'s estimation; *in (iemands) ~ stijgen* go up in s.o.'s estimation

achtste eighth: *een ~ liter* one eighth of a litre

achttien eighteen

achttiende eighteenth

achttiende-eeuws eighteenth-century

achturig eight-hour: *de ~e werkdag* the eight-hour (working) day

de **acne** acne

de **acquisitie** acquisition

de **acrobaat** acrobat

de **acrobatiek** acrobatics

acrobatisch acrobatic

het **acryl** acrylic (fibre)

acteren act, perform

de **acteur** actor, performer

de **actie 1** action, activity: *er zit geen ~ in dat toneelstuk* there's no action in that play; *in ~ komen* go into action **2** [beweging, campagne] (protest) campaign: *~ voeren* [eenmalig] hold a demonstration; *~ voeren tegen* campaign against

het **actiecomité** action committee

actief active [ook financieel]; busy; [vol energie] energetic: *in actieve dienst* **a)** on active duty; **b)** [mil] on active service; *een actieve handelsbalans* a favourable balance of trade; *iets ~ en passief steunen* support sth. (both) directly and indirectly || *actieve handel* export (trade)

de **actiegroep** action group; ± pressure group

het **actiepunt** point of action

de **actieradius** radius of action, range

de **actievoerder** campaigner, activist

actievoeren: *~ tegen* agitate (of: campaign) against, carry on a campaign against

de **activa** assets: *~ en passiva* assets and liabilities; *vaste ~* fixed assets; *vlottende ~* current assets

activeren activate

de **activist** activist, crusader

de **activiteit** activity: *~en ontplooien* undertake activities; *buitenschoolse ~en* extramural activities, extracurricular activities

de **actrice** actress

actualiseren update

de **actualiteit** topical matter (of: subject); [gebeurtenis] current event; [mv ook] news; [mv ook] current affairs

het **actualiteitenprogramma** current affairs programme

actueel current, topical: *een ~ onderwerp* a topical subject; [mv ook] current affairs

de **acupunctuur** acupuncture

¹acuut (bn) acute, critical: *~ gevaar* acute danger

²acuut (bw) [onmiddellijk] immediately, right away, at once

A.D. afk van *anno Domini* AD

de **adamsappel** Adam's apple

het **adamskostuum** [scherts]: *in ~* in one's birthday suit

de **adapter** adapter

de **adder** viper, adder: [fig] *er schuilt een ~(tje) onder het gras* there's a snake in the grass, there's a catch in it somewhere

additioneel additional, accessory

de **adel** nobility, peerage: *hij is van ~* he is a peer, he belongs to the nobility

de **adelaar** eagle

adellijk noble: *van ~e afkomst* of noble

birth; ~ *bloed* noble blood

de **adelstand** nobility: *iem. in* (of: *tot*) *de ~ verheffen* ennoble s.o., raise s.o. to the peerage

de **adem** breath: *de laatste ~ uitblazen* breathe one's last; *slechte ~* bad breath, halitosis; *zijn ~ inhouden* [ook fig] hold one's breath; *naar ~ happen* gasp for breath; *buiten ~ zijn* be out of breath; *in één ~* in the same breath; *weer op ~ komen* catch one's breath

adembenemend breathtaking: *een ~ schouwspel* a breathtaking scene

ademen breathe, inhale: *vrij ~* [ook fig] breathe freely; *de lucht die we hier ~ is verpest* the air we are breathing here is poisoned

ademhalen breathe: *weer adem kunnen halen* be able to breathe again; *haal eens diep adem* take a deep breath

de **ademhaling** breathing, respiration: *kunstmatige ~* artificial respiration; *een onrustige ~* irregular breathing

ademloos breathless: *een ademloze stilte* a breathless hush

de **ademnood** *in ~ verkeren* be gasping for breath, find it difficult to breathe

de **adempauze** breathing space, breather

de **ademtest** breath test: *iem. de ~ afnemen* breathalyse s.o.

de **adept** follower, adherent, disciple

adequaat appropriate, effective; [net voldoende] adequate: *~ reageren* react appropriately (of: effectively)

de **ader** vein, blood vessel; [slagader] artery: *een gesprongen ~* a burst blood vessel

de **aderlating** bleeding; [fig] drain (on resources): [fin] *dat was een behoorlijke ~* it made a big hole in the budget

de **aderverkalking** arteriosclerosis, hardening of the arteries

ADHD afk van *attention deficit hyperactivity disorder* ADHD

de **adhesie** adherence

a.d.h.v. afk van *aan de hand van* using, by means of

het ¹**adjectief** adjective
²**adjectief** (bn) adjectival, adjective

de **adjudant 1** [stafofficier] adjutant, aide(-de-camp) **2** [adjudant-onderofficier] ± warrant officer

de **adjunct-directeur** deputy director (of: manager); [ond] deputy headmaster

de **administrateur** administrator: *de ~ van een universiteit* the administrative director of a university

de **administratie 1** [beheer] administration; [bestuur] management; [boekhouding] accounts: *de ~ voeren* do the administrative work; [boekhouding] keep the accounts **2** [gebouw, vertrek] [afdeling] administrative department; [gebouw] administrative building (of: offices): *hij zit op de ~* he's in the administrative (of: clerical) department

administratief administrative; [m.b.t. alg kantoor-, schrijfwerk] clerical: *~ personeel* administrative (of: clerical) staff; [Belg] *~ centrum* administrative centre

de **administratiekosten** administrative costs, service charge(s)

administreren [fondsen, vermogen] administer; [onderneming] manage, run; [boeken bijhouden] keep accounts: *een ~d lichaam* an administrative body

de **admiraal** admiral

de **adolescent** adolescent; youngster

de **adonis** Adonis; [inf] Greek god

adopteren adopt

de **adoptie** adoption

het **adoptiekind** adopted child

de **adoptieouder** adoptive parent

de **adrenaline** adrenaline

het **adres** address, (place of) residence: [fig] *je bent aan het juiste ~* you've come to the right place; *hij verhuisde zonder een ~ achter te laten* he moved without leaving a forwarding address; *per ~* care of; [als afk] c/o

de **adresbalk** [comp] address bar, location bar

adresseren address: *een brief vergeten te ~* forget to address a letter

de **adreswijziging** change of address

Adriatisch Adriatic: *~e Zee* Adriatic Sea

ADSL afk van *asymmetric digital subscriber line* ADSL

de **advent** Advent

de **adverteerder** advertiser

de **advertentie** advertisement, ad(vert): *een ~ plaatsen* put an advertisement in the paper(s)

adverteren advertise; [aankondigen] announce: *er wordt veel geadverteerd voor nieuwe computerspelletjes* new computer games are being heavily advertised

het **advies** advice: *~ geven* give advice; *iemands ~ opvolgen* follow s.o.'s advice; *iem. om ~ vragen* ask s.o.'s advice; *een ~* a piece of advice; a recommendation; *het ~ van deskundigen inwinnen* obtain expert advice, get the opinion of experts

het **adviesbureau** consultancy

de **adviesprijs** recommended selling (of: retail) price

adviseren 1 recommend, advise (s.o.): *hij adviseerde mij de auto te laten repareren* he advised me to have the car mended **2** advise, counsel: *ik kan je in deze lastige kwestie niet ~* I can't offer you advice in this complicated matter

de **adviseur** adviser, advisor, counsellor; [hand, med ook] consultant: *rechtskundig ~* legal advisor, lawyer; solicitor

de **advocaat** [alg] lawyer; [voor hogere rechtbank] barrister; [voor lagere rechtbank] solicitor: *een ~ nemen* engage a lawyer ‖ [fig] *~ van de duivel* the devil's advocate het **advocatenkantoor** lawyer's office

de **advocatuur** Bar; legal profession: *de sociale ~* ± legal aid lawyers

de **aerobics** aerobics

aerodynamisch aerodynamic

¹af (bn) **1** [afgewerkt] finished, done, completed; [verzorgd] polished; [verzorgd] well-finished: *het werk is af* the work is done (*of:* finished) **2** [spel] out: *je bent af* you're out || *teruggaan naar af* go back to square one

²af (bw) **1** off, away: *mensen liepen af en aan* people came and went; *af en toe* (every) now and then; *klaar? af!* ready, steady, go!; get set! go! **2** (+ van) from: *van die dag af* from that day (on, onwards); *van kind af (aan) woon ik in deze straat* since I was a child I have been living in this street; *van de grond af* from ground level **3** away, off: [fig] *dat kan er bij ons niet af* we can't afford that; *de verf is er af* the paint has come off; *ver af* a long way off; *hij woont een eindje van de weg af* he lives a little way away from the road; *van iem. af zijn* be rid of s.o.; *u bent nog niet van me af* you haven't seen (*of:* heard) the last of me; I haven't finished with you yet **4** [m.b.t. rivier, trap] down: *de trap af* down the stairs **5** to; [met 'op'] towards; up to: *ze komen op ons af* they are coming towards us || *goed* (*of: beter, slecht*) *af zijn* have come off well (*of:* better, badly); *ik weet er niets van af* I don't know anything about it; *van voren af aan beginnen* start from scratch; start all over again

de **afasie** aphasia

afbakenen mark out; stake out [perceel]; define [grens]; demarcate [gebied, taak]; mark off [met scheidslijn]

afbakken finish off in the oven: *broodjes om zelf af te bakken* par(t)-baked rolls

afbeelden depict, portray, picture

de **afbeelding** picture, image; [in boek] illustration; [in boek] figure

afbekken: [inf] *iem. ~* snap (*of:* snarl) at s.o., jump down s.o.'s throat

afbellen 1 cancel (by telephone) **2** [per telefoon langsgaan] ring round: *hij belde de halve stad af om een taxi* he rang round half the city for a taxi

afbestellen cancel

afbetalen pay off [persoon, schuld]; pay for [goederen]: *het huis is helemaal afbetaald* the house is completely paid for

de **afbetaling** hire purchase, payment by instalment (*of:* in instalments): *op ~* on hire purchase

afbeulen [fig] drive into the ground, work to death: *zich ~* slave; [inf] work one's guts out; knacker o.s.

afbieden [Belg] bring (*of:* knock, beat) down

afbijten 1 [met de tanden afsnijden] bite off **2** [van verf] strip, remove || *van zich ~*

stick up for o.s.

afbinden 1 [med] tie off **2** [losbinden] untie, undo: *de schaatsen ~* untie (*of:* undo) one's skates

afbladderen flake (off), peel (off): *de verf bladdert af* the paint is flaking (*of:* peeling) off

afblazen blow off (*of:* away): *stof van de tafel ~* blow the dust off the table || *de scheidsrechter had (de wedstrijd) al afgeblazen* the referee had already blown the final whistle

afblijven keep off, leave alone, let alone, keep (*of:* stay) away (from): *blijf van de koekjes af* leave the biscuits alone

afboeken 1 [overboeken] transfer **2** [als verlies boeken] write off

afborstelen brush (down): *zijn kleren ~* give one's clothes a brush

afbouwen 1 [geleidelijk beëindigen] cut back (on), down (on), phase out: *we zijn de therapie aan het ~* we're phasing out the therapy **2** [van bouwwerk] complete, finish

de **afbraak** demolition

afbranden burn down

afbreekbaar decomposable, degradable; [biologisch] biodegradable: *biologisch afbreekbare wasmiddelen* biodegradable detergents

¹afbreken (onov ww) break off (*of:* away); [knappend] snap (off): *de punt brak (van de stok) af* the end broke off (the stick)

²afbreken (ov ww) **1** [plotseling doen ophouden] break off, interrupt; cut short [ook reis]: *onderhandelingen ~* break off negotiations; *de wedstrijd werd afgebroken* the game was stopped **2** [slopen] pull down, demolish; break down, tear down [schutting e.d.]; [aan stukken slaan] break up; [ontmantelen] dismantle: *de boel ~* smash the place up **3** decompose, degrade || *afvalstoffen worden in het lichaam afgebroken* waste-products are broken down in the body

afbrengen put off: *ze zijn er niet van af te brengen* they can't be put off (*of:* deterred) || *het er goed ~* do well; *het er slecht ~* come off badly, do badly off; *het er levend ~* escape with one's life; *het er heelhuids ~* come out of it unscathed

de **afbreuk**: *~ doen aan* harm, injure, damage

afbrokkelen crumble (off, away), fragment: *het plafond brokkelt af* the ceiling is crumbling

afbuigen turn off, bear off, branch off: *hier buigt de weg naar rechts af* here the road bears (to the) right

het **afdak** lean-to

afdalen go down, come down, descend: *een berg ~* go (*of:* come) down a mountain

de **afdaling 1** descent **2** [skiën] downhill

afdanken 1 [buiten gebruik stellen] discard; cast off [kleren]; [van schip, machine] (send for) scrap **2** [ontslaan] dismiss; disband [troepen]: *personeel* ~ pay off staff

het **afdankertje** cast-off, hand-me-down

afdekken cover (over, up)

de **afdeling** department, division; section [van maatschappij]; ward [van patiënten in ziekenhuis]: *de* ~ *Utrecht van onze vereniging* the Utrecht branch of our society; *Kees werkt op de* ~ *financiën* Kees works in the finance department

de **afdelingschef** department(al) manager, head of department; [in grote winkel] floor manager

afdingen bargain (*of:* haggle) (with s.o.)

afdoen 1 take off, remove: *zijn hoed* ~ take off one's hat **2** [wegnemen] take off: *iets van de prijs* ~ knock a bit off the price, come down a bit (in price) ‖ [fig] *dat doet niets af aan het feit dat ...* that doesn't alter the fact that ...

afdoend [voldoende] sufficient, adequate; [doeltreffend] effective: *een* ~ *middel* an effective method

afdraaien twist off: *de dop van een vulpen* ~ unscrew the cap of a fountain pen ‖ *hier moet u rechts* ~ you turn right (*of:* turn off to the right) here

afdragen 1 [overdragen] make over, transfer, hand over, turn over **2** [afslijten] wear out: *afgedragen schoenen* worn-out shoes

afdrijven drift off; [scheepv] go adrift ‖ *de bui drijft af* the shower is blowing over

afdrogen dry (up); wipe dry [met doek]: *zijn handen* ~ dry one's hands (on a towel); *zich* ~ dry o.s. (off)

de **afdronk** aftertaste

afdruipen [stil weggaan] slink off (*of:* away), clear off

de **afdruk** [van voet, vinger] print; imprint; [afgietsel] mould; cast: *de wielen lieten een* ~ *achter* the wheels left an impression

afdrukken print (off); [kopiëren] copy; [kopiëren] run off

afdwalen stray (off) (from), go astray; [fig ook] wander (off): *zijn gedachten dwaalden af naar haar* his thoughts wandered off to her; *van zijn onderwerp* ~ stray from one's subject

afdwingen exact (from) [informatie]; extort (from) [geld, belofte]

de **affaire** affair

het/de **affiche** poster; [theat] (play)bill

afgaan 1 go down, descend: *de trap* ~ go down the stairs **2** (+ op) [fig] rely on, depend on: *~de op wat hij zegt* judging by what he says; *op zijn gevoel* ~ play it by ear **3** [afgenomen worden van een geheel] come off; [van geld ook] be deducted: *daar gaat 10 % van af* 10 % is taken off that **4** [van vuurwapen] go off: *een geweer doen* ~ fire a rifle **5** [een gek figuur slaan] lose face, flop, fail ‖ *van school* ~ leave school

de **afgang** (embarrassing) failure, flop

afgedraaid [uitgeput] worn-out, completely exhausted

afgeladen (jam-)packed, crammed

afgelasten cancel; call off [staking]; [sport] postpone

afgeleefd [versleten] used up, worn-out, spent

afgelegen remote, far(-away), far-off: *een* ~ *dorp* a remote (*of:* an out-of-the-way) village

afgeleid diverted, distracted: *hij is gauw* ~ he is easily distracted

afgelopen last, past: *de* ~ *maanden hadden wij geen woning* for the last few months we haven't had anywhere to live; *de* ~ *tijd* recently; *de* ~ *weken* the past weeks, the last few weeks ‖ ~ *!* stop it!, that's enough!

afgemeten measured (off, out): *met* ~ *passen* with measured steps

afgepeigerd knackered, exhausted

afgericht (well-)trained

afgerond 1 (well-)rounded: *het vormt een* ~ *geheel* it forms a complete whole **2** [m.b.t. bedragen, getallen] round

afgesproken agreed, settled ‖ *dat is dan* ~ it's a deal!

afgestompt dull(ed), deadened

de **afgestudeerde** graduate

de **afgevaardigde** delegate, representative; [volksvertegenwoordiger ook] member (of parliament): *de geachte* ~ the honourable member

¹**afgeven** (onov ww) **1** [m.b.t. kleurstof] run **2** (+ op) run down: *op iem. (iets)* ~ run s.o. (sth.) down

²**afgeven** (ov ww) **1** [overhandigen] hand in [brief]; deliver; leave [boodschap, krant]; [onvrijwillig] hand over; give up: *hij weigerde zijn geld af te geven* he refused to part with his money; *een pakje bij iem.* ~ leave a parcel with s.o. **2** [licht, warmte] give off: *de kachel geeft veel warmte af* the stove gives off a lot of heat

afgewerkt used (up), spent: *~e olie* used oil

afgewogen balanced

afgezaagd [fig] stale [grap]; hackneyed [uitdrukking, onderwerp]

de **afgezant** envoy, ambassador

afgezien ~ *van* besides, apart from; ~ *van de kosten* (*of:* *moeite*) apart from the cost (*of:* trouble)

afgezonderd isolated, cut off; segregated [patiënten, gevangenen]; remote [plaats]

de **Afghaan** Afghan

Afghaans Afghan

Afghanistan Afghanistan

afgieten pour off; [door vergiet ook] strain; drain: *aardappels* ~ drain potatoes; *groente* ~ strain vegetables

het **afgietsel** cast, mould

de **afgifte** delivery [brief]; issue [kaartjes enz.]

de **afgod** idol

afgooien throw down; [met kracht] fling down: *pas op dat je het er niet afgooit* take care that you don't knock it off

afgraven dig up, dig off; [vlak maken] level

afgrendelen [fig] seal off, close off; [lett] bolt up

afgrijselijk 1 horrible, horrid, atrocious: *een ~e moord* a gruesome murder **2** [zeer lelijk] hideous, ghastly

het **afgrijzen** horror, dread: *met ~ vervullen* horrify

de **afgrond** abyss, chasm

de **afgunst** envy, jealousy

afgunstig envious

de **afhaalmaaltijd** takeaway; [Am] take-out

het **afhaalrestaurant** takeaway (restaurant); [Am] take-out (restaurant)

afhaken pull out, drop out

afhakken chop off, cut off

afhalen 1 collect, call for **2** [(iem.) ergens gaan halen] collect, meet: *ik kom je over een uur ~* I'll pick you up in an hour; *iem. van de trein ~* meet s.o. at the station || *bedden ~* strip the beds

afhandelen settle, conclude, deal with, dispose of: *de spreker handelde eerst de bezwaren af* the speaker first dealt with the objections

de **afhandeling** settlement, transaction

afhandig: *iem. iets ~ maken* trick s.o. out of sth.

afhangen depend (on): *hij danste alsof zijn leven ervan afhing* he danced for dear life (*of:* as though his life depended on it); *het hangt van het weer af* it depends on the weather

afhankelijk dependent (on), depending (on): *ik ben van niemand ~* I am quite independent; *de beslissing is ~ van het weer* the decision is dependent on (*of:* depends on) the weather

de **afhankelijkheid** dependence

afhelpen [bevrijden] rid (of); [ziekte] cure (of): [iron] *iem. van zijn geld ~* relieve s.o. of his money

afhouden 1 [verwijderd houden] keep off, keep out: *zij kon haar ogen niet van de taart ~* she couldn't keep her eyes off the cake; [fig] *iem. van zijn werk ~* keep s.o. from his work **2** [aftrekken, inhouden] keep back: *een deel van het loon ~* withhold a part of the wages

afhuren hire, rent

afijn so, well

afkalven cave in; [fig] be eroded

afkammen [bekritiseren] run down, tear (to pieces); [boek ook] slash (to shreds); slate

afkappen 1 [door kappen scheiden] chop off **2** [(een spreker) stoppen] cut (s.o.) short: *een gesprek ~* break off (*of:* cut short) a conversation

de **afkeer** aversion (to), dislike (of): *een ~ hebben* (of: *tonen*) have (*of:* display) an aversion (to)

afkeren turn away (*of:* aside), avert: *het hoofd ~* turn one's head away; *zich ~ van iem.* (*iets*) turn away from s.o. (sth.)

afkerig averse (to): *~ zijn van iets* be abhorrent of sth., abhor sth.; *niet ~ zijn van iets* not be ill-disposed toward sth.

¹**afketsen** (onov ww) **1** bounce off, glance off **2** [fig] fall through, fail: *het plan is afgeketst op geldgebrek* the plan fell through because of a lack of money

²**afketsen** (ov ww) [fig] reject; defeat [voorstel]; frustrate [plannen]

afkeuren 1 reject, turn down, declare unfit: *hij is voor 70 % afgekeurd* he has a 70 % disability **2** [veroordelen] disapprove of, condemn || *een doelpunt ~* disallow a goal

de **afkeuring** disapproval, condemnation: *zijn ~ uitspreken over* express one's disapproval of

afkicken kick the habit; dry out [drank]: *hij is afgekickt* he has kicked the habit

de **afkickverschijnselen** withdrawal symptoms

afkijken 1 copy, crib **2** see out, see to the end: *we hebben die film niet afgekeken* we didn't see the film out || *bij* (of: *van*) *zijn buurman ~* copy (*of:* crib) from one's neighbour

afkleden be slimming

afkloppen knock on wood, touch wood: *even ~!* touch wood!

afkluiven gnaw off/on: *een botje ~* pick a bone

afknappen break down, have a breakdown: *~ op iem.* (*iets*) get fed up with s.o. (sth.)

afknippen cut (off); [haar ook] trim

afkoelen cool (off, down); chill [bijv. wijn]; refrigerate [in koelkast]: *iets laten ~* leave sth. to cool

de **afkoeling** cooling (off (*of:* down))

afkoersen (+ op) head straight for

afkomen 1 (+ op) come up to (*of:* towards) (*dreigend*) *op iem. ~* approach s.o. (menacingly); *zij zag de auto recht op zich ~* she saw the car heading straight for her (*of:* coming straight at her); [fig] *de dingen op zich laten ~* wait and see, let things take their course **2** [ontslagen, bevrijd raken] get rid of; be done (*of:* finished) with [iets vervelends]; [ontsnappen] get off (*of:* away); get out of [uitnodiging, verplichting]: *er gemakkelijk ~* get off easily (*of:* lightly)

de **afkomst** descent, origin; [geboorte] birth; [woord] derivation: *Jean is van Franse ~* Jean is French by birth [van Franse ouders]

afkomstig 1 from, coming (from), originating (from): *~ uit Spanje* of Spanish origin

2 [afgeleid] originating (from), derived (from): *dat woord is ~ uit het Turks* that word is derived (*of:* borrowed) from Turkish
afkondigen proclaim, give notice of
de **afkondiging** proclamation [vrede, nood-toestand]; declaration [onafhankelijkheid]
de **afkoopsom** redemption money, compensation
afkopen buy (from), purchase (from), buy off; redeem [verplichting]; [loskopen] ransom: *een hypotheek ~* redeem a mortgage; *een polis ~* surrender a policy
afkoppelen uncouple [wagon]; disconnect [machine]
afkorten shorten; [woorden ook] abbreviate
de **afkorting** abbreviation, shortening
afkrabben scratch off, scrape off (*of:* from)
afkraken run down: *de criticus kraakte haar boek volledig af* the reviewer ran her book into the ground
afkrijgen 1 get off, get out: *hij kreeg de vlek er niet af* he couldn't get the stain out **2** [kunnen voltooien] get done (*of:* finished): *het werk op tijd ~* get the work done (*of:* finished) in time
afkunnen be able to get through, be able to cope with: *ik kan het zonder jou wel af* I can get along (very well) without you
de **aflaat** [r-k] indulgence
aflandig offshore
afleggen 1 take off; lay down [wapens] **2** make [verklaring]; take [examen, eed]: *een bezoek ~* pay a visit; *een examen ~* take an exam(ination); sit (for) an examination; *een getuigenis ~* give evidence; testify **3** [van afstand] cover: *500 mijl per dag ~* cover 500 miles a day || *het (moeten) ~ tegen iem./iets op het gebied van* lose out to s.o./sth. on
afleiden 1 lead (*of:* guide) away (from); divert (from) [weg enz.]; conduct [bliksem]: *de stroom ~* divert the stream; *de bliksem ~* conduct lightning **2** [ontspanning brengen] storen] divert, distract: *ik leidde hem af van zijn werk* I kept him from doing his work **3** [de oorsprong verklaren] trace back (to); [m.b.t. woorden] derive (from): *'spraak' is afgeleid van 'spreken'* 'spraak' is derived from 'spreken'
de **afleiding** distraction, diversion: *ik heb echt ~ nodig* I really need sth. to take my mind off it (*of:* things); *voor ~ zorgen* take s.o.'s mind off things
de **afleidingsmanoeuvre** diversion; [fig] red herring
afleren 1 unlearn, get out of (a habit): *ik heb het stotteren afgeleerd* I have overcome my stammer **2** [een ander] cure of, break of: *ik zal je dat liegen wel ~* I'll teach you to tell lies || *nog eentje om het af te leren* one for the road

afleveren 1 [afgeven] deliver: *de bestelling is op tijd afgeleverd* the order was delivered on time **2** [Belg; uitreiken] award, grant
de **aflevering 1** delivery: *bij ~ betalen* cash on delivery **2** [radio, tv] episode
aflezen 1 read out (the whole of) **2** [m.b.t. meetwerktuigen] read (off) || [fig] *de woede van iemands gezicht ~* tell the anger from, see the anger on s.o.'s face
aflikken lick: *zijn vingers (of: een lepel) ~* lick one's fingers (*of:* a spoon)
de **afloop 1** end, close: *na ~ van de voorstelling* after the performance **2** result, outcome: *ongeluk met dodelijke ~* fatal accident
aflopen 1 (come to an) end, finish; expire [termijn, contract]: *de cursus is afgelopen* the course is finished; *dit jaar loopt het huurcontract af* the lease expires this year; *het verhaal liep goed af* the story had a happy ending **2** run (*of:* go, walk) down
aflopend: *het is een ~e zaak* we're fighting a losing battle
aflossen 1 [vervangen] relieve [wacht]: *laten we elkaar ~* let's take turns **2** [terugbetalen] pay off: *een bedrag op een lening ~* pay off an part of a loan
de **aflossing 1** changing, change: *de ~ van de wacht* the changing of the guard **2** [het terugbetalen] (re)payment **3** [termijn; bedrag] (re)payment (period), instalment: *een maandelijkse (of: jaarlijkse) ~* a monthly (*of:* an annual) payment
afluisteren eavesdrop (on), listen in to (*of:* in on), monitor; (wire-)tap [telefoongesprek]: *iem. ~* eavesdrop on s.o.; [door politie] monitor s.o.; *een telefoongesprek ~* listen in to a phone call
¹**afmaken** (ov ww) **1** finish, complete: *een werkje ~* finish (*of:* complete) a bit of work **2** [doden] kill: *ze hebben de hond moeten laten ~* they had to have the dog put down
zich ²**afmaken** (wdk ww): *hij maakte er zich met een grap van af* he brushed it aside with a joke; *zich er wat al te gemakkelijk van ~* shrug sth. off too lightly
afmatten exhaust, wear out, tire out
afmelden cancel: *zich ~* check (*of:* sign) (o.s.) out
afmeten measure, judge: *de kwaliteit van een opleiding ~ aan het aantal geslaagden* judge the quality of a course from (*of:* by) the number of passes
de **afmeting** dimension, proportion, size: *de ~en van de kamer* the dimensions (*of:* size) of the room
de **afname 1** [het kopen] purchase: *bij ~ van 25 exemplaren* for quantities of 25, if 25 copies are ordered (*of:* bought) **2** [het verkocht worden] sale **3** [het minder worden] decline, decrease: *de ~ van de werkloosheid* the reduction in unemployment

afneembaar detachable, removable

¹**afnemen** (onov ww) [verminderen] decrease, decline: *onze belangstelling nam af* our interest faded; *in gewicht* ~ lose weight

²**afnemen** (ov ww) **1** [van een plaats verwijderen] take off (*of:* away), remove (from): *zijn hoed* ~ take off one's hat; [als groet] raise one's hat; *het kleed van de tafel* ~ take (*of:* remove) the cloth from the table **2** [wegnemen] remove: *iem. bloed* ~ take blood (*of:* a blood sample) **3** clean: *de tafel met een natte doek* ~ wipe the table with a damp cloth **4** deprive: *iem. zijn rijbewijs* ~ take away s.o.'s driving licence **5** hold, administer: *iem. de biecht* ~ hear s.o.'s confession; *iem. een eed* ~ administer an oath to s.o.; swear s.o. in [bijv. getuige, nieuw lid]; *iem. een examen* ~ examine s.o. **6** buy, purchase

de **afnemer** buyer, customer: *Duitsland is onze grootste* ~ *van snijbloemen* Germany is our largest customer for cut flowers

afpakken take (away), snatch (away): *iem. een mes* ~ take away a knife from s.o.

afpassen measure (out): *een afgepaste portie* a measured (*of:* an adjusted) portion

afpersen extort (*of:* wring), force: *iem. geld* ~ extort money from s.o.

de **afperser** blackmailer

de **afpersing** extortion; [chantage] blackmail

afpikken pinch (from)

afpingelen haggle: *proberen af te pingelen* try to beat down the price

afplakken tape up, cover with tape

afplukken pick, pluck: *de veren van een kip* ~ pluck a chicken

afpoeieren brush off, put off

afprijzen reduce, mark down: *alles is afgeprijsd* everything is reduced (in price)

afraden advise against: *(iem.) iets* ~ dissuade (*of:* discourage) s.o. from (doing) sth.

afraffelen rush (through): *zijn huiswerk* ~ rush (through) one's homework

de **aframmeling** beating, hiding

afranselen beat (up); flog [als straf]; cane

de **afrastering** fencing, fence; railings [mv; van ijzer]

afreageren work off (*of:* vent) one's emotions, let off steam: *iets op iem.* ~ take sth. out on s.o.

afrekenen settle (up), settle (*of:* pay) one's bill, settle one's account(s): *ober, mag ik* ~! waiter, the bill please! || *met zijn vijanden* ~ deal with (*of:* polish off) one's enemies; *iem.* ~ *op zijn resultaten* judge s.o. on his results

de **afrekening 1** payment **2** [geschreven stuk] receipt; statement [van bank, giro]

afremmen 1 slow down, brake, put the brake(s) on: *hij kon niet meer* ~ it was too late for him to brake; *voor een bocht* ~ slow down to take a curve **2** [fig] curb, check: *iem. in zijn* enthousiasme ~ curb s.o.'s enthusiasm

africhten train: *valken* ~ *voor de jacht* train falcons for hunting

¹**afrijden** (onov ww) drive down; ride down [te paard]: *een heuvel* ~ ride (*of:* drive) down a hill

²**afrijden** (ov ww) drive to the end of; ride to the end of [te paard, met de fiets]: *de hele stad* ~ ride (*of:* drive) all over town

Afrika Africa

de **Afrikaan** African

Afrikaans 1 [uit, van Afrika] African **2** [Zuid-Afrikaans] South African

het **afrikaantje** [plantk] African marigold

de **Afrikaner** Afrikaner, Boer

de **afrit** exit [van een autoweg]: *op- en ~ten* slip roads; *bij de volgende* ~ at the next exit

de **afritsbroek** zip-off trousers

de **afroep**: *op* ~ *beschikbaar* available on demand; [m.b.t. persoon, dienst] on call

afroepen call out; call off [namen, nummers]

afrollen 1 unwind; unroll [een rol] **2** roll down

afromen 1 skim **2** [fig] cream off

afronden 1 [een eind maken aan] wind up, round off: *wilt u (uw betoog)* ~? would you like to wind up (what you have to say)?; *een afgerond geheel vormen* form a complete whole **2** [m.b.t. getallen, bedragen] round off: *naar boven* (*of:* beneden) ~ round up (*of:* down); *een bedrag op hele euro* ~ round off an amount to the nearest euro

de **afronding** winding up, rounding off, completion, conclusion: *als* ~ *van je studie moet je een werkstuk maken* to complete your study, you have to do a project

afruimen clear (away), clear the table

afschaffen abolish, do away with: *de doodstraf* ~ abolish capital punishment

de **afschaffing** abolition: *de* ~ *van de slavernij* the abolition of slavery

het **afscheid** parting, leaving, farewell, departure: *van iem.* ~ *nemen* take leave of s.o.; *officieel* ~ *nemen (van)* take formal leave (of); *bij zijn* ~ *kreeg hij een gouden horloge* when he left he received a gold watch

afscheiden 1 [opsplitsen] divide (off), partition off: *een ruimte met een gordijn* ~ curtain off an area **2** discharge [pus]; secrete [vloeistof]: *sommige bomen scheiden hars af* some trees secrete (*of:* produce) resin

de **afscheiding 1** separation; [van partij ook] secession; schism [in kerk]; [afbakening] demarcation **2** [scheiding] partition; [scheidslijn] dividing line: *een* ~ *aanbrengen* put up a partition **3** [afgescheiden stof] discharge, secretion

afschepen (+ met) palm (sth.) off on (s.o.), fob (s.o.) off with (sth.): *zij laat zich niet zo gemakkelijk* ~ she is not so easily put off; *zich* *niet laten ~ (met een smoesje)* not be fobbed off (with an excuse)

afscheren shave (off) [haren]; shear (off) [wol]

afschermen screen; [beschermen ook] protect (from)

afscheuren tear off

afschieten 1 fire (off); [vuurwapen ook] discharge: *een geweer ~* fire a gun **2** [doodschieten] shoot: *wild ~* shoot game

afschilderen 1 paint **2** portray, depict: *iem. ~ als* portray s.o. as, make s.o. out to be

afschilferen flake off; [van huid] peel off

afschminken remove make-up

afschrapen scrape off

het **afschrift** copy: *een ~ van een (lopende) rekening* a current account statement

afschrijven 1 debit: *geld van een rekening ~* withdraw money from an account **2** [uit het hoofd zetten] write off: *die auto kun je wel ~* you might as well write that car off; *we hadden haar al afgeschreven* we had already written her off **3** [de boekwaarde verlagen] write down; [voor waardevermindering] write off (as depreciation)

de **afschrijving 1** [van bankrekening e.d.] debit **2** [op vaste activa] depreciation; write-off; [op immateriële activa] amortization: *voor ~ op de machines* for depreciation of the machines

afschrikken deter, put off; [wegjagen] frighten off, scare off: *zo'n benadering schrikt de mensen af* an approach like that scares (of: puts) people off; *hij liet zich door niets ~* he was not to be put off (of: deterred)

het **afschrikkingsmiddel** deterrent

afschrikwekkend frightening, off-putting: *een ~ voorbeeld* a warning, a deterrent

afschudden shake off; cast off [belemmeringen]: *een tegenstander van zich ~* shake off an opponent

afschuimen [afzoeken] scour, comb: *de stad ~* scour (of: comb) the city

afschuiven [op een ander laten neerkomen] pass (on to s.o.): *de verantwoordelijkheid op een ander ~* pass the buck; *zijn verantwoordelijkheid van zich ~* shirk one's responsibility

afschuren rub down; sand down [met schuurpapier]

de **afschuw** horror, disgust: *een ~ hebben van iets* loathe (of: detest) sth.; *van ~ vervuld* horrified, appalled

afschuwelijk 1 horrible **2** [ontzettend slecht, lelijk] shocking, awful, appalling: *ik heb een ~e dag gehad* I've had an awful day; *die rok staat je ~* that dress looks awful on you

¹**afslaan** (onov ww) **1** turn (off) [persoon, voertuig]; branch off [weg] **2** [m.b.t. motor e.d.] cut out, stall ‖ *van zich ~* hit out

²**afslaan** (ov ww) [afwijzen] turn down

[aanbod]; refuse; decline [uitnodiging]: *nou, een kopje koffie sla ik niet af* I won't say no to a cup of coffee

afslachten slaughter, massacre

de **afslag 1** [afrit] turn(ing); [op autoweg] exit: *de volgende ~ rechts nemen* take the next turning on the right **2** [openbare verkoping] Dutch auction: *~ van vis* fish auction; *bij ~ veilen* sell by Dutch auction

afslanken slim (down), trim down: *het bedrijf moet aanzienlijk ~* the company has to slim down considerably

¹**afslijten** (onov ww) wear out, wear off

²**afslijten** (ov ww) wear (off, down)

afsloven wear out: *zich voor iem. ~* wear o.s. out (of: kill o.s.) for s.o.

de **afsluitdijk** dam, causeway: *de Afsluitdijk* the IJsselmeer Dam

afsluiten 1 close (off, up): *een weg ~ voor verkeer* close a road to traffic **2** [op slot doen] lock (up); close [bus, fles enz.]: *heb je de voordeur goed afgesloten?* have you locked the front door? **3** [van gas, elektriciteit e.d.] cut off, shut off, turn off, disconnect; [programma] exit: *de stroom ~* cut off the electricity **4** [van overeenkomst e.d.] conclude [bijv. contract]; enter into [overeenkomst]; negotiate [hypotheek]: *een levensverzekering ~* take out a life insurance policy **5** [een eind maken aan] close, conclude: *een (dienst)jaar ~* close a year ‖ *zich ~* cut o.s. off

de **afsluiting 1** closing off, closing up **2** [het op slot doen] locking (up, away) **3** [van gas, water e.d.] shut-off, cut-off, disconnection **4** [van overeenkomst e.d.] conclusion **5** closing [rekening]; close [jaar]; balancing [boek, jaar] **6** seclusion, isolation

afsnauwen snap (of: snarl) at: *iem. ~* [ook] snap s.o.'s head off

afsnijden cut off ‖ *de bocht ~* cut the corner; *een stuk ~* take a short cut

afsnoepen steal

¹**afspelen** (ov ww) [afdraaien] play

zich ²**afspelen** (wdk ww) happen, take place, occur

afspiegelen depict, portray: *men spiegelt hem af als een misdadiger* he is represented as a criminal

de **afspiegeling** reflection, mirror image

¹**afsplitsen** (ov ww) split off, separate

zich ²**afsplitsen** (wdk ww) split off

afspoelen rinse (down, off), wash (down, off): *het stof van zijn handen ~* rinse the dust off one's hands

de **afspraak** appointment [met arts enz.]; engagement [bijv. voor zaken, met vrienden]; [overeenkomst] agreement: *een ~ maken* (of: *hebben*) *bij de tandarts* make (of: have) an appointment with the dentist; *een ~ nakomen, zich aan een ~ houden* **a)** [met iem.] keep an appointment; **b)** [overeenkomst] stick to an agreement

het **afspraakje** date

¹**afspreken** (onov ww) make an appointment

²**afspreken** (ov ww) agree (on), arrange: *een plan* ~ agree on a plan; *dat is dus afgesproken* that's a deal, that's settled then; ~ *iets te zullen doen* agree to do sth.; *zoals afgesproken* as agreed

afspringen 1 jump down/off **2** [niet doorgaan] [koop] fall through; [onderhandelingen] break down

afstaan give up; hand over [afdragen]: *zijn plaats* ~ [bijv. aan jongere collega] step down

de **afstammeling** descendant

afstammen descend (from)

de **afstamming** descent: *van Italiaanse* ~ of Italian extraction

de **afstand 1** distance (to, from): *een* ~ *afleggen* cover a distance; ~ *houden* (of: *bewaren*) keep one's distance; [fig ook] keep aloof; ~ *nemen van een onderwerp* distance o.s. from a subject; *op een* ~ at a distance; **b)** [fig] distant, aloof; *iem. op een* ~ *houden* [fig ook] keep s.o. at arm's length **2** renunciation: ~ *doen van* renounce, disclaim; give up; ~ *doen van zijn bezit* part with one's possessions

afstandelijk distant, aloof

de **afstandsbediening** remote control (unit)

het **afstandsonderwijs** distance learning

het **afstapje** step: *denk om het* ~ mind the step

afstappen step down, come down, come off, dismount; [m.b.t. fiets] get off (one's bike)

¹**afsteken** (onov ww) stand out: *de kerktoren stak (donker) af tegen de hemel* the church tower stood out against the sky

²**afsteken** (ov ww) **1** [doen ontbranden, afgaan] let off: *vuurwerk* ~ let off fireworks **2** deliver: *een speech* ~ hold forth, make a speech

het **afstel** cancellation

afstellen adjust (to), set; tune (up) [motor]

afstemmen 1 tune **2** tune (to); [aanzetten] tune in (to): *een radio op een zender* ~ tune a radio in to a station **3** tune (to): *alle werkzaamheden zijn op elkaar afgestemd* all activities are geared to one another

afstempelen stamp, cancel, postmark: *een paspoort* (of: *kaartje*) ~ stamp a passport (of: ticket)

afsterven die (off); [plantk ook] die back

afstevenen (+ op) make for, head for (of: towards)

afstoffen dust (off)

¹**afstompen** (onov ww) become blunt(ed) (of: numb)

²**afstompen** (ov ww) blunt, dull, numb

afstotelijk repulsive, repellent; [gedrag,

persoon] off-putting

afstoten 1 dispose of; reject [verwerpen]; hive off [bedrijfstakken]: *arbeidsplaatsen* ~ cut jobs **2** repel: *zo'n onvriendelijke behandeling stoot af* such unfriendly treatment is off-putting

afstraffen punish [ook sport]

afstrijken 1 strike, light **2** wipe off, level (off): *een afgestreken eetlepel* a level tablespoonful

afstropen 1 strip (off): *een haas de huid* ~ skin a hare **2** [plunderend aflopen] pillage, ransack: *enkele benden stroopten het platteland af* a few bands pillaged the countryside

de **afstudeerscriptie** (Master's) thesis

afstuderen graduate (from), complete (of: finish) one's studies (at)

afstuiten [afketsen] rebound; [niet doorgaan] be frustrated: *de bal stuit af tegen de paal* the ball rebounds off the post; *het voorstel stuitte af op haar koppigheid* the proposal fell through owing to her obstinacy

afsturen (+ op) send (towards): *de hond op iem.* ~ set the dog on s.o.

aftakelen go (of: run) to seed, go downhill: *hij begint al flink af te takelen* he really is starting to go downhill; [geestelijk] he is really starting to lose his faculties

de **aftakeling** deterioration, decline

de **aftakking** branch, fork

aftands broken down, worn out: *een* ~*e piano* a worn-out (of: dilapidated) piano

aftappen 1 draw off, drain: *als het hard vriest, moet je de waterleiding* ~ when it freezes hard you have to drain the pipes **2** tap: *stroom* ~ tap electricity; *de benzine* ~ siphon (off) the petrol; *een telefoonlijn* ~ tap a telephone line

aftasten 1 feel, sense: *een oppervlak* ~ explore a surface with one's hands **2** [fig] feel out, sound out

¹**aftekenen** (ov ww) **1** outline, mark off: *de plattegrond van een plein* ~ map out a (town) square **2** [aantekenen op een kaart] register, record: *ik heb mijn gewerkte uren laten* ~ I've had my working hours registered

zich ²**aftekenen** (wdk ww) stand out, become visible: *zich* ~ *tegen* stand out against

aftellen count (out, off): *de dagen* ~ count the days

de **afterparty** after party

de **aftershave** aftershave

de **aftersun** after sun

aftikken [kindert] tag (out)

de **aftiteling** credit titles, credits

de **aftocht** retreat: *de* ~ *slaan* (of: *blazen*) beat a retreat

de **aftrap** kick-off: *de* ~ *doen* kick off

aftrappen kick off

aftreden resign (one's post)

de **aftrek 1** deduction: ~ *van voorarrest* reduction in sentence for time already served; *na ~ van onkosten* less expenses **2** [bedrag] deduction; [belasting ook] allowance ‖ *geen ~ vinden* not sell

aftrekbaar deductible; tax-deductible [voor de belasting]

aftrekken 1 subtract: *als je acht van veertien aftrekt houd je zes over* if you take eight from fourteen you have six left **2** deduct **3** [seksueel bevredigen] masturbate, jerk off

de **aftrekpost** deduction, tax-deductible item (*of:* expense)

het **aftreksel** extract, infusion: [fig] *een slap ~ van het origineel* a poor substitute for (*of:* rendering of) the original

de **aftreksom** subtraction (sum)

aftroeven score (points) off

aftroggelen wheedle out of: *iem. iets weten af te troggelen* succeed in wheedling sth. out of s.o.

aftuigen beat up, mug

afvaardigen send (*of:* appoint) as delegate: *hij was naar de leerlingenraad afgevaardigd* he had been appointed as delegate to the students' council

de **afvaardiging** delegation

de **afvaart** sailing, departure

het **afval** waste (matter); [vuilnis] refuse; [vuilnis] rubbish: *radioactief ~* radioactive waste

de **afvalbak** litter bin (*of:* basket); [vuilnisbak] dustbin; rubbish bin

afvallen 1 fall off (*of:* down): *de bladeren vallen af* the leaves are falling **2** [niet meer meetellen] drop out: *dat alternatief viel af* that option was dropped (*of:* was no longer available) **3** [afslanken] lose weight: *ik ben drie kilo afgevallen* I've lost three kilos ‖ *iem. ~* let s.o. down, desert (*of:* abandon) s.o.

afvallig unfaithful, disloyal; [van kerk ook] lapsed

het **afvalproduct** by-product, waste product

de **afvalrace** elimination race

de **afvalstof** waste product; [mv ook] waste (matter): *schadelijke ~fen* harmful (*of:* noxious) waste

de **afvalverwerking** processing of waste, waste disposal (*of:* treatment)

het **afvalwater** waste water

de **afvalwedstrijd** [sport] heat, knock-out (*of:* elimination) competition

afvegen wipe (off), brush away, wipe away: *de tafel ~* wipe (off) the table

afvinken check (*of:* tick) off

afvloeien be made redundant, be laid off; [ook] be given early retirement [via VUT]

de **afvloeiing** [m.b.t. personeel] release, gradual dismissal (*of:* discharge)

de **afvloeiingsregeling** redundancy pay (*of:* scheme)

de **afvoer 1** transport, conveyance: *de ~ van goederen* transport (*of:* removal) of goods

2 [pijp] drain(pipe), outlet; exhaust (pipe) [voor gassen e.d.]: *de ~ is verstopt* the drain is blocked

de **afvoerbuis** discharge (*of:* outlet) pipe; [riool] soil (*of:* waste) pipe; [voor gassen e.d.] exhaust (pipe)

afvoeren 1 transport; drain away, drain off [water]; lead away [van zijn voorgenomen route af] **2** [naar beneden, afwaarts voeren] carry off (*of:* down), lead down

zich **afvragen** wonder, ask o.s.; [betwijfelen ook] (be in) doubt (as to): *ik vraag mij af, wie … I* wonder who …; *ik vraag mij af of dat juist is* I wonder if (*of:* whether) that is correct

afvuren fire, let off, discharge; launch [raket]

afwachten wait (for), await; [tegemoet zien] anticipate: *zijn beurt ~* wait (for) one's turn; *we moeten maar ~* we'll have to wait and see

de **afwachting** expectation; [tegemoet zien] anticipation: *in ~ van uw antwoord* we look forward to receiving your reply

de **afwas 1** dishes, washing-up **2** doing (*of:* washing) the dishes, washing-up: *hij is aan de ~* he is washing up (*of:* doing) the dishes

afwasbaar washable

de **afwasborstel** washing-up brush

de **afwasmachine** dishwasher, washing-up machine

het **afwasmiddel** washing-up liquid; [Am] dishwashing liquid

¹**afwassen** (onov ww) do (*of:* wash) the dishes

²**afwassen** (ov ww) **1** wash (up) **2** wash off (*of:* away): *bloed van zijn handen ~* wash blood from his hands

de **afwatering 1** drainage **2** [inrichting] drainage, drains

de **afweer** defence

het **afweergeschut** anti-aircraft guns

het **afweersysteem** defence system; [van lichaam] immune system

afwegen 1 weigh **2** [overwegen] weigh (up), consider: *de voor- en nadelen (tegen elkaar) ~* weigh the pros and cons (against each other)

de **afweging** assessment; [het bepalen] determination: *een ~ maken* consider the pros and cons, make a comparative assessment

afwenden 1 turn away (*of:* aside); [blik, gedachten ook] avert: *het hoofd* (*of: de ogen) ~* avert: *het hoofd* (*of: de ogen) ~* turn one's head (*of:* eyes) away, look away; *de ogen niet ~ van iem. (iets)* not take one's eyes off s.o. (sth.) **2** [afweren] avert, ward off, stave off; [aanval ook] parry

afwennen cure of, break of: *iem. het nagelbijten proberen af te wennen* try to get s.o. out of the habit of biting his nails

afwentelen shift (on to), transfer (to)

afweren keep off (*of:* away), hold off; [fig]

fend off, ward off: *nieuwsgierigen* ~ keep
bystanders at a distance; *een aanval* (of: *aanvaller*) ~ repel an attack (of: attacker)
afwerken 1 finish (off): *een opstel* (of: *roman*) ~ add the finishing touches to an essay
(of: a novel) **2** [volbrengen] finish (off), complete: *een programma* ~ complete a programme

de **afwerking** finish(ing), finishing touch
afwerpen throw off
afweten: *het laten* ~ fail, refuse to work;
[niet op komen dagen] not show up
afwezig 1 absent; [weg] away; [weg] gone:
Jansen is op het ogenblik ~ Jansen is away at
the moment **2** [verstrooid] absent-minded,
preoccupied

de **afwezigheid 1** absence: *tijdens Pauls* ~
during Paul's absence; *in (bij)* ~ *van* in the
absence of **2** [verstrooidheid] absent-mindedness: *in een ogenblik van* ~ in a forgetful
moment, in a momentary fit of absent-
mindedness
afwijken 1 deviate (from) [ook fig]; depart
(from) [onderwerp]; diverge (from) [lijn e.d.]:
doen ~ divert, turn (away); [fig] *van het rechte pad* ~ deviate from the straight and narrow **2** [niet overeenkomen] differ, deviate,
vary; disagree (with) [persoon]
afwijkend different: ~ *gedrag* abnormal
behaviour; ~*e mening* different opinion

de **afwijking 1** defect, abnormality, aberra-
tion: *een geestelijke* ~ a mental abnormality;
een lichamelijke ~ a physical defect **2** [ver-
schil] difference, deviation: *dit horloge ver-
toont een* ~ *van één seconde* this watch is accurate to within one second
afwijzen 1 not admit, turn away: *een bezoeker* ~ turn away a visitor; *iem. als lid (van
een vereniging)* ~ refuse s.o. membership (of
an association) **2** [weigeren] refuse, decline,
reject; [verwerpen] repudiate

de **afwijzing** refusal, rejection; [verwerping]
repudiation
afwikkelen complete, settle: *een contract*
(of: *kwestie*) ~ settle a contract (of: question)
afwimpelen [voorstel] not follow up, pass
over; [uitnodiging] find an excuse (not to accept), get out of
afwinden unwind
afwisselen 1 alternate with, take turns;
[aflossen] relieve: *elkaar* ~ take turns **2** [va-
riëren] vary: *zijn werk* ~ *met ontspanning* alternate one's work with relaxation
¹**afwisselend** (bn) **1** alternate **2** [gevari-
eerd] varied
²**afwisselend** (bw) alternately, in turn

de **afwisseling** variety, variation, change: *een
welkome* ~ *vormen* make a welcome change;
voor de ~ for a change
afzakken 1 come down: *zich laten* ~ [ach-
teraan gaan rijden] fall behind; [met de

stroom] go with (of: be taken by) the current
2 [slechter worden] fall back

het **afzakkertje** [inf] put down; [vóór vertrek] one for the
road; [voor het naar bed gaan] nightcap
afzeggen cancel, call off: *de staking werd
afgezegd* the strike was called off
afzeiken [inf] put down; [vulg] shit all over:
zich niet laten ~ not let o.s. be put down, not
let people shit all over one

de **afzender** sender; shipper [goederen]: ~ ...
[achterop brief] from ...

de **afzet 1** sale, market **2** [verkochte waren]
sales

het **afzetgebied** outlet, opening, market
afzetten 1 switch off, turn off [radio, mo-
tor]; disconnect [telefoon, alarm] **2** [van le-
dematen] cut off, amputate **3** [oplichten]
cheat, swindle; overcharge [klanten]: *een
klant voor tien euro* ~ cheat a customer out of
ten euros **4** [van terrein e.d.] enclose, fence
off, fence in; block off, close off [toegangs-
weg]: *een bouwterrein* ~ fence off a building
site **5** [van, tegen iets afduwen] push off:
[fig] *zich* ~ *tegen (iets, iem.)* react against (sth.
s.o.); *zich* ~ *voor een sprong* take off **6** [ont-
slaan] dismiss, remove: *een koning* ~ depose
a king **7** [laten uitstappen] drop, set down,
put down: *een vriend thuis* ~ drop a friend at
his home ‖ *dat moet je van je af (kunnen) zetten*
(you should be able to) get that out of your
mind

de **afzetter** cheat, swindler

de **afzetterij** swindle, cheat; [inf] rip-off

de **afzetting** enclosure, fence; cordon [politie]
afzichtelijk ghastly, hideous
afzien 1 (+ van) abandon, give up; [afstand
doen van] renounce [bijv. rechten]: *naderhand zagen ze toch van samenwerking af* after
wards they decided not to cooperate **2** have
a hard time (of it), sweat it out: *dat wordt* ~
we'd better roll up our sleeves
afzienbaar: *binnen afzienbare tijd* in the
near future, within the foreseeable (of: not
too distant) future
afzijdig aloof: *zich* ~ *houden van*, ~ *blijven
van* keep aloof from

zich **afzonderen** separate (of: seclude) o.s.
(from), retire (from), withdraw (from): *zich
van de wereld* ~ withdraw from the world

de **afzondering** separation, isolation, seclusion: *in strikte (strenge)* ~ in strict isolation
afzonderlijk separate, individual, single:
de keuze wordt aan ieder ~ *kind overgelaten*
the choice is left to each individual child

de **afzuigkap** (cooker) hood
¹**afzwakken** (onov ww) [van wind] subside,
decrease
²**afzwakken** (ov ww) [zwakker maken]
weaken, tone (of: play) down: *de scherpe
toon* ~ soften the sharp tone (of), tone down
the sharpness (of)

afzwemmen take a swimming test

afzweren renounce, forswear: *de drank ~* **a)** give up drink(ing); **b)** [inf] swear off drink(ing); *zijn geloof* (of: *beginselen*) *~* renounce one's faith (of: *principles*)

de **agenda 1** [notitieboekje] diary **2** [van vergadering] agenda: *op de ~ staan* be on the agenda; *geheime* (of: *verborgen*) *~* hidden agenda

de **agent 1** policeman, constable: *een stille ~*, *een ~ in burger* a plain-clothes policeman **2** [vertegenwoordiger] agent ‖ *een geheim ~* a secret agent

het **agentschap** branch (office)

ageren agitate (of: manoeuvre) (against), (carry on a) campaign (against)

de **agglomeratie** conurbation

de **aggregatietoestand** [nat] physical state

de **agrariër** farmer

agrarisch agrarian, agricultural, farming: *~e school* school of agriculture

de **agressie** aggression: *een daad van ~* an act of aggression; *~ opwekken* provoke aggression

agressief aggressive: *een agressieve politiek voeren* pursue an aggressive policy

de **agressor** aggressor, attacker

ah ah, oh

aha aha

de **ahorn** maple

a.h.w. afk van *als het ware* as it were

ai [pijn] ouch; ow; [verdriet] ah; oh ‖ *ai!, dat was maar net mis* oops! that was a close shave

de **aids** Aids

de **aidspatiënt** AIDS patient

de **aidsremmer** AIDS inhibitor

de **aio** afk van *assistent in opleiding* PhD student, research trainee

het **air** air, look: *met het ~ van* with an air of

de **airbag** air bag

de **airconditioning** air-conditioning

de **ajuin** [Belg] onion

akelig 1 unpleasant, nasty, dismal; [weer ook] dreary; [weer ook] bleak; [spookachtig] ghastly: *een ~ gezicht* (of: *beeld*) a nasty sight (of: *picture*); *een ~ verhaal* a ghastly story; *~ weer* nasty weather **2** [onwel] ill, sick: *ik word er ~ van* it turns my stomach

het **akkefietje 1** [lastig werk] chore **2** [karweitje] (little) job **3** [zaakje] trifle

de **akker** field

de **akkerbouw** (arable) farming, agriculture

de **akkerbouwer** (crop) farmer, cultivator

het **akkerland** arable land, plough land

het **akkoord 1** agreement, arrangement, settlement; [koop] bargain: *een ~ aangaan* (of: *sluiten*) come to an arrangement; *tot een ~ komen* reach an agreement **2** [muz] chord ‖ *~ gaan (met)* agree (to), be agreeable (to); *niet ~ gaan (met)* disagree (with)

de **akoestiek** acoustics [ww steeds mv]

akoestisch acoustic, sonic

de **akte 1** [notariële] deed; [koop] contract: *~ van geboorte* (of: *overlijden, huwelijk*) birth (of: *death, marriage*) certificate; *een ~ opmaken* draw up a deed; *~ opmaken van* make a record of **2** [diploma] certificate; diploma; [vergunning] licence **3** [theat, film] act ‖ *waarvan ~* duly noted, acknowledged

de **aktetas** briefcase

¹**al** (onb vnw) **1** [geheel] all, whole: *al de moeite* all our (of: their) trouble; *het was één en al geweld op tv gisteren* there was nothing but violence on TV yesterday **2** [m.b.t. elk deel van een verzameling] all (of)

²**al** (bw) **1** [tijd] yet; [al] already: *al een hele tijd* for a long time now; *al enige tijd, al vanaf juli* for some time past (of: now), (ever) since July; *dat dacht ik al* I thought so; *is zij er nu al?* [met klemtoon op nu] is she here already?; *is Jan er al?* is John here yet?; *ik heb het altijd al geweten* I've known it all along; *daar heb je het al* there you are **2** [versterking] all: *dat alleen al* that alone; *al te snel* (of: *spoedig*) far too fast (of: soon); *ze weten het maar al te goed* they know only too well; *hij had het toch al moeilijk* he had enough problems as it was ‖ *het is al laat* (of: *duur*) *genoeg* it is late (of: expensive) enough as it is; *dat lijkt er al meer op, dat is al beter* that's more like it

³**al** (telw) all (of); [alle afzonderlijke] every; each: *al zijn gedachten* his every thought; *al de kinderen* all (of) the children

⁴**al** (vw) though, although, even though, even if: *al ben ik arm, ik ben gelukkig* I may be poor, but I'm happy; *al zeg ik het zelf* even though I say so myself; *al was het alleen maar omdat* if only because; *ook al is het erg* bad as it is (of: may be); *ik deed het niet, al kreeg ik een miljoen* I wouldn't do it for a million pounds

het **alarm** alarm: *groot ~* full (of: red) alert; *loos* (of: *vals*) *~* false alarm; *een stil ~* a silent alarm; *~ slaan* (of: *geven*) give (of: sound) the alarm

de **alarmbelprocedure** [Belg] constitutionally mandated procedure in Belgium to prevent discrimination against minorities

de **alarmcentrale** emergency centre, (general) emergency number

alarmeren 1 alert, call out: *de brandweer ~* call (out) the fire brigade **2** [in opschudding brengen] alarm: *~de berichten* disturbing reports

het **alarmnummer** emergency number

het **alarmpistool** alarm gun

de ¹**Albanees** (zn) [persoon] Albanian

het ²**Albanees** (zn) [taal] Albanian

³**Albanees** (bn) Albanian

Albanië Albania

het **albast** alabaster

de **albatros** albatross

de **albino** albino

het **album** album
de **alchemie** alchemy
de **alcohol** alcohol: *pure* ~ pure alcohol; *verslaafd aan* ~ addicted to alcohol
alcoholhoudend alcoholic: *~e dranken* alcoholic beverages, spirits
alcoholisch alcoholic: *~e dranken* alcoholic drinks; *een niet* ~ *drankje* a non-alcoholic drink
het **alcoholisme** alcoholism
de **alcoholist** alcoholic
alcoholvrij non-alcoholic, soft: *~e dranken* non-alcoholic beverages, soft drinks
aldaar there, at (*of:* of) that place
aldoor all along, all the time: *zij dacht* ~ *dat ...* she kept thinking that ...
aldus thus, so: ~ *geschiedde* and so (*of:* thus) it happened; ~ *de minister* according to (*of:* said) the minister
alert alert: ~ *zijn op spelfouten* be on the alert (*of:* lookout) for spelling mistakes
de **alfa** [ond] ± languages, humanities, arts || *zij is een echte* ~ all her talents are on the arts side
het **alfabet** alphabet: *alle letters van het* ~ all the letters in the alphabet; *de boeken staan op* ~ the books are arranged in alphabetical order
alfabetisch alphabetical: *een ~(e) gids, een* ~ *spoorboekje* an ABC; [strategids ook] an A to Z; *in ~e volgorde* in alphabetical order
alfabetiseren alphabetize
alfanumeriek alphanumeric(al)
de **alg** alga
de **algebra** algebra
algebraïsch algebraic(al)
algeheel complete, total: *met algehele steun* with (everyone's) full support; *met mijn algehele instemming* with my wholehearted consent; *tot algehele tevredenheid* to everyone's satisfaction
algemeen 1 public, general, universal, common: *een algemene regel* a general rule; *voor* ~ *gebruik* for general use; *algemene ontwikkeling* general knowledge; *in algemene zin* in a general sense; *algemene middelen* public funds; *het is* ~ *bekend* it is common knowledge; ~ *beschouwd worden als* be generally known as **2** [onbepaald] general(ized), broad: *in algemene bewoordingen* in general terms || *in het* ~ *hebt u gelijk* on the whole, you're right; *zij zijn in het* ~ *betrouwbaar* for the most part they are reliable; *in (over) het* ~ in general
de **algemeenheid** generality; [onnauwkeurigheid] indefiniteness || [Belg] *met* ~ *van stemmen* unanimously
Algerije Algeria
de **Algerijn** Algerian
Algerijns Algerian
alhoewel although

alias alias, also (*of:* otherwise) known as
het/de **alibi** alibi [ook juridisch]; excuse: *iem. een* ~ *bezorgen (geven)* cover up for s.o.
de **alien** alien
de **alimentatie** maintenance (allowance, money); [bij scheiding] alimony
de **alinea** paragraph: *een nieuwe* ~ *beginnen* start a new paragraph
alla that's one thing
Allah Allah
allang for a long time, a long time ago: *ik ben* ~ *blij dat je er bent* I'm pleased that you're here at all
¹**alle** (onb vnw) all, every, each: *uit* ~ *macht iets proberen* try one's utmost; *hij had* ~ *reden om* he had every reason to; *boven* ~ *twijfel* beyond all doubt; *voor* ~ *zekerheid* to make quite (*of:* doubly) sure
²**alle** (telw) all, every, each; [m.b.t. personen, zelfstandig; ook] everyone; [m.b.t. personen, zelfstandig; ook] everybody: *van* ~ *kanten* from all sides, from every side; *in* ~ *opzichten* in all respects; *zij gingen met hun ~n naar het zwembad* they went all together to the swimming pool; *geen van ~n wist het* not one of them knew
allebei both; [de een of de ander] either: ~ *de kinderen waren bang* both (of the) children were afraid; *het was* ~ *juist geweest* either would have been correct
alledaags daily, everyday: *de ~e beslommeringen* day-to-day worries; *de kleine, ~e dingen van het leven* the little everyday things of life; *dat is niet iets* ~ that's not an everyday occurrence
¹**alleen** (bn, bw) **1** alone, by o.s., on one's own: *hij is graag* ~ he likes to be alone (*of:* by himself); *het* ~ *klaarspelen* manage it alone (*of:* on one's own); *helemaal* ~ all (*of:* completely) alone; *een kamer voor hem* ~ a room (all) to himself **2** [uitsluitend] only, alone: ~ *in het weekeinde geopend* only open at weekends
²**alleen** (bw) only, merely, just: *de gedachte* ~ *al* the mere (*of:* very) thought; *ik wilde u* ~ *maar even spreken* I just wanted to talk to you; ~ *maar aan zichzelf denken* only think of o.s.; *niet* ~ ... *maar ook* not only ... but also
de **alleenheerschappij** absolute power; [fig] monopoly: *de* ~ *voeren (over)* reign supreme (over)
de **alleenheerser** absolute sovereign, autocrat
het **alleenrecht** exclusive right(s)
alleenstaand single: *een ~e ouder* a single parent
de **alleenverdiener** sole wage-earner
het **allegaartje** mishmash, hotchpotch, jumble
de **allegorie** allegory
allegorisch allegorical
¹**allemaal** (bw) all, only: *hij zag* ~ *sterretjes*

all he saw was little stars

²allemaal (telw) all; [mensen] everybody; everyone; [dingen] everything: *beste van* ~ best of all; ~ *onzin* all nonsense; *ik houd van jullie* ~ I love you all; *zoals wij* ~ like all of us; ~ *samen (tegelijk)* all together; *tot ziens* ~ goodbye everybody

allemachtig [geweldig] amazingly: *een* ~ *groot huis* an amazingly big house

alleman everybody: *Jan en* ~ one and all, all and sundry; *met Jan en* ~ *naar bed gaan* sleep around

allengs gradually, little by little

allerbest very best: *zijn* ~*e vrienden* his very best friends; *ik wens je het* ~*e* I wish you all the best

allereerst first of all, very first: *vanaf het* ~*e begin* from the very beginning

het **allergeen** allergen

de **allergie** allergy

allergisch allergic (to)

allerhande all sorts (of), all kinds (of)

Allerheiligen All Saints' (Day)

allerhoogst highest of all; very highest [berg]; supreme; paramount [belang]; maximum [bedrag]; top [functionaris]: *van het* ~*e belang* of supreme (*of:* paramount) importance; *het is de* ~*e tijd* it's high time

allerijl *in* ~ with all speed, in great haste

allerlaatst last of all, very last, very latest: *de* ~*e bus* the (very) last bus; *de* ~*e mode* the very latest style; *op het* ~ at the very last moment; *tot op het* ~ right up to the (very) end

allerlei all sorts (*of:* kinds) of: ~ *speelgoed* all sorts of toys

allerliefst 1 [zeer lief] (very) dearest (*of:* sweetest): *een* ~ *kind* a very dear (*of:* sweet) child **2** more than anything: *hij wil het* ~ *acteur worden* he wants to be an actor to be an actor more than anything

allerminst 1 least (of all): *ik heb er niet het* ~*e op aan te merken* I don't have the slightest objection **2** [in aantal] (very) least, (very) slightest: *op zijn* ~ at the very least

Allerzielen All Souls' (Day)

alles everything, all, anything: *hij heeft (van)* ~ *geprobeerd* he has tried everything; *is dat* ~*?* [in winkel] will that be all?; *dat is* ~ that's it (*of:* everything); *ik weet er* ~ *van* I know all about it; *(het is)* ~ *of niets* (it's) all or nothing; ~ *op* ~ *zetten* go all out; *van* ~ *(en nog wat)* all sorts of things; ~ *bij elkaar viel het mee* all in all (*of:* all things considered) it was better than expected; ~ *op zijn tijd* all in due course, all in good time; *dat slaat* ~ that takes the cake

allesbehalve anything but: *het was* ~ *een succes* it was anything but a success; ~ *vriendelijk* anything but friendly

de **alleseter** omnivore

allesomvattend all-embracing, comprehensive, universal

allesoverheersend overpowering: *een* ~*e smaak van knoflook* an overpowering taste of garlic

de **allesreiniger** all-purpose cleaner

alleszins in every way, completely, in all respects, fully: *dat is* ~ *redelijk* that is perfectly reasonable

de **alliantie** alliance

allicht most probably (*of:* likely), of course: *ja* ~ yes, of course

de **alligator** alligator

all-in all-in(clusive): *dat is € 1000* ~ that is € 1000 everything included

de **all-inreis** all-inclusive trip

de **¹allochtoon** (zn) immigrant, foreigner

²allochtoon (bn) foreign

allrisk comprehensive: ~ *verzekerd zijn* have a comprehensive policy

de **allriskverzekering** comprehensive insurance policy

allround all-round

de **allure** air, style: ~ *hebben* have style; *iem. van* ~ a striking personality; *een gebouw met* ~ an imposing building

de **allusie** allusion: [Belg] ~*(s) maken op* hint at, allude to

almaar constantly, continuously, all the time: *kinderen die* ~ *om snoep vragen* children who are always asking for sweets

de **almacht** omnipotence

almachtig almighty, all-powerful: *de Almachtige* the Almighty

de **almanak** almanac

de **alo** afk van *academie voor lichamelijke opvoeding* college of physical education

alom everywhere, on all sides: ~ *gevreesd* (*of:* bekend) generally feared (*of:* known)

de **alp** alp

alpineskiën alpine (*of:* downhill) skiing

het **alpinisme** alpinism, mountaineering

de **alpinist** alpinist, mountaineer

de **alpino** (Basque) beret

als 1 like, as: *zich* ~ *een dame gedragen* behave like a lady; *hetzelfde* ~ *ik* the same as me, just like me; *hij is even groot* ~ *jij* he is as tall as you; *de brief luidt* ~ *volgt* the letter reads as follows; *zowel in de stad* ~ *op het land* both in the city and in the country **2** as, as if: ~ *bij toverslag veranderde alles* as if by magic everything changed; ~ *ware het je eigen kind* as if it were your own child **3** [hoedanigheid] for, as: *poppen* ~ *geschenk* dolls for presents; *ik heb die man nog* ~ *jongen gekend* I knew that man when he was still a boy; ~ *vrienden uit elkaar gaan* part as friends **4** [m.b.t. tijd] when: *telkens* ~ *wij elkaar tegenkomen keert hij zich af* whenever we meet, he turns away **5** [m.b.t. voorwaarde] if, as long as: ~ *zij er niet geweest was …* if she had not been there …; *maar wat* ~ *het regent,* ~ *het nu eens regent?* but what if it rains?; ~ *het mogelijk is* if possible; ~ *ze al komen* if they come at all

alsmaar constantly, all the time: ~ *praten* talk constantly

alsmede as well as, and also

alsnog still, yet: *je kunt ~ van studie veranderen* you can still change your course

alsof as if: *je doet maar ~* you're just pretending; *hij keek ~ hij mij niet begreep* he looked as if he didn't understand me

alsook as well as

¹**alstublieft** (bw) please: *een ogenblikje ~* just a minute, please; *wees ~ rustig* please be quiet

²**alstublieft** (tw) please; [bij het aanreiken van iets] here you are: ~, *dat is dan €6,50* (thank you,) that will be €6.50

de ¹**alt** (zn) [muz] [zanger] alto

de ²**alt** (zn) [muz] [stem] alto

het **altaar** altar

het **alternatief** alternative: *er is geen enkel ~* there is no alternative; *als ~* as an alternative; *alternatieve geneeswijze* alternative treatment

althans at least

altijd always, forever: *ik heb het ~ wel gedacht* I've thought so all along; I've always thought so; *je kunt niet ~ winnen* you can't win them all; ~ *weer* again and again; *wat je ook doet, je verliest ~* no matter what you do, you always lose; *bijna ~* nearly always; *wonen ze nog ~ in Almere?* are they still living in Almere?; *voor eens en ~* once and for all; *hetzelfde als ~* the same as always, the usual; *ze ging ~ op woensdag winkelen* she always went shopping on Wednesdays

altijddurend everlasting

de **altsaxofoon** alto saxophone

de **altviolist** violist

de **altviool** viola

de **aluin** alum

het ¹**aluminium** (zn) aluminium

²**aluminium** (bn) aluminium

het/de **aluminiumfolie** aluminium (of: tin, kitchen) foil

alvast meanwhile, in the meantime: *jullie hadden ~ kunnen beginnen zonder mij* you could have started without me

de **alvleesklier** pancreas

alvorens before: ~ *te vertrekken, graag het licht uitdoen* before you leave, please switch the light off

alweer again, once more: *het wordt ~ herfst* autumn has come round again

alwetend omniscient, all-knowing

de **alzheimer** Alzheimer's (disease)

de **ama** [alleenstaande minderjarige asielzoeker] single under-aged asylum seeker

het **amalgaam** amalgam

de **amandel 1** almond **2** [med] tonsil: *zijn ~en laten knippen* have one's tonsils (taken) out

de **amanuensis** laboratory assistant

de **amateur** amateur

amateuristisch amateur(ish): ~*e sportbeoefening* amateur sports; *dat is zeer ~ gedaan* that was done very amateurishly

de **amazone** horsewoman

de **Amazone** Amazon

het **ambacht** trade, (handi)craft: *het ~ uitoefenen van ...* practise the trade of ... ‖ *het is met hem twaalf ~en, dertien ongelukken* he is a jack-of-all-trades (and master of none)

ambachtelijk according to traditional methods: *op ~e wijze bereid* prepared according to traditional methods

de **ambachtsman** artisan, craftsman

de **ambassade** embassy

de **ambassadeur** ambassador

de **amber** amber

de **ambiance** ambiance

ambiëren aspire to: *een baan ~* aspire to a job

de **ambitie** ambition: *een man van grote ~* a man with great ambitions

ambitieus ambitious: *ambitieuze plannen* ambitious plans

ambivalent ambivalent

het **ambt** office: *een ~ uitoefenen* carry out one's duties; *iem. uit een ~ ontzetten* discharge s.o. from office

ambtelijk official: ~*e stukken* official documents

ambteloos private: *een ~ burger* a private citizen

de **ambtenaar** official, civil servant, public servant: ~ *van de burgerlijke stand* registrar; [Am] county clerk; *burgerlijk ~* civil (of: public) servant

het **ambtenarenapparaat** civil service

de **ambtenarij** bureaucracy, red tape

de **ambtgenoot** colleague

de **ambtsaanvaarding** accession to office, acceptance (of: assumption) of duties

de **ambtsdrager** office holder

het **ambtsgeheim** professional secrecy (of: confidentiality); [overheid] official secrecy

ambtshalve by virtue of one's office; in one's official capacity, officially

de **ambtstermijn** term of office: *zijn ambtstermijn loopt af* his term of office is drawing to a close, his term of office is nearing its end

ambtswege *van ~* officially, ex officio, by virtue of one's office

de **ambtswoning** official residence

de **ambulance** ambulance

ambulant ambulatory, ambulant: ~*e zorg* ambulatory care

het **amen** amen ‖ [fig] *ja en ~ op iets zeggen* bow to sth.; [Belg] ~ *en uit* that's enough!, stop it!

het **amendement** amendment

amenderen amend

Amerika America

de **Amerikaan** American: *tot ~ naturaliseren*

naturalize as an American
Amerikaans American: *de ~e burgeroor-log* the American Civil War; *het ~e congres* Congress; *~e whiskey* bourbon, rye, corn whiskey

de **Amerikaanse** American (woman)

het/de **amfetamine** amphetamine

de **amfibie** amphibian

het **amfibievoertuig** amphibious vehicle, amphibian

het **amfitheater** amphitheatre

amicaal amicable, friendly: *~ omgaan met iem.* be on friendly terms with s.o.

het **aminozuur** amino acid

de **ammonia** ammonia (water)

de **ammoniak** ammonia

de **amnestie** amnesty: *~ verlenen (aan)* grant an amnesty (to)

de **amoebe** amoeba

amok: *~ maken* run amok

amoreel amoral

amorf amorphous

ampel ample: *na ~e overweging* after careful (*of:* full) consideration

amper scarcely, barely, hardly: *hij kon ~ schrijven* he could barely write

de **ampère** ampere

de **ampul** ampoule

de **amputatie** amputation

amputeren amputate

de **amulet** amulet

amusant amusing: *een ~ verhaal* an amusing story; *iets ~ vinden* find sth. amusing (*of:* entertaining)

het **amusement** amusement, entertainment

de **amusementshal** amusement arcade

zich **amuseren** amuse o.s., entertain o.s., enjoy o.s.: *zich kostelijk (uitstekend) ~* thoroughly enjoy o.s.

anaal anal

anabool anabolic: *anabole steroïden* anabolic steroids

het **anachronisme** anachronism

het **anagram** anagram: *een ~ vormen van* make an anagram of

de **analfabeet** illiterate

het **analfabetisme** illiteracy

de **analist** (chemical) analyst, lab(oratory) technician

de **analogie** analogy: *naar ~ van* by analogy with

analoog analogue

de **analyse** analysis: *een kritische ~ van een roman* a critical analysis of a novel

analyseren analyse: *grondig ~* **a)** analyse thoroughly; **b)** [fig] dissect

analytisch analytical: *~ denken* think analytically

de **ananas** pineapple

de **anarchie** anarchy

het **anarchisme** anarchism

de **anarchist** anarchist

anarchistisch 1 [m.b.t. het anarchisme] anarchist(ic) **2** [opstandig] anarchic

de **anatomie** anatomy

anatomisch anatomical

de **ancien** [Belg] veteran, ex-serviceman

de **anciënniteit** seniority, length of service

Andalusië Andalusia

¹**ander** (bn) **1** other, another: *aan de ~e kant* [anderzijds] on the other hand; *een ~e keer misschien!* maybe some other time!; *(de) een of ~e voorbijganger* some passer-by; *met ~e woorden* in other words; *om de één of ~e reden* for some reason, for one reason or another **2** [zich onderscheidend] different: *ik voel me nu een ~ mens* I feel a different man (*of:* woman) now; *dat is een heel ~e zaak* that's quite a different matter, that's a different matter altogether

²**ander** (onb vnw) **1** another; [mv] others: *de een of ~* somebody, s.o.; *sommigen wel, ~en niet* some do (*of:* are); some don't (*of:* aren't); *de ene of de ~e* (choose) one thing or the other **2** [zaak] another matter (*of:* thing); [mv] other matters (*of:* things): *als geen ~* more than anybody else; *je hebt het een en ~ nodig om te ...* you need a few things in order to ...; *onder ~e* among other things, including; *of het één, of het ~!* you can't have it both ways

³**ander** (telw) next, other: *om de ~e dag* every other day, on alternative days

anderhalf one and a half: *~ maal zoveel* half as much (*of:* many) again; *~ maal zo hoog* one and a half times as high; *~ uur* an hour and a half

¹**anders** (bn) different (from): *niemand ~* nobody else; *wilt u nog iets ~?* do you want anything else?; *over iets ~ beginnen (te praten)* change the subject; *er zit niets ~ op dan ...* there is nothing for it but to ...; *het is (nu eenmaal) niet ~* that's how it is (and there's nothing can be done about it)

²**anders** (bw) **1** normally, differently: *het ~ aanpakken* handle it differently; *~ gezegd, ... in other words ...; *in jouw geval liggen de zaken ~* in your case things are different; *(zo is het) en niet ~* that's the way it is (*of:* how things are); *net als ~* just as usual; *niet meer zo vaak als ~* less often than usual **2** [voor het overige] otherwise, else: *wat kon ik ~ (doen) (dan ...)?* what else could I do (but ...); *~ niets?* [bijv. in winkel] will that be all? || *ergens ~* somewhere else

andersdenkend dissentient, dissident

andersom the other way round

de **anderstalige** non-native speaker

anderszins [form] otherwise: *en/of ~* and/or otherwise

anderzijds on the other hand

de **andijvie** endive

Andorra Andorra
de **¹Andorrees** Andorran
²Andorrees (bn) Andorran
het **andreaskruis** cross of St Andrew
de **anekdote** anecdote
de **anemoon** anemone
de **anesthesie** anaesthesia: *lokale* (of: *totale*) ~ local (*of:* general) anaesthesia
de **anesthesist** anaesthetist
de **angel** sting
Angelsaksisch 1 English(-speaking) **2** [van de Angelsaksen] Anglo-Saxon
de **angina** [med] tonsillitis
de **anglicaan** Anglican
anglicaans Anglican: *de ~e kerk* the Church of England
de **anglist** specialist (*of:* student) of English (language and literature)
Angola Angola
de **Angolees** Angolan
de **angst** fear (of) [vaak mv]; dread, terror (of); [psych] anxiety: ~ *aanjagen* frighten; [sterker] terrify; ~ *hebben voor* be afraid (*of:* scared) of; *uit* ~ *voor straf* for fear of punishment; *verlamd van* ~ numb with fear
angstaanjagend terrifying, frightening
de **angsthaas** scaredy-cat
angstig 1 [angst voelend] anxious; [na ww] afraid: *een ~e schreeuw* an anxious cry; *dat maakte mij* ~ that frightened me, that made me afraid **2** [angst verwekkend] fearful, anxious, terrifying: *~e gedachten* anxious thoughts; *het waren ~e tijden* those were anxious times
angstvallig 1 [nauwgezet] scrupulous, meticulous: *zij vermeed ~ alle vreemde woorden* she scrupulously (*of:* carefully) avoided all foreign words **2** [bangelijk] anxious, nervous
angstwekkend frightening, terrifying
het **angstzweet** cold sweat
de **anijs** aniseed
de **animatie** animation: [Belg] *kinder~* children's activities (during an event)
het/de **animo** zest (for), enthusiasm (for): *er is weinig ~ voor ...* there is little enthusiasm for ...
de **anjer** carnation
het **anker** anchor: *het ~ lichten* raise (the) anchor; [ook fig] get under way; *voor ~ liggen* be anchored, lie at anchor
de **ankerketting** chain
de **ankerplaats** anchorage, berth
annex cum; and; slash
de **annexatie** annexation; incorporation [vnl. m.b.t. gemeenten]
annexeren annex; incorporate [vnl. m.b.t. gemeenten]
anno in the year: ~ *1981* in the year 1981
de **annonce** advertisement, announcement
annonceren 1 [bekendmaken] announce **2** [kaartsp] bid; [troefkaart] call

annuleren cancel: *een bestelling ~* cancel an order
de **annulering** cancellation: ~ *van een reservering* cancellation of a reservation
de **annuleringsverzekering** cancellation insurance
de **anode** [nat] anode
anoniem anonymous, nameless, incognito
de **anonimiteit** anonymity
de **anorak** anorak
de **anorexia** anorexia
de **ansichtkaart** (picture) postcard
de **ansjovis** anchovy
Antarctica Antarctica
het **antecedent** antecedent: *iemands ~en natrekken* look into s.o.'s past record
de **antenne** aerial; [techn] antenna
het **antibioticum** antibiotic: *ik neem antibiotica* I'm taking antibiotics
anticiperen anticipate
de **anticlimax** anticlimax
de **anticonceptie** contraception, birth control
het **anticonceptiemiddel** contraceptive
de **anticonceptiepil** contraceptive pill
het **¹antiek** (zn) antiques [mv]
²antiek (bn) antique, ancient: *~e meubels* antique furniture
de **antiglobalist** antiglobalist
de **antiheld** antihero
het **antilichaam** antibody
de **Antillen** (the) Antilles: *de Nederlandse ~* the Netherlands Antilles
de **Antilliaan** Antillean
Antilliaans Antillean
de **antilope** antelope
de **antipathie** antipathy (towards)
de **antiquair** antique dealer
het **antiquariaat** [bedrijf] antiquarian (*of:* second-hand) bookshop
de **antireclame** ± bad (*of:* negative) publicity
de **antisemiet** anti-Semite
antisemitisch anti-Semitic
het **antisemitisme** anti-Semitism
antiseptisch antiseptic
de **antistof** antibody
de **antithese** antithesis
het/de **antivries** antifreeze
het/de **antraciet** anthracite (coal)
de **antropologie** anthropology: *culturele ~* cultural anthropology, ethnology
de **antropoloog** anthropologist
de **antroposofie** anthroposophy
Antwerpen Antwerp
het **antwoord** answer, reply: *een afwijzend (ontkennend) ~* a negative answer; *een bevestigend ~* an affirmative answer; *een positief ~* a favourable answer; ~ *geven op* reply to, answer; *een ~ geven* give an answer; *het ~ schuldig (moeten) blijven* give no reply, remain silent; *in ~ op uw brief (schrijven)* in reply

to your letter; *dat is geen ~ op mijn vraag* that doesn't answer my question

het **antwoordapparaat** answering machine, answerphone

antwoorden answer, reply, respond: *bevestigend (positief) ~* answer in the affirmative; *ik antwoord niet op zulke vragen* I don't answer such questions

het **antwoordnummer** ± Freepost

de **anus** anus

de **ANWB** afk van *Algemene Nederlandse Wielrijdersbond* ± Dutch AA, Royal Dutch Touring Club; [Am] Dutch AAA

de **aorta** aorta

de **AOW 1** afk van *Algemene Ouderdomswet* general retirement pensions act **2** [uitkering] (old-age retirement) pension

de **AOW'er** OAP (old-age pensioner), senior citizen

apart 1 separate, apart: *elk geval ~ behandelen* deal with each case individually; *iem. ~ nemen (spreken)* take s.o. aside; *onderdelen ~ verkopen* sell parts separately **2** [exclusief] special, exclusive: *zij vormen een klasse ~* they are in a class of their own **3** [anders, raar] different, unusual: *hij ziet er wat ~ uit* he looks a bit unusual

de **apartheid** apartheid

apathisch apathetic, impassive, indifferent

apegapen: *op ~ liggen* be at one's last gasp

de **apenkop** monkey, brat

de **Apennijnen** Apennines

de **apennoot** peanut, monkey nut

het **apenstaartje** at sign

het **aperitief** aperitif

de **apk-keuring** motor vehicle test, MOT test

de **Apocalyps** Apocalypse

de **apostel** apostle

de **apostrof** apostrophe

de **apotheek** (dispensing) chemist's; [Am] drugstore

de **apotheker** pharmacist, dispenser

de **apothekersassistent** pharmacist's assistant

de **app** [comp] app

het **apparaat** machine, appliance, device: *huishoudelijke apparaten* household appliances ‖ *het ambtelijk ~* the administrative system, the Civil Service

de **apparatuur** apparatus, equipment, machinery; hardware [ook comp]

het **appartement** flat; [Am] apartment: *een driekamerappartement* a 2-bedroom flat

het **appartementsgebouw** [Belg] block of flats

de **¹appel** (zn) apple: *een ~tje voor de dorst* a nest egg

het **²appel** (zn) **1** call: *~ houden* call the roll **2** [jur] appeal: *in ~ gaan* appeal ‖ *een ~ voor hands* an appeal for hands

de **appelboom** apple tree

de **appelflap** apple turnover

de **appelflauwte**: *een ~ krijgen* go off in a swoon, swoon, sham a faint

het **appelgebak** ± apple tart

appelleren appeal: *~ aan* appeal to; [sport] *~ voor hands* appeal for hands

de **appelmoes** apple-sauce

het **appelsap** apple juice

de **appelsien** [Belg] orange

de **appelstroop** apple spread

de **appeltaart** apple pie

het/de **appendix** appendix

appetijtelijk appetizing

applaudisseren applaud, clap: *~ voor iem.* applaud s.o.

het **applaus** applause, clapping: *de motie werd met ~ begroet* the motion was received with applause; *een ~je voor Marleen!* let's give a big hand to Marleen!

appreciëren appreciate

het/de **après-ski** après-ski

après-skiën indulge in amusements after skiing

de **april** April: *één ~* April Fools' Day

de **aprilgrap** April Fool's joke

het/de **¹à propos**: *van zijn ~ raken (zijn)* lose the thread of one's argument

²à propos (tw) apropos, by the way, incidentally

het **aquaduct** aqueduct

aquajoggen aquajog

de **aquaplaning** aquaplaning; [slippen] skidding

de **aquarel** water colour, aquarelle

het **aquarium** aquarium

de **¹ar** sleigh

²ar (bn): *in arren moede iets doen* do sth. out of desperation

Arabië Arabia

de **Arabier 1** [burger van Saudi-Arabië] Saudi (Arabian) **2** [bewoner van Midden-Oosten] Arab

het **¹Arabisch** (zn) Arabic [taal, schrift]: *in het ~* in Arabic

²Arabisch (bn) Arabic [taal, schrift, cijfers]; [m.b.t. Arabië] Arabian; Arab [volk, cultuur]: *de ~e literatuur* Arabic literature

de **arbeid** labour, work: *de Dag van de Arbeid* Labour Day; *de Partij van de Arbeid* the Labour Party; *(on)geschoolde ~* (un)skilled labour (*of:* work); *~ verrichten* labour, work

de **arbeider** worker, workman: *landarbeiders* agricultural labourers; *geschoolde ~s* skilled workers; *ongeschoolde ~s* unskilled workers

de **arbeidersklasse** working class(es)

de **arbeiderspartij** Labour Party, Socialist Party

de **arbeidsbemiddeling** employment-finding

het **arbeidsbureau** employment office, jobcentre: *zich inschrijven bij het ~* sign on at the employment office

het **arbeidsconflict** labour dispute (*of:* conflict)

het **arbeidscontract** employment contract

de **arbeidsinspectie** labour inspectorate: *een ambtenaar van de ~* a labour inspector

arbeidsintensief labour-intensive

de **arbeidsmarkt** labour market, job market: *de situatie op de ~* the employment situation

arbeidsongeschikt disabled, unable to work: *gedeeltelijk ~ verklaard worden* be declared partially disabled

de **arbeidsongeschiktheid** disability, inability to work: *volledige, gedeeltelijke ~* full, partial disability

de **arbeidsovereenkomst** employment contract: *een collectieve ~* a collective agreement; *een individuele ~* an individual employment contract

de **arbeidsplaats** job: *nieuwe ~en scheppen* create new jobs; *er gaan 20 ~en verloren* 20 jobs will be lost

de **arbeidstijdverkorting** reduction of working hours, shorter working week

de **arbeidsvoorwaarden** terms (*of:* conditions) of employment: *secundaire ~* fringe benefits

arbeidzaam industrious, hard-working, laborious: *na een ~ leven* after a useful life (*of:* a life of hard work)

de **arbiter** [sport] referee; [vnl. bij tennis e.d.] umpire

de **arbitrage 1** [sport] refereeing **2** [jur] arbitration **3** [hand] arbitrage

arbitrair arbitrary: *~ te werk gaan* act arbitrarily

de **Arbowet** (Dutch) occupational health and safety act, Factories Act; [Am] ± Labor Law

arceren shade: *het gearceerde gedeelte* the shaded area

archaïsch archaic; [ouderwets] antiquated

het **archeologie** archaeology

archeologisch archaeological: *~e opgravingen* archaeological excavation(s)

de **archeoloog** archaeologist

het **archief** archives [mv]; record office; [registers, burgerlijke stand] registry (office); [bij bedrijf] files: *iets in het ~ opbergen* file sth. (away)

de **archiefkast** filing cabinet

de **archipel** archipelago

de **architect** architect

architectonisch architectonic

de **architectuur** architecture, building (style): *voorbeelden van moderne ~* examples of modern architecture

de **archivaris** archivist, keeper of the archives (*of:* records); registrar [van registers, burgerlijke stand]

Arctisch Arctic

de **Ardennen** (the) Ardennes

de **are** are: *één ~ is honderd vierkante meter* one are is a hundred square metres

de **arena** arena

de **arend** eagle

argeloos unsuspecting, innocent

de **Argentijn** Argentine, Argentinian

Argentijns Argentine, Argentinian

Argentinië Argentina

arglistig crafty, cunning

het **argument** argument: *een steekhoudend ~* a watertight argument; *~en aanvoeren voor iets* make out a case for sth.; *~en voor en tegen* pros and cons; *dat is geen ~* that's no reason

de **argumentatie 1** argumentation, reasoning, line of reasoning **2** argument

argumenteren argue: *~ voor* (*of:* tegen) argue (*of:* make out a case) for (*of:* against)

de **argusogen**: *iets met ~ bekijken* look at sth. with Argus' eyes

de **argwaan** suspicion: *~ koesteren tegen iem. (omtrent iets)* be suspicious of s.o. (sth.); *~ krijgen* grow suspicious; *~ wekken* arouse (*of:* excite) suspicion

argwanend suspicious: *een ~e blik* a suspicious look

de **aria** aria

de **aristocraat** aristocrat

de **aristocratie** aristocracy

aristocratisch aristocratic

de **ark 1** [woonschip] houseboat **2** Ark: *de ~ van Noach* Noah's Ark

de ¹**arm** (zn) **1** arm: *een gebroken ~* a broken (*of:* fractured) arm; *met open ~en ontvangen* receive (*of:* welcome) with open arms; *hij sloeg zijn ~en om haar heen* he threw his arms around her; *zij liepen ~ in ~* they walked arm in arm; *een advocaat in de ~ nemen* consult a solicitor **2** [mouw] arm, sleeve

²**arm** (bn) **1** poor: *de ~e landen* the poor countries; *de ~en en de rijken* the rich and the poor **2** [het genoemde niet hebbend] poor (in), lacking **3** [zielig] poor, wretched: *het ~e schaap* the poor thing (*of:* soul)

de **armatuur** fitting, bracket

de **armband** bracelet

het ¹**Armeens** (zn) Armenian

²**Armeens** (bn) Armenian

Armenië Armenia

de **Armeniër** Armenian

armetierig miserable, paltry

armlastig poverty-stricken, needy

de **armleuning** arm(rest)

de **armoede** poverty; [sterker] destitution: *geestelijke ~* intellectual (*of:* spiritual) poverty; *~ lijden* be poverty-stricken, be in need; *schrijnende* (*of:* bittere) *~* abject (*of:* grinding) poverty

armoedig poor; shabby [kleding, woning, uiterlijk]: *~ gekleed* shabbily dressed; *dat staat zo ~* that looks so shabby de **armoedzaaier** down-and-out(er); [Am] bum

het **armsgat** armhole

de **armslag** elbow room

armzalig poor, paltry, miserable: *een ~ pensioentje* a meagre pension

het **aroma** aroma, flavour

aromatisch aromatic

het **arrangement** arrangement; [vorm] format; [rangschikking] order: *een ~ voor piano* an arrangement for piano

arrangeren 1 [rangschikken] arrange; [uitstallen] set out **2** [organiseren] arrange, organize, get up **3** [muz] arrange, score: *voor orkest ~* orchestrate, score

de **arrenslee** horse sleigh

het **arrest** arrest, detention; [voorarrest] custody: *u staat onder ~* you are under arrest

de **arrestant** arrested man (*of:* woman); detainee [gedetineerde]; [gevangene] prisoner

de **arrestatie** arrest: *een ~ verrichten* make an arrest

het **arrestatiebevel** arrest warrant

arresteren arrest; detain [vasthouden]: *iem. laten ~* have s.o. arrested; [in verzekerde bewaring] place s.o. in charge

arriveren arrive

arrogant arrogant; [uit de hoogte] superior: *een ~e houding hebben* have a haughty manner

de **arrogantie** arrogance, presumptuousness, superiority: *de ~ van de macht* the arrogance of rank (*of:* power)

het **arrondissement** district

de **arrondissementsrechtbank** district court

het **arsenaal** arsenal

het **arsenicum** arsenic

articuleren articulate, enunciate: *goed* (*of:* *duidelijk*) *~* articulate well (*of:* distinctly); *slecht ~* articulate badly (*of:* poorly)

de **artiest** artist, entertainer; performer [vnl. zang en dans]

het **artikel 1** [in nieuwsblad] article, paper; [in krant ook] story: *een redactioneel ~* an editorial; *de krant wijdde er een speciaal ~ aan* the newspaper ran a feature on it **2** [voorwerp van handel] article, item: *huishoudelijke ~en* household goods (*of:* items) **3** [jur] article, section, clause: *~ 80 van de Grondwet* section 80 of the constitution

de **artillerie** artillery: *lichte* (*of:* *zware*) *~* light (*of:* heavy) artillery

¹**artisanaal** (bn) [Belg] craft-

²**artisanaal** (bw) [Belg] by craftsmen, by traditional methods

de **artisjok** artichoke

artistiek artistic: *de ~ leider* [van toneelgezelschap] the artistic director

de **artrose** [med] arthrosis, articular degeneration

de **arts** doctor, physician: *zijn ~ raadplegen* consult one's doctor

de **artsenbezoeker** medical representative; [Am-Eng voornamelijk] drug salesman (*of:* saleswoman)

Aruba Aruba

de **Arubaan** Aruban

Arubaans Aruban

de **as 1** [verbrande resten] ashes; ash [van sigaret]: *gloeiende as* (glowing) embers; *een stad in de as leggen* reduce a city to ashes **2** axle; [drijfas] shaft **3** [meetk] axis: *om zijn as draaien* revolve on its axis **4** [muz] A-flat

a.s. afk van *aanstaande* next: *~ maandag* next Monday

de **asbak** ashtray

het **asbest** asbestos

asblond ash blond

de **asceet** ascetic

ascetisch ascetic

aselect random, indiscriminate: *een ~e steekproef* a random sample (*of:* sampling)

het **asfalt** asphalt

asfalteren asphalt; [Am] blacktop

het **asiel 1** asylum, sanctuary: *politiek ~ vragen* (*of:* *krijgen*) seek (*of:* obtain) political asylum **2** [voor dieren] animal home (*of:* shelter); [voor zwerfdieren] pound

de **asielzoeker** asylum seeker

het **asielzoekerscentrum** asylum seekers' (*of:* refugee) centre

asjemenou oh dear!, my goodness!

de ¹**aso** [inf] antisocial (person)

²**aso** (bn) [inf] antisocial

het **a.s.o.** [Belg; ond] general secondary education

asociaal antisocial, unsociable; asocial [ook egoïstisch]: *~ gedrag* antisocial behaviour

het **aspect** aspect: *we moeten alle ~en van de zaak bestuderen* we must consider every aspect of the matter

de **asperge** asparagus

de **asperger** Asperger's syndrome

de **aspirant 1** trainee, student **2** junior: *hij speelt nog bij de ~en* he is still (playing) in the junior league

aspirant- prospective: *~student* prospective student

de **aspirant-koper** prospective buyer

de **aspiratie**: *hij heeft ~s om voorzitter te worden* it is his ambition to be chairman, he aspires to be chairman

de **aspirine** aspirin

de **assemblage** assembly, assembling

assembleren assemble

het **assenstelsel** co-ordinate system

Assepoester Cinderella

assertief assertive: *~ gedrag* assertive behaviour

de **assertiviteit** assertiveness

het **assessment** assessment

de **assessor** assessor
de **assisen**: [Belg] *hof van* ~ ± Crown Court
de **assist** assist
de **assistent** assistant, aid, helper: [Belg] *sociaal* ~ social worker
de **assistentie** assistance, aid, help: ~ *verlenen* give assistance; *de politie verzocht om* ~ the police asked for assistance
assisteren assist, help, aid
de **associatie** association
associëren associate (with) ‖ *zich* ~ *met* associate with
het **assortiment** assortment, selection: *een ruim* (of: *beperkt*) ~ *hebben* have a broad (of: limited) assortment
de **assurantie** insurance
de **aster** aster
de **asterisk** asterisk
het/de **astma** asthma: ~ *hebben* suffer from (of: have) asthma
astmatisch asthmatic
de **astrologie** astrology
de **astroloog** astrologer
de **astronaut** astronaut
de **astronomie** astronomy
astronomisch 1 astronomical: ~*e kijker* astronomical telescope **2** [onvoorstelbaar groot] astronomic(al): ~*e bedragen* astronomic amounts
de **astronoom** astronomer
Aswoensdag Ash Wednesday
asymmetrisch asymmetric(al)
het **at** at; at-sign
de **atalanta** [dierk] red admiral
de **ATB** ATB (afk van *all-terrain bike*)
atechnisch untechnical
het **atelier** studio [van kunstenaar, fotograaf]; workshop: *werken op een* ~ work in a studio
Atheens Athenian
het **atheïsme** atheism
de **atheïst** atheist
Athene Athens
het **atheneum** [Ned] ± grammar school; [Am] high school: *op het* ~ *zitten* ± be at grammar school
Atlantisch Atlantic: *de* ~*e Oceaan* the Atlantic (Ocean)
de **atlas** atlas
de **atleet** athlete
de **atletiek** athletics
atletisch athletic
de **atmosfeer** atmosphere; [omgeving ook] environment: *de hogere* (of: *lagere*) ~ the upper (of: lower) atmosphere
atmosferisch atmospheric: ~*e druk* atmospheric pressure; ~*e storing* static interference, atmospheric disturbance
het **atol** atoll
het **atoom** atom
de **atoombom** atom bomb, A-bomb
de **atoomenergie** nuclear (of: atomic) energy

(of: power)
het **atoomtijdperk** nuclear (of: atomic) age
het **atoomwapen** nuclear (of: atomic) weapon
het **atrium** atrium
de **attaché** [Belg] [adviseur van minister] ministerial adviser
het/de **attachment** [comp] attachment
de **attaque 1** attack **2** [lichte beroerte] stroke: *een* ~ *krijgen* suffer (of: have) a stroke
het **at-teken** at-sign
attenderen attention, mark of attention to: *ik attendeer u erop dat ...* I draw your attention to (the fact that) ...
attent 1 attentive: *iem.* ~ *maken op iets* draw s.o.'s attention to sth. **2** [beleefd, voorkomend] considerate, thoughtful: *hij was altijd heel* ~ *voor hen* he was always very considerate towards them
de **attentie** attention, mark of attention; [cadeau] present: *ik heb een kleine* ~ *meegebracht* I've brought a small present; *ter* ~ *van* for the attention of
het **attest** certificate
de **attractie** attraction: *zij is de grootste* ~ *van-avond* she is the main attraction this evening
attractief attractive, catching
het **attractiepark** amusement park
het **attribuut** attribute, characteristic
de **atv** afk van *arbeidstijdverkorting* reduction of working hours
au ow, ouch
a.u.b. afk van *alstublieft* please
de **aubade** aubade: *een* ~ *brengen* perform an aubade, sing an aubade (to s.o.)
de **aubergine** aubergine, eggplant
de **audiëntie** audience: ~ *geven (verlenen)* grant an audience (to s.o.); *op* ~ *gaan bij* have an audience with
het **audioboek** audio book
audiovisueel audio-visual
de **audit** audit
de **auditie** audition, try-out; [film] screen test: *een* ~ *doen* (do an) audition
auditief auditive
de **¹auditor** (zn) [uitvoerder van een audit] auditor
de **²auditor** (zn) [toehoorder] (student) listener
het **auditorium** auditorium
de **augurk** gherkin
de **augustus** August
de **aula** great hall, auditorium
de **au pair** au pair
de **aura** aura, charisma: *de* ~ *van een groot kunstenaar* the aura (of: charisma) of a great artist; *iemands* ~ *lezen* read s.o.'s aura
het/de **aureool 1** [stralenkrans] aureole, aureola, halo **2** [fig] aura: *een* ~ *van roem* an aura of fame
de **auspiciën** auspices, aegis: *onder* ~ *van* under the auspices (of: aegis) of, sponsored by
de **ausputzer** [sport] sweeper

Australië Australia
de **Australiër** Australian
Australisch Australian
de **auteur** author, writer
het **auteursrecht** copyright: *overtreding van het ~* infringement of copyright
de **authenticiteit** authenticity
authentiek authentic; [rechtsgeldig ook] legitimate; [niet vervalst ook] genuine: *een ~e tekst* an authentic text; *een ~ kunstwerk* an original (*of:* authentic) work of art
de **autist** autistic person
autistisch autistic
de **auto** car: *in een ~ rijden* drive, go by car; *het is een uur rijden met de ~* it's an hour's drive by car; *een zuinige ~* an economy car
de **autoband** (car) tyre
de **autobiografie** autobiography
de **autobom** car bomb
de **autobotsing** car crash
de **autobus** bus
autochtoon autochthonous, indigenous, native
de **autocontrole** [Belg] MOT (test) [Groot-Brittannië]; (state) motor vehicle inspection [USA]
de **autocoureur** racing(-car) driver
de **autocratie** autocracy, dictatorship, autarchy
de **autocue** autocue; [Am] teleprompter
de **autodidact** autodidact, self-taught person
de **autodiefstal** car theft
het **autogas** LPG [afkorting van liquefied petroleum gas]
de **autogordel** seat belt, safety belt: *het dragen van ~s is verplicht* the wearing of seat belts is compulsory
de **autohandelaar** car dealer
de **autokaart** road map; road atlas [in boekvorm]
het **autokerkhof** junkyard, (used) car dump
de **autokeuring** [Groot-Brittannië] MOT (test); [USA] (state) motor vehicle inspection: *verplichte, periodieke ~* (compulsory, periodical) MOT (test), yearly (motor vehicle) inspection
de **autokraak** car break-in
autoluw low-traffic: *de binnenstad ~ maken* limit (*of:* reduce) traffic in the city centre, make the city centre a low-traffic area (*of:* zone)
de **automaat** 1 automaton, robot 2 [werkend op munt] slot machine, vending machine; ticket machine: *munten in een ~ gooien* feed coins into a slot machine
de **automatenhal** ± amusement arcade
de **automatiek** automat
automatisch automatic: *machtiging voor ~e afschrijving* standing order; *een ~e piloot* an automatic pilot, an autopilot; *iets ~ doen* do sth. automatically; *~ sluitende deuren* self-

closing doors
automatiseren automate, automatize; [met computers] computerize: *een administratie ~* computerize an accounting department
de **automatisering** automation, computerization
het **automatisme** automatism
de **automobiel** (motor) car
de **automobilist** motorist, driver
de **automonteur** car mechanic
de **autonomie** autonomy, self-government
autonoom autonomous
het **auto-ongeluk** car crash, (road) accident: *bij het ~ zijn drie mensen gewond geraakt* three people were injured in the car crash
de **autopapieren** car (registration) papers
de **autopech** breakdown, car trouble
de **autoped** scooter
de **autopsie** autopsy: *(een) ~ verrichten op* perform an autopsy on
de **autorace** car race
de **autoradio** car radio
autorijden drive (a car)
de **autorijschool** driving school
de **autorisatie** authorization, sanction, authority: *de ~ van de regering verkrijgen om* be authorized by the government to
autoritair authoritarian
de **autoriteit** authority: *de plaatselijke ~en* the local government; *een ~ op het gebied van slakken* an authority on snails
de **autoruit** car window; [voorruit] windscreen
de **autosnelweg** motorway
de **autostop** [Belg] *~ doen* hitch-hike
de **autostrade** [Belg] motorway
het **autoverkeer** car traffic
de **autowasstraat** automatic car wash
de **autoweg** motorway
het **autowrak** wreck
de **avance** [toenadering] advance, approach: *~s doen* make advances (*of:* approaches) (to)
de **avenue** avenue
¹**averechts** (bn) 1 [misplaatst] misplaced, wrong: *een ~e uitwerking hebben* have a contrary effect, be counter-productive 2 [onjuist] unsound, contrary, wrong
²**averechts** (bw) 1 back-to-front, inside out, upside down 2 [anders dan gehoopt, bedoeld] (all) wrong: *het valt ~ uit* it goes all wrong
de **averij** damage; [verzekeringen] average: *zware ~ oplopen* sustain heavy damage
de **aversie** aversion: *een ~ krijgen tegen* take an aversion to
de **avocado** avocado
de **avond** evening, night: *in de loop van de ~* during the evening; *de hele ~* all evening, the whole evening; *het is zijn vrije ~* it is his night off; *een ~je tv kijken* (*of:* lezen) spend the evening watching TV (*of:* reading); *een*

~je uit a night out, an evening out; *tegen de ~* towards the evening; *de ~ voor de grote wedstrijd* the eve of the big match; *'s ~s* at night, in the evening

het **avondblad** evening paper

de **avondcursus** evening classes

de **avonddienst** evening shift; [in ziekenhuizen enz.] evening duty: *~ hebben* be on the evening shift (*of:* duty)

het **avondeten** dinner, supper, evening meal: *het ~ klaarmaken* prepare dinner (*of:* supper)

de **avondjurk** evening gown (*of:* frock)

de **avondkleding** evening dress (*of:* wear)

de **avondklok** curfew

het **Avondland** Occident

het **avondmaal** dinner, supper: *het Laatste Avondmaal* the Last Supper; *het ~ vieren* celebrate (Holy) Communion

de **avondmens** night person; [inf] night owl

het **avondrood** sunset (glow), evening glow, sunset sky

de **avondschool** night school; evening classes [mv]: *op een ~ zitten* go to night school

de **avondspits** evening rush-hour

de **avonturier** adventurer, adventuress

het **avontuur 1** adventure: *een vreemd ~ beleven* have a strange adventure; *op ~ (uit)gaan* set off on adventures; [sport; *een solo ondernemen*] go solo **2** [riskante onderneming] venture: *niet van avonturen houden* not like risky ventures **3** [geluk, kans] luck, chance: *het rad van ~* the wheel of fortune

avontuurlijk 1 [persoon] adventurous **2** [avonturen opleverend] full of adventure, exciting

het **avontuurtje** affair: *een ~ hebben met ...* have an affair with ...

het **axioma** axiom

de **ayatollah** ayatollah

het **AZ** [Belg] afk van *Algemeen/Academisch Ziekenhuis* University Hospital, General Hospital

de **azalea** azalea

azen have one's eye (on)

de **Azerbeidzjaan** Azerbaijani

Azerbeidzjaans Azerbaijani

Azerbeidzjan Azerbaijan

de **Azeri** Azeri

de **Aziaat** Asian

Aziatisch Asian

Azië Asia

de **azijn** vinegar

het **azijnzuur** acetic acid

de **Azoren** Azores

de **Azteken** Aztecs

het **azuur** azure

b

de **b** b; [muz] B ‖ *wie a zegt, moet ook b zeggen* in for a penny, in for a pound
de **baai** bay; [klein] cove; inlet
de **baal** bag, sack; [geperst] bale: *een ~ katoen* a bale of cotton
de **baaldag** off-day
de **baan 1** job: *een vaste ~ hebben* have a permanent job **2** [weg] path; [rijstrook] lane: *iets op de lange ~ schuiven* shelve sth. **3** [sport] track; [tennis] court; [ijs] rink; [schaatsen] speed-skating track; [golf] course: *starten in ~ drie* start in lane three **4** orbit: *een ~ om de aarde maken* orbit the earth
baanbrekend pioneering, groundbreaking, pathbreaking: *~ werk verrichten* do pioneering work, break new ground
het **baanvak** section (of track)
de **baar 1** [draagbaar] litter, stretcher **2** ingot, bar: *een ~ goud* a gold bar (*of:* ingot)
de **baard** beard: *hij krijgt de ~ in de keel* his voice is breaking; *zijn ~ laten staan* grow a beard
de **baarmoeder** womb
de **baars** perch, bass
de **baas 1** boss: *de situatie de ~ zijn* be in control of the situation; *je hebt altijd ~ boven ~* there's always s.o. bigger, better, ..., there's always a bigger fish **2** [eigenaar] boss, owner: *eigen ~ zijn* be one's own boss (*of:* master)
de **baat 1** benefit, advantage **2** [geldelijk voordeel] profit(s), benefit
de **babbel** chat: *hij heeft een vlotte ~* he's a smooth talker
babbelen chatter, chat
de **babe** babe
de **baby** baby: *een te vroeg geboren ~* a premature baby
het **babybedje** (baby's) cot
de **babyboom** baby boom
de **babyboomer** baby boomer
de **babyface** baby face
de **babyfoon** baby alarm
de **babysit** babysitter
babysitten babysit
de **babyverzorgingsruimte** baby care room
de **bachelor 1** [academische graad] BA, BSc, LL B: *~ zijn* hold a Bachelor's degree **2** [opleiding] Bachelor's degree course; [Am] Bachelor's degree program
de **bacheloropleiding** bachelor study
de **bacil** bacillus, bacterium, germ; [inf] bug
de **back** back

de **backhand** [sport] backhand(er), backhand stroke
de **backpacker** backpacker
de **backslash** backslash
de **back-up** backup: *een ~ maken van* make a backup of
het **bacon** bacon
de **bacterie** bacterium, microbe
bacteriologisch bacteriological, bacterial, microbial
het **bad 1** bath **2** [zwembad] pool
¹**baden** (onov ww) **1** [in kuip] bath; [Am] bathe; [in zee] (go for a) swim; bathe; [inf] take a dip **2** [een overvloed bezitten van] roll (in), wallow (in), swim (in)
²**baden** (ov ww) [een bad geven] bath
de **badgast** seaside visitor, bather
het/de **badge** (name) badge, (name) tag; [mil ook] insignia
de **badhanddoek** bath towel
de **badjas** (bath)robe, bath(ing) wrap
de **badkamer** bathroom
de **badkleding** swimwear, bathing wear (*of:* gear)
de **badkuip** bathtub, bath
het **badlaken** bath towel (*of:* sheet)
de **badmeester** bath superintendent (*of:* attendant), lifeguard
het **badminton** badminton
badmintonnen play badminton
de **badmuts** bathing (*of:* swimming) cap
het **badpak** swimsuit, bathing suit
de **badplaats** [aan zee] seaside resort
de **badstof** towelling, terry (cloth) (*of:* towelling)
het **badwater** bath water
de **bagage 1** luggage **2** [beschikbare kennis] intellectual baggage, stock-in-trade
de **bagagedrager** (rear) carrier
de **bagagekluis** (luggage) locker
de **bagageruimte** boot; [Am] trunk
het/de **bagatel** bagatelle, trifle
bagatelliseren trivialize, play down
de **bagger** mud; [opgehaald] dredgings
baggeren dredge
bah ugh!, yuck!
de **Bahama's** the Bahamas
de **bahco** adjustable spanner
Bahrein Bahrain, Bahrein
de **Bahreiner** Bahraini
Bahreins Bahraini
de **bajes** can, cooler, jug, stir
de **bajesklant** jailbird, lag, con
de **bajonet** bayonet
de **bak 1** (storage) bin; [reservoir] cistern; tank; [ondiep] tray; [trog] trough; [etensbak] dish; bowl; [kattenbak] tray **2** [grap] joke **3** [gevangenis] can, jug, clink: *de ~ in draaien* go down, be put inside, be put locked up **4** [kopje koffie] cup (of coffee) ‖ *(vol) aan de ~ moeten* (have to) pull out all the stops

het **bakbeest** whopper, monster

het **bakblik** baking tin, cake tin

het **bakboord** port

het **bakeliet**^MERK bakelite

het **baken** [scheepv] beacon

de **bakermat** cradle, origin

de **bakfiets** 1 carrier tricycle 2 [fiets] delivery bicycle, carrier cycle

de **bakkebaard** (side) whiskers; [inf] side-boards; [op wang] muttonchop; muttonchop whisker
bakkeleien [inf] squabble, wrangle
bakken 1 [m.b.t. deeg, beslag] bake: *vers gebakken brood* freshly-baked bread 2 fry; [frituren] deep-fry: *friet* ~ deep-fry chips

de **bakker** 1 baker 2 [winkel] bakery, baker's shop: *een warme* ~ a fresh bakery || *(dat is) voor de* ~ that's settled (*of:* fixed)

de **bakkerij** bakery, baker's shop

het **bakkie** [zendapparatuur] rig

het **bakmeel** self-raising flour

de **bakpan** frying pan

de **bakplaat** baking sheet (*of:* tray)

het **bakpoeder** baking powder

de **baksteen** brick: *zinken als een* ~ sink (*of:* swim) like a stone; [fig] *iem. laten vallen als een* ~ drop s.o. like a hot potato, let s.o. down hard

de **bakvorm** baking tin, cake tin

het **bakzeil**: ~ *halen* back down, climb down (from)

de ¹**bal** (zn) 1 [sport] ball: *iem. de* ~ *toespelen* pass (the ball to s.o.); [fig] *een ~letje over iets opgooien* put out feelers about sth.; *een ~(letje) gehakt* a meatball; *een ~letje slaan* hit a ball; [fig] *toen is het ~letje gaan rollen* then the ball got rolling; *het kan me geen* ~ *schelen* I don't give a damn, I couldn't care less; *wie kaatst moet de* ~ *verwachten* those who play at bowls must look out for rubbers; ± *do as you would be done by* 2 [persoon] snob

het ²**bal** (zn) ball: *gekostumeerd* ~ fancy-dress ball
balanceren balance: ~ *op de rand van de dood* hover between life and death

de **balans** 1 [evenwicht] balance, equilibrium: *uit zijn* ~ *zijn* be out of balance 2 (pair of) scales; [wetenschappelijk] balance 3 [handel] balance sheet, audit (report): *de* ~ *opmaken* a) draw up the balance sheet; b) [fig] take stock (of sth.)
baldadig rowdy, boisterous

het/de **baldakijn** canopy, baldachin

de **balein** whalebone, rib
balen be fed up (with), be sick (and tired) (of)

de **balg** bellows

de **balie** 1 counter; desk [ook receptie]: *aan de* ~ *verstrekt men u graag alle informatie* you can obtain all the information you need at the desk 2 [advocaten(stand)] bar

de **baliemedewerker** desk clerk, receptionist

de **balk** beam || *het geld over de* ~ *gooien* spend money like water

de **Balkan** (the) Balkans
balken bray

het **balkon** 1 balcony 2 [theat] balcony, (dress) circle, gallery 3 [tram, trein] platform

de **ballade** ballad

de **ballast** 1 [scheepv, spoorw] ballast 2 [overbodige last] lumber, dead weight; [vnl. m.b.t. mensen] dead wood

¹**ballen** (onov ww) play (with a) ball

²**ballen** (ov ww) clench: *de vuist(en)* ~ clench one's fist(s)

de **ballenbak** ball pit

de **ballenjongen** ball boy
ballerig arrogant, loudmouthed, snooty

de **ballerina** ballerina

het **ballet** ballet: *op* ~ *zitten* take ballet lessons

de **balletdanser** (ballet) dancer

de **balletdanseres** ballet dancer

het **balletje-balletje** shell game

de **balling** exile

de **ballingschap** exile, banishment: *in* ~ *gaan* go into exile

de **ballon** balloon: *een* ~ *opblazen* blow up a balloon

de **ballpoint** ballpoint
balorig contrary, refractory, recalcitrant

de **balpen** ballpoint (pen)

de **balsamicoazijn** balsamic vinegar

de **balsem** balm, balsam, ointment, salve
balsemen [m.b.t. een lijk] embalm, mummify
Baltisch Baltic: *~e Zee* Baltic (Sea), the Baltic

de **balts** display, courtship

de **balustrade** balustrade, railing; [van trap] banister(s)

de **balzaal** ballroom

de **balzak** scrotum, bag

de **bamastructuur** two-cycle university system

het/de ¹**bamboe** (zn) bamboo

²**bamboe** (bn) bamboo

de ¹**bami** chow mein: ~ *goreng* chow mein, fried noodles

de **ban** 1 excommunication, ban: *in de* ~ *doen* (put under the) ban, outlaw 2 [betovering] spell, fascination: *in de* ~ *van iets raken* fall under the spell of sth.
banaal banal, trite

de **banaan** banana

de **banaliteit** platitude, cliché

de **bananenschil** banana peel (*of:* skin): *uitglijden over een* ~ slip on a banana skin

de **bancair** bank(ing), in (*of:* of, through) the bank(s): ~ *geldverkeer* monetary exchange via the banks

de ¹**band** (zn) 1 band, ribbon, tape; [karate, judo] belt: *een* ~ *afspelen* play a tape back;

iets op de ~ opnemen tape sth.; *zwarte ~* black belt **2** [om een wiel] tyre: *een lekke ~ a* flat tyre, a puncture **3** [transportband] conveyor (belt): *de lopende ~* the conveyor belt **4** [nauwe betrekking] tie, bond, link, alliance, association: *~en van vriendschap* ties of friendship **5** [reclame] (wave)band, wave **6** [biljart] cushion, bank ‖ *aan de lopende ~ doelpunten scoren* pile on scores; *uit de ~ springen* get out of hand; *iets aan ~en leggen* check, curb, restrain sth.

de **²band** (zn) band, orchestra; [popmuziek ook] group; [vnl. jazz, kleine groep] combo

het **³band** (zn) tape; [breed] ribbon; [smal] string; [hoed] band

de **bandage** bandage

bandeloos lawless; [onordelijk] undisciplined; [losbandig] wild

de **bandenlichter** tyre lever

de **bandenpech** tyre trouble; [lekke band] flat (tyre); puncture

de **bandiet 1** bandit; [struikrover] brigand **2** [schavuit] hooligan

het **bandje 1** band, strip, ribbon, string **2** [cassettebandje] tape **3** [opname] tape recording **4** [schouderbandje] strap

de **bandleider** bandleader

de **bandopname** tape recording

de **bandrecorder** tape recorder

banen: *zich een weg ~* work (of: edge) one's way through; *gebaande wegen* beaten track(s)

bang 1 afraid (of), frightened (of), scared (of); [doodsbang] terrified (of): *~ maken* scare, frighten; *~ in het donker* afraid of the dark **2** [angstig makend] frightening, anxious, scary **3** [gauw angstig] timid, fearful **4** [bezorgd] afraid, anxious: *ik ben ~ dat het niet lukt* I'm afraid it won't work; *wees daar maar niet ~ voor* don't worry about it

bangelijk timid, fearful, chicken-hearted: *~ zijn* be a nervous type, be easily frightened

de **bangerd** coward, chicken

Bangladesh Bangladesh

de **banier** banner

de **banjo** banjo

de **bank 1** bench; [bekleed] couch; settee, sofa; [in voertuig] seat **2** [instelling, gebouw, ook in samenstellingen] bank: *geld op de ~ hebben* have money in the bank **3** [schoolbank] desk **4** [kerkbank] pew **5** [zandbank] bank, shoal ‖ *door de ~ (genomen)* on average

het **bankafschrift** bank statement

het **bankbiljet** (bank)note; [mv ook] paper currency

de **bankemployé** bank employee

het **banket 1** banquet, feast **2** [gebak] ± (almond) pastry

de **banketbakker** confectioner, pastry-cook

de **banketbakkerij** confectionery, patisserie, confectioner's (shop)

de **banketletter** (almond) pastry letter

het **bankgeheim** bank(ing) secrecy

de **bankhanger** couch potato

de **bankier** banker

het **bankje** bench; [voetbankje] stool, footrest

de **bankkaart** [Belg] bank(er's) card

de **bankkluis** bank vault (of: strongroom); [voor cliënt] safe-deposit box

de **bankoverval** bank hold-up, bank robbery

de **bankpas** bank(er's) card

de **bankrekening** bank account: *een ~ openen bij een bank* open an account with a bank

het **¹bankroet** (zn) bankruptcy

²bankroet (bn) bankrupt, broke; [inf] bust: *~ gaan* go bankrupt; (go) bust

de **bankroof** bank robbery

de **bankschroef** vice

het **bankstel** lounge suite

de **bankwerker** (bench) fitter, benchman

de **banneling** exile

bannen exile (from), expel (from); [voornamelijk fig] banish: *ban de bom* ban the bomb; *iets uit zijn geheugen ~* efface sth. from one's memory

de **banner** banner

het **bantamgewicht** bantam(weight)

de **bapao** Chinese steamed bread

de **¹bar** (zn) bar: *aan de ~ zitten* sit at the bar; *wie staat er achter de ~?* who's behind the bar?; *hakkenbar* heel bar

²bar (bn) **1** [kaal] barren **2** [koud] severe: *~ weer* severe weather **3** [grof] rough, gross: *jij maakt het wat al te ~* you are carrying things too far ‖ *~ en boos* really dreadful

³bar (bw) [erg] extremely, awfully

de **barak** shed, hut; [mil] barracks

de **barbaar** barbarian

barbaars barbarian, barbarous; [woest] barbaric; [woest] savage

de **Barbadaan** Barbadian

Barbados Barbados

de **barbecue** barbecue (party)

barbecueën barbecue

de **barbediende** barman, barwoman

de **barcode** bar code

de **bareel** [Belg] barrier

het **barema** [Belg] wage scale, salary scale

baren bear, give birth to

de **barensnood** labour: *in ~ verkeren* be in labour; [ook scherts] be in travail, labour

de **baret** beret, (academic) cap

het **¹Bargoens** (zn) **1** (thieves') slang, argot **2** [onverstaanbare taal] jargon

²Bargoens (bn) slangy

de **bariton** baritone (singer)

de **barjuffrouw** barmaid

de **barkeeper** barman

de **barkruk** bar stool

barmhartig merciful, charitable: *de ~e Samaritaan* the Good Samaritan

de **barmhartigheid** mercy, clemency; [het

weldoen] charity
het/de **¹barok** (zn) baroque
   ²barok (bn) baroque
de **barometer** barometer: *de ~ staat op mooi weer* (of: *storm*) **a)** the barometer is set fair (of: is pointing to storm); **b)** [fig] things are looking good (of: bad)
de **baron** baron: *meneer de ~* his (of: your) Lordship
de **barones** baroness
de **barrage** [sport] decider, play-off
de **barricade 1** barricade: *voor iets op de ~ gaan staan* [fig] fight on the barricades for sth.; *~n opwerpen* raise (of: throw up) barricades **2** [fig] barrier
   barricaderen barricade; [deur ook] bar
de **barrière** barrier: *een onoverkomelijke ~* an insurmountable barrier
   bars stern, grim; forbidding [uiterlijk]; harsh [stem]
de **barst** crack; [in huid] chap: *er komen ~en in* it is cracking ‖ *ik geloof er geen ~ van* I'm not buying that, I don't believe a single word of it
   barsten 1 crack, split; burst [ook fig]; [huid ook] chap; get chapped **2** [uit elkaar springen] burst, explode ‖ *het barst hier van de cafés* the place is full of pubs; [inf] *iem. laten ~* leave s.o. in the lurch
de **bas 1** bass (singer, player); [zanger ook, vnl. opera, solo] basso **2** [contrabas] double bass, (contra)bass: *~ spelen* play the bass **3** [basgitaar] bass (guitar)
   basaal basal, fundamental, basic
het **basalt** basalt
de **¹base** [chem] base
de **²base** [cocaïne] free-base cocaine
het **baseball** baseball
   baseballen play baseball
   ¹baseren (ov ww) base (on), found (on)
zich **²baseren** (wdk ww) base o.s. on, go on: *we hadden niets om ons op te ~* we had nothing to go on
de **basgitaar** bass (guitar)
het **basilicum** basil
de **basiliek** basilica
de **basis 1** basis, foundation: *de ~ leggen voor iets* lay the foundation of sth. **2** [hoofdbestanddeel] base, basis
de **basisbeurs** basic grant
   basisch [chem] alkaline, basic: *~ reageren* give (of: show) an alkaline reaction; *~e zouten* basic salts
de **basiscursus** basic course, elementary course
het **basisinkomen 1** [van de staat] guaranteed minimum income **2** [zonder toeslagen] basic income
het **basisonderwijs** primary education
de **basisopstelling** [sport] (the team's) starting line-up

de **basisoptie** [Belg] orientation subjects
de **basisschool** primary school
de **basisverzekering** basic (health) insurance (of: policy)
de **basisvorming** basic (secondary school) curriculum
de **Bask** Basque
   Baskenland the Basque Country
het **basketbal** basketball
   basketballen play basketball
het **Baskisch** Basque
het **bassin 1** (swimming) pool **2** [waterbekken, kom] basin
de **bassist** bass player
de **bassleutel** bass clef, F clef
de **bast 1** [schors] bark; [schil, peul] husk **2** [inf huid] skin, hide
   basta stop!, enough!: *en daarmee ~!* and there's an end to it!
de **bastaard 1** bastard **2** [rasloos dier] mongrel, cross-breed **3** [nieuwe plantenvorm] hybrid, cross(-breed)
de **basterdsuiker** soft brown sugar
het **bastion** bastion
het **bat** bat
het **bataljon** battalion
de **Batavier** Batavian
de **bate**: *ten ~ van* for the benefit of
   baten avail: *wij zouden erbij gebaat zijn* it would be very helpful to us; *baat het niet, dan schaadt het niet* no harm in trying
   batig: *~ saldo* surplus, credit balance
   batikken batik: *gebatikte stoffen* batiks
het **batje** bat
de **batterij** battery: *lege ~* dead battery
de **batterijlader** battery charger
het **bauxiet** bauxite
de **baviaan** baboon
de **baxter** [Belg; med] drip
de **bazaar** [oosterse marktplaats] bazaar; [voor liefdadig doel ook] (fancy)fair
   bazelen drivel (on), waffle
   bazig overbearing, domineering, bossy
de **bazin 1** [eigenares van een huisdier] mistress **2** [vrouw des huizes] lady of the house
het **beachvolleybal** beach volleyball
   beademen 1 breathe air into **2** [met een beademingstoestel] apply artificial respiration to
de **beademing 1** breathing of air into **2** [met een beademingstoestel] artificial respiration: *aan de ~ liggen* be on a ventilator
de **beambte** functionary, (junior) official
   beamen endorse; [het eens zijn met] agree (with): *een bewering ~* endorse a claim
de **beamer** data projector
   beangstigen [verontrusten] alarm; [bang maken] frighten
   ¹beantwoorden (onov ww) answer, meet, comply with: *aan al de vereisten ~* meet all the requirements; *niet ~ aan de verwachtingen* fa

short of expectations

²**beantwoorden** (ov ww) [antwoord geven op] answer; [m.b.t. brief ook] reply to [meestal niet m.b.t. vraag]

beargumenteren substantiate: *zijn standpunt kunnen ~* be able to substantiate one's point of view

de **beat** beat

de **beatbox** beatbox

de **beauty** beauty: *een ~ van een doelpunt* a lovely (*of:* beautiful) goal, a beauty

de **beautycase** vanity case

bebloed bloody, blood-stained: *zijn gezicht was geheel ~* his face was completely covered in blood

beboeten fine: *beboet worden* be fined, incur a fine; *iem. ~ met 100 euro* fine s.o. 100 euros

bebossen (af)forest: *bebost terrein* woodland

bebouwd built-on: *de ~e kom* the built-up area

bebouwen 1 [met gebouwen] build on **2** [met gewassen] cultivate, farm: *de grond ~* cultivate the land

de **bebouwing** buildings: [Belg] *halfopen ~* semidetached house

becijferen calculate; [schatten] compute; [schatten] estimate: *de schade valt niet te ~* it is impossible to calculate the damage

becommentariëren comment (on)

beconcurreren compete with: *de banken ~ elkaar scherp* there is fierce competition among the banks

het **bed** bed: *het ~ (moeten) houden* be confined to bed; *zijn ~ is gespreid* he has got it made; *het ~ opmaken* make the bed; *naar ~ gaan* go to bed; *naar ~ gaan met iem.* go to bed with s.o.; *hij gaat ermee naar ~ en staat er weer mee op* he can't stop thinking about it; *dat is ver van mijn ~* that does not concern me; *een ~ rozen* a bed of roses

bedaard 1 composed, collected **2** [kalm] calm, quiet: *~ optreden* act calmly

bedacht prepared (for): *op zoveel verzet waren ze niet ~ geweest* they had not bargained for so much resistance

bedachtzaam cautious, circumspect; deliberate: *heel ~ te werk gaan* set about sth. with great caution

de **bedankbrief** letter of thanks

¹**bedanken** (onov ww) [niet aannemen] decline, refuse

²**bedanken** (ov ww) thank: *iem. voor iets ~* thank s.o. for sth.

het **bedankje** thank-you; [brief] letter of thanks; [dankwoord] word of thanks: *er kon nauwelijks een ~ af!* (and) small thanks I got (for it)!

bedankt thanks: *reuze ~* thanks a lot

bedaren quiet down, calm down: *iem. tot ~*

brengen calm (*of:* quieten) s.o. down

het **beddengoed** (bed)clothes, bedding

de **beddensprei** bedspread

de **bedding** bed, channel

bedeesd shy, diffident, timid

bedekken cover; [toedekken] cover up; [geheel] cover over: *geheel ~ met iets* cover in sth.

de **bedekking** cover(ing)

bedekt 1 covered; overcast [lucht] **2** [niet openlijk] covert: *in ~e termen* in guarded terms

de **bedelaar** beggar

de **bedelarij** begging

de **bedelarmband** charm bracelet

de **bedelbrief** begging-letter

bedelen beg (for)

de **bedelstaf**: *aan de ~ raken* be reduced to beggary, be left a pauper

het **bedeltje** charm

bedelven bury; [fig ook] swamp: *zij werden door het puin bedolven* they were buried under the rubble

bedenkelijk 1 worrying; [twijfelachtig] dubious; [twijfelachtig] questionable; [kritiek] serious: *een ~ geval* a worrying (*of:* serious) case **2** doubtful, dubious: *een ~ gezicht* a doubtful (*of:* serious) face

¹**bedenken** (ov ww) **1** think (about), consider: *als je bedenkt, dat ...* considering (*of:* bearing in mind) (that) ... **2** [uitdenken] think of, think up, invent, devise

zich ²**bedenken** (wdk ww) **1** think (about), consider: *zij zal zich wel tweemaal ~ voordat ...* she'll think twice before ...; *zonder zich te ~* without a moment's thought **2** [van gedachten veranderen] change one's mind, have second thoughts

de **bedenking** objection: *~en hebben tegen iets* have objections to sth.

het **bedenksel** fabrication

de **bedenktijd** time for reflection: *hij kreeg drie dagen ~* he was given three days to think (the matter over) (*of:* to consider (the matter))

het **bederf** decay, rot

bederfelijk perishable: *~e goederen* perishables

¹**bederven** (onov ww) decay, rot

²**bederven** (ov ww) spoil: *die jurk is totaal bedorven* that dress is completely ruined; *iemands plezier ~* spoil s.o.'s fun

de **bedevaart** pilgrimage: *een ~ doen* make (*of:* go) on a pilgrimage

de **bedevaartganger** pilgrim

het **bedevaartsoord** place of pilgrimage

de **bediende 1** employee; [kantoor ook] clerk; [winkel ook] assistant; [lift e.d.] attendant: *jongste ~* **a)** office junior; **b)** [inf] dogsbody **2** [in huis] servant: *eerste ~* butler **3** [Belg] official

bedienen

¹bedienen (ov ww) **1** serve: *iem. op zijn wenken* ~ wait on s.o. hand and foot; *aan tafel* ~ wait at (the) table **2** [van machines] operate

zich **²bedienen** (wdk ww) [gebruiken] use, make use of

de **bediening 1** service: *al onze prijzen zijn inclusief* ~ all prices include service (charges) **2** [m.b.t. machines] operation: *de* ~ *van een apparaat* the operation of a machine

het **bedieningspaneel** control panel; [in auto, boot, vliegtuig] dash(board); [comp] console

het **beding** condition, stipulation: *onder geen* ~ under no circumstances

bedingen stipulate (for, that); [eisen] insist on; require; [overeenkomen] agree (on)

bedisselen fix (up), arrange

het **bedlampje** bedside lamp, bedhead light

bedlegerig ill in bed; [chronisch] bedridden

de **bedoeïen** Bedouin

bedoelen mean, intend: *wat bedoel je?* what do you mean?; *het was goed bedoeld* it was meant well (*of:* well meant); ~ *met* mean by

de **bedoeling 1** intention, aim, purpose, object: *dat was niet de* ~ that was not intended (*of:* the intention); *met de* ~ *om te ...* with a view to (...ing); *hij zei dat zonder kwade ~en* he meant no harm by saying that **2** [zin, strekking] meaning; drift [m.b.t. brief, toespraak]

de **bedoening** to-do, job, fuss: *het was een hele* ~ it was quite a business

bedolven 1 covered (with) **2** [overmand door] snowed under (with), swamped (with): ~ *onder het werk* snowed under with work, up to one's ears in work

bedompt stuffy; [kamer ook] close; airless; [lucht ook] stale: *een ~e atmosfeer* a stuffy atmosphere

bedonderen [inf] cheat (on), trick, do (in the eye): *de kluit* ~ take everybody for a ride

bedorven bad, off; [fig] spoilt: *de melk is* ~ the milk has gone off

bedotten fool, take in

bedplassen bed-wetting

de **bedrading** wiring, circuit

het **bedrag 1** amount **2** [geldsom] sum: *een rond* ~ a round sum; *een* ~ *ineens* a lump sum

bedragen amount to; number [aantal]; [geld ook] come to be

bedreigen threaten: *bedreigde (dier- of planten)soorten* endangered species

de **bedreiging** threat: *onder* ~ *van een vuurwapen* at gunpoint

bedreven adept (at, in); [vakkundig] skilled (in); [vaardig] skilful (in); [goed op de hoogte] (well-)versed (in): *niet* ~ *zijn in iets* lack experience in sth.

bedriegen deceive, cheat; [oplichten] swindle: *als mijn ogen me niet* ~ if my eyes do not deceive me; *hij bedriegt zijn vrouw* he cheats on his wife

de **bedrieger** cheat, fraud, impostor; [oplichter] swindler

bedrieglijk deceptive, false; deceitful [karakter]; fraudulent [praktijken]: *dit licht is* ~ this light is deceptive

het **bedrijf 1** business, company, enterprise, firm; [groot] concern; [landb] farm: *gemengd* ~ mixed farm; *openbare bedrijven* public services **2** [van toneelstuk] act **3** [werking] operation; (working) order [m.b.t. apparaat]: *buiten* ~ *zijn* be out of order

de **bedrijfsadministratie** business administration; [boekhouding] business accountancy, industrial accountancy

de **bedrijfsarts** company doctor, company medical officer

de **bedrijfscultuur** corporate culture

de **bedrijfseconomie** business economics, industrial economics

het **bedrijfskapitaal** working capital

bedrijfsklaar in working order, in running order: ~ *maken* put into working (*of:* running) order

de **bedrijfskunde** business administration, management

de **bedrijfsleider** manager

de **bedrijfsleiding** management, board (of directors)

het **bedrijfsleven** business, trade and industry: *het particuliere* ~ private enterprise

het **bedrijfsongeval** industrial accident; [fig] unfortunate accident

het **bedrijfsresultaat** trading results, company results

de **bedrijfsrevisor** [Belg] auditor

de **bedrijfsruimte** working (*of:* business) accommodation, work(ing) space

de **bedrijfssluiting** shutdown, close-down

de **bedrijfstak** sector, industry, trade (*of:* business) (sector)

de **bedrijfsvereniging** industrial insurance board

de **bedrijfsvoering** management

bedrijfszeker reliable

bedrijven commit, perpetrate

bedrijvend: *de ~e vorm van een werkwoord* the active voice of a verb

het **bedrijvenpark** business park; industrial estate; [Am] industrial park

bedrijvig active, busy; [hard werkend] industrious; [altijd bezig] bustling: *een* ~ *type* an industrious type

de **bedrijvigheid** activity, busyness, industriousness: *economische* ~ economic activity; *koortsachtige* ~ feverish activity

zich **bedrinken** get drunk

bedroefd sad (about), dejected; [van

de **bedroefdheid** sadness, sorrow, dejection, distress

bedroeven [form] sadden, grieve

¹**bedroevend** (bn) 1 sad(dening), depressing 2 [armzalig] pathetic: ~e resultaten pitiful results

²**bedroevend** (bw) [zeer] pathetically, miserably: zijn werk is ~ slecht his work is lamentable

het **bedrog** 1 deceit, deception; [oplichting] fraud; [oplichting] swindle: ~ plegen cheat, swindle, deceive, commit fraud 2 [bedrieglijke voorstelling] deception, delusion: optisch ~ optical illusion

bedruipen: zichzelf (kunnen) ~ be able to pay one's way (of: support) o.s.

bedrukken print, inscribe

bedrukt dejected, depressed

de **bedtijd** bedtime

beducht anxious (for): ~ zijn voor zijn reputatie be concerned (of: anxious) for one's reputation

beduiden signal, motion, indicate: de agent beduidde mij te stoppen the policeman signalled (to) me to stop

beduidend significant, considerable: ~ minder considerably less

beduimeld well-thumbed: een ~ boek a well-thumbed book

beduusd taken aback, flabbergasted

beduvelen [inf] cheat (on), trick, do (in the eye); [met geld ook] swindle

het **bedwang** control, restraint: iem. in ~ houden [ook fig] keep s.o. in check

bedwelmen stun, stupefy; intoxicate [door alcohol]

bedwingen suppress, subdue; [gevoelens] restrain: zijn tranen ~ hold back one's tears; zich niet langer kunnen ~ lose control (of (of: over) o.s.

beëdigd sworn; chartered [accountant, landmeter]: ~ getuige sworn witness

beëdigen swear (in), administer an oath to: een getuige ~ swear (in) a witness

de **beëdiging** 1 swearing, confirmation on oath 2 [het afnemen van een eed] swearing (in), administration of the oath

beëindigen 1 end, finish; [voltooien] complete: een vriendschap ~ break off a friendship 2 [d.m.v. een overeenkomst] end; close [ook vergadering]; [afbreken] discontinue; terminate

de **beek** brook, stream

het **beeld** 1 statue, sculpture 2 [op papier, linnen, beeldscherm e.d.] picture, image; view [ook in de geest]; illustration: in ~ zijn be on (the screen); in ~ brengen show (a picture, pictures of); zich een ~ van iets vormen form a picture (of: an image) of sth., visualize sth. 3 [beschrijving] picture, description

de **beeldbuis** 1 cathode ray tube 2 [televisie-toestel] screen; [inf] box: elke avond voor de ~ zitten sit in front of the box every evening

beeldend plastic, expressive: ~e kunst visual arts

de **beeldenstorm** 1 [fig] image breaking 2 [het vernielen van kunstwerken] iconoclasm

beeldhouwen sculpture, sculpt; carve [hout, ivoor enz.]

de **beeldhouwer** sculptor, sculptress; woodcarver [hout]

de **beeldhouwkunst** sculpture

het **beeldhouwwerk** sculpture; [in hout] carving

beeldig gorgeous, adorable: die jas staat je ~ that coat looks gorgeous on you

het **beeldmerk** logo(type)

het/de **beeldpunt** pixel

het **beeldscherm** (TV, television) screen; [comp] display

beeldschoon gorgeous, ravishingly (of: stunningly) beautiful

de **beeldspraak** metaphor, imagery, metaphorical language, figurative language

de **beeldvorming** formation of an image: bijdragen tot een bepaalde ~ help to create (of: establish) a certain image

de **beeltenis** likeness; effigy, image

het **been** 1 leg; [in uitdrukkingen vaak] foot: op eigen benen staan stand on one's own (two) feet; hij is met het verkeerde ~ uit bed gestapt he got out of bed on the wrong side; de benen nemen run for it; met beide benen op de grond staan [fig] have one's feet firmly on the ground; op de ~ blijven remain on one's feet, keep going; [fig] op zijn achterste benen gaan staan rise up in arms 2 [m.b.t. een dier] leg 3 [bot] bone 4 [gebeente] bones [mv] 5 [wisk] side, leg: de benen van een driehoek the sides of a triangle

de **beenbeschermer** leg-guard, pad

de **beenbreuk** fracture of the leg: gecompliceerde ~ compound fracture (of the leg)

de **beenham** ham off the bone

de **beenhouwer** [Belg] butcher

de **beenhouwerij** [Belg] butcher's shop

het **beenmerg** bone marrow

de **beenruimte** legroom

de **beer** 1 bear; [jong] (bear) cub 2 [mannetjesvarken] boar

de **beerput** cesspool; cesspit [ook fig]: [fig] de ~ opentrekken blow (of: take) the lid off

het **beest** 1 beast [ook in fabels]; animal: [fig] het ~je bij zijn naam noemen call a spade a spade 2 [huisdier] animal; [grote viervoeter] beast; [mv; vee] cattle 3 [eng dier] creepy-crawly || [fig] de ~ uithangen behave like an animal; paint the town red

¹**beestachtig** (bn) bestial; [wreed] brutal; savage

²**beestachtig** (bw) [verschrikkelijk] terribly, dreadfully

de **beet** bite

beetgaar al dente

¹**beethebben** (onov ww) [visserij] have a bite

²**beethebben** (ov ww) **1** have (got) (a) hold of **2** [bedriegen] take in, cheat, fool; [in de maling nemen] make a fool of

het ¹**beetje** (zn) (little) bit, little: *een ~ Frans kennen* know a little French, have a smattering of French; *een ~ melk graag* a little milk (*of:* a drop of milk), please; *bij stukjes en bij ~s* bit by bit, little by little; *alle ~s helpen* every little helps; *een ~ technicus verhelpt dat zo* anyone who calls himself a technician could fix that in a jiffy; *een ~ kantoor heeft een koffieautomaat* any self-respecting office has got a coffee machine

²**beetje** (bw) (a) (little) bit, (a) little, rather: *dat is een ~ weinig* that's not very much; *een ~ vervelend zijn* **a)** [lastig] be a bit of a nuisance, be rather annoying; **b)** [saai] be rather boring, be a bit of a bore; *een ~ opschieten* get a move on

beetnemen [bij de neus nemen] take in, make a fool of, fool: *je bent beetgenomen!* you've been had!

beetpakken lay hold of, get one's (*of:* lay) hands on

befaamd famous, renowned

begaafd 1 gifted, talented **2** [bedeeld met] gifted (with), endowed (with)

de **begaafdheid 1** talent, ability; [intelligentie] intelligence; [genialiteit] genius **2** [talent] talent (for), gift (for)

¹**begaan** (onov ww) do as one likes (*of:* pleases)

²**begaan** (ov ww) [bedrijven] commit; [fouten ook] make

begaanbaar passable, practicable

begeerlijk desirable; [mens ook] eligible

de **begeerte** desire (for), wish (for), craving (for)

begeleiden 1 accompany, escort **2** [met raad en daad bijstaan] guide, counsel, support; [bij studie ook] supervise; coach **3** [samengaan met] accompany [ook muziek]; go with

begeleidend accompanying, attendant: [film, theater] *~e muziek* incidental music

de **begeleider 1** companion; escort [met eerbetoon, bescherming] **2** [adviseur] guide, counsellor; [bij studie ook] supervisor; [bij studie ook] coach **3** [muz] accompanist

de **begeleiding 1** accompaniment, accompanying; escort(ing) [met eerbetoon, bescherming] **2** [het bijstaan] guidance, counselling, support; [bij studie ook] supervision; coaching: *de ~ na de operatie was erg goed* the follow-up care after the operation was very

good; *onder ~ van* under the guidance of **3** [muz] accompaniment

begeren desire, crave, long for: *alles wat zijn hartje maar kon ~* all one could possibly wish for

begerenswaardig desirable; [mens ook] eligible; [benijdenswaardig] enviable

begerig desirous (of), longing (for), eager (for); [hongerig] hungry (for): *~e blikken* hungry looks

¹**begeven** (ov ww) **1** break down, fail; [instorten] collapse; [doorzakken] give way: *de auto kan het elk ogenblik ~* the car is liable to break down any minute **2** [verlaten] forsake, leave; fail [kracht, hoop]: *zijn stem begaf het* his voice broke

zich ²**begeven** (wdk ww) [ergens heengaan] proceed; embark (on, upon) [reis, onderneming]; adjourn (to) [naar andere kamer]: *zich op weg ~ (naar)* set out (for)

begieten water, wet

begiftigen [form] endow (with), present (with): *begiftigd met grote muzikaliteit* endowed (*of:* gifted) with great musical talent

het **begin** beginning, start; opening [boek, wedstrijd, rede]: *~ mei* early in May, (at) the beginning of May; *een veelbelovend ~* a promising start; *dit is nog maar het ~* this is only the beginning; *een ~ maken met iets beginnen* (*of:* start) sth.; *(weer) helemaal bij het ~ beginnen* (have to) start from scratch; *in het ~* at the beginning; at first, initially; *een boek van ~ tot eind lezen* read a book from cover to cover; *een goed ~ is het halve werk* well begun is half done; the first blow is half the battle

de **beginletter** initial letter, first letter; [m.b.t naam] initial

de **beginneling** beginner, novice

¹**beginnen** (onov ww) **1** begin, start (to do sth., doing sth.); [form] commence; set about (doing): [inf] *begin maar!* go ahead!; [met vragen ook] fire away!; *laten we ~* let's get started; *het begint er op te lijken* that's more like it; *weer van voren af aan moeten ~* go back to square one; *hij begon met te zeggen … * he began by saying …; *het begint donker te worden* it is getting dark; *je weet niet waar je aan begint* you don't know what you are letting yourself in for **2** (+ over) [gaan praten] bring up, raise: *over politiek ~* bring up politics; *over iets anders ~* change the subject ‖ *daar kunnen we niet aan ~* that's out of the question; *om te ~ …* for a start …; *voor zichzelf ~* start one's own business

²**beginnen** (ov ww) [starten, openen] begin start; open [toespraak, spel, onderhandelingen, brief]: *een gesprek ~* begin (*of:* start) a conversation; *een zaak ~* start a business

de **beginner** beginner: *cursus voor ~s* beginners' course

het **beginpunt** starting point, point of departure

het **beginsalaris** starting (of: initial) salary

het **beginsel** principle, rudiment: *in ~* in principle

de **beginselverklaring** statement (of: declaration) of principles; [van partij] manifesto

de **beglazing** glazing

begluren peep at, spy on

de **begonia** begonia

de **begraafplaats** cemetery, graveyard, burial ground

de **begrafenis 1** funeral **2** [handeling] burial

de **begrafenisondernemer** undertaker, funeral director

de **begrafenisonderneming** undertaker's (business), funeral parlour; [Am] funeral home

de **begrafenisstoet** funeral procession

begraven bury: *dood en ~ zijn* be dead and gone

begrensd limited, finite, restricted

begrenzen 1 border: *door de zee begrensd* bordered by the sea **2** [fig] define **3** [beperken] limit, restrict

¹begrijpelijk (bn) **1** understandable, comprehensible, intelligible **2** [verklaarbaar] natural, obvious: *dat is nogal ~* that is hardly surprising; *het is heel ~ dat hij bang is* it's only natural that he should be frightened

²begrijpelijk (bw) [op duidelijke wijze] clearly

begrijpen 1 understand, comprehend, grasp: *hij begreep de hint* he took the hint, he got the message; *dat kan ik ~* I (can) understand that; *o, ik begrijp het* oh, I see; *laten we dat goed ~* let's get that clear; *begrijp je me nog?* are you still with me?; *dat laat je voortaan, begrepen!* I'll have no more of that, is that clear? (of: do you hear?); *als je begrijpt wat ik bedoel* if you see what I mean **2** [opvatten] understand, gather: *begrijp me goed* don't get me wrong; *iem. (iets) verkeerd ~* misunderstand s.o. (sth.)

het **begrip 1** understanding, comprehension, conception: *vlug van ~* quick-witted **2** [denkbeeld; eenheid van denken] concept, idea, notion **3** [het willen, kunnen begrijpen van] understanding, sympathy: *~ voor iets kunnen opbrengen* appreciate; *ze was vol ~* she was very understanding

begroeid grown over (with), overgrown (with); [met bos] wooded

begroeten greet; [roepend] hail; [met een handgebaar ook] salute: *elkaar ~* exchange greetings; *het voorstel werd met applaus begroet* the proposal was greeted with applause

de **begroeting** greeting, salutation

begroten estimate (at), cost (at): *de kosten van het gehele project worden begroot op 12 miljoen* the whole project is costed at 12 mil-

lion

de **begroting** [berekening] estimate, budget: *een ~ maken* make an estimate

het **begrotingstekort** budget deficit

de **begunstigde** beneficiary; payee [cheque]

begunstigen favour

de **beha** bra

behaaglijk 1 pleasant, comfortable: *een ~ gevoel* a comfortable feeling **2** [op zijn gemak] comfortable, relaxed **3** [knus] cosy, snug

behaagziek coquettish

behaard hairy: *de huid is daar ~* the skin is covered with hair there; *zwaar ~* very hairy

het **¹behagen** pleasure, delight: *~ scheppen in* take (a) pleasure (of: delight) in

²behagen (onov ww) please: *het heeft Hare Majesteit behaagd om …* Her Majesty has been graciously pleased to …

behalen gain, obtain, achieve, score, win: *een hoog cijfer ~* get (of: obtain) a high mark; *de overwinning ~* be victorious, carry the day

behalve 1 [uitgezonderd] except (for), but (for), with the exception of, excepting: *~ mij heeft hij geen enkele vriend* except for me he hasn't got a single friend **2** [naast, afgezien van] besides, in addition to

behandelen 1 [omgaan met] handle, deal with, treat; [afhandelen] attend to: *dergelijke aangelegenheden behandelt de rector zelf* the director attends to such matters himself; *eerlijk behandeld worden* be treated fairly; *de dieren werden goed behandeld* the animals were well looked after; *iem. oneerlijk ~* do s.o. (a) wrong; *iem. voorzichtig ~* go easy with s.o. **2** [uiteenzetten] treat (of), discuss, deal with: *een onderwerp ~* discuss a subject **3** [als arts verzorgen] treat; [verplegen] nurse

de **behandeling 1** [het omgaan met iets] treatment, use, handling; operation [machine]; [het afhandelen] handling; management: *een wetsontwerp in ~ nemen* discuss a bill; *in ~ nemen* deal with **2** [uiteenzetting] treatment, discussion **3** [med] treatment, attention: *zich onder ~ stellen* go to a doctor

de **behandelkamer** surgery

het **behang** wallpaper

¹behangen (ww) (wall)paper (a room), hang (wallpaper)

²behangen (ov ww) [bedekken] hang (with), drape (with)

de **behanger** paperhanger

behappen: *dat kan ik niet in m'n eentje ~* I can't handle that all at once on my own

behartigen look after, promote

de **behartiging** promotion (of), protection (of)

het **beheer 1** management; [toezicht] control; supervision: *de penningmeester heeft het ~ over de kas* the treasurer is in charge of the funds **2** [administratie, bestuur] administration, management, rule: *dat eiland staat onder Engels ~* that island is under British administration

de **beheerder 1** administrator, trustee **2** [exploitant] manager [camping, kantine, filiaal]

beheersen control, govern, rule; [domineren] dominate: *die gedachte beheerst zijn leven* that thought dominates his life ‖ *een vreemde taal ~* have a thorough command of a foreign language

de **beheersing** control; command [ook van taal]: *de ~ over zichzelf verliezen* lose one's self-control

beheerst controlled, composed

beheksen 1 [betoveren] bewitch, bedevil **2** [fig] bewitch, cast (*of:* put) a spell (*of:* charm) on

zich **behelpen** manage, make do: *hij weet zich te ~* he manages, he can make do; *het is erg ~ zonder stroom* it's really roughing it without electricity

behelzen contain, include, comprehend: *we weten niet wat het plan behelst* we don't know what the plan amounts to; *het voorstel behelst het volgende* the proposal (*of:* suggestion) is this

behendig [handig] dexterous; adroit; [vaardig] skilful; [bijdehand] clever; [bijdehand] smart: *een ~e jongen* an agile boy; *~ klom ze achterop* she climbed nimbly up the back

de **behendigheid** dexterity, agility, skill

behept cursed (with), -ridden: *met vooroordelen ~* prejudice-ridden

beheren 1 manage; administer [financiën]: *de financiën ~* control the finances **2** [leiden, exploiteren] manage, run

behoeden 1 [beschermen] guard (from), keep (from), preserve (from): *iem. voor gevaar ~* keep s.o. from danger **2** [waken over] guard, watch over

behoedzaam cautious, wary

de **behoefte** [gemis] need (of, for); [vraag] demand (for): *in eigen ~ (kunnen) voorzien* be self-sufficient; *~ hebben aan rust* have a need for quiet ‖ *zijn ~ doen* relieve o.s.

behoeftig needy, destitute; [noodlijdend] distressed: *de armen en de ~en* the poor and the needy (*of:* destitute); *in ~e omstandigheden verkeren* find o.s. in needy (*of:* reduced) circumstances

het **behoeve**: *ten ~ van* for the benefit of

¹behoeven [onov ww] [form] [nodig zijn] need: *behoef ik u te zeggen, dat …* need I tell you that …

²behoeven [ov ww] [nodig hebben] need, be in need of; require: *hulp ~* be in need of aid (*of:* support); *dit behoeft enige toelichting* this requires some explanation

¹behoorlijk (bn) **1** [fatsoenlijk] decent, ap-

propriate, proper, fitting: *producten van ~e kwaliteit* good quality products **2** [voldoende] adequate, sufficient **3** [toonbaar] decent, respectable, presentable **4** [tamelijk groot, flink] considerable, substantial: *dat is een ~ eind lopen* that's quite a distance to walk

²behoorlijk (bw) **1** [fatsoenlijk] decently, properly: *gedraag je ~* behave yourself **2** [in voldoende mate] adequately, enough **3** [nogal] pretty, quite: *~ wat* a fair amount (of) **4** [goed] decently, well (enough): *je kunt hier heel ~ eten* you can get a very decent meal here

behoren 1 belong (to); [toebehoren] be owned by; [gerekend worden] be part of: *dat behoort nu tot het verleden* that's past history **2** [vereist worden] require, need, be necessary, be needed: *naar ~* as it should be **3** [gepast zijn] should, ought (to): *jongeren ~ op te staan voor ouderen* young people should stand up for older people **4** [onderdeel uitmaken van] belong (to), go together (*of:* with): *een tafel met de daarbij ~de stoelen* a table and the chairs to go with it; *hij behoort tot de betere leerlingen* he is one of the better pupils

het **behoud 1** [het in stand houden, blijven] preservation, maintenance; conservation [ook van natuur, monumenten] **2** [het in goede staat houden] preservation, conservation, care

behouden 1 [niet verliezen] preserve, keep; conserve [ook natuur, monumenten]; retain: *zijn zetel ~* retain one's seat **2** [niet opgeven] maintain, keep: *zijn vorm ~* keep fit ‖ *ik wens u een ~ vaart* I wish you a safe journey

behoudend conservative: *hij behoort tot de ~e vleugel van de partij* he belongs to the conservative section of the party; [sport] *~ spelen* play a defensive game

behoudens 1 [met voorbehoud van] subject to: *~ goedkeuring door de gemeenteraad* subject to the council's approval **2** [behalve] except (for): *~ enkele wijzigingen werd het plan goedgekeurd* except for (*of:* with) a few alterations, the plan was approved

de **behuizing** housing, accommodation; [woning] house; dwelling: *passende ~ zoeken* look for suitable accommodation

het **behulp**: *met ~ van iets* with the help (*of:* aid) of sth.

behulpzaam helpful: *zij is altijd ~* she's always ready to help

de **beiaard** carillon

beide both, either (one); [twee] two: *het is in ons ~r belang* it's in the interest of both of us; *een opvallend verschil tussen hun ~ dochters* a striking difference between their two daughters; *in ~ gevallen* in either case, in both cases; *ze zijn ~n getrouwd* they are both married, both (of them) are married; *wij ~n* both of us, the two of us; *ze weten het geen van ~n* neither of them knows

het **¹beige** (zn) beige

²beige (bn) beige

de **beignet** fritter

zich **beijveren** apply o.s. (to)

beïnvloeden influence, affect: *zich door iets laten ~* be influenced by sth.

de **beïnvloeding**: *~ van de jury* influencing the jury

Beiroet Beirut

de **beitel** chisel

beitelen 1 [uithakken] chisel **2** [houwen uit] carve

het/de **beits** stain

beitsen stain

bejaard elderly, aged, old

de **bejaarde** elderly (*of:* old) person, senior citizen

het **bejaardentehuis** old people's home, home for the elderly

de **bejaardenverzorger** geriatric helper

de **bejaardenzorg** care of the elderly (*of:* old)

bejegenen treat: *iem. onheus ~* snub (*of:* rebuff) s.o.

de **bek 1** [snavel] bill; [kort en stevig] beak **2** [muil] snout, muzzle **3** [mond] mouth, trap, gob: *een grote ~ hebben* be loud-mouthed; *hou je grote ~* shut up!; *op zijn ~ gaan* come a cropper, fall flat on one's face **4** [gezicht] mug: *(gekke) ~ken trekken* make (silly) faces

bekaaid: *er ~ afkomen* come off badly, get the worst of it, get a raw deal

bekaf all-in, knackered, dead tired

bekakt affected, snooty

de **bekeerling** convert

bekend 1 known: *dit was mij ~* I knew (of) this; *het is algemeen ~* it's common knowledge; *voor zover mij ~* as far as I know; *voor zover ~* as far as is known **2** [door velen gekend] well-known, noted (for), known (for); [berucht] notorious (for): *~ van radio en tv* of radio and TV fame **3** [niet vreemd] familiar: *u komt me ~ voor* haven't we met (somewhere) (before)?

de **bekende** acquaintance

de **bekendheid 1** [het bekend zijn met] familiarity (with), acquaintance (with), experience (of) **2** reputation, name, fame

bekendmaken 1 [aankondigen] announce **2** [publiek maken] publish, make public (*of:* known): *de verkiezingsuitslag ~* declare the results of the election **3** [vertrouwd maken] familiarize (with), acquaint

de **bekendmaking 1** [aankondiging] announcement **2** [publicatie] publication; [in krant, op bord] notice; [van verkiezingsuitslag] declaration

bekendstaan be known (as), be known (*of:* reputed) (to be): *goed, slecht ~ have a* good, bad reputation; *~ om* be noted (*of:* known) for

bekennen 1 [jur] confess; [voor het gerecht] plead guilty (to) **2** [toegeven] confess, admit, acknowledge: *je kunt beter eerlijk ~* you'd better come clean **3** [bespeuren] see, detect: *hij was nergens te ~* there was no sign (*of:* trace) of him (anywhere)

de **bekentenis** confession, admission, acknowledgement; [voor het gerecht ook] plea of guilty: *een volledige ~ afleggen* make a full confession

de **beker** [drinkgerei] beaker, cup; [met oor] mug: *de ~ winnen* win the cup

bekeren convert; [ten goede] reform

de **bekerfinale** cup final

de **bekering** conversion

de **bekerwedstrijd** cup-tie

bekeuren fine (on the spot): *bekeurd worden voor te hard rijden* be fined for speeding

de **bekeuring** (on-the-spot) fine, ticket

bekijken 1 [bezichtigen] look at, examine: *iets vluchtig ~* glance at sth.; *van dichtbij ~* take a close(r) look at **2** [overwegen] look at, consider **3** [opvatten] see, look at, consider, view: *hoe je het ook bekijkt* whichever way you look at it ‖ *je bekijkt het maar!* please yourself!; *goed bekeken!* well done!; [slim] good thinking!

het **bekijks**: *veel ~ hebben* attract a great deal of (*of:* a lot of) attention

het **bekken 1** basin **2** [biol] pelvis **3** [muz] cymbal

de **beklaagde** accused, defendant; [gedetineerde ook] prisoner (at the bar)

de **beklaagdenbank** dock

bekladden [bevlekken] [met inkt] blot; [met verf] daub; plaster [muur]

het **beklag** complaint

¹beklagen (ov ww) pity

zich **²beklagen** (wdk ww) complain (to s.o.), make a complaint (to s.o.)

beklagenswaardig pitiable, pitiful, piteous, lamentable, deplorable: *hij is ~* he is (much) to be pitied

bekleden 1 [bedekken] cover; [met verf enz.] coat; [binnenkant] line: *een kamer ~* carpet a room **2** [uitoefenen, bezetten] hold, occupy: *een hoge positie ~* hold a high position

de **bekleding** covering, coating, lining

beklemd [vast] jammed, wedged, stuck, trapped

beklemmen 1 [vastklemmen] jam **2** [benauwen] oppress

beklemtonen [klemtoon leggen op] stress, accent(uate); emphasize [ook fig]

beklimmen climb, ascend, scale

beklinken settle, clinch: *de zaak is beklonken* the matter's settled; [hand; inf] the deal's sewn up

bekneld trapped: *door een botsing ~ raken in een auto* be trapped in a car after a collision

beknibbelen 1 [bezuinigen] cut back (on); skimp (on), stint (on) **2** [Belg; bedillen] meddle with, interfere with

beknopt brief(ly-worded), concise, succinct || *een ~e uitgave* an abridged edition

beknotten curtail, cut short, restrict: *iemands vrijheid ~* curtail (*of:* restrict) s.o.'s freedom

bekocht cheated; [inf] taken in, taken for a ride: *zich ~ voelen* feel cheated (*of:* taken in)

bekoelen 1 [koel(er) worden] cool (off, down) **2** [fig] cool (off), dampen

bekogelen pelt, bombard

bekokstoven cook up: *wat ben je nu weer aan 't ~?* what are you cooking up now?

bekomen 1 [goed] agree with; suit; [slecht] disagree with: *dat zal je slecht ~* you'll be sorry (for that) **2** [bijkomen] recover, get over; [na flauwvallen] come round, come to: *van de (eerste) schrik ~* get over the (initial) shock

zich **bekommeren** worry (about), bother (about), concern (*of:* trouble) o.s. (with, about)

de **bekomst**: *zijn ~ van iets hebben* have had one's fill of sth.; [inf] be fed up with (*of:* sick and tired of) sth.

bekonkelen cook up; [zaken in eigen voordeel] wheel and deal

bekoorlijk charming, lovely

bekopen [boeten] pay for

bekoren charm, seduce: *dat kan mij niet ~* it doesn't appeal to me; [inf] I don't think much of it

de **bekoring** [aantrekking] charm(s), appeal

bekorten cut short, shorten, curtail: *zijn reis met een week ~* cut one's journey short by a week, cut a week off one's journey

bekostigen bear the cost of, pay for, fund: *ik kan dat niet ~* I can't afford that

bekrachtigen ratify, confirm; pass [wet]; [koninklijk] assent to: [m.b.t. wet] *bekrachtigd worden* be passed

de **bekrachtiging 1** ratification, confirmation **2** [vonnis] upholding || *stuurbekrachtiging* power steering

bekritiseren criticize, find fault with

bekrompen [kleingeestig] narrow(-minded), petty, blinkered; [sterker] bigoted

bekronen award a prize to: *een bekroond ontwerp* a prizewinning design, an award-winning design

de **bekroning** award

bekruipen come over, steal over: *het spijt me, maar nu bekruipt me toch het gevoel dat …* I'm sorry, but I've got a sneaking feeling that

…

bekvechten argue, bicker

bekwamen [kundig] competent, capable, able

de **bekwaamheid** [eigenschap] competence, (cap)ability, capacity, skill

zich **bekwamen** qualify, train (o.s.), study, teach: *zich in iets ~* train for sth.

de **bel 1** bell; [aan deur ook] chime; gong (bell) *de ~ gaat* there's s.o. at the door; *op de ~ drukken* press the bell **2** [gas-, luchtbel] bubble: *~len blazen* blow bubbles

belabberd rotten, lousy, rough: *ik voel me nogal ~* I feel pretty rough (*of:* lousy)

belachelijk ridiculous, absurd, laughable, ludicrous: *op een ~ vroeg uur* at some ungodly hour; *doe niet zo ~* stop making such a foo of yourself

[1]**beladen** (bn) emotionally charged

[2]**beladen** (ov ww) load [ook fig]; burden

belagen 1 beset; [sterker] besiege **2** [bedreigen] menace, endanger

belanden land (up), end up, finish, find o.s.: *~ bij* end up at, finish at; *waardoor hij in de gevangenis belandde* which landed him in prison

het **belang 1** interest, concern; [baat] good: *he algemene ~* the public interest; *~ bij iets hebben* have an interest in sth.; *in het ~ van uw gezondheid* for the sake of your health; *het is van het grootste ~ …* it is imperative to … **2** [belangstelling] interest (in): *~ stellen in b* interested in, take an interest in **3** [gewicht, waarde] importance, significance: *veel ~ hechten aan iets* set great store by sth.

belangeloos [onbaatzuchtig] unselfish, selfless: *belangeloze hulp* disinterested help

de **belangengroep** interest group, lobby, pressure group

de **belangenvereniging** interest group, pressure group, lobby

de **belangenverstrengeling** conflict of interest

belanghebbend interested, concerned

de **belanghebbende** interested party, party concerned

belangrijk 1 important: *de ~ste gebeurtenissen* the main (*of:* major) events; *zijn gezin ~er vinden dan zijn carrière* put one's family before one's career; *en wat nog ~er is …* and more important(ly), …; [jeugdtaal; iron] *lekker ~* hip, who cares **2** [groot] considerable, substantial, major: *in ~e mate* considerably, substantially

[1]**belangstellend** (bn) interested: *ze waren heel ~* they were very attentive

[2]**belangstellend** (bw) interestedly, with in terest

de **belangstellende** person interested, inter ested party

de **belangstelling** interest (in): *in het middel*

punt van de ~ staan be the focus of attention; een man met een brede ~ a man of wide interests; zijn ~ voor iets verliezen lose interest in sth.; daar heb ik geen ~ voor I'm not interested (in that)

belangwekkend interesting; of interest; conspicuous, prominent: een ~e figuur a conspicuous (of: prominent) person

belast [als toegewezen taak hebbend] responsible (for), in charge (of)

belastbaar taxable: ~ inkomen taxable income

belasten 1 load: iets te zwaar ~ overload sth. **2** [als prestatie vergen van] (place a) load (on) **3** [opdracht geven] make responsible (for), put in charge (of): iem. te zwaar ~ overtax s.o. **4** [m.b.t. belastingen] tax

belastend aggravating; [jur] incriminating; damning; damaging [feiten, beweringen]

belasteren slander; [in geschrifte] libel

de **belasting 1** load, stress: ~ van het milieu met chemische producten burdening of the environment with chemicals **2** [psychische druk] burden, pressure: de studie is een te grote ~ voor haar studying is too much for her **3** [aan de overheid] tax, taxation; [plaatselijk] rate(s): ~ heffen levy taxes; ~ ontduiken evade tax

de **belastingaangifte** tax return

de **belastingaanslag** tax assessment

de **belastingaftrek** tax deduction

de **belastingbetaler** taxpayer

de **belastingdienst** tax department, Inland Revenue; [Am] IRS; Internal Revenue Service

de **belastingfraude** tax fraud

de **belastingheffing** taxation, levying of taxes

de **belastinginspecteur** tax inspector, inspector of taxes

de **belastingontduiking** tax evasion, tax dodging

het **belastingparadijs** tax haven

de **belastingplichtige** taxpayer

het **belastingstelsel** tax system, system of taxation

het **belastingtarief** revenue tariff, tax rate

belastingvrij tax-free, duty-free; duty-paid [van goederen]; untaxed [van accijns]

belazeren [inf] cheat, make a fool of

beledigen offend; [sterker] insult: zich beledigd voelen door be (of: feel) offended by

beledigend offensive (to), insulting (to), abusive

de **belediging** insult, affront: een grove (zware) ~ a gross insult

beleefd polite, courteous; [welgemanierd] well-mannered; [ook koel] civil: dat is niet ~ that's bad manners, that's not polite

de **beleefdheid** [welgemanierdheid] politeness, courtesy

het **beleg 1** siege: de staat van ~ afkondigen de-

clare martial law **2** [op brood] (sandwich) filling

belegen mature(d); [kaas ook] ripe; [fig] stale: jong (licht) ~ kaas semi-mature(d) cheese

belegeren besiege, lay siege to

de **belegering** siege

¹**beleggen** (ww) invest: in effecten ~ invest in stocks and shares

²**beleggen** (ov ww) **1** convene, call: een vergadering ~ call a meeting **2** cover, fill; put meat (of: cheese) on [boterham]: belegde broodjes (ham, cheese etc.) rolls

de **belegger** investor

de **belegging** investment

het **beleggingsfonds 1** [instelling] investment trust (of: fund) **2** [effecten] ± gilt-edged (of: government) securities

het **beleid 1** policy [vaak mv]: het ~ van deze regering the policies of this government; verkeerd (slecht) ~ mismanagement **2** [overleg] tact, discretion: met ~ te werk gaan handle things tactfully

belemmeren hinder, hamper; [sterker] impede; [storend werken op] interfere with; [sterker] obstruct; [onmogelijk maken] block: iem. het uitzicht ~ obstruct (of: block) s.o.'s view; de rechtsgang ~ obstruct the course of justice

de **belemmering** hindrance, impediment, interference, obstruction: een ~ vormen voor stand in the way of

belendend adjoining, adjacent, neighbouring

belenen [goederen] pawn; [bij bank] borrow money on, raise a loan on

het **beletsel** obstacle, impediment

beletten prevent (from), obstruct

beleven go through, experience: de spannendste avonturen ~ have the most exciting adventures; plezier ~ aan enjoy

de **belevenis** experience, adventure

belezen well-read, widely-read: een (zeer) ~ man [ook] a man of wide reading

de **Belg** Belgian

België Belgium

Belgisch Belgian

Belgrado Belgrade

belichamen embody

de **belichaming** embodiment

belichten 1 illuminate, light (up) **2** [uiteenzetten] discuss, shed (of: throw) light on: een probleem van verschillende kanten ~ discuss different aspects of a problem **3** [foto] expose

de **belichting** lighting

¹**believen** (onov ww) please

²**believen** (ov ww) want, desire: wat belieft u? (I beg your) pardon?

belijden profess, avow

de **belijdenis** confession (of faith) [verklaring]; confirmation

de **Belizaan** Belizian

Belizaans Belizian

Belize Belize

de **belkaart** phone card

¹bellen (onov ww) ring (the bell): *de fietser belde* the cyclist rang his bell

²bellen (ww) [opbellen] ring (up), call: *kan ik even ~?* may I use the (tele)phone?

bellenblazen blow bubbles

het **belletje** [telefoontje] buzz, call, ring

de **belminuut** (time) unit

de **belofte** promise; [plechtig] pledge: *iem. een ~ doen* make s.o. a promise; *zijn ~ (ver)breken* break one's promise; *zijn ~ houden* keep (*of:* live up) to one's promise (to s.o.), be as good as one's word; *~ maakt schuld* promise is debt

belonen pay, reward, repay

de **beloning** reward; [loon] pay(ment): *als ~ (van, voor)* in reward (for)

het **beloop** course, way: *iets op zijn ~ laten* let sth. take (*of:* run) its course; [nalatig zijn ook] let things slide

belopen 1 [afleggen] walk: *die afstand is in één dag niet te ~* it's not a distance you can walk in one day **2** [bedragen] amount (*of:* come) to, total; [schade, schuld ook] run (in)to

beloven promise; [plechtig] vow; [plechtig] pledge: *dat belooft niet veel goeds* that does not augur well; *het belooft een mooie dag te worden* it looks as if it'll be a lovely day; *dat belooft wat!* [positief] that's promising!; [negatief] that spells trouble!

het **belspel** phone-in programme, phone-in contest

het **beltegoed** credit (on prepaid phonecard)

de **beltoon** ringtone

beluisteren 1 listen to; [omroep ook] listen in to: *het programma is iedere zondag te ~* the programme is broadcast every Sunday **2** [luisterend waarnemen] hear, overhear

belust (+ op) bent (on); out (for) [wraak, sensatie]

de **belwaarde** [Belg] credit (on prepaid phonecard)

bemachtigen 1 get hold of, get (*of:* lay) one's hands on: *een zitplaats ~* secure a seat **2** [zich meester maken van] seize, capture, take (possession of); acquire [diploma enz.]

bemalen drain

bemannen man, staff; [schip ook] crew: *een bemand ruimtevaartuig* a manned spacecraft

de **bemanning** crew; [schip ook] ship's company; complement; [vesting] garrison

het **bemanningslid** crewman, member of the crew, hand

bemerken notice, note

bemesten manure; [met kunstmest] fertil-

ize

bemeubelen [Belg] furnish

de **bemiddelaar** intermediary; [m.b.t. geschil] mediator; [inf] go-between

bemiddelbaar employable

bemiddeld affluent, well-to-do

bemiddelen mediate: *~d optreden (in)* act as a mediator (*of:* an arbitrator) (in)

de **bemiddeling** mediation

bemind dear (to), loved (by), much-loved: *door zijn charme maakte hij zich bij iedereen ~* his charm endeared him to everyone

de **beminde** beloved, sweetheart

beminnelijk amiable

beminnen love, hold dear

bemoedigen encourage, hearten

de **bemoeial** busybody

zich **bemoeien** (+ met) meddle (in), interfere (in): *bemoei je niet overal mee!* mind your own business!; *daar bemoei ik me niet mee* I don't want to get mixed up in that

de **bemoeienis 1** [betrokkenheid] concern: *geen ~ hebben met* not be concerned with, have nothing to do with **2** [inmenging] interference

bemoeilijken hamper, hinder; impede [voortgang]; [situatie ook] aggravate; [situatie ook] complicate

bemoeiziek interfering, meddling: *~ zijn* be a meddler (*of:* busybody); be a nos(e)y parker

de **bemoeizucht** meddlesomeness, interference

benadelen harm, put at a disadvantage, handicap; [jur] prejudice: *iem. in zijn rechten ~* infringe s.o.'s rights

benaderen 1 approach; [fig ook] approximate to; come close to: *moeilijk te ~* unapproachable **2** [zich wenden tot] approach, get in touch with: *iem. ~ over een kwestie* approach s.o. on a matter **3** [rekenkundig] calculate (roughly), estimate (roughly)

de **benadering 1** approach; [fig ook] approximation (to) **2** [rekenkundig] (rough) calculation, (rough) estimate, approximation || *bij ~* approximately, roughly

benadrukken emphasize, stress, underline

de **benaming** name, designation

benard awkward, perilous, distressing

benauwd 1 short of breath **2** [de ademhaling belemmerend] close, muggy; [onfris] stuffy: *een ~ gevoel op de borst* a tight feeling in one's chest; *~ warm* close, muggy, oppressive **3** [angstig] anxious, afraid: *het ~ krijgen* feel anxious **4** [angstig makend] upsetting **5** [m.b.t. ruimte] narrow, cramped

de **benauwdheid 1** [m.b.t. ademhaling] tightness of the chest **2** [bedomptheid] closeness, stuffiness **3** [angst] fear, anxiety

benauwen [beklemmen] weigh down on

de **bende 1** mess, shambles **2** [groot aantal]

mass; [mensen, dieren] swarm; crowd
3 [m.b.t. gespuis, dieven] gang, pack
¹beneden (bw) down, below; [in huis]
downstairs; [pagina] at the bottom: *(via de
trap) naar ~ gaan* go down(stairs); *de vijfde regel van ~* the fifth line up, the fifth line from
the bottom
²beneden (vz) under, below, beneath: *kinderen ~ de zes jaar* children under six (years of
age)
de **benedenverdieping** ground floor; [lage-
re verdieping] lower floor
benedenwinds leeward
de **benefietwedstrijd** benefit (match)
de **Benelux** Benelux, the Benelux countries
benemen take away (from)
benen bone
benepen 1 small-minded, petty **2** [be-
nauwd] anxious, timid
benevelen cloud, (be)fog: *licht(elijk) bene-
veld* tipsy, woozy
Bengaals Bengal; [inwoners, taal] Bengali
de **Bengalees** Bangladeshi, Bengali
de **bengel** (little) rascal, scamp, (little) terror
bengelen dangle, swing (to and fro)
benieuwd curious: *ik ben ~ wat hij zal zeggen* I wonder what he'll say; *ze was erg ~ (te
horen) wat hij ervan vond* she was dying to
hear what he thought of it
benieuwen arouse curiosity: *het zal mij ~ of
hij komt* I wonder if he'll come
benijden envy, be envious (of), be jealous
(of): *al onze vrienden ~ ons om ons huis* our
house is the envy of all our friends
benijdenswaardig enviable
Benin Benin
de **Beniner** Beninese
benodigd required, necessary, wanted
de **benodigdheden** requirements, necessities
benoemen appoint, assign (to), nominate:
iem. tot burgemeester ~ appoint s.o. mayor
de **benoeming** appointment, nomination
het **benul** notion, inkling, idea: *hij heeft er geen
(flauw) ~ van* he hasn't got the foggiest idea
benutten utilize, make use of: *zijn kansen ~*
make the most of one's opportunities; *een
strafschop ~* score from a penalty
B en W afk van *Burgemeester en Wethouders* Mayor and Aldermen
de **benzine** petrol; [Am] gas(oline): *gewone
(normale) ~* two star petrol; *loodvrije ~* unleaded petrol
de **benzinemotor** petrol engine
de **benzinepomp 1** [benzinestation] petrol
station, filling station **2** [in auto] fuel pump
het **benzinestation** *zie benzinepomp*
de **benzinetank** petrol tank; [Am] gas(oline)
tank
de **beoefenaar** student [taal, kunst]; practitioner [geneeskunde, kunst]
beoefenen practise, pursue, follow, study;

[inf] go in for: *sport ~* go in for sports
beogen have in mind, aim at, intend: *het
beoogde resultaat* the intended (*of:* desired)
result, the result aimed at
de **beoordelaar** judge, assessor; [recensent]
reviewer
beoordelen judge, assess: *een boek ~* criticize a book; *dat kan ik zelf wel ~!* I can judge
for myself (, thank you very much)!; *dat is
moeilijk te ~* that's hard to say; *iem. verkeerd
~* misjudge s.o.
de **beoordeling** judg(e)ment, assessment,
evaluation; [ond] mark; [kritische] review
¹bepaald (bn) **1** particular, specific: *heb je
een ~ iem. in gedachten?* are you thinking of
anyone in particular? **2** [vastgesteld] specific, fixed, set, specified; [willekeurig] given:
vooraf ~ predetermined **3** [een of ander,
sommige] certain, particular: *om ~e redenen*
for certain reasons
²bepaald (bw) definitely: *niet ~ slim* not particularly clever
de **bepakking** pack; [mil] (marching) kit
bepalen 1 prescribe, lay down, determine,
stipulate: *zijn keus ~* make one's choice;
vooraf ~ predetermine; *de prijs werd bepaald
op €100,-* the price was set at 100 euros
2 [vaststellen] determine, ascertain: *u mag de
dag zélf ~* (you can) name the day; *het tempo
~* set the pace
de **bepaling 1** [omschrijving] definition
2 [voorschrift] provision, stipulation, regulation: *een wettelijke ~* a legal provision (*of:*
stipulation) **3** [voorwaarde] condition
4 [vaststelling] determination
¹beperken (ov ww) **1** limit, restrict **2** (+ tot)
restrict (to), limit (to), confine (to), keep (to):
de uitgaven ~ keep expenditure down; *tot
het minimum ~* keep (down) to a minimum
zich **²beperken** (wdk ww) restrict (o.s. to), confine (o.s. to)
de **beperking 1** limitation, restriction: *zijn ~en
kennen* know one's limitations; *~en opleggen aan* impose limits (*of:* limitations) on
2 [inkrimping] reduction, cutback
beperkt limited, restricted, confined; [ver-
minderd] reduced: *~ blijven tot* be restricted
to; *een ~e keuze* a limited choice; *verstande-
lijk ~* mentally challenged (*of:* disabled)
beplanten plant (with); [zaaien] sow (with)
de **beplanting** [gewassen] planting, plants,
crop(s)
bepleiten argue, plead, advocate: *iemands
zaak ~ (bij iem.)* plead s.o.'s case (with s.o.)
beppen yack, chat
bepraten talk over/about, discuss: *wij zullen
die zaak nader ~* we will talk the matter over
beproefd: *een ~e methode* a tried and
tested (*of:* well-tried, approved) method
beproeven (put to the) test, try: *zijn geluk
~* try one's luck

de **beproeving 1** testing **2** [ongeluk] ordeal, trial

het **beraad** consideration, deliberation; [beraadslaging] consultation [vaak mv]: *na rijp ~* after careful consideration
beraadslagen deliberate (upon), consider: *met iem. over iets ~* consult with s.o. about sth.

de **beraadslaging** deliberation, consideration, consultation

zich **beraden** consider, think over: *zich ~ over (op)* deliberate about
beramen 1 devise, plan: *een aanslag ~* plot an attack **2** [begroten] estimate, calculate

de **beraming 1** planning, design **2** [begroting] estimate, calculation, budget

de **Berber** Berber

het **berde**: *iets te ~ brengen* bring up a matter, raise a point
berechten try

de **berechting** trial; [uitspraak] judgement; [uitspraak] adjudication
bereden mounted
beredeneren argue, reason (out)
bereid 1 prepared **2** [genegen te doen] ready, willing, disposed: *tot alles ~ zijn* be prepared to do anything
bereiden prepare, get ready; [m.b.t. eten ook] cook; make, fix: *een maaltijd ~* prepare a meal; *iem. een hartelijke (warme) ontvangst ~* give s.o. a warm welcome

de **bereidheid** readiness, preparedness, willingness

de **bereiding** preparation, making, manufacture, production

de **bereidingswijze** method of preparation, process of manufacture, procedure
bereidwillig obliging, willing; [hulpvaardig ook] helpful: *~ iets doen* do sth. willingly

het **bereik** reach; [m.b.t. radio] range: *buiten (het) ~ van kinderen bewaren* keep away from children; [telec] *ik heb geen ~* I haven't got a signal, I'm not getting a signal
bereikbaar accessible, attainable, within reach: *bent u telefonisch ~?* can you be reached by phone?
bereiken 1 reach, arrive in, arrive at, get to **2** reach, achieve, attain, gain: *zijn doel ~* attain one's goal **3** [contact krijgen met] reach, contact; [verbinding krijgen] get through (to)
berekend meant for, designed for; [vnl. m.b.t. mensen] equal to, suited to: *hij is niet ~ voor zijn taak* he is not up to his job
berekenen 1 calculate, compute, determine, figure out; [optellen] add up **2** [in rekening brengen] charge: *iem. te veel (of: weinig) ~* overcharge (of: undercharge) s.o.
berekenend calculating, scheming

de **berekening 1** calculation, computation: *naar (volgens) een ruwe ~* at a rough esti-

mate **2** [overweging] calculation, evaluation, assessment: *een huwelijk uit ~* a marriage of convenience

de **berg** mountain; hill [heuvel]: *~en verzetten* move mountains; *ik zie er als een ~ tegenop* I'm not looking forward to it one little bit; [fig] *iem. gouden ~en beloven* promise s.o. the moon
bergachtig mountainous, hilly
bergafwaarts downhill
bergbeklimmen mountaineering, (rock-)climbing

de **bergbeklimmer** mountaineer, (mountain-)climber

[1] **bergen** (ov ww) **1** store, put away; stow (away) [vnl. scheepvaart]: *mappen in een la ~* put files away in a drawer **2** [scheepv] salvage **3** [in veiligheid brengen] rescue, save; shelter [personen en dieren]; recover [wrakstukken]

zich [2] **bergen** (wdk ww) [maken dat je wegkomt] get out of harm's (of: the) way, take cover

de **berggeit** chamois, mountain goat

de **berghelling** mountain slope, mountainside

het **berghok** shed; [in huis] storeroom; [in huis] boxroom

de **berghut** mountain hut, climbers' hut, mountain refuge

de **berging 1** [scheepv] salvage, recovery **2** storeroom, boxroom; shed

de **bergkam** (mountain) ridge

de **bergketen** mountain range (of: chain)

het **bergmeubel** storage cabinet
bergop uphill

de **bergpas** (mountain) pass, col

de **bergplaats** storage (space); storeroom [in huis]; [schuur(tje)] shed

de **bergschoen** mountaineering (of: climbing) boot

de **bergsport** mountaineering, (mountain) climbing; [in de Alpen, Himalaya enz. ook] alpinism

de **bergtop** summit, mountain top, peak; [spits] pinnacle

de **bergwand** mountain side, face of a mountain, mountain wall

het **bericht** message, notice, communication; [m.b.t. nieuwsberichten] report; [m.b.t. nieuwsberichten] news: *volgens de laatste ~en* according to the latest reports; *tot nade~ ~* until further notice; *u krijgt schriftelijk ~* you will receive written notice (of: notification); *~ krijgen over* receive information about; *~ achterlaten dat* leave a message that
berichten report, send word, inform, advise

de **berichtgeving** reporting, (news) coverage, report(s)
berijden 1 ride [paard e.d.] **2** [rijden over]

ride (on), drive (on)

de **berijder** rider [paard, (motor)fiets]

berispen reprimand, admonish

de **berisping** reprimand, reproof

de **berk** birch

Berlijn Berlin

de **berm** verge, roadside, shoulder

de **bermbom** IED (afk van *improvised explosive device*); roadside bomb

de **bermuda** Bermuda shorts, Bermudas

beroemd famous, renowned, celebrated, famed: ~ *om* famous for

de **beroemdheid 1** fame, renown **2** [persoon] celebrity

zich **beroemen** boast (about), take pride (in), pride o.s. (on)

het **beroep 1** occupation, profession, vocation; [bedrijf, ambacht] trade; [zaak] business: *in de uitoefening van zijn ~* in the exercise of one's profession; *wat ben jij van ~?* what do you do for a living? **2** [jur] appeal: *raad van ~* **a)** Court of Appeal; **b)** [Am] Court of Appeals; *in (hoger) ~ gaan* appeal (to a higher court), take one's case to a higher court ‖ *een ~ doen op iem. (iets)* (make an) appeal to s.o. (sth.)

zich **beroepen** (+ op) call (upon), appeal (to), refer (to)

beroeps professional: ~ *worden* [sport] turn professional

de **beroepsbevolking** employed population, working population, labour force

de **beroepsdeformatie** occupational (*of:* job-related) disability

het **beroepsgeheim** duty of professional confidentiality: *het ~ schenden* breach one's duty of professional confidentiality

beroepshalve professionally, in one's professional capacity

de **beroepskeuze** choice of (a) career (*of:* of profession): *begeleiding bij de ~* careers counselling

de **beroepskeuzeadviseur** counsellor, careers master

de **beroepsmilitair** regular (soldier)

het **beroepsonderwijs** vocational training, professional training

de **beroepsopleiding** professional (*of:* vocational, occupational) training

de **beroepsschool** [Belg] technical school

de **beroepsvoetballer** professional football player

de **beroepsziekte** occupational disease (*of:* illness)

beroerd 1 miserable, wretched, rotten: *ik word er ~ van* it makes me sick; *hij ziet er ~ uit* he looks terrible **2** [lui en onwillig] lazy: *hij is nooit te ~ om mij te helpen* he is always willing to help me

beroeren 1 touch **2** [verontrusten] trouble, agitate

de **beroering** trouble, agitation, unrest, commotion

de **beroerte** stroke

berokkenen cause: *iem. schade ~* cause s.o. harm

berooid destitute

het **berouw** remorse: ~ *hebben over* regret; ~ *tonen* show remorse (*of:* contrition)

berouwen regret, rue, feel sorry for

beroven 1 rob: *iem. ~ van iets* rob s.o. of sth. **2** [bestelen] deprive of, strip: *iem. van zijn vrijheid ~* deprive s.o. of his freedom; *zich van het leven ~* take one's own life

de **beroving** robbery

berucht notorious (for), infamous

berusten 1 (+ op) rest on, be based on, be founded on: *dit moet op een misverstand ~* this must be due to a misunderstanding **2** resign o.s. to **3** rest with, be deposited with: *de wetgevende macht berust bij het parlement* legislative power rests with parliament

de **berusting** resignation, acceptance, acquiescence

de **bes 1** berry; [aalbes] currant **2** [muz] B-flat

beschaafd [m.b.t. persoon] cultured, civilized, refined, well-bred

beschaamd ashamed, shamefaced

beschadigd damaged

beschadigen damage: *door brand beschadigde goederen* fire-damaged goods

de **beschadiging** damage

beschamen 1 (put to) shame **2** [teleurstellen] disappoint, betray: *iemands vertrouwen (niet) ~* (not) betray s.o.'s confidence

beschamend [vernederend] shameful, humiliating, ignominious: *een ~e vertoning* a humiliating spectacle

de **beschaving 1** civilization **2** culture, refinement, polish

bescheiden 1 modest, unassuming: *zich ~ terugtrekken* withdraw discreetly; *naar mijn ~ mening* in my humble opinion **2** [niet groot] modest, unpretentious: *een ~ optrekje* a modest little place

de **bescheidenheid** modesty, unpretentiousness: *valse ~* false modesty

de **bescheimeling** ward, protégé

beschermen protect, shield, preserve, (safe)guard, shelter: *een beschermd leventje* a sheltered life; ~ *tegen de zon* screen from the sun

de **beschermengel** guardian angel

de **beschermer** defender, guardian, protector

de **beschermheer** patron

de **beschermheilige** patron saint, patron, patroness

de **bescherming** protection, (safe)guarding, shelter, cover: ~ *bieden aan* offer protection to; *iem. in ~ nemen* take s.o. under one's protection; [fig] take s.o. under one's wing

de **beschermlaag** protective layer (*of:* coating)

beschieten [schieten op] fire on, fire at, shell, bombard, pelt

beschikbaar available, at one's disposal, free

de **beschikbaarheid** availability

beschikken (+ over) dispose of, have (control of), have at one's disposal: *over genoeg tijd ~* have enough time at one's disposal; *over iemands lot ~* determine s.o.'s fate

de **beschikking** disposition, disposal: *ik sta tot uw ~* I am at your disposal; *ter ~ stellen* provide, supply, make available

beschilderen paint

de **beschildering** painting

beschimmeld mouldy; *~e papieren* musty papers

beschimmelen become mouldy

beschimpen taunt, jeer at, call names

beschonken drunk; intoxicated: *in ~ toestand* under the influence (of alcohol)

beschouwen 1 consider, contemplate **2** [houden voor] consider, regard as, look upon as: *iets als zijn plicht ~* consider sth. (as, to be) one's duty

de **beschouwing** consideration, view: *iets buiten ~ laten* leave sth. out of account, ignore sth.

beschrijven 1 write (on) **2** [in woorden] describe, portray: *dat is met geen pen te ~* it defies description **3** [m.b.t. een gebogen lijn] describe, trace: *een baan om de aarde ~* trace a path around the earth

de **beschrijving** description; [beeldend ook] depiction; [beknopt] sketch: *dat gaat alle ~ te boven* that defies description

beschroomd timid, diffident, bashful

de **beschuit** Dutch rusk, biscuit rusk, zwieback

de **beschuldigde** accused, defendant

beschuldigen accuse (of), charge (s.o. with sth.), blame (s.o. for sth.): *ik beschuldig niemand, maar ...* I won't point a finger, but ...

beschuldigend accusatory, denunciatory

de **beschuldiging** accusation, imputation; [aanklacht] charge; [tenlastelegging] indictment: *iem. in staat van ~ stellen* indict s.o. (for); *onder (op) ~ van diefstal (gearresteerd)* (arrested) on a charge of theft

beschut sheltered, protected ‖ [Belg] *~te werkplaats* sheltered workshop

beschutten (+ tegen) [m.b.t. dreigend gevaar] shelter (from), protect (from, against); [afschermen] shield (from)

de **beschutting** shelter, protection: *(geen) ~ bieden* offer (no) protection; *~ tegen de regen* protection from the rain

het **besef** understanding, idea; [innerlijke overtuiging] sense: *tot het ~ komen dat* come to realize that

beseffen realize, be aware (of); [bevatten] grasp; [zich bewust zijn] be conscious (of): *voor ik het besefte, had ik ja gezegd* before I knew it, I had said yes

[1]**beslaan** (onov ww) [m.b.t. ruit, bril] mist up (of: over), steam up (of: over): *toen ik binnenkwam, besloeg mijn bril* when I entered, my glasses steamed up

[2]**beslaan** (ov ww) **1** [innemen] take up, cover; [woorden, tekst ook] run to: *deze kast beslaat de halve kamer* this cupboard takes up half the room **2** [m.b.t. paarden] shoe

het **beslag 1** [voor pannenkoeken enz.] batter **2** [van metaal] fitting(s); [deur, venster] ironwork; metalwork; [paard] shoe **3** possession: *iemands tijd in ~ nemen* take up s.o.'s time; *deze tafel neemt te veel ruimte in ~* this table takes up too much space **4** [jur] attachment: *smokkelwaar in ~ nemen* confiscate contraband ‖ *~ leggen op iets* take possession of sth., lay (one's) hands on sth.

de **beslaglegging** [jur] attachment, seizure, distress (on)

beslechten settle: *het pleit is beslecht* the dispute has been settled

beslissen decide, resolve: *dit doelpunt zou de wedstrijd ~* this goal was to decide the match

beslissend decisive, conclusive; [uiteindelijk] final; [belangrijkste] crucial: *in een ~ stadium zijn* have come to a head, be at a critical stage

de **beslissing** decision; [van bevoegd gezag ook] ruling

de **beslissingswedstrijd** decider, play-off: *een ~ spelen* [ook] play off

[1]**beslist** (bn) **1** definite **2** [zonder te aarzelen] decided

[2]**beslist** (bw) [zeker] certainly, definitely

de **beslommering** worry: *de dagelijkse ~en* the day-to-day worries

besloten closed, private: *een ~ vergadering* a meeting behind closed doors; *in ~ kring* in a closed (of: private) circle, private(ly)

besluipen steal up on, creep up on; stalk [wild]: *de vrees besloop hen* (the) fear crept over them

het **besluit 1** decision, resolution, resolve: *een ~ nemen* take a decision; *mijn ~ staat vast* I'm quite determined **2** conclusion **3** [maatregel] order, decree

besluiteloos indecisive, irresolute

besluiten conclude, close, end **2** decide, resolve

besluitvaardig decisive, resolute

besmeren butter; daub [met verf]

besmet 1 infected, contaminated **2** [bevuild] tainted, contaminated, polluted

besmettelijk 1 [m.b.t. ziekte, ook figuurlijk] infectious, contagious, catching: *een ~e ziekte* an infectious disease **2** [gemakkelijk te bevuilen] (be) easily soiled

besmetten 1 infect (with), contaminate (with): *met griep besmet worden (door iem.)*

catch the flu (from s.o.) **2** [bevlekken] taint, soil

de **besmetting** infection; contagion [door aanraking]; [ziekte ook] disease: *radioactieve ~* radioactive contamination

besmeuren stain, soil: *met bloed besmeurde handen* [fig] blood-stained hands

besneden [rel] circumcised

besnijden circumcise

de **besnijdenis** circumcision

¹**besnoeien** (onov ww) [bezuinigen] cut down (on)

²**besnoeien** (ov ww) **1** trim (off, down), cut (down, back), curtail: *uitgaven ~* cut down (on) expenses **2** [door snoeien bewerken] prune; lop [bomen]; [tot bepaalde vorm] trim

bespannen 1 stretch; string [viool, racket] **2** [m.b.t. paarden enz.] harness (a horse to a cart): *een rijtuig met paarden ~* put horses to a carriage

besparen 1 save **2** [niet belasten] spare, save: *de rest zal ik je maar ~* I'll spare you the rest; *die moeite had u zich wel kunnen ~* you could have spared yourself the trouble

de **besparing 1** saving, economy **2** saving(s), economies: *een ~ op* a saving on

bespelen 1 [sport] play on, play in [veld] **2** [muz] play (on) **3** [beïnvloeden] manipulate [omstandigheden]; play on [gevoelens]: *een gehoor ~* play to an audience

bespeuren sense, notice, perceive, find

bespieden spy (on), watch

bespioneren spy on

bespoedigen accelerate, speed up

bespottelijk ridiculous, absurd: *een ~ figuur slaan* (make o.s.) look ridiculous

bespotten ridicule, mock, deride, scoff at

bespreekbaar debatable, discussible

bespreken 1 discuss, talk about; [behandelen] consider: *een probleem ~* go into a problem **2** [beoordelen] discuss, comment on, examine, review [boek, film] **3** [reserveren] book, reserve: *kaartjes (plaatsen) ~* make reservations

de **bespreking 1** discussion, talk **2** [onderhandeling] meeting, conference, talks **3** [van boek, film enz.] review **4** [m.b.t. plaatskaarten] booking, reservation

besprenkelen sprinkle

bespringen pounce on, jump

besproeien 1 sprinkle **2** [landb] irrigate; spray [met insecticiden e.d.]; water [met water]

bespuiten spray

het **bessensap** [rood] (red)currant juice; [zwart] blackcurrant juice

¹**best** (bn) **1** [overtr trap van 'goed'] best, better, optimum: *met de ~e bedoelingen* with the best of intentions; *~e maatjes zijn met* be very thick with; *Peter ziet er niet al te ~*

uit Peter is looking the worse for wear; *hij kan koken als de ~* he can cook with the best of them; *op een na de ~* the second best; *het ~e ermee!* good luck!; [bij ziekte ook] best wishes! **2** [m.b.t. instemming] well, all right: *(het is) mij ~* I don't mind **3** [in brieven e.d.] dear, good: *Beste Jan* [als briefaanhef] Dear Jan || *de eerste, de ~e* anyone, anything, any; *hij overnacht niet in het eerste het ~e hotel* he doesn't stay at just any (old) hotel

²**best** (bw) **1** [overtr trap van 'goed'] best: *jij kent hem het ~e* you know him best **2** [uitstekend] fine **3** sure: *je weet het ~* you know perfectly well; *het zal ~ lukken* it'll work out (all right) **4** really **5** [mogelijkheid] possibly, well: *dat zou ~ kunnen* that's quite possible; *ze zou ~ willen ...* she wouldn't mind ... || *zijn ~ doen* do one's best; *hij is op zijn ~* he is at his best; *ze is op haar ~ (gekleed)* she looks her best

het ¹**bestaan** (zn) **1** existence: *die firma viert vandaag haar vijftigjarig ~* that firm is celebrating its fiftieth anniversary today **2** [broodwinning] living, livelihood

²**bestaan** (onov ww) **1** exist, be (in existence): *laat daar geen misverstand over ~* let there be no mistake about it; *onze liefde zal altijd blijven ~* our love will live on forever; *ophouden te ~* cease to exist **2** (+ uit) consist (of); [opgebouwd zijn] be made up (of): *dit werk bestaat uit drie delen* this work consists of three parts **3** be possible: *hoe bestaat het!* can you believe it!

bestaand existing, existent, current

het **bestaansminimum** subsistence level

het **bestaansrecht** right to exist: *geen ~ hebben* have no right to exist; *zijn ~ ontlenen aan* be justified by

het ¹**bestand** (zn) **1** [wapenstilstand] truce, armistice **2** [verzameling (gegevens)] file

²**bestand** (bn): *~ zijn tegen* withstand, resist; [onkwetsbaar] be immune to; *tegen hitte ~* heat-resistant

het **bestanddeel** constituent, element; [onderdeel] component (part); ingredient

besteden 1 spend, devote (to), give (to), employ for: *geen aandacht ~ aan* pay no attention to; *zorg ~ aan (werk)* take care over (work); *zoiets is niet aan haar besteed* such things are lost (*of:* wasted) on her **2** [m.b.t. tijd, geld] spend (on): *ik besteed elke dag een uur aan mijn huiswerk* every day I spend one hour on my homework

de **besteding** spending: *~en doen* spend money, invest

besteedbaar disposable

het **bestek 1** cutlery: *(een) zilveren ~* a set of silver cutlery **2** [beschrijving van uit te voeren werk] specifications || *iets in kort ~ uiteenzetten* explain sth. in brief

het **bestel** (established) order

de **bestelauto** delivery van; [Am] (panel) truck
bestelen rob
bestellen 1 order, place an order (for); send for [personen]: *een taxi ~* call a taxi; *iets ~ bij* order sth. from **2** [bezorgen] deliver **3** [reserveren] book, reserve
de **besteller 1** delivery man; postman [brieven] **2** [opdrachtgever] customer
de **bestelling 1** delivery **2** order: *een ~ doen bij, voor* place an order with, for **3** [goederen] order, goods ordered: *~en afleveren* deliver goods ordered
de **bestemmeling** [Belg] addressee
bestemmen mean, intend; [geschikt maken] design: *dit boek is voor John bestemd* this book was meant for John
de **bestemming 1** intention, purpose; allocation [gelden] **2** [van reis e.d.] destination: *plaats van ~* destination; *hij is met onbekende ~ vertrokken* he has gone without leaving a forwarding address **3** [levensdoel] destiny
het **bestemmingsplan** zoning plan (*of:* scheme)
bestempelen: *iets ~ als* designate sth. as, label (*of:* call) sth.
bestendig 1 durable [materialen]; lasting, enduring **2** [niet veranderlijk] stable, steady: *~ weer* settled weather **3** [bestand tegen] -proof, -resistant: *hittebestendig* heat-resistant
bestendigen continue: *als de economische groei wordt bestendigd* if economic growth continues
¹**besterven** (onov ww) [m.b.t. vlees] ± hang, ± age
²**besterven** (ov ww): *het ~ van schrik* die of fright
bestijgen 1 mount; ascend [troon] **2** [m.b.t. een berg] climb, ascend
de **bestijging 1** mounting [paard]; ascent; accession (to) [troon] **2** [m.b.t. berg] climbing, ascent
bestoken harass, press, shell; bomb(ard) [met bommen, granaten]: *iem. met vragen ~* bombard s.o. with questions
bestormen storm
de **bestorming** storming, assault
bestraffen punish
de **bestraffing** punishing, chastisement
bestralen give radiation treatment (*of:* radiotherapy)
de **bestraling** irradiation; [als behandeling] radiotherapy; radiation treatment
bestraten pave [verharden] surface; [met keien] cobble
de **bestrating** pavement, paving, surface, cobbles
bestrijden 1 dispute, challenge, contest; oppose [plan]; resist [plan] **2** combat, fight, counteract; control [plaag]: *het alcoholisme ~* combat alcoholism

het **bestrijdingsmiddel** [tegen dieren] pesticide; [tegen planten] herbicide; weed killer
bestrijken 1 cover: *deze krant bestrijkt de hele regio* this newspaper covers the entire area **2** [besmeren] spread [jam]; coat [verf]
bestrooien sprinkle (with) [met korrels]; cover (with), spread (with) [met mest]; powder (with), dust (with) [met poeder]: *gladde wegen met zand ~* sand icy roads
de **bestseller** best seller
bestuderen 1 [goed bekijken] study, pore over **2** [onderzoeken ook] study, investigate, explore
bestuiven pollinate [bloemen]; dust; powder [met meel, stof]
besturen 1 drive, steer, navigate: *een schip ~* steer a ship **2** [m.b.t. een werktuig] control, operate **3** [leiden] govern, administrate, manage, run
de **besturing** control(s), steering, drive
het **besturingssysteem** operating system
het **bestuur 1** government; rule [van land]; administration [van gemeente, school]; management [van bedrijf]: *de raad van ~ van deze school* the Board of Directors of this school **2** [regeringssysteem] administration, government; management [van bedrijf] **3** [instantie] government [van land]; council; corporation [van stad]: *iem. in het ~ kiezen* elect s.o. to the board
bestuurbaar controllable, manageable; navigable [schip, vliegtuig]: *gemakkelijk ~ zijn* be easy to steer (*of:* control); *niet meer ~ zijn* be out of control
de **bestuurder 1** driver [van auto]; pilot [van vliegtuig, luchtballon]; operator [van grote machine] **2** [van bedrijf] administrator, manager: *de ~s van een instelling* the governors (*of:* managers) of an institution **3** [directeur] director, manager
bestuurlijk administrative, governmental, managerial
het **bestuurslid** member of the board; committee member [van vereniging]
de **bestwil**: *ik zeg het voor je (eigen) ~* I'm saying this for your own good
de **bèta** science (side, subjects)
de **betaalautomaat** point-of-sale terminal, point-of-pay(ment) terminal; [voor kaartjes] ticket machine
betaalbaar affordable, reasonably priced
de **betaalcheque** (bank-)guaranteed cheque
betaald paid (for), hired, professional: *~ voetbal* professional soccer || *iem. iets ~ zetten* get even with s.o., get back at (*of:* on) s.o.
de **betaalkaart** [giro] (guaranteed) giro cheque
het **betaalmiddel** tender, currency, circulating medium
de **betaalpas** cheque card

de **betaal-tv** pay TV

de **bètablokker** beta-blocker

betalen pay [iem., een rekening]; pay for [iets]: *de kosten* ~ bear the cost; *(nog) te* ~ balance due; *contant* ~ pay (in) cash; *die huizen zijn niet te* ~ the price of these houses is prohibitive; *met cheques* ~ pay by cheque; *dit werk betaalt slecht* this work pays badly

de **betaler** payer

de **betaling** payment; [voor diensten] reward; remuneration; [van schulden] settlement: ~ *in termijnen* payment in instalments

de **betalingsbalans** balance of payments

het **betalingsbewijs** receipt

de **betalingstermijn** instalment

betamelijk decent, fit(ting), seemly, proper

betasten feel, finger

betegelen tile

betekenen 1 [beduiden] mean, stand for, signify: *wat heeft dit te* ~? what's the meaning of this?; *wat betekent NN?* what does N.N. stand for? **2** [van waarde] mean, count, matter: *mijn auto betekent alles voor mij* my car means everything to me; *niet veel (weinig)* ~ be of little importance; *die baan betekent veel voor haar* that job means a lot to her **3** [met zich meebrengen] mean, entail: *dat betekent nog niet dat …* that does not mean that …

de **betekenis 1** meaning, sense **2** [belang] significance, importance: *van doorslaggevende* ~ of decisive importance

beter 1 [vergrotende trap van 'goed'] better: *het is ~ dat je nu vertrekt* you'd better leave now; *ze is ~ in wiskunde dan haar broer* she's better at maths than her brother; *dat is al ~* that's more like it; ~ *maken* improve; ~ *worden* improve; *wel wat ~s te doen hebben* have better things to do; ~ *laat dan nooit* better late than never; *hij is weer helemaal ~* he has completely recovered; ~ *maken, weer ~ maken* cure; ~ *worden, weer ~ worden* recover, get well again; *het ~ doen (dan een ander)* do better than s.o. else; *je had ~ kunnen helpen* you would have done better to help; *de leerling kon ~* the student could do better; *John tennist ~ dan ik* John is a better tennisplayer than me; [iron] *het ~ weten* know best; *ze weten niet ~ of …* for all they know …; *des te ~ (voor ons)* so much the better (for us); *hoe eerder hoe* ~ the sooner the better; *de volgende keer* ~ better luck next time **2** better (class of), superior: *uit ~e kringen* upper-class

de **beterschap** recovery (of health): ~*!* get well soon!

beteugelen curb, check, suppress, control

beteuterd taken aback, dismayed: ~ *kijken* look dismayed

de **betichte** [Belg; jur] accused, defendant

betichten accuse (of): *hij werd ervan beticht dat hij …* he was alleged to have …

betijen: *laat hem maar* ~ let him be, leave him alone

betimmeren board, panel

betitelen [noemen] call, label: *iets als onzin* ~ call (of: label) sth. nonsense

de **betoelaging** [Belg] subsidy

betogen demonstrate, march

de **betoger** demonstrator, marcher

de **betoging** demonstration, march

het **beton** concrete: *gewapend* ~ reinforced concrete; ~ *storten* pour concrete

betonen show, display; [dankbaarheid, medeleven ook] extend

de **betonmolen** concrete mixer

betonnen concrete

het **betonrot** concrete cancer

het **betoog** argument; [pleidooi] plea

betoveren 1 put (of: cast) a spell on, bewitch: *betoverd door haar ogen* bewitched by her eyes **2** [bekoren] enchant

de **betovering 1** spell, bewitchment **2** [bekoring] enchantment, charm

betraand tearfilled; [ogen] bleary

betrachten practise, exercise; observe [geheimhouding]; show [genade, terughoudendheid]

de **betrachting** [Belg] aim, intention

betrappen catch, surprise: *op heterdaad betrapt* caught redhanded

betreden 1 enter: *het is verboden dit terrein te* ~ no entry, keep out (of: off) **2** tread: *nieuwe paden* ~ break new (of: fresh) ground

betreffen 1 concern, regard: *waar het politiek betreft* when it comes to politics; *wat mij betreft is het in orde* as far as I'm concerned it's all right; *wat betreft je broer* with regard to your brother **2** [handelen over] concern, relate to

betreffende concerning, regarding

[1]**betrekkelijk** (bn) relative: *dat is ~* that depends (on how you look at it); *alles is ~* everything is relative

[2]**betrekkelijk** (bw) relatively, comparatively

de **betrekkelijkheid** relativity

[1]**betrekken** (onov ww) **1** [m.b.t. de lucht] become overcast (of: cloudy), cloud over **2** [somber worden] cloud over; darken [gezicht]

[2]**betrekken** (ov ww) involve, concern: *zij deden alles zonder de anderen erin te* ~ they did everything without consulting the others; *betrokken zijn bij* be involved (of: implicated, mixed up) in || *iets op zichzelf* ~ take sth. personally

de **betrekking 1** post, job, position; [ambtenaar ook] office: *iem. aan een* ~ *helpen* engage s.o., help s.o. find a job **2** [band, verhouding] relation(ship): *nauwe ~en met iem. onderhouden* maintain close ties (of: connections) with s.o. **3** [verband] relation, connection: *met ~ tot* with regard to, with respect to; *~ hebben op* relate (of: refer) to, concern

betreuren 1 regret, be sorry for: *een vergissing ~* regret a mistake **2** [rouwen over] mourn (for, over), be sorry for

betreurenswaardig regrettable, sad

betrokken 1 concerned; involved [na zelfstandig naamwoord]: *de ~ docent* the teacher concerned **2** [met wolken bedekt] overcast, cloudy

de **betrokkenheid** involvement, commitment, concern

betrouwbaar reliable, trustworthy, dependable: *uit betrouwbare bron* on good authority

de **betrouwbaarheid** reliability, dependability; [personen ook] trustworthiness

betuigen express: *iem. zijn deelneming* (of: *medeleven*) ~ express one's condolences (of: sympathy) to s.o.

betwijfelen doubt, (call in) question: *het valt te ~ of ...* it is doubtful whether ...

betwisten dispute, contest, challenge

beu: *iets ~ zijn* be sick of sth.

de **beugel** brace: *een ~ dragen* wear braces, wear a brace ‖ *dat kan niet door de ~* that cannot pass (muster), that won't do

het **beugelslot** U-lock

de **beuk** beech

¹**beuken** (bn) beech

²**beuken** (ww) batter, pound; [golven ook] lash: *op* (of: *tegen*) *iets ~* hammer on sth., batter (away) at sth.

het **beukennootje** beech-nut

de **beul 1** executioner; [bij ophangen ook] hangman **2** [fig] tyrant, brute

beunen moonlight

de **beunhaas** moonlighter

beunhazen 1 [knoeien] bungle, botch **2** [zwartwerken] moonlight

de ¹**beurs** (zn) **1** scholarship, grant: *een ~ hebben, van een ~ studeren* have a grant; *een ~ krijgen* get a grant **2** [handel] exchange, market; [gebouw] Stock Exchange **3** [tentoonstelling] fair, show, exhibition: *antiekbeurs* antique(s) fair **4** [portemonnee] purse

²**beurs** (bn) overripe, mushy

de **beursindex** stock market price index

de **beurskoers** share price, (exchange) rate

de **beursnotering** quotation, share price; [wisselkoers] foreign exchange rate

de **beursstudent** student on a grant, scholar

de **beurswaarde** quoted value, stock exchange value

de **beurt** turn: *een goede ~ maken* make a good impression; *een grote ~* [auto] a big service; *de kamer een grondige ~ geven* give the room a good cleaning; *hij is aan de ~* it's his turn, he's next; *om de ~ iets doen* take turns doing

sth.; *om de ~* in turn; *te ~ vallen* fall to s.o.'s lot (of: share)

beurtelings alternately, by turns, in turn: *het ~ warm en koud krijgen* go hot and cold (all over)

de **beurtrol** [Belg] *zie toerbeurt*

bevaarbaar navigable

bevallen 1 [baren] give birth (to): *zij is van een dochter ~* she gave birth to a daughter **2** [aanstaan] please, suit; [voldoen] give satisfaction: *hoe bevalt het je op school?* how do you like school?

bevallig graceful, charming

de **bevalling** delivery, childbirth

het **bevallingsverlof** [Belg] maternity leave

bevangen seize, overcome: *hij werd door angst ~* he was panic-stricken

bevaren [m.b.t. een schip] navigate [rivier]; sail [zee]

bevattelijk intelligible, comprehensible; *zie vatbaar*

bevatten 1 contain, hold **2** [begrijpen] comprehend, understand: *niet te ~* incomprehensible

het **bevattingsvermogen** comprehension: *zijn ~ te boven gaan* be beyond one's comprehension

bevechten 1 [vechtend verkrijgen] gain: *een zwaar bevochten positie* a hard-won (of: dearly won) position **2** [vechten tegen] fight (against)

beveiligen protect, secure; [fig ook] safeguard

de **beveiliging 1** protection, security; [fig ook] safeguard(s) **2** [middel] safety (of: protective, security) device

de **beveiligingsdienst** (private) security service

het **bevel** order, command; [m.b.t. opsporing e.d.] warrant: *~ geven tot* give the order to; *het ~ voeren over een leger* be in command of an army

bevelen order, command

de **bevelhebber** commander, commanding officer

beven 1 shake, tremble, shiver: *~ van kou* shiver with cold **2** [bang zijn] tremble, quake

de **bever** beaver

bevestigen 1 [vastmaken] fix, fasten, attach **2** [erkennen] confirm, affirm: *de uitzondering bevestigt de regel* the exception proves the rule

bevestigend affirmative

de **bevestiging 1** fixing, fastening, attachment **2** [erkenning] confirmation **3** [tegenover ontkenning] affirmation, confirmation

het **bevind**: *naar ~ van zaken handelen* act according to circumstances, use one's judgment

¹**bevinden** (ov ww) find: *gezien en goed bevonden* seen and approved; *schuldig ~ (aan*

een misdaad) find guilty (of a crime)

zich **²bevinden** (wdk ww) [in een toestand zijn] be, find o.s.: *zich in gevaar* ~ be in danger

de **bevinding** finding, result; [ervaring] experience; [slotsom] conclusion

de **beving** [m.b.t. personen] trembling; [van kou] shiver

bevlekken soil, stain, spot: *met bloed bevlekt* bloodstained

de **bevlieging** whim, impulse

bevloeien irrigate, water

bevlogen animated, inspired, enthusiastic

bevochtigen moisten, wet; humidify [lucht]

de **bevochtiger** humidifier [van lucht]

bevoegd [gerechtigd] competent, qualified, authorized: *de ~e overheden (autoriteiten)* the proper authorities; *~e personen* authorized persons; *~ zijn* be qualified

de **bevoegdheid** competence, qualification, authority; [jur] jurisdiction: *de bevoegdheden van de burgemeester* the powers of the mayor; *de ~ hebben om* have the power to; *zonder ~* unauthorized

bevoelen feel, finger

bevolken populate, people

de **bevolking** population, inhabitants: *de inheemse* ~ the native population

de **bevolkingsdichtheid** population density

de **bevolkingsgroep** community, section of the population

het **bevolkingsonderzoek** screening

het **bevolkingsregister** register (of births, deaths and marriages)

bevolkt populated: *een dicht-* (of: *dunbevolkte) streek* a densely (of: sparsely) populated region

bevoogden patronize (s.o.)

bevoordelen benefit, favour: *familieleden ~ boven anderen* favour relatives above others

bevooroordeeld prejudiced, bias(s)ed: *~ zijn tegen* (of: *voor)* be prejudiced against (of: in favour of)

bevoorraden provision, supply, stock up

bevoorrechten privilege, favour: *een bevoorrechte positie innemen* occupy a privileged position

bevorderen 1 promote, further, advance; [helpen] boost; aid; [aanmoedigen] encourage; stimulate; [leiden tot] lead to; be conducive to: *dat bevordert de bloedsomloop* that stimulates one's blood circulation; *de verkoop van iets* ~ boost the sale of sth., push sth. **2** [m.b.t. rang] promote: *bevorderd worden* go up (to the next class); *een leerling naar een hogere klas* ~ move a pupil up to a higher class; *hij werd tot kapitein bevorderd* he was promoted to (the rank of) captain

de **bevordering 1** [het vooruithelpen] promotion, advancement; [aanmoediging] encouragement: *ter ~ van* for the promotion (of: advancement) of **2** [m.b.t. rang] promotion: *voor ~ in aanmerking komen* be eligible for promotion

bevorderlijk beneficial (to), conducive (to), good (for): *~ zijn voor* **a)** promote, further, advance; **b)** [helpen] boost, aid; **c)** [leiden tot] lead to, be conducive to

bevredigen satisfy; [m.b.t. wensen, lusten ook] gratify: *zijn nieuwsgierigheid* ~ gratify one's curiosity; *moeilijk te* ~ hard to please ‖ *zichzelf* ~ masturbate

bevredigend satisfactory, satisfying; [aangenaam] gratifying: *een ~e oplossing* a satisfactory solution

de **bevrediging** satisfaction, fulfilment; [m.b.t. wensen, lusten ook] gratification: *~ in iets vinden* find satisfaction in sth.

bevreemden surprise: *dat bevreemdt mij* I'm surprised at it

bevreesd afraid, fearful

bevriend friendly (with): *een ~e mogendheid* a friendly nation (of: power); *goed ~ zijn (met iem.)* be close friends (with s.o.)

bevriezen 1 freeze (up, over), become (of: be frozen) (up, over): *het water is bevroren* the water is frozen; *alle leidingen zijn bevroren* all the pipes are (of: have) frozen (up) **2** [met een dun ijslaagje] frost (up, over), become frosted **3** [niet meer verhogen; lonen, prijzen] freeze; [niet uitbetalen ook] block

de **bevriezing 1** [het bevriezen] freezing (over), frost, frostbite **2** [stabilisatie] freeze

bevrijden free (from), liberate; release [gevangenen]; set free [gevangenen]; [redden] rescue; [maatschappelijk] emancipate: *een land* ~ free (of: liberate) a country; *iem. uit zijn benarde positie* ~ rescue s.o. from a desperate position

de **bevrijding 1** liberation; [van gevangenen ook] release; [redding] rescue; [maatschappelijk] emancipation: *~ uit slavernij* emancipation from slavery **2** [fig] relief: *een gevoel van* ~ a feeling of relief

Bevrijdingsdag Liberation Day

bevruchten fertilize; [zwanger maken] impregnate; [kunstmatig] inseminate

de **bevruchting** fertilization, impregnation, insemination: *kunstmatige* ~ artificial insemination; *~ buiten de baarmoeder* in vitro fertilization

bevuilen soil, dirty, foul: *het eigen nest* ~ foul one's own nest

de **bewaarder 1** keeper, guardian; [van gevangenen ook] jailer; [van gevangenen ook] warder: *ordebewaarder* keeper of the peace **2** [iem. die iets in bewaring heeft] keeper

het **bewaarmiddel** [Belg; cul] preservative

bewaken guard, watch (over); [controleren] monitor; [fig] watch; [fig] mind: *het budget* ~ watch the budget; *een gevangene*

~ guard a prisoner; *een terrein* ~ guard (over) an area; *zwaar* (of: *licht*) *bewaakte gevangenis* maximum (of: minimum) security prison

de **bewaker 1** [cipier] guard **2** [m.b.t. veiligheid] security guard

de **bewaking** guard(ing), watch(ing), surveillance, control: *onder strenge* ~ *staan* be kept under strict surveillance

de **bewakingscamera** security camera

bewandelen 1 [wandelen op] walk (on, over) **2** [fig] take (of: follow, steer) a … course: *de middenweg* ~ steer a middle course; *de officiële weg* ~ take the official line

bewapenen arm: *zich* ~ arm; *zwaar bewapend* heavily armed

de **bewapening** armament, arms

bewaren 1 [niet wegdoen] keep, save **2** [wegbergen] keep, store; stock (up) [voorraad]: *appels* ~ store apples; *een onderwerp tot de volgende keer* ~ leave a topic for the next time; ~ *voor later* save up for a rainy day **3** [niet verliezen, handhaven] keep, maintain: *zijn kalmte* ~ keep calm; *zijn evenwicht* ~ keep (of: maintain) one's balance **4** [behoeden] preserve (from), save (from), guard (from, against) ‖ [fig] *een geheim* ~ keep (of: guard) a secret

de **bewaring 1** keeping, care; [opslaan] storage; [beheer] custody: *in* ~ *geven (aan, bij)* deposit (at, with) [bank]; entrust (to), leave (with) **2** [opsluiting] custody, detention: *huis van* ~ house of detention

beweegbaar movable: *beweegbare delen* moving parts

beweeglijk agile, lively, active: *een zeer* ~ *kind* a very active child

de **beweegreden** motive; [mv ook] grounds: *de* ~*en van zijn gedrag* the motives underlying his behaviour

bewegen move, stir: *op en neer* (of: *heen en weer*) ~ move up and down (of: to and fro); *zich* ~ move, stir; *ik kan me nauwelijks* ~ I can hardly move; *geen blad bewoog* not a leaf stirred; ~*de delen* moving parts; *niet* ~*!* don't move!

de **beweging** movement, move, motion; [gebaar] gesture: *een verkeerde* ~ *maken* make a wrong move; *er is geen* ~ *in te krijgen* it won't budge (of: move); *in* ~ *brengen, in* ~ *zetten* set in motion; [machines ook] start; *in* ~ *blijven* keep moving; *in* ~ *zijn* be moving, be in motion ‖ *de vredesbeweging* the peace movement

bewegingloos motionless, immobile

de **bewegingsvrijheid** freedom of movement

bewegwijzeren signpost

beweren claim; [betogen] contend; allege [iets onbewezens]: *durven te* ~ *dat* dare to claim that; *dat zou ik niet willen* ~ I wouldn't (go as far as to) say that; *zij beweerde on-*

schuldig te zijn she claimed to be innocent; *dat is precies wat wij* ~ that's the very point we're making; *hij beweert dat hij niets gehoord heeft* he maintains that he did not hear anything

de **bewering** assertion, statement; [onbewezen] allegation; [aanvechtbaar] claim; [mening] contention: *bij zijn* ~ *blijven* stick to one's claim; *kun je deze* ~ *hard maken?* can you substantiate this claim?

bewerkelijk laborious

bewerken treat; work [land]; process [grondstoffen, gegevens]; [van een boek, tekst] edit; [herzien] rewrite; [herzien] revise; [omwerken] adapt: *een studieboek voor het Nederlandse taalgebied* ~ adapt a textbook for the Dutch user; *de grond* ~ till the land (of: soil); *geheel opnieuw bewerkt door* completely revised by; ~ *tot een film* adapt for the screen

de **bewerker** [film, toneel, tv] redactor; [teksten] editor; [muziek] orchestrator

de **bewerking 1** treatment; [van bodem] cultivation; [van voedsel, goederen] processing; [van goederen] manufacturing; [van teksten] editing: *de derde druk van dit schoolboek is in* ~ the third edition of this textbook is in preparation **2** [boek, tekst, film] adaptation; version; [muziek] arrangement; [herziene uitgave] revision: *de Nederlandse* ~ *van dit boek* the Dutch version of this book; ~ *voor toneel* (of: *de film*) adaptation for stage (of: the screen) **3** [het beïnvloeden] manipulation, influencing **4** processing [gegevens]

bewerkstelligen bring about, effect, realize: *een ontmoeting* (of: *verzoening*) ~ bring about a meeting (of: reconciliation)

het **bewijs 1** [feit, redenering] proof, evidence: [Belg] ~ *van goed gedrag en zeden* ± certificate of good character; *het* ~ *leveren (dat, van)* produce evidence (that, of); *als* ~ *aanvoeren* quote (in evidence) [persoon, passage] **2** [teken, blijk] proof, evidence, sign: *als* ~ *van erkentelijkheid* as a token of gratitude; *het levende* ~ *zijn van* be the living proof of **3** [schriftelijk] proof, certificate: *betalingsbewijs* proof of payment, receipt; ~ *van goed gedrag* certificate of good conduct

de **bewijslast** burden of proof

het **bewijsmateriaal** evidence, proof

bewijzen 1 prove, establish, demonstrate: *dit bewijst dat* this proves that **2** [betuigen] render, show, prove: *de laatste eer* ~ *aan iem.* render the last honours to s.o., pay s.o. one's last respects ‖ *zichzelf moeten* ~ have to prove o.s.

het **bewind 1** government, regime, rule: *aan het* ~ *komen* come to power; *het* ~ *voeren over* govern, rule (over); [goederen, zaak] manage, administer **2** [regerende macht] administration, government de **bewindsman** member of government (of: cabinet); minister, secretary

de **bewindsvrouw** zie bewindsman

de **bewindvoerder** administrator, director

bewogen 1 moved: tot tranen toe ~ moved to tears **2** [vol gebeurtenissen] stirring, eventful

de **bewolking** cloud(s): laaghangende ~ low cloud(s)

bewolkt cloudy, overcast

de **bewonderaar** admirer; [inf] fan

bewonderen admire, look up to

bewonderenswaardig admirable, wonderful

de **bewondering** admiration, wonder

bewonen inhabit, occupy; live in [huis]

de **bewoner** [stad, land] inhabitant; [huis] occupant; [stad, tehuis ook] resident

de **bewoning** occupation, residence

bewoonbaar (in)habitable; [huis] liveable

de **bewoordingen** terms: in krachtige ~ strongly worded; warmly expressed

¹**bewust** (bn) **1** concerned, involved: op die ~e dag on the day in question **2** [besef hebbend van] aware, conscious: ik ben me niet ~ van enige tekortkomingen I am not aware of any shortcomings

²**bewust** (bw) consciously, knowingly

bewusteloos unconscious, senseless: ~ raken pass out

de **bewusteloosheid** unconsciousness

de **bewustwording** awakening (to), realization

het **bewustzijn** consciousness [ook met oren, ogen, enz.]; awareness: zijn ~ verliezen lose consciousness; buiten ~ zijn be unconscious; weer tot ~ komen regain (of: recover) consciousness

bezaaien strew, stud: bezaaid met strewn with [papier, bladeren enz.]; studded with [licht, sterren]; littered with [rommel, speelgoed enz.]; dotted with [bloemen]

bezadigd sober, level-headed, dispassionate

bezegelen seal

de **bezem** broom

de **bezemsteel** broomstick, broomhandle

¹**bezeren** (ov ww) hurt, bruise

zich ²**bezeren** (wdk ww) hurt o.s., get hurt; [sterker] injure o.s.

bezet 1 occupied; [plaats ook] taken: ~ gebied occupied territory; geheel ~ [trein, hotel] full (up) **2** [m.b.t. tijd] taken up, occupied **3** [m.b.t. personen] engaged, occupied, busy || de lijn is ~ [telec] the line is engaged, busy

bezeten 1 possessed (by): als een ~e tekeergaan go berserk **2** [dol op] obsessed (by)

de **bezetene** possessed person: als een ~ frenetically, madly

bezetten occupy, take, fill: een belangrijke plaats ~ in occupy an important place in; [to-

neel, film] feature in

de **bezetter** [mil] occupier(s), occupying force(s)

de **bezetting 1** occupation; [m.b.t. een gebouw ook] sit-in; [ambt] filling; [plaats] filling up **2** [theat] cast

bezichtigen (pay a) visit (to); [kasteel enz. ook] see; [stad ook] tour; inspect [huis, fabriek]: een huis ~ view a house

de **bezichtiging** visit, view, inspection, tour

bezield 1 [met een ziel] alive, living **2** [geestdriftig] animated, inspired

bezielen inspire, animate: wat bezielt je! what has got into you!

de **bezieling** inspiration, animation

bezien see, consider, look on

de **bezienswaardigheid** place of interest, sight

bezig busy (with sth., doing sth.), working (on), preoccupied (with), engaged (in): de wedstrijd is al ~ the match has already started; als je er toch mee ~ bent while you are at it (of: about it); vreselijk lang met iets ~ zijn be an awful long time over sth. || waar ben je eigenlijk mee ~! what do you think you're up to?; hij is weer ~ he's at it again

bezigen [form] employ, use: verstandige taal ~ talk sense

de **bezigheid** activity, occupation, work

de **bezigheidstherapie** occupational therapy

¹**bezighouden** (ov ww) [m.b.t. aandacht] occupy, keep busy

zich ²**bezighouden** (wdk ww) occupy (of: busy) o.s. (with), engage (o.s.) (in)

bezinken 1 [uit een vloeistof, bijv. koffie, neerslaan] settle (down), sink (to the bottom) **2** [m.b.t. wijn, enz.] clarify, settle (out)

het **bezinksel** sediment, deposit, residue

zich **bezinnen 1** contemplate, reflect (on): bezint eer ge begint look before you leap **2** [van gedachten veranderen] change one's mind

de **bezinning** reflection, contemplation

het **bezit** possession, property: in ~ houden keep in one's possession

bezittelijk [taalk] possessive: ~ voornaamwoord possessive pronoun

bezitten possess, own, have

de **bezitter** owner; [aandelen, titel] holder; possessor

de **bezitting** property, possession, belongings; [onroerend goed ook] estate: persoonlijke ~en personal belongings; waardevolle ~en valuables

bezocht visited, attended, frequented: een druk ~e receptie a busy reception

bezoedelen defile, besmirch, sully

het **bezoek 1** visit; [kort, formeel of zakelijk] call: op ~ gaan bij iem. pay s.o. a visit **2** [bezoekers] visitor(s), guest(s), caller(s)

bezoeken visit, pay a visit to: een school ~

attend a school; *een website* ~ visit a website

de **bezoeker** visitor, guest: *een site met een miljoen* ~*s per week* a site with a million visitors a week

het **bezoekerscentrum** visitors centre

de **bezoekregeling** visiting arrangements

het **bezoekuur** visiting hour(s) (*of:* time)

de **bezoldiging** pay, salary

zich **bezondigen** be guilty of

bezopen 1 sloshed, plastered **2** absurd

bezorgd 1 concerned (for, about): *de* ~*e moeder* the caring mother **2** [ongerust] worried (about): *wees maar niet* ~ don't worry

de **bezorgdheid** concern (for, about), worry

bezorgen 1 get, provide: *iem. een baan* ~ get s.o. a job; *dat bezorgt ons heel wat extra werk* that lands us with a lot of extra work **2** [veroorzaken] give, cause: *iem. een hoop last* ~ put s.o. to great inconvenience **3** [afleveren] deliver: *de post* ~ deliver the post

de **bezorger** delivery man (*of:* woman)

de **bezorging** delivery

bezuinigen economize, save

de **bezuiniging 1** economy, cut(back) **2** [bedrag] saving(s)

de **bezuinigingsmaatregel** economy measure; [bestedingsbeperking] expenditure (*of:* spending) cut

bezuren: *dat zal je* ~ you'll regret (*of:* pay for, suffer for) that

het **bezwaar 1** [nadeel] drawback **2** [bedenking] objection; [gewetensbezwaar] scruple: ~ *maken tegen iets* object to sth.; *zonder enig* ~ without any objection

bezwaard troubled

bezwaarlijk [lastig] troublesome

het **bezwaarschrift** protest, petition

bezweet sweaty, sweating

bezweren 1 [smeken] implore **2** [tijdig afwenden] avert [gevaar]

bezwijken 1 give (way, out): *onder een last* ~ [ook fig] collapse under a load **2** [toegeven, wijken] succumb, yield: *voor de verleiding* ~ yield to (*of:* give in) to the temptation **3** [sterven] go under: *aan een ziekte* ~ succumb to a disease

de **Bhutaan** Bhutanese

Bhutaans Bhutan(ese)

Bhutan Bhutan

bibberen shiver (with)

de **bibliografie** bibliography

de **bibliothecaris** librarian

de **bibliotheek** library

de **biceps** biceps

de **¹bicultureel** bicultural

²bicultureel (bn) bicultural

bidden 1 pray, say one's prayers: *tot God* ~ *om* pray to God for **2** [smeken] implore

de **biecht** confession: *iem. de* ~ *afnemen* hear s.o.'s confession

biechten confess, go to confession

de **biechtstoel** [r-k] confessional (box)

bieden 1 [toesteken] offer; [opleveren ook] present **2** [kaartsp] bid: *het is jouw beurt om te* ~ it's your (turn to) bid now **3** [een bod doen] (make an) offer, (make a) bid: *ik bied e twintig euro voor* I'll give you twenty euros for it

de **bieder** bidder

de **biefstuk** steak: ~ *van de haas* fillet steak

de **biels** (railway) sleeper; [Am] railroad tie

het **bier** beer: [Belg] *klein* ~ small beer; ~ *van he vat* draught beer

het **bierblikje** beer can

de **bierbrouwerij** brewery

de **bierbuik 1** [dikke buik] beer belly, beer gu **2** [persoon] beer guzzler

het **bierglas** beer glass

de **bierkeet** beer barn, beer joint

het **bierviltje** beer mat, coaster

de **bies 1** [op kleren] piping, border, edging **2** [oevergewas] rush || *zijn biezen pakken* make o.s. scarce

het **bieslook** chives

de **biet** beet

bietsen scrounge, cadge

biezen rush: *een* ~ *zitting* a rush(-bottomec seat; *zie bies*

de **big** piglet; [kindert] piggy

biggelen trickle

de **¹bij** (zn) (honey) bee

²bij (bn) **1** up-to-date: *de leerling is weer* (*of:* *nog niet*) ~ *met wiskunde* the pupil has now caught up on (*of:* is still behind in) mathematics **2** [op de hoogte] up-to-date: *(goed)* ~ *zijn* be (thoroughly) on top of things

³bij (vz) **1** [nabij] near (to), close (by, to): ~ *iem. gaan zitten* sit next to s.o. **2** [m.b.t. bereiken] at, to: ~ *een kruispunt komen* come t an intersection **3** [m.b.t. een limiet, grens] to, with: *alles blijft* ~ *het oude* everything stays the same; *we zullen het er maar* ~ *laten* let's leave it at that **4** [tijdens] while, during ~ *zijn dood* at his death **5** [aanwezig] at: *zij was* ~ *haar tante* she was at her aunt's; *er nie* ~ *zijn met zijn gedachten* have only half one' mind on it **6** for, with: ~ *een baas werken* work for a boss; ~ *de marine* in the navy; ~ *ons* at our house; back home; in our countr (*of:* family) **7** [samen met] with, along: *zij ha haar dochter* ~ *zich* she had her daughter wit her; *ik heb geen geld* ~ *me* I have no money o me **8** [voor, in tegenwoordigheid van] with to: *inlichtingen* ~ *de balie inwinnen* request in formation at the desk; ~ *zichzelf (denken, zeggen)* (think, say) to o.s. **9** [aan, met] by: *iem.* ~ *naam kennen* know s.o. by name **10** [gedurende, onder] by, at: ~ *het lezen va de krant* (when) reading the newspaper; ~ *h ontbijt* at breakfast **11** [in geval van] in cas of, if **12** [in de ogen van] for, in the eyes of *zij kan* ~ *de buren geen goed doen* she can d no good as far as the neighbours are concerned || *de kamer is 6 ~ 5* the room is 6 by 5; *je bent er ~* the game is up; gotcha!

het **bijbaantje** job on the side, second (*of:* secondary) job: *een ~ hebben* moonlight

de **bijbedoeling** ulterior motive (*of:* design)

bijbehorend accompanying, matching

de **Bijbel** Bible

Bijbels biblical

het **Bijbelvers** Bible verse

bijbenen keep up (with)

bijbetalen pay extra, pay an additional (*of:* extra) charge

bijblijven 1 keep pace, keep up **2** [in het geheugen blijven] stick in one's memory: *dat zal mij altijd ~* I shall never forget it

bijboeken post; enter, write up: *een bedrag ~* transfer an amount, credit an amount to s.o.'s account; [m.b.t. vakantie] *een weekje ~* book an extra week, add a week (to one's stay)

bijbrengen impart (to), convey (to), instil (into); *iem. bepaalde kennis ~* convey (certain) knowledge to s.o.

bijdehand bright, sharp

de **bijdrage** contribution, offering

bijdragen contribute, add: *zijn steentje ~* do one's bit

bijeen together

bijeenbrengen bring together, get together, raise

bijeenkomen meet, assemble

de **bijeenkomst** [vergadering] meeting, gathering

bijeenroepen call together, convene

het **¹bijeenzijn** gathering

²bijeenzijn (onov ww) be together (*of:* gathered): *de commissie is bijeengeweest* the commission has met

de **bijenhouder** beekeeper

de **bijenkoningin** queen bee

de **bijenkorf** (bee)hive

de **bijenteelt** apiculture

het **bijenvolk** (swarm of, hive of) bees

het/de **bijenwas** beeswax

¹bijgaand (bn) enclosed: *de ~e stukken* the enclosures

²bijgaand (bw) enclosed: *~ treft u aan ...* please find enclosed ...

het **bijgebouw** annex, outbuilding

de **bijgedachte 1** association **2** [bijbedoeling] ulterior motive (*of:* design)

het **bijgeloof** superstition

bijgelovig superstitious

de **bijgelovigheid** superstition, superstitiousness

bijgenaamd called; [m.b.t. spotnaam] nicknamed

bijhouden 1 hold out (*of:* up) (to): *houd je bord bij* hold out your plate **2** [gelijk blijven] keep up (with), keep pace (with): *het onder-*

wijs niet kunnen ~ be unable to keep up at school **3** [niet achter laten raken] keep up to date: *de stand ~* keep count (*of:* the score)

het **bijhuis** [Belg] branch

het **bijkantoor** branch (office)

de **bijkeuken** scullery

bijklussen have a sideline

bijkomen 1 [na operatie] come to (*of:* round) **2** [op adem komen] (re)gain (one's) breath, recover (o.s.): *niet meer ~ (van het lachen)* be overcome (with laughter)

bijkomend additional, incidental; [ondergeschikt] subordinate

bijkomstig accidental, incidental; [niet belangrijk] inessential; [ondergeschikt] secondary; subordinate

de **bijkomstigheid** incidental circumstance

de **bijl** axe || *het ~tje erbij neerleggen* knock off, call it a day; call it quits

de **bijlage 1** enclosure, appendix; supplement [bij krant, enz.] **2** [comp] attachment

bijlange: *~ na niet* not anything like (as nice, good, …), not nearly (so nice, good, …); [inf] not by a long shot (*of:* chalk)!

bijleggen 1 contribute, pay; [bijpassen] make up **2** [van onenigheid] settle: *het ~* make up

de **bijles** coaching; [Am ook] tutoring

bijlichten light: *iem. ~* give (a) light to s.o.

bijna almost, nearly; [voor telwen ook] close on; near: *~ nooit* (*of:* geen) almost never (*of:* none), hardly ever (*of:* any)

de **bijnaam** nickname

de **bijna-doodervaring** near-death experience

het **bijou** jewel

bijpassen pay; [aanzuiveren] make up (the difference): *je zult moeten ~* you will have to pay (*of:* make up) the difference

bijpassend matching; to match [na zelfstandig naamwoord]

bijpraten catch up: *iem. ~* bring s.o. up to date

het **bijproduct** by-product, spin-off

de **bijrijder** substitute-driver, driver's mate

de **bijrol** supporting role (*of:* part) [ook fig]

bijschaven 1 [glad schaven] plane (down) **2** [fig] polish (up): *een opstel ~* polish up an essay

bijscholen give further training

de **bijscholing** (extra) training

het **bijschrift 1** caption, legend **2** [opmerking] note

bijschrijven enter, include

de **bijschrijving 1** entering (in the books) **2** [bedrag, notitie] amount entered, item entered

de **bijsluiter** information leaflet, instruction leaflet

de **bijsmaak** taste: *deze soep heeft een ~je* this soup has a funny taste to it, this soup doesn't

taste right
bijspijkeren brush up: *een zwakke leerling* ~ bring a weak pupil up to standard
bijspringen support, help out
¹bijstaan (onov ww) [m.b.t. herinnering] dimly recollect: *er staat me iets bij van een vergadering waar hij heen zou gaan* I seem to remember that he was to go to a meeting
²bijstaan (ov ww) assist, aid
de **bijstand 1** assistance, aid; [van de sociale dienst] social security: *hij leeft van de* ~ he's on social security; ~ *verlenen* render assistance **2** [instantie] Social Security
de **bijstandsmoeder** mother on social security
de **bijstandsuitkering** social security (payment)
de **bijstandswet** social security act
bijstellen 1 [in de juiste stand brengen] (re-)adjust **2** [aanpassen] (re-)adjust
de **bijstelling** [het aanpassen] (re-)adjustment
bijster unduly, (none) too: *de tuin is niet ~ groot* the garden is none too large ‖ *het spoor ~ zijn* have lost one's way
bijsturen 1 [m.b.t. een schip, voertuig] steer (away from, clear of, towards) **2** [fig] steer away from (*of:* clear of); adjust [plan, actie]
de **bijt** hole (in the ice)
bijtanken 1 [brandstof innemen] refuel **2** [fig] replenish one's reserves, recharge one's battery
bijten 1 bite: *van zich af* ~ give as good as one gets, stick up for o.s. **2** [sterk prikkelen] sting, smart
bijtend biting; [invretend ook] corrosive
bijtijds 1 [vroegtijdig] early **2** [op tijd] early, (well) in advance
bijtreden [Belg] agree (with)
bijtrekken 1 [zich herstellen] straighten (out), improve **2** [in een beter humeur komen] come (a)round
bijv. afk van *bijvoorbeeld* e.g.
het **bijvak** subsidiary (subject)
de **bijval** approval; [steun] support
bijvallen agree (with); [persoon, idee] support, back up: *iem.* ~ [in gesprek] go along with s.o., agree with s.o.
bijverdienen have an additional income: *een paar pond* ~ earn a few pounds extra (*of:* on the side)
de **bijverdienste** extra earnings, extra income, additional income
het **bijverschijnsel** side effect
bijvoegen add; [bijsluiten] enclose; [aanhechten] attach
bijvoeglijk: ~ *naamwoord* adjective
het **bijvoegsel** supplement, addition
bijvoorbeeld for example, for instance, e.g.
bijvullen top up (with); [vol doen] fill up

(with)
bijwerken improve, catch up (on); [bij de tijd brengen] bring up to date; [bij de tijd brengen] update
de **bijwerking** side effect
bijwonen attend, be present at
het **bijwoord** adverb
de **bijzaak** side issue, (minor) detail
bijzetten 1 add **2** [begraven] inter, bury
bijziend short-sighted
de **bijziendheid** short-sightedness
het **bijzijn**: *in (het)* ~ *van* in the presence of
de **bijzin** (subordinate) clause: *betrekkelijke* ~ relative clause
¹bijzonder (bn) **1** particular: *in het* ~ in particular, especially **2** [ongewoon] special, unique **3** [zonderling] strange, peculiar **4** [niet van de overheid] private
²bijzonder (bw) **1** very (much) **2** [vooral] particularly, in particular, especially
de **bijzonderheid** detail, particular
de **bikini** bikini
bikkelhard 1 rock-hard **2** [hardvochtig] very hard
bikken chip (away) [muur, steen]
de **bil** buttock: *dikke* (*of:* *blote*) ~*len* a fat (*of:* bare) bottom
de/het **bila** tête-à-tête, face-to-face (*of:* one-to-one) meeting
bilateraal bilateral
biljard thousand billion(s); [Am] quadrillion
het **biljart** billiards, billiard table
de **biljartbal** billiard ball: *zo kaal als een* ~ as bald as a coot
biljarten play billiards
de **biljarter** billiards player
de **biljartkeu** billiard cue
het **biljet 1** [kaartje] ticket; [aankondiging] bill; poster **2** [bankbiljet] note; [Am] bill
het **biljoen** trillion [10^{12}]
het/de **billboard** billboard
de **billenkoek**: [kindert] ~ *krijgen* get a smacking, get a spanking
billijk fair, reasonable; [gematigd] moderate
billijken approve of: *dat kan ik* ~ I approve of that; *dat valt te* ~ that is quite reasonable
de **billijkheid** fairness, reasonableness
binair binary
¹binden (ov ww) **1** tie (up), knot, bind, fasten; strap [met riem] **2** [boeien] tie (up) **3** [in zijn vrijheid beperken] bind: *door voorschriften gebonden zijn* be bound by regulations **4** [boeken] bind **5** [saus] thicken
zich **²binden** (wdk ww) commit o.s. (to), bind (*of:* pledge) o.s. (to)
bindend binding
de **binding** bond, tie
het **bindmiddel** binding agent, binder
het **bindweefsel** [med] connective (*of:* interstitial) tissue

het **bingo** bingo

de **bink** hunk: *de ~ uithangen* show off, play the tough guy

¹**binnen** (bw) inside, in; [in huis ook] indoors: *hij is ~* [m.b.t. geld] he has got it made; *daar ~* inside, in there; *naar ~ gaan* go in, go inside, enter; *het wil me niet te ~ schieten* I can't bring it to mind; *van ~* (on the) inside; *'~!'* [na kloppen] come in!

²**binnen** (vz) inside, within: *het ligt ~ mijn bereik* [ook fig] it is within my reach

de **binnenbaan** [sport] **1** [dichtst bij het midden] inside lane **2** [overdekt] indoor track; [tennis] indoor court

het **binnenbad** indoor (swimming) pool

de **binnenband** (inner) tube

de **binnenbocht** inside bend

binnenboord inboard ‖ *zijn benen ~ houden* keep one's legs in(side)

binnenbrengen bring in, take in, carry in

binnendoor: *~ gaan* take the direct route

binnendringen penetrate (into), enter; [gewelddadig] break in(to); [gewelddadig] force one's way in(to)

binnendruppelen [ook fig] trickle in(to)

binnengaan enter, go in(to), walk in(to)

binnenhalen fetch in, bring in; land [belangrijke order]

de **binnenhaven** inland harbour (*of*: port); [in tegenstelling tot buitenhaven] inner harbour

het **Binnenhof** [het Nederlandse Parlement] the Dutch Parliament

binnenhouden keep in(doors)

de **binnenhuisarchitect** interior designer (and decorator)

binnenin inside

de **binnenkant** inside, interior

binnenkomen come in(to), walk in(to), enter; [trein ook] arrive: *zij mocht niet ~* she was not allowed (to come) in

de **binnenkomst** entry, entrance; [m.b.t. goederen, treinen] arrival

binnenkort soon, shortly, before (very) long

binnenkrijgen 1 get down, swallow **2** [ontvangen] get, obtain

het **binnenland 1** interior, inland **2** [eigen land] home

binnenlands home, internal, domestic

binnenlaten let in(to), admit (to); [naar binnen geleiden ook] show in(to), usher in(to)

binnenlopen go in(to), walk in(to)

de **binnenmarkt** internal market

de **binnenmuur** interior wall, inside wall

de **binnenplaats** (inner) court(yard); yard [van fabriek]

het **binnenpretje** secret amusement

de **binnenschipper** skipper of a barge

binnenshuis indoors, inside, within doors

binnensmonds inarticulately, indistinctly

de **binnensport** indoor sport

de **binnenstad** town centre; city centre [van grote stad]; inner city [vnl. armoedig]

het **binnenste** inside, in(ner)most part, inner part

binnenstebuiten inside out, wrong side out

binnenstormen: *zij kwam de kamer ~* she came storming (*of*: dashing, rushing) into the room

binnenstromen [ook fig] pour in(to), flow in(to); [krachtig ook] rush in(to), surge in(to)

binnentrekken march in(to), enter

de **binnenvaart** inland shipping

binnenvallen burst in(to), barge in(to); invade [land]: *bij iem. komen ~* descend on s.o.

de **binnenvetter** introvert

het **binnenwater 1** inland waterway, canal, river **2** polder water

de **binnenweg** byroad; [kortere weg] short cut

de **binnenzak** inside pocket

de **binnenzee** inland sea

het **bint** beam; [vloer-, plafondbalk] joist

de **biobak** compost bin

de **bioboer** biological farmer, organic farmer

de **biobrandstof** biofuel

de **biochemicus** biochemist

de **biochemie** biochemistry

biodynamisch biodynamic

de **bio-energie** bioenergy

de **biograaf** biographer

de **biografie** biography

biografisch biographic(al)

de **bio-industrie** factory farming [veehouderij]; agribusiness

de **biologie** biology

biologisch biological, organic

de **bioloog** biologist

het **bioritme** biorhythm

de **bioscoop** cinema

de **bips** [kindert] bottom, backside, buttocks

Birma Burma

de **Birmaan** Burmese

Birmaans Burmese

bis (once) again, encore

het **biscuitje** biscuit; [Am] cookie

het **bisdom** diocese, bishopric

biseksueel bisexual

de **bisschop** bishop

bisschoppelijk episcopal

bissen [Belg; ond] repeat (the year)

de **bisser** [Belg; ond] pupil who repeats a class

de **bistro** bistro

de ¹**bit** (zn) [comp] bit

het ²**bit** (zn) [van paard] bit

de **bitch** bitch

bits snappish, short(-tempered)

het/de ¹**bitter** (zn) (gin and) bitters

²**bitter** (bn) **1** bitter **2** [gegriefd] bitter, sour

de **bitterbal** type of croquette served as an appetizer

de **bitterheid** bitterness

het **bitterkoekje** (bitter) macaroon

het **bivak** bivouac: *zijn ~ opslaan* [fig] pitch one's tent

bivakkeren 1 bivouac **2** [voor korte tijd gevestigd zijn] lodge, stay

bizar bizarre

de **bizon** bison

het **blaadje 1** leaf(let); [papier] sheet (of paper), piece (of paper); [krant] paper; [dienblad] tray **2** [plantk] leaflet; [bloem] petal ‖ *bij iem. in een goed ~ staan* be in s.o.'s good books

de **blaam** blame

de **blaar** blister

de **blaas** bladder, cyst

de **blaasbalg** (pair of) bellows

het **blaasinstrument** wind instrument

de **blaaskaak** bighead, stuffed shirt, windbag

de **blaasontsteking** bladder infection, cystitis

het **blaasorkest** wind orchestra; [alleen koper] brass band

het **blaaspijpje** breathalyser

de **blaastest** breathalyser (*of:* breath) test

de **blabla 1** blah(-blah) **2** [drukte om niets] fuss

het **blad 1** [plantk] leaf; petal [bloem] **2** [dienblad] tray **3** [vel papier] sheet, leaf; page [in boek] **4** [krant] (news)paper; [tijdschrift] magazine **5** [plat, breed voorwerp] sheet; top [tafel]; blade [zaag, gras]

de **bladblazer** leaf blower

bladderen blister [van verf]; bubble; [losraken] flake; [losraken] peel

het **bladerdeeg** puff pastry (*of:* paste)

bladeren thumb, leaf

het **bladgoud** gold leaf

het **bladgroen** chlorophyll

de **bladgroente** green vegetables

de **bladluis** greenfly, blackfly, aphis

de **bladmuziek** sheet music

bladstil dead calm: *het was ~* not a leaf stirred, it was dead calm

de **bladvulling** in-fill, fill-up (article)

de **bladwijzer** bookmark(er)

de **bladzijde** page: *ik sloeg het boek open op ~ 58* I opened the book at page 58

blaffen bark

blaken [m.b.t. personen] burn (with), glow (with)

blakeren scorch, burn: *door de zon geblakerd* sun-baked

de **blamage** disgrace

blancheren blanch

blanco blank

blank 1 white: *~ hout* natural wood **2** [onder water] flooded: *de kelder staat ~* the cellar is flooded

de **blanke** white (man, woman): *de ~n* the whites

blasé blasé

de **blasfemie** blasphemy

blaten bleat

blauw 1 blue: *in het ~ gekleed* dressed in blue **2** [donkerkleurig] black, dark: *een ~e plek* a bruise; *iem. bont en ~ slaan* beat s.o. black and blue

de **blauwalg** blue algae [mv]

de **blauwbaard** bluebeard

de **blauwdruk** blueprint

de **blauwhelm** blue helmet

het **blauwtje**: *een ~ lopen* be turned down, be rejected

de **blauwtong** bluetongue (disease)

¹**blazen** (onov ww) **1** blow: *op de trompet, de fluit, het fluitje, de hoorn ~* sound the trumpet, play the flute, blow the whistle, play the horn **2** [in het blaaspijpje blazen] breathe into a breathalyser ‖ *katten ~ als ze kwaad zijn* cats hiss when they are angry

²**blazen** (ov ww) blow ‖ *het is oppassen geblazen* we (*of:* you) need to watch out

de **blazer** [muz] player of a wind instrument

het **blazoen** blazon

bleek 1 [m.b.t. personen] pale; [ziekelijk] wan: *~ zien* look pale (*of:* wan) **2** [zeer licht van kleur] pale, white

de **bleekheid** paleness; [ongezonde kleur] pallor

het **bleekmiddel** bleach, bleaching agent

de **bleekselderij** celery

het **bleekwater** bleach, bleaching agent

bleken bleach

blèren 1 squall, howl **2** [m.b.t. geiten] bleat

de **bles** blaze, star

blesseren injure, hurt; wound [vnl. in gevecht, oorlog]

de **blessure** injury

de **blessuretijd** injury time

bleu timid

blieven 1 [lusten] like **2** [wensen] please

blij 1 glad, happy, pleased, cheerful, merry: *daar ben ik ~ om* I'm pleased about it; *~ zijn voor iem.* be glad for s.o.'s sake **2** [tot vreugde stemmend] happy, joyful, joyous

de **blijdschap** joy, gladness, cheer(fulness), happiness

blijf: [Belg] *geen ~ met iets weten* be at a loss, not know what to do about sth.

het **blijf-van-mijn-lijfhuis** women's refuge centre, shelter (for battered women)

de **blijheid** gladness, joy, happiness

het **blijk** [teken] mark, token: *~ geven van belangstelling* show one's interest

¹**blijkbaar** (bn) evident, obvious, clear

²**blijkbaar** (bw) apparently, evidently

blijken prove, turn out: *doen ~ van* show, express; *hij liet er niets van ~* he gave no sign of it; *dat moet nog ~* that remains to be seen

blijkens according to, as appears from, as is evident from

blijmoedig cheerful, merry, gay

het **blijspel** comedy

blijven 1 remain: *het blijft altijd gevaarlijk* it will always be dangerous; *rustig ~* keep quiet; *deze appel blijft lang goed* this apple keeps well; *jong ~* stay young **2** [niet veranderen] remain (doing), stay (on) (doing), continue (doing), keep (doing): *~ logeren* stay the night (in the house); *blijft u even aan de lijn?* hold the line, please; *blijf bij de reling vandaan* keep clear of the railings; *je moet op het voetpad ~* you have to keep to the footpath **3** [niet verder gaan] be, keep: *~ staan* **a)** [stoppen] stand still, stop; **b)** [overeind blijven] remain standing; *waar zijn we gebleven?* where were we?; *waar is mijn portemonnee gebleven?* where has my purse got to? **4** [sterven] perish, be left (*of:* remain) behind: *ergens in ~ (van het lachen)* **a)** choke; **b)** [fig] die (laughing)

blijvend lasting [vrede, vriendschap]; enduring, permanent; [duurzaam] durable

de **¹blik** (zn) **1** look; [vluchtig] glance: *een ~ op iem. werpen* take a look at s.o., look s.o. over **2** [uitdrukking] look (in one's eyes), expression **3** [visie] view, outlook ‖ *een geoefende* (*of: scherpe*) *~* a trained (*of:* sharp) eye

het **²blik** (zn) **1** tin(plate): *in ~* tinned **2** [doos, bus] tin; [Am] can [voor conserven] **3** [voorwerp om vuil op te vegen] dustpan

de **blikgroente** tinned vegetables

¹blikken (bn) tin: *~ doosjes* tin boxes (*of:* canisters)

²blikken (ww): *zonder ~ of blozen* without batting an eyelid

de **blikopener** tin-opener

de **blikschade** bodywork damage

de **bliksem** lightning: *als door de ~ getroffen* thunderstruck; *de ~ slaat in* lightning strikes ‖ [inf] *er als de gesmeerde ~ vandoor gaan* take off like greased lightning

de **bliksemafleider** lightning conductor

het **bliksembezoek** flying visit, lightning visit

de **bliksemcarrière** lightning career: *een ~ maken* rise rapidly

bliksemen flash, blaze

de **bliksemflits** (flash of) lightning

de **bliksemlinslag** stroke (*of:* bolt) of lightning, thunderbolt

bliksemsnel lightning, at (*of:* with) lightning speed, quick as lightning, like greased lightning

de **bliksemstart** lightning start

de **bliksemstraal** thunderbolt

de **blikvanger** eye-catcher

het **blikveld** field of vision; [fig] horizon, perspective

de **¹blind** (zn) (window) shutter, blind

²blind (bn) blind: *zich ~ staren (op)* concen-

trate too much on sth.; *~ typen* touch-type; *zij is aan één oog ~* she is blind in one eye

de **blind date** blind date

de **blinddoek** blindfold

blinddoeken blindfold

de **blinde** blind person, blind man, blind woman: *de ~n* the blind

de **blindedarm** appendix

de **blindedarmontsteking** appendicitis

blindelings blindly: *~ volgen* [zonder na te denken] follow blindly

de **blindengeleidehond** guide dog (for the blind)

blinderen armour

de **blindganger** dud, unexploded bomb (*of:* shell)

de **blindheid** blindness

zich **blindstaren**: *zich ~ op* be fixed on, be obsessed by, concentrate too much on; *je moet je niet ~ op details* don't let yourself be put off (*of:* obsessed) by details

het/de **blingbling** bling-bling

blinken shine, glisten, glitter: *alles blinkt er* everything is spotless (*of:* spick and span)

blits trendy, hip

de **blocnote** (writing) pad

het **bloed** blood: *mijn eigen vlees en ~* my own flesh and blood; *~ vergieten* shed (*of:* spill) blood; *geen ~ kunnen zien* not be able to stand the sight of blood ‖ [fig] *in koelen ~e* in cold blood; [fig] *kwaad ~ zetten* breed (*of:* create) bad blood; [fig] *iem. het ~ onder de nagels vandaan halen* get under s.o.'s skin, exasperate s.o.

de **bloedarmoede** anaemia

de **bloedbaan** bloodstream

het **bloedbad** bloodbath, massacre: *een ~ aanrichten onder de inwoners* massacre the inhabitants

de **bloedbank** blood bank

de **bloedcel** blood cell (*of:* corpuscle)

de **bloeddonor** blood donor

bloeddoorlopen bloodshot: *met ~ ogen* with bloodshot eyes

bloeddorstig bloodthirsty

de **bloeddruk** blood pressure: *de ~ meten* take s.o.'s blood pressure

bloedeigen (very) own: *mijn ~ kind* my own child

bloedeloos lifeless

bloeden bleed

bloederig bloody, gory

de **bloedgroep** blood group (*of:* type)

bloedheet sweltering (hot), boiling (hot)

bloedhekel: *een ~ hebben aan iets* absolutely hate sth.

de **bloedhond** bloodhound [ook fig]

bloedig bloody, gory

de **bloeding** bleeding; [meestal hevig] haemorrhage

het **bloedlichaampje** blood corpuscle (*of:*

cell)

bloedlink [inf] **1** [zeer riskant] bloody dangerous **2** [woedend] hopping mad, furious: *hij werd ~ toen hij ervan hoorde* he went into a rage when he heard about it

de **bloedneus** bloody nose

het **bloedonderzoek** blood test(s)

het **bloedplaatje** (blood) platelet, thrombocyte

het **bloedplasma** (blood) plasma

de **bloedproef** blood test

de **bloedprop** blood clot, thrombus

bloedrood blood-red

bloedserieus dead (*of:* utterly) serious

de **bloedsomloop** (blood) circulation

bloedstollend blood-curdling

de **bloedsuiker** blood sugar

de **bloedsuikerspiegel** [med] blood sugar level

de **bloedtransfusie** (blood) transfusion

de **bloeduitstorting** extravasation (of blood)

het **bloedvat** blood vessel

de **bloedverdunner** blood diluent

bloedvergieten bloodshed: *een revolutie zonder ~* a bloodless revolution

de **bloedvergiftiging** blood poisoning

het **bloedverlies** loss of blood

de **bloedverwant** (blood) relation, relative, kinsman, kinswoman: *naaste ~en* close relatives, next of kin

de **bloedworst** black pudding

de **bloedwraak** blood feud, vendetta

de **bloedzuiger** leech, bloodsucker

de **bloei** bloom, flower(ing); blossoming [van vruchtbomen]: *iem. in de ~ van zijn leven* s.o. in the prime of (his) life; *tot ~ komen* thrive, blossom

bloeien 1 bloom, flower; blossom [vruchtbomen] **2** [fig] prosper, flourish

de **bloeiperiode 1** [plantk] flowering time (*of:* season) **2** [fig] prime

de **bloem 1** flower, bloom, blossom **2** [meel] flour

de **bloembak** planter, flower box; [aan raam] window box

het **bloembed** flowerbed

de **bloembol** bulb

het/de **bloemencorso** flower parade

de **bloemenhandelaar** florist

het **bloemenstalletje** flower stand, flower stall

de **bloemenvaas** (flower) vase

de **bloemenwinkel** florist's (shop), flower shop

het **bloemetje 1** (little) flower **2** [boeket] flowers, nosegay || *de ~s buiten zetten* paint the town red

de **bloemist** florist

de **bloemkool** cauliflower

de **bloemkroon** corolla

de **bloemkwekerij 1** nursery, florist's (busi-

ness) **2** [het kweken] floriculture, flower-growing industry

de **bloemlezing** anthology

de **bloempot** flowerpot

bloemrijk flowery [ook fig]

het **bloemschikken** (art of) flower arrangement

het **bloemstuk** flower arrangement

de **bloemsuiker** [Belg] icing sugar

de **bloes** [voor vrouwen] blouse; [voor mannen] shirt

de **bloesem** blossom, bloom, flower

het/de **blog** blog

de **blogger** blogger

het **blok 1** [van hout] block, chunk; [ruwe vorm] log: *slapen als een ~* sleep like a log; *een ~je omlopen* walk around the block; *een doos met ~ken* a box of building blocks **2** [vierkant] block; check [van stof] **3** [pol] bloc(k) || *iem. voor het ~ zetten* put a person on the spot

de **blokfluit** recorder

de **blokhut** log cabin

het **blokje** cube, square

de **blokkade** blockade

blokken cram, swot: *~ voor een tentamen* cram for an examination

de **blokkendoos** box of building blocks

blokkeren 1 [m.b.t. weg enz.] blockade, block **2** [m.b.t. bankrekening enz.] freeze: *een creditcard ~* put a stop on a card, stop (*of:* cancel) a card **3** [de beweging onmogelijk maken] block, jam, lock **4** [sport] block, obstruct

de **blokletter** block letter, printing

blokletteren [Belg] headline, splash (news on the front page)

het **blokuur** ± double period (*of:* lesson)

blond 1 blond, fair **2** [lichtkleurig] golden

blonderen bleach, peroxid(e)

de **blondine** blonde

het **¹bloot** (zn) nudity

²bloot (bn) bare, naked, nude: *op blote voeten lopen* go barefoot(ed); *uit het blote hoofd spreken* speak off the cuff, speak extempore; *met het blote oog iets waarnemen* observe sth. with the naked eye; *onder de blote hemel* in the open (air); *een jurk met blote rug* a barebacked dress

zich **blootgeven 1** expose o.s. **2** [van zwakheid] give o.s. away: *zich niet ~* not commit o.s., be non-committal

het **blootje**: *in zijn ~* in the nude

blootleggen lay open (*of:* bare), expose; [fig ook] reveal

blootshoofds bareheaded

blootstaan be exposed (to); [onderhevig zijn] be subject (to), be open (to)

blootstellen expose (to): *zich aan gevaar ~* expose o.s. to danger

blootsvoets barefoot(ed): *~ lopen* go (*of:*

walk) barefoot(ed)

de **blos 1** bloom: *een gezonde* ~ a rosy complexion **2** [van emotie, door koorts] flush; blush [van verlegenheid]

de **blouse** blouse

blowen smoke dope

blozen 1 [van gezondheid] bloom (with) **2** flush (with) [van opwinding]; blush (with) [van verlegenheid]

de **blubber** mud

de **blues** blues

de **bluf 1** bluff(ing) **2** [opschepperij] boast-(ing), brag(ging), big talk

bluffen bluff [ook bij kaartspel]; [pochen] boast; brag, talk big

de **bluffer** bluffer, boaster, braggart

het **blufpoker**: [fig] *hij speelde een partijtje* ~ he tried to brazen it out (*of:* bluff his way out)

de **blunder** blunder

blunderen blunder, make a blunder

het **blusapparaat** fire extinguisher

blussen extinguish [ook fig]; put out

het **blusvliegtuig** fire-fighting plane

blut broke, skint: *volkomen* ~ stony-broke, flat broke

blz. afk van *bladzijde* p.; pp. [mv]

de **BN'er** afk van *bekende Nederlander* celebrity, famous Dutch person

bnp afk van *bruto nationaal product* GNP

het **bo** [Belg] afk van *bijzonder onderwijs* special needs education

de **boa** boa

het **board** hardboard, (fibre)board

de ¹**bob** (zn) [slee] bobsleigh, bobsled

de ²**bob**ᴹᴱᴿᴷ (zn) [niet-drinkende chauffeur] designated driver

de **bobbel** bump, lump

de **bobo** bigwig, big shot

de **bobslee** bob(sleigh)

bobsleeën bobsleigh

de **bochel** [bult] hump; [kromme rug] hunchback

de **bocht** bend, curve: *zich in allerlei* ~*en wringen* try to wriggle one's way out of sth.; *uit de* ~ *vliegen* run off the road || *dat is te kort door de* ~ that's jumping to conclusions

bochtig winding

het **bod** offer, bid: *een* ~ *doen* (*of:* *uitbrengen*) make a bid (*of:* an offer); *niet aan* ~ *komen* [fig] not get a chance

de **bode** messenger, postman

de **bodem 1** bottom; [als steun] base: *een dubbele* ~ a hidden meaning **2** [aarde] ground, soil **3** [grondgebied] territory, soil: *producten van eigen* ~ home-grown products || *op de* ~ *van de zee* at the bottom of the sea; [fig] *iets tot de* ~ *uitzoeken* examine sth. down to the last detail

de **bodemgesteldheid** condition (*of:* composition) of the soil

bodemloos bottomless

de **bodemprijs** minimum price

de **bodemverontreiniging** soil pollution

de **bodybuilder** body-builder, muscleman

het/de **bodybuilding** body building

de **bodyguard** bodyguard

de **bodylotion** body lotion

de **bodypainting** body painting

de **bodywarmer** body warmer

boe boo; [geloei van koe] moo: ~ *roepen* boo, jeer || *zonder* ~ *of bah te zeggen* without saying (*of:* uttering) a word, without opening one's mouth

Boedapest Budapest

Boeddha Buddha

het **boeddhisme** Buddhism

de **boeddhist** Buddhist

boeddhistisch Buddhist

de **boedel** [inboedel] property, household effects

de **boef** scoundrel, rascal

de **boeg** bow(s), prow: *het over een andere* ~ *gooien* change (one's) tack; [m.b.t. gesprek] change the subject

het **boegbeeld** figurehead

het **boegeroep** booing, hooting: *de premier moest onder* ~ *het podium verlaten* the prime minister was booed off the stage

de **boei 1** [baken] buoy: *een kop* (*of:* *een kleur*) *als een* ~ (a face) as red as a beetroot **2** [hand-, voet-] chain, handcuff: *iem. in de* ~*en slaan* clap (*of:* put) s.o. in irons, (hand)-cuff s.o.

boeien 1 chain, (hand)cuff **2** [van aandacht] fascinate, captivate: *het stuk kon ons niet (blijven)* ~ the play failed to hold our attention

boeiend fascinating, gripping, captivating

het **boek** book: *altijd met zijn neus in de* ~*en zitten* always have one's nose in a book, always be at one's books; *een* ~ *over* a book on

Boekarest Bucharest

de **boekbespreking** book review

het **boekbinden** (book)binding

de **boekbinder** (book)binder

de **boekbinderij** [bedrijf, werkplaats] bindery, (book)binder's

het **boekdeel** volume

de **boekdrukkerij 1** printing house (*of:* office), print shop **2** printer's

de **boekdrukkunst** (art of) printing, typography

boeken book, post, enter (up)

de **boekenbeurs** book fair

de **boekenbon** book token

het **boekenfonds** (educational) book fund

de **boekenkast** bookcase

de **boekenlegger** bookmark(er)

de **boekenlijst** (required) reading list, booklist

de **boekenplank** bookshelf

het **boekenrek** bookshelves

de **boekensteun** bookend

de **boekentaal** 1 literary language 2 [stijve taal] bookish language

de **Boekenweek**ᴹᴱᴿᴷ book week

de **boekenwurm** bookworm

het **boeket** bouquet: *een ~je* a posy, a nosegay

de **boekhandel** [winkel, zaak] bookshop

de **boekhandelaar** bookseller

het ¹**boekhouden** (zn) bookkeeping, accounting

²**boekhouden** (onov ww) keep the books, do the accounting, do (*of:* keep) the accounts

de **boekhouder** accountant, bookkeeper

de **boekhouding** 1 accounting, bookkeeping 2 [afdeling] accounting department (*of:* section), accounts department

boekhoudkundig accounting, bookkeeping

de **boeking** 1 booking, reservation 2 [voetb] booking, caution 3 [m.b.t. boekhouden] entry

het **boekjaar** fiscal year, financial year

het **boekje** (small, little) book, booklet ‖ *buiten zijn ~ gaan* exceed one's authority; *volgens het ~* according to the book

boekstaven 1 [opschrijven] (put on) record 2 [met stukken staven] substantiate

de **boekwaarde** book value, balance sheet value

de **boekweit** buckwheat

het **boekwerk** book, work

de **boekwinkel** bookshop

de **boel** 1 [de dingen] things, matters; [ongunstig: rommel] mess: *hij kan zijn ~tje wel pakken* he can (*of:* might) as well pack it in (now); *de ~ aan kant maken* straighten (*of:* tidy) things up 2 [bedoening] affair, business, matter, situation: *er een dolle ~ van maken* make quite a party of it; *een mooie ~* a fine mess; *het is er een saaie* (of: *dooie*) *~* it's a dead-and-alive place 3 [grote hoeveelheid] a lot, heaps, lots, loads

de **boeman** bogeyman

de **boemel**: *aan de ~ gaan* go (out) on the razzle

de **boemeltrein** slow train, stopping train

de **boemerang** boomerang

de **boender** [werktuig om mee te boenen] scrubbing brush; [Am] scrub-brush

boenen 1 [glanzend wrijven] polish 2 [schrobben] scrub

het/de **boenwas** beeswax, wax polish

de **boer** 1 farmer, peasant; [Am; m.b.t. vee ook] rancher 2 [lomp persoon] boor, (country) bumpkin 3 [oprisping] burp, belch 4 [speelkaart] jack

de **boerderij** farm

boeren 1 farm, run a farm 2 [een boer laten] burp, belch ‖ *hij heeft goed* (of: *slecht*) *geboerd dit jaar* he has done well (*of:* badly)

this year

het **boerenbedrog** fraud, humbug, bunk: *dat is je reinste ~* that is clearly humbug (*of:* total bunk)

de **boerenknecht** (farm)hand

de **boerenkool** kale

het **boerenverstand** horse sense

de **boerin** 1 farmer's wife 2 woman farmer

de **boerka** burqa, burk(h)a

boers rustic, rural, peasant: *een ~ accent* a rural accent

de **boete** 1 fine: *een ~ krijgen van €100* be fined 100 euros; *iem. een ~ opleggen* fine s.o. 2 [rel] penance: *~ doen* do penance (for sins); 3 [straf] penalty

het **boetekleed**: *het ~ aantrekken* put on the hair shirt

boeten pay ((the penalty, price) for); [rel] atone (for); [rel] do penance (for): *zwaar voo iets ~* pay a heavy penalty for sth.

de **boetiek** boutique

de **boetseerklei** modelling clay

boetseren model

boetvaardig penitent

de **boeventronie** villain's face

de **boezem** 1 bosom, breast: *een zware (flinke) ~ hebben* be full-bosomed 2 [gemoed, hart] bosom, heart

de **boezemvriend** bosom friend

de **bof** 1 (good) luck: *wat een ~, dat ik hem nog thuis tref* I'm lucky (*of:* what luck) to find him still at home 2 [ziekte] mumps [mv]: *de ~ hebben* have mumps

boffen be lucky

de **bofkont** lucky dog

bogen: *kunnen ~ op* boast, pride o.s. ((up)on)

Bohemen Bohemia

de **boiler** water heater, boiler

de **bok** 1 (male) goat, billy goat; [van herten] buck; stag 2 [gymnastiektoestel] buck

de **bokaal** 1 goblet 2 [van glas] beaker

bokken sulk

de **bokkensprong** caper ‖ *(rare) ~en maken* behave unpredictably (*of:* in a ridiculous way)

de **bokking** smoked herring

de **boksbal** punchball

de **boksbeugel** knuckleduster

boksen box

de **bokser** boxer

de **bokshandschoen** boxing glove

bokspringen 1 [kinderspel] (play) leapfrog 2 [met toestel] (squat) vaulting; vaulting exercise

de **bokswedstrijd** boxing match, (prize)fight

de ¹**bol** (zn) 1 ball; bulb [van lamp, ook plantkunde] 2 [wisk] sphere ‖ *uit zijn ~ gaan* go crazy, go out of one's mind

²**bol** (bn, bw) round: *een ~le lens* a convex lens

de **boleet** boletus
de **bolero** bolero
de **bolhoed** bowler (hat)
de **bolide** racing car
Bolivia Bolivia
de **Boliviaan** Bolivian
Boliviaans Bolivian
de **bolleboos** high-flyer
de **bollenkweker** bulb grower
de **bollenteelt** bulb-growing (industry)
het **bollenveld** bulb field
het **bolletje 1** (little) ball; globule [druppeltje]
2 [broodje] (soft) roll
de **bolletjesslikker** body packer, mule
de **bolsjewiek** Bolshevik
het **bolsjewisme** Bolshevism
de **bolster** shell: *ruwe ~, blanke pit* a rough
diamond
bolvormig spherical
de **bolwassing** [Belg] dressing down
het **bolwerk** bulwark; [fig ook] stronghold;
bastion
bolwerken manage, pull off; [uithouden]
stick it out; hold one's own: *het (kunnen) ~*
manage (it), pull it off; stick it out
de **bom** bomb: *het bericht sloeg in als een ~* the
news came like a bombshell
de **bomaanslag** bomb attack [vnl. gericht];
bombing [vnl. willekeurig]; bomb outrage
het **bomalarm** bomb alert; air-raid warning [in
oorlogstijd]; bomb scare [niet in oorlogstijd]
het **bombardement** bombardment
bombarderen 1 bomb **2** [beschieten]
bombard; [met granaten ook] shell **3** [fig]
bombard, shower
de **bombrief** letter bomb, mail bomb
de **bommelding** bomb alert
bommen: [inf] *(het) kan mij niet ~!* I couldn't
care less (about it)!
de **bommenwerper** bomber
het **bommetje** cannonball
de **bommoeder** ± bachelor mother
bomvol chock-full, cram-full, packed
de **bon 1** bill, receipt; [van kassa ook] cash-register slip **2** [waardebon] voucher, coupon;
[cadeaubon] token; [tegoedbon] credit slip
3 [bekeuring] ticket
bonafide bona fide, in good faith
de **bonbon** chocolate, bonbon
de **bond 1** (con)federation, confederacy, alliance, union **2** [vakbond] union
de **bondgenoot** ally [ook tijdelijk]; confederate
het **bondgenootschap** alliance [vaak tijdelijk]; confederacy, (con)federation
bondig concise, terse; [kernachtig] pithy
het **bondsbestuur** society (of: association) executive; [van vakbond] union executive
de **bondscoach** national coach
de **Bondsdag** Bundestag, (the Lower House of) the German Parliament

het **bondselftal** national team
de **bondskanselier** Federal Chancellor
de **Bondsrepubliek**: *~ Duitsland* Federal Republic (of Germany)
de **bonenstaak** beanpole
het **boni** profit, gains
de **bonje** rumpus, row
de **bonk** lump: *één ~ zenuwen* a bundle of
nerves
bonken 1 [botsen] crash (against, into),
bump (against, into) **2** [hard slaan] bang,
pound
bonkig: *een ~e stijl* a rough style
de **bonnefooi**: *op de ~ ergens heen gaan* go
somewhere on the off chance
de **bons 1** thud, thump **2** [persoon] (big) boss ||
iem. de ~ geven give s.o. the push
de **bonsai** bonsai
het ¹**bont** (zn) fur: *met ~ gevoerd* fur-lined
²**bont** (bn, bw) **1** [veelkleurig] multicoloured; [m.b.t. planten] variegated: *~e kleuren*
bright colours; *iem. ~ en blauw slaan* beat s.o.
black and blue **2** [gemengd] colourful: *een ~
gezelschap* **a)** a colourful group of people;
b) [neg] a motley crew || *het te ~ maken* go
too far
het **bontgoed** (cotton) prints
de **bonthandel** fur trade
de **bonthandelaar** furrier
de **bontjas** fur coat
de **bontmuts** fur cap, fur hat
de **bonus** bonus, premium
bonzen 1 [slaan] bang, hammer **2** [botsen]
bump (against, into), crash (against, into):
tegen iem. aan ~ bump into s.o., crash against
(of: into) s.o. **3** [onstuimig kloppen] pound
de **boodschap 1** purchase [vaak mv]: *die kun je
wel om een ~ sturen* [fig] you can leave things
to him (of: her) **2** [bericht] message: *een ~
voor iem. achterlaten* leave a message for
s.o.; *een ~ krijgen* get a message **3** [opdracht]
errand; [missie] mission
het **boodschappenlijstje** shopping list
de **boodschappentas** shopping bag
de **boodschapper** messenger, courier
de **boog 1** bow: *met pijl en ~* with bow and arrow **2** [bouwk] arch; [van brug ook] span
3 [in een lijn] arc; [bocht] curve: *met een
(grote) ~ om iets heenlopen* go out of one's
way to avoid sth.
de **boogbal** lob
de **boogscheut** [Belg] stone's throw: *op een ~
van* a stone's throw from
boogschieten archery
de **boogschutter** archer
de **Boogschutter** [astrol] Sagittarius
de **bookmaker** bookmaker
de **bookmark** bookmark
de **boom 1** tree: *ze zien door de bomen het bos
niet meer* they can't see the wood for the
trees **2** [afsluit-, slagboom] bar, barrier, gate

de **boomgaard** orchard
de **boomgrens** tree line
de **boomkwekerij** tree nursery
de **boomschors** (tree) bark
de **boomstam** (tree) trunk
de **boomstronk** tree stump
de **boon** bean: *witte bonen* haricot beans; *honger maakt rauwe bonen zoet* hunger is the best sauce
het **boontje**: *~ komt om zijn loontje* serves him right; *een heilig ~* a goody-goody (*of:* prig)
de **boor 1** [hand-] brace **2** [boorijzer] bit **3** [boormachine] drill
het/de **boord 1** [m.b.t. kledingstuk] band, trim **2** [kraag] collar **3** [(lucht)vaartuig] board: *van ~ gaan* disembark || [Belg] *iets goed* (*of: slecht*) *aan ~ leggen* set about it in the right (*of:* wrong) way
de **boordcomputer** (on)board computer
boordevol full (*of:* filled) to overflowing: *~ nieuwe ideeën* bursting with new ideas; *~ mensen* packed (*of:* crammed) with people
de **boordwerktuigkundige** flight engineer
het **booreiland** drilling rig (*of:* platform), oilrig
de **boormachine** (electric) drill
het **boorplatform** drilling rig (*of:* platform); [olie] oil rig
de **boortoren** derrick, drilling rig
boos 1 angry, cross, hostile: *~ kijken (naar iem.)* scowl (at s.o.); *~ worden op iem.* get angry at s.o. **2** [kwaadaardig] evil, bad, malicious, wicked; vicious [hond]: *het was geen boze opzet* no harm was intended; *de (grote) boze wolf* the big bad wolf **3** [verdorven] evil, foul, vile: *de boze geesten* evil spirits
boosaardig 1 malignant [medisch] **2** [met kwade opzet] malicious, vicious
de **boosdoener** wrongdoer: *de ~ was een doorgebrande zekering* the culprit was a blown fuse, a blown fuse was to blame
de **boosheid** anger; [grote woede] fury
de **boot** boat, vessel; [groot] steamer; [groot] ship; [veerboot] ferry: *de ~ missen* [ook fig] miss the boat; *de ~ afhouden* [fig] refuse to commit o.s., keep one's distance
het **boothuis** boathouse
de **bootreis** voyage, cruise
de **bootsman** boatswain
de **boottocht** boat trip (*of:* excursion)
de **bootvluchteling** boat person (*of:* refugee); [mv] boat people
het **bord 1** [voor gerechten] plate: *alle probleemgevallen komen op zijn ~je terecht* he ends up with all the difficult cases on his plate; *van een ~ eten* eat off a plate **2** [plaat met opschrift] sign, notice: *de hele route is met ~en aangegeven* it is signposted all the way **3** [schaak-, dam-] board; [school-] (black)board; [mededelingen-] notice board || *een ~ voor zijn kop hebben* be thick-skinned
de **bordeaux** bordeaux; [rode] claret

het **bordeel** brothel, whorehouse
de **bordenwasser** dishwasher
de **border** border
de **borderliner** borderliner
het **bordes** ± steps
het **bordkrijt** chalk
borduren embroider
het **borduurwerk** embroidery
boren bore, drill
de **borg 1** surety; [m.b.t. gevangene] bail: *zich ~ stellen voor een gevangene* stand bail for a prisoner **2** [onderpand] security; [borgsom] deposit
de **borgsom** deposit, security (money)
de **borgtocht** bail, recognizance
de **boring** boring, drilling
de **borrel** drink || *iem. voor een ~ uitnodigen* ask s.o. round (*of:* invite s.o.) for a drink
borrelen 1 [m.b.t. water, enz.] bubble; gurgle [m.b.t. geluid] **2** [borrels drinken] have a drink
het **borrelhapje** snack, appetizer
het **borrelnootje** nut (to go with cocktails)
de **borst 1** [borstkas] chest: *uit volle ~ zingen* sing lustily; *zich op de ~ slaan* (*of:* kloppen) congratulate o.s.; *dat stuit mij tegen de ~* that goes against the grain with me, that sticks in my gizzard; *maak je ~ maar nat!* prepare yourself for the worst! **2** [m.b.t. vrouwen] breast: *een kind de ~ geven* breastfeed a child
het **borstbeeld** bust
het **borstbeen** breastbone; [med] sternum
de **borstcrawl** (front) crawl
de **borstel 1** brush **2** [Belg; bezem] broom || [Belg] *ergens met de grove ~ door gaan* tackle sth. in a rough-and-ready way
borstelen brush
borstelig bristly, bushy
de **borstkanker** breast cancer
de **borstkas** chest
de **borstslag** breaststroke; [borstcrawl] (front) crawl
de **borstvin** pectoral fin
de **borstvoeding** breastfeeding
de **borstwering** parapet
de **borstwijdte** (width of the) chest; [van dameskleding ook] bust (measurement)
de **borstzak** breast pocket
de **¹bos** (zn) bundle; [sleutels, radijs e.d.] bunch: *een flinke ~ haar* a fine head of hair
het **²bos** (zn) wood(s), forest
het **bosbeheer** forestry
de **bosbes** bilberry; [Am] blueberry
de **bosbouw** forestry
de **bosbrand** forest fire
het **bosje 1** bundle, tuft; [haar, gras ook] wisp **2** [klein woud] grove, coppice **3** [struik] bush, shrub
de **Bosjesman** Bushman
de **bosklas** [Belg] nature class (in the woods)
de **bosneger** maroon

Bosnië en Herzegovina Bosnia and Herzegovina

de **Bosniër** Bosnian

Bosnisch Bosnian

het **bospad** woodland path, forest path (of: trail)

de **Bosporus** Bosp(h)orus

bosrijk woody

de **bosvrucht** forest fruit, fruit of the forest

de **boswachter** forester; [Am] (forest) ranger; [privé ook] gamekeeper

de **¹bot** (zn) flounder [vis] ǁ [fig] ~ *vangen* draw a blank, come away empty-handed

het **²bot** (zn) bone [been]: *tot op het* ~ *verkleumd zijn* chilled to the bone

³bot (bn) **1** [m.b.t. mes, enz.] blunt, dull **2** [plomp, grof] blunt, curt: *een ~te opmerking* a blunt (of: curt) remark

de **botanicus** botanist

botanisch botanic(al)

de **botbreuk** break, broken bone

de **boter** butter: ~ *bij de vis* cash on the nail ǁ *hij heeft* ~ *op zijn hoofd* listen who's talking; *met zijn neus in de* ~ *vallen* find one's bread buttered on both sides, be in luck

de **boterbloem** buttercup

het **boterbriefje** marriage lines, marriage certificate

boteren: *het wil tussen hen niet* ~ they can't get on

de **boterham 1** [snee brood] slice (of: piece) of bread: [fig] *iets op zijn* ~ *krijgen* get sth. on one's plate; *een* ~ *met ham* a ham sandwich **2** [levensonderhoud] living, livelihood: *zijn* ~ *verdienen met …* earn one's living by …

de **boterhamworst** ± luncheon meat

het **boter-kaas-en-eieren** noughts and crosses; [Am] tic-tac-toe

de **boterkoek 1** [koek] butter biscuit **2** [Belg; koffiebroodje] brioche

de **botervloot** butter dish

boterzacht (as) soft as butter

de **botheid 1** [vnl. mes e.d.] bluntness, dullness **2** [grofheid] bluntness, gruffness

de **botkanker** bone cancer

de **botontkalking** osteoporosis

het **botsautootje** dodgem (car), bumper car

botsen 1 collide (with), bump into (of: against); [voertuigen ook] crash into (of: against): *twee wagens botsten tegen elkaar* two cars collided **2** [fig] clash (with)

de **botsing** collision; crash [vnl. van voertuigen]: *met elkaar in* ~ *komen* collide with one another, run into one another

de **Botswaan** Botswanan

Botswaans Botswanan

Botswana Botswana

bottelen bottle

botten bud (out), put out buds

de **botter** smack, fishing boat

de **bottleneck** bottleneck

het **botulisme** botulism

botvieren: *zijn frustraties* ~ give (full) vent to one's frustrations; [inf] let o.s. go; *dat moet je niet op haar* ~ you mustn't take it out on her

botweg bluntly, flatly

boud bold, impudent: *een ~e/boute bewering* an impudent (of: a bold) assertion

de **bougie** sparking plug

de **bouillon** broth

het **bouillonblokje** beef cube

de **boulevard 1** boulevard, avenue **2** [wandelweg langs de zee] promenade

de **boulevardblad** ± tabloid

de **boulimia nervosa** bulimia nervosa; [Am] bulimarexia

het **bouquet** [m.b.t. wijn] bouquet

de **bourgogne** burgundy

de **Bourgondiër** Burgundian

bourgondisch [uitbundig] exuberant

de **bout 1** [schroefbout] (screw) bolt, pin **2** [konijnenpoot e.d.] leg, quarter; [van vogel ook] drumstick

de **bouvier** Bouvier des Flandres

de **bouw 1** building, construction **2** [bouwbedrijf] building industry (of: trade) **3** [constructie] structure, construction; build [van dieren, mensen]

het **bouwbedrijf** construction firm, builders

¹bouwen (onov ww) (+ op) [zich verlaten op] rely on

²bouwen (ww) build, construct; [oprichten] erect; [oprichten] put up

de **bouwer** builder; [m.b.t. huizen ook] (building) contractor; [m.b.t. schepen] shipbuilder

de **bouwgrond** [bouwterrein] building land

het **bouwjaar** year of construction (of: manufacture): *te koop: auto van het* ~ *1981* for sale: 1981 car

de **bouwkunde** architecture

bouwkundig architectural, constructional, structural: ~ *ingenieur* structural engineer

de **bouwkundige** architect, structural engineer

de **bouwkunst** building, construction, architecture

het **bouwland** farmland: *stuk* ~ field

het **bouwmateriaal** building material [meestal mv]

het **bouwpakket** (do-it-yourself) kit

de **bouwpromotor** [Belg] (property) developer

de **bouwput** (building) excavation

bouwrijp ready for building: *een terrein* ~ *maken* prepare a site (for building)

de **bouwsteen 1** brick **2** [uit een bouwdoos] building block

de **bouwstijl** architecture

de **bouwstof** building material; [fig] material(s)

de **bouwtekening** floor plan, drawing(s)

het **bouwterrein 1** [om op te bouwen] building land **2** [waar gebouwd wordt] building site, construction site

de [1]**bouwvak** [vakantie] construction industry holiday

het [2]**bouwvak** [bouwsector] building (of: construction) industry

de **bouwvakker** construction worker

de **bouwval** ruin

bouwvallig crumbling, dilapidated, rickety

de **bouwvergunning** building (of: construction) permit

het **bouwwerk** building, structure, construction

[1]**boven** (bw) **1** [hogergelegen] above, up; upstairs [in gebouw]: (naar) ~ brengen take (of: carry) up; bring back [herinneringen]; woon je ~ of beneden? do you live upstairs or down(stairs)?; naar ~ afronden round up **2** [op de hoogste plaats] on top: dat gaat mijn verstand (begrip) te ~ that is beyond me; [te moeilijk ook] that's over my head; de vierde regel van ~ the fourth line from the top **3** [in het voorafgaande] above **4** (+ aan) on top, at the top: ~ aan de lijst staan be at the top (of: head) of the list || te ~ komen get over, overcome, recover from

[2]**boven** (vz) **1** [hoger dan] above; [recht boven] over: hij woont ~ een bakker he lives over a baker's shop; ~ water komen **a)** surface, come up for air; **b)** [fig] turn up; de flat ~ ons the flat overhead **2** [verder dan] above, beyond: dat gaat ~ mijn verstand that is beyond me **3** [in rangorde hoger] above, over: hij stelt zijn carrière ~ zijn gezin he puts his career before his family; er gaat niets ~ Belgische friet there's nothing like Belgian chips; veiligheid ~ alles safety first **4** [m.b.t. een maat, hoeveelheid] over, above, beyond: kinderen ~ de drie jaar children over three; ~ alle twijfel beyond (all) doubt

bovenaan [aan het boveneinde] at the top: ~ staan be (at the) top

bovenal above all

de **bovenarm** upper arm

het **bovenbeen** upper leg, thigh

de **bovenbouw 1** [ond] last 2 or 3 classes (of secondary school) **2** [van een bouwwerk] superstructure

de **bovenbuur** upstairs neighbour

bovendien moreover, in addition, furthermore, besides: ~, hij is niet meerderjarig besides, he's a minor

bovendrijven float: komen ~ float (of: rise) to the surface, surface

bovengenoemd above(-mentioned), mentioned above, stated above; [jur] (afore)said

de **bovengrens** upper limit

bovengronds aboveground, surface, overhead

bovenin at the top, on top

de **bovenkaak** upper jaw

de **bovenkant** top

de **bovenkleding** outer clothes, outerwear

bovenkomen 1 [m.b.t. wateroppervlakte] come up, come to the surface, break (the) surface, surface **2** [m.b.t. hogere verdieping] come up(stairs)

de **bovenlaag** upper layer, surface layer; top coat [verf]

de **bovenleiding** overhead (contact) wire

het **bovenlijf** upper part of the body: met ontbloot ~ stripped to the waist

de **bovenlip** upper lip

bovenmatig extreme, excessive

bovenmenselijk superhuman

bovennatuurlijk supernatural

bovenop 1 on top: [fig] ergens ~ springen pounce on sth.; het er te dik ~ leggen lay it on too thick **2** [in orde] on one's feet: de zieke kwam er snel weer ~ the patient made a quick recovery

bovenst top, topmost, upper(most): van de ~e plank first class; de ~e verdieping [ook fig] the top storey

bovenstaand above, above-mentioned

de **boventoon** dominant tone: [fig] de ~ voeren [persoon] play first fiddle, monopolize the conversation; [gevoel] predominate

bovenuit above: zijn stem klonk overal ~ his voice could be heard above everything

de **bovenverdieping** upper storey, upper floor; [bovenste] top floor (of: storey)

bovenvermeld above(-mentioned)

bovenwinds windward

de **bovenwoning** upstairs flat

de **bovenzijde** zie bovenkant

de **bowl** punch

bowlen bowl

de **bowlingbaan** bowling alley

de **box 1** (loud)speaker **2** [voor één paard] (loose) box, stall **3** [bergruimte] storeroom **4** [voor kleine kinderen] (play)pen

de **boxer** boxer [hond]

de **boxershort** boxer shorts

de **boycot** boycott

boycotten boycott; [persoon, firma ook] freeze out

de [1]**boze** [goddeloze] wicked person: het is uit den ~ [ontoelaatbaar] it is fundamentally wrong, it is absolutely forbidden

het [2]**boze** [het kwaad] evil

de **braadpan** casserole

de **braadworst 1** (frying) sausage **2** [gebraden metworst] German sausage

braaf 1 good, honest; [vaak ironisch] respectable; decent **2** [oppassend] well-behaved, obedient: [fig] het ~ste jongetje van de klas best in the class; [land] best performing country de **braafheid** goodness, decency, honesty; [soms ironisch] respectability; [gehoorzaamheid] obedience

braak 1 waste; [m.b.t. landbouw] fallow: ~ *laten liggen* leave (*of:* lay) fallow **2** [fig] fallow, undeveloped, unexplored

braakliggend fallow

het **braakmiddel** emetic, vomitive

het **braaksel** vomit

de **braam** [bes] blackberry, bramble

brabbelen babble, jabber, gibber

braden roast; [op fornuis] fry; [in pan] potroast; [op rooster] grill

de **braderie** fair

het **braille** braille: *in* ~ in braille, brailled

brainstormen do some brainstorming: ~ *over* brainstorm on

brak saltish, brinish

braken vomit, be sick, throw up, regurgitate

brallen brag, boast

de **brancard** stretcher

de **branche** branch, department; [hand ook] line (of business); [hand ook] (branch of) trade

de **brand** fire, blaze: *er is gevaar voor* ~ there is a fire hazard; ~ *stichten* commit arson; *in* ~ *staan* be on fire; *in* ~ *vliegen* catch fire, burst into flames; [ontbranden] ignite; *iets in* ~ *steken* set sth. on fire, set fire to sth. ‖ *iem. uit de* ~ *helpen* help s.o. out

het **brandalarm** fire alarm (*of:* call)

brandbaar combustible; [licht ontvlambaar] (in)flammable

de **brandblusinstallatie** sprinkler system

de **brandblusser** (fire) extinguisher

de **brandbom** fire bomb

de **brandbrief** appeal letter, letter of appeal

¹**branden** (onov ww) burn, be on fire; [fel] blaze: *de lamp brandt* the lamp is on ‖ *ze was het huis niet uit te* ~ there was no way of getting her out of the house

²**branden** (ov ww) burn; scald [aan heet water, stoom]; roast [noten, koffie e.d.]: *zich de vingers* ~ [fig] burn one's fingers

de **brander** burner

branderig irritant, caustic

de **brandewijn** brandy

de **brandgang** fire lane, firebreak

het **brandgevaar** fire hazard, fire risk

brandgevaarlijk flammable

het **brandglas** burning-glass

de **brandhaard** seat of a fire; [fig] hotbed

het **brandhout** firewood

de **branding** surf; [golven] breakers

de **brandkast** safe

de **brandkraan** (fire) hydrant, fireplug

de **brandladder** escape ladder

de **brandlucht** smell of burning

de **brandmelder** fire alarm (system)

het **brandmerk** brand

brandmerken brand

de **brandnetel** nettle

het **brandpunt 1** focus [ook wiskunde] **2** [fig] centre

het **brandraam** [Belg] stained-glass window

brandschoon spotless

de **brandslang** fire hose

de **brandspiritus** methylated spirit(s)

de **brandspuit** fire engine: *drijvende* ~ fireboat

de **brandstapel** stake

brandstichten commit arson

de **brandstichter** arsonist

de **brandstichting** arson

de **brandstof** fuel

de **brandtrap** fire escape

de **brandweer** fire brigade

de **brandweerauto** fire engine

de **brandweerkazerne** fire station

de **brandweerman** fireman

brandwerend fire-resistant

de **brandwond** burn

brassen binge, guzzle

de **brasserie** brasserie

bravo bravo!; [instemming] hear! hear!

de **bravoure** bravura: *met veel* ~ dashing

de **Braziliaan** Brazilian

Braziliaans Brazilian

Brazilië Brazil

het **break-evenpoint** break-even point

¹**breed** (bn) wide, broad: *de kamer is 6 m lang en 5 m* ~ the room is 6 metres (long) by 5 metres (wide); *niet breder dan twee meter* not more than two metres wide (*of:* in width)

²**breed** (bw) [in de breedte] widely; [kraag enz. ook] loosely: *een* ~ *omgeslagen kraag* a wide (*of:* loose) collar

de **breedband** [comp] broadband

het **breedbandinternet** broadband (Internet access)

de **breedbeeld-tv** wide-screen TV

breedgebouwd broad(ly-built), square-built

breedgedragen widely supported: *een* ~ *plan* a widely supported plan

breedsprakig long-winded

de **breedte 1** width, breadth: *in de* ~ breadthways **2** [aardr] latitude

de **breedtegraad** parallel, degree of latitude

breeduit 1 spread (out): ~ *gaan zitten* sprawl (on) **2** [luid] out loud

breedvoerig circumstantial; [gedetailleerd] detailed

breekbaar fragile; [broos] brittle

het **breekijzer** crowbar

het **breekpunt** breaking point [ook fig]

de **breezer** breezer

breien knit

het **brein** brain; [fig ook] brains: *het* ~ *zijn achter een project* be the brain(s) behind a project, mastermind a project de **breinaald** knitting needle

het **breiwerk** knitting

¹breken (onov ww) break; [med ook] fracture || *met iem.* ~ break off (relations) with s.o.; break up with s.o.; *met een gewoonte* ~ break a habit

²breken (ov ww) break; [licht] refract || *een record* ~ break a record; *de betovering* (of: *het verzet*) ~ break the spell (of: resistance)

de **brem** broom

brengen 1 bring; [weg-] take: *mensen (weer) bij elkaar* ~ bring (of: get) people together (again); *naar huis* ~ take home; *een kind naar bed* ~ put a child to bed **2** [doen toekomen] bring, take, give: *zijn mening naar voren* ~ put forward, come out with one's opinion; *iets naar voren* ~ bring sth. up; *een zaak voor het gerecht* ~ take a matter to court **3** [aanzetten tot] bring, send, put: *iem. tot een daad* ~ drive s.o. to (sth.); *iem. aan het twijfelen* ~ raise doubt(s) in s.o.'s mind || *het ver* ~ go far

de **bres** breach; hole [ook fig]: *voor iem. in de* ~ *springen* step into the breach for s.o.

Bretagne Brittany

de **bretel** braces; [Am] suspenders [alleen mv]

de **breuk 1** break(ing), breakage **2** [scheur] crack, split, fault **3** [med] fracture, hernia **4** [m.b.t. betrekkingen] rift, breach **5** [wisk] fraction: *decimale (tiendelige)* ~ decimal fraction; *samengestelde* ~ complex (of: compound) fraction

de **breuklijn** (line of a) break; line of fracture [ook medisch]; [geol] fault line

het **brevet** certificate; [luchtv] licence

bridgen play bridge

de **brief** letter: *aangetekende* ~ registered letter; *in antwoord op uw* ~ *van de 25e* in reply to your letter of the 25th

briefen brief

het **briefgeheim** confidentiality of the mail(s)

het **briefhoofd** letterhead, letter-heading

de **briefing** briefing

het **briefje** note: *dat geef ik je op een* ~ you can take it from me

de **briefkaart** postcard

de **briefopener** paperknife, letter-opener

het **briefpapier** writing paper, stationery

de **briefwisseling** correspondence: *een* ~ *voeren (met)* correspond (with)

de **bries** breeze

briesen [m.b.t. wilde dieren] roar; [m.b.t. paarden] snort

de **brievenbus 1** postbox, letter box **2** [bus aan, bij een huis] letter box; [Am] mailbox

de **brigade 1** brigade **2** [met een doel] squad, team

de **brigadier 1** [politieagent] police sergeant **2** [klaar-over] (school) crossing guard

de **brij 1** pulp **2** [pap] porridge || *om de hete* ~ *heen draaien* beat about the bush

de **brik**: [Belg] *melk in* ~ milk in cartons

de **bril 1** (pair of) glasses; [dikke bril als bescherming] (pair of) goggles: *alles door een donkere* (of: *roze*) ~ *zien* take a gloomy (of: rosy) view of everything **2** [wc-zitting] (toilet) seat

de **brildrager**: *hij, zij is* ~ he, she wears glasses

de **¹briljant** (zn) (cut) diamond

²briljant (bn, bw) brilliant

de **brillenkoker** glasses case

het/de **brilmontuur** glasses frame

de **brilslang** (spectacled) cobra

de **Brit** Briton; [inf] Brit

de **brits** plank bed, wooden bed

Brits British

de **broccoli** broccoli

de **broche** brooch

de **brochure** pamphlet

het **broddelwerk** botch-job, botch-up

brodeloos without means of support: *iem.* ~ *maken* leave s.o. without means of support

broeden brood || *hij zit op iets te* ~ he is working on sth.

de **broeder 1** brother **2** [r-k] brother, friar **3** [verpleger] (male) nurse

broederlijk fraternal; [bw ook] like brothers

de **broedermoord** fratricide [ook fig]

de **broederschap** brotherhood, fraternity

de **broedmachine** incubator, brooder

de **broedplaats** breeding ground [ook fig]

broeien 1 heat, get heated, get hot **2** [zwoel zijn] be sultry || *er broeit iets* there is sth. brewing

broeierig 1 sultry, sweltering, muggy **2** [zwoel] sultry, sensual

de **broeikas** hothouse, greenhouse

het **broeikaseffect** greenhouse effect

het **broeikasgas** greenhouse gas

het **broeinest** [fig] hotbed

de **broek** (pair of) trousers; [korte broek] shorts || *het in zijn* ~ *doen* [fig] wet one's pants; *een proces aan zijn* ~ *krijgen* get taken to court; [fig] *iem. achter de* ~ *zitten* keep s.o. up to the mark, see that s.o. gets on with his work

het **broekje** [onderbroek] briefs; [slipje] panties; knickers

het **broekpak** trouser suit

de **broekriem** belt: [ook fig] *de* ~ *aanhalen* tighten one's belt

de **broekrok** culottes, pantskirt

de **broekspijp** (trouser-)leg

de **broekzak** trouser(s) pocket: *iets kennen als zijn* ~ know sth. inside out (of: like the back of one's hand)

broekzakbellen pocket-dial

de **broer** brother

het **broertje** little brother || *een* ~ *dood aan iets hebben* hate sth., detest sth.

het/de **brok** piece, fragment, chunk: *~ken maken*

a) smash things up; **b)** [fig] mess things up; *hij had een ~ in zijn keel* he had a lump in his throat

het **brokaat** brocade

brokkelen crumble

het **brokstuk** (broken) fragment, piece; [mv ook] debris

de **brom** buzz

de **bromfiets** moped

de **bromfietser** moped rider (*of:* driver)

brommen 1 hum [insecten, motor, radio]; growl [persoon, hond] **2** [mompelen] mutter **3** [op een bromfiets] ride a moped

de **brommer** moped

de **bromscooter** (motor) scooter

de **bromvlieg** bluebottle, blowfly

de **bron 1** well, spring: *hete ~* hot springs **2** [oorsprong, oorzaak] source [ook van een rivier]; spring, cause: *~nen van bestaan* means of existence; *een ~ van ergernis* an annoyance, a nuisance || *hij heeft het uit betrouwbare ~* he has it from a reliable source; *een rijke (onuitputtelijke) ~ van informatie* a mine of information

de **bronchitis** bronchitis

het **brons** bronze

de **bronstijd** Bronze Age

de **bronvermelding** acknowledgement of (one's) sources: *iets zonder ~ overnemen* copy sth. without acknowledgement (*of:* crediting the source)

het **bronwater** [uit bron] spring water; [in fles] mineral water

bronzen bronze: *een ~ medaille* a bronze (medal)

het **brood 1** bread: *daar is geen droog ~ mee te verdienen* you won't (*of:* wouldn't) make a penny out of it; [fig] *~ op de plank hebben* be able to make ends meet **2** [in een bepaalde vorm] loaf (of bread): *een snee ~* a slice of bread; *twee broden* two loaves (of bread) **3** [kost, levensonderhoud] living

het **broodbeleg** sandwich filling

het **brooddeeg** (bread) dough

het **broodje** (bread) roll, bun: *~ aap* monkey's sandwich || [fig] *als warme ~s over de toonbank gaan* go (*of:* sell) like hot cakes

de **broodjeszaak** sandwich bar

de **broodkruimel** breadcrumb

de **broodmaaltijd** cold meal (*of:* lunch)

broodmager skinny, bony

broodnodig much-needed, badly needed, highly necessary

het/de **broodrooster** toaster

de **broodtrommel 1** breadbin **2** [lunch-] lunch box

de **broodwinner** breadwinner

de **broodwinning** livelihood

broos fragile, delicate, frail

bros brittle, crisp(y)

brossen [Belg] play truant, skip classes

brouwen brew; [samenstellen ook] mix; concoct

de **brouwer** brewer

de **brouwerij** brewery

het **brouwsel** brew, concoction

de **brownie** brownie

browsen browse

de **browser** browser

de **brug 1** bridge **2** [m.b.t. gebit] bridge(work) **3** [sport] parallel bars **4** [scheepv] bridge || *hij moet over de ~ komen* he has to deliver the goods (*of:* pay up)

Brugge Bruges

het **bruggenhoofd** abutment; [mil] bridgehead

de **brugklas** first class (*of:* form) (at secondary school)

de **brugklasser** first-former

de **brugleuning** bridge railing; [van steen] parapet

het **brugpensioen** [Belg] early retirement

de **brugwachter** bridgekeeper

de **brui**: *er de ~ aan geven* chuck it (in)

de **bruid** bride

de **bruidegom** (bride)groom

het **bruidsboeket** bridal bouquet

de **bruidsjapon** bridal gown, wedding dress

het **bruidsmeisje** bridesmaid

het **bruidsnacht** wedding night

het **bruidspaar** bride and (bride)groom, bridal couple

de **bruidsschat** dowry

de **bruidssuite** bridal suite

de **bruidstaart** wedding cake

bruikbaar usable; [nuttig] useful; serviceable [machines, auto's enz.]; employable [arbeidskracht]

de **bruikleen** loan: *iets aan iem. in ~ geven* lend sth. to s.o.

de **bruiloft** wedding

bruin brown || *wat bak je ze weer ~* you're really going to town on it

het **bruinbrood** brown bread

bruinen brown; [door de zon] tan; bronze: *de zon heeft zijn vel gebruind* the sun has tanned his skin

de **bruinkool** brown coal, lignite

de **bruinvis** porpoise

bruisen foam, effervesce: *~ van geestdrift* (*of:* *energie*) bubble with enthusiasm (*of:* energy)

bruisend exuberant [van een feest]

het/de **bruistablet** effervescent tablet

brullen roar, bawl, howl: *~ van het lachen* roar (*of:* howl) with laughter

de **brunch** brunch

brunchen have brunch

Brunei Brunei

de **Bruneier** Bruneian

Bruneis Bruneian

de **brunette** brunette

Brussel Brussels
Brussels Brussels
brutaal 1 insolent; [van kinderen] cheeky; impudent: *zij was zo ~ om …* she had the cheek (*of:* nerve) to … **2** [vrijpostig] bold, forward
de **brutaliteit** cheek, impudence
bruto gross: *het concert heeft ~ €1100 opgebracht* the concert raised 1100 euros gross
het **brutogewicht** gross weight
het **brutoloon** gross income
het **brutosalaris** gross salary
de **brutowinst** gross profit
bruusk brusque, abrupt, curt: *een ~ antwoord* an abrupt (*of:* curt) answer; *een ~ optreden* a brusque manner
bruut brute; brutal [gruwelijk]
BSE afk van *bovine spongiform encephalopathy* BSE, mad cow disease
het **bsn** [Ned] afk *burgerservicenummer* Citizen Service Number (CSN)
het **bso** [Belg] afk van *beroepssecundair onderwijs* secondary vocational education
de **btw** afk van *belasting op de toegevoegde waarde* VAT, value added tax: *ex ~* excluding (*of:* plus VAT)
het **bubbelbad** whirlpool, jacuzzi
het **budget** budget: [Ned] *persoonsgebonden ~* client-linked budget (for healthcare)
de **budgetbewaking** budgetary control
de **budgetmaatschappij** budget airline
budgettair budgetary
budgetteren budget
de **buffel** buffalo
buffelen [inf] **1** [veel eten] wolf (down) **2** [hard werken] beaver away
de **buffer** buffer
de **bufferstaat** buffer state
de **buffervoorraad** buffer stock
de **bufferzone** buffer zone
het **buffet** [meubelstuk] sideboard; buffet [ook in station, enz.]
de **bug** bug
de **bugel** bugle
de **buggy** buggy
de **bühne** boards, stage
de **bui 1** shower; (short) storm [hevig, met onweer; vaak figuurlijk]: *schuilen voor een ~* take shelter from a storm; *de ~ zien hangen* [fig] see the storm coming; *hier en daar een ~* scattered showers **2** [humeur] mood: *in een driftige ~* in a fit of temper
de **buidel 1** purse **2** [huidplooi] pouch
het **buideldier** marsupial
[1]**buigen** (onov ww) **1** bow: *voor iem. ~* bow to s.o. **2** (+ voor) [zwichten] bow (to), bend (before) **3** [zich krommen] bend (over)
[2]**buigen** (ov ww) bend: *het hoofd ~* [fig] bow (to), submit (to); *de weg buigt naar links* the road curves (*of:* bends) to the left; *zich over de balustrade ~* lean over the railing

de **buiging 1** bend, curve **2** [als groet] bow; curtsy [vrouwen]: *een ~ maken* bow, curtsy
buigzaam 1 flexible, supple **2** [fig] flexible, adaptable, compliant
buiig showery, gusty
de **buik** [m.b.t. mensen, dieren] belly; stomach; [onderste gedeelte] abdomen: [fig] *er de ~ van vol hebben* be fed up (with it), be sick and tired of it; [inf, fig] *schrijf het maar op je ~* not on your life, forget it
buikdansen (do a) belly dance
de **buikdanseres** belly dancer
de **buikholte** abdomen
het **buikje** paunch, pot belly
de **buikkramp** stomach (*of:* abdominal) cramp
de **buiklanding** pancake landing, belly landing
de **buikloop** diarrhoea; [inf] the runs
de **buikpijn** stomach-ache, bellyache
de **buikriem** belt
de **buikspier** stomach muscle, abdominal muscle
buikspreken ventriloquize, throw one's voice
de **buikspreker** ventriloquist
de **buikvliesontsteking** peritonitis
de **buil** [bult] bump
de **buis 1** tube, pipe; valve [van radio e.d.] **2** [televisie] box, TV **3** [Belg; inf] fail (mark)
de **buit 1** booty, spoils, loot **2** [jachtbuit] catch: *met een flinke ~ thuiskomen* come home with a big catch
buitelen tumble, somersault
de **buiteling** tumble: *een lelijke ~ maken* take a nasty spill (*of:* tumble)
[1]**buiten** (bw) outside, out, outdoors: *een dagje ~* a day in the country; *daar wil ik ~ blijven* I want to stay out of that; *naar ~ gaan* a) [buitenshuis] go outside (*of:* outdoors); b) [naar het platteland, de stad uit] go into the country (*of:* out of town); *naar ~ brengen* take out [voorwerp]; lead (*of:* show) out [persoon]; *een gedicht van ~ leren* (of: *kennen*) learn (*of:* know) a poem by heart ‖ *zich te ~ gaan (aan)* overindulge (o.s.) (in); *hou je er ~!* stay (*of:* keep) out of it!
[2]**buiten** (vz) **1** outside, beyond: *~ het bereik van* out of reach of; *hij was ~ zichzelf van woede* he was beside himself with anger **2** out of: *iets ~ beschouwing laten* leave sth. out of consideration **3** without: *het is ~ mijn medeweten gebeurd* it happened without my knowledge
buitenaards extraterrestrial
buitenaf outside, external, from (*of:* on) the outside
de **buitenbaan** [sport] outside lane
buitenbaarmoederlijk ectopic: *~e zwangerschap* ectopic pregnancy
het **buitenbad** open-air (*of:* outdoor) pool
de **buitenband** tyre

het **buitenbeentje** odd man out, outsider

de **buitenbocht** outside curve (of: bend)

de **buitenboordmotor** outboard motor

de **buitendeur** front door, outside door

buitenechtelijk extramarital: ~ *kind* illegitimate child

¹**buitengewoon** (bn) special, extra; exceptional, unusual

²**buitengewoon** (bw) [zeer] extremely, exceptionally

het **buitenhuis** country house

buitenissig [inf] unusual, strange, eccentric

het **buitenkansje** stroke of luck

de **buitenkant** outside, exterior: *op de* ~ *afgaan* judge by appearances

het **buitenland** foreign country (of: countries): *van* (of: *uit*) *het* ~ *terugkeren* return (of: come back) from abroad

de **buitenlander** foreigner, alien

buitenlands foreign, international: *een ~e reis* a trip abroad

de **buitenlucht** open (air); country air [van het (platte)land]

buitenom around; round the house, town, ...

buitenparlementair extraparliamentary

buitenschools extracurricular, extramural: *~e opvang* out-of-school care; [na schooltijd] after-school care

buitenshuis outside, out(side) of the house, outdoors: ~ *eten* eat out

buitensluiten shut out [ook kou, licht]; lock out

het **buitenspel** offside || [fig] *hij werd* ~ *gezet* he was sidelined

de **buitenspiegel** outside (of: wing) mirror

buitensporig extravagant, excessive, exorbitant, inordinate

de **buitensport** outdoor sports

buitenst out(er)most, exterior, outer

de **buitenstaander** outsider

het **buitenverblijf** countryhouse, country place

de **buitenwacht** outside world, public; outsiders [mv]

de **buitenwereld** public (at large), outside world

de **buitenwijk** suburb; [mv ook] outskirts

de **buitenwipper** [Belg] bouncer

de **buitenzijde** outside, exterior; [fig voornamelijk] surface

buitmaken seize; capture [schip]

buizen [Belg; inf] fail

de **buizerd** buzzard

¹**bukken** (onov ww) stoop; [wegduiken] duck: *hij gaat gebukt onder veel zorgen* he is weighed down by many worries

zich ²**bukken** (wdk ww) stoop, bend down

de **buks** (short) rifle

de **bul** degree certificate

bulderen roar, bellow

de **buldog** bulldog

de **Bulgaar** Bulgarian

Bulgaars Bulgarian

Bulgarije Bulgaria

de **bulkartikelen** bulk, bulk(ed) goods

bulken: *hij bulkt van het geld* he is rolling in money

de **bulldozer** bulldozer

de **bullebak** bully, ogre

het **bulletin** bulletin, report

de **bult 1** lump; bump [door stoten enz.] **2** [bochel] hunch, hump: *met een* ~ hunchbacked, humpbacked

de **bumper** bumper

de **bumperklever** tailgater

de **bundel 1** bundle; sheaf [papieren, pijlen] **2** [verzamel-] collection, volume

bundelen bundle, cluster; combine [krachten]: [fig] *krachten* ~ join forces

de **bungalow** bungalow; [zomerhuisje] (summer) cottage; chalet

het **bungalowpark** holiday park

de **bungalowtent** family (frame) tent

bungeejumpen bungee jump

bungelen dangle, hang

de **bunker** bunker, bomb shelter, air-raid shelter

bunkeren 1 refuel **2** [flink eten] stoke up, stuff o.s.

de **bunzing** polecat

de **burcht** castle, fortress, citadel, stronghold

het **bureau 1** [schrijftafel] (writing) desk, bureau **2** [plek] office, bureau, department, (police) station; [advies-] agency

het **bureaublad** desktop

de **bureaucraat** bureaucrat

de **bureaucratie** bureaucracy, officialdom

bureaucratisch bureaucratic: *~e rompslomp* red tape

de **bureaula** (desk) drawer

de **bureaulamp** desk lamp

de **bureaustoel** office chair, desk chair

het **bureel** [Belg] office

het **burengerucht** ± disturbance

de **burgemeester** mayor; [Schotland] provost: ~ *en wethouders* mayor and aldermen; [gemeentebestuur] municipal executive

de **burger 1** citizen **2** [niet-militair] civilian: *militairen en ~s* soldiers and civilians || *een agent in* ~ a plain-clothes policeman

de **burgerbevolking** civilian population

de **burgerij** [burgers] citizens [mv]; [gegoede burgers] (petty) bourgeoisie, middle class

burgerlijk 1 middle-class, bourgeois **2** [neg] bourgeois, conventional, middle-class; [vulgair] philistine; [klein-] smug **3** [behorend bij de staatsburger] civil, civic: *~e staat* marital status; *(bureau van de) ~e stand* Registry of Births, Deaths and Marriages; Registry Office **4** [niet militair] civil(ian)

de **burgerluchtvaart** civil aviation [zonder lidwoord]

de **burgeroorlog** civil war

de **burgerplicht** civic duty

het **burgerrecht** civil rights [mv]

het **burgerservicenummer** [Ned] Citizen Service Number

de **burgervader** mayor

de **¹burgerwacht** [persoon] neighbourhood watch volunteer

de **²burgerwacht** [groep buurtbewoners] neighbourhood watch group

Burkina Faso Burkina Faso

de **¹Burkinees** Burkinabe

²Burkinees (bn) Burkinabe

de **burn-out** burn-out

de **¹Burundees** Burundian

²Burundees (bn) Burundian

Burundi Burundi

de **bus 1** bus; [reisbus] coach: *met de ~ gaan* go by bus; *~je* minibus; [bestelwagen] van **2** [blikken doos] tin; [groot] drum **3** [kast, doos met gleuf] box: *u krijgt de folders morgen in de ~* you will get the brochures in the post tomorrow ‖ *als winnaar uit de ~ komen* (turn out to) be the winner

de **busbaan** bus lane

de **buschauffeur** bus driver, coach driver

de **busdienst** bus service, coach service

de **bushalte** bus stop, coach stop

het **bushokje** bus shelter

het **busje** minibus; [bestelwagen] van

het **buskruit** gunpowder

de **buslichting** collection

de **buslijn** bus route; coach route

het **busstation** bus station; [voor lange afstanden] coach station

de **buste** bust, bosom

de **bustehouder** brassiere

de **bustocht** coach trip [met touringcar]; bus trip

het **butaan** butane

het **butagas** butane (gas)

de **butler** butler

de **button** badge

de **buur** neighbour: *de buren* the (next-door) neighbours

het **buurland** neighbouring country

de **buurman** (next-door) neighbour, man next door

de **buurt** neighbourhood, area, district: *rosse ~* red-light district ‖ *de hele ~ bij elkaar schreeuwen* shout the place down; *in* (of: *uit*) *de ~ wonen* live nearby (of: a distance away); *je kunt maar beter bij hem uit de ~ blijven* you'd better give him a wide berth

de **buurtbewoner** local resident

het **buurtcentrum** community centre

buurten visit the neighbours: *jullie moeten eens komen ~* you must come round (of: over) some time

het **buurthuis** community centre

de **buurtschap** hamlet

de **buurvrouw** neighbour, woman next door

de **buxus** box (tree)

de **buzzer** buzzer, pager

de **bv** afk van *besloten vennootschap* Ltd; [Am] Inc

bv. afk van *bijvoorbeeld* e.g.

de **BV** afk van *bekende Vlaming* celebrity, famous Flemish person

de **bvba** [Belg] afk van *besloten vennootschap met beperkte aansprakelijkheid* private company with limited liability

de **B-weg** [verk] B-road, secondary (of: minor) road

de **bypass** bypass; [verk] (traffic) bypass

de **byte** byte

Byzantijns Byzantine

C

de **c** c; [muz] C

ca. afk van *circa* approx.; [bij datums] ca.

het **cabaret** cabaret

de **cabaretier** cabaret performer, cabaret artist(e)

de **cabine 1** cabin **2** [in talenlab, platenzaak enz.] booth

de **cabriolet** convertible, drophead coupé

de **cacao** cocoa, (drinking) chocolate

het **cachegeheugen** cache memory

het **cachet** cachet, (touch of) prestige: ~ *geven aan iets* lend style to sth.

de **cactus** cactus

het **CAD** afk van *Computer Assisted Design* CAD

de **cadans** cadence, rhythm

de **¹caddie**ᴹᴱᴿᴷ [winkelwagen] caddie, (shopping) trolley; [Am] pushcart

de **²caddie 1** [golfwagentje] (golf-)trolley; [Am] caddie (cart) **2** [sport; drager] caddie, caddy

het **cadeau** present, gift: *iem. iets* ~ *geven* give a person sth. as a present; [iron] *dat krijg je van me* ~*!* you can keep it!; *iets niet* ~ *geven* not give sth. away

de **cadeaubon** gift voucher

de **cadet** [Belg] [Nederland: aspirant, junior] junior member of sports club

het **cadmium** cadmium

het **café** café, pub, bar

de **caféhouder** café proprietor (*of:* owner)

de **cafeïne** caffeine

cafeïnevrij decaffeinated

het **café-restaurant** restaurant; [zonder drankvergunning] café

de **cafetaria** cafeteria, snack bar

het **cahier** exercise book

de **caissière** cashier, check-out assistant

de **caisson** caisson

de **caissonziekte** caisson disease, decompression sickness

de **cake** (madeira) cake

de **calamiteit** calamity, disaster

het **calcium** calcium

de **calculatie** calculation, computation

de **calculator** calculator

calculeren calculate, compute: [fig] *de ~de burger* the canny consumer, the citizen-consumer

de **caleidoscoop** kaleidoscope

Californië California

het **callcenter** call centre

de **calorie** calorie

caloriearm low-calorie, low in calories

calorierijk high-calorie, rich in calories

het **calvinisme** Calvinism

de **calvinist** Calvinist

calvinistisch calvinistic(al)

Cambodja Cambodia

de **Cambodjaan** Cambodian

Cambodjaans Cambodian

de **camcorder** camcorder

de **camembert** Camembert (cheese)

de **camera** camera: *verborgen* ~ hidden camera; candid camera

de **camerabewaking** closed circuit tv, CCTV: *dit winkelgebied kent* ~ this shop area is protected by CCTV

de **cameraman** cameraman

de **cameraploeg** camera crew (*of:* team)

het **cameratoezicht** closed circuit tv, CCTV

de **camouflage** camouflage; [fig] cover; front

camoufleren camouflage, cover up, disguise

de **campagne** campaign, drive: ~ *voeren (voor, tegen)* campaign (for, against)

de **camper** camper

de **camping** camping site

de **campus** campus

Canada Canada

de **Canadees** Canadian

de **canapé** sofa, settee, couch

de **Canarische Eilanden** (the) Canaries, (the) Canary Islands

cancelen cancel, annul

de **cannabis** cannabis, hemp, marijuana

de **canon** round, canon: *in* ~ *zingen* sing in a round (*of:* in canon) ‖ *de historische* ~ *van Nederland* ± the historical canon of the Netherlands

CANS [med] complaints of the arm, neck and/or shoulder

de **cantate** cantata

de **cantharel** chanterelle

het **canvas** canvas, tarpaulin

de **canyon** canyon, gorge

de **cao** afk van *collectieve arbeidsovereenkomst* collective wage agreement

de **cao-onderhandelingen** collective bargaining

capabel capable, able; [geschikt] competent; [bevoegd] qualified: *voor die functie leek hij uiterst* ~ he seemed very well qualified for the job; *ik acht hem* ~ *om die klus uit te voeren* I reckon he can cope with that job

de **capaciteit 1** capacity, power: *een motor met kleine* ~ a low-powered engine **2** [bekwaamheid] ability, capability: *Ans is een vrouw van grote* ~*en* Ans is a woman of great ability

de **cape** cape

de **capitulatie** capitulation, surrender

capituleren capitulate, surrender

de **cappuccino** cappuccino

de **capriool** prank, caper

de **capsule** capsule

de **capuchon** hood
de **carambole** cannon
de **caravan** caravan; [Am] trailer (home)
de **carburator** carburettor
het **cardiogram** cardiogram
de **cardiologie** cardiology
de **cardioloog** cardiologist
Caribisch Caribbean: *het ~ gebied* the Caribbean
de **cariës** caries, tooth decay, dental decay
het/de **carillon** carillon, chimes: *het spelen van het ~* the ringing of the bells
het **carnaval** carnival (time)
de **carnavalsvakantie** carnival holiday, Shrovetide holiday
de **carnivoor** carnivore
carpoolen [Am] carpool
de **carport** carport
de **carrière** career
de **carrosserie** body, bodywork
het/de **carrousel** merry-go-round; [Am] carousel
de **cartografie** cartography, map-making
de **cartoon** cartoon
de **cartoonist** cartoonist
de **cartridge** cartridge
het **casco** [schip] body, vessel; [scheepsromp] hull
de **casemanager** case manager
de **casestudy** case study
de **¹cash** (zn) cash
  ²cash (bw) cash
de **cashewnoot** cashew (nut)
het **casino** casino
de **cassatie** annulment: *hof van ~* court of appeal
de **casselerrib** cured side of pork
de **cassette 1** box, casket; coffer [juwelen]; slip case; money box [geld] **2** [muziek-] cassette
het **cassettebandje** cassette (tape)
de **cassettedeck** cassette deck, tape deck
de **cassetterecorder** cassette (*of:* tape) recorder
de **cassis** cassis, black currant drink
de **castagnetten** castanets
castreren castrate, neuter; doctor [dier]
de **catacomben** catacombs
Catalaans Catalan, Catalonian
catalogiseren catalogue, record
de **catalogus** catalogue
Catalonië Catalonia
de **catamaran** catamaran
catastrofaal catastrophic, disastrous
de **catastrofe** catastrophe, disaster
de **catechese** catechesis
de **catechisatie** catechism, confirmation classes
de **catechismus** catechism
de **categorie** category, classification; [m.b.t. leeftijd, inkomen] bracket: *in drie ~ën indelen* distinguish into three categories

categorisch categorical: *iets ~ weigeren* refuse sth. categorically
categoriseren categorize, class
cateren cater (for)
de **catering** catering
de **catharsis** catharsis
de **catwalk** catwalk
causaal causal, causative: *~ verband* causal connection
de **cavalerie** cavalry, tanks
de **cavia** guinea pig, cavia
de **cayennepeper** cayenne (pepper), red pepper
cc 1 afk van *kubieke centimeter* cc **2** afk van *kopie conform* ± certified copy
cc'en cc
de **cd** afk van *compact disc* CD
de **cd-box** CD box
de **cd-r** afk van *compact disc - recordable* CD-R
het **cd-rek** CD rack
de **cd-rom** CD-ROM
de **cd-speler** CD player
de **ceder** cedar
de **cedille** cedilla
de **ceintuur** belt, waistband
de **cel** cell, (call) box; booth [telefoon-]: *hij heeft een jaar ~ gekregen* he has been given a year in een ~ opsluiten lock up in a cell
de **celdeling** fission, cell division
het **celibaat** celibacy
de **celkern** (cell) nucleus
de **cellist** cellist
de **cello** (violon)cello
het **cellofaan** cellophane: *in ~ verpakt* wrapped in cellophane
cellulair cellular
de **cellulitis** [sinaasappelhuid] cellulite; [onderhuidse ontsteking] cellulitis
het **¹celluloid** (zn) celluloid
  ²celluloid (bn) celluloid
de **cellulose** cellulose
Celsius Celsius, centigrade
de **celstraf** solitary confinement: *iem. ~ geven* place s.o. in solitary confinement
de **celtherapie** [med] cell therapy
de **celwand** cell wall
het/de **cement** cement
censureren censor; [fig] black out [nieuws, tv]
de **censuur** censorship
de **cent 1** cent: *iem. tot op de laatste ~ betalen* pay s.o. to the full **2** [inf] penny, farthing: *ik vertrouw hem voor geen ~* I don't trust him an inch **3** [voornamelijk meervoud] money, cash ‖ *zonder een ~ zitten* be penniless
de **centiliter** centilitre
de **centime** centime
de **centimeter 1** centimetre: *een kubieke ~ a* cubic centimetre; *een vierkante ~* a square centimetre **2** [meetlint] tape-measure
centraal central: [fig] *een centrale figuur a*

central (*of:* key) figure; *een ~ gelegen punt* a centrally situated point; *~ staan* be (the) central (point), be at the centre (stage)

de **Centraal-Afrikaan** Central African
Centraal-Afrikaans Central African

de **Centraal-Afrikaanse Republiek** Central African Republic

de **centrale 1** [elek] power station, powerhouse **2** [telefoon-] (telephone) exchange; [van bedrijf] switchboard

de **centralisatie** centralization
centraliseren centralize
centreren centre

de **centrifuge** centrifuge; [voor was] spindryer
centrifugeren centrifuge; [was] spin-dry

het **centrum** centre: *in het ~ van de belangstelling staan* be the centre of attention; [pol] *links* (of: *rechts*) *van het ~* left (of: right) of centre

de **centrumspits** centre forward

de **ceremonie** ceremony
ceremonieel ceremonial, formal: *een ceremoniële ontvangst* a formal reception

de **ceremoniemeester** Master of Ceremonies; [bij bruiloft] best man

het **certificaat** certificate
Ceylon Ceylon; [staat] Sri Lanka

de **cfk** afk van *chloorfluorkoolwaterstof* CFC

de **chador** chador, chuddar

het **chagrijn 1** [stemming] chagrin, annoyance **2** [persoon] grouch, grumbler, sourpuss
chagrijnig miserable, grouchy: *doe niet zo ~* stop being such a misery; *~ zijn* sulk

het/de **chalet** chalet, Swiss cottage

de **champagne** champagne

de **champignon** mushroom

het/de **chanson** song, chanson

de **chansonnier** (cabaret) singer

de **chantage** blackmail
chanteren blackmail

de **chaoot 1** [iem. die chaotisch is] scatterbrain **2** [anarchist] anarchist

de **chaos** chaos, disorder, havoc: *er heerst ~ in het land* the country is in chaos
chaotisch chaotic

de **chaperon** chaperon(e)

de **charcuterie** [Belg] cold cooked meats

de **charge 1** [aanval] charge: *een ~ uitvoeren (met de wapenstok)* make a (baton) charge **2** [sport; overtreding] charge
chargeren overdo, exaggerate (it)

het **charisma** charisma
charitatief charitable: *charitatieve instelling* charity, charitable institution

de **charlatan** charlatan, quack
charmant charming, engaging; winning [glimlach]; delightful, attractive: *een ~e jongeman* a charming young man

de **charme** charm
charmeren charm: *hij weet iedereen te ~*

he's a real charmer

de **charmeur** charmer; Prince Charming, ladies' man

het **charter 1** charter flight, charter(ed) plane **2** [oorkonde] charter
charteren charter, enlist, commission

het **chartervliegtuig** charter(ed) aircraft

de **chartervlucht** charter flight

het **chassis** chassis

de **chat** chat

de **chatbox** chatbox

de **chatroom** chat room
chatten [comp] chat

de **chatter** chatter
chaufferen drive

de **chauffeur** driver, chauffeur

het **chauvinisme** chauvinism

de **chauvinist** chauvinist
chauvinistisch chauvinist(ic)
checken check (up, out), verify

de **check-up** check-up

de **cheeta** cheetah

de **chef** leader; [inf] boss [van bende, delegatie]; [van organisatie] head; chief; [in leger enz.] superior (officer); [bedrijfsleider] manager; [op stations] stationmaster: *~ van een afdeling* head (of: manager) of a department; *~ d'équipe* team manager; *~ de mission* head of the delegation

de **chef-kok** chef

de **chef-staf** Chief of Staff

de **chemicaliën** chemicals, chemical products

de **chemicus** chemist

de **chemie** chemistry
chemisch chemical: *kleren ~ reinigen* dry-clean clothes; *~ toilet* chemical lavatory; *~e wapens* chemical weapons

de **chemobak** chemical waste bin

de **chemokuur** course of chemotherapy

de **chemotherapie** chemotherapy

de **cheque** cheque: *een blanco ~* a blank cheque; [fig ook] carte blanche; *een ongedekte ~* a dud cheque; *een ~ innen* cash a cheque

het **chequeboek** chequebook

de **¹chic** (zn) chic, stylishness, elegance
²chic (bn, bw) **1** chic, stylish, smart: *er ~ uitzien* look (very) smart **2** [deftig] elegant, distinguished; fashionable [buurt]
chicaneren quibble (over)

de **Chileen** Chilean
Chileens Chilean
Chili Chile

de **chili con carne** chilli con carne
chill cool
chillen chill

de **chimpansee** chimpanzee; [inf] chimp
China China

de **¹Chinees** (zn) **1** Chinese, Chinaman **2** Chinese restaurant; [om mee te nemen] Chinese takeaway

het ²**Chinees** (zn) [taal] Chinese
 ³**Chinees** (bn) Chinese: *Chinese wijk (buurt)*
 Chinatown
de **Chinese** Chinese (woman)
de **chip 1** chip, integrated circuit **2** chip, microprocessor
de **chipkaart** smart card, intelligent card
de **chippas** chip card
 chippen pay by chip card
de **chips** (potato) crisps; [Am] (potato) chips
de **Chiro** [Belg] Christian youth movement
de **chirurg** surgeon
de **chirurgie** surgery
 chirurgisch surgical: *een ~e ingreep* a surgical operation, surgery
de **chlamydia** chlamydia
het/de **chloor 1** [chem] chlorine **2** bleach
de **chloroform** chloroform
het **chocolaatje** chocolate
de **chocolade 1** chocolate; [inf] choc: *pure ~*
 plain chocolate **2** [drank] (drinking) chocolate, cocoa
de **chocoladeletter** chocolate letter
de **chocolademelk** (drinking) chocolate, cocoa
de **chocoladepasta** chocolate spread
de **choke** choke
de **cholera** cholera
de **cholesterol** cholesterol
 choqueren shock, give offence: *gecho-
 queerd zijn (door)* be shocked (at, by)
de **choreograaf** choreographer
de **choreografie** choreography
 ¹**christelijk** (bn) Christian: *een ~e school* a
 protestant school
 ²**christelijk** (bw) [fatsoenlijk] decently
de **christen** Christian
de **christendemocraat** Christian Democrat
het **christendom** Christianity
 Christus Christ ‖ *na ~* AD, after Christ; *voor
 ~* BC, before Christ
het **chromosoom** chromosome
 chronisch [m.b.t. ziekten] chronic, lingering; [aanhoudend] recurrent: *een ~ zieke* a
 chronically sick patient
de **chronologie** chronology
 chronologisch chronological
de **chronometer** stopwatch, chronograph
het **chroom** chrome
de **chrysant** chrysanthemum
de **ciabatta** ciabatta (bread)
de **cider** cider
het **cijfer 1** figure, numeral, digit, cipher: *Ro-
 meinse ~s* Roman numerals; *twee ~s achter de
 komma* two decimal places; *getallen die in de
 vijf ~s lopen* five-figure numbers **2** [in school]
 mark, grade: *het hoogste ~* the highest mark
de **cijfercode** numeric code
 cijferen do (*of:* make) calculations
de **cijferlijst** list of marks, (school) report
de **cilinder** cylinder

de **cilinderinhoud** cylinder capacity
de **cilinderkop** cylinder head
 cilindrisch cylindrical
de **cineast** film maker (*of:* director)
de **cipier** warder, jailer
de **cipres** cypress
 circa approximately, about; [voor datum]
 circa
het **circuit 1** [sport] circuit, (race)track **2** [perso-
 nen, instanties] scene: *het zwarte ~* the black
 economy
de **circulaire** circular (letter)
de **circulatie** circulation: *geld in ~ brengen* put
 money into circulation
 circuleren circulate, distribute: *geruchten
 laten ~* put about (*of:* circulate) rumours
het/de **circumflex** circumflex (accent)
het **circus** circus
de **circustent** circus tent, big top, canvas
de **cirkel** circle: *halve ~* semicircle; *een vicieuze
 ~* a vicious circle
 cirkelen circle, orbit
de **cirkelomtrek** perimeter
de **cirkelzaag** circular saw
het **citaat** quotation, quote; [niet letterlijk] ci-
 tation: *einde ~* unquote, close quotes
de **citer** zither
 citeren quote, cite
de **Cito-toets** secondary education aptitude
 test; ± 11 plus test
de **citroen** lemon
het **citroensap** (fresh) lemon juice
de **citrusvrucht** citrus fruit
de **city** city centre
 civiel civil; [niet-militair] civilian: *~ ingenieur*
 civil engineer; *een politieman in ~* plain-
 clothes officer
 civielrechtelijk civil: *iem. ~ vervolgen*
 bring a civil suit (*of:* action) against s.o.
de **civilisatie** civilization
 civiliseren civilize
de **ckv** afk van *culturele en kunstzinnige vorming* ± culture and art classes
de **claim** claim: *een ~ indienen (bij)* lodge a
 claim (with)
 claimen (lay) claim (to), file (*of:* lodge) a
 claim: *een bedrag ~ bij de verzekering* claim on
 one's insurance
de **clamshell** clamshell
de **clan** clan, clique, coterie
 clandestien clandestine, illicit: *de ~e pers*
 underground press; *~ gestookte whisky*
 bootleg whiskey, moonshine
de **clark** [Belg] fork-lift truck
de **classeur** [Belg] [ordner] file
het **classicisme** classicism, classicalism
de **classicus** classicist
de **classificatie** classification, ranking, rating
 classificeren [ordenen] classify, class, rank
de **claustrofobie** claustrophobia
de **clausule** clause, proviso, stipulation: *een ~*

opnemen in build a clause into

de **claxon** (motor) horn: *op de ~ drukken* sound one's horn

claxonneren sound one's horn, hoot

clean 1 [schoon] clean, clinical **2** [vrij van drugs] clean, off (drugs)

clement lenient

de **clementie** leniency: *~ betrachten* be lenient, show mercy

de **clerus** clergy

het **cliché 1** cliché **2** [drukkersterm] plate, block

clichématig cliché'd, commonplace, trite

de **cliënt 1** client **2** [klant] customer, patron

de **clientèle** clientele, custom(ers)

de **cliffhanger** cliffhanger

de **clignoteur** (direction) indicator, blinker

de **climax** climax: *naar een ~ toewerken* build (up) to a climax

de **clinch**: *in de ~ liggen met iem.* be at loggerheads with someone

de **clinicus** [med] clinician

de **clip 1** paper clip; [groot] bulldog clip **2** [sierspeld] clip, pin **3** [video-] (video)clip

de **clitoris** clitoris

close close

het **closet** lavatory, toilet

het **closetpapier** toilet paper

de **closetrol** toilet roll

de **close-up** close-up

de **clou** point, essence; [van grap] punch line: *de ~ van iets niet snappen* miss the point (of sth.)

de **clown** clown, buffoon: *de ~ uithangen* clown around

clownesk clownish: *een ~ gebaar* a comic(al) gesture

de **club 1** club [ook golfstok]; society, association **2** [groep vrienden] crowd, group, gang

het **clubhuis 1** club(house); [sportclub ook] pavilion **2** community centre; [voor jeugd] youth centre

de **clubkas** club funds

de **cluster** cluster

de **clusterbom** cluster bomb

cm afk van *centimeter* cm

de **co** afk van *compagnon* partner

CO₂ CO2, CO_2 (afk van *carbon dioxide*)

CO₂-neutraal carbon-neutral

de **coach** coach, trainer; [begeleider bij opleiding ook] supervisor; tutor

coachen coach, train; tutor [van leerling]

de **coalitie** coalition

de **coalitiepartner** coalition partner

de **coassistent** (assistant) houseman; [Am] intern(e)

de **cobra** cobra

de **cocaïne** cocaine: *~ snuiven* snort (*of:* sniff) cocaine

de **cockpit** cockpit; flight deck [vliegtuig]

de **cocktail** cocktail

de **cocktailbar** cocktail lounge

de **cocktailparty** cocktail party

de **cocktailprikker** cocktail stick; [Am] cocktail pick

de **cocon** cocoon; pod [van zijderups]

de **code** code, cipher: *een ~ ontcijferen* crack a code

coderen (en)code, encipher

het **codicil** codicil

de **coëfficiënt** coefficient

de **co-existentie** coexistence: *vreedzame ~* peaceful coexistence

de **coffeeshop** coffee shop

de **cognac** cognac

cognitief cognitive

coherent coherent [ook natuurkunde]; consistent

de **cohesie** cohesion

de **coïtus** coitus, coition, sexual intercourse

de **coke** coke; [cocaïne] snow

de **cokes** coke

de **col 1** roll-neck, polo neck **2** [bergpas] col, (mountain) pass

de **cola** coke

de **cola-tic** rum (*of:* gin) and coke

het/de **colbert** jacket

de **collaborateur** collaborator, quisling

de **collaboratie** collaboration

collaboreren collaborate; [medewerken] work together

de **collage** collage, montage, paste-up

de **collectant** collector; [anglicaanse kerk ook] sidesman

de **collect call** reverse charge call; [Am] collect call

de **collecte** collection; [niet-officieel] whip-round

collecteren collect, make a collection; [in kerk] take the collection

de **collectie 1** collection, show: *een fraaie ~ schilderijen* a fine collection of paintings **2** [groot aantal] collection, accumulation

het **¹collectief** (zn) collective

²collectief (bn, bw) collective, corporate, joint, communal: *collectieve arbeidsovereenkomst* collective wage agreement; *collectieve uitgaven* public expenditure

het **collector's item** collector's item, collectible

de **collega** colleague, associate; [m.b.t. handarbeider] workmate

het **college 1** college; [alg] (university) class; [hoor-] (formal) lecture: *de ~s zijn weer begonnen* term has started again; *~ geven (over)* lecture (on), give lectures (on); *~ lopen* attend lectures **2** [bestuurslichaam] board: *~ van bestuur* **a)** [van school, universiteit] Board of Governors; [van school, universiteit; Am] Board of Regents; **b)** [van onderneming] Board of Directors; *het ~ van burgemeester en wethouders* the (City, Town) Council

het **collegegeld** tuition fee

de **collegezaal** lecture-room; [groter] lecture-hall; [amfitheater] lecture-theatre
collegiaal fraternal, brotherly, comradely: *zich ~ opstellen* be loyal to one's colleagues

de **collie** collie

het/de **collier** necklace

het/de **colofon** colophon
Colombia Colombia

de **Colombiaan** Colombian
Colombiaans Colombian

de **colonne** column
colporteren [huis aan huis] sell door-to-door, hawk

de **coltrui** roll-neck (pullover, sweater); [Am] turtleneck (pullover, sweater)

de **column** column

de **columnist** columnist

het **coma** coma: *in (een) ~ raken* lapse into a coma

de **comapatiënt** comatose patient, patient in a coma

de **combi** estate car, station wagon

de **combiketel** combination boiler

de **combinatie** combination [ook type vrachtwagen]

de **combinatietang** combination pliers, electrician's pliers

de **combine** combine (harvester)

¹**combineren** (onov ww) go (together), match: *deze kleuren ~ niet* these colours don't go (together) (*of:* don't match), these colours clash

²**combineren** (ov ww) **1** combine (with): *twee banen ~* combine two jobs **2** [met elkaar in verband brengen] associate (with), link (with)

de **comeback** comeback: *een ~ maken* make (*of:* stage) a comeback

het **comfort** comfort [vaak mv]; convenience [vaak mv]: *dit huis is voorzien van het modernste ~* this house is fully equipped with the latest conveniences
comfortabel comfortable

de **coming-out** coming out

het **comité** committee: *uitvoerend ~* executive committee

de **commandant 1** [mil] commander, commandant **2** [m.b.t. de brandweer] chief (fire) officer, (fire) chief
commanderen 1 command, be in command (of) **2** [bevelen] give orders; [neg] boss about, order about

het **commando 1** command: *het ~ voeren (over)* be in command (of) **2** [order] (word of) command, order; [comp] command: *iets op ~ doen* do sth. to order; *huilen op ~* cry at will **3** [mil] commando

de **commandopost** command post

het **commentaar 1** comment(s), remark(s), observation(s); [op teksten ook] commentary (on): *~ op iets geven* (*of:* leveren) comment

(*of:* make comments) on sth.; *geen ~* no comment **2** [kritiek] (unfavourable) comment, criticism: *een hoop ~ krijgen* receive a lot of unfavourable comment || *rechtstreeks ~* (running) commentary

de **commentaarstem** voice-over

de **commentator** commentator
commenten comment, leave a comment

de **commercie** commerce, trade
commercieel commercial: *op niet-commerciële basis* on a non-profit(-making) basis

het **commissariaat 1** commissionership: *een ~ bekleden bij een bedrijf* sit on the board of a company **2** [bureau] commissioner's office

de **commissaris 1** commissioner, governor: *~ van de Koningin* (Royal) Commissioner, governor; *~ van politie* Chief Constable, Chief of Police, police commissioner; *raad van ~sen* board of commissioners **2** [actief bestuurslid] official, officer

de **commissie 1** committee, board, commission: *de Europese Commissie* the European Commission; *een ~ instellen* appoint (*of:* set up) a committee **2** [hand] commission

de **commissiebasis**: *werken op ~* work on a commission basis

zich **committeren** commit o.s.

de **commode** chest of drawers

de **commotie** commotion; [inf] fuss: *~ veroorzaken* cause a commotion, make a fuss
communautair 1 [gemeenschappelijk] communal; [EU] Community: *~e wetgeving* Community legislation **2** [Belg] community, communal: *de ~e kwestie* the community question; *~e relaties* relations between the linguistic communities

de **commune** commune

de **communicant 1** s.o. making his (*of:* her) first Communion **2** [iem. die ter communie gaat] communicant

de **communicatie** communication
communicatief communicative

het **communicatiemiddel** means of communication

de **communicatiestoornis** breakdown in communication(s)
communiceren [in verbinding staan] communicate (with): *~de vaten* communicating vessels

de **communie** (Holy) Communion: *eerste* (*of:* *plechtige*) *~* first (*of:* solemn) Communion

het **communiqué** communiqué, statement: *een ~ uitgeven* issue a communiqué, put out a statement

het **communisme** Communism

de **communist** Communist
communistisch communist: *de ~e partij* the communist party
compact compact

de **compact disc** compact disc

de **compagnie** company; [vennootschap ook]

partnership: *de Oost-Indische Compagnie* the Dutch East India Company

de **compagnon 1** partner, (business) associate: *de ~ van iem. worden* go into partnership with s.o. **2** [maat] pal, buddy, chum

het **compartiment** compartment

de **compassie** compassion

compatibel compatible

de **compensatie** compensation: *als ~ voor, ter ~ van* by way of compensation for

compenseren compensate for, counterbalance, make good: *dit compenseert de nadelen* this outweighs the disadvantages; *een tekort ~* make good a deficiency (*of:* deficit)

competent 1 competent, able, capable: *hij is (niet) ~ op dat gebied* he is (not) competent in that field **2** [bevoegd] competent, qualified, authorized: *dit hof is in deze kwestie niet ~* this court is not competent to settle this matter

de **competentie** competence; [bevoegdheid] capacity

competentiegericht competency-based, skill-based: *~ leren* competency-based teaching (*of:* learning)

de **competitie** league

de **compilatie** compilation

compleet 1 complete: *deze jaargang is niet ~* this volume is incomplete **2** [helemaal] complete, total, utter: *complete onzin* utter (*of:* sheer) nonsense; *ik was ~ vergeten de oven aan te zetten* I'd clean (*of:* completely) forgotten to switch the oven on

het **complement** complement

complementair complementary

completeren complete, make up

het **¹complex** (zn) complex, aggregate: *een heel ~ van regels* a whole complex of rules

²complex (bn) complex, complicated, intricate: *een ~ probleem* a complex problem; *een ~ verschijnsel* a complex phenomenon

de **complicatie** complication: *bij dit soort operaties treden zelden ~s op* with this type of surgery complications hardly ever arise

compliceren complicate: *een gecompliceerde breuk* a compound fracture

het **compliment 1** compliment: *iem. een ~ maken over iets* pay s.o. a compliment on sth., compliment s.o. on sth. **2** [begroeting] [meestal mv] regard; respect: *de ~en van vader en of u even wilt komen* father sends his regards and would you mind calling around

complimenteren compliment: *iem. ~ met iets* compliment s.o. on sth.

complimenteus complimentary

het **complot 1** plot: *een ~ smeden* hatch a plot, conspire **2** [samenzweerders] conspiracy

de **component** component

componeren compose

de **componist** composer

de **compositie** composition

de **compositiefoto** composition photo

het/de **compost** compost

composteren compost

de **compote** stewed fruit

de **compressie** compression

de **compressor** compressor

comprimeren compress, condense

het **compromis** compromise: *een ~ aangaan* (*of: sluiten*) come to (*of:* reach) a compromise

compromitteren compromise

compromitterend compromising, incriminating: *~e verklaringen* (*of: papieren*) incriminating statements (*of:* documents)

de **computer** computer: *achter de ~ zitten* sit at (*of:* in front of) the computer; *gegevens invoeren in een ~* feed data into a computer

het **computerbestand** computer file

computeren be at (*of:* work on, play on) the computer

de **computerfanaat** computer fanatic (*of:* freak)

computergestuurd computer-controlled

de **computerkraker** hacker

het **computernetwerk** computer network

het **computerprogramma** computer program

het **computerspelletje** computer game

het **computervirus** computer virus

het **concentraat** concentrate, extract

de **concentratie** concentration: *~ van het gezag* concentration of authority; *zijn ~ verliezen* lose one's concentration

het **concentratiekamp** concentration camp

de **concentratieschool** [Belg] [school voor migrantenkinderen] school for ethnic minority children

¹concentreren (ov ww) [verenigen] concentrate, centre; [troepen ook] mass; [sterker maken ook] strengthen: *een geconcentreerde oplossing* a concentrated solution

zich **²concentreren** (wdk ww) concentrate (on): *zijn hoop concentreerde zich op de zomervakantie* his hopes were pinned on the summer holidays

concentrisch concentric

het **concept 1** (rough, first) draft, outline: *een ~ maken van* draft **2** [interpretatie] concept

de **conceptie** conception

het **concern** group

het **concert 1** concert; [solo-instrument] recital: *naar een ~ gaan* go to a concert **2** [muziekstuk] concerto

concerteren perform (*of:* give) a concert

het **concertgebouw** concert hall

de **concertmeester** (orchestra) leader

de **concertzaal** concert hall, auditorium

de **concessie** concession; [vergunning] franchise; licence ‖ *~s doen aan iem.* make concessions to s.o.

de **conciërge** caretaker, janitor, porter

het **concilie** [r-k] council
het **conclaaf** conclave
concluderen conclude, deduce: *wat kunnen we daaruit ~?* what can we conclude from that?
de **conclusie** conclusion, deduction; [onderzoek, mv] findings: *de ~ trekken* draw the conclusion
het/de **concours** competition, contest
concreet 1 concrete, material, real, actual, tangible: *een ~ begrip* a concrete term; *een ~ geval van* a specific case of **2** definite: *concrete toezeggingen* definite promises; *het overleg heeft niets ~s opgeleverd* the discussion did not result in anything concrete
concretiseren concretize; [plannen] make concrete
de **concurrent** [mededinger] competitor [ook handel]; rival
de **concurrentie** competition, contest, rivalry
de **concurrentiepositie** competitive position, competitiveness
de **concurrentievervalsing** distortion of competition, unfair competition
concurreren compete
concurrerend competitive [prijs]; competing; rival [firma]; conflicting [belangen]
het **condens** condensation
de **condensatie** condensation
condenseren condense; [van melk e.d. ook] boil down; evaporate
het **condenswater** (water from) condensation
de **conditie 1** condition, proviso; [mv ook] terms: *een ~ stellen* make a condition; *onder (op) ~ dat* on (the) condition that **2** [toestand] condition, state; [lichamelijk] form; [lichamelijk] shape: *de speler is in goede ~* the player is in good shape (*of:* is fit); *je hebt geen ~* you're (badly) out of condition
de **conditietraining** fitness training: *aan ~ doen* work out
conditioneel conditional
de **condoleance** condolence, sympathy: *mag ik u mijn ~s aanbieden* may I offer my condolences
condoleren offer one's condolences (to s.o.)
het **condoom** condom; [inf] rubber
de **condor** (Andean) condor
de **conducteur** conductor, ticket collector
de **confectie** ready-to-wear clothes, ready-made clothes
de **confederatie** confederation, confederacy
de **conference 1** [voordracht] (solo) act, (comic) monologue **2** [praatje] talk
de **conferencier** entertainer
de **conferentie** conference, meeting
de **confessie** confession, admission
confessioneel confessional; [m.b.t. onderwijs] denominational
de **confetti** confetti

confidentieel confidential
de **configuratie** configuration [ook comp]
confisqueren confiscate
de **confituren** conserves
de **confituur** [Belg] jam
het **conflict** conflict, clash: *in ~ komen met* come into conflict with
conform in accordance with
zich **conformeren** conform (to), comply (with): *zich ~ aan de publieke opinie* bow to public opinion
de **conformist** conformist
de **confrontatie** confrontation
confronteren confront (with): *met de werkelijkheid geconfronteerd worden* be faced (*of:* confronted) with reality
confuus confused
het **conglomeraat** conglomerate
Congo Congo
de **¹Congolees** Congolese
²Congolees (bn) Congolese
de **congregatie** [r-k] congregation
het **congres** conference; [groter] congress
het **congresgebouw** conference hall
congruent [wisk] congruent
de **conifeer** conifer
conjunctureel cyclical: *problemen van conjuncturele aard* cyclical problems, problems caused by fluctuations in the market
de **conjunctuur** economic situation, market conditions, trade cycle
de **connectie** connection, link || *goede ~s hebben* be well connected
de **corrector** ± deputy headmaster
consciëntieus conscientious, scrupulous, painstaking
de **consecratie** consecration
de **consensus** consensus
consequent 1 logical: *~ handelen* act logically, be consistent **2** consistent (with)
de **consequentie** [logisch, noodzakelijk gevolg] implication, consequence: *de ~s trekken* draw the obvious conclusion
de **conservatie** conservation, preservation
de **¹conservatief** (zn) conservative; [pol ook] Tory
²conservatief (bn, bw) conservative; [pol] Conservative: *de conservatieve partij* the Conservative (*of:* Tory) Party
de **conservator** curator [van museum]; keeper; custodian [van een afdeling of collectie]
het **conservatorium** academy of music, conservatory
de **conserven** canned food(s), tinned food(s), preserved food(s)
het **conservenblik** can, tin (can)
conserveren preserve, conserve; [inblikken] can; tin: *goed geconserveerd zijn* be well preserved
de **conservering 1** preservation [monumenten]; conservation [natuur] **2** [tegen bederf

preserving; [in blik] canning
het **conserveringsmiddel** preservative
de **consideratie** consideration: *geen enkele ~ hebben* be completely inconsiderate
de **consignatie** consignment
consolideren 1 [duurzaam maken] consolidate, strengthen 2 [m.b.t. geldwezen] consolidate, fund
de **consorten** confederates, associates, buddies: *Hans en ~* Hans and his pals
het **consortium** consortium, syndicate
constant constant, steady, continuous; [vrienden ook] staunch; [vrienden ook] loyal: *een ~e grootheid* (of: *waarde*) a constant quantity (of: value); *hij houdt me ~ voor de gek* he is forever pulling my leg (of: making a fool of me)
de **constante** constant
constateren establish [een feit, de waarheid]; ascertain [door onderzoek]; record [door vermelding]; [ontdekken] detect; [bemerken] observe: *ik constateer slechts het feit dat* I'm merely stating the fact that, all I'm saying is that
de **constatering** observation; establishment [van een feit, de waarheid]
de **consternatie** consternation, alarm: *dat gaf heel wat ~* it caused quite a stir
de **constipatie** constipation: *last hebben van ~* be constipated
de **constitutie** 1 constitution, physique: *een slechte ~ hebben* have a weak constitution 2 [grondwet] constitution
constitutioneel constitutional: *constitutionele monarchie* constitutional monarchy
de **constructeur** designer
de **constructie** construction, building, erection, structure
constructief 1 constructive, useful: *~ te werk gaan* go about sth. in a constructive way 2 [m.b.t. een constructie] constructional, structural
de **constructiefout** structural (of: construction) defect (of: fault)
construeren [samenstellen] construct; [bouwen] build; erect; [ontwerpen] design
de **consul** consul
het **consulaat** consulate
de **consulent** consultant, adviser
het **consult** consultation; visit [arts]
de **consultant** consultant
het **consultatiebureau** clinic, health centre: *~ voor zuigelingen* infant welfare centre, child health centre; well-baby clinic
consulteren 1 consult 2 [onderling overleg plegen] confer, discuss
de **consument** consumer
de **consumentenbond** consumers' organization
consumeren 1 consume, eat, drink 2 [ec] deplete, exhaust

de **consumptie** 1 consumption: *(on)geschikt voor ~* (un)fit for (human) consumption 2 food, drink(s), refreshment(s)
de **consumptiebon** food voucher
consumptief consumptive: *~ krediet* consumer credit
de **consumptiegoederen** consumer goods: *duurzame ~* consumer durables
het **contact** 1 contact, connection, touch: *telefonisch ~ opnemen* get in touch by phone; *~ opnemen met iem. (over iets)* contact s.o., get in touch with s.o. (about sth.); *in ~ blijven met* keep in touch with 2 [band, verstandhouding] contact, terms: *een goed ~ met iem. hebben* have a good relationship with s.o. 3 [persoon] contact (man); [relatie] connection: *~en hebben in bepaalde kringen* have connections in certain circles 4 [schakelaar] contact, switch; [van auto] ignition: *het sleuteltje in het ~ steken* put the key in(to) the ignition
de **contactadvertentie** personal ad(vert), advert in the personal column
contactarm socially inhibited; [eenzaam] socially isolated
de **contactdoos** socket; [in toestel] appliance inlet
de **contactlens** contact lens; [inf; mv ook] contacts
de **contactlijm** contact adhesive
de **contactpersoon** contact (person)
de **contactsleutel** ignition key
contactueel contactual
de **container** 1 container 2 [afvalbak] (rubbish) skip
het **containerpark** [Belg] recycling centre, amenity centre
de **contaminatie** contamination
contant cash, ready: *tegen ~e betaling* on cash payment; cash down; *~ geld* ready money
de **contanten** cash, ready money, cash in hand
content content (with), satisfied (with)
de **context** context, framework, background: *je moet dat in de juiste ~ zien* you must put that into its proper context
het **continent** continent
continentaal continental
het **contingent** 1 [verplicht aandeel] contingent 2 [toegewezen aandeel] quota, share, proportion; [toewijzing] allocation; [toewijzing] allotment
¹**continu** (bn) continuous; [lijn] unbroken
²**continu** (bw) continuously: *hij loopt ~ te klagen* he is always complaining
het **continubedrijf** continuous working plant
continueren 1 continue (with), carry on (with) 2 [handhaven] continue, retain
de **continuïteit** 1 [samenhang] continuity 2 [voortgang] continuation
het **conto** account: [fig] *iets op iemands ~ schrij-*

ven hold s.o. accountable for sth.; [fig] *iets op zijn ~ schrijven* achieve

de **contour** contour

contra contra, against; [jur] versus: *alle argumenten pro en ~ bekijken* consider all the arguments for and against

de **contrabas** [instrument] (double) bass

de **contraceptie** contraception

het **contract** contract, agreement: *zijn ~ loopt af* his contract is running out; *een ~ opzeggen* (of: *verbreken*) terminate (of: break) a contract; *volgens ~* according to contract

de **contractbreuk** breach of contract

contracteren 1 engage; [voornamelijk sport] sign (up, on) **2** [contract sluiten] contract: *~de partijen* contracting parties

de **¹contractueel** [Belg] contractual worker
²contractueel (bn, bw) contractual: *iets ~ vastleggen* lay sth. down (of: stipulate sth.) in a contract

de **contradictie** contradiction

de **contramine**: *in de ~ zijn* be perverse, be contrary

contraproductief counterproductive

de **Contrareformatie** Counter Reformation

de **contraspionage** counter-espionage

het **contrast** contrast: *een schril ~* a harsh contrast

contrasteren contrast (with), be in contrast (with/to)

contrastief contrastive

de **contreien** parts, regions

de **contributie** subscription; [vrijwillig] contribution

de **controle 1** check (on), checking, control; [toezicht ook] supervision (of, over); [med] check-up; [van een continu proces] monitoring: *~ van de bagage* baggage check; *de ~ van de boekhouding* the audit of accounts, the examination of the books; *de ~ over het stuur verliezen* lose control of the steering-wheel **2** [plaats] control (point), checkpoint; (ticket) gate [van toegangsbewijzen]: *zijn kaartje aan de ~ afgeven* hand in one's ticket at the gate

controleerbaar verifiable

de **controlepost** control (point), checkpoint

controleren 1 supervise, superintend; monitor [continu]: *~d geneesheer* ± medical officer **2** [checken] check (up, on), inspect, examine; [van gegevens ook] verify: *de boeken ~* audit the books (of: accounts); *kaartjes ~* inspect tickets; *iets extra (dubbel) ~* double-check sth.

de **controleur** inspector, controller, checker; [van kaartjes] ticket inspector (of: collector); [boekhouden] auditor

de **controller** controller

de **controverse** controversy

controversieel controversial; [m.b.t. zaken ook] contentious, much debated

het **convenant** covenant

het **convent** monastery [monniken]; convent [nonnen]

de **conventie** convention: *in strijd met de ~ zijn* go against the accepted norm

conventioneel conventional

de **conversatie** conversation, talk

converseren converse (with), engage in conversation (with)

de **conversie** conversion

converteren convert (into, to)

cool cool

de **coolingdown** cooling down

de **coöperatie 1** cooperation, collaboration **2** [vereniging] cooperative (society)

coöperatief cooperative

de **coördinaat** [wisk] co-ordinate

de **coördinatie** coordination

de **coördinator** coordinator

coördineren coordinate, arrange, organize: *werkzaamheden ~* supervise work

COPD afk van *chronic obstructive pulmonary disease* COPD

copieus copious, abundant: *een ~ diner* a lavish dinner

de **copiloot** co-pilot

de **coproductie** joint production, co-production

copuleren copulate; [dieren] mate

het **copyright** copyright

corduroy cord(uroy); corded [stof]

het **cornedbeef** corned beef, bully (beef)

de **corner** [sport] corner

de **corporatie** corporation, corporate body

het **corps** corps

de **corpsstudent** member of a student association

corpulent corpulent

correct 1 correct; [juist] right; exact: *~ antwoorden* get the answer(s) right, answer correctly **2** [onberispelijk] correct, right, proper: *~e houding* proper conduct (of: behaviour); *~e kleding* suitable dress

de **correctheid 1** correctness, precision **2** [onberispelijkheid] correctness, propriety

de **correctie** correction; [aanpassing] adjustment; revision [tekst]; [ond ook] marking: *~s aanbrengen* make corrections; [aanpassen] adjust, make adjustments

correctioneel [Belg] criminal: *correctionele rechtbank* ± Crown Court

de **corrector** proofreader, corrector, reviser

de **correlatie** correlation

de **correspondent** correspondent: *van onze ~ in Parijs* from our Paris correspondent

de **correspondentie** correspondence: *een drukke ~ voeren* carry on a lively correspondence

het **correspondentieadres** postal (of: mailing) address

corresponderen 1 correspond (with),

write (to) **2** [overeenkomen met] correspond (to, with), match (with), agree (with)

de **corridor** corridor

de **corrigeren 1** correct; [aanpassen] adjust **2** [nakijken] correct; [ond ook] mark

de **corrosie** corrosion

corrumperen corrupt, pervert: *macht corrumpeert* power corrupts

corrupt corrupt, dishonest

de **corruptie** corruption

het/de **corsage** corsage

Corsica Corsica

het **corso** pageant, parade, procession

de **corvee** (household) chores: ~ *hebben* do the chores

de **coryfee** star, lion, celebrity

het **coschap** clerkship; (assistant) housemanship; [Am] intern(e)ship

de **cosinus** cosine

de **cosmetica** cosmetics

cosmetisch cosmetic

Costa Rica Costa Rica

de **Costa Ricaan** Costa Rican

Costa Ricaans Costa Rican

de **couchette** couchette, berth

de **coulance** considerateness

coulant accommodating, obliging, reasonable

de **coulisse** (side) wing [vaak mv]

de **counter** [sport] counter-attack, countermove: *op de ~ spelen* rely on the counter-attack

counteren [sport] counter(-attack)

de **countrymuziek** country music

de **coup** coup (d'état): *een ~ plegen* stage a coup

de **coupe 1** cut; style [van haar] **2** [ijsgerecht] coupe: *~ royale* ± sundae

de **coupé 1** compartment **2** [tweedeursauto] coupé

couperen cut: *een hond ~* dock a dog's tail

de **coupe soleil** highlights [mv]

het **couplet** stanza, verse; [tweeregelig] couplet

de **coupon 1** [lap stof] remnant **2** [(waarde)-bon] coupon

de **coupure 1** cut, deletion **2** [fin] denomination

courant current

de **coureur** [wielrenner] (racing) cyclist; [motorracer] racing motorcyclist; [autoracer] racing car driver

de **courgette** courgette; [Am] zucchini

de **courtage** brokerage, (broker's) commission

de **couscous** [gerecht] couscous

de **couture** couture, dressmaking

de **couturier** couturier, (fashion) designer

het **couvert 1** cover, envelope **2** [eetgerei] cover; cutlery [messen, vorken, lepels]

de **couveuse** incubator

het **couveusekind** premature baby

het/de **cover 1** [omslag] cover **2** [coverversie] cover (version), remake

de **cowboy** cowboy

de **coyote** coyote

c.q. afk van *casu quo* and, or

de **crack 1** [sport] crack player, ace; [Am; inf] hotshot **2** [drug] crack

de **cracker** cracker

de **crash** crash

crashen 1 crash: *het toestel crashte bij de landing* the plane crashed on landing **2** [bankroet gaan] crash, go bankrupt

de **crawl** crawl

crawlen do the crawl

de **creatie** creation: *de nieuwste ~s van Dior* Dior's latest creations

creatief creative, original, imaginative: *~ bezig zijn* do creative work

de **creativiteit** creativity, creativeness: [fig] *haar oplossingen getuigen van ~* her solutions show creative talent

de **crèche** crèche, day-care centre, day nursery

het **credit** credit: *debet en ~* debit and credit; *iets op iemands ~ schrijven* [ook fig] put sth. to s.o.'s credit, credit s.o. with sth.

de **creditcard** credit card

crediteren credit

de **crediteur** creditor; [boekh; mv] accounts payable

de **creditnota** credit note (of: slip)

het **credo 1** credo, creed **2** [deel van de mis] Credo, Creed

creëren create

de **crematie** cremation

het **crematorium** crematorium

de **crème 1** cream: *~ op zijn gezicht smeren* rub cream on one's face **2** [likeur] crème || *een ~ japon* a cream(-coloured) dress

cremeren cremate

de **creool** Creole

het **¹creools** (zn) creole

²creools (bn) creole

het **crêpepapier** crêpe paper

creperen 1 die: *ze lieten haar gewoon ~* they let her die like a dog **2** [lijden] suffer: *~ van de pijn* be racked with pain

het **cricket** cricket

cricketen play cricket

de **crime** disaster: *het is een ~* it is a disaster

de **criminaliteit** criminality: *de kleine ~* petty crime

de **¹crimineel** criminal

²crimineel (bn) criminal

³crimineel (bw) [enorm] horribly, terribly: *het is ~ koud* it's wickedly cold

de **criminologie** criminology

de **crisis** crisis: *de ~ van de jaren dertig* the depression of the 1930s; *een ~ doormaken* go through a crisis; *een ~ doorstaan* weather a crisis

de **crisismanager** crisis manager

de **criterium 1** criterion: *aan de criteria vol-doen* meet the criteria; *een ~ vaststellen* lay down a criterion **2** [wielersp] criterium

de **criticaster** criticaster

de **criticus** critic, reviewer: *door de critici toege-juicht worden* receive critical acclaim

de **croissant** croissant

de **croque-monsieur** [Belg] toasted ham and cheese sandwich

de **cross** cross

crossen 1 take part in a cross-country (event); [atletiek ook] do cross-country; do autocross (*of:* rallycross) [auto] **2** [scheuren] tear about: *hij crost heel wat af op die fiets* he is always tearing about on that bike of his

de **crossfiets** cyclo-cross bike; [voor kinderen] BMX bike

de **crossmotor** cross-country motorcycle

de **croupier** croupier

de **¹cru** (zn) vintage

²cru (bn, bw) **1** [grof] crude, rude; [ongema-nierd] rough: *dat klinkt misschien ~, maar ...* that sounds a bit harsh, but ... **2** [rauw] blunt; [wreed] cruel

cruciaal crucial

het **crucifix** crucifix

de **cruise** cruise

de **cruisecontrol** cruise control

cryptisch cryptic(al), obscure

het **cryptogram** cryptogram

Cuba Cuba

de **Cubaan** Cuban

Cubaans Cuban

culinair culinary

culmineren culminate (in)

cultiveren 1 cultivate [grond]; till **2** [be-schaven, vormen] cultivate, improve: *geculti-veerde kringen* cultured (*of:* sophisticated) circles

cultureel cultural: *~ werk* cultural activi-ties, social and creative activities

de **cultus** cult

de **cultuur 1** [m.b.t. gewassen] culture, culti-vation: *een stuk grond in ~ brengen* bring land into cultivation **2** [beschaving] culture, civili-zation: *de oosterse ~* eastern civilization

de **cultuurbarbaar** [bel] Philistine

de **cultuurdrager** vehicle of culture; [per-soon] purveyor of culture

de **cultuurgeschiedenis** history of civiliza-tion; [van bepaald land/volk] cultural history

cultuurhistorisch connected with the his-tory of civilization; historico-cultural, cultur-al-historical

cum laude with distinction

de **cumulatie** [samenvoeging, opeenhoping] (ac)cumulation: *~ van ambten* plurality

cumulatief cumulative

¹cumuleren (onov ww) [Belg] [verschillende ambten uitoefenen] have several jobs

²cumuleren (ov ww) [opeenhopen] (ac)cu-mulate: *verschillende functies ~* pluralize

de **cup** cup

Cupido Cupid, Eros

de **curatele** legal restraint; [minderjarige] wardship; [bij faillissement] receivership

de **curator** curator [van museum] || *de firma staat onder het beheer van een ~* the firm is in receivership

curieus curious, strange: *ik vind het maar ~* I find it rather strange

de **curiositeit** curiosity, oddity, strangeness: *... en andere ~en ...* and other curiosities (*of:* curiosa)

het **curriculum** curriculum: *~ vitae* curriculum vitae; [Am] résumé

cursief italic, italicized, cursive: *~ drukken* print in italics

de **cursist** student

de **cursor** cursor

de **cursus** course (of study, lectures): *zich opge-ven voor een ~ Frans* sign up for a French course; *een schriftelijke ~* a correspondence course; *een ~ volgen (bij iem.)* take a course (with s.o.); *een ~ voor beginners* a beginners' course; *een ~ voor gevorderden* an advanced course

het **cursusboek** textbook; [vnl. voor begin-ners] coursebook

de **curve** curve

de **custard** custard (powder)

de **cut** [film] cut(ting)

de **cutter 1** slicer **2** [film; persoon] cutter, edi-tor

de **¹cv** (zn) **1** afk van *commanditaire vennoot-schap* Limited Partnership, Special Partner-ship **2** afk van *coöperatieve vereniging* co-op

de **²cv** (zn) afk van *centrale verwarming* central heating

het **³cv** (zn) afk van *curriculum vitae* cv; [Am] rés-umé

CVA afk van *cerebrovasculair accident* CVA, cerebrovascular accident

de **cv-ketel** central-heating boiler

CVS afk van *chronischevermoeidheidssyn-droom* Chronic Fatigue Syndrome, CFS

het **CWI** afk van *Centrum voor Werk en Inko-men* ± Job Centre

het **cyanide** cyanide

de **cybernetica** cybernetics

cyberpesten cyber-bully

de **cyberspace** [comp] cyberspace

de **cyclaam** cyclamen

de **cyclecross** cyclo-cross

cyclisch cyclic(al): *~e verbindingen* cyclic compounds

de **cycloon** cyclone, hurricane

de **cycloop** Cyclops

de **cyclus** cycle

de **cynicus** cynic

cynisch cynical

het **cynisme** cynicism
de **Cyprioot** Cypriot
Cyprus Cyprus
cyrillisch Cyrillic
de **cyste** [med] cyst

d

de **d** d; [muz] D

de **daad** act(ion), deed, activity: *een goede ~ verrichten* do a good deed; *de ~ bij het woord voegen* suit the action to the word

de **daadkracht** decisiveness, energy, vigour

daadwerkelijk actual, active, practical

¹**daags** (bn) daily, everyday

²**daags** (bw) a day, per day, daily: *tweemaal ~* twice a day

¹**daar** (bw) **1** (over) there: *zie je dat huis ~* (do you) see that house (over there)?; *tot ~* up to there **2** [om de aandacht op iets of iem. te vestigen] (just, over, right) there: *wie is ~?* who is it? (of: there?)

²**daar** (vw) as, because, since

daaraan on (to) it (of: them): *wat heb je ~* what good is that

daarachter 1 behind (it, that, them, there): [fig] *wat zou ~ zitten?* I wonder what's behind it **2** [verderop] beyond (it, that, them, there)

daarbij 1 with it (of: that); [mv] with these (of: those): *~ blijft het* that's how it is, we'll keep it like that **2** [daarenboven] besides, moreover, furthermore: *~ komt, dat …* what's more …

daarbinnen in there, inside, in it (of: that); [mv] in these (of: those): *~ is het warm* it's warm in there

daarboven up there, above it

daardoor 1 through it (of: that); [mv] through these (of: those) **2** [daarom] therefore; so, consequently; [door middel daarvan] by this (of: that) means: *zij weigerde, en ~ gaf zij te kennen …* she refused, and by doing so made it clear …; *~ werd hij ziek* that is (of: was) what made him ill, because of this (of: that) he became ill

daarenboven besides, moreover, in addition, furthermore: *hij was knap en ~ rijk* he was handsome and rich besides

daarentegen on the other hand: *hij is zeer radicaal, zijn broer ~ conservatief* he is a strong radical, his brother, on the other hand, is conservative

daarheen (to) there: *wij willen ~* we want to go (over) there

daarin 1 [m.b.t. een plaats] in there (of: it, those) **2** in that: *hij is ~ handig* he is good at it

daarlangs by (of: past, along) that: *we kunnen beter ~ gaan* we had better go that way

daarmee with, by that (of: it, those): *~ kun*

je het vastzetten you can fasten it with that (of: those); *en ~ uit!* and that's that! (of: all there is to it!)

daarna after(wards), next, then: *de dag ~* the day after (that); *snel* (of: *kort*) *~* soon (of: shortly) after (that); *eerst … en ~ …* first … and then …

daarnaar 1 at (of: to, for) that **2** [overeenkomstig] accordingly, according to that: *~ moet je handelen* you must act accordingly

daarnaast 1 beside it, next to it **2** [bovendien] besides, in addition (to this): *~ is hij nog brutaal ook* what's more he is cheeky (too)

daarnet just now, only a little while ago, only a minute ago

daarom 1 around it **2** [dus] therefore, so, because of this (of: that), for that reason: *hij wil het niet hebben, ~ doe ik het juist* he doesn't like it, and that's exactly why I do it; *waarom niet? ~ niet!* why not? because (I say so)!; [met reden] that's why!

daaromheen around it (of: them): *een tuin met een hek ~* a garden with a fence around it

daaromtrent 1 [over die zaak] about that *ik kan u ~ geen inlichtingen geven* I can't give you any information about that **2** [min of meer] thereabout, or so: *€ 100 of ~* a hundred euros or thereabout (of: so); *rond vier uur of ~* around four o'clock

daaronder under(neath) it

daarop 1 (up)on that, on top of that (of: those): *de tafel en het kleed ~* the table and the cloth on top of it **2** [onderwerp] on that to that: *uw antwoord* (of: *reactie*) *~* your reply (of: reaction) (to that) **3** [vervolgens] thereupon: *de dag ~* the next (of: following) day, the day after (that); *kort ~* shortly afterwards, soon after (that)

daaropvolgend next, following: *hij kwam in juli en vertrok in juni ~* he arrived in July and left the following June

daarover 1 on top of it, on (of: over, above) that: *~ lag een zeil* there was a tarpaulin on top of (of: over, across) it **2** [daaromtrent] about that: *genoeg ~* enough said enough of that

daartegen 1 against it, next to it **2** [m.b.t. die kwestie] against it (of: them): *eventuele bezwaren ~* any objections to it

daartegenaan (right) up against it (of: them), (right) onto it (of: them): *onze schuur is ~ gebouwd* our shed is built up against (of: onto) it

daartegenover 1 opposite (of: facing) it/ them: *de kerk met de pastorie ~* the church with the vicarage opposite it (of: facing it) **2** [daarentegen] on the other hand, then again …: *~ staat dat dit systeem duurder is* (but) on the other hand this system costs more

daartoe 1 for that, to that **2** [voor dat doel] for that (purpose), to that end: ~ *gemachtigd zijn* be authorized to do it

daartussen 1 between them, among them: *die twee ramen en de ruimte* ~ those two windows and the space between (them) **2** [m.b.t. die zaak, kwestie] between them: *wat is het verschil* ~? what's the difference (between them)?

daaruit 1 out of that (*of:* those): *het water spuit* ~ the water spurts out of it **2** [m.b.t. die kwestie] from that: ~ *kan men afleiden dat ...* from this it can be deduced that ...

daarvan 1 from it (*of:* that, there) **2** [m.b.t. een hoeveelheid] of it (*of:* that), thereof **3** [m.b.t. materiaal] of it (*of:* that): ~ *maakt men plastic* plastic is made of that, that is used for making plastic || *niets* ~ nothing of the sort

daarvandaan 1 (away) from there, away (from it) **2** [vandaar] hence, therefore

daarvoor 1 in front of it, before that (*of:* those) **2** [voor die tijd] before (that): *de week* ~ the week before (that), the previous week **3** [voor die zaak] for that (purpose): ~ *heb ik geen tijd* I've no time for that **4** [in plaats van] for it (*of:* them): ~ *(in de plaats) heb ik een boek gekregen* I got a book instead **5** [wegens, vanwege] that's why: ~ *ben ik ook gekomen* that's what I've come for; *daar zijn het kinderen voor* that's children for you

de **dadel** date

dadelijk 1 immediately, at once, right away **2** [straks] directly, presently: *ik kom (zo)* ~ *bij u* I'll be right with you

de **dadelpalm** date palm

de **dadendrang** dynamism, thirst for action

de **dader** perpetrator, offender: *de vermoedelijke* ~ the suspect

het **daderprofiel** offender profile: *een* ~ *opstellen* compile an offender profile

de ¹**dag** (zn) **1** day, daybreak, daytime: ~ *en nacht bereikbaar* available day and night; *bij klaarlichte* ~ in broad daylight; *het is kort* ~ time is running out (fast), there is not much time (left); *het is morgen vroeg* ~ we must get up early (*of:* an early start) tomorrow; *iem. de* ~ *van zijn leven bezorgen* give s.o. the time of his life; *lange* ~*en maken* work long hours; *er gaat geen* ~ *voorbij of ik denk aan jou* not a day passes but I think of you; *het is vandaag mijn* ~ *niet* it just isn't my day (today); *wat is het voor* ~? what day (of the week) is it?; *morgen komt er weer een* ~ tomorrow is another day; ~ *in,* ~ *uit* day in day out; ~ *na* ~ day by day, day after day; *het wordt met de* ~ *slechter* it gets worse by the day; *om de drie* ~*en* every three days; *24 uur per* ~ 24 hours a day; *van* ~ *tot* ~ daily, from day to day; *van de ene* ~ *op de andere* from one day to the next; *over veertien* ~*en* in two weeks' time; *in a*

fortnight **2** [daglicht] daylight: *voor de* ~ *komen* come to light, surface, appear; *met iets voor de* ~ *komen* **a)** [een voorstel doen] come up with sth.; **b)** [zich presenteren] come forward, present o.s.; *voor de* ~ *ermee!* **a)** [vertel eens] out with it!; **b)** [laat zien] show me!; *goed voor de* ~ *komen* make a good impression **3** [tijdperk] day(s), time: *ouden van* ~*en* the elderly **4** [begroeting] [bij aankomst] hello; hi (there); [bij vertrek] bye(-bye); goodbye

²**dag** (tw) hello, hi; [als afscheid] bye(-bye); goodbye: *dáág!* bye(-bye)!, bye then; *ja, dáág!* forget it!

de **dagbehandeling** outpatients' treatment

het **dagblad** (daily) newspaper, (daily) paper

het **dagboek** diary, journal: *een* ~ *(bij)houden* keep a diary

het **dagdeel** part of the day; [m.b.t. werk] shift; [ochtend] morning; [middag] afternoon; [avond] evening; [nacht] night

dagdromen daydream

¹**dagelijks** (bn) **1** daily: *zijn* ~*e bezigheden* his daily routine; *voor* ~ *gebruik* for everyday use **2** [gewoon] everyday, ordinary: ~ *bestuur* executive (committee); *in het* ~ *leven* in everyday life; *dat is* ~ *werk voor hem* that's routine for him

²**dagelijks** (bw) [elke dag] daily, each day, every day: *dat komt* ~ *voor* it happens every day

dagen 1 summon(s); subpoena [getuige]: *iem. voor het gerecht* ~ summon(s) s.o. **2** dawn: *het begon mij te* ~ it began to dawn on me

dagenlang lasting (for) days

de **dageraad** dawn, daybreak, break of day

het **dagje** day: *een* ~ *ouder worden* be getting on (a bit); *een* ~ *uit* a day out

de **dagjesmensen** (day) trippers

de **dagkaart** day-ticket

het **daglicht** daylight, light of day: *bij iem. in een kwaad* ~ *staan* be in s.o.'s bad books; *iem. in een kwaad* ~ *stellen* put s.o. in the wrong (with)

het **dagmenu** daily menu

de **dagopvang** day nursery, day-care centre

het **dagretour** day return, day (return) ticket

de **dagschotel** plat du jour, dish of the day; [van vandaag] today's special

de **dagtaak 1** daily work **2** [taak voor een dag] day's work: *daar heb ik een* ~ *aan* that is a full day's work (*of:* a full-time job)

de **dagtekening** date

de **dagtocht** day trip

dagvaarden [jur] summon: *gedagvaard worden* be summoned (to appear in court)

de **dagvaarding** (writ of) summons, writ; subpoena [vnl. van getuige]

het **dagverblijf 1** day room: *een* ~ *voor kinderen* a day-care centre, a day nursery, a crèche

2 [m.b.t. dieren] outdoor enclosure, outside cage, outside pen

dagvers fresh daily, fresh each day

de **dahlia** dahlia

het **dak** roof: *auto met open* ~ convertible; soft-top; *een* ~ *boven het hoofd hebben* have a roof over one's head; *iets van de ~en schreeuwen* shout sth. from the rooftops; [fig] *het* ~ *gaat eraf* it's going to be one big party

de **dakbedekking** roofing material

de **dakdekker** roofer

de **dakgoot** gutter

het **dakje 1** [klein dak] rooflet **2** [accent] circumflex (accent) ‖ *het ging van een leien* ~ it was plain (*of:* smooth) sailing all the way

de **dakkapel** dormer (window)

dakloos homeless, (left) without a roof over one's head

de **dakloze** homeless person; [mv] street people

de **daklozenkrant** ± Big Issue

de **dakpan** (roof(ing)) tile

het **dakraam** skylight, attic window, garret window

het **dakterras** terrace, roof garden

het **dal** valley, dale ‖ *hij is door een diep* ~ *gegaan* he has had a very hard (*of:* rough) time

dalen 1 descend, go down, come down, drop, fall: *het vliegtuig daalt* the (aero)plane is descending; *de temperatuur daalde tot beneden het vriespunt* the temperature fell below zero **2** [minder worden] fall, go down, come down, drop; [waarde ook] decline; decrease: *de prijzen zijn een paar euro gedaald* prices are down by a couple of euros

de **daling 1** descent, fall(ing), drop: ~ *van de zeespiegel* drop in the sea level **2** [helling] slope, incline, descent, drop; [klein] dip **3** [baisse] decrease, drop, slump: *de* ~ *van het geboortecijfer* the fall in the birth rate

de **daluren** off-peak hours

de **dam 1** dam: *een* ~ *leggen* build a dam **2** [denksport] king, crowned man: *een* ~ *halen (maken)* crown a man

het **damast** damask

het **dambord** draughtboard

de **dame 1** lady: *~s en heren* ladies and gentlemen **2** [schaakspel, kaartspel] queen: *een* ~ *halen* queen a pawn

het **damesblad** women's magazine

de **damesfiets** [inf] women's (*of:* lady's) bike

de **dameskapper** ladies' hairdresser

de **damesmode 1** ladies' fashion **2** [artikelen] ladies' clothing

het **damhert** fallow deer

dammen play draughts; [Am] play checkers

de **dammer** draughts player; [Am] checkers player

de **damp 1** [wasem] steam; vapour; [nevel] mist **2** [rook] smoke; [vaak mv] fume: *schadelijke ~en* noxious fumes

dampen 1 steam **2** [roken] smoke

de **dampkap** [Belg] cooker hood, extractor hood

de **dampkring** (earth's) atmosphere

de **damschijf** draught(sman)

het **damspel 1** draughts **2** [bord plus stenen] set of draughts

de **damwand** sheet piling

¹dan (bw) **1** then: *morgen zijn we vrij,* ~ *gaan we uit* we have a day off tomorrow, so we're going out; *nu eens dit,* ~ *weer dat* first one thing, then another; *tot* ~ till then; [als afscheid] see you then; *hij zei dat hij* ~ *en* ~ *zou komen* he said he'd come at such and such a time; [in verkorte vragen] *en je broer* ~? and what about your brother then?; *wat* ~ *nog?* so what!; *ook goed,* ~ *niet* all right, we won't then; *al* ~ *niet groen* green or otherwise, whether green or not; *en* ~ *zeggen ze nog dat* … and still they say that …; *hij heeft niet gewerkt; hij is* ~ *ook gezakt* he didn't work, so not surprisingly he failed **2** [daarna, daarbij] then; [daarbij] besides: *eerst werken,* ~ *spelen* business before pleasure; *zelfs* ~ *gaat het niet* even so it won't work; *en* ~? and then what?

²dan (vw) [met vergr trap] than: *hij is groter* ~ *ik* he is bigger than me ‖ *een ander* ~ *hij heeft het me verteld* I heard it from s.o. other than him

de **dance** dance

de **dancing** dance hall, discotheque

danig soundly, thoroughly, well: ~ *in de knoei zitten* be in a terrible mess

de **dank** thanks, gratitude: *iets niet in* ~ *afnemen* take sth. in bad part; *geen* ~ you're welcome; *stank voor* ~ *krijgen* get little thanks for one's pains; *bij voorbaat* ~ thank you in advance; *tegen wil en* ~ unwilling, willy-nilly

dankbaar 1 grateful, thankful: *ik zou u zeer* ~ *zijn als* … I should be most grateful to you (*of:* obliged) if … **2** [voldoening gevend] rewarding, grateful: *een dankbare taak* a rewarding task

de **dankbaarheid** gratitude, thankfulness: *uit* ~ *voor* in appreciation of

de **dankbetuiging** expression of gratitude (*of:* thanks)

¹danken (onov ww) [afslaan] decline (with thanks)

²danken (ov ww) **1** thank: *ja graag, dank je* yes, please, thank you; *niet(s) te* ~ not at all, you're welcome **2** [verschuldigd zijn] owe, be indebted: *dit heb ik aan jou te* ~ I owe this to you; [negatief] I have you to thank for this

het **dankwoord** word(s) of thanks

dankzeggen [bedanken] thank, express (one's) thanks (*of:* gratitude) to

dankzij thanks to

de **dans** dance, dancing: *iem. ten* ~ *vragen* ask s.o. to dance (*of:* for a dance) ‖ *de* ~ *ontspringen* get off scot-free

dansen dance: *uit ~ gaan* go (out) dancing; *~ op muziek* (of: *een plaat*) dance to music (of: a record)

de **danser** dancer

de **danseres** dancer

de **dansles** dancing class (of: lesson); [cursus] dancing classes

het **dansorkest** dance band

de **danspas** (dance) step

de **dansschool** dancing school

de **dansvloer** dance floor

de **danszaal** dance hall; [in hotel] ballroom

dapper 1 brave, courageous: *zich ~ verdedigen* put up a brave fight **2** [flink] plucky, tough: *klein maar ~* small but tough

de **dapperheid** bravery, courage

de **dar** drone

de **darm** intestine, bowel: *twaalfvingerige ~* duodenum

de **darmflora** intestinal flora

dartel playful, frisky, frolicsome

dartelen romp, frolic, gambol

het **darts** darts

het **dartsbord** dartboard

de **das 1** [dier] badger **2** [stropdas] tie: *dat deed hem de ~ om* that did for him, that finished him **3** [halsdoek] scarf

het **dashboard** dashboard

het **dashboardkastje** glove compartment

¹dat (aanw vnw) that: *ben ik ~?* [op foto] is that me?; *~ is het hem nu juist* that's just it, that's the problem; *ziezo, ~ was ~* right, that's that (then), so much for that; *~ lijkt er meer op* that's more like it; *mijn boek en ~ van jou* my book and yours; *~ mens* that (dreadful) woman

²dat (betr vnw) **1** [beperkend] that, which; [m.b.t. personen] that; who, whom: *het bericht ~ mij gebracht werd …* the message that (of: which) was brought me …; *het jongetje ~ ik een appel heb gegeven* the little boy (that, who) I gave an apple to **2** [uitbreidend] which; [m.b.t. personen] who; [m.b.t. personen] whom: *het huis, ~ onlangs opgeknapt was, werd verkocht* the house, which had recently been done up, was sold

³dat (vw) **1** that [vaak niet vertaald]: *in plaats (van) ~ je me het vertelt …* instead of telling me, you …; *de reden ~ hij niet komt is …* the reason (why) he is not coming is …; *ik denk ~ hij komt* I think (that) he'll come; *zonder ~ ik het wist* without me knowing; *het regende ~ het goot* it was pouring (down) **2** [m.b.t. reden, oorzaak] that, because: *hij is kwaad ~ hij niet mee mag* he is angry that (of: because) he can't come **3** [m.b.t. doel] so that: *doe het zo, ~ hij het niet merkt* do it in such a way that he won't notice **4** [m.b.t. beperking] as far as: *is hier ook een bioscoop? niet ~ ik weet* is there a cinema here? not that I know **5** [in uitroepen] that: *~ mij nu juist zoiets moest overkomen!* that such a thing should happen to me now!

de **data 1** data **2** [meervoud van datum] dates

de **databank** data bank

de **datacompressie** data compression

de **datalimiet** data limit

de **date** date

daten date

¹dateren (onov ww) date (from), go back (to): *het huis dateert al uit de veertiende eeuw* the house goes all the way back to the fourteenth century; *de brief dateert van 6 juni* the letter is dated 6th June

²dateren (ov ww) date

datgene what, that which: *~ wat je zegt, is waar* what you say is true

dato date, dated: *drie weken na ~* three weeks later

de **datum** date, time: *zonder ~* undated; *er staat geen ~ op* there is no date on it; *[van levensmiddelen] over ~* past its date, past its sell-by date

de **dauw** dew ‖ [Belg] *van de hemelse ~ leven* live the life of Riley

dauwtrappen ± taking a walk at dawn

daveren thunder, shake, roar; [weerklinken] resound: *de vrachtwagen daverde voorbij* the truck thundered (of: roared) past

daverend resounding, thunderous: *een ~ applaus* thunderous applause; *een ~ succes* a resounding success

de **davidster** Star of David

d.d. afk van *de dato* dd

de **de** the: *eens in de week* once a week; *ze kosten twintig euro de kilo* they are twenty euros a kilo; *dat is dé man voor dat karwei* he is (just) the man for the job

de **deadline** deadline

dealen deal (in), push: *hij dealt in heroïne* he deals in (of: pushes) heroin

de **dealer** dealer; [m.b.t. drugs ook] pusher

het/de **debacle** disaster; [mislukking] failure; [ondergang] downfall

het **debat** debate; [woordenstrijd ook] argument

debatteren debate; [redetwisten] argue

het **debet** debit(s), debtor side, debit side: *~ en credit* debit(s) and credit(s)

de **¹debiel** (zn) mental defective, moron; [scheldwoord ook] imbecile; [scheldwoord ook] cretin

²debiel (bn, bw) mentally deficient; [scheldwoord ook] feeble-minded

debiteren debit, charge

de **debiteur** debtor, debt receivable, account(s) receivable

de **debriefing** debriefing

de **debutant** novice; [club, bijv. in eredivisie] newcomer

debuteren make a (of: one's) debut

het **debuut** debut: *zijn ~ maken* make one's debut (of: first appearance)

de **decaan 1** dean **2** [raadgever voor scholieren] student counsellor
decadent decadent

de **decadentie** decadence, degeneration

de **decafé** decaf(f), decaffeinated coffee

de **decameter** decametre

de **december** December

het **decennium** decade

de **decentralisatie** decentralization; [vnl. bestuurlijke macht] deconcentration; [van voorzieningen] localization
decentraliseren decentralize; deconcentrate [bestuurlijke macht]; localize [voorzieningen]

de **deceptie** [teleurstelling] disappointment; [ontgoocheling] disillusionment

de **decharge**: *iem. ~ verlenen* release (of: relieve) s.o. (from/of); *getuige à ~* witness for the defence

de **decibel** decibel

de **deciliter** decilitre

de **¹decimaal** (zn) decimal (place): *tot op zes decimalen uitrekenen* calculate to six decimal places
²decimaal (bn) decimal: *decimale breuk* decimal fraction, decimal
decimeren decimate

de **decimeter** decimetre

de **declamatie** declamation; [van gedichten] recitation
declameren declaim, recite

de **declaratie** expenses claim; [nota] account; [bij verzekering] claim (form): *zijn ~ indienen* put in one's claim
declareren declare: *een bedrag* (of: *driehonderd euro*) *~ charge an amount* (of: three hundred euros); *heeft u nog iets te ~?* have you anything to declare?

de **decoder** decoder
decoderen decode

het **decolleté** low neckline, cleavage

het **decor 1** decor, scenery, setting(s); [film] set: *~ en kostuums* scenery and costumes **2** [fig] background

de **decoratie** decoration, adornment
decoratief decorative, ornamental
decoreren decorate

het **decorum** decorum, propriety: *het ~ bewaren* maintain decorum (of: the proprieties)

de **decoupeerzaag** jigsaw

het **decreet** decree

het **deeg** dough; pastry [m.b.t. gebak]

de **deegrol** rolling pin

de **deegwaren** pasta

de **deejay** deejay

het **deel 1** part, piece: *één ~ bloem op één ~ suiker* one part (of) flour to one part (of) sugar; *voor een groot ~* to a great extent; *voor het grootste ~* for the most part; *~ uitmaken van* be part of, belong to **2** [aandeel] share: *zijn ~*

van de winst his share of the profits **3** [boekdeel] volume ‖ *het viel hem ten ~* it fell to him (of: to his lot)
deelbaar divisible: *tien is ~ door twee* ten is divisible by two

de **deelgenoot** partner (in), sharer (in): *iem. ~ maken van een geheim* confide a secret to s.o.

de **deelname** participation: *~ aan een wedstrijd* taking part in a contest (of: competition, race)
deelnemen participate (in), take part (in); [aanwezig zijn] attend; enter [wedstrijd]; compete (in) [wedstrijd]; join (in) [gesprek]: *aan een wedstrijd ~* take part in a contest; *~ aan een examen* take an exam

de **deelnemer** participant; [aan congres ook] conferee; competitor; entrant [aan wedstrijd]; contestant [aan prijsvraag]: *een beperkt aantal ~s* a limited number of participants

de **deelneming 1** participation, attendance, entry: *bij voldoende ~* if there are enough entries **2** [medelijden] sympathy; condolence(s) [bij overlijden]: *zijn ~ betuigen* extend one's sympathy

de **deelregering** [Belg] [gewestregering] regional government (of: administration)
deels partly, part

de **deelstaat** (federal) state

het **deelteken** division sign

de **deeltijd** part-time, half-time

de **deeltijdbaan** part-time job

het **deeltijdwerk** part-time work, half-time work

het **deeltje** particle

het **deelwoord** participle: *het onvoltooid ~* the present participle; *het voltooid ~* the past participle

de **Deen** Dane

het **¹Deens** (zn) Danish
²Deens (bn) Danish
deerniswekkend pitiful, pitiable, pathetic: *in ~e toestand* in a pitiful (of: sorry) state

het **¹defect** (zn) fault, defect; [onvolkomenheid] flaw: *we hebben het ~ aan de machine kunnen verhelpen* we've managed to sort out the trouble with the machine
²defect (bn) faulty, defective; [na ww] out of order; [beschadigd] damaged: *~* [als opschrift] out of order

de **defensie** defence: *de minister van ~* the Minister of Defence

het **defensief** defensive

de **defibrillator** [med] defibrillator

het **defilé** parade
definiëren define: *iets nader ~* define sth. more closely, be more specific about sth.

de **definitie** definition: *per ~* by definition
definitief definitive, final: *de definitieve versie* the definitive version

de **deflatie** deflation

deftig distinguished, fashionable, stately: *een ~e buurt* a fashionable quarter

[1]**degelijk** (bn) **1** reliable, respectable, solid, sound: *een ~ persoon* a respectable person **2** [deugdelijk] sound, reliable, solid: *een ~ fabricaat* a reliable product

[2]**degelijk** (bw) [danig] thoroughly, soundly, very much ‖ *wel ~* really, actually, positively; *ik meen het wel ~* I am quite serious

de **degen** sword; [schermen] foil

degene [ev] he, she; [mv] those: *~ die ... he* who, she who

de **degeneratie** degeneration

de **degradatie** [voornamelijk mil] demotion; [voornamelijk sport] relegation

de **degradatiewedstrijd** relegation match

[1]**degraderen** (onov ww) [gedegradeerd worden] be relegated (to), be downgraded (to)

[2]**degraderen** (ov ww) degrade, downgrade (to); [voornamelijk mil] demote (to); [voornamelijk sport] relegate (to)

deinen 1 heave: *de zee deinde sterk* the sea surged wildly **2** [m.b.t. vaartuigen] bob, roll

de **deining 1** swell, roll **2** [golvende beweging] rocking motion **3** [beroering] commotion: *~ veroorzaken* cause a stir

het **dek 1** [bedekking] cover(ing); horse-cloth [paard] **2** [scheepv] deck: *alle hens aan ~* all hands on deck

het **dekbed** continental quilt, duvet

het/de **dekbedovertrek** eiderdown cover

de **deken 1** blanket: *onder de ~s kruipen* pull the blankets over one's head **2** [overste, hoofd] dean

de **dekhengst** stud(-horse), (breeding) stallion

dekken 1 cover; coat [deklaag]: *de tafel ~* set the table **2** [overeenstemmen met] agree (with), correspond (with, to) **3** [beschermen] cover (for), protect: *iem. in de rug ~* support s.o., stand up for s.o.; *zich ~* cover (of: protect) o.s. **4** [vergoeden] cover, meet: *deze cheque is niet gedekt* this cheque is not covered; *de verzekering dekt de schade* the insurance covers the damage **5** [bespringen, paren] cover; service [merrie]

de **dekking 1** [mil] cover, shelter: *~ zoeken* seek (of: take) cover (from) **2** [bevruchting] service **3** [m.b.t. cheques] cover **4** [compensatie] cover: *ter ~ van de (on)kosten* to cover (of: meet, make up) the expenses **5** [zekerheid] coverage **6** [voetb] marking; cover; guard [boksen e.d.]

de **deklaag 1** [verf] finishing coat **2** [wwb] covering layer

de **dekmantel** cover, cloak; [m.b.t. misdadige praktijken] blind; [m.b.t. misdadige praktijken] front: *iem. (iets) als ~ gebruiken* use s.o. (sth.) as a front

het/de **deksel** lid; [fles ook] top; cover: *het ~ op zijn neus krijgen* get the door slammed in one's face

het **dekzeil** tarpaulin, canvas

de **delegatie** delegation

delegeren delegate

delen 1 divide, split **2** [verdelen] share, divide: *het verschil ~* split the difference; *je moet kiezen of ~* take it or leave it; *eerlijk ~* share and share alike; *samen ~* go halves **3** [m.b.t. rekenkunde] divide; [ond] do division: *honderd ~ door tien* divide one hundred by ten ‖ *een mening ~* share an opinion; *iem. in zijn vreugde laten ~* share one's joy with s.o.

de **deler** divisor

deleten [comp] delete

de **delfstof** mineral

delicaat delicate

de **delicatesse** delicacy

het **delict** offence; [misdrijf ook] indictable offence: *plaats ~* scene of the crime

de **deling** division

de **delinquent** delinquent, offender

het **delirium** delirium

de **delta 1** delta **2** [vleugel; vliegtuig] delta wing

deltavliegen hang-gliding

delven 1 dig **2** [uitspitten] extract [steenkolen]: *goud* (of: *grondstoffen*) *~ mine gold* (of: raw materials)

de **demagogie** demagogy

de **demagoog** demagogue

demarreren break away, take a flyer

dement demented

dementeren grow demented, get demented

de **dementie** dementia

demilitariseren demilitarize

demissionair outgoing: *het kabinet is ~* the cabinet has resigned (of: tendered) its resignation

de **demo 1** [muz] demo (tape) **2** [computerprogramma] demo

de **demobilisatie** demobilization

de **democraat** democrat

de **democratie** democracy, self-government

democratisch democratic

democratiseren democratize

de **demografie** demography

de **demon** demon, devil, evil spirit

demoniseren demonize

de **demonstrant** demonstrator, protester

de **demonstratie 1** demonstration, display, show(ing), exhibition **2** [betoging] demonstration, (protest) march: *een ~ tegen kernwapens* a demonstration against nuclear arms

demonstratief ostentatious, demonstrative, showy: *zij liet op demonstratieve wijze haar ongenoegen blijken* she pointedly showed her displeasure

[1]**demonstreren** (onov ww) [een betoging houden] demonstrate, march, protest: *~ te-*

gen (of: *voor*) iets demonstrate against (*of:* in support of) sth.

²demonstreren (ov ww) demonstrate, display, show, exhibit

de **demontage** dismantling, disassembling, taking apart; [van onderdeel] removal; [bom] defusing

demonteren 1 disassemble, dismantle, take apart; remove [onderdeel]; [vnl. passief] knock down **2** [onbruikbaar maken] deactivate; defuse [bom]; disarm

demoraliseren demoralize

demotiveren remove (*of:* reduce) (s.o.'s) motivation, discourage, dishearten

dempen 1 fill (up, in), close (up), stop (up) **2** [temperen] subdue; tone down [kleuren]; muffle; deaden [geluid]; dim; shade [licht]: *gedempt licht* subdued (*of:* dimmed, soft) light

de **demper** silencer; [Am] muffler

de **den** pine (tree), fir

denderen rumble, thunder; [snel] hurtle; roar

denderend: *ik vind dat boek niet ~* I don't think that book is so marvellous, I'm not exactly wild about that book

Denemarken Denmark

denigrerend disparaging, belittling

het **denim** denim

denkbaar conceivable, imaginable, possible

het **denkbeeld 1** concept, idea, thought, notion: *zich een ~ vormen van* form some idea of; *een verkeerd ~ hebben van* have a wrong conception (*of:* idea) of **2** [mening] opinion, idea, view: *hij houdt er verouderde ~en op na* he has some antiquated ideas

denkbeeldig 1 notional, theoretical, hypothetical **2** [niet werkelijk] imaginary, illusory, unreal; [bedacht] fictitious: *het gevaar is niet ~ dat …* there's a (very) real danger that …

¹denken (onov ww) **1** think, consider, reflect, ponder: *het doet ~ aan* it reminds one of …; *dit doet sterk aan omkoperij ~* this savours strongly of bribery; *waar zit je aan te ~?* what's on your mind?; *ik moet er niet aan ~* I can't bear to think about it; *ik denk er net zo over* I feel just the same about it; *ik zal eraan ~* I'll bear it in mind; *nu ik eraan denk* (now I) come to think of it; *aan iets ~* think (*of:* be thinking) of sth.; *ik probeer er niet aan te ~* I try to put it out of my mind; *iem. aan het ~ zetten* set s.o. thinking; *ik dacht bij mezelf* I thought (*of:* said) to myself; *denk om je hoofd* mind your head; *er verschillend (anders) over ~* take a different view (of the matter); *zij denkt er nu anders over* she feels differently about it (now); *dat had ik niet van hem gedacht* I should never have thought it of him **2** [van plan zijn] think of (*of:* about), intend (to),

plan (to): *ik denk erover met roken te stoppen* I'm thinking of giving up smoking ‖ *geen ~ aan!* it's out of the question!

²denken (ov ww) **1** [menen] think, be of the opinion, consider: *ik weet niet wat ik ervan moet ~* I don't know what to think; *wat dacht je van een ijsje?* what would you say to an ice cream?; *dat dacht je maar, dat had je maar gedacht* that's what you think!; *ik dacht van wel* (*of:* *van niet*) I thought it was (*of:* wasn't); *wie denk je wel dat je bent?* (just) who do you think you are? **2** [vermoeden] think, suppose, expect, imagine: *wie had dat kunnen ~* who would have thought it?; *u moet niet ~ (dat) …* you mustn't suppose (*of:* think) (that) …; *dat dacht ik al* I thought so; *dacht ik het niet!* just as I thought! **3** [in aanmerking nemen] think, understand, imagine, appreciate, consider: *de beste arts die men zich maar kan ~* the best (possible) doctor; *denk eens (aan)* imagine!, just think of it! **4** [van plan zijn] think of (*of:* about), intend, be going (to), plan: *wat denk je nu te doen?* what do you intend to do now?

de **denker** thinker

de **denkfout** logical error, error of reasoning

de **denkpiste** [Belg] cast of mind

de **denksport** puzzle solving, problem solving

de **denktank** think tank

de **denkwijze** way of thinking, mode of thought

de **dennenappel** pine cone [van grove den]; fir cone [van spar]

de **dennenboom** pine (tree), fir

de **deodorant** deodorant

depanneren [Belg] repair, put back on the road

het **departement** department, ministry

depenaliseren [Belg] decriminalize

de **dependance** annex(e)

deplorabel deplorable, lamentable

deponeren 1 deposit, place, put (down): *documenten bij de notaris ~* deposit documents with the notary's **2** [overleggen] file; lodge [document]

deporteren deport; [naar strafkolonie] transport: *een gedeporteerde* a deportee (*of:* transportee)

het **deposito** deposit

het/de **depot 1** deposit(ing), committing to safe keeping **2** [iets in bewaring] (goods on) deposit, deposited goods (*of:* documents) **3** [magazijn] depot, store

deppen dab; [droogdeppen] pat (dry)

de **depressie** depression

depressief depressed, depressive, low, dejected

depri down, depressed: *zich ~ voelen* feel down (*of:* depressed)

deprimeren depress, deject; [beklemmen] oppress; [ontmoedigen] dishearten

de **deputatie** deputation, delegation: [Belg] *bestendige* ~ provincial council, executive **der** of (the)

de **derby** [(voetbal)wedstrijd] local derby

de **¹derde** (zn) **1** [buitenstaander] third party: *in aanwezigheid van* ~*n* in the presence of a third party **2** [derde klas] third form: *in de* ~ *zitten* be in the third form

het **²derde** (zn) third: *twee* ~ *van de kiezers* two thirds of the voters

³derde (rangtelw) third: *de* ~ *mei* the third of May

derdegraads third-rate

derderangs third-rate, third-class

de **derde wereld** Third World

het **derdewereldland** Third World country, developing country

dereguleren deregulate

deren hurt, harm, injure

dergelijk similar, (the) like, such(like): *wijn, bier en* ~*e dranken* wine, beer and drinks of that sort; *iets* ~*s heb ik nog nooit meegemaakt* I have never experienced anything like it

derhalve therefore, so

het **derivaat** derivative

dermate so (much), to such an extent, such (that)

de **dermatologie** dermatology

de **dermatoloog** dermatologist

dertien thirteen; [in datum] thirteenth: ~ *is een ongeluksgetal* thirteen is an unlucky number; *zo gaan er* ~ *in een dozijn* they are two a penny

dertiende thirteenth

dertig thirty; [in datum] thirtieth: *zij is rond de* ~ she is thirtyish

dertigste thirtieth

derven lose, miss

¹des (bw) wherefore, on that (*of:* which) count ‖ ~ *te beter* all the better; *hoe meer mensen er komen,* ~ *te beter ik me voel* the more people come, the better I feel

²des (lidw) of (the), (the) ...'s: *de heer* ~ *huizes* the master of the house

desalniettemin nevertheless, nonetheless

desastreus disastrous: *de wedstrijd verliep* ~ the match turned into a disaster

desbetreffend relevant; appropriate [woorden, daden]; respective: *de* ~*e afdelingen* the departments concerned (*of:* in question)

deserteren desert: *uit het leger* ~ desert (the army)

de **deserteur** deserter

de **desertie** desertion

desgevraagd if required (*of:* requested): ~ *deelde zij mee* on being asked, she declared

desgewenst if required (*of:* desired)

het **design** design; [in samst] designer: *design-jeans* designer jeans

de **desillusie** disillusion; [gemoedstoestand] disillusionment

desinfecteren disinfect

de **desintegratie** disintegration, decomposition

de **desinteresse** lack of interest

deskundig expert (in, at), professional: *een zaak* ~ *beoordelen* judge a matter expertly; *zij is zeer* ~ *op het gebied van* she's an authority on

de **deskundige** expert (in, at), authority (on), specialist (in)

de **deskundigheid** expertise, professionalism: *zijn grote* ~ *op dit gebied* his great expertise in this field

desnoods if need be, if necessary; in an emergency, at a pinch

desolaat desolate

desondanks in spite of this, in spite of (all) that, all the same, for all that: ~ *protesteerde hij niet* in spite of all that he did not protest

de **desoriëntatie** disorientation

desperaat desperate

de **despoot** despot, autocrat, tyrant

het **dessert** dessert, pudding: *wat wil je als* ~? what would you like for dessert?

het **dessin** design, pattern

destabiliseren destabilize

destijds at the (*of:* that) time, then, in those days

de **destructie** destruction

destructief destructive

detacheren 1 second, send on secondment **2** [m.b.t. een militair] attach (to), second, post (to)

het **detail** detail, particular; [mv] specifics: *in* ~*s treden* go into detail

de **detailhandel** retail trade

de **detaillist** retailer

detecteren detect, discover

de **detectiepoort** security gate, metal detector

de **detective 1** detective: *particulier* ~ private detective (*of:* investigator) **2** [verhaal] detective novel, whodunit

de **detector** detector

de **detentie** detention, arrest, custody

determineren 1 determine, establish **2** [biol] identify

detineren detain: *in Scheveningen gedetineerd zijn* be on remand in Scheveningen (prison)

detoneren 1 [uit de toon vallen] be out of tune [ook fig]: *het gebouw detoneert met de omgeving* the building is out of tune with (*of:* clashes with) its surroundings **2** [ontploffen] detonate, explode

het **deuce** deuce

de **deugd 1** virtuousness, morality **2** [iets goeds] virtue, merit

deugdelijk sound, good, reliable

deugdzaam virtuous, good, upright, honest

de **deugdzaamheid** virtuousness, upright-
ness, honesty
deugen 1 [met ontkenning: niet braaf zijn]
be no good; [vnl. personen] be good for
nothing: *die jongen heeft nooit willen* ~ that
boy has always been a bad lot **2** [met ontkenning: niet geschikt zijn] be wrong (*of:*
unsuitable, unfit): *die man deugt niet voor zijn
werk* that man's no good at his job

de **deugniet** [rakker] rascal, scamp, scallywag

de **deuk 1** dent **2** [fig; knauw] blow, shock: *zijn
zelfvertrouwen heeft een flinke* ~ *gekregen* his
self-confidence took a terrible knock
3 [lachstuip] fit: *we lagen in een* ~ we were in
stitches
deuken dent; [fig] damage

de **deun** tune

de **deur** door: *voor een gesloten* ~ *komen* find
no one in; *de* ~ *voor iemands neus dichtdoen
(dichtgooien)* shut (*of:* slam) the door in s.o.'s
face; *zij komt de* ~ *niet meer uit* she never
goes out any more; *iem. de* ~ *uitzetten* turn
s.o. out of the house; *aan de* ~ *kloppen* knock
at (*of:* on) the door; *vroeger kwam de bakker
bij ons aan de* ~ the baker used to call at the
house; *buiten de* ~ *eten* eat out; *met de* ~*en
gooien* slam doors; *met de* ~ *in huis vallen*
come straight to the point

de **deurbel** doorbell

de **deurdranger** door-spring

de **deurknop** doorknob

de **deurmat** doormat

de **deuropening** doorway

de **deurpost** doorpost

de **deurwaarder** process-server, bailiff; [in
rechtszaal] usher

de **devaluatie** devaluation
devalueren devalue: *de yen is 10 % gede-
valueerd* the yen has been devalued by 10 %

het **devies** motto, device

de **deviezen** [mv; waardepapieren] (foreign)
exchange

de **¹devoot** devotee
²devoot (bn, bw) devout

de **devotie** devotion
deze this; [mv] these; this one; [mv] these
(ones): *wil je* ~ *(hier)?* do you want this one?
(*of:* these ones?); *een* ~*r dagen* one of these
days ‖ *bij* ~*n meld ik u* I herewith inform you
dezelfde the same: *van* ~ *datum* of the
same date; *wil je weer* ~*?* (would you like the)
same again?; *op precies* ~ *dag* on the very
same day
dhr. afk van *de heer* Mr

de **dia** slide, transparency

de **diabetes** diabetes

de **diabeticus** diabetic

het/de **diadeem** diadem

het **diafragma** diaphragm, stop

de **diagnose** diagnosis

diagnosticeren diagnose

de **¹diagonaal** (zn) diagonal
²diagonaal (bn) diagonal

het **diagram** diagram, graph, chart

de **diaken** deacon

het **dialect** dialect

de **dialoog** dialogue

het **dialoogvenster** dialog box

de **dialyse** dialysis, (haemo)dialysis

het/de **diamant** diamond: ~ *slijpen* polish (*of:* cut)
a diamond
diamanten diamond: *een* ~ *broche* a diamond brooch

de **diameter** diameter
diametraal diametral: [fig] *dat staat er* ~
tegenover that is diametrically opposed to it

de **diaprojector** slide projector

de **diarree** diarrhoea

de **diaspora** Diaspora
¹dicht (bn) **1** closed, shut; drawn [gordijnen];
off [kraan]: *mondje* ~ mum's the word; *de afvoer zit* ~ the drain is blocked (up) **2** [on-
doordringbaar] tight **3** [niets zeggend]
close-lipped, tight-lipped, close(-mouthed)
4 [met weinig tussenruimte] close, thick,
dense, compact: *een gebied met een* ~*e bevolking* a densely populated area; ~*e mist* thick
(*of:* dense) fog
²dicht (bw) [op geringe afstand] close (to),
near: *ze zaten* ~ *opeengepakt* they sat tightly
packed together; *hij woont* ~ *in de buurt* he
lives near there
dichtbegroeid thick, dense, thickly wooded
dichtbevolkt densely populated
dichtbij close by, near by, nearby: *van* ~
from close up
dichtbinden tie up

de **dichtbundel** collection of poems, book of
poetry
dichtdoen close, shut; draw [gordijnen]:
geen oog ~ not sleep a wink
dichtdraaien turn off [kraan]; close [dek-
sel]
dichten 1 write poetry, compose verses
2 [dichtmaken] stop (up), fill (up); seal [dijk]
een gat ~ stop a gap; mend a hole

de **dichter** poet
dichterbij nearer, closer
dichterlijk poetic(al): ~*e vrijheid* poetic licence
dichtgaan close; shut [wond]; heal [wond]
de deur gaat niet dicht the door won't shut; *op
zaterdag gaan de winkels vroeg dicht* the shop
close early on Saturdays
dichtgooien 1 slam (to, shut) [deur, boek]
bang **2** [dempen] fill up, fill in [sloot]
dichtgroeien 1 close; heal (up) [wond];
grow thick [bos] **2** [dik worden] get fat, gain
weight

de **dichtheid** density [ook natuurkunde];

thickness, compactness

dichtklappen snap shut, snap to [deksel, boek, deurtje]; slam (shut) [huisdeur, raam]

dichtknijpen squeeze

dichtknopen button (up), fasten

de **dichtkunst** (art of) poetry

dichtmaken close, fasten

dichtplakken seal (up) [brief]; stick down [omslag]; close; stop [gat]

¹**dichtslaan** (onov ww) slam shut, bang shut

²**dichtslaan** (ov ww) bang (shut), slam (shut) [deur]; snap shut [boek]: *de deur voor iemands neus ~* slam the door in s.o.'s face

dichtslibben silt up, become silted up

dichtspijkeren nail up (*of:* down), board up

dichtstbijzijnd nearest

dichtstoppen stop (up); [met allerlei materiaal] fill (up); [met een prop] plug (up)

dichttrekken close; [gordijnen ook] draw: *de deur achter zich ~* pull the door to behind one

de **dichtvorm**: *in ~* in poetic form, in verse

dichtvouwen fold up

dichtvriezen freeze (over, up); be frozen (up) [buizen]; be frozen over [kanaal, meer, e.d.]

dichtzitten be closed, be blocked (*of:* locked): *mijn neus zit dicht* my nose is blocked up

het **dictaat 1** (lecture) notes **2** [het dicteren] dictation

de **dictator** dictator

dictatoriaal dictatorial

de **dictatuur** dictatorship

het **dictee** dictation

dicteren dictate

de **didacticus** didactician

de **didactiek** didactics

didactisch didactic

¹**die** (aanw vnw) **1** that; [mv] those; [zonder zn] that one; [mv] those (ones): *heb je ~ nieuwe film van Spielberg al gezien?* have you seen this new film by Spielberg?; *~ grote of ~ kleine?* the big one or the small one?; *niet deze maar ~ (daar)* not this one, that one; *mevrouw ~ en ~* Mrs so and so, Mrs such and such **2** that; [mv] those; [zonder zn] that one; [mv] those (ones): *mijn boeken en ~ van mijn zus* my books and my sister's (*of:* those of my sister); *~ tijd is voorbij* those times are over; *~ van mij, jou, hem, haar, ons, jullie, hen* mine, yours, his, hers, ours, yours, theirs; *ze draagt altijd van ~ korte rokjes* she always wears (those) short skirts; *ken je ~ van ~ Belg ~ ...* do you know the one about the Belgian who ...?; *~ is goed* that's a good one; *o, ~!* oh, him! (*of:* her!); *waar is je auto? ~ staat in de garage* where's your car? it's in the garage; *~ zit!* bullseye!, touché!

²**die** (betr vnw) that; [persoon ook] who; [als

voorwerp ook] whom; [zaak ook] which: *de kleren (that, which) u besteld heeft* the clothes (that, which) you ordered; *de man ~ daar loopt, is mijn vader* the man (that is, who is) walking over there is my father; *de mensen ~ ik spreek, zijn heel vriendelijk* the people (who, that) I talk to are very nice; *dezelfde ~ ik heb* the same one (as) I've got; *zijn vrouw, ~ arts is, rijdt in een grote Volvo* his wife, who's a doctor, drives a big Volvo

het **dieet** diet: *op ~ zijn* be on a diet

de **dief** thief, robber; [inbreker] burglar: *houd de ~!* stop thief!

de **diefstal** theft; robbery [met geweld]; burglary [met inbraak]

diegene he, she: *~n die* those who

dienaangaande as to that, with respect (*of:* reference) to that

de **dienaar** servant

het **dienblad** (dinner-)tray, (serving) tray

¹**dienen** (onov ww) **1** serve: *dat dient nergens toe* that is (of) no use **2** [als middel, werktuig] serve as, serve for, be used as (*of:* for): *vensters ~ om licht en lucht toe te laten* windows serve the purpose of letting in light and air **3** [behoren] need, should, ought to: *u dient onmiddellijk te vertrekken* you are to leave immediately

²**dienen** (ov ww) **1** serve, attend (to), minister: *dat dient het algemeen belang* it is in the public interest **2** [van dienst zijn] serve, help || *iem. van advies ~* give s.o. advice; *hij was er niet van gediend* none of that with him, he didn't want that

dienovereenkomstig accordingly

diens his

de **dienst 1** service: *zich in ~ stellen van* place o.s. in the service of; *ik ben een maand geleden als verkoper in ~ getreden bij deze firma* a month ago I joined this company as a salesman; *in ~ nemen* take on, engage; *in ~ zijn* do one's military service **2** [het verrichten van werkzaamheden] duty: *ik heb morgen geen ~* I am off duty tomorrow **3** [openbare instelling] service, department: *de ~ openbare werken* the public works department **4** [voor iemands nut] service, office: *iem. een goede ~ bewijzen* do s.o. a good turn; *je kunt me een ~ bewijzen* you can do me a favour **5** [betrekking] place, position: *in vaste (of: tijdelijke) ~ zijn* hold a permanent (*of:* temporary) appointment; *iem. in ~ hebben* employ s.o.; *in ~ zijn bij iem.* be in s.o.'s service || *~ doen (als)* serve (as, for); *de ~ uitmaken* run the show, call the shots; *tot uw ~* you're welcome; *iem. van ~ zijn met* be of service to s.o. with

de **dienstauto** official car; [firma] company car

dienstbaar helpful: *zich ~ opstellen* be of service

de **dienstbode** servant (girl), maid(servant)

dienstdoen serve (as/for), be used (as/for)
dienstdoend on duty [agent, wacht]; in charge; [waarnemend] acting
het **dienstencentrum** social service centre
de **dienstencheque** [Belg] service voucher
de **dienstensector** [ec] services sector, service industries
het **dienstjaar** year of service; [mv ook] seniority
de **dienstlift** service lift
de **dienstmededeling** staff announcement
het **dienstmeisje** maid(servant), housemaid
de **dienstorder** (official) order, instructions
het **dienstpistool** duty weapon
de **dienstplicht** (compulsory) military service, conscription: *vervangende* ~ alternative national service; [maatschappelijk] community service
dienstplichtig eligible for military service: *de ~e leeftijd bereiken* become of military age; *niet* ~ [ook] exempt from military service
de **dienstplichtige** conscript
de **dienstregeling** timetable: *een vlucht met vaste* ~ a scheduled flight
de **diensttijd** (period, length of) service, term of office: *buiten* (of: *onder*) ~ when off (*of:* on) duty
het **dienstverband** employment: *in los* (of: *vast*) ~ *werken* be employed on a temporary (*of:* permanent) basis
de **dienstverlening** service(s)
de **dienstweigeraar** conscientious objector
dientengevolge consequently, as a consequence
¹**diep** (bn) deep; [fig ook] profound; total, impenetrable: *twee meter* ~ two metres deep; *~er maken* deepen; *in het ~e gegooid worden* be thrown in at the deep end; *een ~e duisternis* utter darkness; *in* ~ *gepeins verzonken* (sunk) deep in thought; *alles was in ~e rust* everything was utterly peaceful; *een ~e slaap* a deep sleep; ~ *in zijn hart* deep (down) in one's heart; *uit het ~ste van zijn hart* from the bottom of one's heart ‖ *een ~e stem* a deep voice; ~ *blauw* deep blue
²**diep** (bw) 1 deep(ly), low: ~ *zinken (vallen)* sink low; ~ *ongelukkig zijn* be deeply unhappy; *hij is* ~ *verontwaardigd* he is deeply (*of:* mortally) indignant; ~ *ademhalen* breathe deeply; [een keer] take a deep breath; ~ *nadenken* think hard 2 [m.b.t. tijd] deep, far
diepgaand [intens] profound, searching, in-depth: ~*e discussie* in-depth (*of:* deep) discussion
de **diepgang** 1 draught 2 depth, profundity
de **diepte** 1 depth, depth(s), profundity 2 [in water; kuil] trough, hollow
het **diepte-interview** in-depth interview
het **dieptepunt** 1 (absolute) low 2 [slechtste situatie] all-time low, rock bottom: *een* ~ *in*

een relatie a low point in a relationship
de **diepvries** deep-freeze, freezer
de **diepvrieskist** (chest-type) freezer, deep-freeze
de **diepvriesmaaltijd** freezer meal; [Am] TV dinner
diepvriezen (deep-)freeze
de **diepvriezer** deepfreeze, freezer
diepzeeduiken deep-sea diving
diepzinnig 1 [m.b.t. personen] profound, discerning 2 profound, pensive: *een ~e blik* a thoughtful (*of:* pensive) look
de **diepzinnigheid** profundity, profoundness, depth
het **dier** animal, creature; [fabels] beast
dierbaar dear, much-loved, beloved
de **dierenambulance** animal ambulance
de **dierenarts** veterinary surgeon, vet
het **dierenasiel** animal home (*of:* shelter)
de **dierenbescherming** animal protection, prevention of cruelty to animals
de **dierenbeul** s.o. who is cruel to animals
de **dierendag** ± animal day, pets' day
de **dierenmishandeling** cruelty to animals, maltreatment of animals
het **dierenpension** (boarding) kennel(s)
de **dierenriem** zodiac
het **dierenrijk** animal kingdom (*of:* world)
de **dierentemmer** animal trainer; [leeuwen] lion-tamer
de **dierentuin** zoo, animal park
de **dierenvriend** animal (*of:* pet) lover
de **dierenwinkel** pet shop
de **diergeneeskunde** veterinary medicine
dierlijk animal; [neg] bestial; [redeloos] brute; [ruw] brutish: *de ~e aard (natuur)* animal nature
de **dierproef** animal experiment (*of:* test)
de **diersoort** animal species: *bedreigde ~en* endangered species (of animals)
de **diesel** diesel (oil, fuel), derv: *op* ~ *rijden* take diesel
de **dieselmotor** diesel engine
de **dieselolie** diesel oil (*of:* fuel)
de **diëtist** dietitian
de **dievegge** thief; shoplifter [in winkels]
de **dievenklauw** security lock
het **dievenpoortje** security label detector, anti-shoplifting alarm
diezelfde the same, this same, that same
de **differentiaal** differential
de **differentiaalrekening** [wisk] differential calculus
de **differentiatie** differentiation
het **differentieel** differential (gear)
differentiëren differentiate (between), distinguish (between)
de **diffusie** diffusion, mixture
diffuus diffuse [ook natuurkunde]; scattered
de **difterie** diphtheria

disciplineren

de **diggelen**: *aan ~ slaan* smash to smithereens
de **digibeet** computer illiterate
digitaal digital
digitaliseren digit(al)ize
de **dij** thigh; ham [m.b.t. vlees]
het **dijbeen** thigh bone
de **dijk** bank, embankment; [m.b.t. Nederland] dike: *een ~ (aan)leggen* throw up a bank (*of:* an embankment) ‖ *iem. aan de ~ zetten* sack s.o., lay s.o. off
de **dijkdoorbraak** bursting of a dike, giving way of a dike
¹**dik** (bn) **1** thick: *10 cm ~* 10 cm thick; *de ~ke darm* the large intestine; *ze stonden tien rijen ~* they stood ten (rows) deep; *~ worden* thicken, set, congeal **2** [van flinke omvang] thick, fat, bulky: *een ~ke buik* a paunch **3** [gezet] fat, stout, corpulent: *een ~ke man* a fat man **4** [opgezet, gezwollen] swollen: *~ke vingers* plump fingers **5** [van relaties] thick, close, great: *~ke vrienden zijn* be great (*of:* close) friends ‖ *~ doen* swank, swagger, boast
²**dik** (bw) **1** [ruim] thick, ample, good: *~ tevreden (zijn)* (be) well-satisfied; *~ onder het stof* thick with dust; *het er ~ bovenop leggen* lay it on thick; *dat zit er ~ in* that's quite on the cards **2** [dicht] thick, heavy, dense ‖ *door ~ en dun gaan* go through thick and thin
de **dikdoenerij** bragging, boasting
dikhuidig pachyderm(at)ous, thick-skinned
de **dikkerd** fatty, piggy: *dat is een gezellige ~* he/she is round (*of:* fat) and cuddly
de **dikkop** [kikvors] tadpole
de **dikte 1** fatness, thickness **2** [afmeting] thickness; gauge [glas, metaal]: *een ~ van vier voet* four feet thick **3** [dichtheid] thickness, density
dikwijls often, frequently
de **dikzak** fatty, fatso
het **dilemma** dilemma
de **dilettant** dilettante, amateur
de **dille** dill
de **dimensie 1** dimension, measurement, meaning **2** [element, aspect] dimension, perspective
het **dimlicht** dipped headlights
¹**dimmen** (onov ww) [rustig aan doen] cool it: *effe ~, da's niet leuk meer* cool it, it's not funny any more
²**dimmen** (ov ww) dip (the headlights), shade
de **dimmer** dimmer(-switch)
de **dimsum** dimsum
het **diner** dinner: *aan het ~* at dinner
dineren dine, have dinner
het **ding 1** thing, object; [apparaatje] gadget: *en (al) dat soort ~en* and (all) that sort of thing **2** [feit, gebeurtenis] thing, matter, affair: *doe geen gekke ~en* don't do anything fool-

ish; *de ~en bij hun naam noemen* call a spade a spade ‖ *een lekker ~* a nice (*of:* sweet) little thing
dingen compete (for), strive (after/for)
de **dinges** [inf] thingummy, what's-his-name, what's-her-name
de **dinosaurus** dinosaur
de **dinsdag** Tuesday: [Belg] *vette ~* Shrove Tuesday
dinsdags Tuesday
de **diode** diode
het **dioxine** dioxin
de **dip** dip: *in een ~ zitten* be going through a bad patch
het **diploma** diploma, certificate: *een ~ behalen* qualify, graduate
de **diplomaat** diplomat
het **diplomatenkoffertje** attaché case
de **diplomatie 1** diplomacy **2** [diplomaten] diplomatic corps, diplomats: *hij gaat in de ~* he is going to enter the diplomatic service
diplomatiek 1 diplomatic: *langs ~e weg* by diplomacy **2** [omzichtig] diplomatic, tactful
diplomeren certificate: *niet gediplomeerd* unqualified, untrained
dippen 1 [even indopen] dip **2** [betalen met bankpas] dip, insert
de **dipsaus** dip
¹**direct** (bn) **1** direct, immediate, straight: *zijn ~e chef* his immediate superior; *de ~e oorzaak* the immediate cause; *~e uitzending* live broadcast **2** [ogenblikkelijk] prompt, immediate: *~e levering* prompt delivery
²**direct** (bw) **1** direct(ly), at once: *kom ~* come at once (*of:* straightaway); *per ~* straightaway; [Am] right now **2** [zeer spoedig] presently, directly: *ik ben ~ klaar* I'll be ready in a minute ‖ *niet ~ vriendelijk* not exactly kind
de **directeur** [zaak] manager; (managing) director; [ond] principal; headmaster; [ziekenhuis] superintendent; [gevangenis] governor
de **directie** management
het **directielid** member of the board (of directors)
de **directiesecretaresse** executive secretary
de **directory** [comp] directory
de **directrice** *zie directeur*
de **dirigeerstok** baton
de **dirigent** conductor; [van koor ook] choirmaster
dirigeren conduct [orkest]; control [groep mensen]
de **dis** [form] table
de **discipel** disciple, follower
disciplinair disciplinary: *een ~e maatregel* a disciplinary measure
de **discipline** discipline
disciplineren discipline, train: *hij werkt zeer gedisciplineerd aan zijn nieuwe roman* he applies himself to his new novel with strict

self-discipline

de **discman** discman

de **disco** disco

het **disconto** discount

de **discotheek 1** [verzameling grammofoon-platen, cd's] record library (of: collection) **2** [uitleeninstantie] record library **3** [disco-bar] discotheque

discreet 1 discreet, delicate, tactful **2** [zacht] discreet, unobtrusive: *een ~ tikje op de kamerdeur* a discreet tap on the door **3** [discretie vereisend] delicate, secret

de **discrepantie** discrepancy

de **discretie 1** discretion, tact **2** [geheimhou-ding] discretion, secrecy

de **discriminatie** discrimination

discrimineren discriminate (against); [overgankelijk ook] segregate

de **discus** discus, disc

de **discussie** discussion, debate: *(het) onder-werp van ~ (zijn)* (be) under discussion; *een hevige (verhitte) ~* a heated discussion; *ter ~ staan* be under discussion, be open to discus-sion; *iets ter ~ stellen* **a)** bring sth. up for dis-cussion; **b)** [m.b.t. besluit enz.] call sth. into question

discussiëren discuss, debate, argue

discuswerpen discus throwing

discutabel debatable, dubious, disputable

de **disk** disk

de **diskdrive** disk drive

de **diskette** diskette, floppy (disk)

de **diskjockey** disc jockey

het **diskrediet** discredit: *in ~ geraken* fall into discredit

diskwalificeren disqualify

de **dispensatie** dispensation, exemption: *~ verlenen (van)* grant dispensation (of: ex-emption) (from)

de **display** display

het **dispuut** [(studenten)vereniging] debating society

dissen insult, diss

de **dissertatie** (doctoral) dissertation, (docto-ral) thesis

de ¹**dissident** (zn) dissident
²**dissident** (bn) dissident

de **dissonant** dissonance, discord: [fig] *er was geen ~ te horen* not a note of discord was heard

zich **distantiëren** distance, dissociate

de **distel** thistle

de **distillatie** distillation

distilleren 1 distil **2** [afleiden] deduce, in-fer: *iets uit iemands woorden ~* deduce sth. from what s.o. says

distribueren distribute, dispense, hand out

het **district** district, county

dit this; [mv] these: *in ~ geval* in this case; *wat zijn ~?* what are these?

ditmaal this time, for once

de **diva** diva

Divali Diwali

de **divan** divan, couch

divers 1 [onderscheiden] diverse, various **2** [ettelijke] various, several

de **diversen** sundries, miscellaneous

de **diversiteit** diversity, variety

het **dividend** dividend

de **divisie** division; [sport ook] league; class

dizzy dizzy: *ik word ~ van die stortvloed aan informatie* there's such a torrent of informa-tion it makes me dizzy

de **dj** afk van *diskjockey* DJ

de **djellaba** djellaba

de **djembé** djembe

Djibouti Djibouti

de **Djiboutiaan** Djiboutian

Djiboutiaans Djiboutian

dm afk van *decimeter* dm

d.m.v. afk van *door middel van* by means of

het **DNA** DNA: *ondernemen zit in zijn ~* business is in his genes, he's a born entrepreneur

het **DNA-onderzoek** DNA-test

de **do** do(h)

dobbelen dice, play (at) dice

het **dobbelspel** dicing, game of dice

de **dobbelsteen 1** dice: *met dobbelstenen gooien* throw the dice **2** [kubusvormig voor-werp] dice, cube

de **dobber** float ‖ *hij had er een zware ~ aan* he found it a tough job

dobberen float, bob: *op het water ~* bob up and down on the water

de **dobermannpincher** Doberman(n)(pin-scher)

de **docent** teacher, instructor: *~ aan de univer-siteit* university lecturer

de **docentenkamer** staffroom

doceren teach; [universiteit] lecture

doch yet, but: *hij had haar gewaarschuwd, ~ zij wilde niet luisteren* he had warned her, yet (of: but, still) she wouldn't listen

de **dochter** daughter, (little) girl

de **dochtermaatschappij** subsidiary (com-pany)

de **doctor** doctor

het ¹**doctoraal** Master's (degree (of: exam)); ± MA [enz.]
²**doctoraal** (bn) ± Master's, (post)graduate

het **doctoraat** doctorate

de **doctorandus** (title of) university graduate

de **doctrine** doctrine, dogma

het **document** document, paper

documentair documentary

de **documentaire** documentary

de **documentatie** documentation

documenteren document, support with evidence

de **dode** dead person, the deceased

de **dodehoekspiegel** blind spot mirror

dodelijk 1 deadly, mortal, lethal, fatal: *een ~ ongeluk, een ongeval met ~e afloop* a fatal accident **2** [als van de dood] dead(ly), death-ly, killing ‖ *~ vermoeid* dead beat, dead tired
doden kill, murder, slay

de **dodencel** death cell (*of:* row)

de **dodenherdenking** commemoration of the dead

het **dodental** number of deaths (*of:* casualties), death toll

de **doedelzak** bagpipes: *op een ~ spelen* play the bagpipes

de **doe-het-zelfzaak** do-it-yourself shop, DIY shop

de **doe-het-zelver** do-it-yourselfer, DIY

doei [inf] bye(-bye), cheerio, cheers: *dikke ~* bye, catch ya later, see ya

het/de **doek 1** cloth, fabric **2** [projectiescherm] screen: *het witte ~* the silver screen **3** [schilderstuk, stuk linnen] canvas, painting **4** [toneelgordijn] curtain; [achterdoek] backcloth: *het ~ gaat op* the curtain rises ‖ *iets uit de ~en doen* disclose sth.

het **doekje** (piece of) cloth; tissue [van fijne stof]

het **doel 1** target, purpose, object(ive), aim, goal; [reisdoel] destination **2** goal; [ijshockey] net: *in eigen ~ schieten* score an own goal; *zijn ~ bereiken* achieve one's aim; *het ~ heiligt de middelen (niet)* the end justifies (*of:* does not justify) the means
doelbewust determined, resolute

het **doeleinde 1** purpose, aim, design **2** [bestemming] end, aim, purpose, destination: *voor eigen* (of: *privé*) *~n* for one's own (*of:* private) ends
doelen aim (at), refer (to), mean: *waar ik op doel is dit* what I mean (*of:* am referring to, am driving at) is this

het **doelgebied** goal area
doelgericht purposeful, purposive

de **doelgroep** target group (*of:* audience)

de **doellijn** goal line: *de bal van de ~ halen* kick the ball from the line, (make a) save on the line
doelloos aimless, idle; [nutteloos] pointless

de **doelman** goalkeeper
doelmatig suitable, appropriate, functional, effective

de **doelmatigheid** suitability, expediency, effectiveness

de **doelpaal** (goal)post

het **doelpunt** goal, score: *een ~ afkeuren* disallow a goal; *een ~ maken* kick (*of:* score) a goal; *met twee ~en verschil verliezen* lose by two goals

het **doelsaldo** goal difference

de **doelstelling** aim, object(ive)

de **doeltrap** goal kick
doeltreffend effective, efficient

de **doelverdediger** (goal)keeper; [Am]

(goal)tender; [inf] goalie

het **doelwit** target, aim, object: *een dankbaar ~ vormen* make an easy victim (*of:* target)

de **doem** doom

de **Doema** duma
doemdenken doom-mongering, defeatism
doemen doom, destine

het **doemscenario** worst-case scenario

¹**doen** (onov ww) **1** do, act, behave: *gewichtig ~* act important; *~ alsof* pretend; *je doet maar* go ahead, suit yourself **2** [bezig zijn met] do, be: *ik doe er twee uur over* it takes me two hours; *aan sport ~* do sport(s), take part in sport(s) ‖ *dat is geen manier van ~* that's no way to behave

²**doen** (ov ww) **1** do, make, take: *een oproep ~* make an appeal; *uitspraak ~* pass judge-ment; *doe mij maar een witte wijn* for me a white wine, I'll have a white wine; *wat kom jij ~?* what do you want?; *wat doet hij (voor de kost)?* what does he do (for a living)? **2** [ergens plaatsen] put: *iets in zijn zak ~* put sth. in one's pocket **3** [laten ondergaan] make, do: *dat doet me plezier* I'm glad about that; *iem. verdriet* (of: *pijn*) *~* hurt s.o., cause s.o. grief (*of:* pain) **4** (+ het) work: *de remmen ~ het niet* the brakes don't work **5** make: *we weten wat ons te ~ staat* we know what (we have, are) to do ‖ *anders krijg je met mij te ~* or else you'll have me to deal with; *dat doet er niet(s) toe* that's beside the point; *niets aan te ~* can't be helped

het **doetje** softy, milksop, wet

de **doevakantie** action holiday; [Am] action vacation

dof 1 dim, dull; mat(t) [verf]; [aangeslagen, metaal] tarnished: *~fe tinten* dull (*of:* muted) hues (*of:* tints) **2** [m.b.t. geluiden] dull, muffled: *een ~fe knal (dreun)* a muffled boom

de **doffer** cock-pigeon

de **dofheid** [m.b.t. kleuren] dullness, dimness

de **dog** mastiff

het **dogma** dogma
dogmatisch dogmatic(al)

het **dok** dock(yard)

de **doka** darkroom
dokken fork out, cough up

de **dokter** doctor; [huisarts] GP: *een ~ roepen (laten komen)* send for (*of:* call in) a doctor ‖ *~tje spelen* play doctors and nurses
dokteren 1 practise **2** [proberen te verbeteren] tinker (with (*of:* at)): *aan iets ~* tinker with sth.

het **doktersadvies** doctor's advice, medical advice

de **doktersassistente** (medical) receptionist

het **doktersattest** medical (*of:* doctor's) certificate

de **doktersbehandeling** medical treatment

het **doktersvoorschrift** medical instructions,

doctor's orders

dol 1 [krankzinnig] mad, crazy: *het is om ~ van te worden* it is enough to drive you crazy; *~ op iets (iem.) zijn* be crazy about sth. (s.o.) **2** [onbezonnen] mad, wild, crazy: *door het ~le heen zijn* be beside o.s. with excitement (*of:* joy) **3** [dwaas] foolish, silly, daft: *~le pret hebben* have great fun **4** [versleten] worn, slipping, stripped: *die schroef is ~* the screw is stripped (*of:* slipping) **5** [m.b.t. wijzers] crazy, whirling (round in circles): *het kompas is ~* the compass has gone crazy **6** [m.b.t. honden] mad, rabid

dolblij overjoyed (about): *~ zijn met iets* be over the moon about sth.

doldwaas nutty, potty, absolutely crazy: *doldwaze verwikkelingen* hilarious twists and turns, a crazy mix-up

dolen wander (about), roam

de **dolfijn** dolphin

het **dolfinarium** dolphinarium

dolgraag with the greatest of pleasure: *ga je mee? ~* are you coming? I'd love to

de **dolk** dagger

de **dolksteek** dagger-thrust, stab

de **dollar** dollar

het **dollarteken** dollar sign ‖ *~s in de ogen hebben* see a lot of dollar signs in front of s.o.'s eyes; [Brits] have a pound sign for a brain

de **dolleman** madman, lunatic

dollen lark about, horse around

de **¹dom** (zn) cathedral

²dom (bn, bw) **1** stupid, simple, dumb: *zo ~ als het achtereind van een varken* as thick as two (short) planks **2** [onnozel] silly, daft: *sta niet zo ~ te grijnzen!* wipe that silly grin off your face! **3** [stomweg] sheer, pure: *~ geluk* sheer luck, a fluke **4** [onwetend] ignorant: *zich van de ~me houden* play ignorant, play (the) innocent

de **dombo** [inf] dumbo

het **domein** domain, territory

de **domeinnaam** domain name

de **domheid** stupidity, idiocy

het **domicilie** [jur] domicile: *~ kiezen ten kantore van* elect domicile at the office of

dominant dominant, overriding

de **dominee** [aanspreekvorm] minister

domineren dominate

Dominica Dominica

de **Dominicaan** Dominican

Dominicaans Dominican ‖ *de ~e Republiek* the Dominican Republic

de **Dominicaanse Republiek** Dominican Republic

het **domino** dominoes

het **domino-effect** [fig] knock-on effect; [pol] domino effect

het **dominospel 1** [spel] dominoes **2** [dominostenen] set of dominoes

de **dominosteen** domino

dommelen doze, drowse

de **domoor** idiot, fool, blockhead, dunce

dompelen plunge, dip, immerse

de **domper**: *dit onverwachte bericht zette een ~ op de feestvreugde* this unexpected news put a damper on the party

de **dompteur** animal trainer (*of:* tamer)

domweg (quite) simply, without a moment's thought, just

de **donateur** donor; [van vereniging] contributor; supporter

de **donatie** donation, gift

de **Donau** Danube

de **donder 1** thunder **2** [lichaam] carcass; [persoon] devil: *op zijn ~ krijgen* get a roasting **3** [plat] hell, damn(ation) ‖ *daar kun je ~ op zeggen* you can bet your boots on that, you can bank on that

de **donderbui** thunderstorm, thunder-showe

de **donderdag** Thursday: *Witte Donderdag* Maundy Thursday

donderdags Thursday

¹donderen (onov ww) [tieren en razen] thunder away, bluster

²donderen (ww) thunder

donderjagen be a nuisance, be a pain (in the neck)

de **donderslag 1** thunderclap, thunderous roll (*of:* crack) of thunder **2** [fig] thunderbolt, bombshell: *als een ~ bij heldere hemel* like a bolt from the blue

doneren donate

het **¹donker** (zn) dark(ness), gloom

²donker (bn) **1** dark, gloomy **2** [somber, droevig] dark, dismal, gloomy: *een ~e toekomst* a gloomy future **3** [m.b.t. kleur] dark, dusky **4** [m.b.t. geluiden] low(-pitched)

³donker (bw) dismally, gloomily: *de toekoms ~ inzien* take a gloomy view of the future

donkerblauw dark (*of:* deep) blue

de **donor** donor

het **donorcodicil** donor card

het **donororgaan** donor organ

het **dons** down, fuzz

de **donut** doughnut

donzen down(-filled): *een ~ dekbed* a down(-filled) quilt (*of:* duvet)

de **¹dood** (zn) death, end: *aan de ~ ontsnappe* escape death; *dat wordt zijn ~* that will be th death of him; *iem. ter ~ veroordelen* condem (*of:* sentence) s.o. to death; *de een zijn ~ is d ander zijn brood* one man's death is another man's breath ‖ *(zo bang) als de ~ voor iets zijn* be scared to death of sth.

²dood (bn) **1** dead, killed: *hij was op slag ~* died (*of:* was killed) instantly **2** dead, extinc *een dooie boel* a dead place; *op een ~ spoor zitten* be at a dead end; *een dode vulkaan* ar extinct volcano ‖ *op zijn dooie gemak* at one leisure; *een dode hoek* a blind angle

doodbloeden 1 bleed to death **2** [fig] ru

down, peter out

de **dooddoener** unanswerable remark, bromide

doodeenvoudig perfectly simple, quite simple

doodeng really scary; [inf] dead scary: *ik vind het allemaal ~* it really gives me the creeps

zich **doodergeren** be (*of:* get) exasperated (with); be extremely annoyed

doodernstig deadly serious, solemn

doodgaan die: *van de honger ~* starve to death

doodgeboren stillborn

doodgemoedereerd quite (*of:* perfectly) calm; [inf] dead calm (*of:* cool), (as) cool as a cucumber

doodgewoon perfectly common (ordinary): *iets ~s* sth. quite ordinary

doodgooien [overspoelen, overladen] bombard, swamp

de **doodgraver** gravedigger, sexton

doodkalm quite (*of:* perfectly) calm

de **doodkist** coffin

de **doodklap 1** death blow, final blow, coup de grâce **2** [harde klap] almighty blow

zich **doodlachen** kill o.s. (laughing), split one's sides: *het is om je dood te lachen* it's a scream

doodleuk coolly, blandly

doodlopen 1 come to an end (*of:* a dead end), peter out: *~d steegje* blind alley; *een ~de straat* a dead end **2** lead nowhere, lead to nothing

doodmaken kill

doodmoe dead tired, dead on one's feet, worn out

doodongerust worried to death, worried sick

doodop worn out, washed-out

doodrijden run over and kill

doods 1 [akelig] deathly, deathlike: *een ~e stilte* a deathly silence **2** [zonder leven] dead, dead-and-alive

de **doodsangst** [grote angst] agony, mortal fear

doodsbang (+ voor) terrified (of), scared to death: *iem. ~ maken* terrify s.o.

doodsbleek deathly pale, as white as a sheet: *er ~ uitzien* look as white as a sheet

zich **doodschamen** be terribly embarrassed

doodschieten shoot (dead), shoot and kill: *zichzelf ~* shoot o.s.

het **doodseskader** death squad

het **doodsgevaar** deadly peril, mortal danger: *in ~ zijn (verkeren)* be in mortal danger

het **doodshoofd** skull

de **doodskist** coffin

doodslaan [doden] kill; beat to death; [met één slag] strike dead: *een vlieg ~* swat a fly

de **doodslag** manslaughter

de **doodsnood** [stervensnood] death agony; [fig] death throes, fight to survive: *in ~ verkeren* be in one's death agony, be fighting to survive

de **doodsoorzaak** cause of death

de **doodsstrijd** death agony

de **doodsteek** [fig] coup de grâce, death blow, final blow: *dat betekende de ~ voor het vredesproces* that dealt a death blow to the peace process

doodsteken stab to death, stab and kill

doodstil deathly quiet (*of:* still); [bewegingloos] quite still; [zwijgend] dead silent: *het werd opeens ~ toen hij binnenkwam* there was a sudden hush when he came in

de **doodstraf** death penalty: *hier staat de ~ op* this is punishable by death

de **doodsverachting** contempt (*of:* disregard) for death

doodvallen drop (*of:* fall) dead: *ik mag ~ als het niet waar is* if that isn't so I'll eat my hat; *val dood!* drop dead!, go to hell!

het **doodvonnis** death sentence

doodziek 1 critically ill, terminally ill **2** sick and tired: *ik word ~ van die kat* I'm (getting) sick and tired of that cat

de [1]**doodzonde** (zn) **1** mortal sin **2** [onvergeeflijke fout] mortal sin, deadly sin

[2]**doodzonde** (bn) a terrible pity; [verspilling] a terrible waste

doodzwijgen hush up, smother, keep quiet

doof deaf: *~ blijven voor* turn a deaf ear to; *~ aan één oor* deaf in one ear

de **doofheid** deafness

de **doofpot** extinguisher, cover-up: *die hele zaak is in de ~ (gestopt)* that whole business has been hushed up

doofstom deaf-and-dumb, deaf mute

de **doofstomme** deaf mute

de **dooi** thaw

dooien thaw: *het begon te ~* the thaw set in

de **dooier** (egg) yolk

de **doolhof** maze, labyrinth

de **doop 1** christening, baptism **2** [fig] inauguration, christening: *de ~ van een schip* the naming of a ship **3** [Belg] initiation (of new students)

het/de **doopceel**: *iemands ~ lichten* bring out s.o.'s past

de **doopnaam** Christian name, baptismal name, given name

het **doopsel** baptism, christening

de **doopsuiker** [Belg] sugared almonds

het **doopvont** font

[1]**door** (bw) through: *de hele dag ~* all day long, throughout the day; *het kan ermee ~* it's passable; *de tunnel gaat onder de rivier ~* the tunnel passes under the river || *tussen de buien ~* between showers; *ik ben ~ en ~ nat* I'm wet through (and through); *~ en ~ slecht*

rotten to the core

²**door** (vz) **1** through: ~ *heel Europa* throughout Europe; ~ *rood (oranje) rijden* jump the lights **2** [m.b.t. een vermenging] through, into: *zout* ~ *het eten doen* mix salt into the food; *alles lag* ~ *elkaar* everything was in a mess **3** [door middel van] by (means of): ~ *ijverig te werken, kun je je doel bereiken* you can reach your goal by working hard; ~ *haar heb ik hem leren kennen* it was thanks to her that I met him **4** [vanwege] because of, owing to, by, with: ~ *het slechte weer* because of (*of:* owing to) the bad weather; ~ *ziekte verhinderd* prevented by illness from coming (*of:* attending, going); *dat komt* ~ *jou* that's (all) because of you **5** by: *zij werden* ~ *de menigte toegejuicht* they were cheered by the crowd; ~ *wie is het geschreven?* who was it written by? ‖ ~ *de jaren heen* over the years; ~ *de week* through the week

doorbakken well-done

doorberekenen pass on, on-charge

doorbetalen keep paying, continue paying

doorbijten 1 bite (hard): *de hond beet niet door* the dog didn't bite hard **2** [voortgaan met bijten] keep biting, continue biting (*of:* to bite); [fig] keep trying; [fig] keep at it: *even* ~*!* just grin and bear it!

doorbladeren leaf through, glance through; [boek ook] thumb through

doorboren drill (through), bore (a hole in); tunnel [berg]; [met steekwapen] pierce; [met steekwapen] stab

de **doorbraak 1** bursting, collapse **2** [door een obstakel] breakthrough; [sport] break: ~ *van een politieke partij* the breakthrough of a political party

doorbranden 1 burn through, burn properly **2** [stukgaan] burn out: *een doorgebrande lamp* a blown (light) bulb

¹**doorbreken** (ww) break (through), burst (through); breach [ook fig]: *de sleur* ~ get out of the rut

²**doorbreken** (onov ww) **1** break (apart, in two), break up, burst, perforate: *het gezwel brak door* the swelling ruptured **2** [door iets heen] break through, come through: *de tandjes zullen snel* ~ the teeth will come through fast **3** [m.b.t. artiesten] break through, make it

³**doorbreken** (ov ww) break (in two); [stok ook] snap (in two): *ze brak zijn wandelstok door (in tweeën)* she broke his walking stick in two

doorbrengen spend: *ergens de nacht* ~ spend the night (*of:* stay overnight) somewhere

doorbuigen 1 bend, sag: *de vloer boog sterk door* the floor sagged badly **2** [doorgaan met buigen] bend further (over), bow

deeper

doordacht well-thought-out, well-considered

doordat because (of the fact that), owing to, as a result of, on account of (the fact that), in that: ~ *er gebrek aan geld was* through lack of money

doordenken reflect, think, consider: *als je even doordenkt* (*of:* *door had gedacht*) if you think (*of:* had thought) for a moment

doordeweeks weekday, workaday

doordraaien 1 keep turning, continue turning (*of:* to turn); [fig] go on; [fig] keep moving: *de motor laten* ~ keep the engine running (*of:* on) **2** [doldraaien] slip, not bite, have stripped, be stripped

doordrammen nag, go on: ~ *over iets* keep harping on (about) sth.

de **doordrammer** nagger, pest

doordraven rattle on

doordrenken soak (through), saturate, drench

¹**doordrijven** (onov ww) [doorzeuren] nag: *je moet niet zo* ~ stop nagging!

²**doordrijven** (ov ww) push through, force through, enforce, impose: *iets te ver* ~ carry things too far

¹**doordringen** (ww) **1** penetrate, permeate [vocht; ook figuurlijk] **2** [volkomen overtuigen] persuade, convince: *doordrongen zijn van de noodzaak …* be convinced of the necessity of …

²**doordringen** (ww) penetrate, get through, occur: ~ *in* penetrate; permeate, filter through [vocht]; *het drong niet tot me door dat hij mij wilde spreken* it didn't occur to me that he wanted to see me; *niet tot iem. kunnen* ~ not be able to get through to s.o.

doordringend piercing; penetrating [blik, kou, kreet]; pungent [geur]: *iem.* ~ *aankijken* give s.o. a piercing look

doordrukken push through, force through: *zijn eigen mening* ~ impose one's own view

dooreen jumbled up, higgledy-piggledy

dooreten carry on eating, keep (on) eating: *eet eens even door!* eat up now!

¹**doorgaan** (onov ww) **1** go on, walk on, continue: *deze trein gaat door tot Amsterdam* this train goes on to Amsterdam **2** [voortgaan met een handeling] continue (doing, with), go (*of:* carry) on (doing, with), persist (in, with), proceed (with): *hij bleef er maar over* ~ he just kept on about it; *dat gaat in éé moeite door* we can do that as well while we're about it **3** [voortduren] continue, go on, last **4** [door een ruimte, opening gaan] go through, pass through, pass **5** [plaatsgrij pen] take place, be held: *het feest gaat door* the party is on; *niet* ~ be off **6** [aangezien worden voor] pass for, pass o.s. off as; [zon-

der bedrog] be considered (as): *zij gaat voor
erg intelligent door* she is said to be very intelligent

²**doorgaan** (ov ww) go through, pass
through

doorgaand through: ~ *verkeer* through
traffic

doorgaans generally, usually

de **doorgang 1** occurrence: *(geen)* ~ *hebben*
(not) take place **2** [opening] passage(way),
way through, gangway; [kerk, vliegtuig]
aisle

het **doorgeefluik** (serving-)hatch; [fig] intermediary, middleman

doorgestoken: *dat is* ~ *kaart* it's been arranged behind our backs, it's fixed, it's a put-
up job

doorgeven 1 pass (on, round), hand on
(*of:* round): *geef de fles eens door* pass the
bottle round (*of:* on) **2** [overbrengen] pass
(on): *een boodschap aan iem.* ~ pass a message on to s.o. **3** [overdragen] pass on, hand
on, hand over **4** [verder vertellen] pass on,
let (s.o.) know about: *dat zal ik moeten* ~ *aan
je baas* I will have to tell your boss about this

doorgewinterd seasoned, experienced

doorgronden fathom, penetrate

doorhakken chop in half (*of:* two), split

doorhalen cross out, delete

doorhebben see (through), be on to: *hij
had het dadelijk door dat ...* he saw at once
that ...

doorheen through: *zich er* ~ *slaan* get
through (it) somehow or other

doorkijken look through

doorklikken click (on the link)

doorklinken be heard: [fig] *de berusting die
uit zijn woorden doorklinkt* the resignation
that can be heard in his words

doorkneed experienced

doorknippen cut through, cut in half (*of:*
in two)

doorkomen 1 come through (*of:* past, by),
pass (through, by): *de stoet moet hier* ~ the
procession must come past here **2** [ten einde
brengen] get through (to the end): *de dag* ~
make it through the day; *er is geen* ~ *aan*
a) [boek, werk enz.] there is no way I'm going to get this finished; **b)** [menigte, verkeer]
I don't stand a hope of getting through
3 [door iets heen dringen] come through,
get through: *de zon komt door* the sun is
breaking through

doorkruisen 1 traverse, roam; scour [op
zoek]: *hij heeft heel Frankrijk doorkruist* he has
travelled all over France **2** [dwarsbomen]
thwart: *dat voorstel doorkruist mijn plannen*
that proposal has thwarted my plans

doorlaten let through (*of:* pass), allow
through (*of:* to pass): *geen geluid* ~ be
soundproof

doorleefd wrinkled, aged

doorleren keep (on) studying, continue
with one's studies, stay on at school

doorleven live through, spend

¹**doorlezen** (onov ww) [doorgaan met le-
zen] read on, keep (on) reading

²**doorlezen** (ov ww) [tot het einde lezen]
read (to the end (*of:* through)): *ik heb dat
boek slechts vluchtig doorgelezen* I have only
glanced (*of:* skimmed) through that book

doorlichten investigate, examine carefully; screen [persoon]

doorliggen have bedsores, get bedsores:
zijn rug is doorgelegen he has (got) bedsores
on his back

¹**doorlopen** (ww) **1** walk through, go
through, pass through **2** [volgen] go
through, pass through; [afronden] complete
[cursus]: *alle stadia* ~ pass through (*of:* complete) every stage **3** [vluchtig lezen] run
through, glance through

²**doorlopen** (ww) **1** walk (*of:* go, pass)
through: *hij liep tussen de struiken door* he
walked (*of:* went) through the bushes
2 [verder lopen] keep (on) walking (*of:* go-
ing/moving); continue walking (*of:* going/
moving); continue to walk (*of:* to go/move);
walk on (*of:* go/move on): ~ *a.u.b.!* move
along now, please! **3** [m.b.t. kleuren] run:
het blauw is doorgelopen the blue has run
4 [niet onderbroken worden] run on, carry
on through, continue; [nummers ook] be
consecutive: *de eetkamer loopt door in de keuken* the dining room runs through into the
kitchen **5** [sneller lopen] hurry up

doorlopend continuous, continuing; [met
onderbrekingen] continual; [opeenvolgend]
consecutive: ~ *krediet* revolving (*of:* continuous) credit; *hij is* ~ *dronken* he is constantly
drunk

doormaken go through, pass through, live
through, experience, undergo: *een moeilijke
tijd* ~ have a hard time (of it)

doormidden in two, in half

de **doorn** thorn: *dat is mij een* ~ *in het oog* that is
a thorn in my flesh

doornat wet through, soaked (through)

doornemen 1 go through (*of:* over): *een
artikel vluchtig* ~ skim through an article
2 [bespreken] go over: *iets met elkaar* ~ go
over sth. together

Doornroosje Sleeping Beauty

doorprikken burst, prick, puncture

de **doorreis** stopover, stopoff: *hij is op* ~ *(naar
Rome)* he is passing through (*of:* stopping
over) (on his way to Rome)

doorrijden 1 keep on (*of:* continue) driv-
ing/riding: *rijdt deze bus door naar het station?*
does this bus go on to the station? **2** [verder
rijden] drive on, ride on, proceed, continue:
~ *na een aanrijding* fail to stop after an acci-

dent **3** [sneller rijden] drive faster, ride faster, increase speed: *als we wat ~, zijn we er in een uur* if we step on it, we will be there in an hour

de **doorrijhoogte** clearance, headway

doorschemeren be hinted at, be implied: *hij liet ~ dat hij trouwplannen had* he hinted that he was planning to marry

doorscheuren tear up; [in tweeën] tear in half

doorschieten shoot through (*of:* past)

doorschijnend translucent; see-through [van kleding]; transparent

doorschuiven pass on

doorslaan 1 tip, dip: *de balans doen ~* tip the scales **2** blow, melt; fuse [leiding]; break down [isolatie]: *de stop is doorgeslagen* the fuse has blown **3** [bekennen] talk

doorslaand conclusive, decisive: *een ~ succes* a resounding success

de **doorslag 1** turn (*of:* tip) (of the scale): *dat gaf bij mij de ~* that decided me; *dat geeft de ~* that settles it **2** [afschrift, kopie] carbon (copy), duplicate

doorslaggevend decisive: *van ~ belang* of overriding importance

doorslikken swallow

doorsmeren lubricate: *de auto laten ~* have the car lubricated

de **doorsnede 1** section, cross-section, profile: *een ~ van een bol maken* make a cross-section of a sphere **2** [middellijn] diameter: *die bal heeft een ~ van 5 cm* this ball has a diameter of 5 cm

doorsnee average, mean: *de ~ burger* the man in (*of:* on) the street

¹**doorsnijden** (ww) cut, sever; [in tweeën] cut in(to) two; [in tweeën] bisect: *hij heeft alle banden met zijn familie doorgesneden* he has severed (*of:* cut) all ties with his family

²**doorsnijden** (ov ww) cut (through)

doorspekken interlard (with), intersperse (with), punctuate (with)

¹**doorspelen** (onov ww) play on, continue to play: *het orkest speelde door alsof er niets gebeurd was* the orchestra played on as if nothing had happened

²**doorspelen** (ov ww) pass on, leak: *informatie aan een krant ~* pass on information to a newspaper; *de bal ~ naar ...* pass (the ball) to ...

doorspoelen 1 [door iets heen doen gaan] wash down (*of:* out, through): *je eten ~ met wijn* wash down your food with wine **2** [reinigen] [leiding] flush out; [wc] flush **3** [m.b.t. een geluids-, videoband] wind on

doorspreken discuss, go into (in depth)

doorstaan endure, bear, (with)stand, come through: *een proef ~* come through a test

de **doorstart 1** [v vliegtuig] aborted landing

2 [ec] new start; [na faillissement] bankruptcy restructuring

¹**doorstarten** (onov ww) **1** [v vliegtuig] abort a landing **2** [alg] start up again

²**doorstarten** (onov ww) start up again

doorstoten 1 keep on (*of:* continue) pushing **2** [doordringen, oprukken] advance, push on (*of:* through); [ergens doorheen] break through, burst through: *~ tot de kern van de zaak* get to the heart of the matter

doorstrepen cross out, delete, strike out (*of:* through)

doorstromen 1 [m.b.t. het onderwijs] move up, move on **2** flow (through)

de **doorstroming 1** [m.b.t. het onderwijs] moving up, moving on **2** [m.b.t. bloed; ook verkeer] flow, circulation: *een vlottere ~ van het verkeer* a freer flow of traffic

doorstuderen continue (with) one's studies

doorsturen send on; [wegsturen] send away: *een brief ~* forward a letter; *een patiënt naar een specialist ~* refer a patient to a specialist

doortastend vigorous, bold

de **doortocht 1** crossing, passage through, way through **2** [opening, weg] passage, thoroughfare: *de ~ versperren* block the way through

doortrapt 1 cunning, crafty **2** [door en door slecht] base, villainous

¹**doortrekken** (onov ww) [reizen] travel through, pass through, journey through, roam: *de verkiezingskaravaan trekt het hele land door* the election caravan is touring the whole country

²**doortrekken** (ov ww) **1** [verlengen] extend, continue: *een lijn ~* follow the same line (*of:* course); *een vergelijking ~* carry a comparison (further) **2** [m.b.t. toilet] flush

doorverbinden connect; [telefoon ook] put through (to)

doorvertellen pass on: *aan niemand ~, hoor!* don't tell anyone else!

doorverwijzen refer

de **doorvoer** transit

de **doorvoerhaven** transit port

doorwaadbaar fordable, wad(e)able: *doorwaadbare plaats* ford

doorweekt wet through, soaked, drenched

¹**doorwerken** (onov ww) **1** go (*of:* keep) o working, continue to work, work on; work overtime [na werktijd]: *er werd dag en nach doorgewerkt* they worked night and day **2** [voortgang maken met werk] make headway, get on (with the job): *je kunt hier nooit you* can never get on with your work here **3** [invloed hebben (op)] affect sth., make itself felt: *zijn houding werkt door op anderen* his attitude has its effect on others

²**doorwerken** (ov ww) work (one's way) through, get through, go through: *een heleboel stukken door moeten werken* have to plough through a mass of documents

¹**doorzagen** (onov ww) [vervelend blijven doorpraten] keep (*of:* go, moan) on (about sth.)

²**doorzagen** (ov ww) saw (sth.) through, saw in two || *iem. over iets blijven ~* force sth. down s.o.'s throat; [scherp ondervragen] question s.o. closely, grill s.o.

doorzakken 1 sag, give (way) **2** [veel sterkedrank drinken] go on drinking (*of:* boozing), make a night of it

¹**doorzetten** (onov ww) **1** become stronger, become more intense: *de weeën zetten door* the contractions are increasing (in intensity) **2** [volharden] persevere: *nog even ~!* don't give up now!; *van ~ weten* not give up easily

²**doorzetten** (ov ww) **1** [doen voortgaan] press (*of:* go) ahead with **2** [volledig uitvoeren] go through with: *iets tot het einde toe ~* see sth. through

de **doorzetter** go-getter, stayer

het **doorzettingsvermogen** perseverance, drive

doorzeven riddle: *met kogels doorzeefd* bullet-riddled

doorzichtig 1 transparent; see-through [kledingstuk]: *gewoon glas is ~, matglas doorschijnend* plain glass is transparent, frosted glass is translucent **2** [fig] transparent, thin, obvious

de **doorzichtigheid** transparency

doorzien see through; be on to [persoon]: *hij doorzag haar bedoelingen* he saw what she was up to

doorzoeken search through, go through; ransack [grondig]: *zijn zakken ~* turn one's pockets (inside) out

de **doos** box; case [wijn]: [luchtv] *de zwarte ~* the black box

de **dop 1** shell [eieren, noten]; pod [peulvruchten]; husk [zaden, granen] **2** [(af)sluiting] cap [pen, tube]; top **3** [Belg; inf] dole, unemployment benefit || *een advocaat in de ~* a budding lawyer; *kijk uit je ~pen!* watch where you're going!

de ¹**dope 1** [pepmiddel] dope **2** [drugs] dope: *helemaal onder de ~ zitten* be stoned, be doped up to the eyeballs

²**dope** (bn) [inf] [cool] (really) dope, awesome

dopen 1 sop, dunk (in): *zijn pen in de inkt ~* dip one's pen in the ink **2** [rel] baptize, christen: *iem. tot christen ~* baptize s.o. **3** [Belg] initiate, rag

de **doper** baptizer: *Johannes de Doper* John the Baptist

de **doperwt** green pea

de **doping** drug(s)

de **dopingcontrole** dope test

het **dopje** cap, top

¹**doppen** (onov ww) [Belg] be on benefit, be on the dole

²**doppen** (ov ww) (un)shell; [bonen, erwten ook] pod; hull; [noot, ei ook] peel; [zaden, granen] (un)husk; [zaden, granen] hull

dor 1 barren, arid **2** [m.b.t. planten] withered

het **dorp** village; [Am] town: *het hele ~ weet het* it's all over town

de **dorpel** threshold, doorstep

de **dorpeling** villager; [mv ook] village people

de **dorpsbewoner** villager

het **dorpshuis** [cultureel centrum] community centre

dorsen thresh

de **dorst** thirst: *ik verga van de ~* I'm dying of thirst; *zijn ~ lessen* quench one's thirst

dorstig thirsty, parched

doseren dose

de **dosering** quantity; [van geneesmiddel] dose; dosage

de **dosis** dose, measure: *een flinke ~ gezond verstand* a good measure of common sense

het **dossier** file, documents, records: *een ~ bijhouden van iets (iem.)* keep a file on sth. (s.o.)

de **dot** tuft || *een flinke ~ slagroom* a dollop of cream; [sport] *een ~ van een kans* a golden opportunity

de **douane** customs

de **douanebeambte** customs officer

de **douanerechten** customs duties

de **double** double

doubleren repeat (a class)

de **douche** shower: [fig] *een koude ~* a rude awakening

de **douchecel** shower (cubicle)

de **douchekop** shower head

douchen shower, take (*of:* have) a shower

douwen shove, push; crowd [opzij]

de **dove** deaf person

de **dovemansoren**: *dat is niet aan ~ gezegd* that did not fall on deaf ears; *voor ~ spreken* not find any hearing

doven [blussen, uitdoen] extinguish, put out; turn out, turn off [licht]

de **dovenetel** dead nettle

down [neerslachtig] down, down-hearted || *~ gaan* [van computersysteem] fail, go down

de **download** download

downloaden [comp] download

het **downsyndroom** Down's syndrome

het **dozijn** dozen: *een ~ eieren* one dozen eggs

de **draad 1** thread [ook schroeven; figuurlijk]; fibre: *tot op de ~ versleten* worn threadbare; *de ~ weer opnemen* pick up the thread; *de ~ kwijt zijn* flounder [spreken] **2** [vezel] fibre; string [vlees, peulen]

het **draadje 1** thread, strand, fibre: *aan een zijden ~ hangen* hang by a thread; *er zit een ~*

los bij hem he has a screw loose **2** [stukje draad] wire, piece of wiring

draadloos wireless: *~ internet* wireless Internet; *draadloze telefoon* cellular (tele)phone

draagbaar portable, transportable

de **draagbalk** [bouwk] breastsummer, girder

de **draagkracht** capacity, strength: *financiële ~ financial strength (of: capacity, means)

draaglijk bearable, endurable

de **draagmoeder** surrogate mother

de **draagstoel** sedan (chair)

de **draagtas** carrier bag; [Am] bag

het **draagvermogen** bearing (of: supporting) power; [vliegtuig] lift

het **draagvlak** [lett] bearing surface, basis; support [ook fig]: *het maatschappelijk ~ van een wetsontwerp* the public support for a bill

de **draagwijdte** range; [fig ook] scope, bearing

de **draai 1** turn, twist, bend: *een ~ van 180° maken* make an about-turn **2** [slag] turn, twist; screw [schroef]: *iem. een ~ om de oren geven* box s.o.'s ears ‖ *hij kon zijn ~ niet vinden* he couldn't settle down

draaibaar revolving, rotating, swinging: *een draaibare (bureau)stoel* a swivel chair

de **draaibank** (turning) lathe

het **draaiboek** script, screenplay, scenario

de **draaicirkel** turning circle

de **draaideur** revolving door

¹**draaien** (onov ww) **1** turn (around), revolve, rotate; [planeten] orbit; [om as] pivot: *in het rond ~* turn round, spin round; *daar draait het om* that's what it's all about **2** [wenden] turn, swerve: *de wind draait* the wind is changing **3** [m.b.t. bedrijf, winkel] work, run, do: *met winst (of: verlies) ~ work at a profit (of: loss)* ‖ *die film draait nog steeds* that film is still on; *aan de knoppen ~* turn the knobs; *er omheen ~* evade the question

²**draaien** (ov ww) **1** turn (around); [snel] twirl; spin: *het gas hoger (of: lager) ~* turn the gas up (of: down); *een deur op slot ~* lock a door **2** [andere richting geven aan] turn (around), swerve **3** roll; turn [op draaibank] **4** [m.b.t. telefoonnummer] dial **5** [afspelen] play: *een film ~* show a film ‖ *een nachtdienst ~* work a night shift; *de zaak ~de houden* keep things going

draaierig dizzy

het **draaihek** turnstile, swing gate

de **draaikolk** whirlpool

de **draaimolen** merry-go-round

het **draaiorgel** barrel organ; hand organ [draagbaar]: *de orgelman speelde zijn ~* the organgrinder was grinding his barrel organ

de **draaischijf 1** [van telefoon] dial **2** [van pottenbakker] potter's wheel

de **draaistoel** swivel chair, revolving chair

de **draaitafel** turntable

de **draak** dragon

het/de **drab 1** dregs, sediment **2** [m.b.t. vloeistof] ooze

het/de **drachme** drachma

de **dracht 1** [zwangerschap] gestation; pregnancy [mensen] **2** [m.b.t. kleren] costume, dress

drachtig with young, bearing: *~ zijn* be with young

draconisch draconian

de **draf** trot: *in volle ~* at full trot; *op een ~je lopen* run along, trot

¹**dragen** (onov ww) rest on, be supported: *een ~de balk* a supporting beam

²**dragen** (ov ww) **1** support, bear, carry; [fig ook] sustain: *iets bij zich ~* have sth. on one **2** [aan, op, in hebben] wear, have on: *die schoenen kun je niet bij die jurk ~* those shoes don't go with that dress **3** [op zich nemen] take, have: *de gevolgen ~* bear (of: take) the consequences **4** [verduren] bear, endure: *de spanning was niet langer te ~* the tension had become unbearable

de **drager** bearer [ook begrafenis]; carrier [ook van ziekte]

de **dragon** tarragon

de **drain** drain [ook medisch]

draineren drain

dralen linger, hesitate

het **drama 1** tragedy, drama: *de Griekse ~'s* the Greek tragedies; *een ~ opvoeren* perform a tragedy **2** [droevige gebeurtenis] tragedy, catastrophe ‖ *een ~ van iets maken* make a drama of sth.

dramatisch 1 dramatic: *~e effecten* theatrical effects **2** [aangrijpend] [rampzalig] tragic; [overdreven] theatrical: *doe niet zo ~* don't make such a drama of it

dramatiseren 1 dramatize, make a drama of **2** [voor het toneel] dramatize; [roman ook] adapt for the stage

drammen nag, go on

drammerig nagging, insistent, tiresome

de **drang 1** urge, instinct: *de ~ tot zelfbehoud* the survival instinct **2** [het dringen] pressure, force: *met zachte ~* with gentle insistence

het **dranghek** barrier

de **drank** drink; [op menu] beverage: *alcoholhoudende ~en* alcoholic beverages; [Belg] *korte ~* spirits, liquor

het **drankje** drink: *een ~ klaarmaken* mix a drink

het **drankmisbruik** alcohol abuse

het **drankorgel** drunk(ard), hard drinker

de **drankvergunning** liquor licence

draperen drape

drassig boggy, swampy

drastisch drastic: *de prijzen (of: belastingen) ~ verlagen* slash prices (of: taxes)

draven 1 [m.b.t. paarden] trot **2** [m.b.t. mensen] hurry about

de **dreef 1** (+ op) in form, in one's stride: *niet op ~ zijn* be off form; *hij is aardig* (of: *geweldig*) *op ~* he's in good (of: splendid) form **2** [laan] avenue, lane
dreggen drag

de **dreigbrief** threatening letter

het **dreigement** threat

¹dreigen (onov ww) **1** threaten, menace: *~ met straf* threaten punishment **2** [gevaar lopen, op het punt staan] threaten, be in danger: *de vergadering dreigt uit te lopen* the meeting threatens to go on longer than expected

²dreigen (ov ww) threaten

dreigend 1 threatening, ominous, menacing: *iem. ~ aankijken* scowl at s.o. **2** [aanstaand] imminent, threatening

de **dreiging** threat, menace

de **drek** dung, muck; [mest] manure

de **drempel 1** threshold, doorstep **2** [psych] threshold, barrier

de **drenkeling** drowning person; [reeds verdronken] drowned body (of: person)
drenken drench, soak, saturate
drentelen saunter, stroll

de **dresscode** dress code
dresseren train

de **dresseur** (animal) trainer

et/de **dressoir** sideboard, buffet

de **dressuur** training, drilling; [paarden] dressage; [paarden] schooling

de **dreumes** toddler, tot

de **dreun 1** boom, rumble; [lang en eentonig] drone: *er klonk een doffe ~* there was a dull boom (of: rumble) **2** [eentonig ritme] drone, monotone **3** [harde klap] blow, thump: *iem. een ~ verkopen (geven)* sock s.o. one
dreunen 1 hum, drone, rumble: *het hele huis dreunt ervan* the whole house is rocking with it **2** [dof en zwaar] boom, crash, thunder, roar: *hij sloeg de deur ~d dicht* he slammed the door shut
dribbelen dribble

drie three; [data] third: *een auto in z'n ~ zetten* put a car into third gear; *met ~ tegelijk* in threes; *zij waren met hun ~ën* there were three of them; *het is tegen* (of: *bij*) *~ën* it's almost three o'clock; *met 3-0 verliezen* lose by three goals to nil
driedaags three-day
driedelig tripartite [ook biologie]; three-piece [kostuum]
driedimensionaal three-dimensional
driedubbel 1 threefold, triple **2** [driemaal zo groot] treble, triple

de **Drie-eenheid** [rel] the (Blessed (of: Holy)) Trinity

de **driehoek** triangle
driehoekig triangular, three-cornered

de **driehoeksverhouding** [m.b.t. personen] triangular (of: three-cornered) relationship

driehonderd three hundred
driehoog three floors up; [Am] four floors up: *driehoog-achter* a garret (room)
driejarig 1 [drie jaar oud] three-year-old: *op ~e leeftijd* at the age of three **2** [drie jaar durend] three-year

de **driekleur** tricolour
Driekoningen (feast of (the)) Epiphany, Twelfth Night
driekwart three-quarter: *(voor) ~ leeg* three parts empty; *(voor) ~ vol* three-quarters full

de **driekwartsmaat** three-four (time)
drieledig three-part: *een ~ doel* a threefold purpose

de **drieling** (set of) triplets: *de geboorte van een ~* the birth of triplets

het **drieluik** triptych
driemaal three times: *~ zo veel (groot) geworden* increased threefold; *~ is scheepsrecht* third time lucky
driemaandelijks quarterly, three-monthly: *een ~ tijdschrift* a quarterly

de **driemaster** three-master

de **driesprong** three-forked road
driest reckless, foolhardy

het **driesterrenrestaurant** three-star restaurant

het **drietal** threesome, trio, triad

de **drietand 1** trident: *de ~ van Neptunus* Neptune's trident **2** [mestvork] three-pronged, three-tined fork

de **drietrapsraket** three-stage rocket

het **drievoud 1** treble, triplicate: *een formulier in ~ ondertekenen* sign a form in triplicate **2** [door drie deelbaar] multiple of three
drievoudig treble, triple: *we moesten het ~e (bedrag) betalen* we had to pay three times as much

de **driewieler** tricycle; [auto] three-wheel car

de **drift 1** (fit of) anger, (hot) temper, rage: *in ~ ontsteken* fly into a rage **2** [neiging, begeerte] passion, urge **3** [het drijven] drift

de **driftbui** fit (of: outburst) of anger

¹driftig (bn) **1** angry, heated: *je moet je niet zo ~ maken* you must not lose your temper **2** [opvliegend] short-tempered

²driftig (bw) **1** angry, hot-headed: *~ spreken* speak in anger **2** [heftig] vehement, heated: *hij stond ~ te gebaren* he was making vehement gestures; *zij maakte ~ aantekeningen* she was busily taking notes

de **driftkop** hothead

het **drijfgas** propellant

het **drijfijs** drift ice

de **drijfjacht** drive, battue
drijfnat soaking wet, sopping wet, drenched, soaked

de **drijfveer** motive, mainspring

het **drijfzand** quicksand(s)

¹drijven (onov ww) **1** float, drift: *het pakje*

bleef ~ the package remained afloat **2** [zweven] float, drift, glide **3** [doornat zijn] be soaked: ~ _van het zweet_ be dripping with sweat

²**drijven** (ov ww) **1** [voor zich uit doen gaan] drive, push, move: _de menigte uit elkaar_ ~ break up the crowd **2** [bewegen tot] drive, push, compel: _iem. tot het uiterste_ ~ push s.o. to the extreme **3** [bedrijven] run, conduct, manage: _handel_ ~ _met een land_ trade with a country; _de spot met iem._ ~ make fun of s.o. **4** [in beweging brengen] drive; propel [machine]; operate: _door stoom gedreven schepen_ steam-driven (of: steam-propelled) ships

drijvend floating, drifting; [predicatief ook] afloat

de **drijver 1** driver; drover [van vee]; beater [jacht] **2** [voorwerp dat drijft] float: ~_s van een watervliegtuig_ floats of a seaplane

de **drilboor** drill

drillen drill

¹**dringen** (onov ww) **1** push, shove, penetrate: _hij drong door de menigte heen_ he pushed (of: elbowed, forced) his way through the crowd; _naar voren_ ~ push forward **2** [voorwaartse druk uitoefenen] push, press: _het zal wel_ ~ _worden om een goede plaats_ we'll probably have to fight for a good seat **3** [druk doen gelden] press, urge, compel: _de tijd dringt_ time is short

²**dringen** (ov ww) push, force

¹**dringend** (bn) **1** urgent [behoefte, telegram, verzoek]; pressing [behoefte, bezigheden]; acute; dire [nood] **2** [met aandrang] urgent; earnest [verzoek]; insistent, pressing: _op_ ~ _verzoek van_ at the urgent request of

²**dringend** (bw) [onmiddellijk] urgently, acutely, direly: _ik moet u_ ~ _spreken_ I must speak to you immediately

drinkbaar [smakelijk] drinkable; [ongevaarlijk] potable

de **drinkbeker** drinking cup, goblet

drinken 1 drink; sip [met kleine teugjes]: _wat wil je_ ~_?, wat drink jij?_ what are you having?, what'll it be?; _ik drink op ons succes_ here's to our success! **2** [opzuigen] soak (up) **3** [alcohol drinken] drink: _te veel_ ~ drink (to excess)

de **drinker** drinker

de **drinkplaats** watering place

het **drinkwater** drinking water, potable water

de **drinkyoghurt** drinking yoghurt

de **drive-inbioscoop** drive-in-cinema

droef sad, sorrowful

de **droefenis** [form] sadness, sorrow, grief: _in diepe_ ~ in deep distress

droefgeestig melancholy, mournful; [m.b.t. zaken] doleful

de **droefheid** sorrow, sadness, grief

de **droesem** dregs, lees

¹**droevig** (bn) **1** sad, sorrowful, miserable

2 [van droefheid getuigend] sad, melancholy: _een ~e blik_ a sad (of: melancholy) look **3** [tot droefheid stemmend] depressing, sad-dening: _een_ ~ _lied_ a sad (of: melancholy) song **4** [bedroevend] depressing, miserable

²**droevig** (bw) **1** sadly, dolefully, sorrowfully **2** [bedroevend] depressingly, pathetically: _het is_ ~ _gesteld met hem_ he's in a distressing situation

¹**drogen** (onov ww) dry: _de was te_ ~ _hangen_ hang out the laundry to dry

²**drogen** (ov ww) dry, air; [door vegen] wipe: _iets laten_ ~ leave sth. to dry

de **droger** drier

drogeren dope

de **drogist 1** chemist **2** [winkel] chemist's

de **drogisterij** chemist's

de **drogreden** fallacy, sophism

de **drol** turd

de **drom** crowd, horde, throng

de **dromedaris** dromedary, (Arabian) camel

¹**dromen** (onov ww) **1** dream **2** [mijmeren] (day)dream, muse

²**dromen** (ov ww) dream, imagine

de **dromer** dreamer, stargazer, rainbow chaser

¹**dromerig** (bn) **1** dreamy, faraway **2** [als een droom] dreamy, dreamlike, illusory: _een ~e sfeer_ a dreamlike feeling

²**dromerig** (bw) dreamily: ~ _uit zijn ogen kijken_ gaze dreamily

de **dronk 1** toast **2** [het drinken] drinking

de **dronkaard** drunk(ard)

dronken drunken, drunk: _de wijn maakt hem_ ~ the wine is making him drunk; _iem._ ~ _voeren_ ply s.o. with liquor

de **dronkenlap** drunk

de **dronkenman** drunk

de **dronkenschap** drunkenness, intoxication, inebriety: _in kennelijke staat van_ ~ _(verkeren)_ (be) under the influence of drink

droog dry; [klimaat] arid; [vruchten, enz. ook] dried out: _hij zit hoog en_ ~ he is sitting high and dry

de **droogbloem** dried flower

de **droogdoek** tea towel

de **droogkap** (hair)dryer (hood)

droogkoken boil dry

de **droogkuis** [Belg] dry-cleaning

droogleggen reclaim; [vnl. m.b.t. Nederland] impolder

het **droogrek** drying rack

de **droogte** dryness; aridity [m.b.t. klimaat]; drought [m.b.t. weer]

de **droogtrommel** dryer, drying machine, tumble(r) dryer

droogzwemmen 1 practise swimming on (dry) land **2** [fig] do a dry run

de **droom** dream, fantasy: _het meisje van zijn dromen_ the girl of his dreams; _een natte_ ~ a wet dream ‖ _iem. uit de_ ~ _helpen_ disillusion (*of:* disenchant) s.o.

het **droombeeld** picture from a dream; [fantasiebeeld] fantasy, illusion

de **droomprins** Prince Charming

de **droomwereld** dream-world, fantasy world, fool's paradise

het/de **drop** liquorice: *Engelse* ~ liquorice all-sorts

droppen drop off

de **dropping** drop

de **drug** drug, narcotic: *handelen in* ~*s*, ~*s verkopen* deal in (*of:* sell) drugs

de **drugsdealer** (drug) dealer, pusher

het **drugsgebruik** use of drugs, drug abuse

de **drugsgebruiker** drug user

de **drugshandel** dealing (in drugs), drug trade

de **drugsrunner** drug trafficker

de **drugsverslaafde** drug addict, junkie

de **druïde** druid

de **druif** grape: *een tros druiven* a bunch of grapes

druilerig drizzly

de **druiloor** mope(r)

druipen drip, trickle

de **druiper** the clap, gonorrhoea

druipnat soaking wet, soaked through

de **druipneus** runny nose: *ik heb een* ~ [ook] my nose is running

het/de **druipsteen** stalactite; [hangend] stalagmite [staand]

de **druivenoogst** grape harvest, vintage

het **druivensap** grape-juice

de **druivensuiker** grape sugar, dextrose

de **druiventros** bunch of grapes

de ¹**druk** (zn) **1** pressure: ~ *uitoefenen (op)* exert pressure (on) **2** strain, stress **3** [oplage] edition: *een herziene* ~ a revised edition

²**druk** (bn) **1** busy, demanding, active, lively: *een* ~*ke baan* a demanding job; *een* ~ *leven hebben* lead a busy life **2** [luidruchtig] active, lively, boisterous: ~*ke kinderen* boisterous children; *zich* ~ *maken over iets* worry about sth.

³**druk** (bw) **1** busily: ~ *bezet* busy; ~ *bezig zijn (met iets)* be very busy (with, doing sth.) **2** [opgewonden] busily, noisily, excitedly

drukbezet busy

de **drukfout** misprint, printing error, erratum

¹**drukken** (onov ww) press, push

²**drukken** (ov ww) **1** push, press: *iem. de hand* ~ shake hands with s.o. **2** force: *iem. tegen zich aan* ~ hold s.o. close (to o.s.) **3** [omlaag brengen] push down: *de prijzen* ~ (*of: kosten*) – keep down prices (*of:* costs) **4** print: *10.000 exemplaren van een boek* ~ print (*of:* run off) 10,000 copies of a book **5** [stempelen] stamp, impress

drukkend 1 oppressive, heavy, burdensome **2** [broeierig] sultry; [benauwd] close

de **drukker** printer

de **drukkerij** printer, printing office (*of:* business), printer's

de **drukkingsgroep** [Belg] [pressiegroep] pressure group

de **drukknoop** press stud, press fastener, popper

de **drukknop** push-button

de **drukletter 1** [geschreven] (block, printed) letter **2** type, letter

de **drukpers** printing press

de **drukproef** proof, galley (proof), printer's proof

de **drukte 1** busyness, pressure (of work): *door de* ~ *heb ik de bestelling vergeten* it was so busy (*of:* hectic) I forgot the order **2** bustle, commotion, stir: *de* ~ *voor Kerstmis* the Christmas rush **3** fuss, ado: *veel* ~ *over iets maken* make a big fuss about sth.

de **druktemaker** noisy (*of:* rowdy) person, show-off

de **druktoets** (push-)button

het **drukwerk** [m.b.t. post] printed matter (*of:* papers)

de **drum** drum

de **drumband** drum band

drummen 1 [op de drums spelen] drum, play the drum(s) **2** [Belg; dringen, duwen] push and shove

de **drummer** drummer

het **drumstel** drum set, (set of) drums

de **druppel** drop(let); bead [o.a. zweet]: *alles tot de laatste* ~ *opdrinken* drain to the (very) last drop; *zij lijken op elkaar als twee* ~*s water* they are as like as two peas in a pod; [fig] *dat is de* ~ *die de emmer doet overlopen* that's the straw that breaks the camel's back

druppelen drip, trickle, ooze: *iets in het oog* ~ put drops in one's eye

het **dualisme** dualism [ook politiek]

¹**dubbel** (bn) **1** double, duplicate, dual: *een* ~*e bodem* a double (*of:* hidden) meaning **2** double (the size), twice (as big) || *een* ~ *leven leiden* lead a double life

²**dubbel** (bw) **1** double, twice: *ik heb dat boek* ~ I have two copies of that book; ~ *liggen* [bijv. van het lachen] be doubled up **2** doubly, twice: *dat is* ~ *erg* that's twice as bad; *hij verdient het* ~ *en dwars* he deserves every bit of it

de **dubbeldekker** double-deck(er) (bus)

de **dubbelepunt** colon

de **dubbelganger** double, lookalike, doppelgänger

dubbelklikken double-click

het **dubbelleven**: *een* ~ *leiden* lead a double life

dubbelop double

dubbelparkeren double-park

de **dubbelrol** double role, twin roles

het **dubbelspel** [sport] doubles

de **dubbelspion** double agent

het **dubbeltje** ten-cent piece: *zo plat als een* ~

(as) flat as a pancake; [fig] *het is een ~ op zijn
kant* it's a toss-up, it's touch and go
dubbelvouwen fold in two, bend double
(*of:* in two)
dubbelzinnig 1 ambiguous: *een ~ antwoord* an ambiguous (*of:* evasive) answer
2 [m.b.t. obscene toespelingen] suggestive,
with a double meaning

de **dubbelzinnigheid 1** ambiguity **2** ambiguous remark; [met seksuele bijbetekenis-
(sen)] suggestive remark
dubben brood, ponder: *~ over iets* brood
about sth.
dubieus 1 dubious, doubtful **2** [onbe-
trouwbaar ook] dubious, questionable
duchten fear

het **duel** duel, fight, single combat
duelleren duel, fight

het **duet** duet, duo
duf 1 musty, stuffy, mouldy: *het rook daar ~*
it smelled musty **2** [fig] stuffy, stale

de **dug-out** dugout
duidelijk 1 clear, clear-cut, plain: *zich in ~e
bewoordingen (taal) uitdrukken* speak plainly; *ik heb hem ~ gemaakt dat ...* I made it clear
to him that ...; *om ~ te zijn, om het maar eens
~ te zeggen* to put it (quite) plainly **2** [goed
waarneembaar] clear, distinct, plain: *een ~e
voorkeur hebben voor iets* have a distinct
preference for sth.; *~ zichtbaar* (*of:* te merken*) zijn* be clearly visible (*of:* noticeable)

de **duidelijkheid** clearness, clarity, obvious-
ness
duiden 1 point (to, at) **2** point (to), indicate: *verschijnselen die op tuberculose ~* symptoms that indicate tuberculosis

de **duif** pigeon, dove
duigen: *in ~ vallen* fall to pieces, collapse

de **duik** dive, diving, plunge: *een ~ nemen*
[gaan zwemmen] take a dip

de **duikboot** submarine; [inf] sub; [gesch]
U-boat

de **duikbril** diving goggles
duikelen 1 (turn a) somersault, go (*of:*
turn) head over heels, tumble **2** [vallen]
(take a) tumble, fall head over heels **3** [da-
len] drop, dive; [van koersen ook] plunge
(downward)

de **duikeling 1** somersault, roll **2** [val] fall,
tumble
duiken 1 dive, plunge, duck, go under;
[onderzeeër ook] submerge: [sport] *naar een
bal ~* dive for (*of:* after) a ball **2** [zich in iets
verbergen] duck (down, behind): *in een onderwerp ~* go (deeply) into a subject

de **duiker** [persoon] diver

het **duikerpak** wetsuit, diving suit

de **duikplank** diving board

de **duiksport** diving

de **duikvlucht** (nose) dive

de **duim 1** thumb: *de ~ opsteken* give the

thumbs up; *onder de ~ houden* keep under
one's thumb **2** [lengtemaat] inch || [Belg] *de
~en leggen* surrender; throw in the sponge;
iets uit zijn ~ zuigen dream sth. up

het **duimbreed** inch: *geen ~ toegeven* not
budge an inch
duimen 1 keep one's fingers crossed
2 [duimzuigen] suck one's thumb
duimendik: [fig] *het ligt er ~ bovenop* it's as
plain as the nose on your face, it sticks out a
mile

het **duimpje**: *Klein Duimpje* Tom Thumb; *iets of
zijn ~ kennen* know sth. like the back of one's
hand [stad e.d.]; know sth. (off) by heart [les
e.d.]

de **duimschroef** thumbscrew: *(iem.) de duim-
schroeven aandraaien* tighten the screws (on
s.o.); turn on the heat on (s.o.)

de **duimstok** folding ruler
duimzuigen thumb sucking

het/de **duin** (sand) dune, sand hill
Duinkerken Dunkirk

de **duinpan** dip (in the dunes)

het **¹duister** (zn) dark, darkness: *in het ~ tasten*
be in the dark
²duister (bn, bw) **1** dark; [somber] gloomy;
[fig] dim; black **2** [louche] shady, dubious

de **duisternis** darkness, dark

de **duit**: *ook een ~ in het zakje doen* put in a
word
Duits German || *~e herdershond* Alsatian

de **Duitse** German woman, German girl: *zij is
een ~* she is German

de **Duitser** German
Duitsland Germany
Duitstalig 1 German-speaking **2** [in het
Duits] German

de **duivel 1** [rel] devil **2** demon
duivels 1 diabolic(al), devilish, demonic:
een ~ plan a diabolical plan **2** [woedend] livid, (raving) mad, furious

de **duivelskunstenaar** wizard

de **duivenmelker** pigeon fancier; [van post-
duiven] pigeon flyer

de **duiventil** dovecote, pigeon house
duizelen become dizzy, reel: *het duizelt mij*
my head is spinning (*of:* swimming)
duizelig dizzy (with), giddy (with): *de drukte maakte hem ~* the crowds made his head
spin

de **duizeligheid** dizziness

de **duizeling** dizziness, dizzy spell; [med] ver-
tigo: *soms last hebben van ~en* suffer from
dizzy spells
duizelingwekkend dizzy, giddy; [enorm
ook] staggering
duizend (a, one) thousand: *~ pond* (*of:* dollar*) a thousand pounds (*of:* dollars); *dat werk
heeft (vele) ~en gekost* that work cost thousands; *~ tegen één* a thousand to one; *hij is ~
één uit ~(en)* he is one in a thousand

de **duizendpoot 1** centipede **2** [persoon] jack of all trades

duizendste thousandth

het **duizendtal 1** thousand **2** [mv; cijfers] thousands

de **dukaat** ducat

dulden 1 endure, bear, put up with: *geen tegenspraak ~* not bear being contradicted **2** [toelaten] tolerate, permit, allow: *de leraar duldt geen tegenspraak* the teacher won't put up with any contradiction

dumpen dump

de **dumpprijs** bulk-purchase price; [stuntprijs] clearance (*of:* knockdown) price

¹**dun** (bn) **1** thin; [boom, taille ook] slender; [haar, stof ook] fine: *~ne darm* small intestine **2** [niet dicht opeen] sparse, light, fine, scant **3** [vloeibaar] thin, light, runny

²**dun** (bw) thinly, sparsely, lightly; [kleingeestig] meanly

dunbevolkt thinly populated, sparsely populated

de **dunk 1** opinion **2** [basketbal] dunk (shot)

dunken: *mij dunkt, dat …* it seems to me that …, I think that …

de **dunne**: *aan de ~ zijn* have the trots (*of:* runs)

dunnetjes thin(ly) || *iets nog eens ~ over-doen* go ahead and do it all over again

het **duo** duo, pair

de **dupe** victim, dupe: *wie zal daar de ~ van zijn?* who will be the one to suffer for it? (*of:* pay for it?)

duperen let down, fail

de **duplex** [Belg] ± duplex (appartment)

het **duplicaat** duplicate (copy), transcript, facsimile

duplo: *in ~* in duplicate

duren last, take, go on: *het duurt nog een jaar* it will take another year; *het duurde uren* (*of: eeuwen, een eeuwigheid*) it lasted hours (*of:* ages, an eternity); *het duurt nog wel even (voor het zover is)* it will be a while yet (before that happens); *de tentoonstelling duurt nog tot oktober* the exhibition runs until October; *zolang als het duurt* as long as it lasts

de **durf** daring, nerve, guts

de **durfal** daredevil

durven dare, venture (to, upon): *hoe durf je!* how dare you!; *als het erop aan kwam durfde hij niet* he got cold feet when it came to the crunch

dus so, therefore, then: *ik kan ~ op je rekenen?* I can count on you then?

dusdanig so, in such a way (*of:* manner); [dermate] to such an extent

de **duster** housecoat; [Am] duster

dusver: *tot ~* so far, up to now; *tot ~ is alles in orde* so far so good

het **dutje** nap, snooze, forty winks

de ¹**duur** (zn) duration, length; [m.b.t. apparatuur] life; [m.b.t. gevangenisstraf, ambt]

term: *van korte ~* short-lived; *op de lange ~* in the long run; finally

²**duur** (bn) expensive, dear, costly: *die auto is ~* (in het gebruik) that car is expensive to run; *hoe ~ is die fiets?* how much is that bicycle?; *dat is te ~ voor mij* I can't afford it

³**duur** (bw) expensively, dearly: *iets ~ betalen* pay a high price for sth.; pay dearly for sth.; [fig] *~ te staan komen* cost (s.o.) dearly

de **duurloop** endurance race

¹**duurzaam** (bn) **1** durable; hard-wearing [materialen]; (long-)lasting; enduring [vrede, vriendschap]; permanent: *duurzame kleuren* permanent (*of:* fast) colours; *duurzame energie* renewable energy; *duurzame verbruiksgoederen* durable consumer goods **2** [voortdurend] permanent, (long-)lasting: *voor ~ gebruik* for permanent use

²**duurzaam** (bw) permanently, durably: *~ gescheiden* permanently separated

de **duurzaamheid** durability, endurance; [van product] (useful, service) life

de **duw** push, shove; [zacht] nudge; [met scherp voorwerp] poke; [met scherp voorwerp] jab; [met scherp voorwerp] dig: *hij gaf me een ~ (met de elleboog)* he nudged me; *de zaak een ~tje geven* help the matter along; *iem. een ~tje (omhoog, in de rug) geven* give s.o. a boost

de **duwboot** pusher tug

¹**duwen** (onov ww) press, push, jostle: *een ~de en dringende massa* a jostling crowd

²**duwen** (ov ww) **1** push; [hardhandig] shove; [iets op wielen ook] wheel: *een kinderwagen ~* wheel (*of:* push) a pram **2** [ergens brengen] push, thrust, shove; [zacht] nudge: *iem. opzij ~* push (*of:* elbow) s.o. aside

de **duwvaart** push-towing, pushing

de **dvd** DVD

de **dvd-brander** DVD burner

de **dvd-recorder** DVD recorder

de **dvd-speler** DVD player

het **dwaalspoor** wrong track, false scent: *iem. op een ~ brengen* mislead (*of:* misguide) s.o.

de ¹**dwaas** (zn) fool, idiot, ass, dope, dummy, nincompoop

²**dwaas** (bn) foolish, silly, stupid: *een ~ idee* a crazy idea

³**dwaas** (bw) foolishly, stupidly, crazily

de **dwaasheid** foolishness, folly, stupidity

dwalen 1 stray, wander **2** [zonder doel] wander, roam: *wij dwaalden twee uur in het bos* we wandered through the forest for two hours **3** [m.b.t. blikken, gedachten] stray, travel

de **dwaling** error, mistake: *een rechterlijke ~* a miscarriage of justice

de **dwang** compulsion, coercion; [geweld] force; [verplichting] obligation; [druk] pressure: *onder ~* under duress, involuntarily; *met zachte ~* by persuasion

de **dwangarbeid** hard labour, forced labour
de **dwangarbeider** convict
het **dwangbevel** [jur] injunction, enforcement order: *iem. een ~ betekenen* serve a writ on s.o., slap an injunction on s.o.
het **dwangbuis** straitjacket
de **dwangsom** penalty (*of:* damages) (imposed on a daily basis in case of non-compliance)
dwarrelen whirl [snel]; twirl; swirl [ook snel]; flutter [bladeren]
dwars transverse, diagonal, crosswise: *~ tegen iets ingaan* go right against sth.; *ergens ~ doorheen gaan* go right through (*of:* across) sth.; *~ door het veld* straight across the field; *~ door iem. heen kijken* look straight through s.o.
de **dwarsbalk** transverse beam, crossbeam
dwarsbomen thwart [plannen]; frustrate
de **dwarsdoorsnede** cross-section
de **dwarsfluit** flute
de **dwarslaesie** spinal cord lesion; [het gevolg] paraplegia
dwarsliggen be obstructive, be contrary, be a troublemaker
de **dwarsligger 1** [persoon] obstructionist, troublemaker **2** [spoorw] sleeper; [Am] railroad tie
de **dwarsstraat** side street: [fig] *ik noem maar een ~* just to give an example
dwarszitten cross, thwart, hamper: *iem. ~* frustrate s.o.('s plans); *wat zit je dwars?* what's worrying (*of:* bugging) you?
de **dweil** (floor-)cloth, rag; [op stok] mop
dweilen mop (down); mop (up) [vloeistof]: *dat is ~ met de kraan open* it's like swimming against the tide
het **dweilorkest** Carnival band, Oompah band
dwepen be enthusiastic: *~ met* be enthusiastic about
de **dwerg 1** [in fabel] gnome, dwarf, elf: *Sneeuwwitje en de zeven ~en* Snow White and the Seven Dwarfs **2** [klein mens] dwarf, midget
de **dwergstaat** microstate, ministate
dwingen force, compel, oblige, coerce, make (s.o. do sth.): *hij was wel gedwongen (om) te antwoorden* he was obliged to answer; *iem. ~ een overhaast besluit te nemen* rush s.o. into making a hasty decision; *niets dwingt je daartoe* you are not obliged to do it; *iem. ~ tot gehoorzaamheid* force s.o. to obey
¹dwingend (bn) compelling, compulsory: *~e redenen* compelling reasons
²dwingend (bw) authoritatively: *iem. iets ~ voorschrijven* make sth. compulsory for s.o.
d.w.z. afk van *dat wil zeggen* i.e.
de **dynamica** dynamics
de **dynamiek** dynamics, vitality, dynamism
het **dynamiet** dynamite
dynamisch dynamic, energetic, forceful

de **dynamo** dynamo, generator
de **dynastie** dynasty
de **dysenterie** dysentery
dyslectisch dyslexic
de **dyslexie** dyslexia

e

de **e** e, E: *E groot* (of: *klein*) E major (*of:* minor)
e.a. afk van *en andere(n)* et al.

de **eau de cologne** cologne, eau de Cologne

de **eb 1** ebb(-tide), outgoing tide: *het is eb* the tide is out **2** [laag getijde] low tide

het **ebbenhout** ebony

het **e-book** e-book

de **echo** echo, reverberation; [radar] blip: *de ~ weerkaatste zijn stem* his voice was echoed
echoën echo, reverberate, resound, ring

de **echoscopie** ultrasound scan

¹**echt** (bn) **1** real, genuine; [handtekening, document] authentic; [waarlijk] true; [waarlijk] actual: *een ~e vriend* a true (*of:* real) friend **2** [alle kenmerken vertonend] real, regular, true (blue, born): *het is een ~ schandaal* it's an absolute scandal **3** [wettig] legitimate

²**echt** (bw) **1** [werkelijk] really, truly, genuinely, honestly: *dat is ~ Hollands* that's typically Dutch; *dat is ~ iets voor hem* that's him all over; *ik heb het ~ niet gedaan* I honestly didn't do it **2** [onvervalst] real, genuine(ly)

de **echtbreuk** adultery
echtelijk conjugal, marital: *een ~e ruzie* a domestic quarrel
echter however, nevertheless, yet, but: *dat is ~ niet gebeurd* however, that did not happen

de **echtgenoot** husband: *de aanstaande echtgenoten* the husband and wife to be

de **echtgenote** wife

de **echtheid** authenticity, genuineness

het **echtpaar** married couple: *het ~ Keizers* Mr and Mrs Keizers

de **echtscheiding** divorce

de **eclips** eclipse

de **ecologie** ecology
ecologisch ecological; [van landbouwmethoden] biological

de **econometrie** econometry

de **economie 1** [staathuishoudkundig bestuur] economy **2** [zuinigheid, bezuiniging] economy, frugality, thrift **3** [wetenschap] economics, political economy
economisch 1 [spaarzaam, zuinig] economical, frugal, thrifty **2** [m.b.t. economische wetenschap] economic: *de ~e aspecten van het uitgeversbedrijf* the economics of publishing

de **econoom** economist

het **ecosysteem** eco system

de **ecu** [European currency unit] ecu

Ecuador Ecuador

de **Ecuadoraan** Ecuadorian
Ecuadoraans Ecuadorian

het **eczeem** eczema
e.d. afk van *en dergelijke* and the like

de **edammer** Edam (cheese)
edel 1 [van adel] noble, aristocratic: *van ~e geboorte* high-born **2** [in zedelijk opzicht] noble, magnanimous
edelachtbaar: *Edelachtbare* Your Honour

het **edelgas** inert gas

het **edelhert** red deer

de **edelman** noble, nobleman, peer

het **edelmetaal** precious metal
edelmoedig noble, generous, magnanimous

de **edelsmid** worker in precious metals

de **edelsteen** precious stone, gem(stone)

de **editie** edition; [van krant, weekblad ook] issue; version

de **educatie** education
educatief educational

de **eed** oath, vow: *een ~ afleggen* take (*of:* swear) an oath, swear; *iets onder ede verklaren* declare sth. on oath

het **eeg** afk van *elektro-encefalogram* EEG

de **EEG** afk van *Europese Economische Gemeenschap* EEC

de **eekhoorn** squirrel

het **eekhoorntjesbrood** cep, boletus

het **eelt** hard skin; [vnl. van plek] callus

¹**een** (lidw) **1** a; [voor klinkerklank] an: *op ~ (goeie) dag* one (fine) day; *neem ~ Oprah Winfrey* take s.o. like an Oprah Winfrey **2** [ongeveer] a, some: *over ~ dag of wat* in a few days **3** [in uitroepen] a, some: *wat ~ mooie bloemen!* what beautiful flowers!; *wat ~ idee!* what an idea!

²**een** (hoofdtelw) one: *het ~ en ander* this and that; *van het ~ komt het ander* one thing leads to another; *op één dag* in one day; on the same day; *~ en dezelfde* one and the same; *de weg is ~ en al modder* the road is nothing but mud; *op ~ na de laatste* the last but one; *op ~ na de beste* the second best; *~ voor ~* one by one; one at a time || *~ april* April Fools' Day; *hij gaf hem er ~ op de neus* he gave him one on the nose; *geef me er nog ~* give me another (one), give me one more; *zich ~ voelen met de natuur* be at one with nature

de **eenakter** one-act play
eencellig unicellular, single-celled

de **eend 1** duck; [jong] duckling; [woerd] drake: *zich een vreemde ~ in de bijt voelen* feel the odd man out **2** (Citroën) 2 CV, deux-chevaux
eendaags 1 [één keer per dag] (once) daily **2** [een dag durend/geldig] one-day

de **eendagsvlieg 1** [insect] mayfly **2** nine days' wonder

het **eendenkroos** duckweed

de **eendracht** harmony, concord
eendrachtig united: ~ *samenwerken* work together in unison, work harmoniously together
eenduidig unequivocal, unambiguous
eeneiig monovular, monozygotic: *een ~e tweeling* identical twins
de **eengezinswoning** (small) family dwelling
de **eenheid 1** unity, oneness; [gelijkvormigheid] uniformity: *de ~ herstellen* (of: *verbreken*) restore (of: destroy) unity **2** [maat, hoeveelheid, grootheid] unit: *eenheden en tientallen* units and tens **3** [een afgerond geheel] unit, entity: *de mobiele ~* riot police; *een (hechte, gesloten) ~ vormen* form a (tight, closed) group
de **eenheidsprijs 1** [per eenheid] unit price, price per unit **2** [voor alle artikelen] uniform price
de **eenheidsworst** sameness
de **eenhoorn** unicorn
eenjarig 1 one-year(-old), yearling **2** [één jaar durend] one-year('s): *een ~e plant* an annual
de **eenkamerflat** single-room flat; [Am] single-room apartment
eenkennig shy
de **eenling** (solitary) individual, lone wolf, loner
eenmaal 1 once, one time: *~, andermaal, voor de derdemaal, verkocht* going, going, gone! **2** [ooit, eens] [verleden] once; [toekomst] one day; some day: *als het ~ zover komt* if it ever comes to it **3** [niets aan te veranderen] just, simply: *dat is nu ~ zo* that's just the way it is; *ik ben nu ~ zo* that's the way I am
eenmalig once-only, one-off: *een ~ optreden (concert)* a single performance
de **eenmanszaak** one-man business
eenmotorig single-engine(d)
het **eenoudergezin** single-parent family
eenparig uniform: *~ versneld* uniformly accelerated
het **eenpersoonsbed** single bed
de **eenpersoonskamer** single room; [inf] single
het **eenrichtingsverkeer** one-way traffic: *straat met ~* one-way street
¹**eens** (bn) [van dezelfde mening] agreed, in agreement: *het over de prijs ~ worden* agree on a (of: about the) price; *het niet ~ zijn met iem.* disagree with s.o.
²**eens** (bw) **1** [eenmaal] once: *voor ~ en altijd* once and for all; *~ in de week* (of: *drie maanden*) once a week (of: every three months) **2** [toekomst] some day, one day; sometime; [verleden] once: *kom ~ langs* drop in (of: by) sometime; *er was ~* once upon a time there was **3** [ter versterking] just: *denk ~ even (goed) na* just think (carefully); *niet ~ tijd hebben om* not even have the time to; *nog ~* once more, (once) again
eensgezind unanimous, united; concerted [acties, pogingen]: *~ voor* (of: *tegen*) *iets zijn* be unanimously for (of: against) sth.
de **eensgezindheid** unanimity, consensus, harmony, accord
eensklaps suddenly, all of a sudden
eensluidend identical (in content), uniform (with): *tot een ~ oordeel komen* come to a uniform (of: unanimous) opinion (of: judgment)
eenstemmig 1 unanimous, by common assent (of: consent) **2** [met één stem gezongen] in unison, for one voice
eentje one: *neem er nog ~* have another (one, glass); *op* (of: *in*) *z'n ~* (by) o.s.; *(on) one's own*
eentonig monotonous, monotone; [saai] drab; dull: *een ~ leven (bestaan) leiden* lead a humdrum (of: dull) existence; *~ werk* tedious (of: monotonous) work; drudgery
de **eentonigheid** monotony, monotonousness, tedium
een-twee-drie just like that: *niet ~* not just like that
het **een-tweetje** one-two; [voetbal ook] wall pass
de **eenvoud 1** [simpelheid] simplicity, simpleness; [ongekunsteldheid] plainness **2** [argeloosheid] simplicity, straightforwardness, naivety, innocence: *hij zei dat in zijn ~* he said that in his naivety (of: innocence)
¹**eenvoudig** (bn) **1** simple, uncomplicated; plain [woorden, waarheid]; [gemakkelijk] easy: *dat is het ~ste* that's the easiest way; *zo ~ ligt dat niet* it's not that simple **2** [zonder overdaad] simple, unpretentious, ordinary **3** [bescheiden] simple, plain, ordinary; low(ly) [afkomst]; humble [afkomst]; modest, unpresuming, simple-hearted
²**eenvoudig** (bw) **1** simply, plainly: *(al) te ~ voorstellen* (over)simplify **2** [zonder meer] simply, just
eenvoudigweg simply, just
de **eenwording** unification, integration: *de politieke ~ van Europa* the political unification (of: integration) of Europe
eenzaam 1 [alleen] solitary, isolated, lonely, lone(some): *een ~ leven leiden* live a solitary life **2** [stil, afgelegen] solitary, isolated, lonely, secluded
de **eenzaamheid** solitude, solitariness, loneliness; [afzondering] isolation; retirement, seclusion
eenzelvig self-contained, introverted
eenzijdig 1 one-sided, unilateral, limited: *hij is erg ~* he is very one-sided **2** [bevooroordeeld] one-sided, biased, partial
de **eer 1** honour, respect: *de ~ redden* save one's face; *aan u de ~ (om te beginnen)* you

have the honour (of starting); *naar ~ en geweten antwoorden* answer to the best of
one's knowledge; *op mijn (woord van) ~* I give
you my word (of honour); *de ~ aan zichzelf
houden* take the honourable way out
2 [eerbetoon, hulde] honour(s), credit: *iem.
de laatste ~ bewijzen* pay s.o. one's last respects; *het zal me een (grote, bijzondere) ~ zijn*
I will be (greatly) honoured; *ter ere van* in
honour of (s.o., sth.)
eerbaar honourable

het **eerbetoon** (mark of) honour: *met veel ~
ontvangen* receive with full honours

de **eerbied** respect, esteem, regard; [diepe
eerbied] reverence; [diepe eerbied] veneration; [diepe eerbied] worship: *iem. ~ verschuldigd zijn* owe s.o. respect
eerbiedig respectful
eerbiedigen respect, regard; [naleven] observe: *de mening van anderen ~* respect the
opinions of others
eerbiedwaardig respectable
eerdaags one of these days

¹eerder (bn) earlier

²eerder (bw) **1** [vroeger] before (now),
sooner, earlier: *ik heb u al eens ~ gezien* I
have seen you (somewhere) before; *hoe ~
hoe beter (liever)* the sooner the better
2 [waarschijnlijker] rather, sooner, more
(likely): *ik zou ~ denken dat* I am more inclined to think that

het **eergevoel** (sense, feeling of) honour, pride
eergisteren the day before yesterday

het **eerherstel** rehabilitation

¹eerlijk (bn) **1** honest, fair, sincere: *~ is ~* fair
is fair **2** [betrouwbaar] honest, true, genuine: *een ~e zaak* a square deal **3** [gepast, fat-
soenlijk] fair, square, honest: *~ spel* fair play

²eerlijk (bw) **1** [naar waarheid] sincerely;
[openhartig] honestly; frankly: *~ gezegd* to
be honest **2** [werkelijk] honestly, really and
truly: *ik heb het niet gedaan, ~ (waar)!* honestly, I didn't do it! **3** [op gepaste, eervolle wij-
ze] fairly, squarely: *~ delen!* fair shares!

de **eerlijkheid** [oprechtheid] honesty, fairness, sincerity

eerst 1 first: *hij zag de brand het ~* he was
the first to see the fire; *(het) ~ aan de beurt zijn*
be first (*of:* next); *voor het ~* for the first time,
first **2** [in het begin] first(ly), at first: *~ was hij
verlegen, later niet meer* at first he was shy,
but not later

eerste first; chief [voornaamste]; prime; [in
hiërarchie] senior; [vroegste] earliest: *de ~
vier dagen* (for) the next four days; *informatie
uit de ~ hand* first-hand information; *de ~ die
aankomt krijgt de prijs* the first to get there
gets the prize; *één keer moet de ~ zijn* there's
a first time for everything; *van de ~ tot de
laatste* down to the last one, every man jack
(of them); *hij is niet de ~ de beste* he is not just

anybody; *ten ~* first(ly), in the first place
eerstegraads first-degree

de **eerstehulppost** first-aid post (*of:* station)
eerstejaars first-year

het **Eerste Kamerlid** Member of the Upper
Chamber (*of:* Upper House) (of the Dutch
Parliament)
eersteklas [uitmuntend, voortreffelijk]
first-rate, first-class

de **eersteklasser** first-former

de **eerstelijnszorg** primary health care
eersterangs first-rate, top-class
eerstkomend next: *~e woensdag* next
Wednesday
eerstvolgend next: *de ~e trein* the next
train due

¹eervol (bn) **1** honourable, glorious, credita-
ble: *de ~le verliezers* the worthy losers; *een
~le vermelding* an honourable mention **2** [de
eer niet tekortdoend] with honour, without
loss of face

²eervol (bw) honourably, worthily, glorious-
ly, creditably

de **eerwraak** honour killing
eerzaam respectable, virtuous, decent,
honest

de **eerzucht** ambition
eerzuchtig ambitious, aspiring
eetbaar edible, fit for (human) consumption, fit to eat; [smakelijk] eatable; [smake-
lijk] palatable

het **eetcafé** pub serving meals; [inf] beanery

de **eetgelegenheid** place to eat, eating-
house

het **eetgerei** cutlery, tableware

de **eetgewoonte** eating habit; [m.b.t. soort
voedsel] diet

de **eethoek 1** dinette **2** [meubilair] dining table and chairs

het **eethuis** eating house, (small) restaurant

de **eetkamer** dining room

de **eetlepel** soup spoon; [voor dessert] des-
sertspoon; [als maat] tablespoon(ful)

de **eetlust** appetite

het **eetservies** dinner service, dinner set, tableware

het **eetstokje** chopstick

de **eetstoornis** eating disorder

de **eetwaar** foodstuff(s), eatables, food

de **eetzaal** dining room (*of:* hall); [voor perso-
neel] canteen

de **eeuw 1** century: *in de loop der ~en* through
the centuries (*of:* ages); *in het Londen van de
achttiende ~* in eighteenth-century London
2 [lange tijd] ages, (donkey's) years: *het is
~en geleden dat ik van haar iets gehoord heb* I
haven't heard from her for ages; *dat heeft
een ~ geduurd* that took ages **3** [tijdperk]
age, era, epoch: *de gouden ~* the golden age
eeuwenlang for centuries (*of:* ages)
eeuwenoud age-old, centuries-old

¹eeuwig (bn) **1** [altijddurend] eternal, ever-lasting, perennial, perpetual, never-ending: *~e sneeuw* perpetual snow **2** [levenslang] lifelong, undying: *~e vriendschap* undying (of: lifelong) friendship **3** [telkens weer] endless, incessant, interminable, never-end-ing: *een ~e optimist* an incorrigible optimist
²eeuwig (bw) **1** [voor altijd] forever, eter-nally, perpetually **2** [steeds] forever, inces-santly, endlessly, interminably, eternally
eeuwigdurend perpetual, everlasting
de **eeuwigheid** ages, eternity: *ik heb je in geen ~ gezien* I haven't seen you for ages
de **eeuwwisseling** turn of the century
het **effect 1** [uitwerking] effect, result, out-come, consequence: *een averechts ~ hebben* have a contrary effect, be counter-produc-tive **2** [balsport] spin; [biljarten ook] side: *een bal ~ geven* put spin on a ball **3** [hand] stock, share, security
het **effectbejag** aiming at effect, straining af-ter effect: *uit ~ for* (the sake of) effect
de **effectenbeurs** stock exchange
de **effectenmarkt** stock market
effectief 1 [werkelijk] real, actual, effec-tive, active **2** [doeltreffend] effective, effica-cious **3** [Belg; jur] non-suspended
effen 1 [vlak, glad] even, level, smooth **2** [van één kleur] plain, uniform, unpat-terned: *~ rood* solid red
effenen level, smooth: *de weg ~ voor iem.* pave the way for s.o.
de **efficiency** efficiency
efficiënt efficient, businesslike
de **efficiëntie** efficiency
de **eg** harrow
de **EG** afk van *Europese Gemeenschap* EC
egaal even, level, smooth; [kleur e.d.] uni-form; [kleur e.d.] solid
egaliseren level, equalize, smooth
Egeïsch Aegean
de **egel** hedgehog
eggen harrow
het **ego** ego
¹egocentrisch (bn) egocentric, self-centred
²egocentrisch (bw) in an egocentric (of: a self-centred) way
het **egoïsme** egoism, selfishness
de **egoïst** egoist
egoïstisch egoistic(al), selfish
Egypte Egypt
de **Egyptenaar** Egyptian
Egyptisch Egyptian
eh er
de **EHBO** afk van *Eerste Hulp Bij Ongelukken* first aid; [plek waar EHBO wordt gegeven] first-aid post (of: station); [in ziekenhuis] ac-cident and emergency ward (of: depart-ment)
het **ei 1** egg: *een hard(gekookt) ei* a hard-boiled egg; *dat is voor haar een zacht(gekookt) eitje*

it's a piece of cake for her; *dat is het hele eie-ren eten* that's all there is to it; *een ei leggen* (of: *uitbroeden*) lay (of: hatch) an egg **2** [ei-cel] ovum, egg ‖ [Belg] *ei zo na* very nearly
de **eicel** egg cell, ovum, female germ cell
de **eierdooier** egg yolk
de **eierdop** [schaal] eggshell
het **eierdopje** [om ei in te zetten] eggcup
de **eierschaal** eggshell
de **eierstok** ovary
de **eierwekker** egg-timer
de **Eiffeltoren** Eiffel Tower
het **eigeel** egg yolk
eigen 1 own; [privé] private; [persoonlijk] personal: *voor ~ gebruik* for one's (own) pri-vate use; *mensen met een ~ huis* people who own their own house; *wij hebben ieder een ~ (slaap)kamer* we have separate (bed)rooms; *~ weg* private road; *op zijn geheel ~ wijze* in his very own way; *bemoei je met je ~ zaken* mind your own business **2** [kenmerkend] typical, characteristic, individual: *bier met een geheel ~ smaak* beer with a distinctive taste **3** [m.b.t. de streek, het land van herkomst] own, native, domestic
de **eigenaar** owner, possessor; [van aandelen e.d.] holder: *de rechtmatige ~* the rightful owner; *deze auto is drie keer van ~ veranderd* this car changed hands three times
¹eigenaardig (bn) **1** peculiar, personal, idi-osyncratic: *een ~ geval* a peculiar case **2** [vreemd] peculiar, strange, odd, curious: *hij was een ~e jongen* he was a strange boy
²eigenaardig (bw) peculiarly, oddly
het **eigenbelang** self-interest
de **eigendom 1** [eigendomsrecht] ownership, title: *in ~ hebben* own (sth.) **2** [bezit] proper-ty, possession; [mv] belongings: *dat boek is mijn ~* that book belongs to me
de **eigendunk** (self-)conceit, self-importance, arrogance
eigengemaakt home-made
eigengereid headstrong, self-willed
eigenhandig (made, done) with one's own hand(s), (do sth.) o.s., personally
¹eigenlijk (bn) real, actual, true, proper: *de ~e betekenis van een woord* the true meaning of a word
²eigenlijk (bw) [in werkelijkheid] really, in fact, exactly, actually: *u heeft ~ gelijk* you are right, really; *wat is een pacemaker ~?* what exactly is a pacemaker?; *~ mag ik je dat niet vertellen* actually, I'm not supposed to tell you
eigenmachtig self-willed, self-opinionat-ed: *~ handelen* act on one's own authority
de **eigennaam** proper name
de **eigenschap** quality; [van stoffen, materia-len; ook wiskunde] property; [comp] attrib-ute: *goede ~pen* qualities (of: strong points, strengths)
eigentijds contemporary, modern

de **eigenwaarde** self-respect, self-esteem
eigenwijs cocky, conceited, pigheaded: *doe niet zo* ~ don't think you know it all
eigenzinnig self-willed; [koppig] stubborn; obstinate; [onhandelbaar] unamenable; [onhandelbaar] wayward
de **eik** oak (tree)
de **eikel 1** acorn **2** [anat] glans penis
het **¹eiken** (zn) oak
  ²eiken (bn) oak
de **eikenboom** oak (tree)
het **eiland** island: *op het* ~ *Man* on (*of:* in) the Isle of Man; *een kunstmatig* ~ an artificial island, a man-made island
de **eilandbewoner** islander, island dweller
de **eilandengroep** archipelago, group of islands
de **eileider** Fallopian tube
het **eind 1** [bepaalde afstand, lengte] [afstand] way; distance; [stuk] piece: *het is een heel* ~ it's a long way; *het is nog een heel* ~ it's still a long way; *daar kom ik een heel* ~ *mee* that will go a long way **2** [het laatste gedeelte, stuk] end, extremity; [van boek, film] ending: ~ *mei* at the end of May; *het andere* ~ *van de stad* the other end of the town || *het bij het rechte* ~ *hebben* be right
de **eindbestemming** final destination; [halte] terminal
het **eindcijfer** final figure, grand total; [schoolrapport] final mark
het **einddiploma** diploma, certificate; [beroepsopleiding] certificate of qualification
het **einde 1** end: *er komt geen* ~ *aan* there's no end to it; *ten* ~ *lopen* come to an end; [contract] expire **2** [moment] end; [van verhaal, film ook] ending: *een verhaal met een open* ~ an story with an open ending; *aan zijn* ~ *komen* meet one's end; *laten we er nu maar een* ~ *aan maken* let's finish off now; *aan het* ~ *van de middag* in the late afternoon; *ten* ~ *raad zijn* be at one's wits' end; *van het begin tot het* ~ from beginning to end; *eind goed, al goed* all's well that ends well
de **eindejaarspremie** [Belg] end-of-year bonus
de **eindejaarsuitkering** year-end bonus
eindelijk finally, at last, in the end
eindeloos 1 endless, infinite, interminable **2** [m.b.t. tijd ook] endless, perpetual, interminable, unending: *ik moest* ~ *lang wachten* I had to wait for ages
de **einder** horizon
het **eindexamen** final exam: *voor zijn* ~ *slagen* (*of: zakken*) pass (*of:* fail) one's final exams
de **eindexamenkandidaat** examinee, A-level candidate
het **eindexamenvak** final examination subject, school certificate subject
eindig 1 finite: ~*e getallen* (*of: reeksen*) finite numbers (*of:* progressions) **2** [beperkt] limited
¹eindigen (onov ww) **1** [ophouden] end, finish, come to an end, stop: ~ *waar men begonnen is* end up where one started (from) **2** [als einde hebben] end, finish, come to an end, terminate; [tijd ook] run out; [tijd ook] expire: *dit woord eindigt op een klinker* this word ends in a vowel || *zij eindigde als eerste* she finished first
  ²eindigen (ov ww) [ten einde brengen] finish (off), end, bring to a close, terminate
het **eindje 1** piece, bit: *een* ~ *touw* a length of rope; [dun] a piece of string **2** [korte afstand] short distance: *een* ~ *verder* a bit further **3** [uiteinde] (loose) end: *de* ~*s met moeite aan elkaar kunnen knopen* be hardly able to make (both) ends meet
de **eindmeet** [Belg] [eindstreep] finishing line
het **eindoordeel** final judgement; [van commissie] final conclusion(s)
het **eindproduct** final product, end-product, final result, end-result
het **eindpunt** end; [m.b.t. bus, trein] terminus
het **eindrapport 1** (school) leaving report **2** [m.b.t. een onderzoek] final report
de **eindredacteur** ± editor-in-chief
het **eindresultaat** final result, end result; [conclusie] conclusion; [eindbedrag, ook figuurlijk] final total
het **eindsignaal** final whistle [van wedstrijd]
de **eindsprint** final sprint
het **eindstadium** final stage; [ziekte] terminal stage
de **eindstand** final score
het **eindstation** terminal (station)
de **eindstreep** finish(ing line): *de* ~ *niet halen* [fig] not make it
de **eindstrijd** final(s), final contest
de **eindterm** final attainment level
de **eindzege** first place
de **eis 1** requirement, demand, claim: *hoge* ~*en stellen aan iem.* make great demands of s.o.; *aan de* ~*en voldoen* meet the requirements, be up to standard; *iemands* ~*en inwilligen* comply with s.o.'s demands **2** [voorwaarde] demand, terms: *akkoord gaan met iemands* ~*en* agree to s.o.'s demands **3** [jur] claim, suit; [strafrecht] sentence demanded
eisen 1 [verlangen] demand, require, claim: *iets van iem.* ~ demand sth. from s.o. **2** [jur] demand, sue for: *schadevergoeding* ~ claim damages
de **eiser 1** requirer, claimer **2** [jur] plaintiff; [in strafzaak] prosecutor; [m.b.t. schadevergoeding] claimant
het **eitje** (small) egg; [kiemcel] ovum: [fig] *een zacht(gekookt)* ~ a soft-boiled egg
eivormig egg-shaped, oval
het **eiwit 1** egg white, white of an egg **2** [proteïne] protein, albumin
de **ejaculatie** ejaculation

het/de **EK** afk van *Europees kampioenschap* European Championship

de **ekster** magpie

het **eksteroog** corn

het **elan** élan, panache, zest

de **eland** elk, moose

de **elasticiteit** elasticity

het **elastiek 1** rubber, elastic **2** rubber band, elastic band

het **elastiekje** rubber band

elastisch elastic

elders elsewhere

het **eldorado** eldorado

electoraal electoral

het **electoraat** electorate

elegant elegant [beweging, manieren]; refined [mens, smaak]

de **elegantie** elegance

het/de **elektra** electricity

de **elektricien** electrician

de **elektriciteit** electricity: *de ~ is nog niet aangesloten* we aren't connected to the mains yet

de **elektriciteitscentrale** power station

elektrificeren electrify

elektrisch electric(al): *een ~e centrale* a power station; *een ~e deken* an electric blanket; *~ koken* cook with electricity

het **elektrocardiogram** electrocardiogram

elektrocuteren electrocute

de **elektrocutie** electrocution

de **elektrode** electrode

de **elektrolyse** electrolysis

de **elektromagneet** electromagnet

de **elektromotor** electric motor

het **elektron** electron

de **elektronica** electronics

elektronisch electronic: *~e post* electronic mail; e-mail

de **elektroshock** electroshock

de **elektrotechniek** electrotechnology

elektrotechnisch electrical: *~ ingenieur* electrical engineer

het **element** element, component

elementair elementary [ook natuurkunde]; fundamental, basic

de **¹elf** (zn) [sprookjesfiguur] elf, pixie, fairy

²elf (hoofdtelw) eleven; [data] eleventh: *het is bij elven* it's close on eleven

elfde eleventh

elfendertigst [scherts]: *op zijn ~* at a snail's pace; in a roundabout way

het **elfje** fairy

de **Elfstedentocht** 11-city race; skating marathon in Friesland

het **elftal** team: *het nationale ~* the national team; *het tweede ~* the reserves

de **eliminatie** elimination, removal

elimineren eliminate, remove

elitair elitist

de **elite** elite

het **elitekorps** elite troop

het **elixer** elixir

elk 1 [m.b.t. twee of meer] each (one); [m.b.t. meer dan twee; alle(n)] every one: *van ~ vier (stuks)* four of each **2** [ieder(een)] everyone, everybody: *~e tweede* every other one **3** [m.b.t. twee of meer] each; [m.b.t. meer dan twee; alle] every; [welke dan ook] any: *ze kunnen ~e dag komen* they can come any day; *ze komen ~e dag* they come every day; *~e keer dat hij komt* every time he comes

elkaar each other, one another: *in ~s gezelschap* in each other's company; *uren achter ~* for hours on end; *vier keer achter ~* four times in a row; *bij ~ komen* meet, come together; *meer dan alle anderen bij ~* more than all the others put together; *wij blijven bij ~* we stick (of: keep) together; *door ~ raken* get mixed up (of: confused); *zij werden het met ~ eens* they came to an agreement; *naast ~ zitten* (of: *liggen*) sit (of: lie) side by side; *op ~ liggen* lie one on top of the other; *die auto valt bijna (van ellende) uit ~* that car is dropping to bits; *(personen of zaken) (goed) uit ~ kunnen houden* be able to tell (people, things) apart; *uit ~ gaan* **a)** [gezelschap, commissie, jury] break up; **b)** [vrienden, echtgenoten] split up, break up; *zij zijn familie van ~* they are related; *iets niet voor ~ kunnen krijgen* not manage (to do) sth.

de **elleboog 1** elbow **2** [onderarm met de elleboog] forearm: *ze moesten zich met de ellebogen een weg uit de winkel banen* they had to elbow their way out of the shop

de **ellende 1** misery **2** [narigheid] trouble, bother: *dat geeft alleen maar (een hoop) ~* that will only cause (a lot of) trouble

de **ellendeling** wretch, pain in the neck

¹ellendig (bn) **1** [rampzalig] awful, dreadful, miserable: *ik voelde me ~* I felt rotten **2** [beklagenswaardig, deerniswekkend] wretched, miserable **3** [zeer onaangenaam, vervelend] awful, dreadful: *ik kan die ~e sommen niet maken* I can't do those awful sums

²ellendig (bw) awfully, miserably

de **ellepijp** ulna

de **ellips** ellipse, oval

de **els** alder

El Salvador El Salvador

de **Elzas** Alsace

het **elzenhout** alder-wood

het **email** enamel

de **e-mail** e-mail

het **e-mailadres** e-mail address

e-mailen e-mail

de **emancipatie** emancipation, liberation

emanciperen emancipate

de **emballage** packing, packaging

het **embargo** (trade) embargo ‖ *een ~ opheffen* lift an embargo

het **embleem** emblem
de **embolie** embolism
het **embryo** embryo
  embryonaal embryonic, embryonal: *in embryonale toestand* in embryo (*of:* germ), in the embryo stage
het **emeritaat** superannuation, ± retirement: *met ~ gaan* ± retire
  emeritus emeritus, retired: *een ~ hoogleraar* an emeritus professor, a professor emeritus
de **emigrant** emigrant
de **emigratie** emigration
  emigreren emigrate
  eminent eminent, distinguished
de **emir** emir
het **emiraat** emirate
de **emissie** emission, issue
het **emissierecht** emissions rights
de **emmer** bucket, pail: *met hele ~s tegelijk* by the bucketful
de **emoe** emu
het **emoticon** emoticon
de **emotie** emotion, feeling; [opwinding] excitement: *~s losmaken* release emotions; *de ~s liepen hoog op* emotions (*of:* feelings) were running high; *zij liet haar ~s de vrije loop* she let herself go
de **emotie-tv** emotion tv
  ¹**emotioneel** (bn) emotional, sensitive: *een emotionele benadering vermijden* avoid an emotional approach
  ²**emotioneel** (bw) emotionally
het **emplacement** yard
de **employé** employee
de **EMU** afk van *Economische en Monetaire Unie* EMU, Economic and Monetary Union
  en 1 and; [plus] plus: *twee en twee is vier* two and two is four; two plus two is four **2** and: *én boete én gevangenisstraf krijgen* get both a fine and a prison sentence **3** [bij verrassing, teleurstelling] and, but, so: *en waarom doe je het niet?* so why don't you do it?; *en toch* and still; *nou en?* so what?, and …?‖ *ik vind je het fijn? (nou) en of!* do you like it? I certainly do!, I'll say!
de **enclave** enclave
de **encycliek** encyclical
de **encyclopedie** encyclopaedia
de **endeldarm** [med] rectum
  endogeen endogenous
  ene a, an, one: *woont hier ~ Bertels?* does a Mr (*of:* Ms) Bertels live here?
  enenmale: *dat is ten ~ onmogelijk* that is absolutely (*of:* entirely, completely) impossible
de **energie** energy, power: *schone ~* clean energy; *overlopen van ~* be bursting with energy
het **energiebedrijf** electricity company, power company

de **energiebesparing** energy saving
  energiebewust energy-conscious
de **energiebron** source of energy (*of:* power)
de **energiedrank** energy drink
  energiek energetic, dynamic
de **energievoorziening** power supply
  enerverend [opwindend] exciting, nerve-racking
  enerzijds on the one hand: *~ …, anderzijds …* on the one hand …, on the other (hand) …
  eng 1 scary, creepy: *een ~ beest* a nasty (*of:* creepy, scary) animal; a creepy-crawly [vnl. (kruipend) insect] **2** [m.b.t. ruimte] narrow
het **engagement** commitment, involvement
de **engel** angel
  Engeland England
de **engelbewaarder** guardian angel
het **engelengeduld** patience of a saint
  Engels English ‖ *iets van het Nederlands in het ~ vertalen* translate sth. from Dutch into English
de **Engelse** Englishwoman: *zij is een ~* she is English
de **Engelsman** Englishman
  Engelstalig 1 English-language, English **2** [Engels sprekend] English-speaking
de **engerd** creep, ghoul
de **engte** [nauwe doorgang] narrow(s)
  ¹**enig** (bn) only, sole: *~ erfgenaam* sole heir; *dit was de ~e keer dat …* this was the only time that …; *hij is de ~e die het kan* he is the only one who can do it; *het ~e wat ik kon zien was* all I could see was
  ²**enig** (bn, bw) [leuk] wonderful, marvellous, lovely
  ³**enig** (onb vnw) **1** some: *~e moeite doen* go to some trouble; *zonder ~e twijfel* without any doubt **2** [ook maar één] any, a single: *zonder ~ incident* without a single incident **3** [een klein aantal] some, a few: *er kwamen ~e bezoekers* a few visitors came
  enigerlei any: *in ~ mate* to any extent; *in ~ vorm* in any form, in some form or other
  enigermate somewhat, a bit, a little, to some extent
  enigszins 1 somewhat, rather: *hij was ~ verlegen* he was rather (*of:* somewhat) shy **2** [op welke wijze dan ook] at all, in any way: *indien (ook maar) ~ mogelijk* if at all possible
de ¹**enkel** (zn) ankle: *een verstuikte ~* a sprained ankle
  ²**enkel** (bn) single: *een kaartje ~e reis* a single (ticket)
  ³**enkel** (bw) **1** singly **2** [alleen] only, just: *hij doet het ~ voor zijn plezier* he only does it for fun; *ik doe het ~ en alleen om jou* I'm doing it simply and solely for you
  ⁴**enkel** (telw) **1** sole, solitary, single: *in één ~e klap* at one blow; *er is geen ~ gevaar* there is not the slightest danger; *geen ~e kans heb-*

ben have no chance at all; *op geen ~e manier* (in) no way **2** [een klein aantal] a few: *in slechts ~e gevallen* in only a few cases **3** [mv; enige] a few: *in ~e dagen* in a few days

de **enkelband 1** [biol] ankle ligament: *zijn ~en scheuren* tear one's ankle ligaments **2** [sierbandje] anklet **3** [voor huisarrest] electronic tag, ankle tag

de **enkeling** individual: *slechts een ~ weet hiervan* only one or two people know about this

het **enkelspel** singles

het **enkeltje** single (ticket)

het **enkelvoud** singular

enorm 1 enormous, huge: *een ~ succes* an enormous success **2** [geweldig, ontzettend] tremendous: *~ groot* gigantic, immense

de **enquête 1** poll, survey: *een ~ houden naar* conduct (*of:* do, make) a survey of **2** [door overheid] inquiry, investigation

het **enquêteformulier** questionnaire

ensceneren stage, put on

het **ensemble** ensemble, company, troupe

de **ent** graft

enten graft

de **enter** [comp] enter

enteren board

de **entertoets** enter (key)

het **enthousiasme** enthusiasm

enthousiast enthusiastic

de **entourage** entourage

de **entrecote** entrecôte

de **entree 1** entrance, entrance hall **2** [recht om binnen te komen] entry, entrance, admission: *vrij ~* admission free; free entrance **3** [toegangsprijs] admission: *~ heffen* charge for admission

de **entreeprijs** admission (price)

de **enveloppe** envelope

enz. afk van *enzovoort* etc.

enzovoorts et cetera, and so on, etc.

het **enzym** enzyme

het **epicentrum** epicentre

de **epidemie** epidemic

de **epilepsie** epilepsy

epileptisch epileptic

epileren depilate

de **epiloog** epilogue

episch epic(al), heroic

de **episode** episode

het/de **epistel** epistle

de **epo** EPO

het **epos** [heldendicht] epic (poem), epos

de **equator** equator

Equatoriaal-Guinea Equatorial Guinea

de **Equatoriaal-Guineeër** Equatorial Guinean

Equatoriaal-Guinees Equatorial Guinean

de **equipe** team

het **¹equivalent** (zn) equivalent: *een ~ vinden voor* find an equivalent for

²equivalent (bn) equivalent (to)

¹er (vnw) of them [ook vaak onvertaald]: *ik heb er nog* (*of:* nóg) *twee* I have got two left (*of:* more); *ik heb er geen (meer)* I haven't got any (left); *hij kocht er acht* he bought eight (of them); *er zijn er die ...* there are those who ...

²er (bw) **1** there: *ik zal er even langsgaan* I'll just call in (*of:* look in, drop in); *dat boek is er niet* that book isn't there; *wie waren er?* who was (*of:* were) there?; *we zijn er* here we are, we've arrived **2** [zonder aan een plaats te denken] there [ook vaak onvertaald]: *er gebeuren rare dingen* strange things (can) happen; *heeft er iem. gebeld?* did anybody call?; *wat is er?* what is it?, what's the matter?; *is er iets?* is anything wrong? (*of:* the matter?); *er is* (*of:* zijn) *... there is* (*of:* are) *...*; *er wordt gezegd dat ...* it is said that ...; *er was eens een koning* once upon a time there was a king ‖ *het er slecht afbrengen* make a bad job of it; *er slecht afkomen* come off badly; *ik zit er niet mee* it doesn't worry me

eraan on (it), attached (to it): *kijk eens naar het kaartje dat ~ zit* have a look at the card that's on it (*of:* attached to it) ‖ *de hele boel ging ~* the whole lot was destroyed; *wat kan ik ~ doen?* what can I do about it?; *ik kom ~* I'm on my way

erachter behind (it): *het hek en de tuin ~* the hedge and the garden behind (it)

eraf [verwijderd] off (it): *het knopje is ~* the button has come off; *de lol is ~* the fun has gone out of it

erbarmelijk abominable, pitiful, pathetic

erbij 1 [aanwezig] there, included at (*of:* with) it **2** at it, to it: *ik blijf ~ dat ...* I still believe (*of:* maintain) that ...; *zout ~ doen* add salt; *hoe kom je ~!* the very idea!, what can you be thinking of!; *het ~ laten* leave it at that (*of:* there) ‖ *je bent ~* your game (*of:* number) is up

erboven above, over (it)

erbovenop on (the) top, on top of it (*of:* them) ‖ *nu is hij ~* **a)** he has got over it now; **b)** [van patiënt] he has pulled through; **c)** [fin] he is on his feet again

erdoor 1 [m.b.t. een plaats, tijd] through it: *die saaie zondagen, hoe zijn we ~ gekomen?* those boring Sundays, however did we get through them? **2** [m.b.t. oorzaak] by (*of:* because) of it: *hij raakte zijn baan ~ kwijt* it cost him his job ‖ *ik ben ~* [geslaagd] I've passed; *ik wil ~* I'd like to get past (*of:* through)

erdoorheen through, through it

de **e-reader** e-book reader, e-reader

de **ereburger** [in Engeland] freeman [meestal gevolgd door 'of the city']; [buiten Engeland] honorary citizen

de **erecode** code of honour

de **erectie** erection

de **eredienst** worship, service

de **eredivisie** premier league

het **eredoctoraat** honorary doctorate

de **eregast** guest of honour

het **erelid** honorary member

het **ereloon** [Belg] [honorarium van een dokter of advocaat] fee

het **eremetaal** medal of honour

eren honour

de **ereplaats** place of honour: *een ~ innemen* have an honoured place

het **erepodium** rostrum, podium

de **eretitel** honorary title, title of honour

de **eretribune** seats of honour, grandstand

het **erewoord** word of honour

het **erf 1** property **2** [grond(bezit)] (farm)yard, estate; grounds [vnl. landgoed]: *huis en ~* property

het **erfdeel** inheritance, portion: *het cultureel ~* the cultural heritage

erfelijk hereditary

de **erfelijkheid** heredity

de **erfelijkheidsleer** genetics

de **erfenis 1** inheritance; [voornamelijk fig] heritage: *een ~ krijgen* be left an inheritance (*of:* a legacy) **2** [wat iem. nalaat] legacy, inheritance; estate [boedel]

de **erfgenaam** heir: *iem. tot ~ benoemen* appoint s.o. (one's) heir

het **erfgoed** inheritance

de **erfpacht** ± long lease

het **erfstuk** (family) heirloom

de **erfzonde** original sin

¹**erg** (bn) bad: *in het ~ste geval* if the worst comes to the worst; *vind je het ~ als ik er niet ben?* do you mind if I'm not there?; *wat ~!* how awful!; *het is (zo) al ~ genoeg* it's bad enough as it is

²**erg** (bw) [zeer] very: *het spijt me ~* I'm very sorry; *hij ziet er ~ slecht uit* he looks awful (*of:* dreadful, terrible)

ergens 1 [waar dan ook] somewhere, anywhere: *~ anders* somewhere else **2** [op zekere plaats] somewhere: *ik heb dat ~ gelezen* I've read that somewhere **3** [in enig opzicht] somehow: *ik kan hem ~ toch wel waarderen* (I have to admit that) he has his good points **4** [iets] sth.: *hij zocht ~ naar* he was looking for sth. (or other)

¹**ergeren** (ov ww) annoy, irritate

zich ²**ergeren** (wdk ww) feel (*of:* get) annoyed (at); [ernstiger] be shocked; [ernstiger] take offence

ergerlijk annoying, aggravating

de **ergernis** annoyance, irritation: *tot (grote) ~ van de aanwezigen* to the (great) annoyance of those present

ergonomisch ergonomic; [Am] biotechnological

de **ergotherapeut** occupational therapist

de **ergotherapie** occupational therapy

erheen there

erin in(to) it, (in) there: *~ lopen* [fig] walk right into it; fall for it

Eritrea Eritrea

de **Eritreeër** Eritrean

Eritrees Eritrean

erkend 1 recognized, acknowledged **2** [officieel toegelaten] recognized; authorized [kantoor, beroep]; certified [kantoor, beroep]: *een internationaal ~ diploma* an internationally recognized certificate

erkennen recognize, acknowledge; [toegeven] admit: *zijn ongelijk ~* admit to being (in the) wrong; *iets niet ~* disown sth.; *een natuurlijk kind ~* acknowledge a natural child; *een document als echt ~* recognize a document as genuine

de **erkenning** recognition, acknowledgement

erkentelijk thankful, grateful

de **erkentelijkheid** appreciation, recognition: *iem. zijn ~ voor iets betuigen* show one's appreciation of sth. to s.o.; *uit ~ voor* in recognition of, in gratitude for

de **erker** bay (window)

erlangs past (it), alongside (it): *wil je deze brief even op de bus doen als je ~ komt?* could you pop this letter in the (post)box when you're passing?

de **erlenmeyer** Erlenmeyer flask

ermee with it: *hij bemoeide zich ~* he concerned himself with it; [ongunstig] he interfered with it; *wat doen we ~?* what shall we do about (*of:* with) it?

erna afterwards, after (it), later: *de morgen ~* the morning after

ernaar to (*of:* towards, at) it: *~ kijken* look at it

ernaast 1 beside it, next to it: *de fabriek en de directeurswoning ~* the factory and the manager's house next to it **2** [mis] off the mark: *~ zitten* be wide of the mark, be wrong

de **ernst 1** seriousness, earnest(ness): *in volle (alle) ~* in all seriousness; *het is bittere ~* it is dead serious; a serious matter **2** [wat ernst teweegbrengt] seriousness, gravity: *de ~ van de toestand inzien* recognize the seriousness of the situation

¹**ernstig** (bn) **1** serious, grave: *de situatie wordt ~* the situation is becoming serious **2** [werkelijk gemeend] serious, earnest, sincere: *dat is mijn ~e overtuiging* that is my sincere conviction **3** [van ingrijpende aard] serious, severe, grave: *~e gevolgen hebben* have grave (*of:* serious) consequences

²**ernstig** (bw) **1** seriously, gravely: *iem. ~ toespreken* have a serious talk with s.o. **2** [serieus gemeend] seriously, earnestly, sincerely: *het ~ menen* be serious

erom around it, round (about) it: *een tuin met een schutting ~* a garden enclosed by a fence **2** [m.b.t. verwisseling, ruil; m.b.t. een

doel] for it: *als hij ~ vraagt* if he asks for it ||
denk je ~? you won't forget, will you?; *het
gaat ~ dat ...* the thing is that ...

eromheen around it, round (about) it

eronder 1 [onder het genoemde] under it,
underneath (it), below it: *hij zat op een bank
en zijn hond lag ~* he sat on a bench and his
dog lay underneath (*of:* under) it **2** [m.b.t.
oorzaak] as a result of it, because of it, under
it: *hij lijdt ~* he suffers from it || *(iem.) ~ krijgen*
beat, defeat (s.o.)

eronderdoor underneath it: *~ gaan* **a)** [het
afleggen] go to pieces; **b)** [failliet gaan] go
bust

erop 1 on it, on them: *~ of eronder* all or
nothing **2** [m.b.t. een richting, beweging] up
it, up them, on(to) it: *~ slaan* hit it, bang on
it; [vechten] hit out **3** [m.b.t. een beweging
naar boven] up it, up then: *~ klimmen* climb
up it; mount it [paard] **4** [m.b.t. een toevoe-
ging] to it: *het vervolg ~* the sequel to it || *de
dag ~* the following day; *~ staan* insist on it;
het zit ~ that's it (then)

eropaan to(wards) it || *als het ~ komt* when
it comes to the crunch

eropaf to (it): *~ gaan* go towards it

eropuit: *een dagje ~ gaan* go off (*of:* away)
for the day; *hij is ~ mij dwars te zitten* he is out
to frustrate me

de **erosie** erosion

de **erotica** erotica

de **erotiek** eroticism

erotisch erotic

erover 1 over it, across it: *het kleed dat ~ ligt*
the cloth which covers it **2** [m.b.t. een betrokken zijn bij] over it: *hij gaat ~* he is in
charge of it **3** [m.b.t. een onderwerp, me-
ning] about it, of it: *hoe denk je ~?* what do
you think about it?

eroverheen over it, across it: *het heeft lang
geduurd eer ze ~ waren* it took them a long
time to get over it

ertegen 1 against it, at it: *hij gooide de bal ~*
he threw the ball at it **2** [contra] against (it):
ik ben ~ I am against it; *~ vechten* fight
(against) it, oppose it || *~ kunnen* feel up to
it; [kunnen verdragen ook] be able to put up
with it

ertegenover 1 opposite (to) it: *het huis ~*
the house opposite **2** [m.b.t. een tegenstel-
ling] against it [argument]; towards it [ge-
voelens]: *~ staat dat ...* on the other hand ...
|| *hoe sta je ~?* where do you stand on that?

ertoe 1 to: *de moed ~ hebben* have the
courage for it (*of:* to do it); *iem. ~ brengen
om iets te doen* persuade s.o. to do sth.; *~ komen* get round to it; *hoe kwam je ~?* what
made you do it? **2** [m.b.t. een behoren bij] to
(it): *de vogels die ~ behoren* the birds which
belong to it || *wat doet dat ~?* what does it
matter?; what has that got to do with it?

het **erts** ore

ertussen 1 (in) between (it): *het lukte me
niet ~ te komen* I couldn't get a word in
(edgeways) **2** in the middle, among other
things

ertussenuit 1 out (of it) **2** [vrij, los] out,
loose: *een dagje ~ gaan* slip off for the day; *~
knijpen* slip off (*of:* away, out) (unnoticed),
slope off

eruit 1 out: *~!* (get) out! **2** [niet (meer) erin,
erbij] out, gone: *~ liggen* be out of favour;
[sport] be eliminated

eruitzien 1 look **2** [de indruk wekken te]
look like, look as if: *hij is niet zo dom als hij er-
uitziet* he's not as stupid as he looks **3** [inf]
look a mess

de **eruptie** eruption

ervan from it, of it: *dat is het aantrekkelijke
~* that's what is so attractive about it; *ik ben ~
overtuigd* I am convinced of it; *ik schrok ~* it
gave me a fright

ervandaan 1 away (from there) **2** [verwij-
derd van; afkomstig uit] from there: *hij
woont dertig kilometer ~* he lives twenty miles
from there

ervandoor off: *met het geld ~ gaan* make
off with the cash; *zij ging ~ met een zeeman*
she ran off with a sailor

ervanlangs: *iem. ~ geven* let s.o. have it; *~
krijgen* (really) get (*of:* catch) it

[1] **ervaren** (bn) experienced (in); [handwerks-
lieden ook] skilled (in)

[2] **ervaren** (ov ww) experience; [gewaarwor-
den] discover

de **ervarenheid** skill, experience, practice

de **ervaring** experience: *veel ~ hebben* be
highly experienced; *de nodige ~ opdoen* (*of:*
missen) gain (*of:* lack) the necessary experience

erven inherit: *iets (van iem.) ~* inherit sth.
(from s.o.)

ervoor 1 [m.b.t. plaats] in front (of it)
2 [m.b.t. volg-, rangorde] before (it)
3 [m.b.t. een bestemming, oorzaak] for it:
dat dient ~ om ... that is for ..., that serves to
...; *hij moet ~ boeten* he will pay for it (*of:*
this); *~ zorgen dat ...* see to it that ... **4** [pro]
for it, in favour (of it): *ik ben ~* I am in favour
of it **5** [in de plaats van] for it, instead (of it):
~ doorgaan pass for (sth. else); *wat krijg ik ~?*
what will I get for it? || *er alleen voor staan* be
on one's own; *zoals de zaken ~ staan* as things
stand

de **erwt** pea

de **erwtensoep** pea soup

de **es** ash

de **escalatie** escalation

[1] **escaleren** (onov ww) escalate; [prijzen
ook] rocket; [prijzen ook] shoot up

[2] **escaleren** (ov ww) (cause to) escalate; [prij-
zen ook] force up

de **escapade** escapade

de **escapetoets** [comp] escape (key)

het **escorte** escort

de **esculaap** staff of Aesculapius

de **esdoorn** maple; sycamore [gewone esdoorn]

het **eskader** squadron

de **Eskimo** Eskimo

de **esp** aspen

het **Esperanto** Esperanto

de **espresso** espresso

de **espressobar** café, coffee bar

het **essay** essay

de **essentie** essence

essentieel essential: *een ~ verschil* a fundamental difference

de **Est** Estonian

het **establishment** establishment

de **estafette** relay (race)

het **estafettestokje** baton

esthetisch aesthetic

Estland Estonia

de **Estlander** Estonian

Estlands Estonian

de **etage** floor, storey: *op de eerste ~* on the first floor; [Am] on the second floor

de **etalage** shop window, display window: *~s (gaan) kijken* (go) window-shopping

de **etalagepop** (shop-window) dummy, mannequin

etaleren display

de **etaleur** window dresser

de **etappe** **1** stage; [laatste] lap **2** [sport] stage, leg

etc. afk van *et cetera* etc.

het **¹eten** (zn) **1** food: *hij houdt van lekker ~* he is fond of good food **2** [maaltijd] meal; dinner [middag of avond]: *warm ~* hot meal, dinner; *het ~ is klaar* dinner is ready; *ik ben niet thuis met het ~* I won't be home for dinner

²eten (onov ww) eat, dine: *blijf je ~?* will you stay for dinner?; *wij zitten net te ~* we've just sat down to dinner; *uit ~ gaan* go out for a meal

³eten (ww) eat: *het is niet te ~* it's inedible; it tastes awful; *wat ~ we vandaag?* what's for dinner today?; *je kunt hier lekker ~* the food is good here; *eet smakelijk* enjoy your meal

de **etensbak** trough; [voor huisdieren] food bowl

de **etensresten** leftovers

de **etenstijd** dinnertime, time for dinner

de **etenswaren** foodstuff(s), eatables, food

het **etentje** dinner, meal

de **eter** eater

de **ether** **1** ether **2** [m.b.t. radiogolven] air: *in de ~ zijn* be on the air

de **ethiek** ethics

Ethiopië Ethiopia

de **Ethiopiër** Ethiopian

Ethiopisch Ethiopian

ethisch ethical, moral

het **etiket** label; [prijs] ticket; [kaartje] tag; [zelfklevend] sticker

de **etiquette** etiquette, good manners

het **etmaal** twenty-four hours

etnisch ethnic

de **ets** etching

etsen etch

ettelijke dozens of, masses of

de **etter** pus

etteren fester

de **etude** étude

het **etui** case

de **etymologie** etymology

etymologisch etymological

de **EU** afk van *Europese Unie* EU

de **eucalyptus** eucalyptus (tree)

de **eucharistie** Eucharist, celebration of the Eucharist; [r-k voornamelijk] (the) Mass; [anglicaanse kerk] (Holy) Communion

het **eufemisme** euphemism

de **euforie** euphoria

euforisch euphoric

de **Eufraat** Euphrates

de **eunuch** eunuch

de **euregio** Euregio

eureka eureka

de **euro** Euro: *dat kost drie ~* that's three Euros

de **eurocent** (Euro) cent

de **eurocheque** Eurocheque

de **eurocommissaris** Member of the European Commission

de **eurocommissie** European Commission

het **euroland** [land waar de euro geldt] Euro country

de **euromunt** **1** [munteenheid] euro **2** [munt] euro coin

Europa Europe

het **Europarlement** European Parliament

de **Europarlementariër** member of the European Parliament; Euro-MP

de **Europeaan** European

Europees European

het **euroteken** euro symbol

het **Eurovisiesongfestival** Eurovision Song Contest

de **eurozone** eurozone

de **euthanasie** euthanasia

het **euvel** fault, defect: *aan hetzelfde ~ mank gaan* suffer from the same flaw (*of:* fault); *een ~ verhelpen* remedy a fault (*of:* defect)

Eva Eve

de **evacuatie** evacuation

de **evacué** evacuee

¹evacueren (onov ww) be evacuated

²evacueren (ov ww) evacuate

de **evaluatie** **1** evaluation, assessment **2** [van waarde] evaluation

evalueren evaluate, assess

het **evangelie** **1** gospel **2** [Bijbelboek] Gospel: *het ~ van Marcus* the Gospel according to St

Mark
evangelisch evangelical
de **evangelist** evangelist
¹even (bn) [door twee deelbaar] even ‖ *om het ~ wie* whoever, no matter who
²even (bw) **1** (just) as: *ze zijn ~ groot* they're equally big; *in ~ grote aantallen* in equal numbers; *hij is ~ oud als ik* he is (just) as old as I am **2** [bevestiging] just: *zij is altijd ~ opgewekt* she's always nice and cheerful **3** [een korte tijd] just, just a moment (*of:* while): *het duurt nog wel ~* it'll take a bit (*of:* while) longer; *mag ik u ~ storen?* may I disturb you just for a moment?; *eens ~ zien* let me see; *heel ~* just for a second (*of:* minute); *~ later (daarna)* shortly afterwards **4** [nauwelijks] (only) just, barely **5** [een weinig] just (a bit): *nog ~ doorzetten* go on for just a bit longer ‖ *als het maar éven kan* if it is at all possible
de **evenaar** equator
evenals (just) like; (just) as [vóór werkwoord]: *hun zaak ging failliet, ~ die van veel andere kleine ondernemers* their business went bankrupt, just like many other small businesses
evenaren equal, (be a) match (for)
het **evenbeeld** image: *zij is het ~ van haar moeder* she is the spitting image of her mother; [inf] she is a carbon copy of her mother
eveneens also, too, as well
het **evenement** event
evengoed 1 just as: *jij bent ~ schuldig als je broer* you are just as guilty as your brother **2** [met hetzelfde resultaat] just as well: *je kunt dat ~ zo doen* you can just as well do it like this **3** [desondanks] all the same, just the same: *ik weet van niets, maar word er ~ wel op aangekeken* I know nothing about it, but I am suspected all the same
evenmin (just) as little as, no(t any) more than; [voor ww ook] neither; nor: *ik kom niet en mijn broer ~* I am not coming and neither is my brother
evenredig proportional (to); [beantwoordend] commensurate (with): *het loon is ~ aan de inspanning* the pay is in proportion to the effort; [wisk] *omgekeerd ~ met* inversely proportional to
eventjes 1 [amper] (only) just: *~ aanraken* (only) just touch **2** [een korte tijd] (for) (just) a little while: *hij is ~ hier geweest* he was here for (just) a little while **3** [liefst] only, merely: *het kostte maar ~ € 1200* it only cost 1200 euros, it cost a mere 1200 euros
¹eventueel (bn) any (possible), such ... as, potential: *eventuele klachten indienen bij ...* (any) complaints should be lodged with ...; *eventuele klanten* prospective (*of:* potential) customers
²eventueel (bw) possibly, if necessary; [alternatieve mogelijkheden] alternatively: *alles of ~ de helft* all of it, or alternatively half; *wij zouden ~ bereid zijn om ...* we might be prepared to ...
evenveel (just) as much; [vóór zn] just as; equally: *iedereen heeft er ~ recht op* everyone is equally entitled to it; *ieder krijgt ~* everyone gets the same amount
evenwel however, nevertheless, nonetheless, yet
het **evenwicht** balance: *wankel ~* unsteady balance; *zijn ~ bewaren* (*of:* verliezen) keep (*of:* lose) one's balance; *het juiste ~ vinden* achieve the right balance; *de twee partijen houden elkaar in ~* the two parties balance each other out; *in ~ zijn* be well-balanced, be in equilibrium; *zijn ~ kwijt zijn* have lost one's balance
¹evenwichtig (bn) [stabiel] (well-)balanced, steady, stable; [fig] level-headed
²evenwichtig (bw) [harmonieus, regelmatig] evenly, equally, uniformly
de **evenwichtsbalk** (balance) beam
het **evenwichtsorgaan** organ of balance
evenwijdig parallel (to, with)
evenzeer 1 [in een hoge mate] (just) as much (as) **2** [eveneens] likewise, also
evenzo likewise
evenzogoed 1 just as well, equally well: *het had ~ mis kunnen gaan* it could just as well have gone wrong **2** [desondanks] just (*of:* all) the same, nevertheless: *hij had er totaal geen zin in, ~ ging hij* he didn't feel like it at all, but he still went (*of:* went all the same)
het **everzwijn** wild boar
evident obvious, (self-)evident; [bw ook] clearly
evolueren evolve
de **evolutie** evolution
de **evolutieleer** theory of evolution, evolutionism
de **ex** ex
¹exact (bn) exact, precise: *~e wetenschap* (exact) science
²exact (bw) accurately, precisely
ex aequo joint: *Short en Anand eindigden ~ op de tweede plaats* Short and Anand finished joint second
het **examen** exam(ination): *mondeling* (*of:* schriftelijk) *~* oral (*of:* written) exam; *een ~ afleggen, ~ doen* take (*of:* sit) an exam; *zakken voor een ~* fail an exam
de **examenkandidaat** examinee, examination candidate
het **examenvak** examination subject
de **examenvrees** fear of exam(ination)s; [inf] (pre-)exam nerves
de **examinator** examiner
examineren examine
excellent excellent, splendid
de **excellentie** Excellency
excentriek eccentric

exceptioneel exceptional

het **exces** excess; [uitgaven] extravagance

excessief excessive; [uitgaven] extravagant

¹**exclusief** (bn) exclusive

²**exclusief** (bw) [niet inbegrepen] excluding, excl.: ~ *btw* excluding VAT, plus VAT

excommuniceren excommunicate

de **excursie 1** excursion **2** [leer-, werkbezoek] (study) visit; [buiten] field trip

excuseren excuse, pardon: *Jack vraagt of we hem willen ~, hij voelt zich niet lekker* Jack asks to be excused, he is not feeling well; *wilt u mij even ~* please excuse me for a moment; *zich ~ voor* offer one's excuses (*of:* apologies) for

het **excuus 1** apology: *zijn excuses aanbieden* apologize **2** [reden van verontschuldiging] excuse: *een slap ~* a poor excuse

executeren execute

de **executie** execution: *uitstel van ~* stay of execution

het **exemplaar 1** specimen, sample **2** [afdruk] copy

exemplarisch exemplary, illustrative

de **exercitie** exercise, drill

het **exhibitionisme** exhibitionism

de **exhibitionist** exhibitionist

existentieel existential

exit exit: [fig] ~ *John* exit John, farewell (to) John, that's the end of John

de **exitpoll** exit poll

de **exodus** exodus

exogeen exogenous

exorbitant exorbitant, excessive, extravagant

het **exorcisme** exorcism

exotisch exotic

de **expansie** expansion

het **expansievat** expansion tank

de **expat** expat

de **expediteur** shipping agent, forwarding agent; shipper [vnl. per schip]; carrier

de **expeditie 1** shipping department, forwarding department **2** [(personen op) ontdekkingstocht] expedition: *op ~ gaan (naar)* go on an expedition (to) **3** [verzending van goederen] dispatch, shipping, forwarding: *voor een snelle ~ van de goederen zorgen* ensure that the goods are forwarded rapidly

het **experiment** experiment: *een wetenschappelijk ~ uitvoeren (op)* perform a scientific experiment (on)

experimenteel experimental

experimenteren experiment

de **expert** expert

de **expertise** [onderzoek] (expert's) assessment

expliciet explicit

exploderen explode

de **exploitant** proprietor, owner, licensee

de **exploitatie** exploitation; [bouwterreinen enz.] development

exploiteren exploit; [bouwterreinen enz.] develop: *een stuk grond ~* develop a plot of land

de **explosie** explosion

het ¹**explosief** (zn) explosive

²**explosief** (bn, bw) explosive: *explosieve stoffen* explosives

de **exponent** exponent

exponentieel exponential

de **export** export

exporteren export

de **exporteur** exporter

exposeren exhibit, display, show

de **expositie** exhibition, show

expres on purpose, deliberately

de **expressie** expression

het **expressionisme** expressionism

de **expresweg** [Belg] [autosnelweg met gelijkvloerse kruisingen] ± major arterial road

de **extase** ecstasy, rapture

extatisch ecstatic; [bw] in ecstasy

de **extensie** [comp] (file) extension

extensief extensive

het ¹**exterieur** (zn) exterior

²**exterieur** (bn) exterior, external, outside

extern 1 non-resident; living-out [personeel] **2** [buiten iets liggend] external, outside

¹**extra** (bn) extra, additional: *er zijn geen ~ kosten aan verbonden* there are no extras (involved); *iets ~'s* sth. extra

²**extra** (bw) **1** extra: *hij kreeg 20 euro ~* he got 20 euros extra **2** [bijzonder] specially: *de leerlingen hadden ~ hun best gedaan* the pupils had made a special effort

het **extraatje** bonus

het **extract** extract; [samenvatting] excerpt, abstract

extrapoleren extrapolate

de **extra's 1** [giften, inkomsten] bonuses; [verdiensten ook] perquisites; perks **2** [uitgaven] extras

extravagant extravagant, outrageous

extravert extrovert(ed), outgoing

¹**extreem** (bn) extreme

²**extreem** (bw) **1** extremely **2** ultra-, far: *extreemlinks* extreme left-wing

het ¹**extreemrechts** (the) extreme (*of:* far) right

²**extreemrechts** (bn) extreme right, ultra-right

het **extremisme** extremism

de **extremist** extremist

de **ezel 1** donkey: *zo koppig als een ~* be as stubborn as a mule; *een ~ stoot zich in 't gemeen geen tweemaal aan dezelfde steen* once bitten, twice shy **2** [standaard] easel

het **ezelsbruggetje** memory aid, mnemonic

het **ezelsoor** dog-ear

f

de **f** f, F
de **fa** [muz] fa(h)
de **faalangst** fear of failure
de **faam** fame, renown
de **fabel** fable, fairy-tale
   fabelachtig fantastic, incredible
het **fabricaat** manufacture, make: *Nederlands ~* made in the Netherlands
de **fabricage** manufacture, production
   fabriceren 1 manufacture, produce **2** [in elkaar zetten] make, construct
de **fabriek** factory
de **fabrieksarbeider** factory worker
de **fabriekshal 1** [gebouw] factory (building) **2** [ruimte] workshop
het **fabrieksterrein** factory site
de **fabrikant** manufacturer, producer; [eigenaar van fabriek] factory owner
de **façade** façade, front
de **facelift** face-lift: *het bedrijf heeft een ~ ondergaan* the company has had a face-lift
het **facet** aspect, facet
de **faciliteit** facility, convenience, amenity
de **faciliteitengemeente** [Belg] municipality with (linguistic) facilities
de **factor** factor
   factureren invoice, bill
de **factuur** invoice, bill
   facultatief optional, elective
de **faculteit** faculty
de **fagot** bassoon
   Fahrenheit Fahrenheit
   failliet bankrupt: *~ gaan* go bankrupt
het **faillissement** bankruptcy
   fair fair: *iem. ~ behandelen* treat s.o. fairly; *dat is niet ~* that's not playing the game
de **fair trade** fair trade
de ¹**fake** fake
   ²**fake** (bn) fake: *dat hele verhaal is ~* the whole story's a fake, the whole story's a sham
de **fakir** fakir
de **fakkel** torch
de **fakkeldrager** torchbearer
de **falafel** falafel
   falen fail; [zich vergissen] make an error (of judgment), make a mistake
de **faling** [Belg] [faillissement] bankruptcy
de **fall-out** fall-out
de **fallus** phallus
de **falsetstem** falsetto
   fameus [vermaard] famous, celebrated
   familiaal familial: [Belg] *familiale verzekering* family insurance

   familiair (over-)familiar: *al te ~ met iem. omgaan* treat s.o. with too much familiarity, take liberties with s.o.
de **familie 1** [gezin] family: [fig] *het is één grote ~* they are one great big happy family; [Belg] *een politieke ~* a political family; *bij de ~ Jansen* at the Jansens **2** [m.b.t. andere bloedverwanten] family, relatives, (blood) relations: *wij zijn verre ~ (van elkaar)* we are distant relatives; *het zit in de ~* it runs in the family
het **familiedrama** family tragedy, family murder-suicide
het **familielid** member of the family; [bloedverwant] relative; relation: *zijn naaste familieleden* his next of kin
de **familienaam** family name, surname; [voornamelijk Am-Eng] last name
het **familiewapen** family (coat of) arms
   familieziek overfond of one's relations
de **fan** fan
de **fanaat** fanatic
de **fanaticus** *zie* fanaat
   fanatiek fanatical, crazy: *een ~ schaker* a chess fanatic
de **fanatiekeling** [iron] fanatic
het **fanatisme** fanaticism; [m.b.t. religie] zealotry
de **fanclub** fan club
de **fancy fair** bazaar, jumble sale
de **fanfare** [muziekkorps] brass band
de **fanmail** fan mail
   ¹**fantaseren** (onov ww) [dromen, kletsen] fantasize (about), dream (about)
   ²**fantaseren** (ov ww) [verzinnen] dream up, make up, imagine, invent
de **fantasie** imagination
de **fantast** dreamer, visionary, storyteller; liar [leugenaar]
   ¹**fantastisch** (bn) **1** fantastic, fanciful: *~e verhalen* fanciful (of: wild) stories **2** [onwerkelijk mooi, goed enz.] fantastic, marvellous
   ²**fantastisch** (bw) fantastically, terrifically
de **fantasy** fantasy
het **fantoom** phantom
de **fantoompijn** phantom limb pain
de **farao** pharaoh
de **farce** farce
de **farde** [Belg] **1** [map] file **2** carton (of cigarettes)
de **farizeeën** Pharisees
   farmaceutisch pharmaceutic(al)
de **fascinatie** fascination
   fascineren fascinate, captivate
   fascinerend fascinating
het **fascisme** fascism
de **fascist** fascist
   fascistisch fascist
de **fase** phase: *eerste ~* undergraduate course of studies; *tweede ~* postgraduate course of studies

faseren phase
het **fastfood** fast food
de **fat** dandy, fop
fataal fatal; [ziekte ook] terminal; [dosis] lethal; [wond] mortal: *dat zou ~ zijn voor mijn reputatie* that would ruin my reputation
fatalistisch fatalistic
de **fata morgana** fata morgana, mirage
het **fatsoen** decorum, decency, propriety: *geen enkel ~ hebben* lack all basic sense of propriety (*of:* decency); *zijn ~ houden* behave (o.s.)
fatsoeneren 1 [in model brengen] (re-)model, shape **2** [beschaven] lick into shape, civilize
fatsoenlijk 1 decent [persoon, gedrag]; respectable: *op een ~e manier aan de kost komen* make an honest living **2** [behoorlijk] decent; respectable [inkomen, buurt]; fair [kennis van iets]
fatsoenshalve for decency's sake, for the sake of decency
de **fatwa** fatwa(h)
de **fauna** fauna
de **fauteuil** armchair, easy chair
de **¹favoriet** (zn) favourite
²favoriet (bn) favourite; [persoon] favoured
de **fax** fax
faxen fax
de **fazant** pheasant
het **fbo** [Ned; ond] basic secondary education
de **februari** February
de **fecaliën** faeces
federaal federal
federaliseren federalize, (con)federate
het **federalisme** federalism
de **federatie** federation, confederation
de **fee** fairy
de **feedback** feedback: *iem. ~ geven* give s.o. feedback
feeëriek enchanting, magic(al), fairylike
de **feeks** shrew, vixen
de **feeling** feel(ing), knack: *~ hebben voor iets* have a feel(ing) for sth.
het **feest 1** party **2** [festijn] feast, treat: *dat ~ gaat niet door* you can put that (idea) right out of your head
de **feestartikelen** party goods (*of:* gadgets)
de **feestavond** [form] gala night; [inf] social evening
de **feestdag** holiday: *op zon- en ~en* on Sundays and public holidays; *prettige ~en* **a)** [kerst] Merry Christmas; **b)** [Pasen] Happy Easter
feestelijk festive: *een ~e jurk* a party dress
de **feestelijkheden** festivities, celebrations
feesten celebrate, make merry
de **feestganger** party-goer, guest
het **feestmaal** feast, banquet
de **feestneus 1** false nose **2** [persoon] party-goer
het **feestvarken** birthday boy (*of:* girl), guest

of honour
feestvieren celebrate
feilbaar fallible, liable to error
feilloos infallible; [oordeel] unerring; [zonder fouten] faultless; flawless: *~ de weg terug vinden* find one's way back unerringly
het **feit** fact; [gebeurtenis] circumstance; [nieuwsfeit] event: *het is* (*of: blijft*) *een ~ dat … the fact is* (*of:* remains) that …; *de ~en spreken voor zichzelf* the facts speak for themselves; *in ~e* in fact, actually
¹feitelijk (bn) actual: *de ~e macht* the de facto (*of:* real, actual) power
²feitelijk (bw) actually, practically
de **feitenkennis** knowledge of (the) facts, factual knowledge
fel 1 fierce [hitte, wind, stralen]; bitter [kou]; sharp [pijn, vorst]; bright [kleuren]; vivid [kleuren]; blazing [licht]; glaring [licht]: *een felroze jurk* a brilliant pink dress **2** [hevig] fierce, sharp; keen [competitie]; violent [emotie]; bitter [strijd]: *een ~le brand* a blazing (*of:* raging) fire **3** [vurig] fierce; fiery [temperament]; vehement [protest]; spirited [persoon]; scathing [woorden, aanval]; biting [woorden, aanval]: *~ tegen iets zijn* be dead set against sth.
de **felicitatie** congratulation(s)
feliciteren congratulate on: *iem. ~ met iets* congratulate s.o. on sth.; *gefeliciteerd en nog vele jaren* happy birthday and many happy returns (of the day)
het **feminisme** feminism, Women's Liberation
de **feminist** feminist
feministisch feminist
het **fenomeen** phenomenon
fenomenaal phenomenal
feodaal feudal
het **feodalisme** feudalism, feudal system
ferm firm; resolute [houding]
fermenteren ferment
de **fermette** [Belg] restored farmhouse (as second home)
fervent fervent, ardent
het **festijn** feast, fête
het **festival** festival
de **festiviteit** festivity, celebration
de **fetisj** fetish
de **fetisjist** fetishist
het/de **feuilleton** serial (story)
de **fez** fez
het **fiasco** fiasco, disaster
het **fiat** fiat, authorization: *zijn ~ geven* authorize; give the go-ahead (*of:* green light)
fiatteren authorize; attach (*of:* give) one's fiat to
het/de **fiche 1** [van spel e.d.] counter, token, chip **2** [systeemkaart] index card, filing card
de **fictie** fiction
fictief [denkbeeldig] fictitious, imaginary: *een ~ bedrag* an imaginary sum

de **fiducie** [inf] faith: *ik heb er geen ~ in* I've no faith in it
fier proud
de **fierheid** pride, high spirits
de **fiets** bike, bicycle, cycle: *we gaan op* (of: *met*) *de ~* we're going by bike; *een elektrische ~* an electric bicycle, an e-bike ‖ *op die ~!* like that, in that way
de **fietsband** bike (of: bicycle, cycle) tyre
de **fietsbel** bicycle bell
fietsen ride (a bike, bicycle), cycle, bike: *het is een uur ~* it takes an hour (to get there) by bike
de **fietsenmaker** bicycle repairer (of: mender)
het **fietsenrek 1** bike (of: bicycle, cycle) stand **2** [ruimte tussen tanden] ± gappy teeth
de **fietsenstalling** bicycle shed, bicycle stands, bicycle park
de **fietser** (bi)cyclist
het **fietspad** bicycle track (of: path)
de **fietspomp** bicycle pump
de **fietstas** saddlebag
de **fietstocht** bicycle ride (of: trip, tour), cycling trip (of: tour): *een ~je gaan maken* go for a bicycle ride
fiftyfifty fifty-fifty: *~ doen* split (sth.) fifty-fifty (with s.o.), go halves (with s.o.)
de **figurant** extra, walk-on
figureren 1 [rol vervullen] act, perform **2** [optreden als figurant] be an extra
het/de **figuur** figure; [persoonlijkheid ook] character; individual: *een goed ~* a good figure; *geen gek ~ slaan naast* not come off badly compared with; *wat is hij voor een ~?* what sort of person is he?
figuurlijk figurative, metaphorical: *~ gesproken* metaphorically speaking
de **figuurzaag** fretsaw; [machinaal] jigsaw
figuurzagen do fretwork; [machinaal] jigsaw
Fiji Fiji
de **Fiji-eilanden** Fiji Islands
de **Fijiër** Fijian
Fijisch Fijian
¹**fijn** (bn) **1** fine: *~e instrumenten* delicate instruments; *de ~e keuken* fine cooking **2** [m.b.t. kledingstukken, stoffen] delicate **3** [aangenaam] nice, lovely, fine, great, grand: *een ~e tijd* a good time **4** [subtiel] subtle, fine: *een ~e neus* a fine (of: subtle) nose ‖ *ik weet er het ~e niet van* I don't know the finer (of: specific) details
²**fijn** (bw) [aangenaam] nice: *ons huis is ~ groot* our house is nice and big
³**fijn** (tw) that's nice, lovely: *we gaan op vakantie, ~!* we're going on holiday, great!
fijnbesnaard highly-strung, delicate(ly balanced), sensitive
fijngevoelig 1 sensitive **2** [tactvol] tactful
fijnmaken crush (fine); pulverize

fijnmalen grind (up/down), crush
fijnmazig fine(-meshed): *een ~e structuur a* finely-woven structure
de **fijnproever** connoisseur; [letterlijk ook] gourmet
fijnsnijden cut fine(ly), slice thinly
fijnstampen crush, pound, pulverize; [aardappels] mash
fijntjes: *~ opmerken* make a subtle remark
de **fik** fire: *in de ~ steken* set fire to
fikken burn
fiks sturdy, firm
fiksen fix (up), manage
de **filantroop** philanthropist
de **filatelist** philatelist
de **file** queue; [mensen ook] line; row; [auto's ook] tailback; traffic jam: *in een ~ staan* (of: *raken*) be in (of: get into) a traffic jam
fileren 1 [van bot/graat ontdoen] fillet **2** [bekritiseren] pick holes in, tear to shreds
het/de **filet** fillet
de **filevorming** buildup (of traffic): *er is ~ ove 3 km* traffic is backed up for 3 km
filharmonisch philharmonic
het **filiaal** branch; [van grootwinkelbedrijf] chain store
de **filiaalhouder** branch manager
de **Filipijn** Filipino
de **Filipijnen** (the) Philippines
Filipijns Philippine, Filipino
de **film** film: *een stomme ~* a silent film (of: picture); *welke ~ draait er in die bioscoop?* what' on at that cinema?; *een ~(pje) ontwikkelen* develop a film
de **filmacademie** film academy (of: school)
de **filmacteur** film actor
de **filmcamera** (cine-)camera; [professioneel] (film)camera; motion-picture camera
filmen film, make (a film), shoot (a film)
de **filmer** film-maker
het **filmhuis** art cinema, cinema club
de **filmkeuring** film censorship; [commissie] film censorship board; board of film censors
de **filmmuziek** soundtrack
de **filmopname** shot, sequence, take: *een ~ maken van* make (of: shoot) a film of
de **filmproducent** film producer
de **filmregisseur** film director
de **filmrol 1** role (of: part) in a film **2** [filmband] reel of film
de **filmster** (film) star, movie star
filosoferen philosophize
de **filosofie** philosophy: *de ~ van Plato* Plato's philosophy
filosofisch philosophic(al)
de **filosoof** philosopher
het/de **filter** filter
¹**filteren** (onov ww) filter through (of: into [koffie] percolate (through)
²**filteren** (ov ww) filter; percolate [koffie]
de **filtersigaret** filter (tip), filter-tipped ciga-

rette
het **filterzakje** (coffee) filter
de **Fin** Finn, Finnish woman
finaal 1 final **2** [algeheel] complete, total: *ik ben het ~ vergeten* I clean forgot (it)
de **finale** [muz] finale; [sport] final(s)
de **finalist** finalist
financieel financial
de **financiën** finance, finances, funds
de **financier** financier
financieren finance, fund; back [onderneming]
de **financiering** financing
het **financieringstekort** financing deficit, ± budget deficit
het **fineer** veneer
fineren veneer, finish, overlay, face
de **finesse** nicety, subtlety: *de ~s van iets* the ins and outs of sth.
fingeren 1 feign, sham; stage [ensceneren]: *een gefingeerde overval* a staged robbery **2** [verzinnen] invent, make up, dream up: *een gefingeerde naam* a fictitious name; an assumed name
de **finish** finish, finishing line
finishen finish: *als tweede ~* finish second, come (in) second
Finland Finland
het **¹Fins** (zn) Finnish
²Fins (bn) Finnish
de **firewall** firewall
de **firma** firm, partnership, company: *de ~ Smith & Jones* the firm of Smith and Jones
het **firmament** [form] firmament, heaven(s)
de **fis** [muz] F sharp
fiscaal fiscal, tax(-): *~ aftrekbaar* tax-deductible
de **fiscus** [als belastingheffer] the Inland Revenue, the Treasury; [inf] the taxman
fit fit; [uitgerust] fresh: *niet ~ zijn* be out of condition; [niet lekker] be under the weather
de **fitness** fitness training; keep-fit exercises [mv]: *aan ~ doen* do fitness training; work out
het **fitnesscentrum** fitness club, health club
de **fitting** [waar men lamp indraait] socket; [van lamp zelf] screw(cap); fitting
het **fixeer** fixer, fixative
fixeren fix
de **fjord** fjord, fiord
de **flacon** bottle, flask; flagon [wijn]
fladderen 1 flap about; [vogeltje, vlinder] flutter **2** [heen en weer bewegen] flutter; [vlag, zeil] flap; [haar] stream
flagrant flagrant, blatant, glaring: *dat is een ~e leugen* that is a blatant (*of:* bald, barefaced) lie; *in ~e tegenspraak met* in flat contradiction to (*of:* with)
flakkeren flicker
flamberen [cul] flambé

flamboyant [fig] flamboyant
de **flamenco** flamenco
de **flamingo** flamingo
het **flanel** [stof] flannel; [katoen] flannelette
flaneren stroll, parade
de **flank** [zijde] flank, side
flankeren flank
flansen (+ in elkaar) knock together, put together
de **flap 1** flap **2** [gebakje] turnover **3** [bankbiljet] (bank) note **4** [groot vel papier] flysheet
de **flapdrol** wally
het **flapoor** protruding ear, sticking-out ear
flappen fling down, bang down, plonk down ‖ *eruit ~* blab(ber), blurt out
de **flapuit** blab, blabber
de **flard 1** shred, tatter: *aan ~en scheuren* tear to shreds **2** [los gedeelte] fragment; [klein deeltje] scrap: *enkele ~en van het gesprek* a few fragments (*of:* snatches) of the conversation
de **flashback** flashback
de **flat 1** block of flats; [groter] block of apartments **2** [appartement] flat; [Am] apartment: *op een ~* in a flat
de **flater** blunder, howler
het **flatgebouw** *zie* flat
het/de **flatscreen** flat screen
flatteren flatter: *een geflatteerd portret* a flattering portrait; *een geflatteerde voorstelling van iets geven* paint (*of:* present) a rosy picture of sth.
flatteus 1 [flatterend] becoming, flattering **2** [vleiend] flattering
flauw 1 bland, tasteless; washy [drank]; watery [drank] **2** [niet krachtig, sterk] faint, feeble, weak; [herinnering, licht ook] dim: *ik heb geen ~ idee* I haven't the faintest idea **3** [niet geestig] feeble: *een ~e grap* a feeble (*of:* corny, silly) joke **4** [kinderachtig] silly; [bang] chicken(-hearted); [onsportief] unsporting; [onsportief] faint-hearted **5** [zwak gebogen] gentle, slight
de **flauwekul** rubbish, nonsense
de **flauwte** faint, fainting fit: *van een ~ bijkomen* come round (*of:* to)
flauwtjes faint; [licht] dim; [smakeloos] bland; [zaken] dull; [melig] silly: *~ glimlachen* smile weakly
flauwvallen [bezwijmen] faint, pass out: *~ van de pijn* faint with pain
de **¹fleece** [trui] fleece
het/de **²fleece** [stof] fleece
het **flensje** crêpe, thin pancake
de **fles** bottle; [met brede hals] jar: *een melkfles* a milk bottle; *de baby krijgt de ~* the baby is bottle-fed
de **flesopener** bottle-opener
¹flessen (onov ww) [Belg; inf] [zakken] fail
²flessen (ov ww) **1** [afzetten] swindle, con, cheat, rip off **2** [bedotten] fool, pull s.o.'s leg

de **flessentrekkerij** swindle, con(fidence trick), fraud

flets 1 pale, wan: *er ~ uitzien* look pale (*of:* washed-out) **2** [niet helder] pale, dull: *~e kleuren* pale (*of:* faded, dull) colours

fleurig colourful, cheerful

flexibel flexible, pliable; [fig ook] supple; [fig ook] elastic: *~e werktijden* flexible hours; flexitime

de **flexibiliteit** flexibility; [fig ook] elasticity

de **flexplek** hot desk

de **flexwerker** flexiworker, flex worker

de **flik** [Belg; inf] cop

flikflooien pet, cuddle: *met iem. ~* get off (*of:* neck, snog) with s.o.

flikken bring off, pull off; get away with [iets ontoelaatbaars]: *dat moet je me niet meer ~* don't you dare try that one on me again

de **flikker** [homo] queen, poofter; [Am] faggot, fag ‖ *het kan hem geen ~ schelen* he doesn't give a damn; *hij heeft geen ~ uitgevoerd* he hasn't done a fucking, bloody thing; *iem. op zijn ~ geven* give s.o. a good hiding; [ook mondeling] give s.o. a proper dressing-down

flikkeren 1 [van kaars e.d.] flicker; [elektrisch licht ook] blink: *het ~de licht van een kaars* the flickering light of a candle **2** [van blinkend voorwerp] glitter, sparkle: *de zon flikkert op het water* the sun shimmers on the water **3** [inf; vallen] fall, tumble: *van de trap ~* nosedive (*of:* tumble) down the stairs

¹**flink** (bn) **1** [fors] robust, stout, sturdy **2** [m.b.t. afmeting, hoeveelheid] considerable, substantial: *een ~e dosis* a stiff dose; *een ~e wandeling* a good (long) walk **3** [sterk van karakter] firm; [dapper] plucky: *een ~e meid* a big girl; *zich ~ houden* put on a brave front (*of:* face)

²**flink** (bw) considerably, thoroughly, soundly: *~ wat mensen* quite a number of people, quite a few people; *iem. er ~ van langs geven* give s.o. what for

flinterdun wafer-thin, paper-thin

flipperen play pinball

de **flipperkast** pinball machine

de **flirt** flirtation

flirten flirt

de **flits 1** [foto] flash(bulb), flash(light) **2** [bliksemschicht] flash, streak **3** [glimp] flash; split second [korte tijd] **4** [fragment van een opname] clip, flash: *~en van een voetbalwedstrijd* highlights of a football match

¹**flitsen** (onov ww) [kort, fel licht geven] flash: *er flitste een bliksemstraal in de lucht* (a bolt of) lightning flashed through the sky

²**flitsen** (ov ww) [foto] flash: [bij verkeersovertreding] *geflitst worden* get flashed

flitsend 1 [modieus] stylish, snappy, snazzy **2** brilliant

het **flitslicht** flash(light)

de **flitspaal** speed camera, camera speed trap

de **flodder**: *losse ~s* dummy (*of:* blank) cartridges, blanks

flodderig 1 [m.b.t. kleren] baggy, floppy **2** [knoeierig, slordig] sloppy, shoddy, messy

flonkeren twinkle [vnl. van ster]; sparkle [vnl. van edelsteen]; glitter: *~de ogen* sparkling eyes

de **flonkering** sparkle; sparkling [vnl. van edelsteen]; twinkling [vnl. van ster]

de **flop** [mislukking] flop

floppen flop

de **floppydisk** floppy disk, diskette

de **floppydrive** disk drive

de **flora** flora

floreren [fig] flourish, bloom, thrive

het/de **floret** foil

de **florijn** florin, guilder

florissant flourishing, blooming, thriving; well [gezond]; healthy [gezond]: *dat ziet er niet zo ~ uit* that doesn't look so good

flossen floss one's teeth

de **fluctuatie** fluctuation; [sterk] swing

fluctueren fluctuate

fluisteren whisper

de **fluit 1** flute; [in drumkorps] fife **2** [geluid] whistle

het **fluitconcert 1** flute concerto, concerto fo flute; [uitvoering] flute recital (*of:* concert) **2** [(afkeurend) gefluit] catcalls, hissing: *op een ~ onthaald worden* be catcalled

¹**fluiten** (onov ww) **1** whistle, blow a whistl **2** [fluitinstrument bespelen] play the flute **3** [fluitend geluid voortbrengen] whistle; [vogel, fluitketel] sing; [schip] pipe; [ter afkeuring] hiss

²**fluiten** (ov ww) **1** whistle; [op fluit] play; [vogel] sing: *een deuntje ~* whistle a tune **2** [als scheidsrechter leiden] referee, act as referee in

de **fluitist** flautist, flute(-player)

het **fluitje** whistle ‖ *een ~ van een cent* a doddle a piece of cake

de **fluitketel** whistling kettle

het **fluitsignaal** whistle(-signal)

de **fluittoon** whistle, whistling; [radio] whine [kort] b(l)eep

het **fluor** fluorine

het **fluweel** velvet

fluwelen velvet, velvety

flyeren distribute (*of:* hand out) flyers

de **fly-over** overpass, flyover

fnuikend fatal, destructive: *~ voor* fatal to

de **fobie** phobia: *een ~ voor katten* a phobia about cats

het/de **focus** focal point, focus

focussen focus, focalize: [fig] *~ op een probleem* focus on a problem; [fig] *alle belangstelling was op hem gefocust* all attention wa focussed on him

de **FOD** [Belg] afk van *Federale Overheids-*

dienst Federal Government Service

het **foedraal** case, cover, sheath

foefelen [Belg] cheat, fiddle

het **foefje** trick

foei naughty naughty!

foeilelijk hideous, ugly as sin (*of:* hell)

de **foelie** mace

foeteren grumble, grouse

foetsie [inf] gone, vanished (into thin air): *ineens was mijn portemonnee* ~ suddenly my purse was gone (*of:* had vanished)

het/de **foetus** fetus

de **foetushouding** foetus position

de **föhn 1** [meteo] föhn **2** [haardroger] blow-dryer

föhnen blow-dry

de **¹fok** (zn) [teelt] breeding

de **²fok** (zn) [scheepv] foresail

³fok (tw) [uitroep] fuck!

fokken breed; [grootbrengen] rear; raise

de **fokker** breeder; [veefokker] stockbreeder; cattle-raiser; [m.b.t. huisdieren] fancier

de **fokkerij 1** (cattle-)breeding, cattle-raising; [m.b.t. vee ook] (live)stock farming **2** [bedrijf] breeding farm, stock farm; breeding kennel(s) [honden]; stud farm [paarden]

¹fokking (bn, attr) fucking: *een* ~ *hekel hebben aan iets* [vulg] fucking hate sth.

²fokking (bw) fucking

de **fokstier** (breeding) bull

de **folder** leaflet, brochure, folder

het/de **folie** (tin)foil

de **folk** folk (music)

de **folklore** folklore

folkloristisch folklor(ist)ic

de **folkmuziek** folk music

de **folteraar** torturer

folteren torture; [fig ook] rack; [fig ook] torment

de **foltering** torture, torment

de **fondant** fondant

het **fonds 1** fund, capital, resources, funds **2** [vereniging] fund, trust

de **fondue** fondue

fonduen eat fondue, have fondue

de **fonetiek** phonetics

fonetisch phonetic

fonkelen 1 sparkle, glitter; twinkle [sterren] **2** [m.b.t. dranken] sparkle, effervesce

fonkelnieuw brand-new

de **fontein** fountain

de **fooi 1** tip, gratuity **2** [fig; gering bedrag] pittance; [m.b.t. loon] starvation wages

de **foor** [Belg] fair

foppen fool, hoax, trick

de **fopspeen** dummy (teat), soother; [Am]✏ pacifier

¹forceren (ov ww) **1** force; enforce [maatregelen]: *de zaak* ~ force the issue, rush things **2** [met geweld] force, strain, overtax, overwork: *zijn stem* ~ (over)strain one's voice

zich **²forceren** (wdk ww) force o.s., overtax o.s., overwork o.s.

de **forel** trout

de **forens** commuter

forensisch [jur] forensic: ~*e geneeskunde* forensic medicine

het **forfait:** [Belg; sport] ~ *geven* fail to turn up

het **formaat** size; [boek, papier ook] format; [fig] stature; [fig] class: [fig] *een prestatie van* ~ a feat

formaliseren formalize, standardize

formalistisch formalist(ic), legalistic

de **formaliteit** formality, matter of routine: *de nodige* ~*en vervullen* go through the necessary formalities

format format

de **formateur** person charged with forming a new government

de **formatie 1** formation **2** [popgroep] band, group

formatteren format

formeel formal; [plechtig ook] official: ~ *heeft u gelijk* technically speaking you are right

formeren 1 form, create **2** [scheppen] form, create, make **3** [geestelijk vormen] form, shape

het **¹formica** (zn) formica

²formica (bn) formica

formidabel formidable, tremendous

de **formule** formula: *de* ~ *van water is* H_2O the formula for water is H_2O

de **formule 1** formula 1

de **formule 1-coureur** formula 1 driver

formuleren formulate, phrase: *iets anders* ~ rephrase sth.

de **formulering** formulation, phrasing, wording: *de juiste* ~ *is als volgt* the correct wording is as follows

het **formulier** form: *een* ~ *invullen* fill in a form; [Am] fill out a form

het **fornuis 1** cooker **2** [stookinrichting] furnace

fors 1 sturdy; [mens ook] robust; loud [stem]; vigorous [taalgebruik]; forceful [taalgebruik]; massive [gebouw]; heavy [nederlaag]: *een* ~*e kerel* a big fellow **2** [groot, niet te verwaarlozen] substantial, considerable: *een* ~ *bedrag* a substantial sum

forsgebouwd sturdily (*of:* strongly, solidly) built

het **fort** fort(ress)

het **fortuin 1** (good) fortune, (good) luck: *zijn* ~ *zoeken* seek one's fortune **2** [kapitaal] fortune

fortuinlijk fortunate, lucky: *erg* ~ *zijn* be very lucky, have very good luck

het **forum 1** forum, panel discussion **2** [personen] panel

forumen participate in internet forums

het **fosfaat** phosphate

het/de **fosfor** phosphorus
fossiel fossil, fossilized
de **foto** photograph, picture, photo: *een ~ ne- men van iem.* take a photo (*of:* picture) of s.o.; *wil je niet op de ~?* don't you want to be in the picture?
het **fotoalbum** photo album
de **fotocamera** camera
de **fotofinish** photo finish
fotogeniek photogenic
de **fotograaf** photographer
fotograferen photograph, take a photo- graph (of)
de **fotografie** photography
fotografisch photographic(al): [fig] *een ~ geheugen* a photographic memory
de **fotokopie** photocopy, xerox: *een ~ maken van iets* photocopy sth.
fotokopiëren photocopy, xerox
het **fotomodel** model, photographer's model, cover girl
de **fotoreportage** photo-reportage
fotoshoppen photo shop
het **fototoestel** camera
fouilleren search; [inf] frisk
de **fouillering** (body) search
de **¹fout** (zn) **1** fault, flaw, defect: *zijn ~ is dat ...* the trouble with him is that ...; *niemand is zonder ~en* nobody's perfect **2** [verkeerde handeling] mistake, error; [overtreding bij sport] foul; fault [bij tennis, paardensport enz.]: *menselijke ~* human error; *in de ~ gaan* **a)** make a mistake; **b)** [inf] slip up; *zijn ~ goedmaken* make good one's mistake
²fout (bn, bw) wrong; [niet juist ook] incor- rect; erroneous: *de boel ging ~* everything went wrong; *een ~ antwoord* a wrong an- swer || *~e humor* tasteless humour
foutief wrong, incorrect
foutloos faultless, perfect
de **foutmelding** [comp] error message
foutparkeren park illegally
de **foyer** foyer
fraai 1 pretty; fine [boek] **2** [tot eer, lof strekkend] fine, splendid
de **fractie** fraction: *in een ~ van een seconde* in a fraction of a second
de **fractieleider** [pol] ± leader of the (*of:* a) parliamentary party; [Am] ± floor leader
de **fractuur** fracture
fragiel fragile
het **fragment** fragment, section
fragmentarisch fragmentary
de **framboos** raspberry
het **frame** frame
de **Française** Frenchwoman
de **franchise** franchise
franco [poststukken] prepaid; postage paid; [goederen] carriage paid
de **franje 1** fringe, fringing **2** [fig; overbodige opsiering] frill, trimmings: *zonder (overbodi-*

ge) ~ stripped of all its frills
de **frank** franc || [Belg] *zijn ~ valt* the penny has dropped
frankeren stamp; [concreet, met machine] frank; [Am] meter; [betalen] prepay: *onvol- doende gefrankeerd* understamped; [op en- veloppe] postage due
Frankrijk France
het **¹Frans** (zn) French: *in het ~* in French
²Frans (bn) French: *de ~en* the French; *twee ~en* two French people; two Frenchmen
de **Fransman** Frenchman
frappant striking, remarkable
de **frase** phrase
de **frater** friar, brother
de **fratsen** whims, fads, caprices
de **fraude** fraud; [verduistering] embezzle- ment
frauderen commit fraud
de **fraudeur** fraud, cheat
frauduleus fraudulent; [fig] crooked
de **freak 1** freak, nut, fanatic, buff: *een film- freak* a film buff **2** [iem. die zich vreemd ge- draagt] freak, weirdo
freelance freelance
de **freelancer** freelance(r)
de **frees** fraise
de **freeware** freeware
het **fregat** frigate
frêle frail, delicate
frequent frequent
de **frequentie** frequency: *de ~ van zijn hartslag* his pulse (rate)
het **fresco** fresco
de **fresia** freesia
de **¹fret** (zn) [m.b.t. snaarinstrumenten] fret
het **²fret** (zn) [dier] ferret
freudiaans Freudian: *een ~e vergissing (verspreking)* a Freudian slip
de **freule** ± gentlewoman, lady: *~ Jane A.* ± the Honourable Jane A.
frezen mill
de **fricandeau** fricandeau
de **frictie** friction [ook fig]
friemelen fiddle: *~ aan (met)* fiddle with
de **Fries** Frisian
Friesland Friesland
de **friet** chips; [Am] French fries: *~je oorlog* chips with mayonnaise and peanut sauce; *~ zonder* just chips (no sauce)
de **frigo** [Belg] fridge
de **frigobox** [Belg] [koelbox] cool box
de **frik** schoolmaster, schoolmistress
de **frikandel** minced-meat hot dog
het **¹fris** (zn) soft drink; [inf] pop: *een glaasje ~* soft drink, a glass of pop
²fris (bn) **1** fresh; [m.b.t. lichamelijke toe- stand ook] fit; lively: *met ~se moed* with re- newed vigour **2** [niet benauw(en)d] fresh, airy, breezy: *het ruikt hier niet ~* it's stuffy (in here **3** [schoon, hygiënisch] clean **4** [tameli

koel] cool(ish), chilly

het **frisbee** frisbee

frisbeeën frisbee

de **frisdrank** soft drink; [inf] pop [zoet, met prik]

frisjes chilly, nippy

de **friteuse** deep fryer, chip pan

frituren deep-fry

de **frituur** chip shop

de **frituurpan** deep frying pan; [elektrisch] deep fryer; chip pan

het **frituurvet** frying fat

frivool frivolous

[1]**frommelen** (onov ww) fiddle, fumble: *aan het tafelkleed* ~ fiddle with the tablecloth

[2]**frommelen** (ov ww) **1** [verkreukelen] crumple (up), rumple, crease: *iets in elkaar* ~ crumple sth. up **2** [(weg)stoppen] stuff away

de **frons 1** wrinkle **2** [gelaatsuitdrukking] frown; [boos, dreigend] scowl

fronsen frown; [boos, dreigend] scowl: *de wenkbrauwen* ~ frown; knit one's brow(s)

het **front** front; [van gebouw ook] façade; [voornamelijk fig] forefront: *het vijandelijke* (*of: oostelijke*) ~ the enemy (*of:* eastern) front

frontaal frontal; [m.b.t. botsingen, confrontaties ook] head-on

het **fruit** fruit || *Turks* ~ Turkish delight

de **fruitautomaat** fruit machine; [Am] slot machine; one-armed bandit

fruiten fry, sauté

het **fruithapje** fruit purée

fruitig fruity || *fris en* ~ bright-eyed and bushy-tailed, full of beans

de **fruitsalade** fruit salad

het **fruitsap** [Belg] fruit juice

de **fruitteler** fruit grower, fruit farmer

frunniken fiddle

de **frustraat** frustrated person

de **frustratie** frustration

frustreren 1 frustrate **2** [dwarsbomen ook] thwart

de **f-sleutel** F clef

de **fte** afk van *fulltime-equivalent* fte, full-time equivalent

de **fuchsia** fuchsia

de **fuga** fugue

de **fuif** party; [inf] bash: *een* ~ *geven (houden)* give (*of:* have) a party

het **fuifnummer** partygoer, merrymaker: *hij is een echt* ~ he's a party-going type

de **fuik** fyke (net); [fig] snare, trap: [fig] *in de* ~ *lopen* walk (*of:* fall) into a trap

full colour full colour

fulltime full-time

de **fulltimer** full-timer

de **functie** post, position, duties: *een hoge* ~ *bekleden* hold an important position; *in* ~ *treden* take up office || [wisk] *x is een* ~ *van y* x is a function of y

de **functiebeschrijving** job description, job specification

de **functie-eis** job requirement

de **functionaris** official

functioneel functional

functioneren 1 act, function, serve **2** [werken] work, function, perform: *niet* (*of: goed*) ~*d* [machine] out of order, in working order

het **functioneringsgesprek** performance interview

het **fundament** [bouwk] foundation; [fig ook] fundamental(s): *de* ~*en leggen (voor)* lay the foundations (for)

het **fundamentalisme** fundamentalism

de **fundamentalist** fundamentalist

fundamenteel fundamental, basic

funderen 1 found, build **2** [fig ook] base, ground

de **fundering** foundation(s); [fig ook] basis; groundwork: *de* ~(*en*) *leggen* lay the foundation(s)

funest disastrous, fatal: *de droogte is* ~ *voor de tuin* (the) drought is disastrous for the garden

fungeren 1 act as, function as **2** [in functie zijn] be the present ... (*of:* acting ..., officiating ...)

de **furie** fury, shrew: *tekeergaan als een* ~ go raving mad

furieus furious, enraged

de **furore** furore

fuseren merge (with), incorporate

de **fusie** merger

fusilleren execute by firing squad

de **fusion** fusion

het **fust** cask, barrel: *een* ~ *aanslaan* broach a cask

de **fut** go, energy, zip: *de* ~ *is eruit bij hem* there's no go in him anymore; *geen* ~ *hebben om iets te doen* not have the energy (*of:* strength) to do sth.

futiel futile

de **futiliteit** trifle, futility

het **futsal** futsal, indoor soccer

futuristisch futurist(ic)

de **fuut** great crested grebe

de **fysica** physics

de **fysicus** physicist

fysiek physical

de **fysiologie** physiology

de **fysiotherapeut** physiotherapist

de **fysiotherapie 1** physiotherapy **2** [Belg] rehabilitation

fysisch physical

g

de **g** g, G

gaaf 1 whole, intact; sound [hout, fruit, tanden enz.]: *een ~ gebit* a perfect set of teeth **2** [ontzettend goed] great, super: *Sampras speelde een gave partij* Sampras played a great game

de **gaai** (onov ww) jay: *Vlaamse ~* jay

¹**gaan** (onov ww) **1** go, move: *hé, waar ga jij naartoe?* where are you going?; [achterdochtig] where do you think you're going?; *het gaat niet zo best* (of: *slecht*) *met de patiënt* the patient isn't doing so well (of: *so badly*) **2** [vertrekken, weggaan ook] leave; [inf] be off: *hoe laat gaat de trein?* what time does the train go?; *ik moet nu ~* I must go now, I must be going (of: off) now; *ik ga ervandoor* I'm going (of: off); *ga nu maar* off you go now **3** [beginnen te] go, be going to: *~ kijken* go and (have a) look; *~ liggen* lie down; *~ staan* stand up; *ze ~ trouwen* they're getting married; *~ zwemmen* go for a swim, go swimming; *aan het werk ~* set to work **4** [plaatshebben ook] be, run: *de zaken ~ goed* business is going well; *als alles goed gaat* if all goes well; *dat kon toch nooit goed ~* that was bound to go wrong; *hoe is het gegaan?* how was it?, how did it (of: things) go? **5** (+ over) [beheren] run, be in charge (of): *daar ga ik niet over* that's not my responsibility **6** (+ over) [tot onderwerp hebben] be (about): *waar gaat die film over?* what's that film about? ‖ *zich laten ~* let o.s. go; [fig] *dat gaat mij te ver* I think that is going too far; *eraan ~* have had it; [persoon ook] be (in) for it; *daar ~ we weer* (t)here we go again; *we hebben nog twee uur te ~* we've got two hours to go; *aan de kant ~* move aside; *zijn gezin gaat bij hem boven alles* his family comes first (with him)

²**gaan** (onpers ww) **1** [gebeuren] be, go, happen: *het is toch nog gauw gegaan* things went pretty fast (after all) **2** (+ om) be (about): *daar gaat het niet om* that's not the point; *daar gaat het juist om* that's the whole point; *het gaat erom of …* the point is whether …; *het gaat om het principe* it's the principle that matters; *het gaat om je baan* your job is at stake; *het gaat hier om een nieuw type* we're talking about a new type ‖ *het ga je goed* all the best; *hoe gaat het (met u)?* how are you?, how are things with you?; *hoe gaat het op het werk?* how is your work (going)?, how are things (going) at work?; *het gaat* it's all right;

it's OK; *dat zal niet ~* that just won't work; [kan niet] I'm afraid that's not on

gaande 1 going, running: *een gesprek ~ houden* keep a conversation going **2** [aan de hand] going on, up: *~ zijn* be going on, be in progress

gaandeweg gradually

gaans walk: *nog geen tien minuten ~ van* within ten minutes walk from/of; *een uur ~* an hour's walk

de **gaap** yawn

gaar 1 [m.b.t. eten] done; [vnl. gekookt] cooked: *de aardappels zijn ~* the potatoes are cooked (of: done); *het vlees is goed* (of: *precies*) *~* the meat is well done (of: done to a turn); *iets ~ koken* cook sth. **2** [moe] done, tired (out)

de **gaarheid** readiness (to eat, serve, …)

de **gaarkeuken** soup kitchen

gaarne gladly, with pleasure

het **gaas 1** [weefsel] gauze; [vitrage enz.] netting): *fijn* (of: *grof*) *~* fine-meshed (of: largemeshed) gauze **2** [van metaaldraad] wire mesh; [grof] (wire) netting; [fijn] (wire) gauze: *het ~ van een hor* the wire gauze of a screen

het **gaatje** (little, small) hole; [in fiets-, autoband] puncture: *~s in de oren laten prikken* have one's ears pierced; *ik had geen ~s* [bij tandarts] I had no cavities ‖ *ik zal eens kijken of ik voor u nog een ~ kan vinden* I'll see if I can fit (of: squeeze) you in

de **gabber** mate, pal, chum, buddy

Gabon Gabon

de ¹**Gabonees** Gabonese
²**Gabonees** (bn) Gabonese

gadeslaan 1 observe, watch **2** [aandachtig de ontwikkeling volgen van] follow, watch (closely)

de **gading**: *hij kon niets van zijn ~ vinden* he couldn't find anything to suit him (of: to his liking, he wanted); *was er iets van je ~ bij?* was there anything you fancied there?

de **gaffel** (two-pronged) fork

de **gage** pay; [artiesten ook] fee; salary

het **gajes** rabble, riff-raff

de **gal** bile; [bij dieren] gall

het **gala** gala

de **gala-avond** gala night

het **galadiner** state banquet, gala dinner

galant chivalrous, gallant: *~e manieren* elegant manners

de **galavoorstelling** gala performance

de **galblaas** gall bladder: *een operatie aan de ~* a gall bladder operation

de **galei** galley

de **galeislaaf** galley slave

de **galerie** (art) gallery

de **galeriehouder** [eigenaar] gallery owner; [exploitant] manager of a gallery

de **galerij** gallery; [van flat] walkway; [winkel]

galerij] (shopping) arcade

de **galg** gallows: *aan de ~ ophangen* hang on the gallows; *~je spelen* play hangman; *hij groeit voor ~ en rad op* he'll come to no good

de **galgenhumor** gallows humour

het **galgenmaal** last meal: *het ~ nuttigen* eat one's last meal

Galilea Galilee

het **galjoen** galleon

de **galm** sound; [van klokken] peal(ing) ‖ *de luide ~ van zijn stem* his booming voice

¹**galmen** (onov ww) resound, boom; peal [klok]: *de klokken ~* the bells peal

²**galmen** (ov ww) [luidkeels uitroepen, zingen] bellow

de **galop** gallop: *in ~* at a gallop; *in ~ overgaan* break into a gallop

galopperen [in galop gaan] gallop: *een paard laten ~* gallop a horse

de **galsteen** gallstone, bilestone

Gambia (The) Gambia

de **Gambiaan** Gambian

Gambiaans Gambian

de **game** game

de **gamepad** game pad

et/de **gamma** [muz] scale, gamut

gammel 1 rickety, wobbly, ramshackle: *een ~e constructie* a ramshackle construction **2** [lusteloos] shaky, faint: *ik ben een beetje ~* I don't feel up to much

de **gang 1** passage(way), corridor, hall(way) **2** [pad] passage(way), tunnel: *een ondergrondse ~* an underground passage(way) **3** [manier van lopen] walk, gait: *herkenbaar aan zijn moeizame ~* recognizable by his laboured gait **4** [beweging, werking] movement; [snelheid] speed: *er ~ achter zetten* speed it up; *de les was al aan de ~* the lesson had already started (*of:* got going); *een motor aan de ~ krijgen* get an engine going; *goed op ~ komen* [ook fig] get into one's stride; *iem. op ~ helpen* help s.o. to get going, give s.o. a start **5** [voortgang, ontwikkeling] course, run: *de ~ van zaken is als volgt* the procedure is as follows; *de dagelijkse ~ van zaken* the daily routine; *verantwoordelijk zijn voor de goede ~ van zaken* be responsible for the smooth running of things; *het feest is in volle ~* the party is in full swing; *alles gaat weer zijn gewone ~* everything's back to normal **6** [m.b.t. eten] course: *het diner bestond uit vijf ~en* it was a five-course dinner ‖ *ga je ~ maar* **a)** [begin maar] (just, do) go ahead; **b)** [ga maar verder] (just, do) carry on; **c)** [na jou] after you; *zijn eigen ~ gaan* go one's own way

gangbaar 1 current, contemporary, common: *een gangbare uitdrukking* a common expression **2** [m.b.t. koop-, handelswaren] popular: *een gangbare maat* a common size

de **Ganges** the (River) Ganges

het **gangetje 1** pace, rate **2** [nauwe doorgang] [steeg] alley(way); passage(way); [gang] narrow corridor (*of:* passage) ‖ *alles gaat z'n ~* things are going all right

de **gangmaker** (the) life and soul of the party

het **gangpad** aisle

het **gangreen** gangrene: *~ krijgen* get gangrene; [lichaamsdeel] become gangrenous

de **gangster** gangster

de **gans** goose: *de sprookjes van Moeder de Gans* the (fairy) tales of Mother Goose

het **ganzenbord** (game of) goose

de **ganzenlever** goose liver, foie gras

de **ganzenpas** goose step

gapen 1 yawn: *~ van verveling* yawn with boredom **2** [met open mond staren] gape, gawk (at) **3** [wijde opening hebben] yawn, gape: *een ~de afgrond* [ook fig] a yawning abyss

gappen pinch, swipe

de **garage** garage: *de auto moet naar de ~* the car has to go to the garage

de **garagedeur** garage door

de **garagehouder** [eigenaar] garage owner; [exploitant] garage manager

de **garagist** [Belg] **1** [iem. die een garage houdt] garage owner **2** [monteur in een garage] motor mechanic

garanderen guarantee, warrant: *gegarandeerd echt goud* guaranteed solid gold; *ik kan niet ~ dat je slaagt* I cannot guarantee that you will succeed; *dat garandeer ik je* I guarantee you that

de **garant** guarantor; guarantee underwriter [bijv. van emissie]; [jur] surety: *~ staan voor de schulden van zijn vrouw* stand surety for one's wife's debts; *zijn aanwezigheid staat ~ voor een gezellige avond* his presence ensures an enjoyable evening

de **garantie** guarantee, warranty: *dat valt niet onder de ~* that is not covered by the guarantee; *drie jaar ~ op iets krijgen* get a three-year guarantee on sth.

het **garantiebewijs** guarantee (card), warranty, certificate of guarantee

de **garde 1** [lijfwacht] guard: *de nationale ~* the national guard **2** [keukengereedschap] whisk, beater

de **garderobe 1** wardrobe: *een uitgebreide ~ bezitten* possess an extensive wardrobe **2** [waar je jassen enz. ophangt] cloakroom; [Am] checkroom

het **gareel**: *iem. (weer) in het ~ brengen* bring s.o. to heel, make s.o. toe the line; *in het ~ lopen* toe the line

het **garen** thread, yarn: *een klosje ~* a reel of thread

de **garnaal** shrimp; [steur] prawn

de **garnalencocktail** shrimp cocktail, prawn cocktail

garneren garnish

de **garnering** garnishing

het **garnituur 1** garnishing, trim, trimming(s) **2** [stel voorwerpen ter versiering] accessories [mv]; set, ensemble

het **garnizoen** garrison

het **gas 1** gas: ~, *water en elektra* gas, water and electricity; *vloeibaar* ~ liquid gas; *het* ~ *aansteken* (of: *uitdraaien*) light (of: turn) off the gas; *op* ~ *koken* cook with (of: by) gas **2** [motorgas] mixture; [inf] gas: ~ *geven* step on the gas; *vol* ~ *de bocht door* (round the bend) at full speed; *de auto rijdt op* ~ the car runs on LPG

de **gasbel 1** [in een vloeistof] gas bubble (of: pocket) **2** [gasveld] gasfield, gas deposit

de **gasbrander** gas burner

de **gasfitter** gas fitter; [tevens loodgieter] plumber

de **gasfles** gas cylinder

het **gasfornuis** gas cooker

de **gaskachel** gas heater

de **gaskamer** gas chamber, gas oven

de **gaskraan** gas tap: *de* ~ *opendraaien* (of: *dichtdraaien*) turn on (of: off) the gas (tap)

de **gasleiding** gas pipe(s); [huisaansluiting] service pipe; [hoofdleiding] gas main(s)

het **gaslek** gas leak(age)

de **gaslucht** smell of gas

het **gasmasker** gas mask

de **gasmeter** gas meter

het/de **gaspedaal** accelerator (pedal): *het* ~ *indrukken* (of: *intrappen*) step on (of: press down) the accelerator

de **gaspit** gas ring, gas burner

het **gasstel** gas ring (of: burner)

de **gast 1** guest, visitor: *~en ontvangen* entertain (guests); *bij iem. te* ~ *zijn* be s.o.'s guest **2** [m.b.t. de horeca ook] customer: *vaste ~en* **a)** [hotel] regular guests; **b)** [restaurant, café] regular customers

de **gastarbeider** immigrant worker

het **gastcollege** guest lecture

de **gastdocent** visiting lecturer

het **gastenboek** visitors' book, guest book

het **gastgezin** host family

de **gastheer** host: *als* ~ *optreden* act as host

het **gastland** host country

het **gastoptreden** guest appearance (of: performance)

de **gastrol** guest appearance

de **gastronomie** gastronomy
gastronomisch gastronomic

de **gastspreker** guest speaker
gastvrij hospitable, welcoming: *iem.* ~ *onthalen* entertain s.o. well; *iem.* ~ *ontvangen* (*opnemen*) extend a warm welcome to s.o.

de **gastvrijheid** hospitality: *bij iem.* ~ *genieten* enjoy s.o.'s hospitality

de **gastvrouw** hostess
gasvormig gaseous

het **gat 1** hole, gap: *zwart* ~ black hole; *een* ~

dichten stop (of: fill) a hole; *een* ~ *maken in* make a hole in (sth.) **2** [met opzet gemaakt ook] opening: [fig] *een* ~ *in de markt ontdekken* discover a gap (of: hole) in the market **3** [uitholling] hole, cavity: *een* ~ *in je kies* a hole (of: cavity) in your tooth **4** [afgelegen stadje, dorp] hole, dump **5** [verwonding] cut, gash: *zij viel een* ~ *in haar hoofd* she fell and cut her head ‖ *hij heeft een* ~ *in z'n hand* he spends money like water; *iets in de ~en hebben* realize sth., be aware of sth.; *iem. (iets) in de ~en houden* keep an eye on s.o. (sth.); *niet in de ~en hebben* be quite unaware of anything; *in de ~en lopen* attract (too much) attention

de **gate** gate

¹**gauw** (bn, bw) quick, fast; [te snel] hasty: *ga zitten en* ~ *een beetje* sit down and hurry up about it! (of: and make it snappy!); *dat heb je* ~ *gedaan, dat is* ~ that was quick (work); *ik zou maar* ~ *een jurk aantrekken* (if I were you) I'd just slip into a dress

²**gauw** (bw) **1** [m.b.t. tijd] soon, before long: *hij had er al* ~ *genoeg van* he had soon had enough (of it); *hij zal nu wel* ~ *hier zijn* he won't be long now; *dat zou ik zo* ~ *niet weten* couldn't say offhand **2** [gemakkelijk] easily: *ik ben niet* ~ *bang, maar ...* I'm not easily scared, but ...; *dat kost al* ~ €100 that can easily cost 100 euros ‖ *zo* ~ *ik iets weet, zal ik bellen* as soon as I hear anything I'll ring you

de **gauwigheid** hurriedness, hurry

de **gave 1** gift, donation, endowment **2** [talent] gift, talent

de **gayscene** gay scene

de **Gazastrook** Gaza Strip

de **gazelle** gazelle

de **gazet** [Belg] [krant] newspaper

het **gazon** lawn

ge 1 thou **2** [Belg] you: *wat zegt ge?* what did you say?

geaard 1 [elek] earthed: *een* ~ *stopcontact* an earthed socket **2** [met een bepaalde aard] natured, inclined, tempered

de **geaardheid** disposition, nature, inclination: *seksuele* ~ sexual orientation

geabonneerd: ~ *zijn (op)* have a subscription (to)

geacht respected, esteemed: *Geachte Heer* (of: *Mevrouw*) Dear Sir (of: Madam); ~*e luisteraars* Ladies and Gentlemen

de **geadresseerde** addressee; [m.b.t. goederen] consignee

geaffecteerd affected, mannered: ~ *spreken* talk posh; ~ *Engels spreken* mince one's English

geagiteerd excited, agitated: ~ *zijn* be in a flutter

de **geallieerden** Allies

geamuseerd amused: ~ *naar iets kijken* watch sth. in amusement

geanimeerd animated, lively, warm: *een ~ gesprek* an animated (*of:* a lively) conversation

gearmd arm in arm

geavanceerd advanced, latest: *~e technieken* advanced techniques

het **gebaar 1** gesture, sign(al): *expressie in woord en ~* expression in word and gesture; *door een ~ beduidde zij hem bij haar te komen* she motioned him to come over; *met gebaren iets duidelijk maken* signal sth. (by means of gestures) **2** [handeling] gesture, move: *een vriendelijk ~ aan zijn adres* a gesture of friendliness towards him

het **gebak** pastry, confectionery, cake(s): *~ van bladerdeeg* puff (pastry); *vers ~* fresh pastry (*of:* confectionery); *koffie met ~* coffee and cake(s)

het **gebakje** (fancy) cake, pastry: *op ~s trakteren* treat (s.o.) to cake(s)

gebakken [in oven] baked; [in pan] fried: *~ aardappelen* (*of: vis*) fried potatoes (*of:* fish)

gebaren gesture, gesticulate; [om iets duidelijk te maken] signal; [om iets duidelijk te maken] motion: *met armen en benen ~* gesticulate wildly

de **gebarentaal** sign language

de **gebarentolk** sign (language) interpreter

het **gebed** prayer, devotions; [aan tafel] grace: *mijn ~en werden verhoord* my prayers were answered; *het ~ vóór de maaltijd* (saying) grace

het **gebedel** begging

de **gebedsgenezer** faith healer

het **gebedskleedje** prayer mat

het **gebeente** bones: *wee je ~!* woe betide you!, don't you dare!

gebeiteld [inf]: *hij zit ~* he's sitting pretty, he's got it made

het **gebergte 1** mountains **2** [bergketen] mountain range, chain of mountains

het **gebeurde** incident, event: *hij wist zich niets van het ~ te herinneren* he couldn't remember anything of what had happened

het **¹gebeuren** (zn) event, incident, happening: *een eenmalig ~* a unique event

²gebeuren (onov ww) **1** happen, occur, take place: *er is een ongeluk gebeurd* there's been an accident; *voor ze (goed) wist wat er gebeurde* (the) next thing she knew; *er gebeurt hier nooit iets* nothing ever happens here; *alsof er niets gebeurd was* as if nothing had happened; *wat is er met jou gebeurd?* what's happened to you?; *voor als er iets gebeurt* just in case; *er moet nog heel wat ~, voor het zover is* we have a long way to go yet; *het is zó gebeurd* it'll only take a second (*of:* minute); *er moet nog het een en ander aan ~* it needs a bit more doing to it; *dat gebeurt wel meer* these things do happen **2** [overkomen] happen, occur: *dat kan de beste ~* it could

happen to anyone; *er kan niets (mee) ~* nothing's can happen (to it)

de **gebeurtenis 1** event, occurrence, incident: *dat is een belangrijke ~* that's a major event; *een onvoorziene ~* an unforeseen occurrence (*of:* incident) **2** [evenement] event: *een eenmalige ~* a unique occasion

het **gebied 1** territory, domain **2** [terrein] area, district, region: *onderontwikkelde* (*of: achtergebleven*) *~en* underdeveloped (*of:* depressed) areas/regions **3** [afdeling] field, department: *op ecologisch ~* in the field of ecology; *vragen op financieel ~* financial problems; *wij verkopen alles op het ~ van ...* we sell everything (which has) to do with ... **4** [grondgebied] territory, land

gebieden 1 order, dictate: *iem. ~ te zwijgen* impose silence on s.o., bind s.o. to secrecy **2** compel, necessitate: *de grootste voorzichtigheid is geboden* the situation calls for the utmost caution, great caution is required

gebiedend imperative, vital, compulsive ‖ *op ~e toon* with a voice of command, in a peremptory tone; [taalk] *~e wijs* imperative mood, imperative

het **gebiedsdeel** territory: *de overzeese gebiedsdelen* the overseas territories

het **gebit 1** (set of) teeth: *een goed ~ hebben* have a good set of teeth; *een regelmatig* (*of: onregelmatig, sterk*) *~* regular (*of:* irregular, strong) teeth **2** [kunstgebit] (set of) dentures, (set of) false teeth

de **gebitsverzorging** dental care

het **gebladerte** foliage

het **geblaf** barking, baying

geblesseerd injured

de **geblesseerde** [sport] injured player

geblindeerd shuttered; blacked out [raam]; armoured [voertuig]

gebloemd floral (patterned), flowered: *~ behang* floral (patterned) wallpaper

geblokkeerd 1 [m.b.t. havens] blockaded; [door ijs] ice-bound **2** [m.b.t. wegen] blocked **3** [m.b.t. bankrekeningen] blocked, frozen: *een ~e rekening* a frozen account ‖ *de wielen raakten ~* the wheels locked

geblokt chequered

gebocheld hunchbacked, humpbacked

het **gebod** order, command: *~en en verboden* [inf] do's and don'ts; *een ~ uitvaardigen* issue an order (*of:* injunction); *de tien ~en* the Ten Commandments

gebogen bent, curved: *met ~ hoofd* with bowed head, with head bowed

gebonden 1 bound, tied (up), committed: *niet contractueel ~* not bound by contract; *aan huis ~* housebound; *niet aan regels ~* not bound by rules **2** bound: *een ~ boek* a hardback ‖ *~ aspergesoep* cream of asparagus (soup)

de **geboorte** birth; [med] delivery: *bij de ~*

woog het kind ... the child weighed ... at birth

de **geboorteakte** birth certificate, certificate of birth

de **geboortebeperking 1** birth control, family planning **2** [middelen, methoden] contraception, family-planning methods

het **geboortecijfer** birth rate

de **geboortedag 1** birthday: *de honderdste* (of: *tweehonderdste*) ~ the centenary (*of:* bicentenary) of s.o.'s birth **2** [datum ook] day of birth

de **geboortedatum** date of birth, birth date

de **geboortegolf** baby boom

het **geboortejaar** year of birth

het **geboortekaartje** birth announcement card

het **geboorteland** native country, country of origin

het **geboorteoverschot** excess (of) births (over deaths)

de **geboorteplaats** place of birth, birthplace

de **geboorteregeling** birth control

het **geboorteregister** register of births

geboren born: *een ~ leraar* a born teacher; *mevrouw Jansen, ~ Smit* Mrs Jansen née Smit; *~ en getogen in Amsterdam* born and bred in Amsterdam; *waar* (of: *wanneer*) *bent u ~?* where (of: when) were you born?; *een te vroeg ~ kind* a premature baby

de **geborgenheid** security, safety

het **gebouw** building, structure, construction: *een groot* (of: *ruim*) *~* a large (of: spacious) building; *een houten ~(tje)* a wooden structure

gebouwd [ook in samenstellingen] built, constructed: *hij is fors (stevig) ~* he is well-built; *mooi ~ zijn* have a fine figure, be well-proportioned

het **gebouwencomplex** block (*of:* group) of buildings

het **gebral** bragging, bluster, tubthumping

gebrand roasted, burnt: *~e amandelen* burnt (of: roasted) almonds ‖ *erop ~ zijn te* be keen on, be eager for

het **gebrek 1** lack, shortage, deficiency: *groot ~ hebben aan* be greatly lacking in; [sterker] be in desperate need of; *~ aan personeel hebben* be short-handed, be understaffed; *bij ~ aan beter* for want of anything (*of:* sth.) better **2** [armoede, gemis] want, need: *~ hebben (lijden)* be in want (of: need), go short **3** [kwaal] ailment, infirmity: *de ~en van de ouderdom* the ailments of old age **4** [geestelijk] shortcoming, weakness: *alle mensen hebben hun ~en* we all have our faults, no one is perfect **5** [m.b.t. zaken] flaw, fault, defect: *een ~ verhelpen* correct a fault; (*ern-stige*) *~en vertonen* be (seriously) defective, show serious flaws ‖ *zonder ~en* flawless, faultless, perfect; *in ~e blijven* **a)** fail (to do sth.); **b)** [financieel] (be in) default

¹**gebrekkig** (bn, bw) **1** [vnl. lichamelijk] infirm, ailing; [dier ook] lame: *een ~ mens* an ailing person **2** [m.b.t. zaken] faulty, defective; [ontoereikend] inadequate; [ontoereikend] poor: *~e huisvesting* poor housing; *een ~e kennis van het Engels* poor (knowledge of English

²**gebrekkig** (bw) [op gebrekkige wijze] poorly, inadequately: *een taal ~ spreken* speak a language poorly

de **gebroeders** brothers: *de ~ Jansen, handelaren in wijnen* Jansen Brothers (*of:* Bros.), wine merchants

gebroken 1 broken; [med] fractured: *~ lijn* broken line; *een ~ rib* a broken (*of:* fractured) rib **2** [lichamelijk of geestelijk] broken: *zich ~ voelen* be a broken man (*of:* woman) **3** [stamelend, gebrekkig] broken: *hij sprak haar in Frans aan* he addressed her in broken French

het **gebruik 1** use, application; [eten, drank] consumption; [pillen enz.] be on; take [hard drugs]; taking: *het ~ van sterkedrank* (the) consumption of spirits; *voor algemeen ~* for general use; *voor eigen ~* for personal use; *alleen voor uitwendig ~* for external use (*of:* application) only; *(geen) ~ van iets maken* (not) make use of sth.; *van de gelegenheid ~ maken* take (*of:* seize) the opportunity; *iets in ~ nemen* put sth. into use **2** [gewoonte] custom, habit: *de ~en van een land* the customs of a country

gebruikelijk usual, customary; [alg gebruikt] common: *de ~e naam van een plant* the common name of a plant; *op de ~e wijze* in the usual way

¹**gebruiken** (onov ww) [harddrugs innemen] be on drugs, take drugs

²**gebruiken** (ov ww) [gebruikmaken van] use, apply; take [pillen enz.]: *de auto gebruikt veel brandstof* the car uses (*of:* consumes) a lot of fuel; *slaapmiddelen ~* take sleeping pills (*of:* tablets); *zijn verstand ~* use one's common sense; *dat kan ik net goed ~* I could just use that; *dat kan ik goed ~* that comes in handy; *ik zou best wat extra geld kunnen ~* I could do with some extra money; *zich gebruikt voelen* feel used; *zijn tijd goed ~* make good use of one's time, put one's time to good use

de **gebruiker 1** [iem. die iets gebruikt] user; [verbruiker] consumer: *de ~s van een computer* computer users **2** [drugsgebruiker] drug user; [verslaafde] drug addict

de **gebruikersnaam** user name

gebruikersvriendelijk user-friendly, easy to use; [handig] convenient

gebruikmaken (+ van) use, make use of: *van de gelegenheid ~* take (*of:* seize) the opportunity; *~ van een mogelijkheid* use a possibility

de **gebruikmaking** use: *met ~ van* (by) using

with the benefit of

de **gebruiksaanwijzing** directions (for use); [m.b.t. toestel] instructions (for use)

gebruiksklaar ready for use

gebruiksvriendelijk user-friendly

de **gebruikswaarde** practical value, utility value

gebruind tanned, sunburnt

het **gebrul** roar(ing), howling

gebukt: *~ gaan onder zorgen* be weighed down (*of:* be burdened) with worries

gecharmeerd: *van iem. (iets) ~ zijn* be taken with s.o. (sth.)

geciviliseerd civilized

gecompliceerd complicated, involved: *een ~e breuk* a compound fracture; *een ~ geval* a complicated case

geconcentreerd 1 [van sterk gehalte] concentrated **2** [ingespannen] concentrated, intent; [bw ook] with concentration: *~ werken* work with (great) concentration

geconserveerd preserved; [in blik ook] canned: *goed ~ zijn* be well-preserved

de **gedaagde** defendant; [bij echtscheidingsproces] respondent

gedaan 1 done, finished, over: *dan is het ~ met de rust* then there won't be any peace and quiet **2** [klaar] done, finished, over (with): *ik kan alles van hem ~ krijgen* he'll do anything for me; *iets ~ krijgen* get sth. done; *van iem. iets ~ krijgen* get sth. out of s.o.

de **gedaante** form, figure, shape; [fig voornamelijk] guise: *een andere ~ aannemen* take on another form, change (its) shape; *in menselijke ~* in human form (*of:* shape); *zijn ware ~ tonen* show (o.s. in) one's true colours

de **gedaanteverwisseling** transformation, metamorphosis: *een ~ ondergaan* be(come) transformed

de **gedachte 1** thought: *iemands ~n ergens van afleiden* take s.o.'s mind off sth.; *(diep) in ~n zijn* be deep in thought; *iets in ~n doen* do sth. absent-mindedly, do sth. with one's mind elsewhere; *iets in ~n houden* keep one's mind on sth.; [rekening houden met] bear sth. in mind; *er niet bij zijn met zijn ~n* have one's mind on sth. else **2** [denkbeeld] thought, idea: *de achterliggende ~ is dat ...* the underlying idea (*of:* thought) is that ...; *zijn ~n bij iets houden* keep one's mind on sth.; *de ~ niet kunnen verdragen dat ...* not be able to bear the thought (*of:* bear to think) that ...; *de ~ alleen al ...* the very thought (*of:* idea) ...; *(iem.) op de ~ brengen* give (s.o.) the idea; *van ~n wisselen over* exchange ideas on, discuss **3** [mening] opinion, view: *iem. tot andere ~n brengen* make s.o. change his mind **4** [voornemen, plan] idea: *van ~n veranderen* change one's mind

de **gedachtegang** train of thought; [redenering] (line of) reasoning

het **gedachtegoed** range of thought (*of:* ideas)

gedachtelezen mind-reading, thought-reading

gedachteloos unthinking, thoughtless

de **gedachtenis** memory: *ter ~ van iem.* in memory of s.o.

de **gedachtesprong** mental leap (*of:* jump): *een ~ maken* make a mental leap (*of:* jump), jump from one idea to another

de **gedachtewisseling** exchange of ideas (*of:* opinions): *een ~ houden over* exchange ideas on, compose notes on

gedag: *~ zeggen* say hello (*of:* goodbye)

de **gedagvaarde** person summon(s)ed

gedateerd (out)dated, archaic

gedecideerd decisive, resolute

het **gedeelte** part, section; [afbetaling enz.] instalment: *het bovenste* (of: *onderste*) *~* the top (*of:* bottom) part; *het grootste ~ van het jaar* most of the year; *voor een ~* partly

[1]**gedeeltelijk** (bn) [niet geheel] partial: *een ~e vergoeding voor geleden schade* partial compensation for damage sustained

[2]**gedeeltelijk** (bw) [deels] partly, partially: *dat is slechts ~ waar* that is only partly (*of:* partially) true

gedegen thorough: *een ~ studie* a thorough study

gedeisd quiet, calm: *zich ~ houden* lie low

gedekt 1 [beschut] covered **2** [gevrijwaard tegen risico] covered: *een ~e cheque* a covered cheque

de **gedelegeerde** delegate, representative: *een ~ bij de VN* a delegate to the UN

gedemotiveerd demoralized, dispirited: *~ raken* lose one's motivation

gedempt [niet fel, luid] subdued, faint; [stem ook, omfloerst] muffled; [stem ook, omfloerst] hushed: *op ~e toon* in a low (*of:* subdued) voice

gedenken commemorate; [testament] remember: *iem. in zijn testament ~* remember s.o. in one's will

de **gedenksteen** memorial stone

het **gedenkteken** memorial: *een ~ voor* a memorial to

gedenkwaardig memorable: *een ~e gebeurtenis* a memorable event

gedeprimeerd depressed

gedeputeerd: *Gedeputeerde Staten* ± the provincial executive

de **gedeputeerde 1** [afgevaardigde] delegate, representative **2** [volksafgevaardigde] member of parliament **3** [lid van Gedeputeerde Staten] ± member of the provincial executive

gedesillusioneerd disillusioned

gedesoriënteerd disorient(at)ed

[1]**gedetailleerd** (bn) detailed: *een ~ verslag* a detailed report

²**gedetailleerd** (bw) in detail
de **gedetineerde** prisoner
het **gedicht** poem: *een ~ maken* (of: *voordragen*) write (of: recite) a poem
de **gedichtenbundel** volume of poetry (of: verse), collection of poems
gedienstig obliging, helpful
gedijen thrive, prosper, do well
het **geding** (law)suit, (legal) action, (legal) proceedings: *in kort ~ behandelen* discuss in summary proceedings; *een ~ aanspannen (beginnen) tegen* institute proceedings against
gediplomeerd qualified, certified; [in verpleging ook] registered
het **gedistilleerd** spirits; [voornamelijk Am] liquor: *handel in ~ en wijnen* trade in wines and spirits
gedistingeerd distinguished: *een ~ voorkomen* a distinguished appearance
gedocumenteerd documented: *een goed ~ rapport* a well-documented report
het **gedoe** [gehannes] business, stuff, carry on: *zenuwachtig ~* fuss
gedogen tolerate, put up with
het **gedonder 1** [van de donder, van kanonnen] thunder(ing), rumble: *het ~ weerklonk door het gebergte* the thunder rolled through the mountains **2** [narigheid] trouble, hassle: *daar kun je een hoop ~ mee krijgen* that can land you in a good deal of trouble
gedoodverfd: *een ~e winnaar* a hot favourite, a dead certainty; *de ~e winnaar zijn* be tipped to win
het **gedrag** behaviour, conduct: *een bewijs van goed ~* evidence of good behaviour; [getuigschrift] certificate of good character; *wegens slecht ~* for bad behaviour (of: misconduct); *iemands ~ goedkeuren* (of: *afkeuren*) approve of (of: disapprove of) s.o.'s behaviour
zich **gedragen** behave; [netjes ook] behave o.s.: *hij beloofde zich voortaan beter te zullen ~* he promised to behave better in future; *zich goed* (of: *slecht*) *~ behave well* (of: badly); *zich niet (slecht) ~* misbehave (o.s.); *gedraag je!* behave (yourself)!
de **gedragslijn** course (of action), line of conduct: *een ~ volgen* persue a course of action
het **gedragspatroon** pattern of behaviour
de **gedragsregel** rule of conduct (of: behaviour)
de **gedragswetenschappen** behavioural sciences
het **gedrang** jostling, pushing: *in het ~ komen* **a)** [lett] end up (of: find o.s.) in a crush; **b)** [fig; van personen] get into a tight corner
gedreven passionate; [ook minachtend] fanatic(al): *een ~ kunstenaar* s.o. who lives for his art
gedrieën (the) three (of): *zij zaten ~ op de bank* the three of them sat on the bench

het **gedrocht** monster, freak
gedrongen: *een ~ gestalte* a stocky (of: thickset, squat) figure
gedrukt 1 [m.b.t. boek enz.] printed **2** [hand] depressed, dull: *de markt was ~* the market was depressed
geducht formidable, fearsome: *een ~e tegenstander* a formidable opponent
het **geduld** patience: *zijn ~ bewaren* remain patient; *~ hebben met iem.* be patient with s.o *zijn ~ verliezen* lose (one's) patience; *even ~ a.u.b.* one moment, please; *veel van iemands ~ vergen, iemands ~ op de proef stellen* try s.o.'s patience
geduldig patient: *~ afwachten* wait patiently
gedupeerd duped
de **gedupeerde** victim, dupe
gedurende during, for, over; [in de loop van] in the course of: *~ de hele dag* all through the day; *~ het hele jaar* throughout the year; *~ vier maanden* for (a period of) four months; *~ het onderzoek* during the enquiry; *~ de laatste (afgelopen) drie weken* over the past three weeks
gedurfd daring; [uitdagend] provocative: *een zeer ~ optreden* a highly provocative performance
gedwee meek, submissive
gedwongen [onvermijdelijk] (en)forced, compulsory, involuntary: *~ ontslag* compulsory redundancy; *een ~ verkoop* a forced sale; *~ ontslag nemen* be forced to resign
geel yellow ‖ *(in de Ronde van Frankrijk) in het ~ rijden* be wearing the yellow jersey (in the Tour de France); *de scheidsrechter toonde hem het ~* the referee showed him the yellow card
de **geelzucht** jaundice
geëmancipeerd liberated, emancipated
geëmotioneerd emotional, touched, moved
¹**geen** (telw) none; [met zn] not a, not any; no: *hij heeft ~ auto* he doesn't have a car, he hasn't got a car; *hij heeft ~ geld* he doesn't have any money, he has no money; *er zijn bijna ~ koekjes meer* we're nearly out of cookies; *bijna ~* almost none, hardly any; *~ van die jongens* (of: *beiden*) none of those lads, neither (of them)
²**geen** (lidw) **1** [niet 'n] not a, no: *nog ~ tien minuten later* not ten minutes later; *nog ~ twee jaar geleden* less than two years ago; *~ enkele reden hebben om te* have no reason whatsoever to **2** [als ontkenning zonder meer] not a(ny), no: *hij kent ~ Engels* he doesn't know (any) English; *~ één* not (a single) one
geeneens [inf] not even, not so much as
geëngageerd committed
geenszins by no means, not at all

de **geest 1** mind, consciousness: *iets voor de ~ halen* call sth. to mind **2** [ziel] soul **3** [aard, karakter] spirit, character: *jong van ~ zijn* be young at heart **4** ghost, spirit: *de Heilige Geest* the Holy Ghost (*of:* Holy Spirit); *een boze (kwade) ~* an evil spirit, a demon; *in ~en geloven* believe in ghosts **5** [strekking] spirit, vein, intention

geestdodend stultifying; [eentonig] monotonous; [saai] dull

de **geestdrift** enthusiasm, passion; [ijver] zeal

geestdriftig enthusiastic

geestelijk 1 mental, intellectual; [psychisch] psychological; spiritual: *~e aftakeling* mental deterioration; *een ~ gehandicapte* a mentally handicapped person; *~e inspanning* mental effort; *~ gestoord* mentally disturbed (*of:* deranged) **2** [godsdienstig] spiritual: *~e bijstand verlenen aan iem.* **a)** give (spiritual) counselling to s.o.; **b)** [rel] minister to s.o. **3** [kerkelijk] clerical

de **geestelijke** clergyman; [prot] minister; [voornamelijk r-k] priest

de **geestelijkheid 1** [geestelijken] clergy **2** [hoedanigheid] spirituality

de **geestesgesteldheid** state (*of:* frame) of mind

het **geesteskind** brainchild

de **geestestoestand** state of mind, mental state

de **geesteswetenschappen** humanities, arts

geestesziek mentally ill

geestig witty, humorous, funny

de **geestigheid** witticism, quip

geestrijk: *~ vocht* hard liquor, strong drink

geestverruimend mind-expanding; [m.b.t. drugs ook] hallucinogenic

de **geestverschijning** apparition, phantom, spectre, ghost

de **geestverwant** kindred spirit; [pol] sympathizer

de **geeuw** yawn

geeuwen yawn: *~ van slaap* yawn with sleepiness

de **geeuwhonger** ravenous hunger

gefaseerd phased, in phases

gefingeerd fictitious, fake(d); [geveinsd] feigned

geflatteerd flattering

het **geflirt** flirtation, flirting

het **gefluister** whisper(ing)(s), murmur

het **gefluit** whistling; [van vogels] warbling; singing

geforceerd forced, contrived, artificial

gefortuneerd moneyed, monied, wealthy: *een ~ man* a man of means

gefrustreerd frustrated

gefundeerd (well-)founded, (well-)grounded

de **gegadigde** [m.b.t. vacature] applicant;

candidate; [m.b.t. koop] prospective buyer; [belanghebbende] interested party: *een ~ voor iets vinden* find a (potential) buyer for sth.

[1]**gegarandeerd** (bn, bw) guaranteed

[2]**gegarandeerd** (bw) [fig] definitely: *dat gaat ~ mis* that's bound (*of:* sure) to go wrong

gegeneerd embarrassed, uncomfortable: *zich ~ voelen* feel embarrassed (*of:* uncomfortable)

het [1]**gegeven** (zn) **1** data, datum, fact, information; [comp] data; entry, item: *nadere ~s* further information; *persoonlijke ~s* personal details; [comp] *~s opslaan* (*of:* invoeren, opvragen) store (*of:* input, retrieve) data **2** [onderwerp] theme, subject

[2]**gegeven** (bn) given, certain: *op een ~ moment begin je je af te vragen …* there comes a time when you begin to wonder …

het **gegevensbestand** database, data file

de **gegevensverwerking** data processing

het **gegiechel** giggle(s), giggling; [spottend] snigger(ing): *onderdrukt ~* stifled giggling

de **gegijzelde** hostage

het **gegil** screaming, screams

gegoed well-to-do, well-off, moneyed, monied: *de ~e burgerij* the upper middle class

het **gegoochel** juggling

gegoten: *die jurk zit als ~* that dress fits you like a glove

het **gegrinnik** snigger, grinning

gegrond (well-)founded, valid, legitimate

gehaaid smart, sharp

gehaast hurried, hasty, in a hurry

gehaat hated, hateful: *zich (bij iem.) ~ maken* incur s.o.'s hatred

het **gehakt** minced meat, mince

de **gehaktbal** meatball

de **gehaktmolen** mincer

het **gehalte** content, percentage, proportion: *een hoog* (*of:* laag) *~ aan* a high (*of:* low) content of

gehandicapt handicapped; [lichamelijk ook] disabled

de **gehandicapte** handicapped person; [geestelijk] mentally handicapped person: *de (lichamelijk) ~n* the (physically) handicapped, the disabled

het **gehannes** fumbling

gehard 1 [m.b.t. personen] tough, hardened, seasoned: *~ tegen* hardened against **2** [m.b.t. staal] tempered

het **geharrewar** squabble(s), bickering(s), squabbling

gehavend battered, tattered

gehecht attached (to); [sterker] devoted (to)

het [1]**geheel** (zn) **1** [eenheid] whole, entity, unit(y) **2** [som der delen] whole, entirety ‖

over het ~ genomen on the whole

²**geheel** (bw) entirely, fully, completely, totally: *ik voel mij een ~ ander mens* I feel a different person altogether; revised

de **geheelonthouder** teetotaller

geheid: *die strafschop gaat er ~ in* he can't miss that penalty, that penalty's a (dead) cert; *dat wordt ~ een succes* it's bound to be a success

het ¹**geheim** (zn) **1** secret: *een ~ toevertrouwen* (of: *bewaren*) confide (of: keep) a secret; *een ~ verraden* give away a secret, let the cat out of the bag **2** [geheimhouding] secrecy: *in het ~* secretly

²**geheim** (bn) **1** secret, hidden, concealed, clandestine; [politie e.d.] undercover: *dat moet ~ blijven* this must remain private (of: a secret); *een ~e bijeenkomst* a secret meeting **2** [vertrouwelijk] secret, classified, confidential, private: *uiterst ~e documenten* top-secret documents || *een ~ telefoonnummer* an unlisted telephone number

geheimhouden keep (a) secret, keep under cover, keep dark

de **geheimhouding** secrecy, confidentiality, privacy

het **geheimschrift** (secret) code, cipher

de **geheimtaal** secret (of: private) language

¹**geheimzinnig** (bn) mysterious, unexplained, cryptic

²**geheimzinnig** (bw) mysteriously, secretly: *erg ~ doen (over iets)* be very secretive (about sth.)

de **geheimzinnigheid 1** secrecy, stealth **2** [raadselachtigheid] mysteriousness, mystery

het **gehemelte** palate, roof of the mouth

het **geheugen 1** memory; [m.b.t. herinneringen] mind: *dat ligt nog vers in mijn ~* it's still fresh in my memory (of: mind); *iemands ~ opfrissen* refresh s.o.'s memory; *mijn ~ laat me in de steek* my memory is letting me down **2** [comp] memory, storage

de **geheugenkaart** memory card

het **geheugensteuntje** reminder, prompt

de **geheugenstick** memory stick

het **geheugenverlies** amnesia, loss of memory: *tijdelijk ~* a blackout

het **gehoor** (sense of) hearing, ear(s): *bij geen ~* if there's no reply; *geen muzikaal ~ hebben* have no ear for music

het **gehoorapparaat** hearing aid

het **gehoorbeentje** auditory ossicle

de **gehoorgang** auditory duct (of: passage)

gehoorgestoord hearing-impaired, hard of hearing

het **gehoororgaan** ear, auditory organ, organ of hearing

de **gehoorsafstand** earshot, hearing

gehoorzaam obedient

de **gehoorzaamheid** obedience

gehoorzamen obey; [wens, bevel ook] comply (with)

gehorig noisy, thin-walled

gehouden obliged (to), liable (to): *~ zijn tot* be obliged (of: liable) to

het **gehucht** hamlet, settlement

het **gehuil** crying: *het ~ van de wind* the howling (of: moaning) of the wind

gehuisvest housed, lodged

gehuwd married

de **geigerteller** Geiger counter

geijkt 1 [van meetinstrument] calibrated **2** [hetzelfde] standard: *hij komt altijd met het ~e antwoord* he always comes up with the standard reply

geil [inf] randy, horny

geilen [inf] lust after; [Am] have the hots (for)

geïmproviseerd improvised, ad lib

de **gein** fun, merriment: *~ trappen* make merry

geinig funny, cute

geïnteresseerd interested

de **geïnterneerde** detainee, inmate

het **geintje** joke, prank, (wise)crack: *~s uithalen* play jokes

de **geiser** geyser

de **geisha** geisha

de **geit** goat

de **geitenkaas** goat's cheese

gejaagd hurried, agitated

het **gejammer** moaning, lamentation(s)

het **gejank** whining, whine; [zacht] whimper

het **gejoel** shouting, cheering, cheers; [afkeurend] jeering

het **gejuich** cheer(ing)

de ¹**gek** (zn) **1** lunatic; [inf] loony; [inf] nutcase): *rijden als een ~* drive like a maniac **2** [dwaas, belachelijk persoon] fool, idiot: *iem. voor de ~ houden* pull s.o.'s leg, make a fool of s.o.; *iem. voor ~ zetten* make a fool of s.o. **3** [komisch persoon] clown: *voor ~ loper* look absurd (of: ridiculous)

²**gek** (bn) **1** mad, crazy (with), insane: *je lijkt wel ~* you must be mad **2** [onverstandig] mad; [milder] silly; [milder] stupid; [milder] foolish: *dat is geen ~ idee* that's not a bad idea; *je zou wel ~ zijn als je het niet deed* you'd be crazy (of: mad) not to (do it) **3** [vreemd, belachelijk] crazy, ridiculous; [met ontkenning ook] bad: *op de ~ste plaatsen* in the oddest (of: most unlikely) places; *~ genoeg* oddly (of: strangely) enough; *niet ~, hè?* not bad, eh? **4** [zeer gesteld (op)] fond (of), kee (on), mad (about), crazy (about): *hij is ~ op di meid* he's crazy about that girl

³**gek** (bw) silly; [met ontkenning ook] badly: *doe niet zo ~* don't act (of: be) so silly

gekant: *tegen iets ~ zijn* be set against sth., be opposed to sth.

gekarteld [plantk] crenated, serrated

de **gekheid** joking, banter: *alle ~ op een stokje*

(all) joking apart

het **gekibbel** squabbling, bickering(s), squabble(s)

de **gekkekoeienziekte** mad cow disease; [wet] BSE

het **gekkenhuis** madhouse, nuthouse: *wat is dat hier voor een ~?* what kind of a madhouse is this?

het **gekkenwerk** a mug's game, madness

de **gekkigheid** folly, foolishness, madness

het **geklaag** complaining, moaning

gekleed dressed: *hij is slecht (slordig) ~* he is badly dressed

het **geklets** chatter, waffle: *~ in de ruimte* hot air

gekleurd coloured; [fig ook] colourful: *iets door een ~e bril zien* have a coloured view of sth.

het **geklungel** fiddling (about), bungling

geknipt: *ergens voor ~ zijn* be cut out for sth.

het **geknoei 1** [gemors] messing, splashing about **2** [slordig werk] mess(-up): *dat ~ kun je niet inleveren* you can't hand that mess in **3** [oneerlijke praktijken] fraud: *~ bij de verkiezingen* rigging (*of:* fraudulent practices) in the elections; *~ met de boekhouding* juggling with the accounts

gekoeld cooled, frozen

gekostumeerd: *een ~ bal* a fancy dress ball, a costume ball

het **gekrakeel** squabbling(s), wrangling

gekreukeld wrinkled, wrinkly, (c)rumpled, creased

het **gekreun** groan(s), moan(s), groaning, moaning

het **gekrijs** scream(ing); screech(ing) [van vogel]

het **gekrioel** swarming

gekruid spiced, spicy, seasoned

gekruist crossed; [van dieren, planten ook] cross-bred

gekscherend joking, bantering

gekuist [m.b.t. geschriften, films] expurgated, edited, cut

gekunsteld artificial, affected

gekwalificeerd qualified, skilled

het **gekwebbel** chatter

gekweld tormented, anguished

gekwetst 1 [gewond] hurt, wounded, injured **2** [beledigd] hurt, offended: *zich ~ voelen* take offence

et/de **gel** gel, jelly

gelaagd layered: *een ~e maatschappij* a stratified society

gelaarsd booted: *de Gelaarsde Kat* Puss in Boots

het **gelaat** countenance, face

de **gelaatskleur** complexion

de **gelaatsscan** facial scan

de **gelaatstrekken** features: *scherpe ~* sharp

(*of:* chiselled) features

de **gelaatsuitdrukking** (facial) expression

het **gelach** laughter: *in luid ~ uitbarsten* burst out laughing

geladen loaded, charged

het **gelag**: *het ~ betalen* foot the bill; *een hard ~* a bad break, a raw deal

gelasten order, direct, instruct, charge: *iem. ~ het pand te ontruimen* order s.o. to vacate the premises

gelaten resigned, uncomplaining

de **gelatine** gelatine; [opgelost] gel; jelly

het **geld 1** money, currency, cash: *je ~ of je leven* your money or your life!; *klein ~* (small) change; *vals ~* counterfeit money; *zwart ~* undisclosed income; *bulken van* (*of:* *zwemmen in*) *het ~* be loaded, be rolling in money (*of:* in it); *het ~ groeit mij niet op de rug* I'm not made of money; *iem. ~ uit de zak kloppen* wheedle money out of s.o.; *waar voor zijn ~ krijgen* get value for money **2** [(geld)middelen] money, cash, funds, resources: *iem. ~ afpersen* extort money from s.o.; *zonder ~ zitten* be broke **3** [bedrag] money, amount, sum, price, rate: *kinderen betalen half ~* children half-price; *voor geen ~ ter wereld* not for love or money

de **geldautomaat** cash dispenser, cashpoint

de **geldboete** fine

geldelijk financial

gelden 1 count **2** [van kracht zijn] apply, obtain, go for: *hetzelfde geldt voor jou* that goes for you too

geldend valid, applicable, current: *een algemeen ~e regel* a universal rule

het **geldgebrek** lack of money, shortage (*of:* want) of money

geldig valid, legitimate; [niet verlopen] current

de **geldigheid** validity, legitimacy, currency

de **geldingsdrang** [psych] assertiveness

de **geldinzameling** fund-raising

de **geldmarkt 1** [handel] money-market **2** [(effecten)beurs] stock exchange

de **geldmiddelen** funds, (financial) resources, (financial) means

de **geldnood** financial trouble, financial problems

de **geldontwaarding** inflation

de **geldschieter** moneylender; [van sport-, cultuurevenement ook] sponsor

de **geldsom** sum of money

het **geldstuk** coin

geldverslindend costly, expensive

de **geldverspilling** waste of money, extravagance

de **geldwolf** money-grubber

de **geldzorgen** financial worries (*of:* problems), money troubles

geleden ago, back, before, previously, earlier: *het is een hele tijd ~, dat …* it has been a long time since …; *ik had het een week ~ nog gezegd* I had said so a week before; *het is donderdag drie weken ~ gebeurd* it happened three weeks ago this (*of:* last Thursday)

de **geleding** section, part
geleed jointed, articulate(d): [biol] *een ~ dier* a segmental animal
geleerd learned, scholarly; [zeer geleerd] erudite; [wetenschappelijk] academic

de **geleerde** scholar, man of learning; [bèta-wetenschapper] scientist: *daarover zijn de ~n het nog niet eens* the experts are not yet agreed on the matter
gelegen 1 situated, lying: *op het zuiden ~* facing south **2** [geschikt] convenient, opportune: *kom ik ~?* are you busy?, am I disturbing you?

de **gelegenheid 1** place, site **2** [mogelijkheid, omstandigheid] opportunity, chance, facilities: *een gunstige ~ afwachten* wait for the right moment; *die streek biedt volop ~ voor fietstochten* that area offers ample facilities for cycling; *als de ~ zich voordoet* when the opportunity presents itself; *in de ~ zijn om …* be able to, have the opportunity to …; *ik maak van de ~ gebruik om …* I take this opportunity to … **3** [eetgelegenheid] eating place; ± restaurant; eating house: *openbare gelegenheden* public places **4** [voorkomend geval] occasion: *een feestelijke ~* a festive occasion; *ter ~ van* on the occasion of

de **gelegenheidskleding** formal dress, full dress

de **gelei** [van vruchten] jelly, preserve
geleid guided: *~e projectielen* guided missiles; *~e economie* planned economy

het **geleide** escort: *onder militair ~* under military escort; [fig] *ten ~* introduction

de **geleidehond** guide-dog
geleidelijk gradual, by degrees, by (*of:* in) (gradual) stages
geleiden 1 guide, conduct, accompany, lead **2** conduct, transmit: *koper geleidt goed* copper is a good conductor

de **geleider** conductor

het **gelid** [mil] rank, file, order: *in het ~ staan* stand in line; *in de voorste gelederen* in the front ranks, in the forefront
geliefd 1 [dierbaar] beloved, dear, well-liked **2** [favoriet] favourite, cherished, pet: *zijn ~ onderwerp* his favourite subject **3** [gewild] favourite, popular: *hij is niet erg ~ bij de leerlingen* he is not very popular with the pupils

de **geliefde** sweetheart; [man ook] lover
gelieven: *gelieve geen fietsen te plaatsen* please do not park bicycles here

het **¹gelijk** (zn) right: *iem. ~ geven* agree with s.o.; *(groot, volkomen) ~ hebben* be (perfectly) right
²gelijk (bn) **1** equal, the same: *twee mensen*

een ~e behandeling geven treat two people (in) the same (way); [sport] *~ spel* a draw; *tweemaal twee is ~ aan vier* two times two is four **2** [overeenkomend in rang, macht] equal, equivalent: [tennis] *veertig ~* deuce, forty all **3** [m.b.t. klok] right
³gelijk (bw) **1** [op dezelfde manier] likewise, alike, in the same way (*of:* manner), similarly: *zij zijn ~ gekleed* they are dressed alike (*of:* the same) **2** [gelijkelijk] equally: *~ (op)delen* share equally; [overgankelijk] divide equally **3** [op hetzelfde punt, even ver] level **4** [tegelijk] simultaneously, at the same time: *de twee treinen kwamen ~ aan* the two trains came in simultaneously (*of:* at the same time) **5** [meteen] at once, straightaway, immediately; [zo meteen] in a minute: *ik kom ~ bij u* I'll be with you in a moment; I'll be right with you
gelijkaardig [Belg] [gelijksoortig] similar
gelijkbenig isosceles

de **gelijke** equal, peer
gelijkelijk equally, evenly
gelijken [form] resemble

de **gelijkenis** resemblance, similarity, likeness: *~ vertonen met* bear (a) resemblance to

de **gelijkheid** equality
gelijklopen [m.b.t. klokken] be right, keep (good) time
¹gelijkmaken (onov ww) [sport] equalize, draw level, tie (*of:* level) the score
²gelijkmaken (ov ww) **1** [effenen] level, make even, smooth (out), even (out) **2** [verschillen wegwerken] equate, make even (*of:* equal), even up, level up, bring into line (with)

de **gelijkmaker** equalizer, a game-tying goal
gelijkmatig even, equal, constant; [loop van machine, auto enz.] smooth: *een ~e druk* (a) steady pressure; *~ verdelen* distribute evenly
gelijknamig of the same name
gelijkschakelen regard (*of:* treat) as equal(s)
gelijksoortig similar, alike, analogous

het **gelijkspel** draw, tie(d game)
gelijkspelen draw, tie; [golf] halve: *A. speelde gelijk tegen F.* A. drew with F.
gelijkstaan 1 be equal (to); [op hetzelfde neerkomen] be tantamount (to) **2** [eenzelfde aantal punten hebben] be level (with); [inf] be all square (with): *op punten ~* be level(-pegging)
gelijkstellen equate (with); [van gelijke kwaliteit achten] put on a par (*of:* level) (with); [gelijke rechten geven] give equal rights (to): *voor de wet ~* make equal before the law

de **gelijkstroom** direct current, DC
gelijktijdig simultaneous, at the same time: *~ vertrekken* leave at the same time

de **gelijktijdigheid** simultaneity
gelijktrekken level (up), equalize
gelijkvloers on the ground floor, ground-floor; [Am ook] first-floor
gelijkvormig identical: [meetkunde] ~e driehoeken similar triangles
gelijkwaardig equal (to, in), equivalent (to), of the same value (of: quality) (as), equally matched, evenly matched
de **gelijkwaardigheid** equivalence, equality, parity
gelijkzetten [m.b.t. klokken] set (by): laten we onze horloges (met elkaar) ~ let's synchronize (our) watches
gelijkzijdig equilateral
gelikt licked, highly finished; [gladjanusachtig] slick
gelinieerd lined; [m.b.t. papier ook] ruled
de **gelofte** vow, oath, pledge
het **geloof 1** faith, belief, trust; [overtuiging ook] conviction: een vurig ~ in God ardent faith in God; ~ in de mensheid hebben have faith in humanity; van zijn ~ vallen [niet meer geloven] lose one's faith; [principes opgeven] lose one's moral compass **2** [religie] faith, religion, creed, (religious) belief: zijn ~ belijden profess one's faith
de **geloofsbelijdenis** profession of faith: zijn ~ afleggen (solemnly) profess one's faith
de **geloofsovertuiging** religious conviction
geloofwaardig credible [verhaal, verslag]; reliable [verslag, getuige]; plausible, convincing
¹geloven (onov ww) **1** (+ in) believe (in), have faith (in): ~ in God believe in God **2** (+ aan) believe (in) || ik geloof van wel I think so; je zult eraan moeten ~ you'll just have to, you'd better face (up to) it
²geloven (ov ww) **1** believe, credit: je kunt me ~ of niet believe it or not; niet te ~! incredible!; iem. op zijn woord ~ take s.o. at his word **2** [menen] think, believe: hij is het er, geloof ik, niet mee eens I don't think he agrees
gelovig religious; [vroom] pious; [vast op God vertrouwend] faithful: een ~ christen a faithful Christian
de **gelovige** believer
het **geluid 1** sound: sneller dan het ~ faster than sound; [wet] supersonic **2** [klank] sound; [negatief] noise: het ~ van krekels the sound of crickets; verdachte ~en suspicious noises **3** [toonkleur, timbre] tone, timbre, sound: er zit een mooi ~ in die viool that violin has a beautiful tone
geluiddempend soundproof(ing), muffling
de **geluiddemper** [m.b.t. wapens, motoren] silencer; [m.b.t. muziekinstrumenten] mute
geluiddicht soundproof
geluidloos silent
de **geluidsbarrière** sound barrier

het **geluidseffect** sound effect
de **geluidshinder** noise nuisance
de **geluidsinstallatie** sound (reproducing) equipment, stereo; [in stadion, zaal] public-address system
de **geluidsisolatie** sound insulation, soundproofing
de **geluidsman** sound recordist
de **geluidsmuur** [Belg] **1** [geluidsbarrière] sound barrier **2** [geluidswal] noise barrier
de **geluidsoverlast** noise nuisance
het **geluidsscherm** noise-reducing wall
de **geluidssterkte** sound intensity; [radio, tv; muziekinstrument] volume
de **geluidstechnicus** sound engineer (of: technician)
de **geluidswal** noise barrier
de **geluidsweergave** sound reproduction
het **geluk 1** (good) luck, (good) fortune: dat brengt ~ that will bring (good) luck; iem. ~ toewensen wish s.o. luck (of: happiness); veel ~! good luck!; dat is meer ~ dan wijsheid that is more (by) good luck than good judgement **2** [aangename toestand] happiness, good fortune; [sterker] joy: hij kon zijn ~ niet op he was beside himself with joy **3** [prettige toevalligheid, gebeurtenis] lucky thing, piece (of: bit) of luck; [meevaller, mazzel] lucky break: wat een ~ dat je thuis was a lucky thing you were (at) home; hij mag van ~ spreken dat ... he can count yourself lucky that ..., he can thank your (lucky) stars that ...
¹gelukkig (bn) **1** [fortuinlijk] lucky, fortunate: de ~e eigenaar the lucky owner **2** [gunstig, goed gekozen] happy, lucky: een ~e keuze a happy choice **3** [voorspoedig] fortunate; [in gelukwens vaak] happy; [geslaagd] successful; [geslaagd] prosperous: ~ kerstfeest happy (of: merry) Christmas || een ~ paar a happy couple
²gelukkig (bw) **1** [goed] well, happily: zijn woorden ~ kiezen choose one's words well **2** [tot grote opluchting] luckily, fortunately: ~ was het nog niet te laat luckily (of: fortunately) it wasn't too late
de **gelukkige** happy man (of: woman); [prijswinnaar] lucky one; winner: tot de ~n behoren be one of the lucky ones
het **geluksgetal** lucky number
het **geluksspel** game of chance
het **gelukstelegram** telegram of congratulation
de **geluksvogel** lucky devil, lucky dog
de **gelukwens** congratulation; [verjaardag] birthday wish
gelukwensen (+ met) congratulate (on), offer one's congratulations (on): iem. met zijn verjaardag ~ wish s.o. many happy returns (of the day)
gelukzalig blissful, blessed, beatific: een ~e glimlach a beatific smile

de **gelukzoeker** fortune-hunter, adventurer

het **gelul** [inf] (bull)shit

gemaakt 1 pretended, sham: *een ~e glimlach* an artificial (*of:* a forced) smile **2** [onnatuurlijk] affected

de **¹gemaal** (zn) [echtgenoot] consort

het **²gemaal** (zn) **1** [machine] pumping-engine **2** [gezeur] fuss, bother

de **gemachtigde** deputy, authorized representative; [postwissel enz.] endorsee; [jur] proxy

het **gemak 1** ease, leisure: *zijn ~ (ervan) nemen* take things easy **2** [bedaardheid] quiet, calm: *zich niet op zijn ~ voelen* feel ill at ease, feel awkward; *iem. op zijn ~ stellen* put (*of:* set) s.o. at his ease **3** [vermogen] ease, facility: *met ~ winnen* win easily; win hands down, have a walkover; *voor het ~* for convenience's sake

¹gemakkelijk (bn, bw) **1** easy; [m.b.t. mensen] easygoing: *de ~ste weg kiezen* take the line of least resistance; *~ in de omgang* easy to get on with **2** [gerieflijk] comfortable; convenient [regeling enz.]

²gemakkelijk (bw) **1** [zonder moeite] easily: *dat is ~er gezegd dan gedaan* that's easier said than done **2** [gerieflijk] comfortably

gemakshalve for convenience('s sake), for the sake of convenience

de **gemakzucht** laziness: *uit (pure) ~* from (*of:* out) of (pure) laziness

gemakzuchtig lazy, easygoing

de **gemalin** consort

gemankeerd failed, broken down: *een ~ dichter* a failed (*of:* would-be) poet

gemarineerd marinaded, pickled, soused

gemaskerd masked

gematigd moderate; [m.b.t. woorden, termen ook] measured

de **gember** ginger

¹gemeen (bn) **1** nasty; [boosaardig] vicious; malicious; [laag, verachtelijk] low; [laag, verachtelijk] vile; [m.b.t. behandeling] shabby: *een gemene hond* a vicious dog; *een gemene streek* a dirty trick; *dat was ~ van je* that was a mean (*of:* rotten) thing to do **2** [gemeenschappelijk] common, joint: *niets met iem. ~ hebben* have nothing in common with s.o.

²gemeen (bw) nastily; [boosaardig] viciously; maliciously; [m.b.t. behandeling] shabbily: *iem. ~ behandelen* a) treat s.o. badly (*of:* shabbily); b) [inf] give s.o. a raw deal

gemeend sincere

het **gemeengoed** common (*of:* public) property: *die denkbeelden zijn ~ geworden* those ideas have become generally accepted

de **gemeenplaats** commonplace, cliché

de **gemeenschap 1** community: *in ~ van goederen trouwen* have community of property **2** [Belg] federal region **3** [geslachtsgemeenschap] intercourse

gemeenschappelijk 1 common, communal: *een ~e bankrekening* a joint bank account; *een ~e keuken* a communal kitchen **2** [gezamenlijk] joint, common; [optreden] concerted; [optreden] united || *onze ~e kennissen* our mutual acquaintances

het **gemeenschapsgeld** public funds (*of:* money)

het **gemeenschapsonderwijs** [Belg] education controlled by regional authorities

de **gemeenschapsraad** [Belg] community council

de **gemeenschapszin** community (*of:* public) spirit

de **gemeente 1** local authority (*of:* council); [afhankelijk van grootte, status] metropolitan city (*of:* town, parish) council: *bij de ~ werken* work for the local council **2** [grondgebied] district, borough, city, town, parish: *de ~ Eindhoven* the city of Eindhoven **gemeente-** [ook] municipal

de **gemeenteadministratie** local government

de **gemeenteambtenaar** local government official

het **gemeentebedrijf**: *de gemeentebedrijven* public works

de **gemeentebelasting** council tax

het **gemeentebestuur** district council, local authority (*of:* authorities)

het **gemeentehuis** local government offices; [in steden ook] town hall, city hall

gemeentelijk local authority, council, community, municipal: *het ~ vervoerbedrijf* the municipal (*of:* corporation, city) transport company

de **gemeentepolitie** municipal police; [Am] city police

de **gemeenteraad** council, town (*of:* city, parish) council: *in de ~ zitten* be on the council

het **gemeenteraadslid** local councillor, member of the (local) council

de **gemeenteraadsverkiezing** local election(s)

de **gemeentereiniging** environmental (*of:* public) health department

de **gemeentesecretaris** ± Town Clerk

de **gemeenteverordening** by(e)law; [Am] city ordinance

de **gemeentewerken** public works (department)

gemêleerd mixed, blended: *een ~ gezelschap* a mixed bunch of people

het **gemenebest** commonwealth: *het Gemenebest van Onafhankelijke Staten* the Commonwealth of Independent States; *het Britse Gemenebest* the (British) Commonwealth (of Nations)

gemengd mixed; [thee, whisky enz.] blended; [gevarieerd ook] miscellaneous

gemeubileerd furnished

¹gemiddeld (bn) **1** average: *iem. van ~e grootte* s.o. of average (*of:* medium) height **2** [doorsnee-] average, mean: *de ~e hoeveelheid regen per jaar* the average (*of:* mean) annual rainfall

²gemiddeld (bw) on average, an average (of)

het **gemiddelde** average, mean: *boven* (*of: onder*) *het ~* above (*of:* below) (the) average

het **gemis 1** lack, want, absence, deficiency **2** [verlies] loss: *zijn dood wordt als een groot ~ gevoeld* his death is felt as a great loss

het **gemodder** muddling, bungling, messing

het **gemoed** mind, heart: *de ~eren raakten verhit* feelings started running high; *de ~eren sussen* pour oil on troubled waters

gemoedelijk agreeable, pleasant; [m.b.t. mensen ook] amiable; easygoing

de **gemoedsrust** peace (*of:* tranquillity) of mind, inner peace (*of:* calm)

de **gemoedstoestand** state of mind, frame of mind

gemoeid: *alsof haar leven er mee ~ was* as if her life depended on it (*of:* were at stake); *er is een hele dag mee ~* it will take a whole day

het **gemompel** murmur, murmuring: *er ging een verontwaardigd ~ op onder het publiek* an indignant murmur (*of:* a murmur of indignation) rose from the audience

het **gemopper** grumbling, grousing, complaints

gemotiveerd 1 reasoned, well-founded **2** [motivatie bezittend] motivated

gemotoriseerd motorized

de **gems** chamois

gemunt coined ‖ *het op iem. ~ hebben* have it in for s.o.

het **gen** gene: [fig] *het zit in zijn ~en* it's in his genes, it's part of his genetic make-up

genaamd 1 named, called **2** [bijgenaamd] (also) known as, alias, going by the name of

de **genade 1** mercy, grace; [kwartier] quarter: *geen ~ hebben met* have no mercy on **2** [vergiffenis] mercy, pardon, forgiveness

genadeloos merciless, ruthless

de **genadeslag** death blow

genadig merciful: *een ~e straf* a light punishment; *er ~ (van) afkomen* get off (*of:* be let off) lightly

gênant embarrassing

de **gendarme** [Belg] member of national police force

de **gender** gender

gene that, the other: *deze of ~* somebody (or other)

de **gêne** embarrassment, discomfiture: *zonder enige ~* without embarrassment, unashamedly, without (any) inhibition

de **genealogie** genealogy

de **geneesheer** physician, doctor

geneeskrachtig therapeutic, healing: *~e bronnen* medicinal springs

de **geneeskunde** medicine, medical science: *een student in de ~* a medical student

geneeskundig medical, medicinal, therapeutic

het **geneesmiddel** medicine, drug, remedy: *rust is een uitstekend ~* rest is an excellent cure

de **geneeswijze** (form of) treatment, therapy

genegen willing, prepared: *hij is niet ~ toestemming te geven* he is not prepared to give permission

de **genegenheid** affection, fondness, attachment

geneigd 1 inclined, apt, prone: *~ tot luiheid* inclined to be lazy (*of:* to laziness) **2** [neiging voelend] inclined, disposed: *ik ben ~ je te geloven* I am inclined to believe you

de **¹generaal** (zn) general

²generaal (bn) general: *de generale repetitie* (the) (full) dress-rehearsal

de **generalisatie** generalization, sweeping statement

generaliseren generalize

de **generatie** generation

de **generatiekloof** generation gap: *de ~ overbruggen* bridge the generation gap

de **generator** generator, dynamo

zich **generen** be embarrassed, feel embarrassed, feel shy (*of:* awkward)

genereren generate

genereus generous

de **generiek** [Belg] [aftiteling] credits, credit titles

Genesis Genesis

de **genetica** genetics

genetisch genetic: *~e manipulatie* genetic engineering, gene splicing

de **geneugte** pleasure, delight(s)

Genève Geneva

¹genezen (onov ww) recover, get well again: *van een ziekte ~* recover from an illness

²genezen (ov ww) cure [patiënt]; heal [wond]

de **genezing** cure; recovery [patiënt]; healing [wond]

geniaal brilliant: *een geniale vondst (zet)* a stroke of genius

de **genialiteit** ingenuity, brilliance, brilliancy

de **¹genie** (zn) [mil] military engineering

het **²genie** (zn) genius: *een groot ~* an absolute genius

het **geniep**: *in het ~* on the sly, on the quiet; [pej] sneakily

geniepig sly; [gemeen] sneaky: *op een ~e manier* on the sly

¹genieten (onov ww) enjoy o.s., have a good time, have fun: *van het leven ~* enjoy life; *ik heb genoten!* I really enjoyed myself!

²genieten (ov ww) enjoy, have the advantage of: *een goede opleiding genoten hebben*

have received a good training (of: education) || *hij is vandaag niet te* ~ he's unbearable today, he's in a bad mood today

de **genieter 1** [levensgenieter] sensualist: *hij is een echte* ~ he really knows how to enjoy life **2** [m.b.t. pensioen/inkomen] recipient, beneficiary

de **genietroepen** (Military (of: Royal)) Engineers

de **genitaliën** genitals

de **genocide** genocide

de **genodigde** (invited) guest, invitee

¹**genoeg** (bw) enough, sufficiently: *ben ik duidelijk* ~ *geweest* have I made myself clear; *jammer* ~ regrettably, unfortunately; *men kan niet voorzichtig* ~ *zijn* one can't be too careful; *vreemd* ~ strangely enough, strange to say

²**genoeg** (telw) enough, plenty, sufficient; [net genoeg] adequate: *er is eten* ~ there is plenty of food; *ik heb* ~ *aan een gekookt ei* a boiled egg will do for me; *ik weet* ~ I've heard enough; *er is* ~ *voor allemaal* there is enough to go round; *er zijn al slachtoffers* ~ there are too many victims (as it is); *er schoon* ~ *van hebben* have had it up to here, be heartily sick of it; *zo is het wel* ~ that will do

de **genoegdoening** [schadeloosstelling] redress, restitution, satisfaction: ~ *van iem. eisen voor iets* claim redress from s.o. for sth.

het **genoegen 1** satisfaction, gratification: ~ *nemen met iets* put up with sth. [met mindere kwaliteit, slechte omstandigheden] **2** pleasure, satisfaction: *iem. een* ~ *doen* do s.o. a favour, oblige s.o.; *het was mij een waar* ~ it was a real pleasure

genoeglijk enjoyable, pleasant: *zij zaten* ~ *bij elkaar* they were sitting happily together

genoegzaam sufficient, satisfactory: *dat is toch* ~ *bekend* that is (surely) sufficiently well known (of: well enough known)

genoemd (above-)mentioned, said

het **genootschap** society, association, fellowship

het **genot** enjoyment, pleasure, delight, benefit, advantage: *onder het* ~ *van een glas wijn* over a glass of wine

het **genotmiddel** stimulant; [mv] luxury foods

het **genre** genre

Gent Ghent

de **gentechnologie** genetic engineering

de **gentherapie** gene therapy

genuanceerd subtle

het **genus 1** [biol] genus **2** [taalk] gender

de **geodriehoek** combination of a protractor and a setsquare

geoefend experienced, trained: *een* ~ *pianist* an accomplished pianist

de **geografie** geography

geografisch geographic(al)

geolied oiled; [machinerie ook] lubricated

de **geologie** geology

geologisch geological: *een* ~ *tijdperk* a geological age

de **geoloog** geologist

de **geometrie** geometry

geometrisch geometric(al)

geoorloofd permitted, permissible: *een* ~ *middel* lawful means, a lawful method

georganiseerd organized: *een* ~*e reis* a package tour

Georgië Georgia

de **Georgiër** Georgian

het ¹**Georgisch** Georgian

²**Georgisch** (bn) Georgian

georiënteerd oriented, orientated

gepaard coupled (with), accompanied (by), attendant (on), attached (to): *de risico's die daarmee* ~ *gaan* the risks involved

gepakt: ~ *en gezakt* ready for off, all ready to go

gepantserd armoured, in armour: *een* ~*e auto* an armour-plated car

geparfumeerd perfumed, scented

gepast (be)fitting, becoming, proper: *dat is niet* ~ that is not done **2** [m.b.t. hoeveelheden] exact: *met* ~ *geld betalen* pay the exact amount

gepatenteerd [geoctrooieerd] patent(ed) || [fig] *een* ~ *leugenaar* a patent (of: an arrant) liar

het **gepeins** musing(s), meditation(s), pondering

gepensioneerd retired, pensioned-off, superannuated

de **gepensioneerde** (old age) pensioner; [Am] retiree

gepeperd peppery, peppered; [fig ook] spicy: *zijn rekeningen zijn nogal* ~ his bills are a bit steep

het **gepeupel** mob, rabble

het **gepiep 1** [geknars] squeak(ing) **2** [van een jonge vogel] peep(ing); chirp, cheep(ing); [van een muis] squeak(ing); [schril] squeal(ing); [van angst, pijn ook] screech(ing) **3** [ademhaling] wheeze, wheezing

gepikeerd piqued, nettled: *gauw* ~ *zijn* be touchy

geplaatst qualified, qualifying

het **geploeter** drudgery, slaving; [zonder veel resultaat] plodding

gepokt: ~ *en gemazeld zijn* be tried and tested

het **gepraat** [praatjes] talk, gossip, chat, (tittle-)tattle: *hun huwelijk leidde tot veel* ~ their marriage caused a lot of talk

geprefabriceerd prefabricated, prefab

geprikkeld irritated, irritable: *gauw* ~ *zijn* be huffish (of: huffy)

geprononceerd pronounced

geraakt 1 offended, hurt **2** [ontroerd] moved, touched het **geraamte 1** skeleton: [fig] *een wandelend* (of: *levend*) ~ a walking (of: living) skeleton **2** [fig] frame(work)

het **geraas** din, roar(ing), noise

geradbraakt shattered, exhausted; [Am] bushed || ~ *Frans* broken French

geraden advisable, expedient || *dat is je ~ ook!* you'd better!

geraffineerd 1 refined **2** [verfijnd] refined, subtle: *een ~ plan* an ingenious plan **3** [doortrapt] crafty, clever

geraken [Belg] *zie ¹raken*

de **gerammel** rattle, rattling, clank(ing) jingling, clatter(ing)

de **geranium** geranium

de **gerant** manager

geraspt grated

het **¹gerecht** (zn) [schotel] dish; [deel van een maaltijd] course: *als volgende ~ hebben we …* the next course is …

het **²gerecht** (zn) [rechtbank] court (of justice), court of law, law court, tribunal: *voor het ~ gedaagd worden* be summoned (to appear in court); *voor het ~ verschijnen* appear in court

¹gerechtelijk (bn) **1** judicial, legal, court: [Belg] *~e politie* criminal investigation department; *~e stappen ondernemen* take legal action (of: proceedings) **2** [m.b.t. het gerecht] forensic, legal: *~e geneeskunde* forensic medicine

²gerechtelijk (bw) legally, judicially: *iem. ~ vervolgen* take (of: institute) (legal) proceedings against s.o.; prosecute s.o.

gerechtigd authorized; [bevoegd] qualified; entitled: *hij is ~ dat te doen* he is authorized to do that

de **gerechtigheid** justice

het **gerechtshof** court (of justice)

gerechtvaardigd justified, warranted: *~e eisen* just (of: legitimate) claims

gereed (all) ready; [klaar, af] finished

de **gereedheid** readiness: *alles in ~ brengen* (*maken*) get everything ready (of: in readiness)

gereedmaken make ready, get ready, prepare

het **gereedschap** [uitrusting] tools, equipment, apparatus; [keuken] utensils: *een stuk ~* a tool, a piece of equipment

de **gereedschapskist** toolbox

gereedstaan be ready, stand ready, be waiting; [persoon ook] stand by

gereformeerd (Dutch) Reformed

geregeld 1 regular, steady: *hij komt ~ te laat* he is often (of: nearly always) late **2** [ordelijk] orderly, well-ordered: *een ~ leven gaan leiden* settle down, start keeping regular hours

het **gerei** gear, things; [vissen] tackle; kit: *keukengerei* kitchen utensils; *scheergerei* shaving things (of: kit); *schrijfgerei* writing materials

geremd inhibited

gerenommeerd renowned, illustrious; [bedrijf] well-established: *een ~ hotel* a reputable hotel

gereserveerd 1 reserved, distant: *een ~e houding aannemen* keep one's distance **2** [besproken] reserved, booked

gerespecteerd respected

geribbeld *zie geribd*

geribd ribbed; [stof ook] corded; [karton, plaatijzer enz.] corrugated: *~ katoen* corduroy

gericht directed (at, towards), aimed (at, towards); [fig] specific: *~e vragen* carefully chosen (of: selected) questions

het **gerief** [Belg] [gerei] accessories: *schoolgerief* school needs

gerieflijk comfortable

gerimpeld wrinkled, wrinkly; [verschrompeld] shrivelled: *een ~ voorhoofd* a furrowed brow

gering 1 [klein] small, little: *een ~e kans* a slim (of: remote) chance; *in ~e mate* to a small extent (of: degree) **2** [onbeduidend] petty, slight, minor: *een ~ bedrag* a petty (of: trifling) sum

geringschattend disparaging: *iem. ~ behandelen* slight s.o., be disparaging towards s.o.

het **geritsel** rustling, rustle

het **¹Germaans** (zn) Germanic

²Germaans (bn) Germanic, Teutonic

de **Germanen** [gesch] Germans, Teutons

het **gerochel** hawk(ing)

het **geroddel** gossip(ing), tittle-tattle

het **geroep** calling, shouting, crying, call(s), shout(s), cries, cry: *hij hoorde hun ~ niet* he did not hear them calling

geroepen called: *je komt als ~* you're just the person we need

het **geroezemoes** buzz(ing), hum: *met al dat ~ kan ik jullie niet verstaan* I can't make out what you're saying with all the din

het **gerommel 1** rumbling, rumble: *~ in de buik* rumbling in one's stomach **2** [het overhoophalen] rummaging (about, around) **3** [geknoei] messing, fiddling about

geronnen clotted [bloed]

gerookt smoked

geroutineerd experienced, practised

de **gerst** barley

het **gerucht** rumour: *het ~ gaat dat …* there is a rumour that …; *dat zijn maar ~en* it is only hearsay

geruchtmakend controversial, sensational

geruim considerable

geruisloos noiseless, silent; [fig] quietly

geruit check(ed)

¹gerust (bn) easy, at ease: *een ~ geweten* (of:

gemoed) an easy (*of:* a clear) conscience, an easy mind; *met een ~ hart de toekomst tegemoet zien* face the future with confidence

²**gerust** (bw) safely, with confidence, without any fear (*of:* problem): *ga ~ je gang* (do) go ahead!, feel free to …; *vraag ~ om hulp* don't hesitate to ask for help

geruststellen reassure, put (*of:* set) (s.o.'s) mind at rest

geruststellend reassuring

de **geruststelling** reassurance, comfort; [opluchting] relief

het **geruzie** arguing, quarrelling, bickering

het **geschater** peals (*of:* roars) of laughter

gescheiden 1 separated, apart: *twee zaken strikt ~ houden* keep two things strictly separate; *~ leven (van)* live apart (from) **2** [niet meer gehuwd] divorced: *~ gezin* broken home

het **geschenk** present, gift

geschieden occur, take place, happen

de **geschiedenis 1** history: *de ~ herhaalt zich* history repeats itself **2** [verhaal] tale, story: *dat is een andere ~* that's another story

geschiedkundig historical

de **geschiedvervalsing** falsification (*of:* rewriting) of history

geschift 1 crazy, nuts **2** [m.b.t. melk enz.] curdled

geschikt suitable, fit, appropriate: *is twee uur een ~e tijd?* will two o'clock be convenient?; *~ zijn voor het doel* serve the purpose; *dat boek is niet ~ voor kinderen* that book is not suitable for children

het **geschil** dispute, disagreement, quarrel: *een ~ bijleggen* settle a dispute (with s.o.)

geschoold trained, skilled

het **geschreeuw** shouting, yelling, shouts: *hou op met dat ~* stop yelling ‖ *veel ~ maar weinig wol* much cry and little wool; much ado about nothing

het **geschrift** writing: *de heilige ~en* the Scriptures; *in woord en ~* orally and in written form; *valsheid in ~e plegen* commit forgery

het **geschut** artillery

de **gesel 1** [strafwerktuig] whip **2** [fig] scourge

geselen whip, flog

gesetteld settled: *~ zijn* be settled

het **gesis** hiss(ing); [gebruis] fizz(le); sizzle

gesitueerd situated: *de beter ~e klassen* the better-off classes

het **gesjoemel** dirty tricks, trickery

geslaagd successful

het **geslacht 1** family, line, house: *uit een nobel* (*of: vorstelijk*) ~ *stammen* be of noble (*of:* royal) descent **2** [sekse] sex **3** [generatie] generation

geslachtelijk sexual: *~e voortplanting* sexual reproduction

de **geslachtsdaad** sex(ual) act; [med] coitus

de **geslachtsdelen** genitals, sex organs, genital organs; [euf] private parts

de **geslachtsdrift** sex(ual) drive, sexual urge, libido

de **geslachtsgemeenschap** sexual intercourse (*of:* relations), sex

het **geslachtsorgaan** sex(ual) organ, genital organ; [mv ook] genitals

de **geslachtsverandering** sex change

het **geslachtsverkeer** sexual intercourse (*of:* relations)

de **geslachtsziekte** venereal disease, VD

geslepen sly, cunning, sharp

gesloten 1 closed, shut; drawn [gordijnen]: *achter ~ deuren* behind closed doors, in private; [jur] in camera; *een ~ geldkist* (*of: enveloppe, goederenwagon*) a sealed chest (of envelope, goods wagon); *een hoog ~ bloes* a high-necked blouse **2** [niet openhartig] close(-mouthed), tight-lipped: *dat kind is nogal ~* that child doesn't say much (for himself, herself); [techn] *een ~ circuit* a closed circuit

gesmeerd 1 greased, buttered **2** [zonder problemen] smoothly: *ervoor zorgen dat het ~ gaat* make sure everything goes smoothly

gesmoord 1 stifled, smothered **2** [cul] braised

het **gesnauw** snarling, snapping

het **gesnik** sobbing, sobs

het **gesnurk** snore, snoring

het **gesoebat** imploring (for)

gesorteerd sorted: *op kleur ~* sorted according to colour; *~e koekjes* assorted biscuits

de **gesp** buckle, clasp

gespannen 1 [strak getrokken] tense(d), taut; bent [boog] **2** [waarin een uitbarsting dreigt] tense, strained; [persoon ook] nervous; on edge: *te hoog ~ verwachtingen* exaggerated expectations; *~ luisteren* listen intently; *tot het uiterste ~* at full strain

gespecialiseerd specialized; [met 'in'] specializing

gespeend: *~ van* devoid of, utterly lacking (in)

gespen buckle; [met riem] strap

gespierd muscular; brawny [ook minachtend]; beefy [ook minachtend]

gespikkeld spotted, speckled; [stof ook] dotted

gespitst keen ‖ *met ~e oren* with one's ears pricked up, all ears

gespleten split; cleft [ook m.b.t. bladeren]; cloven [hoef]

het **gesprek 1** talk, conversation; [telec] call: *het ~ van de dag zijn* be the talk of the town; *het ~ op iets anders brengen* change the subject; *een ~ voeren* hold a conversation; *(het nummer is) in ~* (the number's) engaged; *een ~ onder vier ogen* a private discussion **2** [overleg, bespreking] discussion, consultation: *in* *leidende ~ken* introductory talks

de **gesprekskosten** call charge(s)

de **gespreksstof** topic(s) of conversation, subject(s) for discussion

het **gespuis** riff-raff, rabble, scum

gestaag steady: *gestage arbeid* steady work; *het aantal nam ~ toe* the number rose steadily; *het werk vordert ~* the work is progressing steadily

de **gestalte 1** figure; [lichaamsbouw] build: *fors van ~* heavily-built; *een slanke ~* a slim figure **2** [gedaante] shape, form || *~ geven (aan)* give shape (to)

gestampt crushed; mashed [aardappelen]: *~e muisjes* aniseed (sugar) crumble

het/de **gestand**: *zijn belofte ~ doen* be as good as one's word, keep one's promise

gestationeerd stationed, based

de **geste** gesture: *een ~ doen* make a gesture

het **gesteente** rock, stone

het **gestel 1** constitution **2** [in samenstellingen] system: *het zenuwgestel* the nervous system

gesteld 1 [dol op] keen (on), fond (of): *zij zijn erop ~ (dat)* they would like it (if), they are set on (...-ing); *erg op comfort ~ zijn* like one's comfort **2** [aangewezen] appointed: *binnen de ~e tijd* within the time specified

de **gesteldheid** state, condition; [lichaam] constitution

gestemd disposed: *hij is goed ~* he's in a good mood; *gunstig ~* favourably disposed (towards)

gesteriliseerd sterilized

het **gesticht** mental home (*of:* institution)

gesticuleren gesticulate

gestippeld 1 dotted: *een ~e lijn* a dotted line **2** [met stippen bedekt] spotted, speckled; [stof ook] dotted

gestoffeerd 1 upholstered **2** [m.b.t. vertrekken] (fitted) with curtains and carpets

gestoord [psychotisch] disturbed; [fig] *ergens ~ van worden* be sick to one's back teeth of sth.; *prettig ~* slightly eccentric

het **gestotter** stammer(ing), stutter(ing)

gestreept striped

gestrekt (out)stretched

gestrest stressed

gestroomlijnd streamlined, aerodynamic: *een ~e organisatie* a streamlined organization

het **gesuis** [van wind] sough(ing), murmur(ing); [in oren] ringing

het **gesukkel 1** [ziekte] ailing **2** [met taak] difficulties

het **getal** number, figure: *een rond ~* a round number (*of:* figure); *een ~ van drie cijfers* a three-digit (*of:* three-figure) number

getalenteerd talented

het **getalm** lingering

getalsmatig numerical

getand [plantk] dentate, denticulate

getapt popular (with)

het **geteisem** riff-raff, scum

getekend 1 marked, branded: *een fraai ~e kat* a cat with beautiful markings; *voor het leven ~ zijn* be marked for life **2** [met lijnen, groeven] lined

het **getier** howl(ing), roar(ing): *gevloek en ~* cursing and swearing

het **getij** tide

het **getik** [klok] tick(ing); [met vinger enz.] tapping

getikt 1 [idioot] crazy, cracked, nuts: *hij is compleet ~* he's completely off his rocker **2** [getypt] typed

getint tinted, dark

getiteld [boek, film enz.] entitled

het **getob** worry(ing), brooding

het **getoeter** [van claxon] hoot(ing), honk(ing), beep(ing)

getralied latticed, grated; [m.b.t. gevangenis, kooi] barred

getrapt [raketten enz.] multi-stage; [verkiezingen] indirect

getraumatiseerd traumatized

het **getreiter** vexation, nagging, teasing

getroebleerd: *~e verhoudingen* troubled (*of:* difficult) relations

getroffen 1 hit, struck **2** [door ziekte, ongeluk aangetast] stricken, afflicted: *de ~ ouders* the stricken parents; [m.b.t. dood ook] the bereaved parents

zich **getroosten** undergo, suffer: *zich de moeite ~ om iets te doen* take (the) trouble (*of:* put o.s. out) to do sth.

getrouw faithful, true: *een ~e vertaling* (of: *weergave*) a faithful translation (*of:* representation)

getrouwd married; [in samst] wed(ded): *hij is ~ met zijn werk* he is married to his work

het **getto** ghetto

de **gettoblaster** ghetto blaster

de **getuige** [persoon, ook juridisch] witness

de **getuige-deskundige** expert witness

¹**getuigen** (onov ww) **1** give evidence (*of:* testimony), testify (to) **2** [spreken in het nadeel, voordeel van] speak: *alles getuigt voor* (of: *tegen*) *haar* everything speaks in her favour (*of:* against her) **3** [tonen, blijk geven] be evidence (*of:* a sign) (of), show, indicate: *die daad getuigt van moed* that act shows courage

²**getuigen** (ov ww) testify (to), bear witness (to)

het/de **getuigenis 1** [bewijs] evidence **2** [verklaring] testimony, evidence, statement

het **getuigenverhoor** hearing (*of:* examination) of witnesses

de **getuigenverklaring** testimony, deposition

het **getuigschrift** certificate; [rapport] report; [personeel] reference de **geul 1** channel **2** [greppel, goot] trench, ditch, gully

de **geur** smell; [aangenaam] perfume; [aangenaam] scent; [aangenaam] aroma: *een on-aangename ~ verspreiden (afgeven)* give off an unpleasant smell || *iets in ~en en kleuren vertellen* tell all the (gory) details of sth.

geuren 1 smell **2** [pronken] show off, flaunt

geurig fragrant, sweet-smelling

de **geus** [gesch] Beggar

het **gevaar** danger, risk: *hij is een ~ op de weg* he's a menace on the roads; *~ bespeuren* (of: *ruiken*) sense (of: scent) danger; *~ voor brand* fire hazard; *het is niet zonder ~* it is not without its dangers; *er bestaat (het) ~ dat* there is a risk that || *iem. (iets) in ~ brengen* endanger s.o. (sth.)

gevaarlijk [m.b.t. personen] dangerous; [m.b.t. zaken ook] hazardous; risky: *zich op ~ terrein begeven* tread on thin ice

het **gevaarte** monster, colossus

het **geval 1** case, affair: *een lastig ~* an awkward case **2** [toestand] circumstances, position: *in uw ~ zou ik het nooit doen* in your position I'd never do that **3** [omstandigheid] case, circumstances: *in het uiterste ~* at worst, if the worst comes to the worst; *in ~ van oorlog* (of: *brand, ziekte*) in the event of war (of: fire, illness); *in negen van de tien ~len* nine times out of ten; *in enkele ~len* in some cases; *voor het ~ dat* (just) in case **4** [toeval] chance, luck: *wat wil nou het ~?* guess what

gevallen fallen: *de ~en* the dead

gevangen caught, captive; [in gevangenis] imprisoned

de **gevangenbewaarder** warder, jailer

de **gevangene** prisoner; [veroordeelde ook] convict; [niet door politie] captive

gevangenhouden imprison, detain, keep in confinement (of: prison)

de **gevangenis** prison, jail: *hij heeft tien jaar in de ~ gezeten* he has served ten years in prison (of: jail)

de **gevangenisstraf** imprisonment, prison sentence, jail sentence, prison term: *tot één jaar ~ veroordeeld worden* be sentenced to one year's imprisonment; *levenslange ~* life imprisonment

gevangennemen arrest; [ook mil] capture; take prisoner (of: captive)

de **gevangenschap** captivity, imprisonment

de **gevarendriehoek** warning triangle, emergency triangle; [Am] ± flares

gevarieerd varied

gevat quick(-witted), sharp; quick, ready: *een ~ antwoord* a ready (of: quick) retort

het **gevecht 1** [mil] fight(ing), combat: *een ~ van man tegen man* hand-to-hand combat **2** [tussen personen, dieren] fight, struggle: *een ~ op leven en dood* a life-or-death strug-gle

het **gevechtsvliegtuig** fighter (plane (of: aircraft))

geveinsd pretended, feigned

de **gevel** façade, (house)front; outside wall, outer wall

¹**geven** (onov ww) **1** [gesteld zijn op] be fond of: *niets (geen cent) om iem. ~* not care a thing about s.o. **2** [erg, hinderlijk zijn] matter: *dat geeft niks* it doesn't matter a bit (of: at all)

²**geven** (ww) give; [geld ook] donate; [aanreiken ook] hand: *geschiedenis ~* teach history; *geef mij maar een glaasje wijn* I'll have a glass of wine; *kunt u me de secretaresse even ~?* can I please speak to the secretary?; *kun je me het zout ~?* could you give (of: pass, hand) me the salt?; [kaartsp] *wie moet er ~?* whose deal is it?; *geef op!* (come on,) hand it over!

de **gever** giver, donor: *een gulle ~* a generous giver

gevestigd old-established, long-standing: *de ~e orde* the established order

gevierd celebrated

gevlekt spotted, specked; [vuil] stained; [bont gevlekt] mottled

gevleugeld winged

het **gevlij**: *bij iem. in het ~ proberen te komen* butter s.o. up

gevlogen flown, gone

gevoeglijk properly, suitably: *dat kun je ~ vergeten* you can simply rule that out

het **gevoel 1** [als zintuig] touch, feel(ing): *op het ~ af* by feel (of: touch) **2** [lichamelijke gewaarwording] feeling, sensation: *een brandend ~ in de maag* a burning sensation in one's stomach; *ik vind het wel een lekker ~* I like the feeling; *ik heb geen ~ meer in mijn vinger* my finger's gone numb, I've got no feeling left in my finger **3** feeling, sense: *het ~ hebben dat ...* have a feeling that ..., feel that ... **4** [vatbaarheid voor emoties] feeling(s), emotion(s): *op zijn ~ afgaan* play it by ear; *zijn ~ens tonen* show one's feelings **5** [besef] sense (of), feeling (for): *geen ~ voor humor hebben* have no sense of humour || *~ens van spijt* feelings of regret

het **gevoelen 1** feeling, emotion: *zijn ~s tonen* show one's feelings **2** [gezindheid] feeling, sentiment: *~s van spijt* feelings of regret **3** [oordeel] feeling, opinion

gevoelig 1 sensitive (to); [voor pijn] sore; tender; [allergisch] allergic (to) **2** [ontvankelijk] sensitive (to), susceptible (to); [lichtgeraakt] touchy: *een ~ mens* a sensitive person **3** [duidelijk voelbaar] tender, sore: *een ~e klap* a painful (of: nasty) blow

de **gevoeligheid** sensitivity (to), susceptibility (to)

gevoelloos 1 numb **2** [hardvochtig] insensitive (to), unfeeling: *een ~ mens* an unfeeling person

de **gevoelloosheid** numbness; [hardvochtig-heid] insensitivity; callousness

het **gevoelsleven** emotional (of: inner) life
gevoelsmatig instinctive

de **gevoelsmens** man (of: woman) of feeling; emotional person

de **gevoelstemperatuur** windchill factor

de **gevoelswaarde** 1 sentimental (of: emotional) value 2 [taalk] connotation

het **gevogelte** poultry, fowl: wild en ~ game and fowl

het **gevolg** [wat uit iets volgt] [vaak ongunstig] consequence; [vaak gunstig] result; [uitwerking] effect; [uitwerking] outcome; [goed] success: met goed ~ examen doen pass an exam; ~ geven (of: gevend) aan een opdracht carry out (of: according to) instructions; (geen) nadelige ~en hebben have (no) adverse effects; met alle ~en van dien with all its consequences; tot ~ hebben result in

de **gevolgtrekking** conclusion, deduction
gevolmachtigd authorized, having (full) power of attorney
gevorderd advanced
gevormd 1 [met een bepaalde vorm] -formed, (-)shaped: een stel fraai ~e benen a pair of shapely legs; een goed ~e neus a regular nose 2 [volledig ontwikkeld] fully formed: een ~ karakter a fully developed character
gevraagd in demand: een ~ boek a book that is much (of: greatly) in demand
gevreesd dreaded
gevuld 1 [mollig] full, plump: een ~ figuur a full figure 2 [opgevuld, filled: een ~ kies a filled tooth; ~e tomaten stuffed tomatoes

het **gewaad** garment, attire, robe, gown
gewaagd 1 [gevaarlijk] hazardous, risky: een ~e sprong a daring leap 2 [gedurfd, pikant] daring, suggestive
gewaarworden perceive, observe, notice

de **gewaarwording** perception [ogen, oren]; sensation [anderszins]

het **gewag**: ~ maken van mention, report
gewapend armed; [met bijzondere versterking] reinforced: ~ beton reinforced concrete
gewapenderhand by force of arms: ~ tussenbeide komen intervene militarily

het **gewas** plant
gewatteerd quilted: een ~e deken a quilt; a duvet

het **gewauwel** claptrap, drivel

het **geweer** rifle, gun: een ~ aanleggen aim a rifle (of: gun)

het **geweervuur** gunfire

het **gewei** antlers

het **geweld** violence, force; [grote kracht ook] strength: grof ~ brute force (of: strength); huiselijk ~ domestic violence; verbaal ~ ver-bal violence (of: assault); de waarheid ~ aan-doen stretch the truth ‖ hij wilde met alle ~ naar huis he wanted to go home at all costs

de **gewelddaad** (act of) violence, outrage
gewelddadig violent, forcible
geweldig 1 tremendous, enormous: een ~ bedrag a huge sum; een ~e eetlust an enormous appetite; zich ~ inspannen go to great lengths 2 [bijzonder goed, fijn] terrific, fantastic, wonderful: je hebt me ~ geholpen you've been a great help; hij is ~ he's a great guy; die jurk staat haar ~ that dress looks smashing on her; hij zingt ~ he sings wonderfully; ~! great!, terrific! 3 [heftig, onstuimig, hevig] tremendous, terrible
geweldloos nonviolent: ~ verzet nonviolent (of: peaceful) resistance

het **gewelf** 1 vault(ing), arch 2 [ruimte, vertrek] vault
gewelfd vaulted, arched
gewend used (to), accustomed (to); [gewoon] in the habit (of); inured (to) [iets onaangenaams]: ~ raken aan zijn nieuwe huis settle down in one's new house; dat zijn we niet van hem ~ that's not like him at all, that's quite unlike him!
gewenst desired, wished for
gewerveld vertebrate

het **gewest** 1 district, region 2 [gedeelte van een land, provincie] province, county; [Belg] region: overzeese ~en overseas territories
gewestelijk regional, provincial

het **geweten** conscience: een slecht ~ hebben have a bad (of: guilty) conscience; veel op zijn ~ hebben have a lot to answer for
gewetenloos unscrupulous, unprincipled

het **gewetensbezwaar** scruple, conscientious objection

de **gewetensnood** moral dilemma
gewetensvol conscientious, scrupulous; [werken ook] painstaking

de **gewetensvraag**: dat is een ~ now you're asking me one, that's quite a question
gewettigd 1 [gerechtvaardigd] legitimate, justified; [bewering] well-founded 2 [geëcht] legitimated
gewezen former, ex-

het **gewicht** weight; [belang ook] importance: maten en ~en weights and measures; zaken van het grootste ~ matters of the utmost importance; soortelijk ~ specific gravity; op zijn ~ letten watch one's weight; beneden het ~ underweight
gewichtheffen weightlifting

¹**gewichtig** (bn) weighty, important; [ernstig] grave: ~e gebeurtenissen important events; hij zette een ~ gezicht he put on a grave face

²**gewichtig** (bw) (self-)importantly, pompously: ~ doen be important (about sth.)

de **gewichtsklasse** weight

gewiekst sharp, shrewd, fly

gewijd 1 consecrated, holy: ~ water holy water **2** [m.b.t. een geestelijke] ordained

gewild [in trek] sought-after, popular; in demand [ook handel]

¹**gewillig** (bn) **1** willing; [volgzaam] docile; [gehoorzaam] obedient: zich ~ tonen show (one's) willingness **2** [niet afgedwongen] willing, ready: een ~ oor lenen aan iem. lend a ready ear to s.o.

²**gewillig** (bw) willingly, readily, voluntarily: hij ging ~ mee he came along willingly

het **gewin** gain, profit

het **gewoel 1** tossing (and turning); [gespartel] struggling **2** [menigte] bustle

gewond injured; wounded [door wapen]; hurt: ~ aan het been injured (of: wounded) in the leg

de **gewonde** injured person, wounded person, casualty

gewonnen: zich ~ geven admit defeat

¹**gewoon** (bn) **1** usual, regular, customary, ordinary: in zijn gewone doen zijn be o.s.; zijn gewone gang gaan go about one's business, carry on as usual **2** [van de meest bekende soort] common: dat is ~ that's natural **3** [alledaags] ordinary, common(place), plain: het gewone leven everyday life; de gewone man the common man; de ~ste zaak ter wereld (sth.) perfectly normal

²**gewoon** (bw) **1** normally: doe maar ~ (do) act normal(ly), behave yourself **2** [in de gebruikelijke mate] normally, ordinarily, usually **3** [ronduit gezegd] simply, just: zij praatte er heel ~ over she was very casual about it

gewoonlijk usually, normally: zoals ~ kwam ze te laat as usual, she was late

de **gewoonte 1** custom, practice **2** [wat iem. gewoon is te doen] habit, custom: de macht der ~ the force of habit; tegen zijn ~ contrary to his usual practice; hij heeft de ~ om he has a habit (of: way) of

het **gewoontedier** creature of habit

gewoontegetrouw as usual, according to custom

gewoonweg simply, just

het **gewricht** joint, articulation

de **gewrichtsontsteking** rheumatoid arthritis

het **gewriemel** fiddling (with)

gezaagd [plantk] serrate

het **gezag 1** authority, power; [mil] command; rule [over land]; dominion [over land]: ouderlijk ~ parental authority; het ~ voeren over command, be in command of **2** [overheid] authority, authorities: het bevoegd ~ the competent authorities **3** [geestelijk overwicht] authority, weight: op ~ van on the authority of

de **gezagdrager** person in charge (of: authority)

gezaghebbend authoritative, influential: iets vernemen uit ~e bron have sth. on good authority

de **gezagvoerder** captain; [kleinere boot] skipper

¹**gezamenlijk** (bn) collective, combined, united, joint: met ~e krachten with united forces

²**gezamenlijk** (bw) together

het **gezang** song, singing

het **gezanik 1** [gezeur] nagging, moaning **2** [hinderlijk gedoe] trouble: dat geeft een hoop ~ that causes a lot of trouble

de **gezant** envoy, ambassador, representative, delegate

het **gezantschap** mission

gezapig lethargic, indolent, complacent

het **gezegde 1** saying, proverb **2** [taalk] predicate: naamwoordelijk ~ nominal predicate

gezegend blessed; [gelukkig, voorspoedig] fortunately; [gelukkig, voorspoedig] luckily

de **gezel** companion; [ook m.b.t. ambacht] mate

gezellig 1 enjoyable, pleasant; sociable [van persoon]; companionable [van persoon]: het zijn ~e mensen they are good company (of: very sociable) **2** [van ruimte] pleasant, comfortable; [knus] cosy: een ~ hoekje a snug (of: cosy) corner

de **gezelligheid 1** sociability: hij houdt van ~ he is fond of company **2** [prettige atmosfeer] cosiness, snugness

het **gezelschap 1** company, companionship: iem. ~ houden keep s.o. company **2** [personen] company, society **3** [aantal personen] company, party: zich bij het ~ voegen join the party

het **gezelschapsspel** party game

gezet 1 set, regular **2** [dik] stout, thickset

het **gezeur** moaning, nagging; [gedoe] fuss(ing): hou nu eens op met dat eeuwige ~! for goodness' sake stop that perpetual moaning!

het **gezicht 1** sight: liefde op het eerste ~ love at first sight; een vreselijk ~ a gruesome sight; dat is geen ~! you look a fright, that is hideous **2** [gelaat] face: iem. in zijn ~ uitlachen laugh in s.o.'s face; iem. van ~ kennen know s.o. by sight **3** [uitdrukking] face, expression, look(s): een ~ zetten alsof look as if; ik zag aa zijn ~ dat I could tell by the look on his face that **4** [uitzicht] view, sight: aan het ~ onttrekken conceal

het **gezichtsbedrog** optical illusion

het **gezichtspunt** point of view, angle || een heel nieuw ~ an entirely fresh perspective (of: viewpoint, angle)

de **gezichtssluier** (face) veil

het **gezichtsveld** field (of: range) of vision, sight

het **gezichtsverlies** loss of face

het **gezichtsvermogen** (eye)sight

gezien 1 esteemed, respected, popular **2** [bekrachtigd] seen (by me), endorsed || *het voor ~ houden* pack it in

het **gezin** family

gezind (pre)disposed (to), inclined (to): *iem. vijandig ~ zijn* be hostile toward s.o.

de **gezindheid** inclination, disposition: *vijandige ~* hostility (towards)

de **gezindte** denomination

de **gezinsbijslag** [Belg] child benefit (of: allowance)

het **gezinsdrama** family tragedy, family murder-suicide

de **gezinshereniging** reunification (of: reuniting) of the family

het **gezinshoofd** head of the family

de **gezinshulp** home help

het **gezinsleven** family life

het **gezinslid** member of the family, family member

de **gezinsuitbreiding** addition to the family

de **gezinsverpakking** family(-size(d)) pack(age), king-size(d) pack(age), jumbo pack(age)

de **gezinsverzorgster** home help

de **gezinszorg** home help

gezocht strained, contrived, forced; [vergezocht] far-fetched

¹**gezond** (bn) **1** able-bodied, fit: *~ en wel* safe and sound **2** [kloek, stevig] robust: *~e wangen* rosy cheeks

²**gezond** (bn, bw) **1** healthy, sound; well [na werkwoord]: *zo ~ als een vis* as fit as a fiddle **2** [onbedorven, helder] sound, good: *~ verstand* common sense

de **gezondheid** health: *naar iemands ~ vragen* inquire after s.o.('s health); *op uw ~!* here's to you!, here's to your health!, cheers!; *zijn ~ gaat achteruit* his health is failing || *~!* (God) bless you!

de **gezondheidsdienst** (public) health service

de **gezondheidsredenen**: *om ~* for health reasons, for reasons of health

de **gezondheidstoestand** health, state of health

de **gezondheidszorg 1** health care, medical care **2** [instanties] health service(s)

gezouten salt(ed), salty

de **gezusters** sisters

het **gezwam** drivel, piffle: *~ in de ruimte* hot air

het **gezwel** swelling; [van een weefsel] growth; tumour: *een goedaardig* (of: *kwaadaardig*) *~* a benign (of: malignant) tumour

het **gezwets** drivel, rubbish

gezwollen swollen

gezworen sworn

het **gft-afval** ± organic waste

de **gft-bak** bin for organic waste

Ghana Ghana

de ¹**Ghanees** Ghanaian

²**Ghanees** (bn) Ghanaian

de **ghostwriter** ghostwriter

de **gids 1** guide; [raadsman ook] mentor: *iemands ~ zijn* be s.o.'s guide (of: mentor) **2** [boek] guide(book); [handleiding] handbook; manual **3** [padvindster] (Girl) Guide; [Am] Girl Scout **4** [telefoongids] (telephone) directory, telephone book: *de gouden gids*MERK the yellow pages

giechelen giggle, titter

de **giek 1** [scheepv] boom **2** [boom van kraan] jib

de ¹**gier** (zn) [mest(vocht)] liquid manure, slurry

de ²**gier** (zn) vulture

gieren shriek, scream, screech

gierig miserly, stingy

de **gierigaard** miser, skinflint

de **gierigheid** miserliness, stinginess

de **gierst** millet

gieten 1 pour: *het regent dat het giet* it's pouring (down (of: with rain)) **2** [met behulp van een vorm] cast [vnl. metalen]; found [klokken, glas]; mould: *die kleren zitten (hem) als gegoten* his clothes fit (him) like a glove **3** [besproeien] water

de **gieter** watering can

de **gieterij** foundry

het **gietijzer** cast iron

het **gif** poison; [van dieren en figuurlijk] venom; [plantaardige, dierlijke gifstof] toxin

de **gifbeker** poisoned cup

de **gifbelt** (illegal) dump for toxic waste

het **gifgas** poison(ous) gas

gifgroen bilious (of: fluorescent) green

de **gifslang** poisonous (of: venomous) snake

de **gift** gift; [van donateur] donation; contribution

de **giftand** poison fang, venom tooth

giftig 1 poisonous; [van dieren ook] venomous **2** [m.b.t. mensen] venomous, vicious: *toen hij dat hoorde, werd hij ~* when he heard that he was furious

gifvrij non-toxic, non-poisonous

de **gifwolk** toxic cloud

giga mega, huge

de **gigabyte** gigabyte

de **gigant** giant

gigantisch gigantic, huge

de **gigolo** gigolo

gij thou

de **gijzelaar** hostage

gijzelen [m.b.t. een persoon] take hostage; [voor losgeld] kidnap; [kapen] hijack

de **gijzeling** taking of hostages; [voor losgeld] kidnapping; [kaping] hijack(ing): *iem. in ~ houden* hold s.o. hostage

de **gijzelnemer** hostage taker

de **gil** scream, yell; [krijsen; ook m.b.t. remmen] screech; [kinderen, varkens] squeal; [schril] shriek: *als je me nodig hebt, geef dan even een*

~ if you need me just give (me) a shout

het/de **gilde** guild

het **gilet** gilet

gillen 1 scream; [krijsen] screech; [vnl. varkens, kinderen] squeal; [schril] shriek: *het is om te ~* it's a (perfect) scream; *~ als een mager speenvarken* squeal like a (stuck) pig **2** [m.b.t. zaken] [trein, sirene, machine] scream; [remmen] screech

de **giller** [inf]: *het is een ~!* what a scream (*of:* howl, gas)!

ginds over there; [m.b.t. hoger, lager gelegen plaats] up there, down there

ginnegappen giggle, snigger: *wat zitten jullie weer te ~?* (just) what are you sniggering about/at?, what's so funny?

de **gin-tonic** gin and tonic

het **gips 1** plaster (of Paris): *zijn been zit in het ~* his leg is in plaster; *~ aanmaken* mix plaster **2** [afgietsel] plaster cast

de **gipsafdruk** plaster cast

gipsen plaster

het **gipsverband** (plaster) cast

giraal giro

de **giraffe** giraffe

gireren pay (*of:* transfer) by giro

de **giro 1** giro **2** [girorekening] giro account **3** [overschrijving] transfer by bank (*of:* giro), bank transfer, giro transfer

het **gironummer** Girobank (account) number

de **giropas** (giro cheque) guarantee card

de **girorekening** [Groot-Brittannië] Girobank/giro account; [USA] Check account

gissen guess (at), estimate

de **gissing** guess; [mv ook] guesswork; speculation: *dit zijn allemaal (maar) ~en* this is just (*of:* mere) guesswork

de **gist** yeast

gisten ferment

gisteravond last night, yesterday evening

gisteren yesterday: *de krant van ~* yesterday's paper; *~ over een week* yesterday week, a week from yesterday; [fig] *hij is niet van ~* he wasn't born yesterday, he's nobody's fool

gistermiddag yesterday afternoon

gisternacht last night

gisterochtend yesterday morning

de **gisting** fermentation, ferment; [het bruisen] effervescence

de **gitaar** guitar

de **gitarist** guitarist, guitar player

gitzwart jet-black

het **glaasje 1** (small) glass; [van microscoop] slide **2** [glas drank] drop, drink: *(wat) te diep in het ~ gekeken hebben* have had one too many

¹glad (bn) **1** slippery; [door ijs, ijzel ook] icy: *het is ~ op de wegen* the roads are slippery **2** [fig; gewiekst] slippery, slick: *hij heeft een ~de tong* he has a glib tongue **3** [glanzend] shiny; glossy [vnl. stof, verf, foto]; [gepolijst]

polished **4** [egaal, effen] smooth, even: *~de banden* bald tyres; *een ~de kin* a clean-shaven chin (*of:* face)

²glad (bw) smoothly

gladgeschoren clean-shaven

de **gladheid** slipperiness; [door ijs, ijzel] iciness: *~ op de wegen* icy patches on the roads

de **gladiator** gladiator

de **gladiool** gladiolus

de **gladjanus** smooth operator (*of:* customer); [inf] smoothie

gladmaken smooth(en), even; [polijsten] polish

gladstrijken smooth (out, down); [met strijkijzer, ook figuurlijk] iron out: *moeilijkheden ~* iron out difficulties; [van vogel] *zijn veren ~* preen one's feathers

de **glamour** glamour

de **glans 1** glow **2** [reflectie] gleam, lustre; gloss [van foto, verf]; [m.b.t. zijde, haren enz.] sheen: *P. geeft uw meubelen een fraaie ~* P. gives your furniture a beautiful shine

het **glansmiddel** polish

glansrijk splendid, brilliant; [roemrijk ook] glorious

de **glansrol** star part, star role

de **glansverf** gloss (paint)

¹glanzen (onov ww) **1** gleam, shine: *~d papier* glossy (*of:* high-gloss) paper **2** [stralen] shine, glow; [m.b.t. sterren ook] twinkle: *~d haar* glossy (*of:* sleek) hair

²glanzen (ov ww) polish; [m.b.t. stof, leer] glaze; [m.b.t. foto] gloss

het **glas** glass; [ruit] (window-)pane: *een ~ bier* a (glass of) beer; *dubbel ~* double glazing; *geslepen ~* cut glass; *laten we het ~ heffen op ...* let's drink to ...; *~ in lood* leaded glass; [gekleurd] stained glass

de **glasbak** bottle bank

glasblazen glassblowing

de **glascontainer** bottle bank

glashard unfeeling: *hij ontkende ~* he flatly denied

glashelder crystal-clear; [m.b.t. stem] as clear as a bell

het **glas-in-loodraam** leaded window; [gebrandschilderd] stained-glass window

de **glasplaat** sheet of glass; [bewerkt] glass plate; [als tafelblad] glass top

de **glastuinbouw** greenhouse farming

de **glasverzekering** glass insurance

de **glasvezel** glass fibre, fibreglass

het **glaswerk** glass(ware)

de **glaswol** glass wool

glazen glass

de **glazenwasser** window cleaner

glazig 1 glassy **2** [m.b.t. aardappelen] waxy

glazuren glaze; [met email(lak)] enamel

het **glazuur 1** glaze, glazing; [email(lak)] enamel [ook tandheelkundig] **2** [cul] icing

de **gletsjer** glacier

de **gleuf 1** groove; [van automaat] slot; [brievenbus] slit **2** [greppel, spleet] trench, ditch; [in rotsen] fissure
glibberen slither, slip, slide
glibberig slippery, slithery; [slijmerig] slimy; [door vet] greasy; [fig] *zich op ~ terrein bevinden* have got onto a tricky subject
de **glijbaan** slide, chute
glijden 1 slide, glide **2** [slippen, glippen] slip, slide: *het boek was uit haar handen gegleden* the book had slipped from her hands
glijdend sliding, flexible: *een ~e belastingschaal* a sliding tax scale
de **glijvlucht** [m.b.t. vogels] gliding flight; [m.b.t. vliegtuigen] glide(-down)
de **glimlach** smile; [breed] grin: *een stralende ~* a radiant smile
glimlachen smile; [breed] grin: *blijven ~* keep (on) smiling
glimmen 1 [gloeien] glow, shine **2** [blinken] shine, gleam: *de tafel glimt als een spiegel* the table is shining like a mirror **3** [schitteren] shine, glitter: *haar ogen glommen van blijdschap* her eyes shone with pleasure
de **glimp** glimpse: [fig] *een ~ van iem. opvangen (zien)* catch a glimpse of s.o.
glinsteren 1 glitter, sparkle; glisten [vocht] **2** [m.b.t. de zon] shine, gleam, sparkle
glippen 1 slide: *naar buiten ~* sneak (of: steal) out **2** [ontglijden, ontschieten] slip, drop: *hij liet het glas uit de handen ~* he let the glass slip from his hands
de **glitter** glitter: *een bloes met ~* a sequined blouse || *~ en glamour* glitter and glamour, tinsel
globaal rough, broad
de **globalisering** globalization
de **globe** globe
de **globetrotter** globetrotter
de **gloed 1** glow; [fel] blaze: *in ~ zetten* (of: *staan*) set (of: be) aglow **2** [schijnsel] glow; [fel] glare; blush [wangen]
gloednieuw brand new
gloedvol glowing, fervent, impassioned: *een ~ betoog* a glowing speech, an impassioned speech
gloeien 1 glow, shine, burn **2** [zonder vlam branden] smoulder, glow **3** [zeer warm zijn] be red-hot (of: white-hot), glow
gloeiend 1 glowing, red-hot, white-hot **2** [brandend heet] scalding hot, boiling hot [vloeistof]; scorching [weer]: *het was ~ heet vandaag* today was a scorcher **3** [hartstochtelijk] glowing, fervent || *je bent er ~ bij* you're in for it now, (I) caught you red-handed; *een ~e hekel aan iem. hebben* hate s.o.'s guts
de **gloeilamp** (light) bulb
glooien slope, slant
glooiend sloping, slanted; rolling [landschap]
de **glooiing** slope, slant

gloren gleam, glimmer: *de ochtend begon te ~* day was breaking (of: dawning); [fig] *er gloorde iets van hoop* there was a glimmer of hope
de **glorie** glory; [rel] gloria [aureool]
glorierijk glorious
de **glorietijd** heyday, golden age: *in zijn ~* in his heyday
glorieus glorious
de **gloss** gloss
de **glossy** glossy
de **glucose** glucose, grape-sugar
de **gluiperd** shifty character, sneak
gluiperig shifty, sneaky
glunderen smile happily
gluren peep, peek
het **gluten** gluten
de **gluurder** peeping Tom
de **glycerine** glycerine
gniffelen snigger, chuckle
de **gnoe** gnu
de **go** go-ahead: *een go krijgen* get the go-ahead
de **goal** goal: *een ~ maken* score a goal
de **god** god; [beeltenis ook] idol
God God: *in ~ geloven* believe in God; *leven als ~ in Frankrijk* be in the clover, have a place in the sun
goddank thank God (of: goodness)
goddelijk divine
goddeloos 1 irreligious, godless **2** [verdorven] wicked
de **godheid** deity, god(head)
de **godin** goddess
godlasterend blasphemous
de **godsdienst** religion
godsdienstig religious, devout
het **godsdienstonderwijs** religious education (of: instruction)
de **godsdienstvrijheid** freedom of religion
het **godshuis** house of God, place of worship, church
de **godslastering 1** blasphemy **2** [vloekwoord] profanity
godswil: *om ~ for heaven's sake!; hoe is het om ~ mogelijk* how on earth is it possible?
het **¹goed** (zn) **1** [goederen, artikelen] goods, ware(s) **2** [bezit] goods, property; [boedel, landgoed] estate: *onroerend ~* real estate **3** [kleding] clothes: *schoon ~ aantrekken* put on clean clothes **4** [textiel] material, fabric, cloth: *wit (of: bont) ~ white (of: coloured) wash; whites, coloureds
²goed (bn) **1** [vriendelijk] good; [aardig] kind; nice: *ik ben wel ~ maar niet gek* I'm not as stupid as you think; *ik voel me heel ~* I feel fine (of: great); *zou u zo ~ willen zijn ...* would you please ..., would you be so kind as to ..., do (of: would) you mind ... **2** [gezond] well, fine: *daar word ik niet ~ van* [ook fig] that makes me (feel) sick || *~ en*

kwaad good and evil, right and wrong

³goed (bn, bw) **1** [bn] good; [bw] well; right, correct: *alle berekeningen zijn* ~ all the calculations are correct; *hij bedoelt (meent) het* ~ he means well; *begrijp me* ~ don't get me wrong; *als je* ~ *kijkt* if you look closely; *dat zit wel* ~ that's all right, don't worry about it; *net* ~! serves you right!; *het is ook nooit* ~ *bij hem* nothing's ever good enough for him; *precies* ~ just (of: exactly) right **2** [behoorlijk] [bw] well: *hij was* ~ *nijdig* he was really annoyed; *het betaalt* ~ it pays well; *toen ik* ~ *en wel in bed lag* when I finally (of: at last) got into bed; ~ *bij zijn* be clever ‖ *we hebben het nog nooit zo* ~ *gehad* we've never had it so good; *(heel)* ~ *Engels spreken* speak English (very) well, speak (very) good English; *die jas staat je* ~ that coat suits you (of: looks good on you); *de soep is niet* ~ *meer* the soup has gone off; *dat komt* ~ *uit* that's (very) convenient; *hij maakt het* ~ he is doing well (of: all right); [fig] *hij staat er* ~ *voor* his prospects are good; *de rest hou je nog te* ~ I'll owe you the rest; *dat hebben we nog te* ~ that's still in store for us; ~ *zo!* good!, that's right!; [als compliment] well done!, that's the way!; *ook* ~ very well, all right; *de opbrengst komt ten* ~*e van het* Rode Kruis the proceeds go to the Red Cross; *zij is* ~ *in wiskunde* she is good at mathematics; *dat is te veel van het* ~*e* that is too much of a good thing; *het is maar* ~ *dat ...* it's a good thing that ...; ~ *dat je 't zegt* that reminds me; *dat was maar* ~ *ook* it was just as well

goedaardig 1 good-natured, kind-hearted **2** [med] benign [tumor]

goeddoen do good, help

het **goeddunken**: *naar eigen* ~ *handelen* act on one's own discretion, act as one sees fit

goedemiddag good afternoon

goedemorgen good morning

goedenacht good night

goedenavond good evening; [afscheidsgroet] good night

goedendag 1 [begroeting] good day, hello **2** [afscheidsgroet] goodbye, good day **3** [uitroep van verbazing] hello!, well now!

de **goederen 1** goods; [ec] commodities; [koopwaar ook] merchandise: ~ *laden* (of: *lossen*) load (of: unload) goods **2** [bezittingen] goods, property

de **goederenlift** goods lift; [Am] service elevator

de **goederentrein** goods train; [Am] freight train

de **goederenwagen** goods carriage; [Am] freight car

goedgeefs generous, liberal

goedgehumeurd good-humoured, good-natured

goedgelovig credulous, gullible

goedgemutst good-humoured, good-natured

goedgezind: *iem.* ~ *zijn* be well-disposed towards s.o.

goedhartig kind(ly), friendly

de **goedheid 1** goodness: *hij is de* ~ *zelf* he is goodness personified **2** [toegeeflijkheid] benevolence, indulgence

¹goedhouden (ov ww) keep, preserve: *melk kun je niet zo lang* ~ you can't keep milk very long

zich **²goedhouden** (wdk ww) control o.s.; [niet lachen] keep a straight face; [zich flink houden] keep a stiff upper lip: *hij kon zich niet* ~ he couldn't help laughing (of: crying, ...)

goedig gentle; [inschikkelijk] meek

het **goedje** stuff

goedkeuren 1 approve (of); pass [als geschikt]: [med] *goedgekeurd worden* pass one's medical **2** [ermee instemmen] approve; adopt [plan]

goedkeurend approving, favourable: ~ *knikken* (of: *glimlachen*) nod (of: smile) (one's) approval

de **goedkeuring** approval, consent

¹goedkoop (bn) **1** cheap, inexpensive: ~ *tarief* cheap rate; [vanwege seizoen of tijd van de dag] off-peak tariff **2** [fig; van weinig waarde] cheap

²goedkoop (bw) cheaply, at a low price: *er* ~ *afkomen* get off cheap(ly)

goedlachs cheery

goedmaken 1 make up (of: amends) for: *iets weer* ~ *bij iem.* make amends to s.o. for sth. **2** [m.b.t. een gebrek, tekortkoming] make up for, compensate (for) **3** [m.b.t. onkosten, uitgaven] cover, make good

goedmoedig good-natured, good-humoured

goedpraten explain away, justify; [vergoelijken] gloss over

goedschiks willingly: ~ *of kwaadschiks* willing(ly) or unwilling(ly)

het **¹goedvinden** (zn) permission, consent; [instemming] agreement

²goedvinden (ov ww) approve (of), consent (to): *als jij het goedvindt* if you agree

de **goedzak** softy: *'t is een echte* ~ he's soft as butter

de **goegemeente** the ordinary man in the street

de **goeroe** guru

de **goesting** [Belg] [zin, lust, trek] liking, fancy, appetite

de **gok** gamble: *zullen we een* ~*je wagen?* shall we have a go (at it)?

de **gokautomaat** gambling (of: gaming) machine

gokken gamble, (place a) bet (on): ~ *op een paard* (place a) bet on a horse

de **gokker** gambler

het **gokpaleis** casino
het **gokspel** game of chance, gambling (game)
gokverslaafd addicted to gambling
de **gokverslaafde** gambling addict
de **gokverslaving** gambling addiction
de **golden goal** golden goal; [inf] sudden death
de **¹golf** (zn) **1** wave: [reclame] *korte* (of: *lange*) ~ short (of: long) wave **2** [baai] gulf, bay **3** [straal van een vloeistof] stream, flood **4** [toename] [fig] wave; surge: *een ~ van geweld* a wave of violence
het **²golf** (zn) golf
de **golfbaan** golf course (of: links)
de **golfbreker** breakwater, mole
golfen play golf
de **golflengte** wavelength: *(niet) op dezelfde ~ zitten* [ook fig] (not) be on the same wavelength
de **golfslag** surge, swell: *sterke ~* heavy sea
de **golfstok** golf club
de **Golfstroom** Gulf Stream
golven 1 undulate, wave; heave [water, menigte]; surge [water, menigte]: *de wind deed het water ~* the wind ruffled the surface of the water **2** [(als) in golven stromen] gush, flow
golvend undulating, wavy || *een ~ terrein* rolling terrain
het **gom** rubber; [voornamelijk Am] eraser
de **gondel** gondola
de **gong** gong
de **goniometrie** [wisk] goniometry
de **gonorroe** gonorrhoea
gonzen buzz, hum
de **goochelaar** conjurer, magician
goochelen 1 conjure, do (conjuring, magic) tricks: *~ met kaarten* do (of: perform) card tricks **2** [handig met iets omspringen] juggle (with): *~ met cijfers* juggle with figures
de **goochelkunst** conjuring
de **goocheltruc** conjuring trick, magic trick
goochem smart, crafty
de **goodwill** goodwill
googelenᴹᴱᴿᴷ google
de **gooi** throw, toss: [fig] *een ~ doen naar het presidentschap* make a bid for the Presidency
gooien throw, toss; [met geweld] fling (at), hurl (at): *geld ertegenaan ~* spend a lot of money on (sth.); *iem. eruit ~* throw s.o. out; *met de deur ~* slam the door
het **gooi-en-smijtwerk** knockabout, slapstick
goor 1 filthy, foul **2** [m.b.t. eten, drinken] bad, nasty: *~ smaken* (of: *ruiken*) taste (of: smell) revolting
de **goot 1** [afvoerbuis] wastepipe, drain(pipe); [dakgoot] gutter **2** [afvoerkanaal] gutter, drain: [fig] *in de ~ terechtkomen* end up in the gutter
de **gootsteen** (kitchen) sink: *iets door de ~ spoelen* pour sth. down the sink

de **gordel** [riem, ceintuur] belt
de **gordelroos** [med] shingles
het/de **gordijn** curtain
de **gordijnrail** curtain rail (of: track)
gorgelen gargle
de **gorilla** gorilla
de **gort** pearl barley, groats
gortig: *dat is (me) al te ~* it's too much (for me), it's more than I can take
gothic gothic
de **gotiek** Gothic
gotisch Gothic
het **goud** gold: *zulke kennis is ~ waard* such knowledge is invaluable; *voor geen ~* not for all the tea in China; *ik zou me daar voor geen ~ vertonen* I wouldn't be seen dead there; *het is niet alles ~ wat er blinkt* all that glitters is not gold
goudbruin golden brown, auburn
goudeerlijk honest through and through
gouden 1 gold; [voornamelijk fig] golden: *een ~ ring* a gold ring **2** [goudkleurig] golden
de **goudkoorts** gold fever, gold rush
de **goudmijn** gold mine: *een ~ ontdekken* [fig] strike oil
de **goudsmid** goldsmith
het **goudstuk** gold coin
de **goudvis** goldfish
de **goulash** goulash
de **gourmet 1** [fijnproever] gourmet, epicure **2** [maaltijd] fondue Bourguignonne
gourmetten ± have a fondue Bourguignonne
de **gouvernante** governess; [inf ook] nanny
het **gouvernement** [Belg] [provinciaal bestuur] provincial government (of: administration)
de **gouverneur 1** governor **2** [Belg] provincial governor
de **gozer** [inf] guy, fellow: *een leuke ~* a nice guy (of: fellow)
het **gps** afk van *global positioning system* gps
de **graad** degree; [mil] rank: *een academische ~* a university degree; *de vader is eigenwijs, maar de zoon is nog een ~je erger* the father is conceited, but the son is even worse; *18° Celsius* 18 degrees Celsius; *een draai van 180 graden maken* make a 180-degree turn; *tien graden onder nul* ten degrees below zero
de **graadmeter** graduator, gauge, measure
de **graaf** count, earl
de **graafmachine** excavator
het **graafschap** county
graag 1 gladly, with pleasure: *~ gedaan* you're welcome; *ik wil je ~ helpen* I'd be glad to help (you); *hoe ~ ik het ook zou doen* much as I would like to do it; *~ of niet* take it or leave it; *(heel) ~!* (okay) thank you very much!, yes please! **2** [zonder tegenzin] willingly, readily: *zij praat niet ~ over die tijd* she

dislikes talking about that time; *dat wil ik ~ geloven* I can quite believe that, I'm not surprised

graaien grabble, rummage

de **graal** the (Holy) Grail

het **graan** grain, corn || *een ~tje meepikken* get one's share, get in on the act

de **graanschuur** granary

de **graat 1** [een beentje] (fish) bone **2** [geraamte van een vis] bones [mv] || [Belg] *ergens geen graten in zien* see nothing wrong with

grabbel: *zijn goede naam te ~ gooien* throw away one's reputation

grabbelen rummage (about, around), grope (about, around): *de kinderen ~ naar de pepernoten* the children are scrambling for the ginger nuts

de **grabbelton** lucky dip; [Am] grab bag

de **gracht** canal; [rondom vesting] moat: *aan een ~ wonen* live on a canal

gracieus graceful, elegant

de **gradatie** degree, level: *in verschillende ~s van moeilijkheid* with different steps (*of:* levels) of difficulty

de **gradenboog** protractor

gradueel of degree, in degree, gradual

het **graf** grave, tomb: *zijn eigen ~ graven* dig one's own grave || *zwijgen als het ~* be quiet (*of:* silent) as the grave

de **graffiti** graffiti

de **grafiek** graph, diagram

het **grafiet** graphite

grafisch graphic

de **grafkelder** tomb; [voor meerdere doden] vault, crypt

de **grafrede** funeral oration

de **grafschennis** desecration of graves

het **grafschrift** epitaph

de **grafsteen** gravestone, tombstone

de **grafstem** sepulchral voice

het/de **gram** gram: *vijf ~ zout* five grams of salt

de **grammatica** grammar

grammaticaal grammatical

de **grammofoon** gramophone

de **grammofoonplaat** (gramophone) record

de **granaat** grenade; shell [artillerie]

de **granaatappel** pomegranate

de **granaatscherf** piece of shrapnel, shell fragment; [mv] shrapnel

het **grand café** grand café

grandioos monumental, mighty

het **graniet** granite

granieten granite

de **grap** joke, gag: *een flauwe ~* a feeble (*of:* poor) joke; *~pen vertellen* tell (*of:* crack) jokes; *een ~ met iem. uithalen* play a joke on s.o.; *ze kan wel tegen een ~* she can take a joke || *dat wordt een dure ~* that will be an expensive business

de **grapefruit** grapefruit

de **grapjas** *zie* grappenmaker

het **grapje** (little) joke: *het was maar een ~* I was only joking (*of:* kidding); *~?!* you must be joking!; *iets met een ~ afdoen* shrug sth. off with a joke; *kun je niet tegen een ~?* can't you take a joke?

de **grappenmaker** joker, wag

grappig 1 [m.b.t. personen] funny, amusing: *zij probeerden ~ te zijn* [ook ironisch] they were trying to be funny **2** [m.b.t. zaken] funny, comical, amusing; [opzettelijk] humorous: *het was een ~ gezicht* it was a funny (*of:* comical) sight; *een ~e opmerking* a humorous remark; *wat is daar nou zo ~ aan?* what's so funny about that? **3** [leuk om te zien] attractive; [Am] cute

het **gras** grass: *het ~ maaien* mow the lawn; [fig] *iem. het ~ voor de voeten wegmaaien* cut the ground from under s.o.'s feet; [fig] *ze hebben er geen ~ over laten groeien* they did not let the grass grow under their feet

grasduinen browse (through)

het **grasland** grassland, meadow; [om op te grazen] pasture

de **grasmaaier** (lawn)mower

de **grasmat** grass, turf; [sportveld] field, pitch: *de ~ lag er prachtig bij* the grass looked fantastic

de **grasspriet** blade of grass

het **grasveld** field (of grass)

de **graszode** turf, sod

de **gratie 1** [bevalligheid] grace **2** [gunst] favour: *bij iem. uit de ~ raken* fall out of favour with s.o. **3** [genade] mercy **4** [kwijtschelding] pardon: *~ krijgen* be pardoned

de **gratificatie** gratuity, bonus

gratineren cover with breadcrumbs (*of:* cheese): *gegratineerde schotel* dish au gratin

gratis free (of charge): *~ en voor niks* gratis, absolutely free

grauw grey, ashen

het **gravel** gravel

de **gravelbaan** [sport] clay court

graven 1 dig; [op grote schaal] excavate; [figuurlijk, om iets te zoeken] delve; [naar delfstoffen] mine: *een put ~* sink a well; *een tunnel ~* dig a tunnel, tunnel **2** [met handen, snuit enz.] dig; [van dieren, insecten ook] burrow

graveren engrave

de **graveur** engraver

de **gravin** countess

de **gravure** engraving, print

grazen graze, (be at) pasture: *het vee later ~* let the cattle out to graze || *te ~ genomen worden* be had, be taken in; *iem. te ~ nemen* [beetnemen] take s.o. for a ride, take s.o. in

de **greep 1** grasp, grip, grab: *~ krijgen op iets* get a grip on sth.; *vast in zijn ~ hebben* have firmly in one's grasp **2** [willekeurige keuze] random selection (*of:* choice): *doe maar een* take your pick

het **greintje** (not) a bit (of): *geen ~ hoop* not a ray of hope; *geen ~ gezond verstand* not a grain of common sense

de **grendel** bolt: *achter slot en ~ zitten* be under lock and key

grendelen bolt

grenen pine(wood), deal

het **grenenhout** pine(wood)

de **grens** border; [rand; scheidingslijn] boundary; [limiet] limit; [perken ook] bounds [mv]: *aan de Duitse ~* at the German border; *we moeten ergens een ~ trekken* we have to draw the line somewhere; *binnen redelijke grenzen* within reason; [fig] *een ~ overschrijden* pass a limit; [fig] *grenzen verleggen* push back frontiers

de **grenscontrole** border (*of:* customs) check

het **grensgebied 1** border region **2** [fig] borderline, grey area; [randgebied] fringe (area)

het **grensgeval** borderline case

de **grenslijn** boundary line; [fig] dividing line

de **grensovergang** border crossing(-point)

grensoverschrijdend cross-border, international

de **grensrechter** linesman [voetbal]; line judge [tennis]

de **grensstreek** border region

grensverleggend pushing back frontiers, opening new horizons, revealing

grenzeloos infinite, boundless

grenzen 1 border (on); [grenzen aan] be adjacent to: *hun tuinen ~ aan elkaar* their gardens border on one another **2** [fig] border (on), verge (on); [grenzen aan] approach: *dat grenst aan het ongelofelijke* that verges on the incredible

de **greppel** channel; [meestal diep] trench; ditch

gretig eager; [begerig] greedy

de **grief** objection, grievance, complaint

de **Griek** Greek

Griekenland Greece

Grieks Greek

grienen snivel, blub(ber)

de **griep** (the) flu; [verkoudheid] (a) cold: *~ oplopen* catch the flu

grieperig ill with flu: *ik ben wat ~* I've got a touch of flu

de **griepprik** [med] influenza vaccination

het **griesmeel** semolina

de **griet** bird, chick, doll

grieven hurt, offend

grievend hurtful, offensive, cutting: *een ~e opmerking* a cutting remark

de **griezel** ogre, terror; [persoon] creep; [persoon] weirdo

griezelen shudder, shiver, get the creeps

de **griezelfilm** horror film

griezelig gruesome, creepy

het **griezelverhaal** horror story

grif ready; [vaardig] adept; [vlug] rapid; [vlug] prompt: *ik geef ~ toe dat ...* I readily admit to ... (-ing); *~ van de hand gaan* sell like hot cakes

de **griffie** registry; clerk of the court's office [rechtbank]

de **griffier** ± registrar, clerk

de **grijns** grin, smirk; [boosaardig] sneer

grijnzen 1 smirk, sneer **2** [breed lachen] grin: *sta niet zo dom te ~!* wipe that silly grin off your face!

¹**grijpen** (onov ww) grab; [hand uitstrekken] reach (for): *dat is te hoog gegrepen* that is aiming too high; *naar de fles ~* reach for (*of:* turn to) the bottle

²**grijpen** (ov ww) grab (hold of), seize, grasp; [met een ruk] snatch: *de dief werd gegrepen* the thief was nabbed; *hij greep zijn kans* he grabbed (*of:* seized) his chance; [fig] *door iets gegrepen zijn* be affected (*of:* moved) by sth.; *voor het ~ liggen* be there for the taking

de **grijper** bucket, claw, grab

het ¹**grijs** (zn) grey

²**grijs** (bn) grey: *hij wordt al aardig ~* he is getting quite grey; *in een ~ verleden* in the dim and distant past

de **grijsaard** old man

de **gril** whim, fancy

de **grill** grill

grillen grill

grillig whimsical, fanciful, capricious: *~ weer* changeable weather

de **grilligheid** capriciousness, whimsicality, fickleness

de **grimas** grimace

de **grime** make-up, greasepaint

grimeren make up

de **grimeur** make-up artist

grimmig 1 [boos] furious, irate **2** [fel] fierce, forbidding: *een ~e kou* a severe cold

het **grind** gravel; [grover] shingle

grinniken chuckle; [sluw of minachtend] snigger: *zit niet zo dom te ~!* stop that silly sniggering!

de **grip** grip; [van wielen ook] traction: *~ hebben op* [ook fig] have a grip on

grissen snatch, grab

de **grizzlybeer** grizzly (bear)

de **groef** groove, furrow; [gleuf] slot

de **groei 1** growth, development: *een broek die op de ~ gemaakt is* trousers which allow for growth **2** [toename] growth, increase; [uitbreiding] expansion: *economische ~* economic growth

groeien grow, develop: *zijn baard laten ~* grow a beard; *hij groeit als kool* **a)** [kind] he is shooting up; **b)** [baby] he's coming on well; *het geld groeit mij niet op de rug* I am not made of money

het **groeihormoon** growth hormone

de **groeikern** [planologie] centre of urban

growth
de **groeipijn** growing pains
de **groeistuip** growing pain [meestal mv]; [fig ook] teething troubles, initial problems
groeizaam favourable (to growth): ~ *weer* growing weather
groen green: *deze aardbeien zijn nog ~* these strawberries are still green; *het signaal sprong op ~* the signal changed to green || *ze was in het ~ (gekleed)* she was (dressed) in green
Groenland Greenland
de **Groenlander** Greenlander
Groenlands Greenland(ic)
de **groenstrook 1** green belt, green space (*of:* area) **2** [middenberm] grass strip, centre strip
de **groente** vegetable: *vlees en twee verschillende soorten* ~ meat and two vegetables
de **groenteboer** greengrocer, greengrocer's (shop)
de **groentesoep** vegetable soup
de **groentetuin** vegetable garden, kitchen garden
de **groentewinkel** greengrocer's (shop), greengrocery
het **groentje** greenhorn; [op school] new boy, new girl; [student] fresher; freshman
de **groep** group; [van toeristen, reizigers] party: *een grote ~ van de bevolking* a large section of the population; *leeftijdsgroep* age group (*of:* bracket); *in ~jes van vijf of zes* in groups of five or six; *we gingen in een ~ rond de gids staan* we formed a group round the guide
¹groeperen (ov ww) group: *anders (opnieuw)* ~ regroup
zich **²groeperen** (wdk ww) **1** [zich om iem., iets heen plaatsen] cluster (round), gather (round); [dicht bij elkaar] huddle (round) **2** [een groep vormen] group (together), form a group
de **groepering** grouping, faction
de **groepsdruk** peer pressure
de **groepsleider** group leader
de **groepspraktijk** group practice
de **groepsreis** group travel
het **groepsverband**: *in* ~ [m.b.t. één groep] in a group (*of:* team); *werken in* ~ work as a team
de **groet** greeting; [mil] salute: *een korte ~ tot afscheid* a parting word; *met vriendelijke ~en* yours sincerely; *doe hem de ~en van mij* give him my best wishes; [minder formeel] say hello to him for me; *je moet de ~en van haar hebben. O, doe haar de ~en terug* she sends (you) her regards (*of:* love). Oh, the same to her; *de ~en!* **a)** [afscheidsgroet] see you!; **b)** [vergeet het maar] not on your life!, no way!
groeten greet, say hello: *wees gegroet Ma-*

ria Hail Mary
de **groeve** quarry
groezelig grubby, grimy, dirty
grof 1 [fors] coarse, hefty **2** [ruw bewerkt] coarse, rough, crude: *grove gelaatstrekken* coarse features; *iets ~ schetsen* **a)** [lett] make a (rough) sketch of sth.; **b)** [fig ook] sketch sth. in broad outlines **3** [bijzonder erg] gross [beledigend] rude: *een grove fout* a glaring error; *je hoeft niet meteen ~ te worden* there' no need to be rude
grofgebouwd heavily-built
de **grofheid** coarseness; [onbeleefdheid, vulgariteit] rudeness; [ruwheid, eenvoud] roughness; [krasheid] grossness
grofvuil (collection of) bulky refuse
grofweg roughly, about, in the region of
de **grog** grog, (hot) toddy
groggy groggy, dazed; [bij boksers] punch drunk
de **grol** joke, gag
¹grommen (onov ww) growl, snarl: *de hond begon tegen mij te ~* the dog began to grow at me
²grommen (ww) grumble, mutter: *hij grom de iets onduidelijks* he muttered sth. indistinc
de **grond 1** [terrein] ground, land: *er zit een flink stuk ~ bij het huis* the house has considerable grounds; *een stuk ~* a plot of land; *braakliggende ~* waste land; *iem. tegen de slaan* knock s.o. flat; *zij heeft haar bedrijf van de ~ af opgebouwd* she built up her firm fro scratch **2** [aarde] ground, earth: *schrale (of onvruchtbare)* ~ barren (*of:* poor) soil; *iem. nog verder de ~ in trappen* kick s.o. when he down **3** [oppervlak] ground; [binnen] floor *de begane ~* the ground floor; [Am] the firs floor; *ik had wel door de ~ kunnen gaan* I wanted the ground to open up and swallo me **4** [bodem onder water] bottom: *aan de zitten* [fin] be on the rocks **5** [basis] ground foundation, basis: *op ~ van zijn huidskleur b* cause of (*of:* on account of) his colour; *op ~ van artikel 461* by virtue of section 461 **6** [diepste, onderste deel] bottom; [wezen, kern] essence: *dat komt uit de ~ van zijn hart* that comes from the bottom of his heart || *zichzelf te ~e richten* dig one's own grave, cu one's own throat
het **grondbeginsel** (basic, fundamental) prin ciple; [mv, ook] fundamentals; basics
het **grondbezit 1** landownership, ownership of land **2** [erf] landed property, (landed, real) estate
de **grondbezitter** landowner
het **grondgebied** [ook fig] territory; soil [vn van een staat]
de **grondgedachte** basic idea, underlying idea, fundamental idea
grondig thorough; [m.b.t. verandering ook] radical: *een ~e hekel aan iets hebben*

loathe sth., dislike sth. intensely; *iets ~ bespreken* talk sth. out (*of:* through); *iets ~ onderzoeken* examine sth. thoroughly

de **grondigheid** thoroughness; [deugdelijkheid] soundness; validity

de **grondlaag** [grondverf] undercoat

de **grondlegger** founder, (founding) father

de **grondlegging** foundation, establishment, founding

het **grondpersoneel** ground crew

de **grondprijs** the price of land

het **grondrecht** [mensenrechten] basic right; [burgerrechten] civil rights [mv]

de **grondregel** basic rule, fundamental rule, cardinal rule

de **grondslag** [fig] basis, foundation(s): *de ~ leggen van iets* lay the foundation for sth.; *ten ~ liggen aan* a) [iets negatiefs] be at the bottom of; b) [neutraal] underlie

de **grondsoort** (type, kind of) soil

de **grondstewardess** ground hostess; [Am] ground stewardess

de **grondstof** raw material; [landb ook] raw produce

de **grondverf** primer

de **grondvest** foundation

grondvesten 1 [funderen] lay the foundations of 2 [fig] found, base: *gegrondvest op* based on

het **grondvlak** base

het **grondwater** groundwater

het **grondwerk** groundwork [ook sport; ook figuurlijk]

de **grondwet** constitution

grondwettelijk constitutional

het **grondzeil** groundsheet

groot 1 big, large: *een tamelijk grote kamer* quite a big (*of:* large) room; *de kans is ~ dat … there's a good chance that …; op één na de ~ste* the next to largest 2 [lang] big, tall: *wat ben jij ~ geworden!* how you've grown!; *de ~ste van de twee* the bigger of the two 3 [ouder] big; [volwassen] grown-up: *zij heeft al grote kinderen* she has (already) got grown-up children; *daar ben je te ~ voor* you're too big for that (sort of thing) 4 [van een bepaalde afmeting] in size: *het stuk land is twee hectare ~* the piece of land is two hectares in area; *twee keer zo ~ als deze kamer* twice as big as this room 5 [m.b.t. aantal, kracht] great, large: *een ~ gezin* a large family; *een steeds groter aantal* an increasing (*of:* a growing) number; *in het ~ inkopen* (*of:* verkopen) buy (*of:* sell) in bulk || *Karel de Grote* Charlemagne; *Alexander de Grote* Alexander the Great; *je hebt ~ gelijk!* you are quite (*of:* perfectly) right!

het **grootboek** ledger

grootbrengen bring up, raise: *een kind met de fles ~* bottle-feed a child

Groot-Brittannië Great Britain

het **grootgrondbezit** large(-scale) landownership

de **grootgrondbezitter** large landowner

de **groothandel** wholesaler's, wholesale business

de **grootheid** [nat, wisk] quantity

de **grootheidswaan** megalomania

de **groothertog** grand duke

het **groothertogdom** grand duchy

de **groothoeklens** wide-angle lens

zich **groothouden** 1 bear up (well, bravely) 2 [zich niets aantrekken van iets] keep up appearances, keep a stiff upper lip

de **grootmacht** superpower

de **grootmeester** 1 [schaken, dammen] grandmaster 2 [op andere gebieden] (great, past) master

de **grootmoeder** grandmother

grootmoedig magnanimous, generous: *dat was erg ~ van hem* that was very noble of him

de **grootouders** grandparents

groots 1 grand, magnificent, majestic 2 [indrukwekkend] spectacular, large-scale; ambitious [plan, idee]: *~e plannen hebben* have ambitious plans; *het ~ aanpakken* a) go about it on a grand scale; b) [inf] think big

grootschalig large-scale, ambitious

grootscheeps large-scale, great, massive; [met inzet van alle krachten] full-scale

de **grootspraak** 1 boast(ing): *waar blijf je nu met al je ~!* where's all your boasting now? 2 [overdrijving] hyperbole, overstatement

de **grootte** size: *onder de normale ~* undersize(d); *een model op ware ~* a life-size model; *ter ~ van* the size of

de **grootvader** grandfather

de **grootverbruiker** large-scale consumer, bulk consumer

het **gros** 1 [merendeel] majority, larger part: *het ~ van de mensen* the majority of the people, the people at large 2 [twaalf dozijn] gross

de **grossier** wholesaler

de **grot** cave

grotendeels largely

grotesk grotesque

het **gruis** grit

het **grut** toddlers, small fry, young fry

de **grutto** (black, bar-tailed) godwit

de **gruwel** horror

de **gruweldaad** atrocity: *gruweldaden bedrijven* commit atrocities

gruwelijk 1 horrible, gruesome: *een ~e misdaad* a horrible crime; an atrocity 2 [geweldig] terrible, enormous: *een ~e hekel aan iem. hebben* hate s.o.'s guts; *zich ~ vervelen* be bored stiff (*of:* to death)

gruwen be horrified (by): *ik gruw bij de gedachte aan al die ellende* I'm horrified by the thought of all this misery de **gruzelementen**: *iets aan ~ slaan* knock sth. to pieces (*of:* matchwood), shatter sth.; *aan ~ liggen* have fallen to pieces (*of:* smithereens)

de **g-sleutel** G clef, Treble clef

de **gsm**ᴹᴱᴿᴷ GSM

Guatemala Guatemala

de **Guatemalteek** Guatemalan

Guatemalteeks Guatemalan

de **guerrilla** guer(r)illa (warfare)

de **guerrillaoorlog** guer(r)illa war(fare)

de **guerrillastrijder** guer(r)illa (fighter)

de **guillotine** guillotine

Guinee Guinea

Guinee-Bissau Guinea-Bissau

de **Guinee-Bissauer** inhabitant (*of:* native) of Guinea Bissau

Guinee-Bissaus of/from Guinea Bissau

de **Guineeër** Guinean

Guinees Guinean

de **guirlande** festoon, garland

guitig roguish, mischievous

¹**gul** (bn) **1** generous: *met ~le hand (geven)* (give) generously; *~ zijn met iets* be liberal with sth. **2** [hartelijk] cordial: *een ~le lach* a hearty laugh

²**gul** (bw) cordially

de **gulden** [munt] (Dutch) guilder, florin; [als afk: *f*] Dfl; NLG

de **gulheid 1** generosity **2** [hartelijkheid] cordiality

de **gulp** fly (front); [ritssluiting] zip: *je ~ staat open* your fly is open

gulpen gush: *het bloed gulpte uit de wond* blood gushed from the wound

gulzig greedy: *met ~e blikken* with greedy eyes

het/de **gum** rubber; [Am] eraser

het/de **gummi** rubber

de **gummiknuppel** baton; [Am] club

de **gummistok** baton

gunnen 1 grant: *iem. een blik op iets ~* let s.o. have a look at sth.; *hij gunde zich de tijd niet om te eten* he did not allow himself time to eat **2** [niet misgunnen] not begrudge: *het is je van harte gegund* you're very welcome to it

de **gunst** favour: *iem. een ~ bewijzen* do s.o. a favour

gunstig 1 [welwillend] favourable, kind: *~ staan tegenover* sympathize with **2** [nuttig] favourable, advantageous: *een ~e gelegenheid* a good (*of:* favourable) opportunity; *in het ~ste geval* at best; *met ~e uitslag* with a favourable (*of:* satisfactory) result; *~e voortekenen* favourable (*of:* hopeful) signs; *~ voor ...* favourable (*of:* good) for ... **3** [aangenaam] favourable, agreeable: *~ bekendstaan* have a good reputation

het **gunsttarief** [Belg] [verminderd tarief] concessionary rate

gutsen [m.b.t. regen] gush, pour

guur bleak; [met storm] rough; [met storm] wild [weer]; cutting [wind]

de **Guyaan** Guyanese

Guyaans Guyanese

Guyana Guyana

de ¹**gym** (zn) gym

het ²**gym** (zn) [gymnasium] ± grammar school; [Am] high school; [in Nederland enz.] gymnasium

gymmen 1 do gym(nastics) **2** [gymnastiekles hebben] have gym

de **gymnasiast** ± grammar-school student; [Am] ± high-school student; [in Nederland enz.] gymnasium student

het **gymnasium** ± grammar school; [Am] high school; [Ned] gymnasium

de **gymnast** gymnast

de **gymnastiek** gymnastics: *op ~ zijn* be at gymnastics

de **gynaecologie** gynaecology

de **gynaecoloog** gynaecologist

de **gyros** gyros

h

de **h** h, H, aitch

ha ah!: *ha! ben je daar?* ah! so there you are; *ha! dat dacht je maar!* aha! that's what you thought ‖ *haha, die is goed!* ha, ha that's (a) good (one)!

de **haag** hedge(row)

de **haai** shark: *naar de ~en gaan* go down the drain

de **haaientanden 1** shark's teeth **2** [verkeer] triangular road marking (at junction)

de **haaienvinnensoep** shark-fin soup

de **haak** hook: *er zitten veel haken en ogen aan* it's a tricky business ‖ *dat is niet in de ~* that's not quite right; *de hoorn van de ~ nemen* take the receiver off the hook

het **haakje** [teken] bracket, parenthesis: *~ openen* (of: *sluiten*) open (of: close) (the) brackets; *tussen (twee) ~s* **a)** [lett] in brackets; **b)** [fig] incidentally, by the way

de **haaknaald** crochet hook (of: needle)

haaks square(d) ‖ *hou je ~* (keep your) chin up

het **haakwerk** crochet (work), crocheting

de **haal 1** tug, pull: *met een flinke ~ trok hij het schip aan de wal* with a good tug he pulled the boat ashore **2** [met een pen of potlood] stroke ‖ *aan de ~ gaan met* run off with

haalbaar attainable, feasible

de **haalbaarheid** feasibility

de **haan** cock: *daar kraait geen ~ naar* no one will know a thing; *[m.b.t. vuurwapens] de ~ spannen (overhalen)* cock the gun

het **haantje** young cock; [als gerecht] chicken

de **haantje-de-voorste** ringleader: *~ zijn* be (the) cock-of-the-walk

het ¹**haar** (zn) hair: *met lang ~, met kort ~* long-haired, short-haired; *z'n ~ laten knippen* have a haircut; *z'n ~ verven* dye one's hair

et/de ²**haar** (zn) hair: *iets met de haren erbij slepen* drag sth. in; *geen ~ op m'n hoofd die eraan denkt* I would not dream of it; *elkaar in de haren vliegen* fly at each other; *het scheelde maar een ~ of ik had hem geraakt* I only just missed hitting him; *op een ~ na* very nearly

³**haar** (pers vnw) her; [van dier, ding] it: *vrienden van ~* friends of hers; *hij gaf het ~* he gave it to her; *die van ~ is wit* hers is white

⁴**haar** (bez vnw) her; [van dieren, dingen] its: *Els ~ schoenen* Elsie's shoes

de **haarborstel** hairbrush

het **haarbreed**: *hij week geen ~* he did not give an inch

de **haard 1** [kachel] stove: *eigen ~ is goud waard*

there's no place like home **2** [open haard] hearth: *huis en ~* hearth and home; *een open ~ a* fireplace; *bij de ~* by (of: at) the fireside

de **haardos** (head of) hair: *een dichte* (of: *volle*) ~ a thick head of hair

de **haardracht** hair style

de **haardroger** hairdryer

het **haardvuur** open fire

haarfijn: *iets ~ uitleggen* explain sth. in great detail, explain the ins and outs of sth.

de **haargroei** hair growth

de **haarkloverij 1** [muggenzifterij] hairsplitting **2** [gekibbel] quibbling

het/de **haarlak** hair spray

de **haarlok** lock (of hair)

haarscherp very sharp; exact [beschrijving, weergave]

het **haarscheurtje** haircrack

de **haarspeld 1** [sierspeld] hairslide; [Am] hair clasp **2** hairpin

de **haarspeldbocht** hairpin bend

de **haarspoeling** hair colouring

de **haarspray** hair spray

het **haarstukje** hairpiece

de **haaruitval** hair loss

het **haarvat** capillary

de **haarversteviger** hair conditioner

de **haarwortel 1** hair-root: *[fig] kleuren tot in de ~s* blush to the roots of one's hair **2** [plantk] root-hair

de **haas 1** hare **2** [mals vlees] fillet: *een biefstuk van de ~* fillet steak **3** [sport] pacemaker ‖ *het ~je zijn* be for it; *mijn naam is ~* I'm saying nothing, I know nothing about it

het **haasje-over**: *~ springen* (play) leapfrog

de ¹**haast** (zn) hurry, haste: *in grote ~* in a great hurry, in haste; *~ hebben* be in a hurry [van personen]; *waarom zo'n ~?* what's the rush?

²**haast** (bw) [bijna] almost, nearly; [in negatieve zin] hardly: *men zou ~ denken dat ...* one would almost think that ...; *hij was ~ gevallen* he nearly fell; *hij zei ~ niets toen hij wegging* he said hardly anything when he left; *~ niet* hardly; *~ nooit* scarcely ever

zich **haasten** hurry; [inf] hurry up: *we hoeven ons niet te ~* there's no need to hurry; *haast je maar niet!* don't hurry!, take your time!

haastig hasty, rash: *niet zo ~!* (take it) easy!

het **haastwerk 1** [in haast gedaan] hasty (of: rushed) work **2** [waar haast bij is] urgent (of: pressing) work

de **haat** hatred, hate: *blinde ~* blind hate; *~ zaaien* stir up (of: sow) hatred

haatdragend resentful, rancorous, spiteful

de **haat-liefdeverhouding** love-hate relationship

de **habbekrats** [inf]: *voor een ~* for a song

het **habijt** habit

de **habitat** [biol] habitat

het/de **hachee** stew, hash

hachelijk precarious

het **hachje** skin: *zijn ~ redden* save one's skin; *alleen aan zijn eigen ~ denken* only think of one's own safety

hacken hack

de **hacker** hacker

de **hadj** hadj

de **hadji** hadji

de **hagedis** lizard

de **hagel** 1 hail 2 [munitie] (lead, ball) shot

de **hagelbui** hailstorm

hagelen hail: *het hagelt* it hails, it is hailing

de **hagelslag** [chocolade] chocolate strands

de **hagelsteen** hailstone

hagelwit (as) white as snow: *~te tanden* pearly-white teeth

de **haiku** haiku

de **hairextension** (hair) extension

Haïti Haiti

de **Haïtiaan** Haitian

Haïtiaans Haitian

de **hak** 1 heel: *schoenen met hoge* (of: *lage*) *~ken* high-heeled (of: flat-heeled) shoes; *met de ~ken over de sloot slagen* pass by the skin of one's teeth 2 [slag met een bijl] cut ‖ *van de ~ op de tak springen* skip from one subject to another; *iem. een ~ zetten* play s.o. a nasty trick, do s.o. a bad turn

de **hakbijl** hatchet, chopper

het **hakblok** chopping block, butcher's block

¹**haken** (onov ww) catch: *hij bleef met zijn jas aan een spijker ~* he caught his coat on a nail

²**haken** (ov ww) [m.b.t. handwerken] crochet

het **hakenkruis** swastika

hakkelen stammer (out), stumble (over one's words)

¹**hakken** (onov ww) hack (at) ‖ *dat hakt erin* a) [kost veel geld] that costs a packet, that's a nasty blow to our budget; b) [komt hard aan] that's a big blow

²**hakken** (ov ww) 1 chop (up): *in stukjes ~* cut (of: chop) (up) 2 [afhakken] cut (off, away) 3 [uithakken] cut (out)

het **hakmes** 1 chopper, machete 2 [keukengereedschap] chopping knife

de **hal** (entrance) hall: *in de ~ van het hotel* in the hotel lobby (of: lounge, foyer)

halal halal

halen 1 pull; drag [over de grond]: *ervan alles bij ~* drag in everything (but the kitchen sink); *ik kan er mijn kosten niet uit ~* it doesn't cover my expenses; *eruit ~ wat erin zit* get the most out of sth.; *overhoop ~* turn upside down; *waar haal ik het geld vandaan?* where shall I find the money?; *zijn zakdoek uit zijn zak ~* pull out one's handkerchief; *iem. uit zijn concentratie ~* break s.o.'s concentration; *geld van de bank ~* (with)draw money from the bank 2 [ergens vandaan halen] fetch, get: *de post ~* collect the mail; *ik zal het gaan ~* I'll go and get it; *ik zal je morgen komen ~* I'll come

for you tomorrow; *iem. van de trein ~* meet s.o. at the station; *twee ~ een betalen* two for the price of one 3 [ontbieden] fetch, go for: *de dokter ~* go for the doctor; *iem. (iets) later ~* send for s.o. (sth.) 4 [bemachtigen] get; take [een graad]; pass [een examen]: *goede cijfers ~* get good marks 5 [erin slagen te bereiken] reach; catch [trein enz.]; get [hoge noten]; [het halen] make; [bij iets, iem.] compare; [overleven] pull through: *hij heeft de finish niet gehaald* he did not make it to the finish; *daar haalt niets (het) bij* nothing can touch (of: beat) it ‖ *je haalt twee zaken door elkaar* you are mixing up two things

het ¹**half** (zn) half: *twee halven maken een heel* two halves make a whole

²**half** (bn) 1 half: *voor ~ geld* (at) half price; *vier en een halve mijl* four and a half miles; *de halve stad spreekt ervan* half the town is talking about it 2 [halfweg, halverwege] halfway up/down (of: along, through): *ik ga ~ april* I'm going in mid-April; *er is een bus telkens om vier minuten vóór ~* there is a bus every four minutes to the half-hour; *het is ~ elf* a) it is half past ten; b) [inf] it is half ten

³**half** (bw) [voor de helft] half, halfway: *een glas ~ vol schenken* pour half a glass; *met het raam ~ dicht* with the window halfway down (of: open)

halfbakken half-baked: *hij deed alles maar ~* he did everything in a half-baked way (of: by halves)

halfbewolkt rather cloudy, with some clouds

de **halfbloed** half-breed, half-blood

de **halfbroer** half-brother

het **halfdonker** semidarkness, half-dark(ness)

halfdood half-dead

de **halfedelsteen** semiprecious stone

het **halffabricaat** semimanufacture

halfgaar 1 half-done 2 [getikt] half-witted

de **halfgeleider** [comp] semiconductor

de **halfgod** demigod

halfhartig half-hearted

het **halfjaar** six months, half a year

halfjaarlijks half-yearly, biannual: *te betalen in ~e termijnen* payable in biannual instalments, payable every six months

het **halfpension** half board

het **halfrond** hemisphere

halfslachtig half-hearted, half: *~e maatregelen* half(way) measures

halfstok half-mast

het **halfuur** half (an) hour

halfvol 1 half-full: *bij hem is het glas altijd ~* for him the glass is always half-full 2 [met minder vet] low-fat, half-fat

de **halfwaardetijd** half-life

halfweg halfway: *~ Utrecht en Amersfoort heeft hij een huis gekocht* he has bought a house halfway between Utrecht and Amers foort ‖ *ik kwam hem ~ tegen* I met him half-way

halfzacht 1 soft-boiled **2** [dwaas] soft-headed, soft (in the head)

de **halfzuster** half-sister

halleluja alleluia, halleluja(h)

hallo hello, hallo, hullo

de **hallucinatie** hallucination

hallucineren hallucinate, hear things, see things

de **halm** stalk; [van gras ook] blade

de **halo** halo; [rond de maan] corona

het **halogeen** halogen

de **halogeenlamp** halogen lamp

de **hals 1** neck: *de ~ van een gitaar* the neck of a guitar; *iem. om de ~ vallen* throw one's arms round s.o.'s neck; *een japon met laag uitgesneden ~* a low-necked dress **2** [keel] throat **3** [nek] nape ‖ *hij heeft het zichzelf op de ~ gehaald* he has brought it on himself

de **halsband 1** [m.b.t. dieren] collar **2** [sieraad] necklace

halsbrekend daredevil

de **halsdoek** scarf

de **halsketting 1** [sieraad] necklace **2** [m.b.t. vee] collar

de **halsmisdaad** capital crime (of: offence)

halsoverkop in a hurry (of: rush); head-long [vallen]; head over heels [vallen]: *~ over kop verliefd worden* fall head over heels in love; *~ naar het ziekenhuis gebracht worden* be rushed to hospital; *~ de trap af komen* come tumbling downstairs

halsreikend eagerly: *~ naar iets uitzien* look forward eagerly to sth.

de **halsslagader** carotid (artery)

halsstarrig obstinate, stubborn

het/de **halster** halter

het **¹halt** (zn) stop: *iem. een ~ toeroepen* stop s.o.; *~ houden* halt

²halt (tw) halt!, stop!, wait!

de **halte** stop

de **halter** [kort] dumb-bell; [lang] bar bell

de **halvarine** low-fat margarine

de **halvemaan 1** half-moon **2** [sikkelvormig teken] crescent

halveren 1 divide into halves **2** halve

halverwege halfway, halfway through ‖ *~ blijven steken in een boek* get stuck halfway through a book

de **ham** ham: *een broodje ~* a ham roll

de **hamam** hammam

de **hamburger** hamburger, beefburger: *~ met kaas* cheeseburger

de **hamer** hammer

hameren hammer: *er bij iem. op blijven ~* keep on at s.o. about sth.

de **hamster** hamster

de **hamsteraar** hoarder

hamsteren hoard (up)

de **hamstring** hamstring

de **hamvraag** key question

de **hand** hand: *blote ~en* bare hands; *in goede* (of: *verkeerde*) *~en vallen* fall into the right (of: wrong) hands; *iem. de helpende ~ bieden* lend s.o. a (helping) hand; *de laatste ~ aan iets leggen* put the finishing touches to sth.; *niet met lege ~en komen* not come empty-handed; *iem. (de) ~en vol werk geven* give s.o. no end of work (of: trouble); *de ~en vol hebben aan iem. (iets)* have one's hands full with s.o. (sth.); *dat kost ~en vol geld* that costs lots of money; *iem. de ~ drukken* (of: *geven, schudden*) shake hands with s.o., give s.o. one's hand; *iemands ~ lezen* read s.o.'s palm; *de ~ ophouden* [fig] hold out one's hand for a tip; beg; *zijn ~en uit de mouwen steken* [fig] roll up one's sleeves, get down to it; *hij kan zijn ~en niet thuishouden* he can't keep his hands to himself; *zijn ~ uitsteken* [in het verkeer] indicate; *~en omhoog!* (of *ik schiet*) hands up! (or I'll shoot); *~en thuis!* hands off!; *niks aan de ~!* there's nothing the matter; *wat geld achter de ~ houden* keep some money for a rainy day; *in de ~en klappen* clap one's hands; [fig] *iets in de ~ hebben* have sth. under control; *de macht in ~en hebben* have power, be in control; *in ~en vallen van de politie* fall into the hands of the police; *met de ~ gemaakt* hand-made; *iets omhanden hebben* have sth. to do; *iem. onder ~en nemen* take s.o. in hand (of: to task); *uit de ~ lopen* get out of hand; *iem. het werk uit (de) ~en nemen* take work off s.o.'s hands; *iets van de ~ doen* sell sth., part with sth., dispose of sth.; *dat ligt voor de ~* that speaks for itself, is self-evident; *aan de winnende ~ zijn* be winning; *iem. op zijn ~ hebben* have s.o. on one's side ‖ *wat is er daar aan de ~?* what's going on there?; *er is iets aan de ~* there's sth. the matter (of: up)

de **handbagage** hand-luggage

het **handbal** handball

handballen play handball

het **handbereik** reach: *onder* (of: *binnen*) *~* within reach

de **handboei** handcuffs [meestal mv]

het **handboek 1** handbook **2** [naslagwerk] reference book

het **handbreed** hand('s-)breadth: *geen ~ wijken* not budge, give an inch

de **handdoek** towel

de **handdruk** handshake

de **handel 1** trade, business: *~ drijven* trade (with), do business (with); *binnenlandse ~* domestic trade; *zwarte ~* black market; *~ in verdovende middelen* drug trafficking **2** [goederen] merchandise, goods **3** [vaak in samenstellingen] business; [winkel] shop

de **handelaar** trader; [m.b.t. groothandel] merchant; dealer [in bepaald artikel]; [neg] trafficker

handelbaar [m.b.t. personen, dieren]

manageable, docile
handelen 1 trade, do business, transact business; [neg] traffic: *hij handelt in drugs* he traffics in drugs **2** [daad verrichten] act: *~d optreden* take action; *ik zal naar eer en geweten ~* I shall act in all conscience **3** (+ over) [behandelen] treat (of), deal (with)
de **handeling 1** act, deed **2** action, plot: *de plaats van ~* the scene (of the action)
handelingsbekwaam [jur] having capacity (*of:* competence) to act
het **handelsakkoord** trade agreement
het **handelsartikel** commodity; [mv ook] goods; [mv ook] merchandise
de **handelsbalans** balance of trade, trade balance
de **handelsbetrekkingen** trade relations, commercial relations
de **handelskamer 1** [coöperatieve vereniging] producers' cooperative **2** [handelsrechtbank] Commercial Court
de **handelskennis** knowledge of commerce (*of:* business); [als studievak] business studies
het **handelsmerk** trademark; [benaming] brand name
de **handelsmissie** trade mission (*of:* delegation)
de **handelsonderneming** commercial enterprise, business enterprise
de **handelsovereenkomst** trade agreement (*of:* pact)
de **handelspartner** business partner, trading partner
het **handelsrecht** commercial law
de **handelsrechtbank** [Belg] commercial court
het **handelsregister** company (*of:* commercial, trade) register
de **handelsreiziger** sales representative
het **handelstekort** trade deficit
het **handelsverdrag** commercial treaty
het **handelsverkeer** trade, business
de **handelswaar** commodity, article; [niet-telbaar] merchandise; [alleen mv] goods
de **handenarbeid** hand(i)craft, industrial art, manual training
de **hand-en-spandiensten**: *~ verrichten* lend a helping hand; aid and abet
handenwringend [fig] beside o.s. with despair
het **handgebaar** gesture
het **handgemeen** (hand-to-hand) fight
de **handgranaat** (hand) grenade
de **handgreep** handle; grip [van stuur]
¹handhaven (ov ww) **1** maintain; [kwaliteit ook] keep up; uphold [een traditie, de wet, een besluit]; enforce [een reglement, verbod]: *de orde ~* maintain (*of:* keep, preserve) order **2** [niet terugnemen] maintain, stand by: *zijn bezwaren ~* stand by one's objections
zich **²handhaven** (wdk ww) [zich staande houden] hold one's own
de **handhaving** maintenance; [in stand houden] upholding; enforcement [van een wet, verbod]
de **handicap** handicap: *speciale voorzieningen voor mensen met een ~* special facilities for the disabled
handig 1 skilful; [vaardig met de handen] dexterous; handy [m.b.t. een manusje-van-alles]: *een ~ formaat* a handy size; *~ in (met) iets zijn* be good (*of:* handy) at sth. **2** clever: *hij legde het ~ aan* he set about it cleverly
de **handigheid 1** skill **2** [foefje] knack
het **handje** hand(shake) ‖ *een ~ helpen* give (*of:* lend) a (helping) hand
de **handkar** handcart
de **handkus** kiss on the hand: *iem. een ~ geven* kiss s.o.'s hand
de **handlanger** accomplice
de **handleiding** manual, handbook; [gebruiksaanwijzing] directions (*of:* instructions) (for use)
handlezen palmistry, palm-reading
handmatig manual
de **handomdraai**: *in een ~* in (less than) no time
de **handoplegging** laying on of hands; [genezing ook] faith healing
de **hand-out** hand-out
de **handpalm** palm (of the hand)
de **handreiking** help(ing hand), assistance
de **handrem** handbrake
het **hands** hands, handling (the ball), handball *aangeschoten ~* unintentional hands
de **handschoen** glove: *een paar ~en* a pair of gloves; *iem. met fluwelen ~en aanpakken* handle s.o. with kid gloves
het **handschoenenkastje** glove compartment
het **handschrift 1** handwriting **2** [geschreven stuk] manuscript
handsfree handsfree
de **handstand** handstand
de **handtas** (hand)bag
handtastelijk free, (over)familiar: *~ worden* paw s.o.
de **handtekening** signature; autograph [van beroemdheden]
de **handtekeningenactie** petition
de **handvaardigheid** (handi)craft(s)
het **handvat** handle; [van zwaard, enz.] hilt; [van geweer] butt: *het ~ van een koffer* the handle of a suitcase
het **handvest** charter
de **handvol** handful
handwarm lukewarm
het **handwerk 1** handiwork: *dit tapijt is ~* this carpet is handmade **2** [borduur-, brei-, haakwerk] needlework; [borduurwerk ook] embroidery; [haakwerk] crochet(ing) **3** [handarbeid] manual work; [als beroep] trade

de **handwerksman** craftsman, artisan
handzaam handy
de **hanenkam 1** (cocks)comb **2** [kapsel] Mohawk haircut
de **hanenpoot 1** cock's foot **2** [onleesbaar schrift] scrawl
de **hang**: *de ~ naar vrijheid* the longing for freedom; *zij heeft een sterke ~ naar luxe* she has a strong craving for luxury
de **hangar** hangar
de **hangbrug** suspension bridge
de **hangbuik** pot-belly
het **hangbuikzwijn** potbellied pig
¹**hangen** (onov ww) **1** hang: *de zeilen ~ slap* the sails are slack, the sails are hanging (loose); *het schilderij hangt scheef* the painting is (hanging) crooked; *aan het plafond ~* hang (*of:* swing, be suspended) from the ceiling; *de hond liet zijn staart ~* the dog hung its tail **2** [slap hangen] sag: *het koord hangt slap* the rope is sagging (*of:* slack) **3** [overhellen] lean (over), hang (over); [m.b.t. lusteloze persoon] loll; [m.b.t. lusteloze persoon] slouch; hang around: *hij hing op zijn stoel* he lay sprawled in a chair, he lolled in his chair **4** [vast (blijven) zitten] stick (to), cling (to); [met kleding] be (*of:* get) stuck (in): [fig] *blijven ~* linger (*of:* stay, hang) (on); [onvrijwillig] get hung up (*of:* stuck); [fig] *ze ~ erg aan elkaar* they are devoted to (*of:* wrapped up in) each other ‖ *de wolken ~ laag* the clouds are (hanging) low; *de bloemen zijn gaan ~* the flowers are wilting
²**hangen** (ov ww) **1** [bevestigen] hang (up): *de was buiten ~* hang out the washing (to dry); *zijn jas aan de kapstok ~* hang (up) one's coat on the peg **2** [m.b.t. personen, ophangen] hang
hangend hanging; [slap] drooping
het **hang-en-sluitwerk** fastenings, hinges and locks
de **hanger 1** (clothes) hanger, coat-hanger **2** [aan halssnoer] pendant, pendent; [aan oren] pendant earring, drop earring
hangerig listless
het **hangijzer** pot-hook: *een heet ~* a controversial issue, hot potato
de **hangjongere** loitering teen; [in winkelcentrum] mallrat
de **hangjongeren** ± mall rats
de **hangkast** wardrobe
de **hanglamp** hanging lamp
de **hangmap** suspension file
de **hangmat** hammock
de **hangplant** hanging plant
de **hangplek** hangout
het **hangslot** padlock
hannesen [inf] mess about (*of:* around)
de **hansworst** buffoon, clown
hanteerbaar manageable
hanteren 1 handle, operate, employ;

[form] wield [bijv. pen, wapen]: *de botte bijl ~* take heavy-handed, crude measures; *moeilijk te ~* unwieldy, difficult (*of:* awkward) to handle, unmanageable **2** [beheersen, besturen] manage, manoeuvre
de **Hanzestad** Hanseatic town
de **hap 1** bite; [met snavel] peck: *in één ~ was het op* it was gone in one (*of:* in a single) bite **2** [afgehapt stuk] bite, mouthful: *een ~ nemen* take a bite (*of:* mouthful)
haperen 1 stick, get stuck: *de conversatie haperde* the conversation flagged **2** [mankeren] have sth. wrong (*of:* the matter) with o.s.
het **hapje 1** bite, mouthful: *wil je ook een ~ mee-eten?* would you like to join us (for a bite, meal)? **2** [bijgerecht] snack, bite to eat, hors d'oeuvre, appetizer: *voor (lekkere) ~s zorgen* serve refreshments
hapklaar ready-to-eat
happen 1 bite (at), snap (at): *naar lucht ~* gasp for air **2** [gretige beet doen] bite (into), take a bite (out of)
de **happening** happening
happig (+ op) keen (on), eager (for)
het **happy end** happy ending
het **harakiri** hara-kiri
haram haram
¹**hard** (bn) **1** hard; [vast, stevig ook] firm; [dicht, solide] solid: *~e bewijzen* firm proof, hard evidence; *~ worden* harden, become hard; [m.b.t. cement, lijm enz.] set **2** [niet meegevend] stiff, rigid: *~e schijf* hard disk **3** [hevig, krachtig] hard; [luid ook] loud: *~e muziek* loud music; *~e wind* strong (*of:* stiff) wind **4** [hardvochtig, ongevoelig] hard; [ruw, wreed ook] harsh: *een ~e politiek* a tough policy; *een ~ vonnis* a severe sentence **5** [onaangenaam m.b.t. de zintuigen] harsh; [m.b.t. kleuren ook] garish: *~e trekken* harsh features
²**hard** (bw) **1** hard: *~ lachen* laugh heartily; *een band ~ oppompen* pump a tyre up hard; *hij ging er nogal ~ tegenaan* he went at it rather hard; *zijn rust ~ nodig hebben* be badly in need of a rest; *dit onderdeel is ~ aan vervanging toe* this part is in urgent need of replacement **2** [luid] loudly: *niet zo ~ praten!* keep your voice down!; *de tv ~er zetten* turn up the TV **3** [snel] fast, quickly: *~ achteruitgaan* deteriorate rapidly (*of:* fast); *te ~ rijden* drive (*of:* ride) too fast, speed **4** [meedogenloos] hard, harshly: *iem. ~ aanpakken* be hard on s.o.
het **hardboard** hardboard
de **hardcore** hardcore
de **harddisk** hard disk
de **harddiskrecorder** hard disk recorder
¹**harden** (onov ww) harden, become hard; [m.b.t. vloeistoffen] dry; [m.b.t. cement, gelatine enz.] set

²**harden** (ov ww) **1** [hardmaken] harden, temper **2** [m.b.t. het lichaam] toughen (up): *hij is gehard door weer en wind* he has been hardened (*of:* seasoned) by wind and weather **3** [uithouden] bear, stand; [inf] take; stick: *deze hitte is niet te ~* this heat is unbearable

hardgekookt hard-boiled

hardhandig hard-handed, rough; [onnodig hard, wreed] heavy-handed: *~ optreden* take hard-handed (*of:* harsh, drastic) action, use strong-arm tactics

de **hardheid** hardness; toughness [ook fig]; harshness

hardhorend hard of hearing: *~ zijn* be hard of hearing

het **hardhout** hardwood

hardleers 1 dense, slow, thick(-skulled) **2** [eigenwijs] headstrong, stubborn

de **hardliner** hard liner

hardlopen run, race, run a race

de **hardloper** runner [ook paard]

hardmaken prove: *kun je dat ook ~?* have you got any proof for that?, can you prove that (with figures)?

hardnekkig stubborn, obstinate; [m.b.t. regen, pijn, pogingen] persistent: *een ~ gerucht* a persistent rumour

de **hardnekkigheid** obstinacy, stubbornness

hardop aloud, out loud: *~ denken* (of: *lachen*) think/laugh aloud (*of:* out loud); *iets ~ zeggen* say sth. out loud

hardrijden [sport] race; [schaatsen] speedskate

de **hardrijder** racer; [schaatser] speedskater; [wielrenner] racing cyclist

hardvochtig hard(-hearted); [ruw, gevoelloos] unfeeling

de **hardware** hardware

de **harem** harem

harentwil: *om ~* for her sake

harig hairy; [bontachtig] furry

de **haring 1** herring; kipper [gedroogde, gerookte (zoute) haring]: *een school ~en* a shoal of herring; *nieuwe* (of: *zure*) *~* new (*of:* pickled) herring; *als ~(en) in een ton* (packed) like sardines **2** [m.b.t. tenten] tent peg, tent stake

de **hark** rake

harken rake (up, together)

de **harlekijn 1** harlequin **2** [pop] jumping jack **3** [grappenmaker] clown

de **harmonica 1** accordion **2** [mondharmonica] harmonica, mouth-organ

de **harmonicawand** folding partition

de **harmonie 1** harmony, concord, agreement: *in* (of: *niet in*) *~ zijn met* be in (of: out of) harmony with **2** [muziekvereniging] (brass)band

harmonieus harmonious, melodious

harmonisch 1 harmonic: *een ~ geheel vormen* blend (in), go well (together) **2** [kalm] harmonious

harmoniseren harmonize: *de belastingen in Europa ~* harmonize taxes within Europe

het **harnas** (suit of) armour: *in het ~ sterven* die in harness; *iem. tegen zich in het ~ jagen* put s.o.'s back up

de **harp** harp

de **harpist** harpist, harp player

de **harpoen** harpoon

harpoeneren harpoon

het/de **hars** resin; [viooIhars] rosin

de **harses** [inf] nut, conk, skull: *hou je ~!* shut your trap!

het **hart 1** heart: *uit de grond van zijn ~* from the bottom of one's heart; *hij is een jager in ~ en nieren* he is a hunter in heart and soul; *met ~ en ziel* with all one's heart; *met een gerust ~* with an easy mind; *een zwak ~ hebben* have weak heart; *iemands ~ breken* break s.o.'s heart; *het ~ op de juiste plaats hebben* have one's heart in the right place; *ik hield mijn ~ vast* my heart missed a beat; *je kunt je ~ ophalen* you can enjoy it to your heart's content; *zijn ~ uitstorten* pour out (of: unburden, open) one's heart (to s.o.); *(diep) in zijn hield hij nog steeds van haar* in his heart (of hearts) he still loved her; *waar het ~ van vol i loopt de mond van over* what the heart think the tongue speaks **2** [moed] heart, nerve: *heb het ~ eens!* don't you dare!, just you try it!; *het ~ zonk hem in de schoenen* he lost heart **3** [midden, kern] heart, centre ‖ *iets niet over zijn ~ kunnen verkrijgen* not find it i one's heart to do sth.; *van ~e gefeliciteerd m* warmest congratulations

de **hartaanval** heart attack

de **hartchirurgie** cardiac (*of:* heart) surgery

¹**hartelijk** (bn) **1** hearty, warm: *~ dank voo ... many thanks for ...; ~e groeten aan je vrouw* kind regards to your wife **2** [m.b.t. personen] warm-hearted, open-hearted, cordial: *~ tegen iem. zijn* be friendly toward s.o.

²**hartelijk** (bw) heartily, warmly: *~ bedank voor ...* thank you very much for ...; *~ gefel citeerd* sincere congratulations

de **hartelijkheid 1** cordiality, warm-hearted ness, open-heartedness **2** [behandeling] co diality, hospitality

de **harten** hearts: *hartenboer* jack (of: knave of hearts

de **hartenlust**: *naar ~* to one's heart's conte

de **hart- en vaatziekten** cardiovascular diseases

de **hartenwens** heart's desire, fondest wish

hartgrondig wholehearted, hearty

hartig 1 tasty; [goed gekruid] well-seasoned; [stevig] hearty **2** [zout] salt(y)

het **hartinfarct** coronary (thrombosis)

het **hartje 1** (little) heart: *hij heeft een grote mond, maar een klein ~* he's not all what he

de **hartkamer** [med] ventricle (of the heart)

de **hartklacht** heart complaint (*of:* condition)

de **hartklep** heart valve, valve (of the heart)

de **hartklopping** palpitation (of the heart)

de **hartkwaal** heart condition

de **hartpatiënt** cardiac patient

de **hartritmestoornis** cardiac arrhythmia

de **hartslag** heartbeat, pulse; [snelheid] heart rate

hartstikke awfully, terribly; [helemaal] completely: ~ *gek* stark staring mad; crazy; ~ *goed* fantastic, terrific, smashing; ~ *bedankt!* thanks awfully (*of:* ever so much)

de **hartstilstand** cardiac arrest

de **hartstocht** passion; emotion [vnl. mv]

¹**hartstochtelijk** (bn) **1** passionate, emotional; [snel opgewonden] excitable **2** passionate, ardent, fervent: *hij is een ~ skiër* he is an ardent skier

²**hartstochtelijk** (bw) passionately, ardently

de **hartstreek** heart (*of:* cardiac) region

de **hartverlamming** heart failure

hartverscheurend heartbreaking, heartrending

hartverwarmend heart-warming

de **hashtag** [comm] hashtag

de **hasj** hash

de **haspel** reel; [spoel] spool

hatelijk nasty, spiteful; snide [vnl. m.b.t. opmerkingen]

de **hatelijkheid** nasty remark, snide remark, gibe, (nasty) crack

de **hatemail** hatemail

haten hate

hatsjie atishoo

de **hattrick** [sport] hat trick: *een zuivere ~ scoren* score a pure hat trick

hautain haughty, arrogant

de **have**: *levende ~* livestock; ~ *en goed verliezen* lose everything

haveloos 1 shabby, scruffy; [m.b.t. meubels, auto enz. ook] delapidated: *wat ziet hij er ~ uit* how scruffy he looks **2** [berooid, arm] shabby, beggarly; [van mens] down-and-out

de **haven** harbour; [grote haven ook] port; [fig; toevluchtsoord] (safe) haven: [fig] *een veilige ~ vinden* find refuge; *een ~ binnenlopen (aandoen)* put into a port

de **havenarbeider** dockworker

het **havenhoofd** mole, jetty

de **havenmeester** harbour master; [Am] port warden

de **havenstad** port; seaport (town) [aan zee]

de **haver** oat; [als voedsel] oats

de **haverklap**: *om de ~* **a)** [ieder ogenblik] every other minute, continually; **b)** [bij de geringste aanleiding] at the drop of a hat

de **havermout 1** rolled oats, oatmeal **2** [pap] (oatmeal) porridge

de **havik 1** goshawk **2** [pol] hawk

de **haviksneus** hooked nose

de **havo** afk van *hoger algemeen voortgezet onderwijs* school for higher general secondary education

de **hazelaar** hazel

de **hazelnoot 1** [struik] hazel **2** [noot] hazelnut

de **hazelip** harelip

het **hazenpad**: *het ~ kiezen* take to one's heels

de **hazenpeper** ± jugged hare

het **hazenslaapje** power nap

de **hazewind** greyhound

het/de **hbo** afk van *hoger beroepsonderwijs* (school for) higher vocational education

hé hey!, hello!; [verbazing] oh (really)?

hè [onprettig] oh (dear); [prettig] ah: *hè, dat doet zeer!* oh (*of:* ouch), that hurts!; *hè, blij dat ik zit!* phew, glad I can take the weight off my feet! || *lekker weertje, hè?* nice day, isn't it?

headbangen headbanging

de **headhunter** headhunter

de **headset** headset

het/de **heao** afk van *hoger economisch en administratief onderwijs* school (institute) for business administration and economics

heavy [inf] heavy

het **hebbeding** thingummy, gadget

de **hebbelijkheid** habit: *de ~ hebben om* have the (nasty (*of:* annoying)) habit of ...

¹**hebben** (ov ww) **1** have (got), own: *geduld ~* be patient; *iets moeten ~* need sth.; *iets bij zich ~* be carrying sth., have sth. with (*of:* on) one **2** [krijgen] have: *die pantoffels heb ik van mijn vrouw* I got those slippers from my wife; *van wie heb je dat?* who told (*of:* gave) you that? **3** (+ aan) [nut ondervinden van] be of use (to): *je weet niet wat je aan hem hebt* you never know where you are with him || *verdriet ~* be sad; *wat heb je?* what's the matter (*of:* wrong) with you?; *wat heb je toch?* what's come over you?; *het koud (*of:* warm) ~* be cold (*of:* hot); *hij heeft iets tegen mij* he has a grudge against me; *ik heb nooit Spaans gehad* I've never learned Spanish; *ik moet er niets van ~* I want nothing to do with it; *dat heb je ervan* that's what you get; *daar heb je het al* I told you so; *zo wil ik het ~* that's how I want it; *iets gedaan willen ~* want (to see) sth. done; *ik weet niet waar je het over hebt* I don't know what you're talking about; *daar heb ik het straks nog over* I'll come (back) to that later on (*of:* in a moment); *nu we het daar toch over ~* now that you mention it ...

²**hebben** (hww) [met voltooide tijd bij werkwoord] have: *had ik dat maar geweten* if (only) I had known (that); *had dat maar gezegd* if only you'd told me (that); *ik heb met*

Marco B. op school gezeten I was at school with Marco B.
hebberig greedy
hebbes [iem.] got you; gotcha!; [iets] got it
het **¹Hebreeuws** (zn) Hebrew
²Hebreeuws (bn) Hebrew
de **Hebriden** Hebrides
de **hebzucht** greed: *uit ~* out of greed
hebzuchtig greedy, avaricious
hecht solid; [fig] strong; tight; [saamhorig] tightly-knit; close(ly)-knit: *een ~e vriendschap* a close friendship
¹hechten (onov ww) **1** [kleven] adhere, stick **2** [waarde toekennen aan] be attached (to), devoted (to), adhere (to): *ik hecht niet aan deze dure auto* I'm not very attached to this expensive car
²hechten (ov ww) **1** stitch, suture: *een wond ~* sew up, stitch a wound **2** [vastmaken] attach, fasten, (af)fix: *een prijskaartje aan iets ~* put a price tag on sth. **3** attach: *waarde* (of: *belang*) *aan iets ~* attach value (of: importance) to sth.
zich **³hechten** (wdk ww) (+ aan) become attached to, cling to: *hij hecht zich gemakkelijk aan mensen* he gets attached to people easily
de **hechtenis 1** custody, detention **2** [als straf] imprisonment, prison
de **hechting** stitches, suture(s): *de ~en verwijderen* take out the stitches
de **hechtpleister** adhesive plaster
de **hectare** hectare
hectisch hectic
het **hectogram** hectogram
de **hectoliter** hectolitre
de **hectometer** hectometre
het **¹heden** (zn) present (day)
²heden (bw) [form] today, now(adays), at present: *tot op ~* up to (of: till/until) now; *vanaf ~, met ingang van ~* as from today
hedendaags contemporary, present-day: *woordenboeken voor ~ taalgebruik* dictionaries of current usage
het **hedonisme** hedonism
¹heel (bn) **1** intact: *het ei was nog ~* the egg was unbroken **2** [volledig] whole, entire, all: *~ Engeland* all England; *een ~ jaar* a whole year **3** [groot] quite a, quite some: *het is een ~ eind (weg)* it's a good way (off); *een hele tijd* quite some time
²heel (bw) **1** [zeer] very (much), really: *dat is ~ gewoon* that's quite normal; *een ~ klein beetje* a tiny bit; *dat kostte ~ wat moeite* that took a great deal of effort; *je weet het ~ goed!* you know perfectly well!; *~ vaak* very often (of: frequently) **2** [helemaal] completely, entirely, wholly: *dat is iets ~ anders* that's a different matter altogether
het **heelal** universe
heelhuids unharmed, unscathed, whole: *~ terugkomen* return safe and sound

de **heelmeester** surgeon: *zachte ~s maken stinkende wonden* ± desperate diseases need desperate remedies
het **heemraadschap 1** [college] polder (of: dike) board **2** [gebied] polder (district)
heen 1 gone, away: *~ en weer lopen* walk/pace up and down (of: back and forth) **2** [naartoe] on the way there, out ‖ *je kunt daar niet ~* you cannot go there; *langs elkaar ~ praten* talk at cross purposes; *je kunt niet om hem ~* you can't ignore him
het **¹heengaan** (zn) **1** [dood] passing away **2** [vertrek] departure
²heengaan (onov ww) **1** [vertrekken] depart, leave **2** [sterven] pass away
het **heenkomen**: *een goed ~ zoeken* seek safety in flight
de **heenreis** way there, outward journey, journey out
de **heenwedstrijd** [Belg] first game (of: match)
de **heenweg** way there, way out
de **heer 1** man **2** [als beleefdheidstitel] Mr [gevolgd door naam]; Sir [zonder naam]; [mv] gentlemen: *(mijne) dames en heren!* ladies and gentlemen! **3** gentleman: *een echte ~* a real gentleman **4** [God] Lord: *als de Heer het wil* God (of: the Lord) willing **5** [meester] lord, master: *mijn oude ~* my old man **6** [kaartsp] king
heerlijk 1 [lekker] delicious, gorgeous **2** [aangenaam] delightful, lovely, wonderful, splendid: *het is een ~ gevoel* it feels great
de **heerschappij** dominion, mastery, rule
heersen 1 rule (over); [m.b.t. vorst(in)] reign **2** [de overhand hebben] dominate **3** [voorkomen, aangetroffen worden] be, be prevalent: *er heerst griep* there's a lot of flu about
heersend ruling, prevailing: *de ~e klassen* the ruling class(es); *de ~e mode* the current fashion
de **heerser** ruler
heerszuchtig imperious, domineering
hees hoarse: *een hese keel* a sore throat
de **heesheid** hoarseness; [minder sterk] huskiness
de **heester** shrub
heet 1 hot: *een hete adem* a fiery breath [ook fig]; *in het ~st van de strijd* in the thick (of: heat) of the battle **2** [fig] hot; heated [discussie]; fiery [drift] **3** [scherp gekruid] hot, spicy: *hete kost* spicy food **4** [inf] hot, horny
heetgebakerd hot-tempered, quick-tempered
de **heethoofd** hot-head, hot-heated person
de **hefboom** lever
de **hefbrug 1** (vertical) lift bridge **2** [voor auto's] (hydraulic) lift
heffen 1 lift, raise: *het glas ~* raise one's

glass (to), drink (to) **2** [van belasting enz.] levy, impose: *belasting* ~ levy taxes (on s.o.)

de **heffing** levy, charge

het **heft** handle; haft [van gereedschap]; hilt [van zwaard]: *het* ~ *in handen hebben* be in control, command

heftig violent; [aanval ook] fierce; [driftig] furious; intense [gevoelens]; severe [pijn, ziekte]; heated [ruzie, debat]: ~ *protesteren* protest vigorously

de **heftruck** fork-lift truck

de **heg** hedge

de **heggenschaar** garden shears, hedge trimmer

de **hei 1** heath(land) **2** [plantk] heather

de **heibel** row, racket

de **heide** heath

de **heidedag** policy day

de **heiden** heathen, pagan

heidens 1 heathen, pagan **2** [enorm] atrocious, abominable; infernal [lawaai]; rotten [karwei]

heien drive (piles)

heiig hazy

het **heil** good: *ik zie er geen* ~ *in* I do not see the point of it || *het Leger des Heils* the Salvation Army

de **Heiland** [Messias] Saviour

de **heilbot** halibut

heilig holy, sacred: *iem.* ~ *verklaren* canonize s.o.; ~*e koe* sacred cow || *hem is niets* ~ nothing is sacred to him

het **heiligdom** sanctuary

de **heilige** saint

het **heiligenbeeld** image of a saint, holy figure

de **heiligschennis** sacrilege, desecration

heilloos fatal, disastrous

heilzaam 1 curative, healing; [gezond] wholesome; [gezond] healthful **2** [gunstig] salutary, beneficial: *een heilzame werking* (of: *invloed*) *hebben* have a beneficial effect (of: influence)

heimelijk secret; [van bijeenkomst] clandestine; [van blik, beweging ook] surreptitious; sneaking [vermoeden, verlangen]

het **heimwee** homesickness: *ik kreeg* ~ *(naar)* I became homesick (for)

Hein: *Magere* ~ the Grim Reaper

heinde: *van* ~ *en verre* from far and near (of: wide)

de **heipaal** pile

het **hek 1** fence; barrier [versperring] **2** [poort] gate; [klein hekje] wicket(-gate)

de **hekel** hackle || *een* ~ *aan iem. (iets) hebben* hate s.o. (sth.)

hekelen criticize, denounce

het **hekje 1** small gate (of: door) **2** [comp, telec] number sign

de **hekkensluiter** last comer: *hij* (of: *is*) *de* ~ *op de ranglijst* he is last on the list, he is at the bottom of the list

de **heks 1** witch **2** [feeks] shrew **3** [lelijke vrouw] hag

de **heksenjacht** witch-hunt

de **heksenketel** bedlam, pandemonium

de **heksenkring** fairy ring

de **heksentoer** tough job, complicated job

de **hekserij** sorcery, witchcraft

het **hekwerk** [raster(ing)] fencing; railings [van ijzer]

de **¹hel** (zn) hell

²hel (bn, bw) [fel] vivid, bright

helaas unfortunately: ~ *kunnen wij u niet helpen* I'm afraid (of: sorry) we can't help you

de **held** hero || *hij is geen* ~ *in rekenen* he is not much at figures

de **heldendaad** heroic deed (of: feat), act of heroism; [vaak ironisch] exploit

het **heldendicht** heroic poem, epic poem, epic

de **heldendood** heroic death: *de* ~ *sterven* die a hero, die a hero's death

de **heldenmoed** heroism: *met* ~ heroically, with heroism

de **heldenrol** hero's part (of: role)

helder 1 clear: *een* ~*e lach* a ringing laugh **2** [m.b.t. licht, kleur] clear, bright: ~ *wit* (of: *groen*) brilliant white, bright green **3** [duidelijk] clear, lucid || *zo* ~ *als kristal* (of: *glas*) as clear as crystal, crystal-clear

de **helderheid 1** clearness, clarity **2** [m.b.t. licht] brightness, vividness **3** [onbewolktheid] brightness **4** [duidelijkheid] clarity, lucidity

helderziend clairvoyant

de **helderziende** clairvoyant: *ik ben toch geen* ~ I'm not a mind-reader

de **helderziendheid** clairvoyance, second sight

heldhaftig heroic, valiant

de **heldin** heroine

de **heleboel** (quite) a lot, a whole lot: *een* ~ *mensen zouden het niet met je eens zijn* an awful lot of people wouldn't agree with you

helemaal 1 completely, entirely: *ik heb het* ~ *alleen gedaan* I did it all by myself; ~ *nat zijn* be wet through; *ben je nu* ~ *gek geworden?* are you completely out of your mind?; ~ *niets* nothing at all; *het kan mij* ~ *niets schelen* I couldn't care less; ~ *niet* absolutely not; *niet* ~ *juist* not quite correct; ~ *in het begin* right at the beginning (of: start) **2** [m.b.t. plaats] right; [m.b.t. afstand] all the way: ~ *bovenaan* right at the top; ~ *in het noorden* way up in the north

¹helen (onov ww) heal: *de wond heelt langzaam* the wound is healing slowly

²helen (ov ww) **1** [jur] receive **2** [med] heal: *de tijd heelt alle wonden* time cures all things; time is the great healer

de **heler** receiver; [fig] fence

de **helft** half: *ieder de* ~ *betalen* pay half each,

go halves, go Dutch; *meer dan de ~* more than half; *de ~ minder* half as much (*of:* many); *de ~ van tien is vijf* half of ten is five; *de tweede ~ van een wedstrijd* the second half of a match

de **helikopter** helicopter; [inf] chopper

de **heling** [m.b.t. gestolen goed] receiving

het **helium** helium

hellen slope, lean (over), slant: *de muur helt naar links* the wall is leaning

het **hellenisme** Hellenism

de **helleveeg** shrew, hellcat

de **helling 1** [talud] slope, incline; [van weg] ramp **2** [het overhellen] inclination

de **hell's angel** Hells Angel

de **helm** helmet; [sport, werk ook] hard hat

het **helmgras** marram (grass)

help: *lieve ~* oh, Lord/dear!, good heavens!, dear me!

de **helpdesk** help desk

helpen 1 help, aid: *kun je mij aan honderd euro ~?* can you let me have a hundred euros?; *help!* help! **2** [verzorgen] attend to [zieke, gewonde]: *welke specialist heeft u geholpen?* which specialist did you see? (*of:* have?); *u wordt morgen geholpen* [in ziekenhuis] you are having your operation tomorrow **3** [assisteren] help, assist: *iem. een handje ~* give (*of:* lend) s.o. a hand; *help me eraan denken, wil je?* remind me, will you? **4** [een dienst verlenen] help (out): *iem. aan een baan ~* get s.o. fixed up with a job **5** [in winkel e.d.] help, serve: *wordt u al geholpen?* are you being served? ‖ *kan ik 't ~ dat hij zich zo gedraagt?* is it my fault if he behaves like that?; *wat helpt het?* what good would it do?, what is the use?; *dat helpt tegen hoofdpijn* that's good for a headache

de **helper** helper, assistant

hels infernal: *een ~ karwei* a (*of:* the) devil of a job

hem him; [van dier of ding vnl.] it: *dit boek is van ~* this book is his; *vrienden van ~* friends of his ‖ *dat is het ~ nu juist* that's just it (*of:* the point)

het **hemd 1** vest; [Am] undershirt: *iem. het ~ van zijn lijf vragen* want to know everything (from s.o.); [lastig] pester s.o. (with questions); [fig] *iem. in zijn ~ zetten* make s.o. look a fool **2** [overhemd] shirt

de **hemdsmouw** shirt-sleeve: *in ~en* in one's shirt-sleeves

de **hemel** sky, heaven(s): *hij heeft er ~ en aarde om bewogen* he moved heaven and earth for it; *een heldere* (*of:* blauwe, bewolkte) *~ a* clear (*of:* blue, cloudy) sky; *Onze Vader die in de ~en zijt* Our Father who (*of:* which) art in heaven; *hij was in de zevende ~* he was in seventh heaven

het **hemellichaam** heavenly body, celestial body

hemels sublime, divine

hemelsblauw sky-blue

hemelsbreed 1 vast, enormous **2** [in rechte lijn gemeten] as the crow flies, in a straight line

hemeltergend outrageous

Hemelvaartsdag Ascension Day

de **hemofilie** haemophilia

de **¹hen** (zn) hen

²hen (pers vnw) them: *hij gaf ~* he gave it to them; *dit boek is van ~* this book is theirs; *vrienden van ~* friends of theirs

het/de **hendel** handle, lever

de **hengel** fishing rod

de **hengelaar** angler

hengelen angle, fish

het **hengsel 1** handle **2** [scharnier] hinge

de **hengst** stallion; [dekhengst] stud (horse)

de **hennep** hemp; [plant ook] cannabis

de **hens**: *alle ~ aan dek!* all hands on deck!

de **hepatitis** hepatitis

her hither, here

de **heraldiek** heraldry

het **herbarium** herbarium

herbebossen reafforest; [voornamelijk Am-Eng] reforest

herbenoemen reappoint

de **herberg** inn, tavern

herbergen accommodate, house; [vluchteling]: *de zaal kan 2000 mensen ~* the hall seats 2000 people

de **herbergier** innkeeper, publican, victualler

herbewapenen rearm, remilitarize

de **herbivoor** herbivore

herboren reborn, born again

de **herbouw** rebuilding, reconstruction

herbouwen rebuild, reconstruct

herdenken commemorate

de **herdenking** commemoration

de **herder 1** cowherd [koeien]; shepherd [schapen] **2** [geestelijke] pastor

de **herdershond** sheepdog; [Duitse herdershond] Alsatian; [Am] German shepherd (dog)

de **herdruk** (new) edition; [ongewijzigd] reprint

herdrukken reprint

de **heremiet** hermit

het **herenakkoord** gentleman's agreement

het **herendubbel** [sport] men's doubles

het **herenenkelspel** men's singles

de **herenfiets** men's bike (*of:* bicycle)

het **herenhuis** mansion, (imposing) town house, (desirable) residence

herenigen reunite; [land] reunify

de **hereniging** reunification, reunion

de **herenkapper** men's hairdresser's

de **herenkleding** menswear, men's clothes (*of:* clothing)

het **herexamen** re-examination, resit

de **herfst** autumn; [Am] fall: *in de ~* in (the)

autumn, in the fall

de **herfstkleur** autumn(al) colour; [Am] fall coulour

de **herfstvakantie** autumn half-term (holiday); [Am] fall break, mid-term break

het **hergebruik 1** reuse **2** recycling

hergebruiken reuse; recycle

hergroeperen regroup, re-form

herhaald repeated: *~e pogingen doen* make repeated attempts

herhaaldelijk repeatedly: *dat komt ~ voor* that happens time and again

¹**herhalen** (ov ww) repeat, redo; [m.b.t. leerstof] revise; [Am] review: *iets in het kort ~* summarize sth.

zich ²**herhalen** (wdk ww) repeat o.s.; recur [thema, gebeurtenis]

de **herhaling 1** recurrence, repetition; [m.b.t. tv-beelden] replay; [m.b.t. radio-, tv-programma] repeat; [m.b.t. radio-, tv-programma] rerun: *voor ~ vatbaar zijn* bear repetition (*of:* repeating) **2** [van handeling, woorden] repetition; [m.b.t. leerstof] revision; [Am] review: *in ~en vervallen* repeat o.s.

de **herhalingscursus** refresher course

het **herhalingsrecept** repeat prescription

het **herhalingsteken** [muz] repeat (mark)

herindelen regroup

de **herindeling** redivision, regrouping

¹**herinneren** (ov ww) remind, recall: *die geur herinnerde mij aan mijn jeugd* that smell reminded me of my youth; *herinner mij eraan dat ... remind me that ... (of:* to ...)

zich ²**herinneren** (wdk ww) remember, recall: *kun je je die ler nog ~?* do you remember that Irishman?; *als ik (het) me goed herinner* if I remember correctly (*of:* rightly); *zich iets vaag ~* have a vague recollection of sth.; *voor zover ik mij herinner* as far as I can remember

de **herinnering 1** recollection, remembrance: *iets in ~ brengen* recall sth.; *in ~ roepen* bring (*of:* call) to mind **2** [geheugen] memory: *iets in zijn ~ voor zich zien* see sth. before one **3** [bijgebleven indruk, beeld] memory, reminiscence: *ter ~ aan* in memory of **4** [zaak, voorwerp] souvenir, reminder ‖ *een tweede ~ van de bibliotheek* a second reminder from the library

herintreden return to work ‖ *een ~de vrouw* a (woman) returner

de **herkansing** [roeien] repêchage; [wielersp] extra heat

herkauwen ruminate

de **herkauwer** ruminant

herkenbaar recognizable: *een herkenbare situatie* a familiar situation

herkennen recognize, identify, spot: *ik herkende hem aan zijn manier van lopen* I recognized him by his walk; *iem. ~ als de dader* identify s.o. as the culprit

de **herkenning** recognition, identification

de **herkenningsmelodie** signature tune, theme song

het **herkenningsteken** distinguishing (*of:* identifying) mark

de **herkeuring** re-examination, reinspection

herkiesbaar eligible for re-election

herkiezen re-elect

de **herkomst** origin, source: *het land van ~* the country of origin

herleidbaar reducible (to): [wisk] *die breuk is niet ~* that fraction is irreducible

herleiden reduce (to), convert (into): *een breuk ~* reduce (to) a fraction

herleven revive: *~d fascisme* resurgent fascism

herlezen reread

de **hermafrodiet** hermaphrodite

de ¹**hermelijn** (zn) [dier] ermine

het ²**hermelijn** (zn) [bont] ermine

hermetisch hermetic: *~ gesloten* hermetically sealed

hernemen resume, regain

de **hernia** slipped disc

hernieuwen renew: *met hernieuwde kracht* with renewed strength

de **heroïne** heroin

heroïsch heroic

herontdekken rediscover

heropenen reopen [winkel, discussie]

de **heropvoeding** re-education

heroriënteren reorient(ate)

heroveren recapture; recover [gebied, stad]; retake [stad]; regain: *hij wilde zijn oude plaats ~* he wanted to regain his old seat (*of:* place)

de **herovering** recapture

heroverwegen reconsider, rethink

de **herpes** herpes

de **herrie 1** [lawaai] noise, din, racket: *maak niet zo'n ~* don't make such a racket **2** [drukte] bustle; [wanorde] commotion; turmoil; [koude drukte] fuss: *~ schoppen* make trouble

de **herriemaker** noisy person

de **herrieschopper** troublemaker

herrijzen rise again: *hij is als uit de dood herrezen* it is as if he has come back from the dead

de **herrijzenis** resurrection

herroepen revoke [besluit, wet, belofte]; repeal; retract [verklaring, belofte]; reverse

herscheppen transform, convert

herscholen retrain

herschrijven rewrite

de **hersenbloeding** cerebral haemorrhage

de **hersenen** brain

de **hersenhelft** (cerebral) hemisphere, half of the brain

het **herseninfarct** cerebral infarction

het **hersenletsel** brain damage

de **hersens 1** brain(s): *een goed stel ~ hebben*

have a good head on one's shoulders; *hoe haal je het in je ~!* have you gone off your rocker? **2** [schedel] skull: *iem. de ~ inslaan* beat s.o.'s brains out

de **hersenschim** chim(a)era: *~men najagen* run after (*of:* chase) a shadow

de **hersenschudding** concussion

de **hersenspoeling** brainwashing

de **hersenvliesontsteking** meningitis

herstarten start again, restart; [comp ook] reboot

het **herstel 1** [reparatie] repair, mending; rectification [fout]; correction [fout] **2** recovery [gezondheid, economie]; convalescence [gezondheid]; recuperation [gezondheid]: *het ~ van de economie* the recovery of the economy; *voor ~ van zijn gezondheid* to recuperate, to convalesce **3** [het weer instellen] restoration [monarchie, orde]
herstelbaar reparable

¹**herstellen** (onov ww) recover, recuperate: *snel* (*of: goed*) *~ van een ziekte* recover quickly (*of:* well) from an illness

²**herstellen** (ov ww) **1** repair, mend; [restaureren] restore **2** [m.b.t. wat verstoord is] restore [orde, monarchie]; re-establish [orde]: *de rust ~* restore quiet; *een gebruik in ere ~* re-establish a custom **3** [goedmaken] right; repair [onrecht, misstand]; rectify; correct [fout]: *een onrecht ~* right a wrong; *de heer Blaak, herstel: Braak* Mr Blaak, correction: Braak

de **herstelwerkzaamheden** repairs
herstructureren restructure, remodel, reorganize

de **herstructurering** restructuring, reorganization

het **hert** deer; [edelhert] red deer

de **hertenkamp** deer park, deer forest

de **hertog** duke

het **hertogdom** duchy, dukedom

de **hertogin** duchess
hertrouwen remarry, marry again
hervatten resume, continue, restart: *onderhandelingen ~* resume (*of:* reopen) negotiations; *het spel ~* resume (*of:* continue) the game; *het werk ~* return to work, go back to work

de **herverdeling** redistribution, reorganization, reshuffle

de **herverkaveling** reallocation (of land)
herverzekeren reinsure
hervormd 1 reformed **2** [rel] Reformed; Protestant [tegenover katholicisme]: *de ~e kerk* the Reformed Church
hervormen reform

de **hervormer** reformer

de **hervorming 1** reformation **2** [reorganisatie] reform
herwaarderen revalue [valuta]; [taxeren; fig] reassess

de **herwaardering** revaluation, reassessment
herwinnen recover, regain
herzien revise: *een nieuwe, ~e uitgave* a new, revised edition ‖ *een beslissing ~* reconsider a decision

de **herziening** revision, review: *een ~ van de grondwet* an amendment to the constitution

de **hes** smock, blouse

de **hesp** [Belg] ham

¹**het** (vnw) it: *ik denk* (of: *hoop*) *~* I think (of: hope) so; *wie is ~? ben jij ~? ja, ik ben ~* who is it? is that you? yes, it is me; *zij waren ~ die …* it were they who …; *als jij ~ zegt* if you say so; *het kind heeft honger; geef ~ een boterham* the child is hungry; give him (*of:* her) a sandwich; *de machine doet ~* the machine works; *hoe gaat ~? ~ gaat* how are you? I'm all right (*of.* O.K.); *wat geeft ~? wat zou ~?* what does it matter? who cares?; *~ regent* it is raining

²**het** (lidw) the: *in ~ zwart gekleed* dressed in black; [met nadruk] *Nederland is ~ land van de tulpen* Holland is the country for tulips; *die vind ik ~ leukst* that's the one I like best; *zij was er ~ eerst* she was there first

¹**heten** (onov ww) be called (*of:* named): *een jongen, David geheten* a boy by the name of David; *het boek heet …* the book is called …; *hoe heet dat?, hoe heet dat in het Arabisch?* what is that called?, what is that in Arabic? (*of:* the Arabic for that?)

²**heten** (ov ww) bid: *ik heet u welkom* I bid you welcome

de **heterdaad**: *iem. op ~ betrappen* catch s.o. in the act, catch s.o. red-handed

de ¹**hetero** hetero

²**hetero** (bn) hetero, straight
heterogeen heterogeneous

de ¹**heteroseksueel** (zn) heterosexual

²**heteroseksueel** (bn) heterosexual
hetgeen 1 that which, what: *ik blijf bij ~ ik gezegd heb* I stand by what I said **2** [als het terugslaat op een hele zin] which: *hij kon niet komen, ~ hij betreurde* he could not come, which he regretted

de **hetze** witch hunt: *een ~ voeren tegen* conduct a witch hunt (*of:* smear campaign) against
hetzelfde the same: *wie zou niet ~ doen?* who wouldn't (do the same)?; *het is (blijft) mij ~* it's all the same to me; *(van) ~* (the) same to you
hetzij either, whether: *~ warm of koud* either hot or cold
heuglijk happy, glad, joyful
heulen collaborate, be in league with

de **heup** hip

het **heupgewricht** hip joint
heupwiegen sway (*of:* wiggle) one's hips, waggle
heus real, true: *hij doet het ~ wel* he is sure t

do it; [scherts] *maar niet ~!* but not really!,
just kidding!

de **heuvel** hill; [klein] hillock; [opgeworpen
ook] mound
heuvelachtig hilly

de **heuvelrug 1** [bovenrand] ridge **2** [reeks
heuvels] range (of hills)

¹**hevig** (bn) **1** violent, intense: *~e angst* acute
terror; *een ~e brand* a raging fire; *een ~e
koorts* a raging fever; *~e pijnen* severe pains
2 [m.b.t. personen of uitingen] violent, vehement, fierce: *onder ~ protest* under strong
(*of:* vehement) protest; *~e uitvallen* violent
outbursts

²**hevig** (bw) violently, fiercely, intensely: *hij
was ~ verontwaardigd* he was highly indignant; *~ bloeden* bleed profusely; *zij snikte ~*
she cried her eyes out

de **hevigheid** violence, vehemence, intensity,
fierceness, acuteness

de **hiel** heel: *iem. op de ~en zitten* be (close) on
s.o.'s heels

de **hielenlikker** bootlick(er)

hier 1 here: *dit meisje ~* this girl; *ik ben ~
nieuw* I'm new here; *wie hebben we ~!* look
who's here!; *~ is het gebeurd* this is where it
happened; *~ is de krant* here's the newspaper; *~ staat dat …* it says here that …; *~ of
daar vinden wij wel wat* we'll find sth. somewhere or other; *het zit me tot ~* I've had it up
to here **2** this: *~ moet je het mee doen* you'll
have to make do with this

hieraan to this, at/on (*of:* by, from) this: *~
valt niet te twijfelen* there is no doubt about
this

hierachter behind this; [tijd] after this: *~
ligt een grote tuin* there is a large garden at
the back

de **hiërarchie** hierarchy
hiërarchisch hierarchic(al)
hierbeneden down here

hierbij at this, with this; [in brief] herewith;
hereby: *~ bericht ik u, dat …* I hereby inform
you that …; *~ komt nog dat hij …* in addition
(to this), he …

hierbinnen in here, inside

hierboven up here; [verwijzing in tekst]
above: *~ woont een drummer* a drummer lives
upstairs

hierbuiten outside

hierdoor 1 through here, through this, by
doing so: *~ wil hij ervoor zorgen dat …* by doing so he wants to ensure that … **2** [als gevolg van] because of this: *~ werd ik opgehouden* this held me up

hierheen (over) here, this way: *op de weg ~*
on the way here; *hij kwam helemaal ~ om …*
he came all this way …

hierin in here, within, in this

hierlangs past here, along here, by here

hiermee with this, by this: *in verband ~* in

this connection

hierna 1 after this **2** [plaats] below [verwij-
zing in tekst]

hiernaast [m.b.t. woning] next door; [an-
ders] alongside: *de illustratie op de bladzijde ~*
the illustration on the facing page; *~ hebben
ze twee auto's* the next-door neighbours have
two cars

het **hiernamaals** hereafter, next world,
(great) beyond

de **hiëroglief** hieroglyph; [mv ook] hiero-
glyphics

hierom 1 (a)round this: *dat ringetje moet ~*
that ring belongs around this **2** [om deze re-
den] because of this, for this reason: *~ blijf ik
thuis* this is why I'm staying at home

hieromheen (a)round this: *~ loopt een
gracht* there is a canal surrounding this [bijv.
bij wijzen op plattegrond]

hieronder 1 under here, underneath, below: *zoals ~ aangegeven* as stated below
2 [zich erbij bevindend] among these: *~ zijn
veel personen van naam* among them there
are many people of note ‖ *~ versta ik …* by
this I understand …

hierop 1 (up)on this: *het komt ~ neer* it
comes down to this **2** [hierna] after this,
then

hierover 1 over this **2** [aangaande] about
this, regarding this, on this

hiertegen against this

hiertegenover opposite; [gebouw ook]
across the street; over the way

hiertoe 1 (up to) here: *tot ~ so* far, up to
now **2** [tot een handeling] to this, for this:
wat heeft u ~ gebracht? what brought you to
do this?

hieruit 1 out of here: *van ~ vertrekken* depart from here **2** [als conclusie enz.] from
this: *~ volgt, dat …* it follows (from this) that
…

hiervan of this

hiervandaan from here, away

hiervoor 1 in front (of this); before this
[tijd; figuurlijk] **2** [wat betreft] of this: *~
hoeft u niet bang te zijn* you needn't be afraid
of this **3** [tot dit doel] for this purpose, to this
end **4** [in ruil voor] (in exchange, return) for
this

de **hifi-installatie** hi-fi (set)

de **high five** high five

het/de **highlight** highlight: *de ~s van de rondreis*
the highlights of the trip

hightech high-tech, hi-tech

hij he; [m.b.t. voorwerp] it: *iedereen is trots
op het werk dat ~ zelf doet* everyone is proud
of the work they do themselves; *~ is het* it's
him; *~ daar* him over there

hijgen pant, gasp

de **hijger** heavy breather: *ik had weer een ~
vandaag* I had another obscene phone-call

today
de **hijs** [oplawaai] whack
hijsen 1 hoist, lift: *de vlag (in top)* ~ hoist (*of:* run up) the flag **2** [met moeite] haul, heave
de **hijskraan** crane
de **hik** hiccup
hikken hiccup || *tegen iets aan* ~ shrink from sth.
de **hilariteit** hilarity, mirth
de **Himalaya** (the) Himalayas
de **hinde** hind, doe
de **hinder** nuisance, bother; [belemmering] hindrance; [belemmering] obstacle: *het verkeer ondervindt veel* ~ *van de sneeuw* traffic is severely disrupted by the snow
hinderen impede, hamper, obstruct: *zijn lange jas hinderde hem bij het lopen* his long coat got in his way as he walked
de **hinderlaag** ambush; [fig ook] trap: *de vijand in een* ~ *lokken* lure the enemy into an ambush
¹**hinderlijk** (bn) **1** annoying, irritating **2** [storend] objectionable, disturbing **3** [onbehaaglijk] unpleasant, disagreeable: *ik vind de warmte niet* ~ the heat does not bother me
²**hinderlijk** (bw) annoyingly, blatantly
de **hindernis** obstacle, barrier; [fig ook] hindrance; [fig ook] impediment
de **hindernisloop** steeplechase
de **hinderpaal** obstacle, impediment
de **Hinderwet** ± Nuisance Act
de **hindoe** Hindu
het **hindoeïsme** Hinduism
de **Hindoestaan** Hindu(stani)
hinkelen hop; [op hinkelbaan] play hopscotch
hinken 1 limp, have a limp, walk with a limp, hobble (along) **2** [hinkelen] hop
de **hink-stap-sprong** triple jump, hop, step and jump
hinniken neigh; whinny [ook m.b.t. lachen]
de **hint** hint, tip(-off): *(iem.) een* ~ *geven* drop (s.o.) a hint
de **hiphop** hip hop
de **hippie** hippie
de **historicus** historian
de **historie 1** history **2** [verhaal] story, anecdote **3** [affaire] affair, business
historisch 1 [van historische betekenis] historic: *wij beleven een* ~ *moment* we are witnessing a historic moment **2** [met geschiedkundige achtergrond] historical; period [toneelstuk, kleding]: *een* ~*e roman* a historical novel **3** [werkelijk gebeurd] historical, true: *dat is* ~ that's a historical fact (*of:* a true story)
de **hit** [tophit] hit (record)
de **hitlijst** chart(s), hit parade
hitsig 1 [vurig] hot-blooded **2** [inf] hot; [mensen ook] randy; [mensen ook] horny

de **hitte** heat
hittebestendig heat-resistant, heatproof
de **hittegolf** heatwave
het **hiv** afk van *human immunodeficiency virus* HIV
hm (a)hem
ho 1 stop: *zeg maar 'ho'* say when **2** [terechtwijzing] come on!, that's not fair!
de **hoax** hoax
de **hobbel** bump
hobbelen bump, jolt, lurch
hobbelig bumpy, irregular
het **hobbelpaard** rocking horse
de **hobby** hobby
de **hobo** oboe
de **hoboïst** oboist
het **hobu** [Belg] afk van *hoger onderwijs buiten de universiteit* non-university higher education
het **hockey** hockey
hockeyen play hockey
de **hockeystick** hockey stick
het/de **hocus pocus** hocus-pocus; [geheimzinnig gepraat] mumbo-jumbo
hoe 1 how: *je kunt wel nagaan* ~ *blij zij was* you can imagine how happy she was; ~ *eerder* ~ *beter* the sooner the better; *het gaat* ~ *langer* ~ *beter* it is getting better all the time; ~ *ouder ze wordt,* ~ *minder ze ziet* the older she gets, the less she sees; ~ *fietst zij naar school?* which way does she cycle to school?; ~ *moet het nu verder?* where do we go from here?; ~ *dan ook* **a)** anyway, anyhow; **b)** no matter how; **c)** [op welke wijze ook] by hook or by crook; **d)** [wat er ook gebeurt] no matter what; ~ *vreemd het ook lijkt* ~ *duur het ook is* strange as it may seem, expensive though it is; ~ *kom je erbij?* how can you think such a thing?; *hoezo?,* ~ *dat zo?* how (*of:* what) do you mean?, why do you ask?; ~ *vind je mijn kamer?* what do you think of my room? **2** [met welke naam] what: ~ *noemen jullie de baby?* what are you going to call the baby? || *Dorine danste, en* ~! Dorine danced, and how!
de **hoed** hat: *een hoge* ~ a top hat
de **hoedanigheid** capacity: *in de* ~ *van* in one's capacity as
de **hoede** **1** care, protection; [voogdij] custody; [voogdij] charge; [m.b.t. zaak] (safe) keeping: *iem. onder zijn* ~ *nemen* take charge of s.o., take a person under one's care (*of:* protection) **2** [behoedzaamheid] guard: *op zijn* ~ *zijn (voor)* be on one's guard (against)
¹**hoeden** (ov ww) tend, keep watch over, look after
zich ²**hoeden** (wdk ww) (+ voor) [zich in acht nemen] guard (against), beware (of), be on one's guard (against)
de **hoedenplank** shelf; [auto] rear (*of:* parcel, back) shelf

het **hoedje** (little) hat: *onder één ~ spelen met* be in league with
de **hoef** hoof
het **hoefijzer** (horse)shoe
de **hoefsmid** farrier, blacksmith
hoegenaamd at all, absolutely, completely
de **hoek 1** corner: *in de ~ staan* (of: *zetten*) stand (*of:* put) in the corner; *de ~ omslaan* turn the corner; *(vlak) om de ~ (van de straat)* (just) around the corner **2** [wisk] angle: [fig] *iets vanuit een andere ~ bekijken* look at sth. from a different angle; *in een rechte ~* at right angles; *een scherpe* (of: *een stompe*) *~* an acute (of: obtuse) angle; *die lijnen snijden elkaar onder een ~ van 45°* those lines meet at an angle of 45° **3** [windstreek] quarter, point of the compass || *dode ~* blind spot
het **hoekhuis** [op straathoek] corner house; [van huizenrij] end house
hoekig angular; [m.b.t. gezicht] craggy; rugged; [rotsen] jagged
het **hoekje** corner; [plekje ook] nook || *het ~ omgaan* kick the bucket
het **hoekpunt** vertex, angular point
de **hoekschop** corner (kick)
de **hoeksteen** cornerstone; [fig] keystone; linchpin; [van persoon ook] pillar
de **hoektand** canine tooth, eye-tooth; fang [van wolf, slang]
hoelang how long
het **hoen** hen, chicken; [mv ook] poultry; (domestic) fowl
de **hoepel** hoop
hoepla [bij val] whoops; oops(-a-daisy); [bij sprong] ups-a-daisy; here we go
de **hoer** [inf] whore
hoera hooray, hurray, hurrah
de **hoes** cover(ing), case
de **hoest** cough
de **hoestbui** fit of coughing, coughing fit
hoesten cough
de **hoestsiroop** cough syrup
de **hoeve** farm(stead); [alleen woning] farmhouse; homestead
hoeveel how much, how many: *~ appelen zijn er?* how many apples are there?; *~ geld heb je bij je?* how much money do you have on you?; *~ is vier plus vier?* what do four and four make?; how much is four plus four?; *met hoevelen waren jullie?* how many of you were there?; how many were you?
de **hoeveelheid** amount, quantity; [volume] volume; [portie] dose
hoeveelste: *de ~ juli ben je jarig?* when in July is your birthday?; *voor de ~ keer vraag ik het je nu?* how many times have I asked you?; *de ~ is het vandaag?* what day of the month is it today?; *het ~ deel van een liter is 10 cm³?* what fraction of a litre is 10cc?
¹hoeven (onov ww) matter, be necessary:

het had niet gehoeven you didn't have to do that, you shouldn't have done that; *het mag wel, maar het hoeft niet* you can but you don't have to
²hoeven (ov ww) need (to), have to: *dat had je niet ~ (te) doen* [bij ontvangst van geschenk] you shouldn't have (done that); *daar hoef je niet bang voor te zijn* you needn't worry about that
hoever how far: *in ~re* to what extent
hoewel 1 (al)though, even though: *~ het pas maart is, zijn de bomen al groen* even though it's only March the trees are already in leaf **2** [bij twijfel] (al)though, however
hoezeer how much: *ik kan je niet zeggen ~ het mij spijt* I can't tell you how sorry I am
hoezo what (of: how) do you mean?, in what way? (of: respect?)
het **hof 1** [jur] court **2** [hofhouding] court, royal household
de **hofdame** lady-in-waiting; [ongehuwd] maid of honour
hoffelijk courteous, polite
de **hofhouding** (royal) household, court
de **hofleverancier** purveyor to the Royal Household, purveyor to His (Her) Majesty the King (Queen), Royal Warrant Holder
de **hofnar** court jester, fool
het **hogedrukgebied** anticyclone
de **hogedrukspuit** high-pressure paint spray, high-pressure spraying pistol
de **hogepriester** high priest
de **hogerhand**: *op bevel van ~* by order of the authorities
het **Hogerhuis** House of Lords, Upper House
hogerop higher up: *hij wil ~* he wants to get on
de **hogeschool** college (of advanced, higher education), polytechnic, academy: *Economische ~* School of Economics; *Technische ~* College (of: Institute) of Technology; Polytechnic (College)
de **hogesnelheidstrein** high-speed train
hoi hi, hello; [van vreugde] hurray; [van vreugde] whoopee
het **hok 1** shed; [(berg)kast, bergruimte] storeroom **2** [voor dieren] pen; (dog) kennel [hond]; (pig)sty [varken]; dovecote [duiven]; hen house, hen-coop
het **hokje 1** cabin; (sentry) box [schildwacht]; [kleedhokje] cubicle; [stemhokje] booth **2** [afdeling] compartment; [voor brieven] pigeon-hole [ook fig]; [op formulier, speelbord] square; [op formulier ook] box: *het ~ aankruisen (invullen)* put a tick in the box
hokken [samenwonen (met)] shack up (with)
het **¹hol** (zn) **1** [grot] cave, cavern, grotto: *een donker ~* [kamer] a dark, gloomy hole **2** [verblijf van een dier] hole [ook van vos]; lair; den [van grote roofdieren]; burrow [van

konijn]: *zich in het ~ van de leeuw wagen*
beard (*of:* brave) the lion in his den **3** [berg-
plaats] hole; [van dieren, rovers] haunt ‖ *een
op ~ geslagen paard* a runaway (horse)

²**hol** (bn, bw) **1** hollow; [techn ook] female;
sunken [weg, ogen, wangen]; [blik] gaunt:
een ~ geslepen brillenglas a concave lens; *het
~le van de hand* (*of:* voet*) the hollow of the
hand, the arch of the foot **2** [waar niets inzit,
ook figuurlijk] hollow; empty [ook belofte,
woorden, maag] **3** [m.b.t. geluiden] hollow,
cavernous ‖ *in het ~st van de nacht* at dead of
night

de **holbewoner** cave-dweller
de **holding** holding
de **holebi** [Belg] afk van *homo, lesbienne of
biseksueel* LGB (afk van *lesbian, gay, bisexual*): *~'s en transgenders* LGBT (afk van *lesbian, gay, bisexual, transgender*)
Holland the Netherlands, Holland
de **Hollander 1** [bewoner van Nederland]
Dutchman **2** [bewoner van Noord- of Zuid-
Holland] inhabitant of North or South Holland
Hollands 1 [van het gewest Holland] from
(the province of) North or South Holland
2 [Nederlands] Dutch, Netherlands: *~e nieuwe* Dutch (*of:* salted) herring
de **Hollandse** Dutchwoman
hollen 1 [m.b.t. paarden] bolt, run away
2 [rennen] run, race: *het is met hem ~ of stilstaan* it's always all or nothing with him
de **holocaust** holocaust
het **hologram** hologram
de **holster** holster
de **holte 1** cavity, hollow, hole; [nis] niche
2 [uitholling, kom] hollow; [van oog, ge-
wricht] socket; [kuil(tje)] pit; [van elleboog]
crook **3** [diepte] draught, depth
de **hom** milt: [fig] *~ of kuit willen hebben* want
to know, one way or the other
de **homeopathie** homoeopathy
homeopathisch homoeopathic
de **homepage** [comp] home page
de **hometrainer** home trainer
de **hommage** homage
de **hommel** bumblebee
de **homo** gay; [verwijfd] fairy; queen
de ¹**homofiel** (zn) homosexual
²**homofiel** (bn) homosexual
homogeen homogeneous, uniform
het **homohuwelijk** same-sex marriage, gay
marriage; [niet wettelijk] (gay) blessing
de **homoseksualiteit** homosexuality; [m.b.t.
vrouwen ook] lesbianism
de ¹**homoseksueel** (zn) homosexual
²**homoseksueel** (bn) homosexual
de **homp** chunk, hunk, lump
de **hond 1** dog; [jachthond] hound: *pas op voor
de ~* beware of the dog; *de ~ uitlaten* take
the dog (out) for a walk; let the dog out; *~en*

aan de lijn! dogs must be kept on the lead
(leash)!; *geen ~* not a soul, nobody; *men moet
geen slapende ~en wakker maken* let sleeping
dogs lie; *blaffende ~en bijten niet* ± his bark is
worse than his bite; [fig] *de ~ in de pot vinden*
come too late for dinner **2** [scheldwoord]
dog, cur: *ondankbare ~!* ungrateful swine!
het **hondenasiel** dogs' home
de **hondenbaan** lousy (*of:* rotten, awful) job
het **hondenhok** (dog) kennel
het **hondenras** breed of dog
het **hondenweer** foul weather, filthy weather
het ¹**honderd** (zn) hundred, hundred(s): *~en jaren* (*of:* keren) hundreds of years (*of:* times);
zij sneuvelden bij ~en they died in their hundreds ‖ *alles loopt in het ~* everything is going
haywire
²**honderd** (hoofdtelw) hundred: *een bankbiljet van ~ euro* a hundred-euro (bank)note;
dat heb ik nu al (minstens) ~ keer gezegd (if I've
said it once) I've said it a hundred times; *ik
voel me niet helemaal ~ procent* I'm feeling a
bit under the weather; *~ procent zeker zijn
(van)* be absolutely positive; *er zijn er over de ~*
there are more than a hundred
honderdduizend a (*of:* one) hundred
thousand: *(enige) ~en (mensen)* hundreds of
thousands (of people)
honderdduizendste (one) hundred thousandth
het **honderdje** hundred-guilder note
honderdste hundredth: *ik probeer het nu al
voor de ~ maal* I've tried it a hundred times
het **hondje** doggy, little dog; [kindert] bowow
honds despicable, shameful, scandalous
de **hondsdolheid** rabies
Honduras Honduras
de ¹**Hondurees** Honduran
²**Hondurees** (bn) Honduran
honen jeer
de **Hongaar** Hungarian
het ¹**Hongaars** (zn) Hungarian
²**Hongaars** (bn) Hungarian
Hongarije Hungary
de **honger** appetite, hunger: *ik heb toch een ~!*
I'm starving; *~ hebben* be (*of:* feel) hungry;
van ~ sterven die of hunger, starve to death
de **hongerdood** death by starvation: *de ~
sterven* starve to death, die of starvation
hongeren [honger lijden] starve, hunger: *~
naar* [vakantie, rijkdom] hanker after; [ge-
sprek, gezelschap, kennis] hunger (*of:* be
hungry) for
hongerig hungry; [veel] famished; [beetje]
peckish
het **hongerloon** pittance, subsistence wages,
starvation wages
de **hongersnood** famine, starvation;
[schaarste] dearth
de **hongerstaking** hunger strike
de **honing** honey

de **honingraat** honeycomb

het **honk** base

het **honkbal** baseball

de **honkbalknuppel** (baseball) bat

honkballen play baseball

de **honneurs**: *de ~ waarnemen* do the honours

honorair: *~ consul* honorary consul

het **honorarium** fee, salary; [van auteurs] royalty; honorarium

honoreren 1 [honorarium geven] pay, remunerate; [advocaat ook] fee **2** [erkennen] honour, give due recognition; recognize [diploma]

het **hoofd 1** head: *met gebogen ~* with head bowed; *een ~ groter* (of: *kleiner*) *zijn dan* be a head taller (of: shorter) than; *een hard ~ in iets hebben* have grave doubts about sth.; *het ~ laten hangen* hang one's head, be downcast; *het ~ boven water houden* [fig] keep one's head above water, keep afloat; *het werk is hem boven het ~ gegroeid* he can't cope with his work any more; *het succes is hem naar het ~ gestegen* success has gone to his head; *iets over het ~ zien* overlook sth. **2** [verstand, de wil] head, mind, brain(s): *mijn ~ staat er niet naar* I'm not in the mood for it; *hij heeft veel aan zijn ~* he has a lot of things on his mind; *iets uit het ~ kennen* learn sth. by heart (of: rote); *uit het ~ zingen* sing from memory; *iem. het ~ op hol brengen* turn s.o.'s head; *per ~ van de bevolking* per head of (the) population **3** [het bovenste, hoogste gedeelte] [brief e.d.] head; [tafel ook] top **4** [het voorste gedeelte] head, front, vanguard **5** [(van personen) leider, meerdere] head, chief, leader; [ond] principal; [ond] headmaster; headmistress **6** [in samenstellingen; (het) de voornaamste] main, chief: *hoofdbureau* head office

de **hoofdagent** [politieagent] senior police officer

het **hoofdartikel** editorial, leading article, leader

de **hoofdbrekens**: *dat zal mij heel wat ~ kosten* I shall have to rack my brains over that, that's going to take a lot of thought

de **hoofdcommissaris** (chief) superintendent (of police), commissioner

het **hoofddeksel** headgear; [mv ook] headwear

de **hoofddoek** (head)scarf

het **hoofdeind** head

hoofdelijk: *~e stemming* poll, voting by call; [jur] *~ aansprakelijk zijn* be severally liable (of: responsible)

het **hoofdgebouw** main (of: central) building

het **hoofdgerecht** main course

het/de **hoofdhaar** hair (of the head)

de **hoofdhuid** scalp

de **hoofding** [Belg] [briefhoofd] letterhead

de **hoofdinspecteur** chief inspector; [van volksgezondheid] chief medical officer; [van belasting] inspector general

het **hoofdkantoor** head office, headquarters

het **hoofdkussen** pillow

het **hoofdkwartier** headquarters

de **hoofdletter** capital (letter)

de **hoofdlijn** outline

de **hoofdluis** head louse

de **hoofdmaaltijd** main meal

de **hoofdmoot** principal part

de **hoofdpersoon** principal person, leading figure; [in boek, toneel enz. ook] main character

de **hoofdpijn** headache: *barstende ~* splitting headache

de **hoofdprijs** first prize

de **hoofdredacteur** editor(-in-chief)

het **hoofdrekenen** mental arithmetic

de **hoofdrol** leading part: *de ~ spelen* play the leading part, be the leading man (of: lady)

de **hoofdrolspeler** leading man, star; [fig] main figure

de **hoofdschakelaar** main switch

hoofdschuddend shaking one's head

de **hoofdstad** capital (city); [van een provincie] provincial capital

hoofdstedelijk metropolitan

de **hoofdsteun** headrest

de **hoofdstraat** high street, main street

het **hoofdstuk** chapter

het **hoofdtelwoord** cardinal number

het **hoofdvak** main subject

de **hoofdverpleegkundige** charge nurse

de **hoofdvogel** [Belg] main prize ‖ *de ~ afschieten* make (of: commit) a serious blunder

de **hoofdweg** main road

de **hoofdwond** head wound (of: injury)

de **hoofdzaak** main point (of: thing); [mv] essentials: *~ is, dat we slagen* what matters is that we succeed

hoofdzakelijk mainly

de **hoofdzin** main sentence (of: clause)

de **hoofdzonde** cardinal sin

de **hoofdzuster** charge nurse

hoofs: *de ~e liefde* courtly love

hoog high, tall: *een hoge bal* a high ball; *een hoge C* a high C, a top C; *de ~ste verdieping* the top floor; *het water staat ~* the water is high; *~ in de lucht* high up in the air; *een stapel van drie voet ~* a three-foot high pile; *hij woont drie ~* he lives on the third floor; [Am] he lives on the second floor; *een hoge ambtenaar* a senior official; *naar een hogere klas overgaan* move up (of: be moved up) to a higher class; *een ~ stemmetje* (of: *geluid*) a high-pitched voice (of: sound); *de ruzie liep ~ op* the quarrel became heated; *de verwarming staat ~* the heating is on high; *de temperatuur mag niet hoger zijn dan 60°* the temperature must not go above (of: exceed) 60°

hoogachten esteem highly, respect highly: ~*d* yours faithfully

hoogbegaafd highly gifted (*of:* talented): *scholen voor ~e kinderen* schools for highly-gifted children

de **hoogbouw** high-rise building (*of:* flats)

de **hoogconjunctuur** [ec] (period of) boom

de **hoogdag** [Belg] [(kerkelijke) feestdag] feast day

hoogdravend high-flown, bombastic

het **hooggebergte** high mountains

hooggeëerd highly honoured: ~ *publiek!* Ladies and Gentlemen!

hooggeplaatst highplaced, highly placed

het **hooggerechtshof** Supreme Court

hooghartig haughty

de **hoogheid** highness

hooghouden honour; [vnl. traditie] keep up: *de eer ~* keep one's honour

de **hoogleraar** professor

hooglopend violent

de **hoogmis** high mass

de **hoogmoed** pride: ~ *komt voor de val* pride goes before a fall

de **hoogmoedswaanzin** megalomania

hoognodig highly necessary, much needed, urgently needed: *er moet ~ iets gebeuren* sth. needs to be done urgently

hoogoplopend: *een ~e ruzie* a screaming row

de **hoogoven** blast furnace

het **hoogseizoen** high season: *buiten het ~* out of season

de **hoogspanning** high tension (*of:* voltage)

hoogspringen high-jump, high-jumping

het **¹hoogst** (zn) **1** [bovenkant, top] top, highest **2** [het meeste, uiterst mogelijke] utmost: *je krijgt op zijn ~ wat strafwerk* at the very worst you'll be given some lines

²hoogst (bw) highly, extremely: ~ *(on)waarschijnlijk* highly (un)likely

hoogstaand high-minded; [aangelegenheid] edifying: *het was geen ~ schouwspel* it was a rather unedifying spectacle

het **hoogstandje** tour de force

hoogsteigen: *de Koningin in ~ persoon* the Queen, no less; no less a person than the Queen

hoogstens 1 at the most, at (the very) most, up to, no(t) more than: ~ *twaalf* twelve at the (very) most **2** [in het ergste geval] at worst: ~ *kan hij u de deur wijzen* the worst he can do is show you the door **3** [in het gunstigste geval] at best

hoogstnodig absolutely necessary, strictly necessary: *alleen het ~e kopen* buy only the bare necessities

hoogstpersoonlijk in person, personally

hoogstwaarschijnlijk most likely (*of:* probable), in all probability

de **hoogte 1** height: *de ~ ingaan* go up, rise; [vliegtuig ook] ascend; *hij deed erg uit de ~* he was being very superior; *lengte, breedte en ~* length, breadth and height **2** [afstand] height; [peil, niveau] level: *de ~ van de waterspiegel* the water level; *tot op zekere ~ hebt u gelijk* up to a point you're right **3** [aardr] level, latitude; [m.b.t. hemellichaam] elevation; [m.b.t. hemellichaam] altitude: *er staat een file ter ~ van Woerden* there is a traffic jam near Woerden || *zich van iets op de ~ stellen* acquaint o.s. with sth.; *op de ~ blijven* keep o.s. informed; keep in touch; *ik kan geen ~ van hem krijgen* I don't understand him; I can't figure him out

de **hoogtelijn** altitude

het **hoogtepunt** height, peak, highlight: *naar een ~ voeren, een ~ doen bereiken* bring to a climax

de **hoogtevrees** fear of heights

de **hoogteziekte** altitude sickness

de **hoogtezon** sun lamp

het **hoogtij**: ~ *vieren* be (*of:* run) rampant

hooguit at the most, at (the very) most, no(t) more than

het **hoogverraad** high treason

de **hoogvlakte** plateau

de **hoogvlieger** [fig] highflyer; [inf] whizz kid: *het is geen ~* he's no genius

hoogwaardig high-quality

de **hoogwaardigheidsbekleder** dignitary

het **hoogwater** high water, high tide: *bij (met) ~* at high tide

de **hoogwerker** tower waggon

het **hooi** hay: *te veel ~ op zijn vork nemen* bite of more than one can chew

de **hooiberg** haystack

hooien make hay

de **hooikoorts** hay fever

de **hooimijt** haystack

de **hooivork** pitchfork

de **hooiwagen 1** haycart, hay-wagon **2** [beestje] daddy-long-legs

de **hooligan** hooligan

het **hoongelach** jeering, jeers

de **¹hoop** (zn) **1** heap, pile: *op een ~ leggen* pile up, stack up; *je kunt niet alles* (*of:* iedereen) *op één ~ gooien* you can't lump everything (*of:* everyone) together **2** [grote hoeveelheid] great deal, good deal, lot: *een hele ~* a good many; *ik heb nog een ~ te doen* I've still got lot (*of:* lots) to do **3** [uitwerpselen] business

de **²hoop** (zn) [verwachting] hope: *goede ~ hebben* have high hopes; *valse ~ wekken* raise false hopes; *zolang er leven is, is er ~* while there's life there's hope; *weer (nieuwe) ~ krijgen* regain hope; *op ~ van zegen ... and hop* ing for the best; [inf] with one's fingers crossed; *de ~ opgeven* (*of:* verliezen) *dat ...* give up (*of:* lose) hope that ...

hoopgevend hopeful

hoopvol hopeful; [veelbelovend ook]

promising: *de toekomst zag er niet erg ~ uit* the future did not look very promising

hoorbaar audible

het **hoorcollege** (formal) lecture

de **hoorn** 1 horn [ook m.b.t. slak, insect]: *de stier nam hem op zijn ~s* the bull tossed him (on his horns) 2 [m.b.t. een telefoon] receiver: *de ~ erop gooien* slam down the receiver; *de ~ van de haak nemen* lift the receiver 3 [blaasinstrument] horn 4 [slakkenhuis] conch

de **hoornist** horn player

het **hoornvlies** cornea

het **hoorspel** radio play

de **hoorzitting** hearing

de **hop** hop(plant), hops

hopelijk I hope, let's hope, hopefully: *~ komt hij morgen* I hope (*of:* let's hope) he is coming tomorrow

hopeloos hopeless, desperate: *hij is ~ verliefd op* he's hopelessly (*of:* desperately) in love with

¹**hopen** (onov ww) [van hoop vervuld zijn] hope (for): *~ op betere tijden* hope for better times

²**hopen** (ov ww) 1 hope (for): *dat is niet te ~* I hope (*of:* let's hope) not; *ik hoop van wel* (*of: van niet*) I hope so (*of:* hope not); *ik hoop dat het goed met u gaat* I hope you are well; *tegen beter weten in (blijven) ~* hope against hope; *blijven ~* keep (on) hoping 2 [opstapelen] pile (up): *op elkaar gehoopt* heaped

de **hopman** Scoutmaster

de **hor** screen

de **horde** 1 horde: *de hele ~ komt hierheen* the whole horde is coming here 2 [sport] hurdle

de **hordeloop** hurdle race

de **horeca** (hotel and) catering (industry)

¹**horen** (onov ww) 1 hear: *hij hoort slecht* he is hard of hearing 2 [zijn plaats hebben] belong: *wij ~ hier niet* we don't belong here; *de kopjes ~ hier* the cups go here 3 [behoren] be done, should be 4 [toebehoren] belong (to) || *dat hoor je te weten* you should (*of:* ought to) know that; *dat hoort niet* it is not done; *dat hoort zo* that's how it should be

²**horen** (ov ww) 1 hear: *we hoorden de baby huilen* we heard the baby crying; *nu kun je het me vertellen, hij kan ons niet meer ~* you can tell me now, he is out of earshot; *ik heb het alleen van ~ zeggen* I only have it on hearsay; *ik hoor het hem nog zeggen* I can still hear him saying it; *hij deed alsof hij het niet hoorde* he pretended not to hear (it); *ik kon aan zijn stem ~ dat hij zenuwachtig was* I could tell by his voice that he was nervous 2 [luisteren naar] listen to 3 [vernemen] hear, be told, get to know: *Johan kreeg te ~ dat het zo niet langer kon* Johan was told that it can't go on like that; *wij kregen heel wat te ~* [m.b.t. kritiek] we were given a hard time of it; *laat*

eens iets van je ~ keep in touch; *zij wil geen nee ~* she won't take no for an answer; *hij vertelde het aan iedereen die het maar ~ wilde* he told it to anyone who would listen; *toevallig ~* overhear; *hij wilde er niets meer over ~* he didn't want to hear any more about it; *daar heb ik nooit van gehoord* I've never heard of it; *daarna hebben we niets meer van hem gehoord* that was the last we heard from him; *u hoort nog van ons* you'll be hearing from us; *nou hoor je het ook eens van een ander* so I'm not the only one who says so; *ik hoor het nog wel* let me know (about it) 4 [in aanmerking nemen] listen (to): *moet je ~!* just listen!, listen to this!; *moet je ~ wie het zegt!* look who is talking!; *hoor eens* listen, I say

de **horizon** horizon: *zijn ~ verruimen (uitbreiden)* broaden one's horizons

horizontaal horizontal; [in kruiswoordraadsel] across

het **horloge** watch

het **horlogebandje** watchband, watch strap

het **hormoon** hormone

de **horoscoop** horoscope: *een ~ trekken (opmaken)* cast a horoscope

de **horrorfilm** horror film

de **hort** jerk: *met ~en en stoten spreken* speak haltingly || *de ~ op zijn* be on a spree, be on the loose

de **hortensia** hydrangea

de **horzel** hornet

de **hospes** landlord; [gastheer] host

de **hospita** landlady

het **hospitaal** hospital

hospitaliseren hospitalize

de **hospitant** student teacher

hospiteren 1 [als aanstaande leraar] do one's teaching practice 2 [voor studentenkamer] be interviewed for a room in a student residence

hossen dance (*of:* leap) about (arm in arm)

de **host** [comp] host

de **hostess** hostess

de **hostie** host

de **hosting** [comp] hosting

de **hotdog** hotdog

het **hotel** hotel

de **hotelhouder** hotelkeeper

de **hotelschool** hotel and catering school: *hogere ~* hotel management school

de **hotspot** hotspot

houdbaar 1 not perishable: *ten minste ~ tot* best before 2 [verdedigbaar] tenable

de **houdbaarheid** shelf life, storage life [van levensmiddelen e.d.]

de **houdbaarheidsdatum** use-by date, best-before date

¹**houden** (onov ww) 1 (+ van) love: *wij ~ van elkaar* we love each other 2 (+ van) [geven om] like, care for: *niet van dansen ~* not like dancing; *hij houdt wel van een grapje* he can

stand a joke; *ik hou meer van bier dan van wijn*
I prefer beer to wine **3** [niet loslaten] hold;
[m.b.t. lijm ook] stick: *het ijs houdt nog niet*
the ice isn't yet strong enough to hold your
weight

²**houden** (ov ww) **1** keep: *je mag het* ~ you
can keep (of: have) it; *kippen* (of: *duiven*) ~
keep hens (of: pigeons); *de blik op iets gericht*
~ keep looking at sth.; *laten we het gezellig* ~
let's keep it (of: the conversation) pleasant;
ik zal het kort ~ I'll keep it short; *iem. aan de
praat* ~ keep s.o. talking; *hij kon er zijn gedachten niet bij* ~ he couldn't keep his mind
on it; *iets tegen het licht* ~ hold sth. up to the
light; *ik kon hun namen niet uit elkaar* ~ I kept
getting their names mixed up; *contact met
iem.* ~ keep in touch with s.o.; *orde* ~ keep
order **2** [vast-, tegenhouden] hold: [sport]
die had hij gemakkelijk kunnen ~ he could
have easily stopped that one; *de balk hield het
niet* the beam didn't hold; the beam gave
way **3** hold; [organiseren] organize; [geven]
give: *een lezing* ~ give (of: deliver) a lecture
4 (+ voor) take to be, consider to be (of: as):
iets voor gezien ~ leave it at that, call it a day
5 [uithouden] take, stand: *het was er niet om
te* ~ *van de hitte* the heat was unbearable; *ik
hou het niet meer* I can't take it any more (of:
longer) ‖ *rechts* ~ keep (to the) right; *William
houdt nooit zijn woord* (of: *beloften*) William
never keeps his word (of: promises); *we* ~ *het
op de 15e* let's make it the 15th, then

zich ³**houden** (wdk ww) **1** (+ aan) [niet afwijken
van] keep to [regels, dieet]; adhere to [over-
eenkomst, instructies]; abide by [beslissing,
vonnis]; comply with; observe [regels, voor-
waarden] **2** [blijven] keep: *hij kon zich niet
goed* ~ he couldn't help laughing (of: crying)

de **houder 1** holder [van rekening, vergun-
ning]; bearer [van paspoort]: *een record*~ a
record-holder **2** [jur] keeper; holder [bijv.
huurder] **3** keeper, manager; [eigenaar]
proprietor **4** [om iets te bewaren] holder,
container

de **houdgreep** hold

de **houding 1** position, pose: *in een andere* ~
gaan liggen (zitten) assume a different position **2** [gespeeld gedrag] pose, air: *zich geen
~ weten te geven* feel awkward **3** [gedrag(s-
lijn)] attitude, manner

de **house** house (music)

de **houseparty** house party

de **housewarming** housewarming (party)

het **hout** wood: ~ *sprokkelen* gather wood (of:
sticks) ‖ [fig] *hij is uit het goede* ~ *gesneden* he
is made of the right stuff; [Belg] *niet meer
weten van welk* ~ *pijlen te maken* not know
which way to turn, be at a complete loss

de **houtblazers** woodwinds

houten wooden

houterig wooden: *zich* ~ *bewegen* move

woodenly

de **houthakker** lumberjack

de **houthandel 1** [de handel in hout] timber
trade **2** [winkel] timber yard

het **houtje** bit of wood ‖ *iets op eigen* ~ *doen* do
sth. on one's own (initiative); *op een* ~ *bijten*
have difficulty in keeping body and soul together

de **houtlijm** wood glue

de **houtskool** charcoal

de **houtsnede** woodcut

het **houtsnijwerk** woodcarving

het **houtvuur** wood (of: log) fire

de **houtworm** woodworm

de **houtzagerij** sawmill

het **houvast** hold, grip: *niet veel* (of: *geen enkel*)
~ *geven* provide little (of: no) hold; *iem.* ~
bieden [ook fig] give s.o. sth. to hold on to

de **houw** gash: *iem. een* ~ *geven* gash s.o.

de **houwdegen 1** [degen] backsword **2** [fig;
persoon] old war-horse

het **houweel** pickaxe

houwen 1 chop, hack; [beeldhouwen]
carve; hew: *uit marmer gehouwen* carved out
of marble **2** [omhakken] chop down

de **hovenier** horticulturist, gardener

hozen bail (out) ‖ *het hoost* it is pouring
down (of: with rain)

de **hsl** afk van *hogesnelheidslijn* high-speed rail
link

het **hso** [Belg] afk van *hoger secundair onderwijs* senior general secondary education

de **hst** afk van *hogesnelheidstrein* high-speed
train, HST

de **hts** afk van *hogere technische school* Technical College

de **hufter** [inf] shithead, asshole

hufterproof vandal proof

de **hugenoot** Huguenot

huggen hug

de **huichelaar** hypocrite

de **huichelarij** hypocrisy

¹**huichelen** (onov ww) play the hypocrite,
be hypocritical

²**huichelen** (ov ww) [doen alsof] feign, sham

de **huid 1** skin: *hij heeft een dikke* ~ he is thick-
skinned; *zijn* ~ *duur verkopen* fight to the
bitter end; *iem. de* ~ *vol schelden* call s.o. everything under the sun; *iem. op zijn* ~ *zitten*
keep on at s.o. **2** [van grote dieren] hide;
[kleine dieren] skin

de **huidarts** dermatologist

huidig present, current

de **huidkanker** skin cancer

de **huiduitslag** rash

de **huidziekte** skin disease

de **huifkar** covered wagon

de **huig** uvula

de **huilbaby** whiny baby

de **huilbui** crying fit

de **huilebalk** cry-baby

huilen 1 [m.b.t. mensen] cry; [klagend] whine; snivel: *ze kon wel* ~ she could have cried; *half lachend, half* ~*d* between laughing and crying; ~ *om iets* cry about sth.; ~ *van blijdschap* (of: *pijn*) cry with joy (of: pain) **2** [janken, loeien] howl [ook wind]

het **huis 1** house, home: ~ *van bewaring* remand centre; ~ *en haard* hearth and home; *halfvrijstaand* ~ semi-detached; [Am] duplex; *open* ~ *houden* have an open day; [Am] have an open house; *het ouderlijk* ~ *verlaten, uit* ~ *gaan* leave home; *dicht bij* ~ near home; *heel wat in* ~ *hebben* [fig] have a lot going for one; *nu de kinderen het* ~ *uit zijn* now that the children have all left; *een* ~ *van drie verdiepingen* a three-storeyed house; *ik kom van* ~ I have come from home; *dan zijn we nog verder van* ~ then we will be even worse off; *(op kosten) van het* ~ on the house; *het is niet om over naar* ~ *te schrijven* it is nothing to write home about; *van* ~ *uit* originally, by birth **2** [(vorstelijk) geslacht] House: *het Koninklijk* ~ the Royal Family ‖ [Belg] *daar komt niets van in* ~ **a)** [het gebeurt niet] that's not on; **b)** [het lukt niet] it won't work, nothing will come of it

het **huis-aan-huisblad** free local paper

het **huisarrest** house arrest: ~ *hebben* be under house arrest; [m.b.t. kinderen] be kept in

de **huisarts** family doctor

de **huisartsenpost** ± doctor's surgery

de **huisbaas** landlord

het **huisbezoek** house call

de **huisdeur** front door

het **huisdier** pet

huiselijk 1 domestic, home; [m.b.t. familie ook] family: *in de* ~*e kring* in the family circle **2** [intiem] homelike, homey: *een* ~ *type* a home-loving type

de **huisgenoot** housemate; [gezinslid] member of the family

het **huisgezin** family

huishoudelijk domestic, household

het **¹huishouden** (zn) **1** housekeeping: *het* ~ *doen* run the house, do the housekeeping **2** household: *woningen voor een- en twee-persoonshuishoudens* houses for single people and couples

²huishouden (onov ww) carry on, cause damage (of: havoc)

de **huishoudfolie** cling film

het **huishoudgeld** housekeeping (money)

de **huishouding** housekeeping: *een gemeenschappelijke* ~ *voeren* have a joint household

de **huishoudster** housekeeper

het **huisje** bungalow, cottage, small house, little house

huisje-boompje-beestje suburban bliss

de **huisjesmelker** rack-renter; [Am] slumlord

de **huiskamer** living room

de **huisman** househusband

de **huismeester** caretaker, warden

het **huismiddel** home remedy

de **huismoeder** housewife

de **huismus 1** house sparrow **2** [persoon] stay-at-home

het **huisnummer** house number

de **huisraad** household effects

de **huisregels** house rules

de **huisschilder** house painter

de **huissleutel** latchkey, front-door key

de **huisstijl** house style

de **huisstofmijt** house dust mite

de **huisvader** family man, father (of the family)

huisvesten house, accommodate

de **huisvesting 1** housing **2** [tijdelijk] accommodation: *ergens* ~ *vinden* find accommodation somewhere

de **huisvredebreuk** [jur] unlawful entry, trespass (in s.o.'s house)

de **huisvriend** family friend, friend of the family

de **huisvrouw** housewife

het **huisvuil** household refuse

huiswaarts homeward(s)

het **huiswerk** homework: ~ *maken* do one's homework

de **huiszoeking** (house) search

huiveren 1 shiver; [van angst enz.] shudder; tremble: ~ *van de kou* shiver with cold **2** [terugschrikken] recoil (from), shrink (from)

huiverig hesitant, wary

de **huivering** shiver, shudder

huiveringwekkend horrible, terrifying

het **huizenblok** row of houses

huizenhoog towering: *huizenhoge golven* mountainous waves

de **huizenmarkt** housing market

de **hulde** homage, tribute

het **huldeblijk** tribute

huldigen honour, pay tribute (to)

de **huldiging** homage, tribute

¹hullen (ov ww) wrap up in; [fig ook] veil (in), cloak (in)

zich **²hullen** (wdk ww) wrap o.s. (up); [fig ook] veil (of: cloak, shroud) o.s. (in)

de **hulp 1** help, assistance: *om* ~ *roepen* call (out) for help; *iem. te* ~ *komen* come to s.o.'s aid; *eerste* ~ *(bij ongelukken)* first aid; ~ *verlenen* render assistance, assist **2** helper, assistant: ~ *in de huishouding* home help

hulpbehoevend in need of helps; [ziek] invalid; [oud, gebrekkig] infirm; [arm] needy

de **hulpbron** resource

de **hulpdienst** auxiliary service(s); [nooddienst] emergency service(s): *telefonische* ~ helpline

hulpeloos helpless

het **hulpgeroep** a cry (of: call) for help

het **hulpmiddel** aid, help, means

de **hulppost** aid station; [EHBO-post] first-aid post

het **hulpstuk** accessory, attachment

de **hulptroepen** auxiliary troops (of: forces); [versterkingen] reinforcements

hulpvaardig helpful

de **hulpverlener** social worker

de **hulpverlening** assistance, aid; [bij ramp enz.] relief

het **hulpwerkwoord** [taalk] auxiliary

de **huls** 1 case, cover, container 2 [m.b.t. vuurwapens] cartridge case, shell

de **hulst** holly

humaan humane

de **humaniora** [Belg] ± grammar school education

het **humanisme** humanism

de **humanist** humanist

humanitair humanitarian

het **humeur** humour, temper, mood

humeurig moody

de **hummel** toddler, (tiny) tot

de **hummus** hummus

de **humor** humour: *gevoel voor* ~ sense of humour

de **humorist** humorist; [komiek] comic

humoristisch humorous: *een ~e opmerking* a humorous remark

de **humus** humus

¹**hun** (pers vnw) them: *ik zal het* ~ *geven* I'll give it (to) them; *heb je* ~ *al geroepen?* have you already called them?

²**hun** (bez vnw) their: ~ *kinderen* their children; *die zoon van* ~ that son of theirs

het **hunebed** megalith(ic tomb, monument, grave)

hunkeren long for, yearn for

hup 1 come on, go (to it): ~ *Henk* ~*!* come on Henk! 2 hup, oops-a-daisy: *een, twee, …* ~*!* one, two, … up you go!

de **huppeldepup** what's-his-name, what's-her-name

huppelen hop, skip, frolic

huren 1 rent; [m.b.t. bus, vliegtuig] charter: *een huis* ~ rent a house; *kamers* ~ live in rooms 2 [m.b.t. een persoon] hire, take on: *een kok* ~ hire (of: take on) a cook

hurken squat: *zij zaten gehurkt op de grond* they were squatting on the ground ‖ *op zijn* ~ *(gaan) zitten* squat (on one's haunches)

het **hurktoilet** squat toilet

de **hut** 1 hut: *een lemen* ~ a mud hut 2 [op schip] cabin

de **hutkoffer** cabin trunk

hutselen mix (up), shake (up): *dominostenen door elkaar* ~ shuffle dominoes

de **hutspot** hot(ch)-pot(ch)

de **huur** [het huren] rent; [pacht] lease: *achterstallige* ~ rent in arrears, back rent; *kale* ~ basic rent; *iem. de* ~ *opzeggen* give s.o. notice (to leave, quit); *dit huis is te* ~ this house is

to let; [Am] this house is for rent; *hij betaalt €800,- voor dit huis* he pays 800 euros rent for this house

de **huurachterstand** arrears of rent

de **huurauto** rented car, hire(d) car

het **huurcontract** rental agreement; [van auto's ook] lease: *een ~ aangaan* sign a lease; *een ~ opzeggen* terminate a lease

de **huurder** renter; [m.b.t. huizen enz. ook] tenant; [m.b.t. auto] hirer: *de huidige ~s* the sitting tenants

het **huurhuis** rented house

de **huurkoop** instalment buying, hire purchase (system)

de **huurling** hireling; [huursoldaat] mercenary

de **huurmoord** assassination; [slang] hit

de **huurmoordenaar** (hired) assassin

de **huurovereenkomst** *zie huurcontract*

de **huurprijs** rent; [van auto, tv enz.] rental (price)

de **huurschuld** rent arrears, arrears of rent: *de ~ bedraagt €5000,-* the rent arrears amount to €5000

de **huurtoeslag** rent subsidy, housing benefit

de **huurverhoging** rent increase

de **huurwoning** rented house (of: flat)

huwbaar marriageable: *de huwbare leeftijd bereiken* reach marriageable age

het **huwelijk** 1 marriage, wedding: *ontbinding van een* ~ dissolution of a marriage; *gemengd* ~ mixed marriage; *een wettig* ~ a lawful marriage; *een* ~ *inzegenen* perform a marriage service; *een* ~ *sluiten (aangaan) met* get married to; *een kind, buiten* ~ *geboren* a child born out of wedlock; *zijn* ~ *met* his marriage to; *een meisje ten* ~ *vragen* propose to a girl; *een* ~ *uit liefde* a love match; *een burgerlijk* ~ a civil wedding; *een kerkelijk* ~ a church wedding; *een* ~ *voltrekken* perform a marriage service, celebrate a marriage 2 [het getrouwd zijn ook] matrimony: *na 25 jaar* ~ after 25 years of matrimony

huwelijks marital, married: ~*e voorwaarden* marriage settlement (of: articles)

het **huwelijksaanzoek** proposal (of marriage): *een* ~ *doen* propose (to s.o.); *een* ~ *krijgen* receive a proposal (of marriage)

de **huwelijksakte** marriage certificate

het **huwelijksgeschenk** wedding present (of: gift)

de **huwelijksnacht** wedding night: *de eerste* ~ the wedding night

de **huwelijksplechtigheid** wedding, marriage ceremony, wedding ceremony

de **huwelijksreis** honeymoon (trip): *zij zijn op* ~ they are on (their) honeymoon (trip)

huwen marry

de **huzaar** hussar

de **huzarensalade** ± Russian salad

de **hyacint** hyacinth

de **hybride** hybrid, cross

de **hybrideauto** hybrid car
hydraulisch hydraulic: *~e pers* (of: *remmen*) hydraulic press (of: brakes)
de **hyena** hy(a)ena
de **hygiëne** hygiene: *persoonlijke (intieme)* ~ personal hygiene
¹**hygiënisch** (bn) hygienic, sanitary: *~e omstandigheden* sanitary conditions; *~e voorschriften* hygienic (of: sanitary) regulations
²**hygiënisch** (bw) hygienically: *~ verpakt* hygienically packed (of: wrapped)
de **hymne** hymn
de **hype** hype, fad, craze
hypen hype
hyper- hyper-, ultra-, super-
hyperactief hyperactive
de **hyperbool** [wisk] hyperbola
hypercorrect hypercorrect
de **hyperlink** hyperlink
de **hypermarkt** hypermarket
hypermodern ultramodern; [modieus ook] super-fashionable: *een ~ interieur* an ultramodern interior
de **hyperventilatie** hyperventilation
hyperventileren hyperventilate
de **hypnose** hypnosis: *iem. onder ~ brengen* put s.o. under hypnosis
hypnotisch hypnotic: *~e blik* hypnotic gaze
hypnotiseren hypnotize
de **hypnotiseur** hypnotist, hypnotherapist
de **hypochonder** hypochondriac
de ¹**hypocriet** (zn) hypocrite
²**hypocriet** (bn) hypocritical, insincere
de **hypocrisie** hypocrisy
de **hypotenusa** [wisk] hypotenuse
hypothecair mortgage: *~e lening* mortgage (loan)
de **hypotheek** mortgage: *een ~ aflossen* pay off a mortgage; *een ~ afsluiten* take out a mortgage; *een ~ nemen op een huis* take out a mortgage on a house
de **hypotheekrente** mortgage (interest)
de **hypothese** hypothesis: *een ~ opstellen* formulate a hypothesis
hypothetisch hypothetical
de **hysterie** hysteria
hysterisch hysterical: *~ gekrijs* hysterical screams; *~e toevallen (aanvallen) krijgen* have (fits of) hysterics; *doe niet zo ~!* don't be so (of: get) hysterical!

i

de **i** i, I

Iberisch Iberian: *het ~ Schiereiland* the Iberian Peninsula

de **ibis** ibis

de **icetea** ice tea

de **icoon** icon: *zij is een ~ van de jaren tachtig* she's an eighties icon

de **ICT** afk van *informatie- en communicatie-technologie* ICT, information and communication technology

de **ICT'er** ICT specialist

het **¹ideaal** (zn) **1** ideal: *zich iem. tot ~ stellen* take s.o. as a model **2** [streven] ideal, ambition: *het ~ van zijn jeugd was arts te worden* the ambition of his youth was to become a doctor; *een ~ nastreven* pursue an ideal (*of:* ambition), follow a dream

²ideaal (bn, bw) ideal, perfect

idealiseren idealize, glamorize

het **idealisme** idealism

de **idealist** idealist

idealistisch idealistic

idealiter ideally, theoretically, in theory

het/de **idee 1** idea: *zich een ~ vormen van iets* form an idea of sth. **2** [begrip] idea, notion, concept(ion): *ik heb geen (flauw) ~* I haven't the faintest (*of:* foggiest) idea **3** [mening] idea, view || *ik heb een ~* I've got an idea; *op een ~ komen* think of sth., hit upon an idea; *zij kwam op het ~ om* she hit upon the idea of

ideëel idealistic

de **ideeënbus** suggestion box

het/de **idee-fixe** obsession

idem ditto, idem

identiek identical (with, to)

de **identificatie** identification

de **identificatieplicht** obligation to carry identification

identificeren identify

de **identiteit** identity

het **identiteitsbewijs** identity card, ID card

de **identiteitskaart** identity card; [inf] ID (card)

de **ideologie** ideology

ideologisch ideological

het **idioom** idiom

de **¹idioot** (zn) idiot; [als scheldwoord ook] fool: *een volslagen ~* an absolute fool

²idioot (bn, bw) idiotic; [bespottelijk ook] foolish: *doe niet zo ~* don't be such a fool (*of:* an idiot)

idolaat: *~ van* infatuated with, mad about

het **idool** idol

de **idylle** idyl(l)

idyllisch idyllic

ieder 1 [tezamen; meer dan twee] every; [afzonderlijk; twee of meer] each; [welk dan ook] any: *het kan ~e dag afgelopen zijn* it may be over any day (now); *werkelijk ~e dag* every single day; *ze komt ~e dag* she comes every day **2** everyone, everybody; each (one), anyone, anybody: *tot ~s verbazing* to everyone's surprise; *~ van ons* each of us, every one of us; *~ voor zich* every man for himself

iedereen everyone, everybody, all; [wie dan ook] anybody; anyone: *jij bent niet ~* you're not just anybody

het **iederwijs** ± democratic school, democratic education system

iel thin, puny

iemand someone, somebody; [in ontkennende, vragende zinnen] anyone; [in ontkennende, vragende zinnen] anybody: *is daar ~?* is anybody there?; *hij is niet zomaar ~* he's not just anybody; *hij wilde niet dat ~ het wist* he didn't want anyone to know; *zij maakte de indruk van ~ die* she gave the impression of being s.o. (*of:* a woman) who

de **iep** elm

de **Ier** Irishman: *tien ~en* ten Irishmen

Ierland Ireland, Republic of Ireland

het **¹Iers** (zn) Irish

²Iers (bn) Irish

¹iets (onb vnw) **1** [in ontkennende, vragende zinnen] anything: *hij heeft ~ wat ik niet begrijp* there is something about him which I don't understand **2** [een bepaald ding] something; [in ontkennende, vragende zinnen] anything: *~ lekkers* (of: *moois*) something tasty (*of:* beautiful); *~ dergelijks* something like that **3** [een beetje] something, a little, a bit: *beter ~ dan niets* something is better than nothing; *een ~ mysterieus* ~ something mysterious, a mysterious something

²iets (bw) a bit, a little, slightly: *als zij er ~ om gaf* if she cared at all; *we moeten ~ vroeger weggaan* we must leave a bit (*of:* slightly) earlier

ietwat somewhat, slightly

de **iftar** iftar

de **iglo** igloo

de **i-grec** y

ijdel vain, conceited

de **ijdelheid** vanity, conceit

de **ijdeltuit** vain person

ijken calibrate

het **ijkpunt** benchmark (figure)

ijl rarefied: *~e lucht* thin (*of:* rarefied) air

ijlen be delirious, ramble; [wild] rave

ijlings with all speed, in great haste

het **ijs 1** ice: *zich op glad ~ bevinden (begeven)* skate on thin ice; *het ~ breken* break the ice; *de haven was door ~ gesloten* the port was icebound **2** [lekkernij] ice cream

de **ijsafzetting** icing up; [vliegtuig] ice accretion

de **ijsbaan** skating rink, ice(-skating) rink

de **ijsbeer** polar bear

ijsberen pace up and down

de **ijsberg** iceberg

de **ijsbergsla** iceberg lettuce

de **ijsbloemen** frostwork

het **ijsblokje** ice cube

de **ijsbreker** icebreaker

de **ijscoman** ice-cream man

ijselijk hideous, dreadful

de **ijsemmer** ice bucket

het **ijshockey** ice hockey

het **ijsje** ice (cream)

de **ijskar** ice-cream cart

de **ijskast** fridge, refrigerator: *iets in de ~ zetten* a) put sth. in the fridge; b) [fig] shelve sth., put sth. on ice

ijskoud 1 ice-cold, icy(-cold) **2** [fig] icy, (as) cold as ice: *een ~e ontvangst* an icy welcome

IJsland Iceland

de **IJslander** Icelander

IJslands Icelandic

de **ijslolly** ice lolly; [Am] popsicle

de **ijsmuts** ± woolly hat

de **ijspegel** icicle

de **ijssalon** ice-cream parlour

de **ijsschots** (ice) floe

de **ijstaart** ice-cream cake

de **ijsthee** ice(d) tea

de **ijstijd** ice age, glacial period (*of:* epoch)

de **ijsvogel** kingfisher

ijsvrij clear of ice ‖ *~ hebben* have a day off to go skating

de **ijver** [vlijt] diligence

de **ijveraar** advocate, zealot

ijveren devote o.s. (to), work (for)

ijverig diligent: *een ~ scholier* an industrious (*of:* a diligent) pupil; *men deed ~ onderzoek* painstaking inquiries were made

de **ijzel** black ice

ijzelen freeze over: *het ijzelt* it is freezing over

het **ijzer** iron: *~ smeden* (*of: gieten*) forge (*of:* cast) iron; *men moet het ~ smeden als het heet is* strike while the iron is hot

het/de **ijzerdraad** (iron) wire

ijzeren iron: *een ~ gezondheid* an iron constitution

het **ijzererts** iron ore

de **ijzerhandel 1** hardware store, ironmonger's shop **2** [handel] hardware trade, ironmongery

ijzerhoudend ferriferous; [mineraalwater] ferrous

ijzersterk iron, cast-iron: *hij kwam met ~e argumenten* he produced very strong arguments; *een ~ geheugen* an excellent (*of:* infallible) memory

de **ijzertijd** Iron Age

de **ijzerwaren** hardware, ironmongery

de **ijzerzaag** metal saw

ijzig icy, freezing: *~e kalmte* steely composure

ijzingwekkend horrifying, gruesome

ik I: *ik ben het* it's me; *als ik er niet geweest was ...* if it hadn't been for me ...; *ze is beter dan ik* she's better than I am

de **ik-figuur** first-person narrator

ikzelf (I) myself

illegaal 1 illegal **2** [in oorlogstijd] underground: *~ werk* underground work

de **illegaliteit 1** [onwettigheid] illegality **2** [verzet] resistance (movement)

de **illusie** illusion, (pipe)dream; delusion [opzettelijk]: *maakt u zich (daarover) geen ~s* you need have no illusions about that; *een ~ verstoren* (*of: wekken*) shatter (*of:* create) an illusion

de **illusionist** conjurer

illuster illustrious, distinguished

de **illustratie** illustration

illustratief illustrative: *~ in dit verband is ...* a case in point is ...

de **illustrator** illustrator

illustreren illustrate; [toelichten ook] exemplify

het/de **image** image

imaginair imaginary: *een ~ getal* an imaginary number

het/de **imago** image

de **imam** imam

de **imbeciel** imbecile

het **IMF** afk van *Internationaal Monetair Fonds* IMF

de **imitatie** imitation, copy, copying; [persoon ook] impersonation: *een slechte ~* a poor (*of:* bad) imitation

de **imitator** imitator, impersonator

imiteren imitate, copy; [persoon ook] impersonate

de **imker** bee-keeper

immens immense

immer ever, always

immers 1 after all: *hij komt ~ morgen* after all, he is coming tomorrow; he is coming tomorrow, isn't he? **2** [namelijk] for, since

de **immigrant** immigrant

de **immigratie** immigration

immigreren immigrate

de **immobiliën** [Belg] [onroerend goed] property, real estate

immoreel immoral

de **immuniteit** immunity

immuun immune: *~ voor kritiek* immune to criticism

het **immuunsysteem** [med] immune system

het/de **i-mode** i-mode

de **impact** impact, effect

de **impasse** impasse, deadlock

het/de **imperiaal** roof-rack

het **imperialisme** imperialism
de **imperialist** imperialist
  imperialistisch imperialist(ic)
het **imperium** empire
  impertinent impertinent
het **implantaat** [med] implant
  implanteren [med] implant
  implementeren implement
de **implicatie** implication
  impliceren imply
  impliciet implicit
  imploderen implode
de **implosie** implosion
  imponeren impress, overawe: *laat je niet ~ door die deftige woorden* don't be overawed by those posh words
  impopulair unpopular: *~e maatregelen nemen* take unpopular measures
de **import 1** import(ation) **2** [het ingevoerde] import(s)
  importeren import
de **importeur** importer
  imposant impressive, imposing
  impotent impotent
  impregneren impregnate
het **impresariaat** ± managership; [kantoor] agency
de **impresario** impresario
de **impressie** impression
het **impressionisme** impressionism
  improductief unproductive
de **improvisatie** improvisation
  improviseren improvise
de **impuls 1** impulse, impetus **2** [opwelling] impulse, urge: *hij handelde in een ~* he acted on (an) impulse
  impulsief impulsive, impetuous
  ¹**in** (bn) in: *de bal was in* the ball was in
  ²**in** (bw) **1** in, into, inside: *dat wil er bij mij niet in* I find that hard to believe; *dag in dag uit* day in (and) day out **2** [van plaats, toestand] in, inside: *tussen twee huizen in* (in) between two houses || *tegen alle verwachtingen in* contrary to all expectations
  ³**in** (vz) **1** [m.b.t. een plaats] in, at: *een vertegenwoordiger in het bestuur* a representative on the board; *puistjes in het gezicht* pimples on one's face; *in heel het land* throughout (of: all over) the country; *hij is nog nooit in Londen geweest* he has never been to London; *hij zat niet in dat vliegtuig* he wasn't on that plane; *in slaap* asleep **2** [m.b.t. een richting] into: *in de hoogte kijken* look up; *in het Japans vertalen* translate into Japanese **3** [m.b.t. een tijdstip] in, at; [m.b.t. een tijdsduur] during: *in het begin* at the beginning; *een keer in de week* once a week **4** [m.b.t. een hoeveelheid, omvang] in: *er gaan 100 cm in een meter* there are 100 centimetres to a metre; *twee meter in omtrek* two metres in circumference; *in een rustig tempo* at an easy pace; *in*

tweeën snijden cut in two || *professor in de natuurkunde* professor of physics; *zij is goed in wiskunde* she's good at mathematics; *uitbarsten in gelach* burst into laughter
  inacceptabel unacceptable
de **inachtneming** regard, consideration, observation: *met ~ van* having regard to, considering, taking into account; *met ~ van de voorschriften* in compliance with the regulations
  inademen inhale, breathe in
de **inauguratie** inauguration
  inaugureren inaugurate
  inbedden bed, embed
zich **inbeelden** imagine: *dat beeld je je maar in* that's just your imagination
de **inbeelding** imagination
  inbegrepen included, including
het **inbegrip**: *met ~ van* including
  inbellen [comp] dial up
  inbinden bind
  inblazen blow into; [fig] breathe into: *iets nieuw leven ~* breathe new life into sth.
  inblikken can, tin
de **inboedel** moveables, furniture, furnishings: *een ~ verzekeren* ± insure the contents of one's house against fire and theft
de **inboedelverzekering** ± fire and theft insurance
  inboeten lose
  inboezemen inspire
de **inboorling** native
de **inborst** disposition, character
  inbouwen build in
de **inbouwkeuken** built-in kitchen
de **inbox** in box
de **inbraak** breaking in, burglary: *~ plegen in* break into, burgle
het **inbraakalarm** burglar (of: intrusion) alarm
  inbreken break in(to) (a house), burgle (a house): *~ in een computersysteem* break into a computer system; *er is alweer bij ons ingebroken* our house has been broken into (of: burgled) again
de **inbreker** burglar; [in computer] hacker
de **inbreng** contribution
  inbrengen 1 bring in(to); insert [thermometer, muntstuk]; inject [inspuiten] **2** [voorstellen] contribute **3** [aanvoeren] bring (forward): *daar valt niets tegen in te brengen* there is nothing to be said against this
de **inbreuk** infringement, violation
  inburgeren [m.b.t. personen] naturalize, settle down, settle in
de **inbussleutel** Allen key
de **Inca** Inca
  incalculeren calculate in
de **incarnatie** incarnation
  incasseren 1 collect; cash (in) [verzilveren] **2** [opvangen] accept, take
het **incasseringsvermogen** stamina, resil-

ience: [sport] *hij heeft een groot ~* he can take a lot

het **incasso** collection: *automatische ~* direct debit

de **incest** incest

incestueus incestuous

inchecken [vliegveld, trein, metro, bus] check in; [hotel] register

het **incident** incident

incidenteel incidental, occasional: *dit verschijnsel doet zich ~ voor* this phenomenon occurs occasionally

inclusief including; [als afk: incl.] inclusive (of): *45 euro ~ (bedieningsgeld)* 45 euros, including service

incognito incognito

incompetent incompetent, unqualified

incompleet incomplete

in concreto in the concrete, in this particular case

inconsequent inconsistent

incontinent incontinent

incorrect incorrect

incourant unsaleable, unmarketable: *~e maten* off-sizes

de **incrowd** in-crowd

de **incubatietijd** incubation period

indammen dam (up): *een conflict ~* keep a conflict under control

zich **indekken** cover o.s. (against)

indelen 1 divide, order, class(ify): *zijn dag ~* plan one's day **2** group, class(ify)

de **indeling** division, arrangement, classification; lay-out [van tuin, gebouw]: *de ~ van een gebied in districten* the division of a region into districts

zich **indenken** imagine: *zich in iemands situatie ~* put o.s. in s.o.'s place (of: shoes)

inderdaad indeed; [werkelijk] really; [zoals verwacht] sure enough: *ik heb dat ~ gezegd, maar ...* I did say that, but ...; *het lijkt er ~ op dat het helpt* it really does seem to help; *dat is ~ het geval* that is indeed the case; *~, dat dacht ik nu ook!* exactly, that's what I thought, too!

indertijd at the time

¹**indeuken** (onov ww) [een deuk krijgen] be dented

²**indeuken** (ov ww) [een deuk maken in] dent

de **index** index

het **indexcijfer** index (number)

indexeren index

India India

de **indiaan** (American) Indian

indiaans Indian

Indiaas Indian

het **indianenverhaal** [ongeloofwaardig] tall story

de **indicatie** indication

Indië the Dutch East Indies; [India] India

indien if, in case; [verondersteld dat] sup-

posing

indienen submit

de **indiensttreding** taking up one's duties, commencement of employment

de **Indiër** Indian

de **indigestie** indigestion

indikken thicken

indirect indirect; [spreken ook] roundabout: *op ~e manier* in an indirect way, in a roundabout way; *~e vrije trap* indirect free kick

Indisch (East) Indian

indiscreet indiscreet: *zonder ~ te zijn* without being indiscreet

het/de **individu** individual; [neg ook] person

het **individualisme** individualism

de **individualist** individualist

¹**individueel** (bn) individual, particular

²**individueel** (bw) individually, singly

de **indoctrinatie** indoctrination

indommelen doze off

Indonesië Indonesia

de **Indonesiër** Indonesian

Indonesisch Indonesian

indoor- indoor

¹**indraaien** (onov ww) turn in(to): *de auto draaide de straat in* the car turned into the street

²**indraaien** (ov ww) screw in(to): *een schroef ~* drive (of: screw) in a screw

indringen [binnendringen] penetrate (into), intrude (into); [vloeistof] soak (into)

indringend penetrating: *een ~e blik* a penetrating gaze, a piercing look

de **indringer** intruder, trespasser

indrinken drink in

indruisen go against, conflict with

de **indruk 1** impression; [sfeer] air; [idee] idea: *diepe (grote) ~ maken* make a deep impression; *ik kon niet aan de ~ ontkomen dat* I could not escape the impression that; *dat geeft* (of: *wekt*) *de ~ ...* that gives (of: creates) the impression that ...; *ik kreeg de ~ dat* I got the impression that; *weinig ~ maken op iem.* make little impression on s.o. **2** impression, (im)print: *op de sneeuw waren ~ken van vogelpootjes zichtbaar* in the snow the prints (of: imprints) of birds' feet were visible

indrukken push in, press

indrukwekkend impressive

induiken 1 dive in(to): *zijn bed* (of: *de koffer*) *~* turn in, hit the sack **2** plunge in(to): *ergens dieper ~* delve deeper into sth.

industrialiseren industrialize

de **industrie** (manufacturing) industry

industrieel industrial

het **industriegebied** industrial area; [binnen gemeente] industrial estate (of: park); trading estate

het **industrieland** industrialized nation (of: country)

het **industrieterrein** industrial zone (of: estate, park)
indutten doze off, nod off
induwen push in(to)
ineengedoken crouched, hunched (up)
ineenkrimpen curl up, double up; [fig] flinch
ineens 1 (all) at once: *bij betaling ~ krijg je korting* you get a discount for cash payment **2** [plotseling] all at once, all of a sudden, suddenly: *zomaar ~* just like that
ineenstorten collapse
de **ineenstorting** collapse
ineffectief ineffective, inefficient
inefficiënt inefficient
inenten vaccinate, inoculate
de **inenting** vaccination, inoculation
het **inentingsbewijs** vaccination certificate
de **infanterie** infantry
infantiel infantile: *doe niet zo ~* don't be such a baby
het **infarct** infarct(ion); [van hart] heart attack
infecteren infect
de **infectie** infection
inferieur inferior, low-grade
het **inferno** inferno
de **infiltrant** infiltrator
de **infiltratie** infiltration
infiltreren infiltrate: *~ in een beweging* infiltrate (into) a movement
de **inflatie** inflation
inflatoir inflationary
de **influenza** [med] influenza
influisteren whisper (in s.o.'s ear)
de **info** [inf] info
de **informant** informant
de **informateur** politician who investigates whether a proposed cabinet formation will succeed
de **informatica** computer science, informatics
de **informaticus** information scientist, computer scientist
de **informatie 1** information; [m.b.t. computers enz.] data **2** [inlichtingen] information; [geheim] intelligence: *om nadere ~ verzoeken* request further information; *~(s) inwinnen (bij ...)* make inquiries (of ...), obtain information (from ...)
de **informatiedrager** data carrier
informatief informative
de **informatietechnologie** information technology (afk *IT*)
de **informatieverwerking** [techn] data processing (of: handling)
de **informatisering** computerization
informeel informal, unofficial; [wijze] casual
¹**informeren** (onov ww) inquire, enquire, ask: *ik heb ernaar geïnformeerd* I have made inquiries about it; *~ bij iem.* ask s.o.; *naar de aanvangstijden ~* inquire about opening times

²**informeren** (ov ww) [inlichten] inform
de **infostress** info-stress
infrarood infra-red
de **infrastructuur** infrastructure
het **infuus** drip
ingaan 1 go in(to): *een deur ~* go through a door **2** [komen in] go in(to), come in(to), enter: *een weg ~* turn into a road **3** [aandacht besteden aan] examine, go into: *uitgebreid ~ op* consider at length **4** [positief reageren] agree with, agree to, comply with: *op een aanbod ~* accept an offer **5** [beginnen] take effect: *de regeling gaat 1 juli in* the regulation is effective as from (of: of) July 1st || *~ tegen* run counter to
de **ingang 1** entrance, entry, doorway; [inf] acceptance: *de nieuwe ideeën vonden gemakkelijk ~ bij het publiek* the new ideas found a ready reception with the public **2** [begin] commencement: *met ~ van 1 april* as from (of: of) April 1st; *met onmiddellijke ~* to take effect at once, starting immediately
ingebed embedded
ingebeeld imaginary
ingebonden bound
ingebouwd built-in
de **ingebruikneming** [van nieuwe producten enz.] introduction; [van pand] occupation
ingeburgerd 1 [m.b.t. persoon] naturalized **2** [algemeen aanvaard] established: *~ raken* take hold
ingehouden 1 [m.b.t. emotie] restrained **2** [m.b.t. kracht] subdued; [m.b.t. adem] bated
ingelegd inlaid
ingemaakt preserved, bottled
ingenaaid stitched
de **ingenieur** engineer
ingenieus ingenious
ingenomen (+ met) pleased (with), satisfied (with)
ingesloten 1 enclosed **2** [omgeven door] surrounded
ingespannen 1 intensive, intense: *~ luisteren* listen intently **2** [met inspanning] strenuous: *na drie dagen van ~ arbeid* after three strenuous days
de **ingesprektoon** engaged signal; [Am] busy signal
ingetogen modest
ingeval in case, in the event of
ingevallen hollow; sunken [wangen, ogen]
ingeven inspire: *doe wat uw hart u ingeeft* follow the dictates of your heart
de **ingeving** inspiration, intuition: *een ~ krijgen* have a flash of inspiration, have a brain wave
ingevolge [form] in accordance with; [op grond van] under, by virtue of
ingevroren icebound [haven, schip]; fro-

zen [voedsel]

de **ingewanden** intestines

de **ingewijde** initiate; [fig ook] insider; adept [die alle kneepjes weet]

ingewikkeld complicated

ingeworteld deep-rooted

de **ingezetene** resident, inhabitant

ingezonden sent in: ~ *brieven* letters to the editor

de **ingooi** throw-in

¹**ingooien** (onov ww) throw in

²**ingooien** (ov ww) **1** throw in(to) **2** [door te werpen breken] smash

ingraven bury: *zich (in de grond)* ~ dig (o.s.) in [soldaat]; burrow [konijn]

het **ingrediënt** ingredient

de **ingreep** intervention

ingrijpen 1 [zich bemoeien met] interfere **2** [optreden] intervene

ingrijpend radical

ingroeien grow in(to): *een ingegroeide nagel* an ingrown nail

de **inhaalmanoeuvre** overtaking manoeuvre

de **inhaalrace** race to recover lost ground, race to catch up

de **inhaalstrook** fast lane

het **inhaalverbod** overtaking prohibition; [Am] passing restriction

de **inhaalwedstrijd** rearranged fixture, postponed match

inhaken (+ op) take up

inhakken (+ op) pitch into

¹**inhalen** (ww) [verk] [voorbijgaan] overtake, pass

²**inhalen** (ov ww) **1** [intrekken] draw in, take in; haul in [iets zwaars] **2** [(weer) bereiken] catch up with; [én voorbijrennen] outrun **3** [alsnog doen, maken] make up (for); recover [verlies]: *de verloren tijd* ~ make up for lost time **4** [binnenbrengen] bring in

inhaleren inhale; [alleen overgankelijk] draw in

inhalig greedy

de **inham** bay, cove, creek

inheems native: *~e planten* indigenous plants

de **inhoud 1** content, capacity **2** [volume] content **3** [dat waarmee iets gevuld is] contents **4** [betekenis] import

¹**inhouden** (ov ww) **1** [bedwingen, beheersen] restrain, hold (in, back): *de adem* ~ hold one's breath **2** [niet uitbetalen] deduct: *een zeker percentage van het loon* ~ withhold a certain percentage of the wages **3** [bevatten] contain, hold **4** [behelzen] involve, mean: *wat houdt dit in voor onze klanten?* what does this mean for our customers? **5** [ingetrokken houden] hold in

zich ²**inhouden** (wdk ww) [zich bedwingen] control o.s.: *zich* ~ *om niet in lachen uit te*

barsten keep a straight face

de **inhouding** deduction; [m.b.t. belasting, premies] amount withheld

de **inhoudsmaat** measure of capacity (*of:* volume)

de **inhoudsopgave** (table of) contents

inhuldigen inaugurate, install

de **inhuldiging** inauguration

inhuren engage

de **initiaal** initial

het **initiatief** initiative; [als eigenschap] enterprise

de **initiatiefnemer** initiator

de **initiator** initiator

initiëren initiate (into)

injecteren inject

de **injectie** injection

de **injectienaald** (hypodermic) needle

inkapselen encase

de **inkeer** repentance

inkepen notch; [diep] groove

de **inkeping** notch

de **inkijk** looking (in), view (of the inside); [bij jurk] cleavage

inkijken take a look at

de **inkjet** inkjet

inklappen fold in, fold up

inklaren clear (inwards)

inkleden frame, express: *hoe zal ik mijn verzoek* ~? how shall I put my request?

inkleuren colour

inklinken settle

de **inkom** [Belg] admission, entrance fee

het ¹**inkomen** (zn) income; revenue [grote instellingen]

²**inkomen** (onov ww) enter, come in(to): *ingekomen stukken* (of: *brieven*) incoming correspondence (*of:* letters) || *daar kan ik* ~ I (can) appreciate that, I quite understand that; *daar komt niets van in* that's out of the question, no way!

het **inkomgeld** [Belg] admission (charge), entrance fee

de **inkomsten** [loon] income; earnings; revenue(s) [bij grote instellingen]

de **inkomstenbelasting** income tax

de **inkoop** purchase, purchasing, buying

de **inkoopprijs** cost price

inkopen buy, purchase

de **inkoper** buyer, purchasing agent

inkoppen head (the ball) in(to the goal)

het **inkoppertje** easy score

inkorten shorten, cut down

inkrimpen [kleiner maken] reduce, cut (down)

de **inkrimping** [vermindering] reduction; cut(s) [uitgaven]

de **inkt** ink: *met* ~ *schrijven* write in ink

de **inktvis** [achtarmig] octopus; [tienarmig] squid

de **inktvlek** ink blot

inladen load
de **inlander** native
inlands native; [m.b.t. eigen land] internal; domestic, home-grown
inlassen [invoegen] insert
zich **inlaten** [zich bemoeien] meddle (with, in), concern o.s. (with): *zich ~ met dergelijke mensen* associate with such people
de **inleg 1** deposit(ing); [bank] deposit **2** [inzet] [weddenschap] stake
inleggen 1 deposit; [bij weddenschap, spel] stake; [in firma] invest **2** [in, tussen iets leggen] put, throw in (*of:* down) **3** [van haring e.d.] preserve
het **inlegkruisje** panty shield
het **inlegvel** insert
inleiden introduce
inleidend introductory; [opmerkingen ook] opening
de **inleider** (opening) speaker
de **inleiding 1** introductory remarks, opening remarks, preamble **2** [voorwoord in boek] introduction, preface, foreword
zich **inleven** put (*of:* imagine) o.s. (in), empathize (with)
inleveren hand in, turn in
inlezen: *zich ~* read up (on), study the literature; [comp] *gegevens ~* read in data
inlichten inform
de **inlichting 1** [informatie] (piece of) information: *~en inwinnen* make inquiries, ask for information **2** [mv; informatiedienst] [voorlichting] information (office); inquiries; [spionage] intelligence (service)
de **inlichtingendienst 1** information office, inquiries office **2** [geheime dienst] intelligence (service), secret service
inlijsten frame
inlijven incorporate (in/with); [m.b.t. grondgebied] annex
de **inlineskate** in-line skate
inlineskaten inline skate
inloggen log on, log in (on)
¹**inlopen** (onov ww) **1** walk into, step into; [gebouw] enter; [straat] turn into **2** [inhalen] catch up: *op iem. ~* catch up on s.o.
²**inlopen** (ov ww) **1** [van schoenen, kleding] wear in **2** [inhalen] make up ‖ *zich ~* warm up
inlossen [van belofte] redeem
inluiden herald
¹**inmaken** (ww) [m.b.t. groente e.d.] preserve; [met suiker ook] conserve
²**inmaken** (ov ww) [fig] slaughter
zich **inmengen** interfere (in, with)
de **inmenging** interference (in, with)
inmiddels meanwhile, in the meantime: *dat is ~ bevestigd* this has since (*of:* now) been confirmed
in natura in kind
innemen 1 take **2** [m.b.t. een plaats] take

(up); occupy [ook post enz.]: *zijn plaats ~* take one's seat **3** [veroveren ook] capture
innemend captivating, engaging, winning
innen collect [ook belastingen, schulden]; cash [cheque]
het ¹**innerlijk** (zn) inner self, inner nature
²**innerlijk** (bn, bw) inner
¹**innig** (bn) **1** profound, deep(est) **2** [warm, waar] ardent, fervent **3** [intiem] close, deep, intimate
²**innig** (bw) (most) deeply
de **inning 1** collection [ook belastingen, schulden]; cashing [cheque] **2** [cricket] innings; [honkbal] inning
de **innovatie** innovation
innovatief innovative
¹**inpakken** (onov ww) [ophouden] pack in: *~ en wegwezen* pack up and go
²**inpakken** (ov ww) **1** pack (up) **2** [in papier, dekens enz.] wrap (up) ‖ *zich laten ~* come off worst; [inf] be taken to the cleaners, be taken in
inpalmen charm, win over
inpassen fit in
inpeperen [fig] get even with (s.o.) (for)
inperken restrict, curtail
in petto in reserve, in store
inpikken 1 grab, snap up; [stelen] pinch **2** [Belg] take up
inplakken stick (*of:* glue, paste) in
inpluggen [audio] plug in
inpolderen drain, impolder
de **inpoldering** (land) reclamation, impoldering
inpompen pump in(to)
inpraten talk (s.o.) into (sth.): *op iem. ~* work on s.o.
inprenten impress (on), instil (in(to)); [in geheugen] imprint
de **input** input
de **inquisitie** inquisition
inregenen rain in: *het regent hier in* the rain's coming in (*of:* through)
inrekenen [m.b.t. politie] pull in; [meer mensen ook] round up
het ¹**inrichten** (zn) [Belg] organize: *de ~de macht* the (school) administration (*of:* management)
²**inrichten** (ov ww) equip; [meubelen] furnish: *een compleet ingerichte keuken* a fully-equipped kitchen
de **inrichter** [Belg] organizer
de **inrichting 1** design; [indeling ook] layout **2** [gesticht] institution
¹**inrijden** (onov ww) ride in(to); [auto] drive in(to)
²**inrijden** (ov ww) [van auto] run in; [van paard] break in
de **inrit** drive(way)
inroepen call in, call upon
inroosteren schedule

de **inruil** exchange, trade-in, part exchange: €2000,- bij ~ van uw oude auto 2,000 euros in part exchange for your old car
inruilen 1 exchange **2** trade in, part-exchange

de **inruilwaarde** trade-in (of: part-exchange) value

inruimen clear (out)

inrukken dismiss, withdraw: ingerukt mars! dismiss!

inschakelen 1 switch on; connect [circuit] **2** [iemands hulp inroepen] call in, bring in, involve

inschatten estimate, assess

inschenken pour (out)

inschepen embark

inscheuren tear

[1]**inschieten** (onov ww) **1** [mislopen] fall through: mijn lunch zal er wel bij ~ then I can say goodbye to my lunch **2** [naar binnen schieten] shoot in(to): een zijstraat ~ shoot into a side street **3** [in het doel schieten] score

[2]**inschieten** (ov ww) **1** [verliezen] lose **2** [in het doel schieten] shoot into the net

inschikkelijk accommodating: niet erg ~ rather uncompromising

inschikken move up: als iedereen even wat inschikt if everyone can just move up a bit

het **inschrijfgeld** registration fee; [wedstrijd ook] entry fee; [ond] enrolment fee

[1]**inschrijven** (onov ww) bid, submit a bid

[2]**inschrijven** (ov ww) [m.b.t. personen] register; [wedstrijd ook] enter; [ond] enrol; sign up: zich (laten) ~ sign up, register (o.s.); zich als student ~ enrol as a student

de **inschrijving 1** registration; [wedstrijd] entry; [ond] enrolment **2** [hand] subscription; [aanbesteding] bid: een ~ openen call for bids (of: tenders)

het **inschrijvingsformulier** application form; [m.b.t. onderwijs] enrolment form

inschuiven push in, slide in

de **inscriptie** inscription; [op munt, medaille] legend

het **insect** insect

de **insectenbeet** insect bite

het **insecticide** insecticide

inseinen [inf] tip off

de **inseminatie** insemination: kunstmatige ~ artificial insemination

insgelijks likewise; [bij wensen] (and) the same to you

de **insider** insider

het **insigne** badge

de **insinuatie** insinuation

insinueren insinuate

[1]**inslaan** (onov ww) **1** take; turn into [vnl. straat]: [fig] een verkeerde weg ~ take the wrong path (of: turning), go the wrong way; [fig] nieuwe wegen ~ break new ground, blaze a (new) trail **2** [m.b.t. bliksem e.d.]

strike, hit ‖ het nieuws sloeg in als een bom the news came as a bombshell

[2]**inslaan** (ov ww) **1** smash (in), beat (in) **2** [van voorraad] stock (up on, with)

de **inslag 1** [van bom e.d.] impact **2** [strekking] streak [persoon]; slant; bias [informatie]

inslapen 1 fall asleep, drop off (of: go) to sleep **2** [sterven] pass away, pass on

inslikken swallow

de **insluiper** sneak-thief, intruder

insluiten 1 enclose; [omsingelen ook] surround: een antwoordformulier ~ enclose an answer form **2** [opsluiten] shut in, lock in

[1]**insmeren** (ov ww) rub (with); [met ...] put ... on

zich [2]**insmeren** (wdk ww) put oil on: zich ~ met bodylotion rub o.s. with body lotion

insneeuwen snow in

insnijden cut into; [med] lance: een wond ~ make an incision in a wound

inspannen use; [krachten ook] exert: zich ~ voor iets take a lot of trouble about sth.; zich moeten ~ om wakker te blijven have to struggle to stay awake

inspannend strenuous, laborious; [geestelijk] exacting

de **inspanning** effort, exertion; [overmatig] strain: met een laatste ~ van zijn krachten with a final effort, with one last effort

inspecteren inspect, examine, survey

de **inspecteur** inspector, examiner

de **inspectie 1** inspection, examination, survey **2** [instantie] inspectorate

[1]**inspelen** (onov ww) **1** [vooruitlopen op] anticipate **2** [reageren op] go along with; [handig] capitalize on; take advantage of; [begrip hebben voor] feel for

[2]**inspelen** (ww) practise, warm up

de **inspiratie** inspiration

inspireren inspire: geïnspireerd worden door iets (iem.) be inspired by sth. (s.o.)

inspirerend inspiring

de **inspraak** participation, involvement; [inf] say (in sth.)

inspreken record: u kunt nu uw boodschap ~ you may leave (of: record) your message now ‖ iem. moed ~ put heart into s.o.

inspringen 1 stand in: voor een collega ~ stand in for a colleague **2** [inhaken op] jump on(to), leap on(to), seize (up)on ‖ deze regel moet een beetje ~ this line needs to be indented slightly

inspuiten inject; [m.b.t. drugs ook] fix

instaan answer, be answerable (of: responsible); [garanderen] guarantee; vouch: voor iem. ~ vouch for s.o.

instabiel unstable

de **instabiliteit** instability

de **installateur** fitter, installer; [elek] electrician

de **installatie 1** installation **2** [technische toe-

stellen] installation, plant, equipment, machinery; fittings [sanitair, e.d.]: *een nieuwe stereo-installatie* a new hifi-set **3** [van gezagsdragers e.d.] installation, inauguration
installeren install; [van gezagsdragers e.d. ook] inaugurate: *iem. als lid ~* initiate s.o. as a member
de **instandhouding** maintenance, preservation
de **instantie 1** body, authority: *de officiële ~s* the government agencies, the official bodies **2** [jur] instance ‖ *in eerste ~ dachten we dat het waar was* initially we thought it was true
instappen get in [auto, trein]; get on [bus]; board [vliegtuig]
insteken put in: *de stekker ~* plug in, put in the plug
instellen 1 establish, create **2** [beginnen] set up, start **3** [voorbereiden, afstellen] adjust; focus [lenzen]; tune [radio, motor]: *een camera (scherp) ~* focus a camera; *zakelijk ingesteld zijn* have a businesslike attitude (*of:* mentality)
de **instelling 1** [organisatie] institute, institution **2** focus(s)ing [lens]; tuning [radio, motor] **3** [houding] attitude, mentality: *een negatieve ~* a negative attitude
instemmen agree (with, to)
de **instemming** approval
het **instinct** instinct
instinctief instinctive
instinctmatig instinctive: *~ handelen* act on one's instinct(s)
de **instinker** tricky question
institutioneel institutional
het **instituut** institution, institute
instoppen 1 put in **2** tuck in [bed]: *iem. lekker ~* tuck s.o. in nice and warm
instorten 1 collapse; fall down [gebouw, brug e.d.]; cave in [kuil, oever]: *de zaak staat op ~* the business is at the point of collapse **2** [m.b.t. een zieke] collapse, break down
de **instorting** collapse [gebouw]; breakdown [ziekte]; caving, cave-in [aarde, oever]
de **instroom** influx, inflow: *de ~ van eerstejaars studenten* the intake of first-year students
de **instructeur** instructor
de **instructie** instruction; [aanwijzing ook] order; directive
instructief instructive, informative
instrueren instruct
het **instrument 1** instrument: *~en aflezen* read instruments (*of:* dials) **2** [(hulp)middel ook] tool **3** [muziekinstrument] (musical) instrument: *een ~ bespelen* play an instrument
instrumentaal instrumental
instuderen practise, learn: *een muziekstuk ~* practise a piece of music
de **instuif 1** (informal) party **2** youth centre
insturen 1 send in, submit **2** [naar binnen sturen] steer into; sail into [schip]

de **insuline** insulin
intact intact
de **intake** register
het **intakegesprek** interview on admission
de **inteelt** inbreeding
integendeel on the contrary: *ik lui? ~!* me lazy? quite the contrary!
integer upright, honest
de [1]**integraal** (zn) [wisk] integral
[2]**integraal** (bn, bw) integral, complete
de **integraalhelm** regulation (crash-)helmet
de **integratie** integration
integreren integrate
de **integriteit** integrity
[1]**intekenen** (onov ww) subscribe, sign up
[2]**intekenen** (ov ww) register, enter
de **intekenlijst** subscription list
het **intellect** intellect
intellectueel intellectual
intelligent intelligent, bright
het **intelligent design** intelligent design
de **intelligentie** intelligence
het **intelligentiequotiënt** intelligence quotient, IQ
de **intelligentietest** intelligence test
de **intelligentsia** intelligentsia
intens intense: *~ gelukkig* blissfully happy; *~ genieten* enjoy immensely
intensief intensive
de **intensiteit** intensity, intenseness
de **intensive care** intensive care: *op de ~ liggen* be in intensive care
intensiveren intensify
de **intentie** intention, purpose: *de ~ hebben om* intend to
de **interactie** interaction
interactief interactive
de **intercedent** intermediary
de **intercity** intercity (train): *de ~ nemen* go b intercity (train)
de **intercom** intercom: *iets over de ~ omroepe* announce sth. over (*of:* on) the intercom
de **intercommunale** [Belg] ± intermunicipa (utility) company (with state and/or private participation)
intercontinentaal intercontinental
interdisciplinair interdisciplinary
interen eat into (one's capital)
interessant 1 interesting: *~ willen zijn (doen)* show off **2** [voordelig] advantageou profitable
het/de **interesse** interest: *een brede ~ hebben* hav wide interests
[1]**interesseren** (ov ww) interest: *wie het gedaan heeft interesseert me niet* I am not interested in who did it
zich [2]**interesseren** (wdk ww) be interested
de **interest** interest: *samengestelde ~* compound interest; *tegen 9 % ~* at the rate of ¶ %
de **interface** interface

het **interieur** interior, inside

het **interim 1** interim: *de directeur ad* ~ the acting manager **2** [Belg] temporary replacement (*of:* job)

het **interimbureau** [Belg] employment agency

de **interland** international (match); test match [cricket]

interlokaal trunk

intermenselijk interpersonal: *~e verhoudingen* human relations

het **intermezzo** intermezzo; [fig] interlude

intern 1 resident: *~ patiënten* in-patients **2** [m.b.t. een staat, organisatie] internal, domestic: *uitsluitend voor ~ gebruik* confidential

het **internaat** boarding school

internationaal international

de **international** [sport] international

internationaliseren internationalize

interneren intern

het **internet** Internet

het **internetadres** Internet address

internetbankieren e-banking, Internet banking

internetbellen Internet telephony

het **internetcafé** Internet café, cybercafé

de **internetprovider** Internet (service) provider

de **internettelefonie** internet telephony

de **internettelevisie** Internet television

internetten surf the Net

de **internetter** netter, nettie, nethead

de **internetveiling** internet auction

de **internist** internist

de **interpellatie** interpellation

interpelleren interpellate: *de minister ~ over* interpellate the minister about

de **interpretatie** interpretation, reading: *foute (verkeerde) ~* misinterpretation

interpreteren interpret

de **interpunctie** punctuation

interrumperen interrupt

de **interruptie** interruption

het **interval** interval

de **interventie** intervention

het **interview** interview

interviewen interview

intiem 1 intimate **2** [gezellig] cosy: *een ~ gesprek* a cosy chat

de **intifada** intifada

intikken 1 [inslaan] [ruit] smash, break **2** [intypen] type in ‖ [sport] *de bal ~* flick the ball in (*of:* home)

de **intimidatie** intimidation

intimideren intimidate

de **intimiteit 1** intimacy, familiarity **2** [ongewenste handeling] liberty: *ongewenste ~en* sexual harassment

de **intocht** entry: *zijn ~ houden in* make one's entry into

intoetsen key in, enter

intolerant intolerant

de **intolerantie** intolerance

intomen curb, restrain, check

de **intonatie** intonation

het **intranet** intranet

intrappen kick in (*of:* down)

intraveneus intravenous

de **intrede** entry: *zijn ~ doen* set in

intreden 1 [in een religieuze orde treden] enter a convent (*of:* monastery) **2** [beginnen] set in, occur, take effect

de **intrek** residence: *bij iem. zijn ~ nemen* move in with s.o.

¹**intrekken** (onov ww) **1** [gaan inwonen (bij)] move in (with): *bij zijn vriendin ~* move in with one's girlfriend **2** [opgenomen worden] be absorbed, soak in: *de verf moet nog ~* the paint must soak in first

²**intrekken** (ov ww) **1** [trekkend naar binnen brengen, terugtrekken] draw in, draw up, retract **2** [terugnemen, afschaffen] withdraw; cancel [opdracht]; abolish [rechten]; drop [aanklacht]; repeal [wet]: *een verlof ~* cancel leave

de **intrekking** withdrawal [plan]; abolition [bijv. doodstraf]; cancellation [afspraak]; repeal [wet]

de **intrigant** intriguer, schemer

de **intrige** [complot] intrigue, plot

intrigeren intrigue, fascinate

het/de **intro** intro

de **introducé** guest, friend

introduceren 1 introduce; [in vereniging] initiate **2** [invoeren] introduce, phase in

de **introductie 1** introduction, presentation **2** [m.b.t. producten ook] launch(ing)

de **introductieweek** orientation week

introvert introverted

intuinen go for, fall for: *er* (*of: ergens*) *~* fall for it (*of:* sth.)

de **intuïtie** intuition, instinct: *op zijn ~ afgaan* act on one's intuition

intuïtief intuitive, instinctive: *~ aanvoelen* know intuitively

intussen meanwhile, in the meantime

intypen type in, enter

de **inval 1** raid, invasion: *een ~ doen in* raid [gebouw]; invade [land] **2** [ingeving, idee] (bright) idea

invalide invalid, handicapped

de **invalidenwagen** car for disabled; [vierwielige brommobiel] motorized quadricycle

invallen 1 [binnenvallen] raid, invade **2** [(plotseling) beginnen] set in [vorst, lente]; fall [stilte, nacht]; close in [nacht, winter] **3** [vervangen] stand in (for), (act as a) substitute (for) **4** [instorten, inzakken] fall down, come down, collapse: *ingevallen wangen* hollow (*of:* sunken) cheeks

de **invaller** [plaatsvervanger] [ook sport] substitute; replacement de **invalshoek 1** [van licht] angle of incidence **2** [gezichtshoek] approach, point of view

de **invalsweg** approach road

de **invasie** invasion

de **inventaris 1** [lijst] inventory, list (of contents) **2** [aanwezige goederen] stock (in trade), inventory; [van gebouw] fittings; [van huis] furniture

de **inventarisatie** stocktaking, making (*of:* drawing up) an inventory

inventariseren 1 (make an) inventory, take stock (of), draw up a statement of assets and liabilities **2** [een lijst opmaken] list

inventief inventive, ingenious

de **inventiviteit** inventiveness, ingenuity

de **investeerder** investor

investeren invest

de **investering** investment

de **investeringsmaatschappij** investment company

invetten grease

de **invitatie** invitation

de **in-vitrofertilisatie** in vitro fertilization

invliegen: *er ~* be had, be fooled

de **invloed** influence: *~ uitoefenen op iem.* influence s.o., exert/exercise (an) influence on s.o.; *zijn ~ gebruiken* exert (*of:* use) one's influence; *rijden onder ~* drive under the influence, drink and drive

invloedrijk influential

[1]**invoegen** (onov ww) [verk] join the (stream of) traffic, merge

[2]**invoegen** (ov ww) insert (into)

de **invoegstrook** acceleration lane

de **invoer 1** import; [goederen] imports **2** [comp] input

invoeren 1 import **2** [instellen] introduce **3** [comp] enter, input (to); read in(to) [van band, schijf naar computer]

de **invoerrechten** import duty

het **invoerverbod** import ban

invreten corrode

invriezen freeze

het **invulformulier** form (for completion)

invullen fill in; [fig] *iets voor iem. ~* decide sth. for s.o., tell s.o. what to do (and think)

de **invulling** interpretation

inweken soak

inwendig internal, inner; [in zichzelf] inside

[1]**inwerken** (onov ww) (+ op) [(uit)werking hebben op] act on, affect: *op elkaar ~* interact

[2]**inwerken** (ov ww) show the ropes, break in

de **inwerking** action, effect

de **inwerkingtreding** coming into force, taking effect

de **inwerktijd** training period

inwerpen throw in; [munt in automaat] insert

inwijden 1 inaugurate, dedicate; conse-

crate [kerk] **2** [deelgenoot maken] initiate

de **inwijding 1** inauguration, dedication; consecration [kerk] **2** [m.b.t. personen] initiation

de **inwijkeling** [Belg] immigrant

het **inwijken** [Belg] immigrate

inwikkelen wrap (up)

inwilligen grant, comply with, agree to: *zijn eisen ~* comply with (*of:* agree to) his demands

inwinnen obtain, gather

inwisselbaar exchangeable; [cheques, waardepapieren ook] convertible; redeemable [coupons]

inwisselen exchange; convert [in goud, dollars]; cash [cheque]; change [valuta]; redeem [coupons]

inwonen live; live in [bediende, stagiair(e)]: *Gerard woont nog bij zijn ouders in* Gerard still lives with his parents

inwonend resident, living in: *~e kinderen* children living at home

de **inwoner** inhabitant, resident

de **inwoning** [het inwonen] living together: *kost en ~* board and lodging, room and board

de **inworp** throwing in; [geld in automaat] insertion

inwrijven rub in(to): *dat zal ik hem eens ~* I'll rub his nose in it

inzaaien sow, seed

de **inzage** inspection: *een exemplaar ter ~* an inspection copy

inzake concerning, with regard to, in respect of, as far as ... is concerned

inzakken 1 [invallen] collapse; give way [vloer, grond] **2** [hand] collapse, slump

inzamelen collect; [geld ook] raise

de **inzameling** collection

inzegenen solemnize [huwelijk]

de **inzegening** solemnization [huwelijk]

inzenden send in, submit; contribute [stuk in krant]

de **inzending 1** [het inzenden] submission; contribution [stuk in krant] **2** [het ingezondene] entry, contribution; [op tentoonstelling] exhibit

inzepen soap; [bij scheren] lather

de **inzet 1** effort: *de spelers vochten met enorm ~* the players gave it all they'd got **2** [spel] stake, bet: *de ~ verhogen* raise one's bet (of the stakes)

inzetbaar usable; [beschikbaar] available

[1]**inzetten** (onov ww) set in

[2]**inzetten** (ww) **1** [spel] stake, bet **2** start; [met instrumenten ook] strike up

[3]**inzetten** (ov ww) **1** put in; set [edelsteen] **2** [beginnen te doen] start, launch: *de aanval ~* go onto the attack; *de achtervolging ~* set off in pursuit **3** [inroepen] bring into action

zich [4]**inzetten** (wdk ww) [zijn best doen] do

one's best: *zich voor een zaak* ~ devote o.s. to a cause

het **inzicht 1** insight, understanding: *een beter* ~ *krijgen in* gain an insight into **2** [opvatting, mening] view, opinion

inzichtelijk: *een kwestie* ~ *maken* clarify an issue

inzien 1 have a look at: *stukken* ~ examine documents; *een boek vluchtig* ~ leaf through a book **2** [beseffen] see, recognize: *de noodzaak gaan* ~ *van* come to recognize the necessity of **3** [houden voor] take a … view of, consider: *ik zie het somber in* I'm pessimistic about it || *mijns* ~*s* in my view (*of*: opinion), to my mind

de **inzinking** breakdown: *ik had een kleine* ~ it was one of my off moments

inzitten sit in: [fig] *dat zit er niet in* there's no chance of that || *ergens over* ~ be worried about sth.

de **inzittende** occupant, passenger

inzoomen zoom in (on): [fig] ~ *op een onderwerp* zoom in on a subject

het **ion** ion

i.p.v. afk van *in plaats van* instead of

het **IQ** afk van *intelligentiequotiënt* IQ

Iraaks Iraqi

Iraans Iranian

Irak Iraq

de **Irakees** Iraqi

Iran Iran

de **Iraniër** Iranian

de **iris** iris

de **irisscan** iris scan

de **ironie** irony

ironisch ironic(al)

irrationeel irrational

irreëel unreal, imaginary

irrelevant irrelevant: *dat is* ~ that's beside the point

de **irrigatie** irrigation

irrigeren irrigate

irritant irritating, annoying

de **irritatie** irritation

irriteren irritate, annoy: *het irriteert mij* it is getting on my nerves

de **ischias** sciatica

de **islam** Islam

de **islamiet** Islamite

het **islamisme** Islamism

islamitisch Islamic

de **isolatie 1** [m.b.t. kou, geluid; ook materiaal] insulation **2** [afzondering] isolation

de **isoleercel** isolation cell; [voor psychiatrische patiënten ook] padded cell

het **isolement** isolation

¹**isoleren** (ww) insulate (from, against)

²**isoleren** (ov ww) isolate; [m.b.t. zieken ook] quarantine; [door storm, overstroming, sneeuw ook] cut off

Israël Israel

de **Israëli** Israeli

de **Israëliër** Israeli

Israëlisch Israeli

het/de **issue** issue: *een hot* ~ a burning issue

de **IT** afk van *informatietechnologie* IT, information technology

de **Italiaan** Italian

het ¹**Italiaans** (zn) Italian

²**Italiaans** (bn) Italian

Italië Italy

het **item** [nieuwsbericht, onderwerp] item, topic: *een hot* ~ a burning issue

de **IT'er** IT specialist

i.t.t. afk van *in tegenstelling tot* in contrast with, as opposed to

de **ivf** afk van *in-vitrofertilisatie* IVF

i.v.m. afk van *in verband met* in connection with

het **ivoor** ivory

de **Ivoorkust** Ivory Coast

ivoren ivory

de **Ivoriaan** Ivory Coaster

het **Ivriet** (modern) Hebrew

j

de **j** j, J

ja 1 yes; [inf] yeah; all right, OK: *ja knikken* nod (agreement); *en zo ja* and if so **2** [m.b.t. verwondering] really, indeed: *o ja?* oh yes?; [ook ironisch] (oh) really? ‖ *o ja, nu ik je toch spreek ...* oh, yes, by the way ...

de **jaap** cut, gash, slash

het **jaar** year: *een half ~* half a year; *het hele ~ door* throughout the year; *~ in, ~ uit* year after year; *in de laatste paar ~, de laatste jaren* in the last few years, in recent years; *om de twee ~* every other year; *over vijf ~* five years from now; *per ~* yearly, a year; *de jaren tachtig, negentig, nul, tien* the eighties, nineties, noughties, (twenty-)tens; *een kind van zes ~* a six-year-old (child); *uit het ~ nul* from the year dot; *vorige week dinsdag is ze twaalf ~ geworden* she was twelve last Tuesday

de **jaarbeurs 1** (annual) fair, trade fair **2** [gebouw] exhibition centre

het **jaarboek** yearbook, annual

de **jaarcijfers** annual returns

de **jaargang** volume, year (of publication)

de **jaargenoot** [op school] classmate

het **jaargetijde** season

de **jaarkaart** [trein e.d.] annual season ticket

jaarlijks annual, yearly: *dit feest wordt ~ gevierd* this celebration takes place every year

de **jaarmarkt** (annual) fair

de **jaarring** annual ring, growth (*of:* tree) ring

het **jaartal** year, date

de **jaartelling** era: *de christelijke ~* the Christian era

de **jaarvergadering** annual meeting

het **jaarverslag** annual report

de **jaarwisseling** turn of the year: *goede (prettige) ~!* Happy New Year!

het **JAC** afk van *Jongerenadviescentrum* young people's advisory centre

de ¹**jacht** (zn) **1** hunting; [op klein wild] shooting: *op ~ gaan* **a)** go (out) hunting; **b)** go (out) shooting [klein wild]; **c)** [van roofdier] go hunting, prowl **2** [jachtpartij] hunt; [op klein wild] shoot **3** [achtervolging] hunt, chase: *~ maken op oorlogsmisdadigers* hunt down war criminals

het ²**jacht** (zn) yacht

jachten [zich haasten] hurry, rush

het **jachtgebied** hunt(ing ground); [voor klein wild] shoot(ing); [voor klein wild] shooting ground

het **jachtgeweer** shotgun

de **jachthaven** yacht basin; [aan zee ook] marina

de **jachthond** hound

jachtig hurried, hectic

de **jachtluipaard** cheetah

de **jachtopziener** game-warden

het **jachtseizoen** hunting season, shooting season

de **jachtvergunning** hunting licence

het **jack** jacket, coat

de **jackpot** jackpot

het/de **jacquet** morning coat

de **jacuzzi**ᴹᴱᴿᴷ jacuzzi

het/de **jade** jade

¹**jagen** (onov ww) hunt; [met geweer] shoot: *op patrijs ~* hunt partridge

²**jagen** (ov ww) **1** hunt, hunt for; [m.b.t. klein wild] shoot **2** [drijven] drive; [in uitdrukkingen] put; [snel] race; [snel] rush: *prijzen omhoog* (of: *omlaag*) *~* drive prices up (of: down)

de **jager** hunter

de **jaguar** jaguar

Jahweh Yahweh

de **jakhals** jackal

jakkeren ride hard, rush along

jakkes [inf] ugh!, bah!, pooh!

de **jaknikker 1** [persoon] yes-man **2** [pomp] pumpjack; nodding donkey

Jakob James, Jacob: *de ware ~* Mr Right

de **jakobsschelp** scallop

jaloers jealous (of), envious (of)

de **jaloezie 1** envy; [m.b.t. liefde ook] jealousy **2** [zonnescherm] (Venetian) blind

de **jam** jam

Jamaica Jamaica

de **Jamaicaan** Jamaican

Jamaicaans Jamaican

jammen gig, jam

jammer a pity, a shame, too bad, bad luck: *het is ~ dat ...* **a)** it's a pity (of: shame) that ... **b)** [inf] too bad that ...; *wat ~!* what a pity! (of: shame!); *het is erg ~ voor hem* it's very hard on him; *~, hij is net weg* (a) pity (of: bad luck), he has just left

jammeren moan

jammerlijk pitiful, miserable: *~ mislukken* fail miserably

de **jampot** jam jar

Jan John: *~ Rap en zijn maat* ragtag and bobtail; *~ en alleman* every Tom, Dick and Harry; *~ met de pet* the (ordinary) man in the street

de **janboel** shambles, mess

janboerenfluitjes: *op zijn ~* anyhow, any old how

de **janet** [Belg] homo, poof(ter), pansy

janken whine, howl; [inf] blubber

Jan Klaassen Punch: *~ en Katrijn* Punch and Judy

de **januari** January

de **jap** Jap

Japan Japan
de **Japanner** Japanese
het **¹Japans** (zn) Japanese
²Japans (bn) Japanese
de **japon** dress; [lange (avond)japon] gown
¹jarenlang (bn) many years': *een ~e vriendschap* a friendship of many years' (standing)
²jarenlang (bw) for years and years
het **jargon** jargon: *ambtelijk ~* officialese
jarig: *de ~e Job* (of: *Jet*) the birthday boy (of: girl); *ik ben vandaag ~* it's my birthday today
de **jarige** person celebrating his (of: her) birthday, birthday boy (of: girl)
de **jarretelle** suspender; [Am] garter
de **jas 1** coat **2** [colbertjasje] jacket ‖ *in een nieuw ~je steken* give (of: get) a facelift
het **jasje 1** (short, little) coat **2** [colbertjas] jacket
de **jasmijn** jasmine
jasses [inf] ugh!
de **jat** paw
jatten pinch, nick
Java Java
de **Javaan** Javan(ese)
jawel (oh) yes; [beleefd] certainly: *~ meneer* certainly sir
het **jawoord** consent; ± 'I will' [tijdens huwelijksceremonie]
jazeker yes, certainly, indeed
de **jazz** jazz
het **jazzballet** jazz ballet
de **jazzband** jazz band
¹je (pers vnw) [jij, jou, jullie] you: *jullie zouden je moeten schamen* you ought to be ashamed of yourselves
²je (bez vnw) [jouw] your: *één van je vrienden* a friend of yours
³je (onb vnw) [men] you: *zoiets doe je niet* you don't do things like that
de **jeans** jeans
jee (oh) Lord!, dear me!
de **jeep** jeep
jegens towards: *diep wantrouwen koesteren ~ iem.* have a deep distrust of s.o.
Jehova Jehovah: *~'s getuigen* Jehovah's Witnesses
Jemen (the) Yemen
de **Jemeniet** Yemeni
Jemenitisch Yemenite
de **jenaplanschool** ± Summerhill school
de **jenever** Dutch gin, jenever
de **jeneverbes** juniper berry
jengelen 1 whine, moan **2** [eentonig klinken] drone: *~ op een gitaar* twang (away) on a guitar
jennen badger, pester
de **jerrycan** jerrycan
Jeruzalem Jerusalem
de **jet** jet (aircraft)
de **jetlag** jet lag

de **jetset** jet set
de **jetski**ᴹᴱᴿᴷ jet-ski
het **jeu de boules** boule
de **jeugd 1** youth **2** [personen ook] young people: *de ~ van tegenwoordig* young people nowadays
de **jeugdbende** gang of youths
de **jeugdherberg** youth hostel
de **jeugdherinnering** reminiscence of childhood, childhood memory
jeugdig youthful, young(ish): *een programma voor ~e kijkers* a programme for younger viewers
het **jeugdjournaal** news broadcast for young people
de **jeugdliefde** youthful love, adolescent love, calf-love; [persoon] old flame: *zij is een van zijn ~s* she's one of his old loves
de **jeugdpuistjes** acne, spots, pimples
de **jeugdrechter** [Belg] [kinderrechter] juvenile court magistrate
de **jeugdvriend** old (girl) friend
de **jeugdwerkloosheid** youth unemployment
de **jeugdzonde** sin of one's youth
de **jeuk** itch(ing): *ik heb overal ~* I'm itching all over; [fig] *ergens ~ van krijgen* get hot under the collar about sth., get worked up about sth.
jeuken itch: *mijn handen ~ om hem een pak slaag te geven* I'm (just) itching to give him a good thrashing
jeukerig itchy
de **je-weet-wel** [m.b.t. personen] what's-his-name; [m.b.t. zaken] you know …
jezelf yourself: *kijk naar ~* look at yourself
de **jezuïet** Jesuit
Jezus Jesus
de **jicht** gout
het **¹Jiddisch** (zn) Yiddish
²Jiddisch (bn) Yiddish
de **jihad** jihad, jehad
jij you: *zeg, ~ daar!* hey, you!; *~ hier?* goodness, are you here?
jijen: *~ en jouen* be on familiar (of: christianname) terms (with s.o.)
de **jingle** jingle
jippie yippee
het **jiujitsu** ju-jitsu
jl. afk van *jongstleden* [vorige maand] ult; [dezelfde maand] inst
de **job** job
Job Job: *zo arm als ~* as poor as a church mouse
de **jobdienst** [Belg] (student) employment agency
de **jobstijding** bad tidings [mv]; bad news
de **jobstudent** [Belg] student with part-time job
het **joch** lad
het **jochie** (little) lad

de **jockey** jockey
jodelen yodel
het **jodendom** [godsdienst] Judaism
het **Jodendom** [volk] Jews, Jewry
de **Jodenvervolging** persecution of the Jews
de **jodin** [godsdienst] Jewess
de **Jodin** Jewess
het **jodium** iodine
de **Joegoslaaf** Yugoslav(ian)
Joegoslavië Yugoslavia
Joegoslavisch Yugoslav(ian)
de **joekel** whopper: *wat een ~ van een huis!* what a whacking great house!
joelen whoop, roar: *een ~de menigte* a roaring crowd
joggen jog
de **jogger** jogger
de **jogging 1** [het joggen] jogging **2** [Belg; joggingpak] track suit
het **joggingpak** tracksuit
joh you: *hé ~, kijk een beetje uit* hey (you), watch out; *kop op, ~* (come on) cheer up, (old boy, girl)
Johannes John: *~ de Doper* John the Baptist
de **joint** joint, stick
de **joint venture** joint venture
de **jojo** yo-yo
de **joker** joker
de **jokkebrok** (little) fibber
jokken fib, tell a fib
jolig jolly
het **¹jong** (zn) **1** young (one); [hond] pup(py) **2** [kind] kid, child
²jong (bn) **1** young: *op ~e leeftijd* at an early age; *~ en oud* young and old **2** recent, late: *de ~ste berichten* the latest news **3** [nieuw, vers] young, new, immature: *~e kaas* unmatured (*of:* green) cheese
de **jongedame** young lady
de **jongeheer** young gentleman
de **jongelui** youngsters, young people
de **jongeman** young man
de **¹jongen** (zn) **1** boy, youth, lad: *is het een ~ of een meisje?* is it a boy or a girl? **2** [volwassene] boy, lad, guy: *onze ~s hebben zich dapper geweerd* our boys put up a brave defence **3** [mv] kids; [jongens, mannen] lads; chaps; [alg] folks; guys: *gaan jullie mee, ~s?* are you coming, you lot?
²jongen (onov ww) give birth, drop (their) young, bear young; litter [m.b.t. hond, kat, vos enz.]: *onze kat heeft vandaag gejongd* our cat has had kittens today
jongensachtig boyish: *zich ~ gedragen* behave like a boy
de **jongensdroom** boyish dream; [alg] childhood dream
de **jongere** young person, youngster
het **jongerencentrum** ± youth centre
het **jongerenwerk** youth work

jongleren juggle
de **jongleur** juggler, acrobat
jongstleden last: *de 14e ~* the 14th of this month
de **jonkheer** esquire
het **jonkie** [inf] young one
de **jonkvrouw** ± Lady
de **jood** [godsdienst] Jew
de **Jood** [volk] Jew
joods [godsdienst] Jewish, Judaic
Joods [volk] Jewish, Judaic
Joost: *~ mag het weten* God knows, search me, hanged if I know
de **Jordaan** (the river) Jordan
Jordaans Jordanian
Jordanië Jordan
de **Jordaniër** Jordanian
de **jota** iota
jou you: *~ moet ik hebben* you're just the person I need; *is dit boek van ~?* is this book yours?
jouen: *jijen en ~* be on familiar (*of:* christian-name) terms (with s.o.)
de **joule** [nat] joule
het **journaal** news, newscast: *het ~ van 8 uur* the 8 o'clock news
de **journalist** journalist
de **journalistiek** journalism
jouw your: *is dat ~ werk?* is that your work? *dat potlood is het ~e* that pencil is yours
joviaal jovial
de **joypad** joypad
het/de **joyriding** joyriding
de **joystick** joystick
jr. afk van *junior* Jr.
jubelen shout with joy, be jubilant
de **jubelstemming** jubilant mood
de **jubilaris** ± person celebrating his (*of:* her) jubilee
jubileren celebrate one's jubilee (*of:* anniversary)
het **jubileum** anniversary; [ook persoon] jubilee: *gouden ~* golden jubilee, 50th anniversary
het **judo** judo
de **judoka** [sport] judoka, judoist
de **juf** teacher; [aanspreekvorm] Miss
het **juffershondje** lapdog
de **juffrouw** madam
juichen shout with joy, be jubilant: *de menigte juichte toen het doelpunt werd gemaakt* the crowd cheered when the goal was scored
de **juichkreet** shout of joy (*of:* jubilation)
¹juist (bn, bw) **1** right, correct: *de ~e tijd* the right (*of:* correct) time; *is dit de ~e spelling?* this the right spelling? **2** [geschikt] right, proper: *precies op het ~e ogenblik* just at the right moment
²juist (bw) **1** just, exactly, of all times (*of:* places, people); no, on the contrary: *ze bedoelde ~ het tegendeel* she meant just the

opposite; *gelukkig? ik ben ~ diepbedroefd!* happy? no (*of:* on the contrary), I'm terribly sad!; *daarom ~* that's exactly why; *~ op dat ogenblik kwam zij binnen* just at that very moment (*of:* right at that moment) she came in **2** [zo-even] just

de **juistheid** correctness, accuracy; [waarheid] truth; [toepasselijkheid] appropriateness

het **juk** yoke

het **jukbeen** cheekbone

de **jukebox** jukebox

de **juli** July

¹jullie (pers vnw) you: *~ hebben gelijk* you're right

²jullie (bez vnw) your: *is die auto van ~?* is that car yours?

de **jumbojet** jumbo jet

jumpen jump

de **jungle** jungle

de **juni** June

de **junior** junior

de **junk 1** junkie, junky **2** [heroïne] junk, smack

het **junkfood** junk food

de **junta** junta

jureren adjudicate

de **jurering** adjudication

juridisch legal, law

de **jurisdictie** jurisdiction; [rechtsmacht ook] competence

de **jurisprudentie** jurisprudence

de **jurist** jurist, lawyer

de **jurk** dress: *een blote ~* a revealing dress

de **jury** jury

het **jurylid 1** member of the jury **2** [sport, tentoonstellingen e.d.] (panel of) judges

de **juryrechtspraak** trial by jury

de **jus** gravy

de **jus d'orange** orange juice

de **juskom** gravy boat

de **justitie 1** justice: *minister van ~* Minister of Justice; *officier van ~* public prosecutor **2** [rechterlijke macht] judiciary; [inf] the law; [inf] the police: *met ~ in aanraking komen* come into conflict with the law

justitieel judicial: *een ~ onderzoek* a judicial inquiry (*of:* investigation)

het **justitiepaleis** [Belg] [paleis van justitie] Palace of Justice

de **¹jute** (zn) jute

²jute (bn) jute

juten jute, burlap

Jutland Jutland

jutten search beaches

de **jutter** beachcomber

het **juweel 1** jewel, gem **2** [mv] jewellery

het **juwelenkistje** jewel case

de **juwelier** jeweller

k

de **k** k
  K afk van *1024 bytes, kilobyte* K: *een bestand van 2506 K* a 2506K file
de **kaaiman** cayman
de **kaak** jaw
het **kaakbeen** jawbone
de **kaakchirurg** oral surgeon, dental surgeon
het **kaakje** biscuit
de **kaakslag** slap in the face; [met vuist] punch in the face: *iem. een ~ geven* slap (*of:* punch) s.o. in the face
  kaal 1 bald: *zo ~ als een biljartbal zijn* be (as) bald as a coot **2** [afgesleten] (thread)bare: *een kale plek* a (thread)bare spot; *de kale huur* the basic rent **3** [ontbladerd] bare: *de bomen worden ~* the trees are losing their leaves
de **kaalkop** [inf] baldy
  kaalplukken [inf] **1** [fin] squeeze dry, bleed white **2** [m.b.t. criminelen] seize the criminal assets of
  kaalscheren shave
de **kaalslag** deforestation
de **kaap** cape: *~ de Goede Hoop* Cape of Good Hope
  Kaapstad Cape Town
  Kaapverdië Cape Verde (Islands)
de **Kaapverdiër** Cape Verdean
  Kaapverdisch Cape Verdean
de **Kaapverdische Eilanden** Cape Verde Islands
de **kaars** candle
het **kaarslicht** candlelight
  kaarsrecht dead straight; [rechtop] bolt upright
het **kaarsvet** candle-grease
de **kaart 1** card: *de gele* (*of: rode*) *~ krijgen* be shown the yellow (*of:* red) card **2** [spijskaart] menu **3** [speelkaarten] cards, hand: *een spel ~en* a pack of cards **4** [toegangskaart] ticket **5** [aardr] map; [zee, weer] chart || *dat is geen haalbare ~* it's not a viable proposition; *open ~ spelen* put all one's cards on the table; *van de ~ zijn* be upset
  kaarten play cards
de **kaartenbak** card-index box (*of:* drawer)
het **kaartenhuis** house of cards: *instorten als een ~* collapse like a house of cards
de **kaarting** [Belg] [kaartwedstrijd] drive, bridge drive, whist drive
het **kaartje 1** [visitekaartje] (business) card **2** [toegangskaartje] ticket
  kaartlezen read maps

het **kaartspel** card playing, card game; [inf] cards: *geld verliezen bij het ~* lose money at cards
het **kaartsysteem** card index
de **kaartverkoop** ticket sales
de **kaas** cheese: *jonge ~* unmatured (*of:* green) cheese; *belegen ~* matured cheese; *oude ~* fully mature cheese || [fig] *hij heeft er geen ~ van gegeten* he's not much good at it, he doesn't know the first thing about it
de **kaasboer** cheesemonger
de **kaasfondue** cheese fondue
de **kaasschaaf** cheese slicer
de **kaasstolp 1** cheese cover **2** [als symbool] ivory tower
  kaatsen bounce
het **kabaal** racket, din
  kabbelen lap; [ook fig] ripple; babble, murmur
de **kabel 1** cable **2** [elek] wire; [dikker] cable
de **kabelbaan** funicular (railway), cable-lift
de **kabelexploitant** operator of a cable TV system
de **kabeljauw** cod(fish)
het **kabelnet** cable television network: *aangesloten zijn op het ~* receive cable television
de **kabeltelevisie** cable television
het **kabinet** cabinet, government: *het ~ is gevallen* the government has fallen; *het ~-Rutte* the Rutte cabinet (*of:* government)
de **kabinetschef** ± principal private secretary
de **kabinetscrisis** fall of the government
de **kabinetsformatie** formation of a (new) government (*of:* cabinet)
de **kabouter 1** gnome, pixie; [mv ook] little people: *dat hebben de ~tjes gedaan* it must have been the fairies (*of:* the little people) **2** [vrouwelijke padvinder] Brownie
de **kachel** stove; [elektrisch, gas] heater; fire; [haard] fire
het **kadaster 1** ± land register **2** [instantie] ± land registry
het **kadaver** (dead) body; [lijk] corpse
de **kade** quay, wharf: *het schip ligt aan de ~* the ship lies by the quay(side)
het **kader 1** frame(work): *in het ~ van* within the framework (*of:* scope) of, as part of **2** [staf] executives
het **kadetje** (bread) roll
het **kaf** chaff
de **kaffer** boor, lout
de **Kaffer** Kaffir
het/de **kaft 1** cover **2** [beschermend papier] jacket
de **kaftan** kaftan
  kaften cover
het **kaftpapier** wrapping paper, brown paper
de **kajak** kayak
de **kajotter** [Belg] member of KAJ
de **kajuit** saloon
de **kak 1** shit, crap **2** [verwaande mensen] ladi-da people, snooty people, snobs || *kale*

(kouwe) ~ swank, la-di-da behaviour
kakelbont gaudy
kakelen cackle; [fig ook] chatter
kakelvers farm-fresh
de **kaketoe** cockatoo
het **kaki** khaki
kakken crap, shit
de **kakkerlak** cockroach
de **kalebas** gourd, calabash
de **kalender** calendar
het **kalenderjaar** calendar year
het **kalf** calf: *de put dempen als het ~ verdronken is* lock the stable door after the horse has bolted
het **kalfsleer** calf, calfskin
het **kalfsmedaillon** medallion of veal
de **kalfsoester** veal escalope
het **kalfsvlees** veal
het **kaliber** calibre, bore
het **kalium** potassium, potash
de **kalk 1** lime; [ongeblust] (quick)lime; [geblust] slaked lime **2** [metselspecie] (lime) mortar **3** [om mee te pleisteren] plaster; [om mee te witten] whitewash
de **kalkaanslag** scale, fur
kalken 1 [slordig, snel schrijven] scribble **2** [(opschriften) op muren aanbrengen] chalk
de **kalknagel** fungal nail
de **kalkoen** turkey
et/de **kalksteen** limestone
kalligraferen write in calligraphy *(of:* fine handwriting)
de **kalligrafie** calligraphy, penmanship
kalm 1 calm, cool, composed **2** [niet gejaagd ook] peaceful, quiet: *~ aan!* [tempo] take it easy!, easy does it!
kalmeren calm down, soothe, tranquillize: *een ~d effect* a calming *(of:* soothing, tranquilizing) effect
het **kalmeringsmiddel** sedative, tranquillizer
kalmpjes calmly
de **kalmte 1** calm(ness), composure: *zijn ~ bewaren* keep one's head/composure *(of:* self-control, cool) **2** [staat van rust] calm(ness), tranquillity, quietness
kalven calve
de **kalverliefde** calf love
de **kam** comb
de **kameel** camel
et/de **kameleon** chameleon
de **kamer 1** room, chamber **2** [in hotel e.d.] room, apartment: *~s verhuren* take in lodgers; *~ met ontbijt* Bed and Breakfast, B & B; *Renske woont op ~s* Renske is *(of:* lives) in lodgings; *op ~s gaan wonen* move into lodgings **3** [instantie] chamber, house: [Belg] *Kamer van Volksvertegenwoordigers* Lower House (of Parliament); *de Eerste Kamer* **a)** the Upper Chamber *(of:* Upper House); **b)** the (House of) Lords, the Upper House; **c)** [Am]

the Senate; *de Tweede Kamer* **a)** the Lower Chamber *(of:* Lower House); **b)** the (House of) Commons; **c)** [Am] the House (of Representatives) **4** [vereniging] chamber, board: *de Kamer van Koophandel en Fabrieken* the Chamber of Commerce
de **kameraad** comrade, companion, mate, pal, buddy
de **kameraadschap** companionship, (good-)fellowship, camaraderie
kameraadschappelijk companionable, friendly: *~ met iem. omgaan* fraternize with s.o.
de **kamerbewoner** lodger
kamerbreed wall-to-wall
het **kamerdebat** parliamentary debate; [USA] congressional debate
de **kamergenoot** room-mate
de **kamerjas** dressing gown
het **kamerlid** Member of Parliament, MP
het **kamermeisje** chambermaid
de **kamermuziek** chamber music
Kameroen Cameroon
de **Kameroener** Cameroonian
Kameroens Cameroonian
het **kamerorkest** chamber orchestra
de **kamerplant** house plant, indoor plant
de **kamertemperatuur** room temperature
de **kamerverkiezing** parliamentary elections; [Am] congressional elections
de **kamerzetel** seat
de **kamfer** camphor
het **kamgaren** worsted (yarn)
de **kamikaze** kamikaze, suicide pilot
de **kamille** camomile
kammen comb
het **kamp** camp
de **kampeerboerderij** farm campsite
de **kampeerder** camper
het **kampeerterrein** camp(ing) site; [voor caravans] caravan park *(of:* site)
de **kampeerwagen 1** caravan **2** camper
het **kampement** camp, encampment
kampen contend (with), struggle (with), wrestle (with): *met tegenslag te ~ hebben* have to cope with setbacks
de **kamper** mobile home resident
kamperen camp (out), encamp, pitch (one's) tents, bivouac: *vrij (of: bij de boer) ~* camp wild *(of:* on a farm)
de **kamperfoelie** honeysuckle
de **kampioen** champion, titleholder
het **kampioenschap** championship, contest, competition, tournament
het **kampvuur** campfire
de **kan** jug: *de zaak is in ~nen en kruiken* it's in the bag
het **kanaal 1** canal, channel: *Het Kanaal* the (English) Channel **2** [pijp] canal, duct
de **Kanaaleilanden** Channel Islands *(of:* Isles)
de **Kanaaltunnel** Channel Tunnel, Chunnel

kanaliseren [fig] channel
de **kanarie** canary (bird)
kanariegeel canary yellow
de **kandelaar** candlestick, candleholder
de **kandidaat 1** candidate; [sollicitant] applicant: *zich ~ stellen (voor)* run (for) **2** [iem. die zich voor een examen aanmeldt] candidate, examinee
de **kandidatuur** candidature, nomination
kandideren nominate, put forward: *zich ~* put o.s. up (for); [voornamelijk Am-Eng] run (for)
de **kandij** candy
het/de **kaneel** cinnamon
de **kangoeroe** kangaroo
de **kanjer 1** wizard, humdinger, whizz kid; [sport] star (player) **2** [iets groots] whopper, colossus: *een ~ van een vis* (of: *appel*) a whopping fish (of: apple)
de **kanker** cancer; [med] carcinoma: *aan ~ doodgaan* die of cancer
de **kankeraar** grouser
de **kankerbestrijding** fight against cancer, cancer control; [campagne] (anti-)cancer campaign
kankeren grouse, grumble, gripe: *~ op de maatschappij* grouse about society
het **kankergezwel** cancerous tumour
de **kankerpatiënt** cancer patient
kankerverwekkend carcinogenic
de **kannibaal** cannibal, man-eater
het **kannibalisme** cannibalism
de **kano** canoe
het **kanon 1** gun, cannon **2** [persoon, kopstuk] big shot, big name
het **kanonschot** gunshot, cannonshot
de **kanonskogel** cannonball
de **kanovaarder** canoeist
de **kans 1** chance, possibility, opportunity; [op iets onaangenaams] liability; [op iets onaangenaams] risk: *vijftig procent ~* equal chances, even odds; *(een) grote ~ dat ...* a good chance that ...; *hij heeft een goede* (of: *veel*) *~ te winnen* he stands (of: has) a good chance of winning; *de ~en keren* the tide (of: his luck) is turning; *geen ~ maken op* stand no chance of (sth., doing sth.); *ik zie er wel ~ toe* I think I can manage it; *~ zien te ontkomen* manage to escape; *de ~ is honderd tegen één* the odds (of: chances) are a hundred to one **2** [gunstige gelegenheid] opportunity, chance, break, opening: *zijn ~en grijpen* seize the opportunity; *zijn ~ afwachten* await one's chances; *een gemiste ~* a lost (of: missed) opportunity; *geen schijn van ~* not a chance in the world; *zijn ~ schoon zien* see one's chance, see one's way clear (to)
KANS [med] complaints of the arm, neck and/or shoulder
kansarm underprivileged, deprived
de **kansberekening** theory of probability;

[som] calculation of probability
de **kansel** pulpit
de **kanselier** chancellor
de **kanshebber** likely candidate (of: winner): *de grootste ~* the favourite; *~ zijn voor ...* be in line for
kansloos prospectless: *hij was ~ tegen hem* he didn't stand a chance against him
kansrijk likely [kandidaat]; strong
het **kansspel** game of chance
de **kant 1** [rand, zijkant] edge, side; [kantlijn] margin: *aan de ~ !* out of the way!; *aan de ~ gaan staan* stand (of: step) aside; *zijn auto aan de ~ zetten* pull up (of: over) **2** [weefsel] lace **3** [oever] bank, edge: *op de ~ klimmen* climb ashore **4** [grensvlak van een lichaam] side, face, surface; [fig] aspect; [fig] facet; [fig] angle; [fig] view: *zich van zijn goede ~ laten zien* show one's good side; *iemands sterke* (of: *zwakke*) *~en* s.o.'s strong (of: weak) points; *deze ~ boven* this side up **5** [smal zijvlak] side, end, edge: *iets op zijn ~ zetten* put sth. on its side; *de scherpe ~en van iets afnemen* tone sth. down (a bit); *scherpe ~* (cutting) edge **6** [richting] way, direction: *zij kan nog alle ~en op* she has kept her options open; *deze ~ op, alstublieft* this way, please; *van alle ~en* on all sides; *geen ~ meer op kunnen* have nowhere (left) to go **7** [partij, zijde] side, part(y): *familie van vaders* (of: *moeders*) *~* relatives on one's father's (of: mother's) side; *ik sta aan jouw ~* I'm on your side || *iem. van ~ maken* do s.o. in
de **kanteel** merlon
¹kantelen (onov ww) [omvallen] topple over, turn over
²kantelen (ov ww) tilt, tip (over, to one side), turn over: *niet ~!* this side up!
het **kantelraam** swing (of: cantilever) window
kanten (of) lace, lacy
kant-en-klaar ready-to-use, ready for use; ready-made; instant [voedsel]; ready-to-wear; off the peg [kleding]: *geen kant-en-klare oplossing hebben* have no cut-and-dried solution
de **kant-en-klaarmaaltijd** ready meal
de **kantine** canteen
het **kantje 1** edge, verge: *dat was op het ~ af, het was ~ boord* that was a near thing (of: close shave) **2** [bladzijde] page, side: *een opstel van drie ~s* a three-page essay || *er de ~s aflopen* cut corners
de **kantlijn** margin
het **kanton** canton, district
het **kantongerecht** cantonal court; [Engeland] ± magistrates' court; [Am] ± municipal (of: police, Justice) of the Peace court
de **kantonrechter** cantonal judge, magistrate, JP; [Am] Justice of the Peace
het **kantoor** office: *na ~ een borrel pakken* have a drink after office hours; *naar ~ gaan* go to

the office; *hij is op zijn* ~ he is in his office; *overdag ben ik op (mijn)* ~ I am at the office in the daytime; *op* ~ *werken* work in an office

de **kantoorbaan** office job, clerical job

de **kantoorboekhandel** (office) stationer's (shop)

het **kantoorgebouw** office block (*of*: building)

het **kantoorpersoneel** office staff (*of*: employees, workers)

de **kantoortijd** office (*of*: business) hours: *onder* ~ during office (*of*: business) hours

de **kanttekening** (short, marginal) comment

de **kap 1** [capuchon] hood **2** [voor vrouwen] cap **3** [bedekking] hood [auto, kinderwagen]; [motorkap van auto] bonnet; [Am] hood: *het ~je van het brood* the end slice, the crust; *twee (huizen) onder één* ~ two semi-detached houses; [m.b.t. één huis] a semi-detached house ‖ [Belg] *op iemands* ~ *zitten* pester s.o.

de **kapel 1** chapel **2** [dakvenster] dormer (window) **3** [muziekgezelschap] band

de **kapelaan** curate, assistant priest

kapen hijack

de **kaper** hijacker: *er zijn ~s op de kust* we've got plenty of competitors (*of*: rivals)

het **kapitaal 1** fortune: *een* ~ *aan boeken* a (small) fortune in books **2** [vermogen] capital

de **kapitaalgoederen** capital goods, investment goods

kapitaalkrachtig wealthy, substantial

de **kapitaalmarkt** capital market

de **kapitaalvernietiging 1** [fin] destruction of capital **2** [verspilling van talent] waste of talent

het **kapitalisme** capitalism

de **kapitalist** capitalist

kapitalistisch capitalist(ic)

de **kapitein** captain; skipper [van klein schip]

het **kapittel** chapter

het **kapje 1** [kleine kap] cap; [med] (face)mask **2** [brood] heel

de **kaplaars** top boot, jackboot

het **kapmes** chopping-knife; [slagersmes] cleaver; machete

de **kapok** kapok

kapot 1 broken, in bits: *die jas is* ~ that coat is torn **2** [niet meer werkend] broken; broken down [auto]: *de koffieautomaat is* ~ the coffee machine is out of order **3** [doodmoe] dead beat, worn out: *zich* ~ *werken* work one's fingers to the bone; *hij is niet* ~ *te krijgen* he's a tough one (*of*: cookie) **4** [ontzet] cut up, broken-hearted: *ergens* ~ *van zijn* be (all) cut up about sth.

kapotgaan 1 break, fall apart; break down [auto, machine] **2** [doodgaan] pop off, kick the bucket

het **kapotje** rubber, French letter

kapotmaken break (up), destroy, wreck, ruin

kapotvallen fall to pieces, fall and break, smash

¹**kappen** (onov ww) chop, cut ‖ *ik kap er mee* I'm knocking off

²**kappen** (ov ww) **1** cut down, chop down, fell **2** [m.b.t. het haar] do one's (*of*: s.o.'s) hair: *zich laten* ~ have one's hair done **3** [uithakken] cut, hew

de **kapper** hairdresser, hairstylist; [heren] barber

de **kappertjes** capers

het/de **kapsalon** hairdresser's; [voor heren ook] barber's shop

kapseizen capsize, keel over

het **kapsel 1** hairstyle, haircut **2** [het gekapte haar] hairdo

de **kapsones**: ~ *hebben* be full of o.s.

de **kapstok** [staand] hallstand; hatstand; [aan de muur] hat rack; coat hooks

de **kaptafel** dressing table

de **kapucijner** ± marrowfat (pea)

de **kar 1** cart, barrow: [fig] *de* ~ *trekken* do the dirty work **2** [auto] car

het **karaat** carat

de **karabijn** carbine

de **karaf** carafe, decanter

het **karakter 1** character, nature: *iem. met een sterk* ~ s.o. with (great) strength of character **2** [krachtige persoonlijkheid] character, personality, spirit: ~ *tonen* show character (*of*: spirit); *zonder* ~ without character, spineless **3** [teken] character, symbol

de **karaktereigenschap** character trait

karakteriseren characterize

karakteristiek characteristic (of), typical (of)

karakterloos characterless, insipid

de **karaktertrek** characteristic, feature, trait

de **karamel** caramel, toffee

het **karaoke** karaoke

het **karate** karate

de **karavaan** caravan, train

de **karbonade** chop, cutlet

de **kardinaal** cardinal

Karel Charles: ~ *de Grote* Charlemagne

de **kariboe** caribou

karig 1 sparing, mean, frugal **2** [schraal] meagre, scant(y), frugal: *een* ~ *maal* a frugal meal

de **karikatuur** caricature

het/de **karkas** carcass

het **karma** karma

de **karnemelk** buttermilk

karnen churn

de **karper** carp

het **karpet** rug

karren ride; [fietsen] bike

het **karrenspoor** cart track

de **karrenvracht** cartload

het **karretje** (little) cart, car; trap [rijtuigje]; [in supermarkt] trolley; soapbox [van kinderen]

het **kartel** cartel, trust

kartelen serrate, notch; [munten ook] mill

het **kartelmes** serrated knife

de **kartelrand** milled edge

karten (go-)kart

het **karting** karting

het **karton 1** cardboard **2** [doos] carton, cardboard box

kartonnen cardboard: *een ~ bekertje* a paper cup

de **karwats** (riding) crop, (riding) whip

het/de **karwei 1** job, work: *een heidens ~* a hell of a job **2** [tijdelijk werk, klusje ook] odd job, chore **3** [zwaar, veelomvattend werk] job, task, chore

de **karwij** caraway (seed)

de **kas 1** greenhouse, hothouse **2** [kassa] cashdesk, cashier's office **3** [contanten] cash, fund(s): *de kleine ~* petty cash; *de ~ beheren* (of: *houden*) manage (of: keep) the cash; *krap (slecht) bij ~ zitten* be short of cash (of: money) **4** [holte waarin iets gevat is] socket

het **kasboek** cash book, account(s) book

de **kasbon** [Belg] (type of) savings certificate

de **kasgroente** greenhouse vegetables

het **kasjmier** cashmere

de **Kaspische Zee** Caspian Sea

de **kasplant** hothouse plant

de **kassa 1** cash register, till **2** [om te betalen] cash desk; checkout [supermarkt]; box office, booking office [schouwburg, bioscoop]

de **kassabon** receipt, sales slip, docket

het **kassaldo** cash balance

de **kassei** cobble(stone), paving stone, sett

de **kassier** cashier; [bank ook] teller

het **kassucces** box-office success, box-office hit

de **kast 1** cupboard; wardrobe [kleren]; chest of drawers [ladekast]; cabinet [voor sierspulletjes]: *iem. op de ~ jagen (krijgen)* get a rise out of s.o.; *alles uit de ~ halen* pull out all the stops **2** [groot gebouw] barracks; barn [huis]: *een ~ van een huis* a barn of a house

de **kastanje** [tamme kastanje] (Spanish, sweet) chestnut

de **kastanjeboom** chestnut (tree)

het ¹**kastanjebruin** (zn) chestnut, auburn
²**kastanjebruin** (bn) chestnut, auburn

de **kaste** caste

het **kasteel** castle

de **kastelein** innkeeper, publican, landlord

het **kastenstelsel** caste system

het **kasticket** [Belg] [kassabon] receipt

kastijden chastise, castigate, punish

het **kastje 1** cupboard, locker: *van het ~ naar de muur gestuurd worden* be sent (of: driven) from pillar to post **2** [televisietoestel] box

de **kat 1** cat: *leven als ~ en hond* be like cat and dog; *de Gelaarsde Kat* Puss-in-Boots

2 [snauw] snarl: *iem. een ~ geven* snarl (of: snap) at s.o. || [fig] *maak dat de ~ wijs* pull the other one, tell it to the marines

katachtig catlike

de **katalysator** (catalytic) converter [van auto]

de **katapult** catapult

de **kater 1** tomcat **2** [na alcoholgebruik] hangover **3** [grote teleurstelling] disillusionment

het/de **katern** quire, gathering

de **katheder** lectern

de **kathedraal** cathedral

de **katheter** catheter: *een ~ inbrengen bij* catheterize

de **kathode** [nat] cathode

het **katholicisme** (Roman) Catholicism

katholiek (Roman) Catholic

het **katje 1** kitten **2** [plantk] catkin

het/de **katoen** cotton

katoenen cotton

de **katoenplantage** cotton plantation

de **katrol 1** [hengelsport] (fishing) reel **2** [hijsblok] pulley

het **kattebelletje** [briefje] (scribbled) note, memo

katten snap (at), snarl (at)

de **kattenbak 1** cat('s) box **2** [van personenauto] dicky seat; [Am] rumble seat

de **kattenbakkorrels** cat litter

de **kattenkop 1** cat's head **2** [kattige vrouw] cat, bitch

het **kattenkwaad** mischief: *~ uithalen* get into mischief

het **kattenluik** cat flap

de **kattenpis**: *dat is geen ~* no kidding; [veel geld] that's not to be sneezed at

katterig under the weather; [kater] hung over; [teleurgesteld] disappointed, disillusioned

kattig catty

de **katzwijm**: *in ~ vallen* faint

de **kauw** jackdaw

kauwen chew: [fig] *op iets ~* chew sth. over

het/de **kauwgom** chewing gum

de **kavel** lot, parcel; share [nalatenschap]

de **kaviaar** caviar

de **Kazach** Kazakh

het ¹**Kazachs** Kazakh
²**Kazachs** (bn) Kazakh

Kazachstan Kazakhstan

de **kazerne** barrack(s) [leger]; station [brandweer, marechaussee]

het **kazuifel** chasuble

KB afk van *kilobyte* K, KB

de **kebab** kebab

de **keel** throat: *het hangt me (mijlenver) de ~ uit* I'm fed up with it; *zijn ~ schrapen* clear one's throat; *een ~ opzetten* start yelling

het **keelgat** gullet: *in het verkeerde ~ schieten* **a)** go down the wrong way; **b)** [fig] not go down very well (with s.o.)

de **keelholte** pharynx

de **keelontsteking** throat infection, laryngitis

de **keelpijn** sore throat
keepen be in goal, keep goal

de **keeper** (goal)keeper; [inf] goalie

de **keer** time: *een doodenkele ~* once in a blue moon; *een enkele ~* once or twice; *geen enkele ~* not once; *een andere ~* another time; *nou vooruit, voor deze ~ dan!* all right then, but just this once!; *nog een ~(tje)* (once) again, once more; *(op) een ~* one day; *één enkele ~, slechts één ~* only once; *negen van de tien ~* nine times out of ten; *dat heb ik nu al tien ~ (of: honderd) ~ gehoord* I've already heard that dozens of times (*of:* a hundred times); *twee ~* twice; *twee ~ twee is vier* twice two is four; *~ op ~* time after time, time and again; *binnen de kortste keren* in no time (at all)

de **keerkring** tropic

het **keerpunt** turning point

de **keerzijde** other side; [munt, medaille ook] reverse

de **keet 1** hut, shed **2** [herrie] racket: *~ trappen* (of: *schoppen*) horse about (around)
keffen yap

het **keffertje** yapper

de **kegel 1** cone **2** [kegelspel] ninepin; skittle

de **kegelbaan** skittle alley
kegelen play skittles (*of:* ninepins)

de **kei 1** boulder **2** [straatsteen] cobble(stone) [rond]; set(t) [bebouwen] ‖ *Eric is een ~ in wiskunde* Eric is brilliant at maths
keihard 1 rock-hard, hard; as hard as rock [na werkwoord] **2** hard, tough ‖ *~ schreeuwen* shout at the top of one's voice; *de radio stond ~ aan* the radio was on full blast (*of:* was blaring away)
keilen throw, chuck, fling: *iem. de deur uit ~* throw (*of:* chuck) s.o. out (of the door)

de **keizer** emperor

de **keizerin** empress
keizerlijk imperial

het **keizerrijk** empire

de **keizersnede** Caesarean (section)

de **kelder** cellar, basement
kelderen plummet, tumble

het **kelderluik** trapdoor (to a cellar)
kelen 1 [de keel afsnijden] cut (s.o.'s) throat **2** [wurgen] strangle, throttle

de **kelk 1** goblet **2** [bloem(kroon)] calyx

de **kelner** waiter

de **Kelten** Celts

het **¹Keltisch** (zn) Celtic
²Keltisch (bn) Celtic

de **kemphaan 1** [vogel] ruff **2** [ruziezoeker] fighting cock: *vechten als kemphanen* fight like fighting cocks

de **kenau** battle-axe, virago
kenbaar known

het **kengetal** dialling code; [Am] area code;

prefix
Kenia Kenya

de **Keniaan** Kenyan
Keniaans Kenyan

het **kenmerk** (identifying) mark; [waarborgstempel] hallmark [ook fig]; [in brief] reference [als afkorting: ref]
kenmerken characterize, mark, typify
kenmerkend (+ voor) characteristic (of), typical (of); [specifiek] specific (to): *~e eigenschappen* distinctive characteristics

de **kennel** kennel

¹kennelijk (bn) evident, apparent; [duidelijk] clear; [duidelijk] obvious; [onmiskenbaar] unmistakable

²kennelijk (bw) evidently, clearly, obviously: *het is ~ zonder opzet gedaan* it was obviously done unintentionally
kennen know, be acquainted with: *iem. leren ~* get to know s.o.; *elkaar (beter) leren ~* get (better) acquainted; *ken je deze al?* have you heard this one?; *ik ken haar al jaren* I've known her for years; *sinds ik jou ken …* since I met you …; *iem. van naam ~* know s.o. by name; *iem. door en door ~* know s.o. inside out; *iets van buiten ~, iets uit zijn hoofd ~* know sth. by heart; *ons kent ons* we know what to expect, we know each others ways; [fig] *laat je niet ~ !* give 'em hell!

de **kenner 1** connoisseur **2** [expert] authority (on), expert (on)

de **kennersblik** expert('s) eye

de **kennis 1** knowledge (of); [m.b.t. mensen] acquaintance (with): *met ~ van zaken* knowledgeably; *~ is macht* knowledge is power **2** [besef, bewustzijn] consciousness: *zij is weer bij ~ gekomen* she has regained consciousness, she has come round **3** [wat iem. geleerd heeft] knowledge, information; [geleerdheid] learning; [technische kennis ook] know-how: *een grondige ~ van het Latijn hebben* have a thorough knowledge of Latin **4** [bekende] acquaintance: *hij heeft veel vrienden en ~sen* he has a lot of friends and acquaintances

de **kennisgeving** notification, notice

de **kennismaatschappij** knowledge (*of:* information) society
kennismaken get acquainted (with), meet, get to know, be introduced: *aangenaam kennis te maken!* pleased to meet you

de **kennismaking 1** acquaintance **2** [het bekend worden met iets] introduction (to)
kennisnemen take note (of)

de **kennisneming** examination, inspection: *na ~ van de stukken* after examination of the documents; *ter ~* for your information

de **kennissenkring** (circle of) acquaintances
kenschetsen characterize

het **kenteken** registration number; [Am] license number [van auto] het **kentekenbewijs** ± vehicle registration document; [inf] logbook

de **kentekenplaat** number plate; [Am] license plate

kenteren turn

de **kentering** turn: ~ *in de publieke opinie* turn (*of:* change) of public opinion

de **keper**: *op de ~ beschouwd* on closer inspection; [uiteindelijk] when all is said and done

het **keppeltje** yarmulka

de **keramiek** ceramics; [producten ook] pottery

keramisch ceramic, pottery: *een ~e kookplaat* a ceramic hob; [Am] a ceramic stove top

de **kerel 1** (big) fellow, (big) guy, (big) chap (*of:* bloke) **2** [mannetjesputter] he-man: *kom naar buiten als je een ~ bent* come outside if you're man enough

¹**keren** (onov ww) turn (round); [wind] shift: *~ verboden* no U-turns

²**keren** (ov ww) **1** [omdraaien] turn **2** [toewenden] turn (towards) **3** [doen omwenden] turn (back); [tegenhouden] stem: *het water ~* stem the (flow of) water

zich ³**keren** (wdk ww) **1** [zich omdraaien] turn (round): *zich ergens niet kunnen wenden of ~* not have room to move **2** [zich in een richting wenden] turn ‖ *in zichzelf gekeerd zijn* be introverted, keep to o.s.

de **kerf** notch, nick; [groef] groove

de **kerfstok**: *heel wat op zijn ~ hebben* have a lot to answer for

de **kerk** church

de **kerkbank** pew

de **kerkdienst** (divine) service, church; [mis] mass

kerkelijk church, ecclesiastical

de **kerkenraad 1** [vergadering] church council meeting **2** [college] (parochial) church council

de **kerker** dungeon, prison, jail

de **kerkfabriek** [r-k] (church-)fabric

de **kerkganger** churchgoer

het **kerkgebouw** church (building)

het **kerkgenootschap** (religious) denomination, (religious) community

het **kerkhof** churchyard, graveyard

de **kerkklok 1** church bell **2** [uurwerk] church clock

het **kerkkoor 1** [bouwk] choir **2** [zangkoor] church choir

de **kerkmuziek** church music, religious music

het **kerkplein** ± village square

de **kerktoren** church tower; [torenspits] steeple; spire

de **kerkuil** barn owl

kermen [jammeren] moan; [jengelen] whine; [(wee)klagen] wail

de **kermis** fair

de **kermisexploitant** showman

de **kern 1** core; [van hout, boom] heart; [van stengel] pith **2** [fig] core, heart, essence: *tot de ~ van een zaak doordringen* get (down) to the (very) heart of the matter **3** [belangrijkste, hoofd-] central

kernachtig pithy, concise, terse

het **kernafval** nuclear waste

de **kernbom** nuclear bomb

de **kerncentrale** nuclear (*of:* atomic) power station, nuclear plant, atomic plant

het **kerndoel** primary objective, chief aim

de **kernenergie** nuclear energy

de **kernfusie** nuclear fusion

de **kernfysica** nuclear physics

de **kernfysicus** nuclear physicist, atomic physicist

kerngezond perfectly healthy, in perfect health; [inf] as fit as a fiddle

de **kernmacht** nuclear power

de **kernoorlog** nuclear war

de **kernproef** nuclear test, atomic test

de **kernreactie** nuclear reaction

de **kernreactor** (nuclear, atomic) reactor

de **kerntaak** core task

het **kernwapen** nuclear weapon, atomic weapon

de **kerosine** kerosene

de **kerrie** curry

de **kers** cherry; [fig] *de ~ op de taart* the icing on the cake

de **kersenbonbon** cherry liqueur chocolate

de **kerst** Christmas

de **kerstavond** evening of Christmas Eve

de **kerstboom** Christmas tree

de **kerstdag** [25 december] Christmas Day: *prettige ~en!* Merry (*of:* Happy) Christmas!; *eerste ~* Christmas Day; *tweede ~* Boxing Day

kerstenen christianize

het **kerstfeest** (feast, festival of) Christmas: *zalig (gelukkig) ~!* Merry Christmas!

de **kerstkaart** Christmas card

de **kerstkrans** (almond) pastry ring

het **kerstlied** (Christmas) carol

de **Kerstman** Santa (Claus), Father Christmas

Kerstmis Christmas

de **kerstnacht** Christmas night

de **kerstomaat** cherry tomato

het **kerstpakket** Christmas hamper (*of:* box)

de **kerststal** crib

de **Kerstster** Star of Bethlehem

de **kerststol** (Christmas) stollen

de **kerstvakantie** Christmas holiday(s); [Am] Christmas vacation

kersvers fresh, new: *~ uit de winkel* fresh (*of:* straight) from the shop

de **kervel** chervil

¹**kerven** (onov ww) gouge (out), cut

²**kerven** (ov ww) **1** notch, nick, cut; [m.b.t. groef, lijn] score **2** [uitsnijden] carve (out), cut (out): *zij kerfden hun naam in de boom* they carved their names in the tree

de **ketchup** ketchup

de **ketel 1** kettle; [grote pot] cauldron **2** [van cv e.d.] boiler

het/de **ketelsteen** (boiler) scale

de **keten 1** [mv; boei] chains **2** [ketting] chain **3** [reeks, rij] chain, series
ketenen 1 [aan een keten bevestigen] chain (up) **2** [boeien] chain **3** [fig] curb

de **ketjap** soy sauce
ketsen 1 glance off, ricochet (off) **2** [van explosieven e.d.] misfire, fail to go off: *het geweer ketste* the gun misfired

de **ketter** heretic ‖ *roken als een ~* smoke like a chimney

de **ketterij** heresy
ketters heretical

de **ketting** chain: *aan de ~ leggen* [m.b.t. dier] chain up

de **kettingbotsing** multiple collision (*of:* crash), pile-up

de **kettingbrief** chain letter

de **kettingkast** chain guard

de **kettingreactie** [nat] chain reaction

de **kettingroker** chain smoker

het **kettingslot** chain lock

de **kettingzaag** chainsaw

de **keu** (billiard) cue

de **keuken 1** kitchen **2** [kookkunst] (art of) cooking, cuisine: *de Franse ~* French cooking (*of:* cuisine)

de **keukendoek** kitchen towel

de **keukenhulp** food processor

de **keukenkast** kitchen cabinet (*of:* cupboard)

het **keukenkruid** kitchen herb

de **keukenmachine** food processor

de **keukenrol** kitchen roll

het **keukenschort** apron
Keulen Cologne

de **keur 1** hallmark **2** [selectie] choice (selection)
keuren test; inspect [eetwaren, dieren]; [monsteren, ook voedsel] sample; [m.b.t. thee, whisky, wijn enz.] taste; [med] examine: *films ~* censor films; *iem. geen blik waardig ~* not deign to look at s.o.

¹**keurig** (bn) **1** [netjes] neat, tidy; *er ~ uitzien* look neat (and tidy), look smart **2** [smaakvol] smart, nice: *een ~ handschrift* a neat hand **3** [zeer goed] fine, choice: *een ~ rapport* (*of:* opstel) an excellent report (*of:* essay)

²**keurig** (bw) [fijntjes] nicely; [netjes] neatly ‖ *~ netjes gekleed* properly dressed

de **keuring 1** test; [m.b.t. eetwaren, dieren] inspection; [med] examination: *een medische ~* a medical (examination) **2** [het keuren] testing; [m.b.t. eetwaren, dieren] inspection; [monsteren, ook m.b.t. voedsel] sampling; [m.b.t. thee, wijn enz.] tasting; [med] examination

de **keuringsarts** medical examiner

de **keuringsdienst** inspection service: *Keu-*

ringsdienst van Waren commodity inspection department

het **keurkorps** crack troops

de **keurmeester** inspector; [m.b.t. goud en zilver] assay-master

het **keurmerk** hallmark; [kwaliteitsmerk ook] quality mark

het **keurslijf** straitjacket

de **keus 1** choice, selection **2** [mogelijkheid] choice, option, alternative: *er is volop ~* there's a lot to choose from; *aan u de ~* the choice is yours **3** [sortering] choice, assortment: *een grote ~* a large choice (*of:* assortment), a wide range

de **keutel** droppings [mv]; pellet [van klein dier]
keuvelen (have a) chat, talk

de **keuze** *zie* keus

het **keuzemenu 1** [in restaurant] set menu, fixed price menu **2** [comp] menu

het **keuzepakket** options [mv]; choice of subjects (*of:* courses)

het **keuzevak** option, optional subject (*of:* course)

de **kever 1** beetle **2** [auto] Beetle

het **keyboard** keyboard

de **keycard** keycard

de **keycord** keycord
kg afk van *kilogram* kg

de **ki** afk van *kunstmatige inseminatie* artificial insemination
kibbelen bicker, squabble

de **kibbeling** cod parings

de **kibboets** kibbutz

de **kick** kick
kickboksen kickboxing
kicken get a kick (out of); [Am; slang] get off (on), dig: *dat is ~!* that's cool!
kidnappen kidnap

de **kidnapper** kidnapper

de **kids** [inf] kids
kiekeboe peekaboo!

het **kiekje** snap(shot)

de **kiel 1** [kledingstuk] smock **2** [scheepv] keel
kielekiele: *het was ~* it was touch and go, it was a close shave
kielhalen keelhaul

het **kielzog** wake, wash

de **kiem** germ, seed
kiemen germinate
kien sharp, keen

de **kiepauto** tip up truck

¹**kiepen** (onov ww) topple, tumble: *het glas is van de tafel gekiept* the glass toppled off the table

²**kiepen** (ov ww) tip over, topple (over)

¹**kieperen** (onov ww) [inf] [tuimelen] tumble, topple

²**kieperen** (ov ww) [inf] [weggooien] dump

de **kier** chink, slit; [metselwerk, planken] crack: *door een ~ van de schutting* through a crack in the fence; *de deur staat op een ~* the door is ajar

kierewiet [inf] mad, bananas: *het is om ~ van te worden!* it's enough to drive me mad (*of:* bananas)

de **kies** molar, back tooth: *een rotte ~* a bad (*of:* decayed) molar; [fig] a rotten apple (in the barrel)

de **kiesbrief** [Belg] polling card

het **kiesdistrict** electoral district, constituency

de **kiesdrempel** electoral threshold

kieskeurig choosy, fussy

de **kieskring** electoral district, constituency; [voor gemeenteraad] ward

de **kiespijn** toothache

het **kiesrecht** suffrage, right to vote, (the) vote

het **kiesstelsel** [pol] electoral (*of:* voting) system

de **kiestoon** dialling tone

kietelen tickle

de **kieuw** gill

de **kieviet** lapwing, peewit, plover

het **kiezel** [grind] gravel; [op strand] shingle

de **kiezelsteen** pebble

¹**kiezen** (onov ww) **1** choose, decide: *zorgvuldig ~* pick and choose; *~ tussen* choose between; *je kunt uit drie kandidaten ~* you can choose from three candidates **2** [stemmen] vote: *voor een vrouwelijke kandidaat ~* vote for a woman candidate

²**kiezen** (ov ww) **1** choose, select, pick (out): *partij ~* take sides **2** [door te stemmen] vote (for); elect [president, parlement] **3** [verkiezen] choose, elect ‖ *een nummer ~* dial a number

de **kiezer** voter, constituent; [mv] electorate

de **kift** [inf]: *dat is de ~* sour grapes!

de **kijf**: *dat staat buiten ~* that is beyond dispute (*of:* question(ing))

de **kijk** view, outlook; [inzicht] insight: *~ op iets hebben* have a good eye for sth.; [fig] *iem. te ~ zetten* expose s.o.

het **kijkcijfer** rating

de **kijkdichtheid** ratings

¹**kijken** (onov ww) **1** look, see: *ga eens ~ wie er is* go and see who's there; *daar sta ik van te ~* well I'll be blowed; *kijk eens wie we daar hebben* look who's here!; *goed ~* watch closely; [fig] *naar iets ~* have a look at (*of:* see) about sth.; *zij ~ niet op geld (een paar euro)* money is no object with them; *uit het raam ~* look out (of) the window; *even de andere kant op ~* look the other way **2** [onderzoeken] look, search: *we zullen ~ of dat verhaal klopt* we shall see whether that story checks out **3** [m.b.t. uitdrukking] look, appear ‖ *laat eens ~, wat hebben we nodig* let's see, what do we need

²**kijken** (ov ww) look at, watch: *kijk haar eens (lachen)* look at her (laughing)

de **kijker 1** spectator, onlooker; [tv] viewer

2 [instrument] binoculars; [theat] operaglass(es)

het **kijkje** (quick) look, glance: *de politie zal een ~ nemen* the police will have a look

de **kijkoperatie** keyhole operation (*of:* surgery); [voor diagnose] exploratory operation (*of:* surgery)

de **kijkwoning** [Belg] [modelwoning] show house

kijven quarrel, wrangle, rail (at)

de **kik** sound ‖ *zonder een ~ te geven* without a sound (*of:* murmur)

kikken open one's mouth, give a sound (*of:* peep)

de **kikker** frog

het **kikkerbad** paddling pool, wading pool

het **kikkerbilletje** frog's leg

het **kikkerdril** frogspawn, frogs' eggs

de **kikkererwt** chickpea

het **kikkerland** chilly country

het **kikkervisje** tadpole

de **kikvors** frog

de **kikvorsman** frogman

kil chilly, cold

de **killer** killer

het/de **kilo** kilo

de **kilocalorie** kilocalorie

het/de **kilogram** kilogram(me)

de **kilometer** kilometre: *op een ~ afstand* at a distance of one kilometre; *90 ~ per uur rijden* drive at 90 kilometres an hour

de **kilometerteller** milometer; [Am] odometer

de **kilometervergoeding** mileage (allowance)

de **kilowatt** kilowatt

het **kilowattuur** kilowatt-hour

de **kilt** kilt

de **kilte** chilliness

de **kim** horizon

de **kimono** kimono

de **kin** chin ‖ [Belg] *op zijn ~ kloppen* get nothing to eat

het **kind** child, baby: *een ~ hebben van* have a child by; *een ~ krijgen* have a baby; *~eren opvoeden* voeden bring up children; *een ~ van zes jaar* child of six, a six-year-old (child); [fig] *een ~ kan de was doen* that's child's play, it's as simple as ABC; *van ~ af aan, van ~s af* since (*of:* from) childhood, since I/he/... was a child

kinderachtig 1 childlike; child(ren)'s [ook kleren enz.] **2** [neg] childish, infantile: *doe niet zo ~* grow up!, don't be such a baby!

de **kinderarbeid** child labour

de **kinderarts** paediatrician

de **kinderbescherming** child welfare: *Raad voor de Kinderbescherming* child welfare council

de **kinderbijslag** family allowance, child benefit

het **kinderboek** children's book

de **kinderboerderij** children's farm
het **kinderdagverblijf** crèche, day-care centre
de **kinderhand** child(ren)'s hand
de **kinderjaren** childhood (years): *sinds mijn ~* since I was a child
de **kinderkamer** nursery
  kinderlijk childlike; [neg ook] childish
  kinderloos childless
het **kindermeisje** nurse(maid), nanny
het **kindermenu** children's menu
de **kindermishandeling** child abuse
de **kinderoppas** [babysit] babysitter, childminder
de **kinderopvang** (day) nursery, day-care centre, crèche
de **kinderporno** child pornography
de **kinderrechter** ± magistrate of (*of:* in) a juvenile court
  kinderrijk (blessed) with many children: *een ~ gezin* a large family
het **kinderslot** childproof lock
het **kinderspel 1** children's games; [fig] child's play **2** [spel] children's game
de **kindersterfte** child mortality
de **kinderstoel** high chair
het **kindertehuis** children's home
de **kindertelefoon**ᴹᴱᴿᴷ children's helpline, childline
de **kindertijd** childhood (days)
de **kinderverlamming** polio
de **kinderwagen** baby buggy, pram
de **kinderziekte** childhood disease; [fig; mv] teething troubles; growing pains: *de ~n (nog niet) te boven zijn* still have teething troubles
het **kinderzitje** baby seat, child's seat
  kinds senile, in one's second childhood
  kindsbeen: *van ~ (af)* from childhood (on), since childhood
de **kindsoldaat** child soldier
de **kinesist** [Belg] [fysiotherapeut] physiotherapist
de **kinesitherapie** [Belg] [fysiotherapie] physiotherapy
de **kinine** quinine
de **kink** kink, hitch
de **kinkhoest** whooping cough
  kinky kinky
de **kiosk** kiosk; [voor kranten, boeken ook] newspaper stand, book stand
de **kip 1** chicken, hen: *er was geen ~ te zien* (*of: te bekennen*) there wasn't a soul to be seen **2** [mv] chickens, poultry
et/de **kipfilet** chicken breast(s)
  kiplekker as fit as a fiddle
de **kippenborst** chicken breast [ook misvorming]
het **kippenboutje** chicken leg
het **kippengaas** chicken wire
het **kippenhok 1** [verblijf voor kippen] chicken coop **2** [fig] pandemonium, chicken coop
de **kippenren** chicken run

de **kippensoep** chicken soup
het **kippenvel** goose flesh (*of:* pimples)
  kippig short-sighted, near-sighted
de **Kirgies** Kyrgyz
  Kirgizië Kirghizistan
het ¹**Kirgizisch** Kyrgyz
  ²**Kirgizisch** (bn) Kyrgyz
  kirren coo, gurgle
de **kirsch** kirsch
  kissebissen squabble, bicker
de **kist 1** chest **2** [doodkist] coffin **3** [om iets in te bergen, te vervoeren] box; case [voor viool enz.]; crate [voor fruit enz.]
  kisten: [inf] *laat je niet ~* don't let them walk all over you
het/de **kit** [kleefmiddel] cement, glue, sealant
  kitesurfen kite surf
  kits: *alles ~?* how's things?, everything O.K.? (*of:* all right?)
de **kitsch** kitsch
de **kittelaar** clitoris
  kitten seal (tight)
  kittig spirited
de **kiwi** kiwi
  klaaglijk plaintive
de **Klaagmuur** Wailing Wall
de **klaagzang** lament(ation): *een ~ aanheffen* raise one's voice in complaint
  klaar 1 [duidelijk] clear **2** [zuiver] pure **3** [gereed] ready: *de boot is ~ voor vertrek* the boat is ready to sail; *~ voor de strijd* ready for action; *~ terwijl u wacht* ready while you wait; *~? af!* ready, get set, go! **4** [af] finished, done: *ik ben zo ~* I won't be a minute (*of:* second); *we zijn ~ met eten* (of: *opruimen*) we've finished eating (*of:* clearing up)
  klaarblijkelijk evidently, obviously
  klaarkomen 1 [gereedkomen] (be) finish(ed), complete; [oplossing vinden] settle things **2** [seksueel] come
  klaarleggen put ready; [kleren ook] lay out
  klaarlicht: *op ~e dag* in broad daylight
  klaarliggen be ready: *iets hebben ~* have sth. ready
  klaarmaken 1 get ready, prepare **2** [bereiden] make; [eten ook] get ready; prepare; [warm eten ook] cook: *het ontbijt ~* get breakfast ready
de **klaar-over** member of the school crossing patrol, lollipop boy (*of:* girl)
  klaarspelen manage (to do), pull off
  klaarstaan be ready, be waiting; [militair enz.] stand by: *zij moet altijd voor hem ~* he expects her to be at his beck and call
  klaarstomen cram: *iem. voor een examen ~* cram s.o. for an exam
  klaarwakker wide awake; [fig] (on the) alert
  klaarzetten put ready, put out, set out
  Klaas Nick, Nicholas: *~ Vaak* the sandman,

Wee Willie Winkie

de **klacht 1** complaint; [med ook] symptom: *wat zijn de ~en van de patiënt?* what are the patient's symptoms?; *zijn ~en uiten* air one's grievances; *~en behandelen* deal with complaints **2** [uiting van verdriet] lament, complaint

het **klad** (rough) draft

het **kladblaadje** (piece of) scrap paper

het **kladblok** scribbling-pad

kladden make stains (*of:* smudges, blots)

kladderen make blots (*of:* smudges)

het **kladje** (rough) draft; [kladblaadje] (piece of) scrap paper

het **kladpapier** scrap paper

de **kladversie** rough version (*of:* copy)

klagen complain

de **klager** complainer

klakkeloos unthinking; [onkritisch] indiscriminate; [zonder reden] groundless: *iets ~ aannemen* accept sth. unthinkingly (*of:* uncritically)

klakken click, clack

klam clammy, damp

de **klamboe** mosquito net

de **klandizie** clientele, customers

de **klank** sound

het **klankbord** sounding board: [fig] *een ~ vormen* be, act as a sounding board (for)

de **klant** customer, client; [in horeca] guest: *een vaste ~* a regular (customer); [bijv. van restaurant] a patron; a habitué; *de ~ is koning* the customer is always right

de **klantenbinding** customer relations

de **klantenkaart** loyalty card

de **klantenkring** customers, clientele

de **klantenservice** after-sales service; [Am] customer service; service department

klantvriendelijk customer-friendly

de **klap 1** bang, crash; crack [van zweep]: *met een ~ dichtslaan* slam (shut) **2** [slag, tik] slap, smack; [fig] blow: *iem. een ~ geven* hit s.o.; *iem. een ~ om de oren geven* box s.o.'s ears ‖ [fig] *als ~ op de vuurpijl* to crown (*of:* top, cap) it all, the crowning touch

de **klapband** blow-out, flat

de **klapdeur** swing-door, self-closing door

de **klaplong** [med] pneumothorax

de **klaploper** sponger, scrounger

klappen 1 [applaudisseren] clap; [vleugels ook] flap; slam [deur]: *in de handen ~* clap (one's hands) **2** [uiteenspringen, ontploffen] burst: *de voorband is geklapt* the front tyre has burst; *in elkaar ~* collapse ‖ *uit de school ~,* [Belg] *uit de biecht klappen* tell tales

de **klapper 1** folder, file **2** [uitschieter] smash, hit

klapperen bang, rattle; chatter [tanden]

klappertanden ± shiver

de **klaproos** poppy

de **klapschaats** clap skate

de **klapstoel** folding chair; tip-up seat, theatre seat [in theater, bioscoop]

het **klapstuk 1** [stuk rundvlees] rib of beef **2** [hoogtepunt] highlight

de **klaptafel** folding table

de **klapzoen** smacking kiss, smack(er)

de **klare** jenever, Dutch gin

klaren 1 [zuiveren] clarify **2** [in orde maken] settle, manage: *kan hij dat klusje alleen ~?* can he manage that job alone?

de **klarinet** clarinet

de **klas 1** classroom **2** [leerlingen] class **3** [leerjaar] form; [Am] grade: *in de vierde ~ zitten* be in the fourth form **4** [rang, stand] class, grade; [sport] league; [sport] division

de **klasgenoot** classmate

het **klaslokaal** classroom

de **klasse** class, league: *dat is grote ~!* that's first-rate!

het **klassement** list of rankings (*of:* ratings); [sport] league table: *hij staat bovenaan (in) het ~* he is (at the) top of the league (table)

het **klassenboek** class register, form register; [Am] roll book

de **klassenjustitie** class justice

de **klassenleraar** form teacher, class teacher; [Am] homeroom teacher

de **klassenstrijd** class struggle

de **klassenvertegenwoordiger** class representative (*of:* spokesman)

¹**klasseren** (ov ww) **1** classify **2** [Belg] list

zich ²**klasseren** (wdk ww) qualify, rank: *zich ~ voor de finale* qualify for the final(s)

de **klassering** classification

klassiek classic(al), traditional: *de ~e oudheid* classical antiquity; *een ~ voorbeeld* a classic example

de **klassieker** classic

klassikaal class, group: *iets ~ behandelen* deal with sth. in class

de **klastitularis** [Belg] [klassenleraar] class teacher

klateren splash [water]; gurgle [bijv. stroom]

het **klatergoud** tinsel, gilt

klauteren clamber, scramble

de **klauw** [van (roof)dier, mens] claw; [van mens ook] clutch(es) [mv]; [van roofvogel ook] talon: *uit de ~en lopen* get out of hand (*of:* control)

het/de **klavecimbel** harpsichord, (clavi)cembalo

de **klaver** clover

het **klaverblad** cloverleaf

de **klaveren** clubs

klaverjassen play (Klaber)jass

het **klavertjevier** four-leaf clover

het **klavier** keyboard

de **kledder** blob, dollop

kledderen slop

kleddernat soaking (wet) [vnl. van dingen]; soaked [van mensen en dingen]

kleden dress, clothe

de **klederdracht** (traditional, national) costume (of: dress)

de **kledij** attire

de **kleding** clothing, clothes, garments

het **kledingstuk** garment, article of clothing

het **kleed 1** [op vloer] carpet; rug; [op tafel] (table)cloth **2** [Belg] dress

het **kleedgeld** dress (of: clothing) allowance

het **kleedhokje** changing cubicle

de **kleedkamer** dressing room; [sport] changing room

de **kleefstof** adhesive

de **kleerborstel** clothes brush

de **kleerhanger** coat-hanger, clothes hanger

de **kleerkast** wardrobe

de **kleermaker** tailor

de **kleermakerszit**: in ~ zitten sit cross-legged

de **kleerscheuren**: er zonder ~ afkomen escape unscathed (of: unhurt); [zonder straf] get off scot-free

klef 1 sticky, clammy **2** [kleverig, plakkend] sticky; [inf] gooey; [brood] doughy **3** [van mensen] clinging

de **klei** clay

de **kleiduif** clay pigeon

kleien work with clay

klein 1 small, little: een ~ eindje a short distance; a little way; een ~ beetje a little bit **2** [jong] little, young **3** [m.b.t. waarde e.d.] small, minor: hebt u het niet ~er? have you got nothing smaller? ‖ ~ maar fijn good things come in small packages

kleinburgerlijk lower middle class, petty bourgeois; [geestelijk bekrompen] narrow-minded

de **kleindochter** granddaughter

Klein Duimpje Tom Thumb

kleineren belittle, disparage

kleingeestig narrow-minded, petty

het **kleingeld** (small) change

de **kleinigheid 1** little thing: ik heb een ~je meegebracht I have brought you a little sth. **2** [iets van weinig belang] trivial matter, unimportant matter, trifle

het **kleinkind** grandchild

kleinkrijgen [m.b.t. personen] subdue, bring (s.o.) to his knees

de **kleinkunst** cabaret

kleinmaken cut small, cut up

het **kleinood** jewel, gem, bijou

kleinschalig small-scale

het **kleintje 1** small one, short one; [roepnaam] shorty **2** [jong kind, dier] little one; [kind] baby

kleinzerig: hij is altijd ~ he always makes a fuss about a little bit of pain

kleinzielig petty, narrow-minded

de **kleinzoon** grandson

de ¹**klem** (zn) **1** grip **2** [nadruk] emphasis, stress: met ~ beweren dat ... insist on the fact

that ... **3** [om muizen e.d. te vangen] trap **4** [voor papier e.d.] clip

²**klem** (bn) jammed, stuck ‖ zich ~ zuipen get smashed

¹**klemmen** (onov ww) [vastzitten] stick, jam

²**klemmen** (ov ww) clasp, press

klemrijden: een auto ~ force a car to stop

de **klemtoon** stress, accent; [fig] emphasis: de ~ ligt op de eerste lettergreep the stress (of: accent) is on the first syllable

klemvast jammed, stuck: [voetb] de bal ~ hebben have the ball safely in his hands

de **klep 1** [deksel] lid; [bijv. pomp, machine] valve; [blaasinstrument] key **2** [luik] flap; [veerboot] ramp **3** [sluiting] flap; [in broek] fly **4** [deel van een hoofddeksel] visor

de **klepel** clapper

kleppen 1 clack **2** [m.b.t. een klok] peal, toll

klepperen clatter, rattle

de **kleptomaan** kleptomaniac

de **kleren** clothes: andere (of: schone) ~ aantrekken change (into sth. else, into clean clothes); zijn ~ uittrekken undress

klerikaal clerical

de **klerk** clerk

de **klets 1** [kletspraat] rubbish, twaddle **2** [van water e.d.] splash

kletsen 1 [babbelen] chatter, chat **2** [roddelen] gossip **3** [onzin verkopen] talk nonsense (of: rubbish), babble

de **kletskoek** nonsense, twaddle

de **kletskous** chatterbox, garrulous chap

de **kletsmajoor** twaddler, gossipmonger

kletsnat soaking (wet)

kletteren clash; clang [wapens]; patter [regen]; rattle [hagel]: de borden kletterden op de grond the plates crashed to the floor

kleumen be half frozen

de **kleur 1** colour: wat voor ~ ogen heeft ze? what colour are her eyes?; primaire ~en primary colours **2** [van gezicht] complexion: een ~ krijgen flush, blush **3** [kaartsp] suit

de **kleurdoos** paintbox

kleurecht colour fast

kleuren colour, paint; dye [stoffen enz.]; tint [vnl. haar]

kleurenblind colour-blind

de **kleurenfoto** colour photo(graph), colour picture

het **kleurenspectrum** colour spectrum

de **kleurentelevisie** colour television

kleurig colourful

de **kleurling** coloured person

kleurloos 1 colourless; [vaal, bleek] pale **2** [saai] colourless, dull

het **kleurpotlood** colour pencil, (coloured) crayon

kleurrijk colourful

de **kleurspoeling** colour rinse

de **kleurstof 1** colour; [voor textiel] dye; [voor

levensmiddelen] colouring (matter): *(chemische)* ~*fen toevoegen* add colouring matters **2** pigment

het **kleurtje** colour; [blosje ook] flush; blush

de **kleuter** pre-schooler (in a nursery class); [Am] kindergartner

het **kleuterbad** paddling pool, wading pool

de **kleuterleidster** nursery school teacher; [Am] kindergarten teacher

het **kleuteronderwijs** pre-school education, nursery education

de **kleuterschool** nursery school; [Am] kindergarten

kleven 1 stick (to), cling (to): *zijn overhemd kleefde aan zijn rug* his shirt stuck (*of:* clung) to his back **2** be sticky: *mijn handen ~* my hands are sticky

kleverig sticky

kliederen make a mess, mess about (*of:* around)

de **kliek** clique

het **kliekje** leftover(s)

de **klier 1** gland **2** [plaaggeest] pain in the neck

klieren [inf] be a pest, be a pain in the neck; [Am] be a pain in the ass

klieven cleave

de **klif** cliff

de **klik** click

klikken 1 click **2** [verklikken] tell (on s.o.), snitch (on), blab: *je mag niet ~* don't tell tales **3** [eensgezind zijn, samengaan] click, hit it off: *het klikte meteen tussen hen* they hit it off immediately

de **klikspaan** tell-tale

de **klim** climb

het **klimaat** climate

de **klimaatbeheersing** air conditioning

klimaatneutraal carbon-neutral: ~ *produceren* produce in a carbon neutral way

de **klimaatverandering** climatic change

klimmen climb (up, down), clamber (about): *met het ~ der jaren* with advancing years

de **klimmer** climber

de **klimmuur** climbing wall

het/de **klimop** ivy

de **klimplant** climber, climbing plant, creeper

het **klimrek 1** climbing frame **2** [gymnastiek] wall bars

de **klimwand** climbing wall

de **kling**: [fig] *iem. over de ~ jagen* put s.o. to the sword

klingelen tinkle, jingle

de **kliniek** clinic

klinisch clinical

de **klink 1** (door)handle **2** [deel van een slot] latch

klinken sound, resound; [rinkelen] clink; [rinkelen] ring: *die naam klinkt me bekend (in de oren)* that name sounds familiar to me

de **klinker 1** [klank] vowel **2** [steen] clinker

klinkklaar: *klinkklare onzin* plain (*of:* utter) nonsense

de **klinknagel** rivet

de **klip** rock; [hoog] cliff

klip-en-klaar crystal-clear: *iets ~ formuleren* say sth. in plain language (*of:* words)

de **klipper** clipper

het **klissen** [Belg] arrest, run in: *een inbreker ~* arrest a burglar

de **klit** tangle

klitten 1 stick: *aan elkaar ~ hang* (*of:* stick) together **2** [klit(ten) vormen] become entangled, get entangled

het **klittenband** Velcro

de **klodder** [vnl. verf] daub; [vnl. bloed] clot; blob: *een ~ mayonaise* a dollop of mayonnaise

klodderen 1 mess (about, around) **2** [slordig, dik schilderen] daub

de ¹**kloek** (zn) broody hen

²**kloek** (bn) stout, sturdy, robust

de **klojo** jerk

de **klok 1** clock: *hij kan nog geen ~ kijken* he can't tell (the) time yet; *de ~ loopt voor* (*of:* achter, gelijk) the clock is fast (*of:* slow, on time); *met de ~ mee* clockwise; *tegen de ~ in* anticlockwise; [Am] counter-clockwise; [fig] *iets aan de grote ~ hangen* make a fuss about sth., tell everyone about sth.; [fig] *daar kun je de ~ op gelijkzetten* you can set your watch by it **2** [die geluid wordt] bell

het **klokgelui** (bell-)ringing, chiming; [voor doden] bell tolling

het **klokhuis** core

klokken [sport] time, clock

de **klokkenluider 1** bell-ringer **2** [fig] whistle-blower

het **klokkenspel 1** carillon, chimes **2** [slaginstrument] glockenspiel

de **klokkentoren** bell tower, belfry

klokkijken tell (the) time

de **klokslag**: ~ *vier uur* on (*of:* at) the stroke of four

klokvast [Belg] punctual: ~*e treinen* punctual trains

de **klomp 1** clog; [Am] wooden shoe **2** [kluit, klont] clod, lump

de **klompvoet** club-foot

klonen clone

de **klont 1** lump, dab: *de saus zit vol ~en* the sauce is full of lumps (*of:* is lumpy) **2** clot

klonteren become lumpy, get lumpy; clot [bloed]; curdle [melk]

klonterig lumpy

het **klontje 1** lump, dab **2** [suiker] sugar lump (*of:* cube)

de **kloof 1** split **2** [ravijn] crevice, chasm, cleft **3** [fig] gap, gulf

klooien bungle, mess up

de **kloon** clone

het **klooster** monastery, convent; nunnery [vrouwen]; cloister

de **kloosterling** religious, monk, nun

de **kloot** [inf] ball ‖ *naar de kloten zijn* be screwed up

de **klootzak** [scheldwoord; inf] bastard, son-of-a-bitch

de **klop 1** knock **2** [slaag] lick(ing)

de **klopboor** hammer drill

de **klopgeest** poltergeist

de **klopjacht** round-up; [m.b.t. dieren ook] drive

¹**kloppen** (onov ww) **1** knock (at, on); [zacht] tap: *er wordt geklopt* there's a knock at the door **2** [van hart] beat, throb: *met ~d hart* with one's heart racing (*of:* pounding) **3** [juist zijn] agree: *dat klopt* that's right

²**kloppen** (ov ww) knock; [zacht] tap; beat: *eieren ~* beat (*of:* whisk) eggs; *iem. op de schouder ~* pat s.o. on the back

de **klopper** [van deur] knocker

de **klos** bobbin, reel ‖ *de ~ zijn* be the fall guy

klossen clump, stump

klote [vulg]: *een ~dag* a bloody (*of:* fucking) awful day; *zich ~ voelen* feel shitty (*of:* crappy); *~weer* bloody awful weather, rotten weather; *een ~wijf* a (fucking) bitch; *dat is zwaar ~* that's really bloody awful

klotsen slosh, splash

kloven split, cleave; cut [diamanten]

de **klucht** farce

de **kluif** knuckle(bone); [fig] big job, tough job

de **kluis** safe, safe-deposit box

kluisteren: *aan het ziekbed gekluisterd* bedridden, confined to one's sickbed; *aan de televisie gekluisterd* glued to the television

de **kluit 1** lump, clod: *zich niet met een ~je in het riet laten sturen* not let o.s. be fobbed off (*of:* be given the brush-off) **2** [van boom, plant] ball of earth (*of:* soil)

kluiven gnaw

de **kluizenaar** hermit, recluse

klunen walk (on skates)

de **klungel** clumsy oaf

klungelen bungle, botch (up)

klungelig clumsy, bungling

de **kluns** dimwit, oaf, bungler

de **klus 1** big job, tough job **2** small job, chore: *~jes opknappen (klaren)* do odd jobs

de **klusjesman** handyman, odd-job man

klussen 1 do odd jobs **2** [zwart bijverdienen] moonlight

de **kluts**: *de ~ kwijt zijn (raken)* be lost (*of:* confused); [van de zenuwen, schrik] be shaken (*of:* rattled)

klutsen beat (up)

het **kluwen** [knot] ball

het **klysma** enema

km afk van *kilometer* km

het **KMI** [Belg] afk van *Koninklijk Meteorologisch Instituut* (Belgian) Royal Meteorological Institute

de **kmo** afk van *kleine of middelgrote onderneming* [Belg] SMB, small and medium-sized businesses

km/u afk van *kilometer per uur* km/h, mph

het **knaagdier** rodent

de **knaagtand** (rodent) incisor

de **knaap** boy, lad

knabbelen nibble (on), munch (on)

het **knabbeltje** nibble(s), snack

het **knäckebröd** crispbread, knäckebröd

knagen gnaw, eat: *een ~d geweten* pangs of conscience

de **knak** crack, snap

knakken snap, break; crack

de **knakker** [inf] character, customer

de **knakworst** ± frankfurter

de **knal** bang, pop

knallen bang; crack [zweep, geweer]; pop [kurk]

de **knalpot** silencer; [Am] muffler

¹**knap** (bn, bw) **1** good-looking; handsome [vnl. man]; pretty [vnl. vrouw] **2** [slim] clever, bright: *een ~pe kop* a brain, a whizz kid **3** [bekwaam] smart, capable, clever; [m.b.t. handwerk] handy: *een ~ stuk werk* a clever piece of work

²**knap** (bw) [heel goed] cleverly, well

knappen 1 crackle [vnl. vuur]; crack **2** [breken] crack; snap [touw]

de **knapperd** brain, whiz(z) kid

knapperen crackle [vnl. vuur]; crack

knapperig crisp [sla, groente]; crunchy [koekje]; brittle [hout]; crusty [brood]

de **knapzak** knapsack

knarsen crunch: *de deur knarst in haar scharnieren* the door creaks (*of:* squeaks) on its hinges

knarsetanden grind one's teeth

de **knauw 1** bite **2** [fig; knak] blow

knauwen gnaw (at), chew; [luidruchtig] crunch (on)

de **knecht** servant; [op boerderij] farmhand

kneden knead, mould

kneedbaar 1 kneadable, workable **2** [fig] pliable: *iem. ~ maken* make s.o. putty in one's hands

de **kneep 1** pinch (mark) **2** [fig; kunstgreep] knack: *de ~jes van het vak kennen* know the tricks of the trade

de ¹**knel** (zn) **1** catch **2** [benarde positie] fix, jam

²**knel** (bn) stuck, caught: *~ komen te zitten* get stuck (*of:* caught)

¹**knellen** (onov ww) squeeze; pinch [bijv. schoenen, kleding]

²**knellen** (ov ww) squeeze, press

het **knelpunt** bottleneck

knetteren crackle [vuur, radio]; sputter [motor]

knettergek nuts, (stark staring) mad; [Am] (raving) mad

de **kneus 1** old crock (of: wreck) [vnl. auto]
2 [ond] drop-out
kneuterig snug, cosy
kneuzen bruise
de **kneuzing** bruise, bruising
de **knevel** [snor] moustache
knevelen tie down, tie up; [met mond-
prop] gag
knibbelen haggle, bargain
de **knie** knee: *iets onder de ~ krijgen* master sth.,
get the hang (of: knack) of sth.
de **knieband 1** knee protector (of: supporter)
2 [anat] hamstring
de **kniebeschermer** knee-pad
de **kniebroek** knee breeches
de **kniebuiging 1** [handeling] kneeling **2** [oe-
fening] knee bend
het **kniegewricht** knee joint
de **knieholte** hollow (of: back) of the knee
knielen kneel
de **knieschijf** kneecap
de **kniesoor** moper, moaner: *een ~ die daarop
let* details, details, but that is a (mere) detail
de **knieval** genuflection: *een ~ doen voor iem.*
fall to one's knees before s.o.
kniezen grumble (about), moan (about),
mope
knijpen 1 pinch **2** [persen, samendrukken]
press, squeeze || *'m ~* have the wind up
de **knijper** (clothes) peg, clip
de **knijpfles** squeeze-bottle
de **knijpkat** dynamo torch
de **knik 1** crack; kink [in tuinslang e.d.] **2** [in
lijn, oppervlak] twist, kink **3** [van het hoofd]
nod
knikkebollen nod
¹knikken (onov ww) **1** crack, snap **2** [door-
buigen] bend, buckle **3** [van het hoofd] nod
²knikken (ov ww) bend, twist
de **knikker** marble
¹knikkeren (onov ww) [met knikkers spe-
len] play marbles: *ik heb nog met hem geknik-
kerd* [fig] ± I knew him when he was in short
pants
²knikkeren (ov ww) [inf] [verwijderen] kick
out, chuck out: *iem. eruit ~* chuck s.o. out
de **knip 1** snap [sieraden, beurs]; (spring) catch
[sieraden, deur, paraplu]; clasp [sieraden]
2 [grendeltje] catch
het **knipmes** clasp-knife: *buigen als een ~* bow
and scrape, grovel
knipogen wink
de **knipoog** wink: *hij gaf mij een ~* he winked
at me
¹knippen (onov ww) cut, snip
²knippen (ov ww) **1** cut (off, out): *de heg ~*
clip (of: trim) the hedge; *zijn nagels ~* cut (of:
clip) one's nails **2** [comp] cut: *~ en plakken*
cut and paste
knipperen 1 blink **2** [m.b.t. een auto] flash
het **knipperlicht** indicator; [verkeerslicht]

flashing light
het **knipsel** cutting
het **KNMI** afk van *Koninklijk Nederlands Meteorologisch Instituut* Royal Dutch Meteorological Institute
de **kno-arts** ENT specialist
de **knobbel 1** knob; knot [hout]; bump [op
hoofd] **2** [fig; aanleg] gift, talent: *een wiskundeknobbel hebben* have a gift for mathematics
de **¹knock-out** (zn) knock-out
²knock-out (bn) knock-out
de **knoei**: *lelijk in de ~ zitten* be in a terrible mess
(of: fix)
de **knoeiboel** mess
knoeien 1 make a mess, spill **2** [slordig
werken] make a mess (of) **3** [onhandig wer-
ken] tinker (with), monkey about (with)
4 [oneerlijk werken] cheat, tamper (with)
de **knoeier 1** messy person **2** [prutser] bungler
3 [fraudeur] cheat
de **knoest** knot
de **knoet** cat-o'-nine-tails
het/de **knoflook** garlic
knokig bony
de **knokkel** knuckle
knokken 1 fight **2** [fig] fight hard
de **knokpartij** fight, scuffle
de **knokploeg** (bunch, gang of) thugs [mv];
henchmen [mv]
de **knol 1** tuber **2** [raap] turnip
het **knolgewas** tuberous plant
de **knolraap** swede, kohlrabi
de **knolselderij** celeriac
de **knoop 1** [m.b.t. kleding] button **2** [in touw
e.d.] knot: *een ~ leggen* (of: *maken*) tie (of:
make) a knot; *(met zichzelf) in de ~ zitten* be at
odds with o.s. || *het schip voer negen knopen*
the ship was doing nine knots; [fig] *de ~
doorhakken* cut the (Gordian) knot, take the
plunge
het **knooppunt** intersection; [ongelijkvloers]
interchange
het **knoopsgat** buttonhole
de **knop 1** button, switch: *met een druk op de ~*
presto, with a press of the button; [fig] *de ~
omzetten* switch over, turn the corner
2 [handvat] button, handle: *de ~ van een
deur* the handle of a door **3** bud: *de roos is
nog in de ~* the rose bush is in bud (of: is not
fully out yet)
knopen knot, make a knot, tie: *twee touwer
aan elkaar ~* tie two ropes together
knorren grunt
knorrig grumbling: *in een zeer ~e bui zijn*
have the grumps, be grouchy
de **knot** knot, ball; tuft [haar, veren]
de **¹knots** (zn) **1** club **2** [iets groots, moois]
whopper
²knots (bn, bw) crazy, loony
knotten top, head

de **knotwilg** pollard willow
de **knowhow** know-how
knudde no good at all, rubbishy
de **knuffel** cuddle, hug
het **knuffeldier** soft toy, cuddly toy, teddy (bear)
knuffelen cuddle
de **knuist** fist
de **knul** fellow, guy, chap, bloke
knullig awkward: *dat is ~ gedaan* that has been done clumsily
de **knuppel** 1 club; [van politie] truncheon 2 stick; [inf] joystick
knus cosy, homey
de **knutselaar** handyman, do-it-yourselfer
knutselen knock together, knock up
het **knutselwerk** 1 [werk] odd jobs, tinkering 2 [dingen] handiwork, handicraft(s)
de **koala** koala (bear)
het **kobalt** cobalt
de **koe** 1 cow: *over ~tjes en kalfjes praten* talk about one thing and another; [fig] *oude koeien uit de sloot halen* open old wounds (*of:* sores); *de ~ bij de hoorns vatten* [fig] take the bull by the horns 2 [zeer groot ding] giant
de **koehandel** [pej] horse trading
de **koeienletters** giant letters
koeioneren bully
de **koek** 1 cake: *dat is andere ~!* that is another (*of:* a different) kettle of fish; *dat gaat erin als (gesneden) ~* it is a huge success; [vindt aftrek] it's selling like hot cakes 2 [koekje] biscuit; [Am] cooky, cookie: *een ~je van eigen deeg krijgen* get a taste of one's own medicine
de **koekenpan** frying pan
de **koekoek** cuckoo
de **koekoeksklok** cuckoo clock
de **koektrommel** biscuit tin; [Am] cooky tin
koel 1 cool; [erg koud] chilly 2 [kalm] cool, calm
koelbloedig cold-blooded, calm, cool
de **koelbox** cool box, cooler
de **koelcel** cold store
koelen cool (down, off); [erg koel] chill
de **koeler** cooler; [ijsemmer] ice bucket
het **koelhuis** cold store
de **koeling** 1 cold store 2 [het koelen] cooling; [van levensmiddelen] refrigeration
de **koelkast** fridge, refrigerator
de **koeltas** thermos bag
de **koelte** cool(ness)
koeltjes (a bit) chilly || *~ reageren* respond coolly
de **koeltoren** cooling tower
de **koelvloeistof** coolant
het **koelwater** cooling-water
koen [form] bold
de **koepel** dome
de **koepelorganisatie** umbrella organisation
de **koepeltent** dome tent
de **Koerd** Kurd

Koerdisch Kurdish
Koerdistan Kurdistan
koeren coo
de **koerier** courier
de **koers** 1 course: *van ~ veranderen* change course (*of:* tack) 2 route 3 price; [wisselkoers] (exchange) rate
de **koersdaling** [effecten] fall in prices; [munt] depreciation
koersen set course for
de **koersschommeling** price fluctuation (*of:* variation), market fluctuation
de **koerswijziging** change in course (*of:* direction)
de **koerswinst** stock market profit, gain(s) (made by stock fluctuations)
koest: *zich ~ houden* keep quiet, keep a low profile
koesteren cherish, foster: *hoop ~* nurse hopes
het **koeterwaals** gibberish
de **koets** coach, carriage
de **koetsier** coachman
de **koevoet** crowbar
Koeweit Kuwait
de **Koeweiter** Kuwaiti
Koeweits Kuwaiti
de **koffer** (suit)case, (hand)bag; trunk [grote]
de **kofferbak** boot; [Am] trunk
de **koffie** coffee: *~ drinken* have coffee; [fig] *dat is geen zuivere ~* there's sth. fishy about it, it looks suspicious
de **koffieboon** coffee bean
het **koffiedik** [mv] coffee grounds: [iron] *het is zo helder als ~* it is as clear as mud; *ik kan geen ~ kijken* I can't read tea-leaves, I am not a crystal-gazer
de **koffiekan** coffeepot
het **koffiekopje** coffee cup
de **koffiemelk** evaporated milk
de **koffiepot** coffeepot
de **koffieshop** 1 [m.b.t. koffie] coffee shop 2 [m.b.t. softdrugs] cannabis coffee shop
de **koffietafel** (light) lunch
de **koffietijd** coffee time; ['s middags] lunch time
het **koffiezetapparaat** coffee-maker
koffiezetten make coffee, put coffee on
de **kogel** 1 bullet [geweer]; ball [kanon]: *een verdwaalde ~* a stray bullet 2 [atletiek] shot || *de ~ is door de kerk* the die is cast
de **kogelbiefstuk** round steak
het **kogelgewricht** ball(-and-socket) joint
het **kogellager** ball-bearing
kogelslingeren hammer (throw)
kogelstoten shot-put(ting)
kogelvrij bulletproof
de **koikarper** koi (carp)
de **kok** cook: *de chef-~* the chef
koken 1 boil: *water kookt bij 100° C* water boils at 100° C 2 [bereiden, klaarmaken]

cook, do the cooking ‖ ~ *van woede* boil (*of:* seethe) with rage

kokendheet piping (*of:* boiling, scalding) hot

de **koker 1** case **2** [om iets in te steken] cylinder **3** [waardoor iets vooruit beweegt] shaft [lift]; chute [stortkoker]

koket 1 coquettish **2** [sierlijk] smart, stylish

kokhalzen retch, heave

kokkerellen cook

het **kokos 1** [wit vlees in kokosnoten] coconut **2** [vezel] coconut fibre

de **kokosmat** coconut matting

de **kokosnoot** coconut

de **kokospalm** coconut palm

de **koksmuts** chef's hat

de **kolder** nonsense, rubbish

de **kolen** coal: *op hete ~ zitten* be on tenterhooks

de **kolencentrale** coal-fired power station

de **kolenmijn** coal mine

de **kolere**: *krijg de ~!* get stuffed!, drop dead!

de **kolf 1** [van een geweer] butt **2** [bol flesje] flask; [met omgebogen hals] retort **3** [van mais] cob

de **kolibrie** hummingbird

het/de **koliek** colic

de **kolk** eddy, whirlpool

kolken swirl, eddy

de **kolom** column

de **kolonel** colonel

koloniaal colonial

het **kolonialisme** colonialism

de **kolonie** colony

de **kolonisatie** colonization

koloniseren colonize

de **kolonist** colonist, settler

de **kolos** colossus

kolossaal colossal, immense

kolven [m.b.t. borstvoeding] express milk

de **¹kom** (zn) **1** bowl; [waskom] basin **2** [uitholling, holte] basin, bowl **3** [m.b.t. gewrichten e.d.] socket: *haar arm is uit de ~ geschoten* her arm is dislocated ‖ *de bebouwde ~* the built-up area; [Am] the city limits

²kom (tw) come on!: ~ *nou, dat maak je me niet wijs* come on (now) (*of:* look), don't give me that; ~, *ik stap maar weer eens op* right, I'm off now!; ~ *op!* come on!

de **komaf** origin, birth: *van goede ~* uppercrust, high-born ‖ [Belg] ~ *maken met iets* give short shrift to sth.

de **kombuis** galley

de **komediant** comedy actor, comedian

de **komedie** comedy; [fig ook] (play-)acting

de **komeet** comet

komen 1 come, get: *er komt regen* it is going to rain; *er kwam bloed uit zijn mond* there was blood coming out of his mouth; *ergens bij kunnen* ~ be able to get at sth.; *de politie laten* ~ send for (*of:* call) the police; *ik kom*

eraan! (*of: al!*) (I'm) coming!, I'm on my way!; *kom eens langs!* come round some time!; *ergens achter* ~ find out sth., get to know sth.; *hoe kom je erbij!* what(ever) gave you that idea?; *ergens overheen* ~ get over sth. [bijv. ziekte]; [fig] *we kwamen er niet uit* we couldn't work it out; *hoe kom je van hier naar het museum?* how do you get to the museum from here?; *hij komt uit Engeland* he's from England; *wie het eerst komt, het eerst maalt* first come, first served **2** come ((a)round, over), call: *er* ~ *mensen vanavond* there are (*of:* we've got) people coming this evening **3** (+ aan) [aanraken] touch: *kom nergens aan!* don't touch (anything)! **4** [m.b.t. oorzaak] come (about), happen: *hoe komt het?* how come?, how did that happen?; *daar komt niets van in* that's out of the question; *dat komt ervan als je niet luistert* that's what you get (*of:* what happens) if you don't listen **5** (+ aan) [in het bezit van iets raken] come (by), get (hold of): *aan geld zien te* ~ get hold of some money; *daar kom ik straks nog op* I'll come round to that in a moment ‖ *daar komt nog bij dat …* what's more …, besides …; *kom nou!* don't be silly!, come off it!

komend coming, to come; [m.b.t. tijd ook] next: ~*e week* next week

de **komiek** comedian, comic

de **komijn** cumin

komisch comic(al), funny

de **komkommer** cucumber

de **komkommertijd** [vakantietijd] silly season

de **komma 1** comma **2** [in getallen] (decimal) point: *tot op vijf cijfers na de* ~ *uitrekenen* calculate to five decimal places; *nul* ~ *drie (0,3)* nought point three (0.3); [Am] zero point three (0.3)

de **kommer** sorrow: ~ *en kwel* sorrow and misery

het **kompas** compass

de **kompasnaald** compass needle

het **kompres** compress

de **komst** coming, arrival: *er is storm op* ~ there is a storm brewing

het **konijn** rabbit; [kindert] bunny

het **konijnenhok** rabbit hutch

het **konijnenhol** rabbit hole (*of:* burrow)

de **koning** king

de **koningin** queen

Koninginnedag Queen's Birthday

koningsgezind royalist(ic), monarchist

het **koningshuis** royal family (*of:* house)

koninklijk royal; [bijv. gedrag, houding] regal

het **koninkrijk** kingdom

konkelen scheme, intrigue

de **kont** bottom, behind, bum: *je kunt hier je* ~ *niet keren* you couldn't swing a cat here

het **konvooi** convoy

de **kooi 1** cage **2** [stal] pen; [voor kippen] coop; [schapen] fold; [varkens] sty **3** [op een schip] berth, bunk

de **kook** boil: *aan de ~ brengen* bring to the boil; *volkomen van de ~ raken* go to pieces

het **kookboek** cookery book

de **kookgelegenheid** cooking facilities

de **kookkunst** cookery, (the art of) cooking, culinary art

de **kookplaat** hotplate, hob

het **kookpunt** boiling point: *het ~ bereiken* [ook fig] reach boiling point

de **kookwekker** kitchen timer

de **kool 1** cabbage **2** [steenkool] coal

het **kooldioxide** carbon dioxide

het **koolhydraat** carbohydrate

de **koolmees** great tit

het **koolmonoxide** carbon monoxide

de **koolraap** kohlrabi, turnip cabbage

de **koolrabi** kohlrabi

de **koolstof** carbon

de **koolvis** pollack

de **koolwaterstof** [chem] hydrocarbon

het **koolwitje** cabbage white (butterfly)

het **koolzaad** (rape)seed, colza

het **koolzuur** carbon dioxide

koolzuurhoudend carbonated

de **koon** cheek

de **koop** buy, sale, purchase: *~ en verkoop* buying and selling; *de ~ gaat door* the deal (of: sale) is going through; *op de ~ toe* into the bargain; *te ~ (zijn, staan)* (be) for sale; *te ~ of te huur* to buy or let; *te ~ gevraagd* wanted

de **koopakte** deed of sale (of: purchase)

de **koopavond** late-night shopping, late opening

het **koopcontract** contract (of: bill) of sale; [akte] purchase deed, title deed; deed of purchase

koopgraag acquisitive, eager to spend money

de **koophandel** commerce, trade: *Kamer van Koophandel* ± Chamber of Commerce

het **koophuis** owner-occupied house

het **koopje** bargain, good buy (of: deal)

de **koopjesjager** bargain hunter, snapper-up

de **koopkracht** buying power

de **koopman** merchant, businessman

de **koopsom** purchase price

de **koopvaardij** merchant navy

de **koopwaar** merchandise, wares

koopziek shopaholic, addicted to buying

de **koopzondag** shopping Sunday

het **koor** choir, chorus: *een gemengd ~* a mixed (voice) choir

et/de **koord** cord, (thick) string, (light) rope

koorddansen walk a tightrope

de **koorddanser** tightrope walker, high wire walker

de **koorknaap** choirboy: [fig] *hij is geen ~* he's no choirboy (of: angel)

de **koorts** fever: *bij iem. de ~ opnemen* take s.o.'s temperature

koortsachtig feverish: *~e bedrijvigheid* frenzied activity

koortsig feverish

de **koortslip** cold sore

de **koortsthermometer** clinical thermometer

de **koortsuitslag** cold sore

koortsvrij free of fever, without fever

de **koorzang** choral singing

koosjer kosher: [fig] *dat zaakje is niet ~* that business doesn't look too kosher

de **koosnaam** pet name, term of endearment

het **kootje** phalanx

de **kop 1** head: *er zit ~ noch staart aan* you can't make head or tail of it; *~ dicht!* shut up!; *een mooie ~ met haar* a beautiful head of hair; *een rooie ~ krijgen* go red, flush; *iem. op zijn ~ geven* give s.o. what for; *dat zal je de ~ niet kosten* it's not going to kill you **2** head, brain: *dat is een knappe ~* he is a clever (of: smart) fellow **3** [bovenste gedeelte] head, top: *de ~ van Overijssel* the north of the Overijssel; *de ~ van een spijker* (of: *hamer*) the head of a nail (of: hammer); *op ~ liggen* be in the lead; *over de ~ slaan* overturn, somersault; *over de ~ gaan* go broke, fold **4** cup, mug **5** [krantenkop] headline, heading ǁ *~ of munt* heads or tails; *het is vijf uur op de ~ af* it is exactly five o'clock

de **kopbal** header

[1] **kopen** (onov ww) trade (with), deal (with), buy

[2] **kopen** (ov ww) **1** buy, purchase: *wat koop ik ervoor?* what good will it do me? **2** [afkopen] buy (off)

de **kop-en-schotel** cup and saucer

de [1] **koper** (zn) buyer

het [2] **koper** (zn) **1** copper **2** brass **3** [blaasinstrumenten] brass (section)

het/de **koperdraad** copper (of: brass) wire

koperen brass, copper

het **koperwerk** copper work, brass work, brassware

de **kopgroep** leading group; [wielersp ook] break(away)

de **kopie 1** copy, duplicate **2** (photo)copy

het **kopieerapparaat** photocopier

kopiëren 1 copy, make a copy (of); [overschrijven] transcribe **2** (photo)copy, xerox

de **kopij** copy, manuscript

het **kopje** (small, little) cup ǁ *~ duikelen* turn somersaults; *de poes gaf haar steeds ~s* the cat kept nuzzling (up) against her

kopjeduikelen (turn, do a) somersault

kopje-onder: *hij ging ~* he got a ducking

de **koplamp** headlight

de **koploper** leader, front runner; [vernieuwer] trendsetter

de [1] **koppel** (zn) (sword) belt

het **²koppel** (zn) **1** [span] couple, pair; [groep] group; [groep] bunch; [zaken] set **2** [paartje] couple: *een aardig ~* a nice couple

de **koppelaar** matchmaker, marriage broker

de **koppelbaas** (illegal) labour subcontractor

koppelen 1 couple (with, to) **2** [een verbinding leggen tussen] link, relate: *twee mensen proberen te ~* try to pair two people off

de **koppeling** clutch (pedal): *de ~ intrappen* let out the clutch

het **koppelteken** hyphen

het **koppelwerkwoord** [taalk] copula

koppen head

koppensnellen headhunt

koppig 1 stubborn, headstrong: *(zo) ~ als een ezel* (as) stubborn as a mule **2** [van bier e.d.] heady

de **koppigaard** [Belg] stubborn person, obstinate person

de **koppigheid** stubbornness

de **koprol** somersault

kopschuw shy, withdrawn: *iem. ~ maken* scare (of: frighten) s.o. off

de **kop-staartbotsing** rear-end collision

de **kopstem** falsetto

de **kopstoot** butt (of the head): *iem. een ~ geven* headbutt s.o.

het **kopstuk** head man, boss

de **koptelefoon** headphone(s), earphone(s), headset

de **kopzorg** worry, headache

het **koraal** coral

het **koraaleiland** coral island

het **koraalrif** coral reef

de **Koran** Koran

kordaat firm, plucky, bold

het **kordon** cordon

Korea Korea

de **Koreaan** Korean

het **¹Koreaans** Korean

²Koreaans (bn) Korean

het **koren** corn; [Am] wheat; grain

de **korenbloem** cornflower

de **korenschuur** granary

de **korenwolf** European hamster

de **korf** basket; [voor bijen] hive

het **korfbal** korfball

korfballen play korfball

het **korhoen** black grouse

de **koriander** coriander (seed)

de **kornuit** mate; [Am] buddy

de **korporaal** corporal

het **korps** corps, body; staff [leraren]; force [politie]

de **korpschef** superintendent

de **korrel** granule, grain: *iets met een ~(tje) zout nemen* take sth. with a pinch of salt

korrelig granular

het **korset** corset

de **korst** crust; [op wond] scab; [van kaas] rind

het **korstmos** lichen

kort short; brief [m.b.t. tijd, lengte]: *alles ~ en klein slaan* smash everything to pieces; *een ~ overzicht* a brief (of: short) summary; *~ daarvoor* shortly before; *tot voor ~* until recently; *iets in het ~ uiteenzetten* explain sth. briefly ‖ *we komen drie man te ~* we're three men short; *te ~ komen* run short (of)

kortaangebonden short-spoken; [lomp] crusty

kortademig short of breath; [ook fig] short-winded

kortaf curt, abrupt

korten cut (back): *~ op de uitkeringen* cut back on social security

het **kortetermijngeheugen** short-term memory

de **korting** discount, concession; [bezuiniging] cut: *~ geven op de prijs* give a discount off the price

de **kortingskaart** concession (of: reduced-fare) card/pass [openbaar vervoer]; discount card [in winkels e.d.]

kortom in short, to put it briefly (of: shortly)

kortsluiten [techn] short-circuit: [fig] *de zaken ~* align (of: fine-tune) matters

de **kortsluiting** short circuit, short

kortstondig short-lived, brief

kortweg briefly, shortly

kortwieken clip the wings of

kortzichtig short-sighted

kosmisch cosmic

de **kosmonaut** cosmonaut

de **kosmos** cosmos

de **kost 1** [mv] cost, expense; [investeringen] outlay; charge [voor diensten]: *de ~en dekken* cover the costs; *~en van levensonderhoud* cost of living; *op haar eigen ~en* at her own expense; *op ~en van* at the expense of **2** [levensonderhoud] living: *wat doe jij voor de ~?* what do you do for a living?; *de ~ verdienen* make a living (as a ..., by ...-ing) **3** [voeding] board(ing), keep: *~ en inwoning* board and lodging **4** fare, food: *dagelijkse ~* ordinary food

kostbaar 1 [duur] expensive **2** [van grote waarde] valuable; [sterker] precious

de **kostbaarheden** valuables

kostelijk precious; [lekker] exquisite; delicious; [uitstekend] excellent

¹kosteloos (bn) free

²kosteloos (bw) free of charge

kosten cost, be, take: *het heeft ons maanden gekost om dit te regelen* it took us months to organize this; *het ongeluk kostte (aan) drie kinderen het leven* three children died (of: lost their lives) in the accident; *dit karwei zal heel wat tijd ~* this job will take (up) a great deal of time

de **kosten-batenanalyse** cost-benefit analy

sis
kostenbesparend money-saving, cost-cutting
kostendekkend cost-effective, self-supporting
de **kostenstijging** increase in costs
de **koster** verger
de **kostganger** boarder, lodger
het **kostgeld** board (and lodging)
het **kostje**: *zijn ~ is gekocht* he has it made
de **kostprijs** cost price
de **kostschool** boarding school; [grote Engelse privéschool] public school: *op een ~ zitten* attend a boarding school
het **kostuum 1** [(mantel)pak] suit **2** [kleding] costume, dress
de **kostwinner** breadwinner
het **kot 1** hovel **2** [Belg] student apartment (*of:* room): *op ~ zitten* be in digs
de **kotbaas** [Belg] landlord
de **kotelet** chop, cutlet
de **koter** [inf] youngster, kid
de **kotmadam** [Belg] landlady
kotsbeu: [Belg] *iets ~ zijn* be sick and tired of sth.
kotsen puke
kotsmisselijk [inf] sick as a dog (*of:* cat): *ik word er ~ van* [fig] I'm sick to death of it, it makes me sick
de **kotter** cutter
de **kou** cold(ness), chill
koud cold; [lucht ook] chilly: *het laat mij ~* it leaves me cold
koudbloedig cold-blooded
het **koudvuur** gangrene
de **koudwatervrees** cold feet
het **koufront** [meteo] cold front
de **koukleum** shivery type
de **kous** stocking; [kort] sock
kouvatten catch cold
kouwelijk chilly, sensitive to cold
de **Kozak** Cossack
de ¹**kozijn** (zn) [Belg] [zoon van oom of tante] cousin
het ²**kozijn** (zn) (window, door) frame
de **kraag 1** collar: *iem. bij (in) zijn ~ grijpen* grab s.o. by the collar; collar s.o. **2** [van schuim e.d.] head
de **kraai** crow
kraaien crow
het **kraaiennest** crow's-nest
de **kraaienpootjes** crow's-feet
de **kraak** break-in
het **kraakbeen** cartilage
het **kraakpand** squat
de **kraakstem** grating (*of:* rasping) voice
de **kraal** bead
de **kraam** stall, booth
de **kraamafdeling** maternity ward
het **kraambed** childbed: *een lang ~* a long period of lying-in

de **kraamhulp** maternity assistant
de **kraamkamer** delivery room; [vóór de bevalling] labour room
de **kraamkliniek** maternity clinic
de **kraamverzorgster** maternity nurse
het **kraamvisite**: *op ~ komen* come to see the new mother and her baby
de **kraamvrouw** woman in childbed; [na de bevalling] mother of newly-born baby
de **kraamzorg** maternity care
de **kraan 1** tap; [Am] faucet; [afsluit-, doorlaatkraan] (stop)cock; valve **2** [hijswerktuig] crane
de **kraandrijver** crane driver (*of:* operator)
de **kraanvogel** (common) crane
de **kraanwagen** breakdown lorry (*of:* truck); [Am] tow truck
het **kraanwater** tap water
de **krab** crab
de **krabbel 1** scratch (mark) **2** [onduidelijk schriftteken] scrawl
¹**krabbelen** (onov ww) scratch ‖ *(weer) overeind ~* scramble to one's feet
²**krabbelen** (ov ww) [slordig schrijven of tekenen] scrawl
het **krabbeltje** scrawl
¹**krabben** (ww) scratch: *zijn hoofd ~* scratch one's head
²**krabben** (ov ww) scratch out, scratch off
de **krach** crash
de **kracht** strength, power; [van wind ook] force: *drijvende ~ achter* moving force (*of:* spirit) behind; *op eigen ~* on one's own, by o.s.; *op volle* (*of:* halve) *~ (werken)* operate at full (*of:* half) speed/power; *met zijn laatste ~en* with a final effort; *het vergt veel van mijn ~en* it's a great drain on my energy; *van ~ zijn* be valid (*of:* effective); *zijn ~en meten met iem.* measure one's strength with s.o., pit one's strength against s.o.; *zijn woorden ~ bijzetten* reinforce his words, suit the action to the word
de **krachtbron** source of energy (*of:* power); [elektriciteitscentrale] power station
de **krachtcentrale** power station
krachtdadig energetic, vigorous
krachteloos weak; [slap] limp; powerless
krachtens by virtue of, under
krachtig 1 strong, powerful: *een ~e motor* a powerful engine; *matige tot ~e wind* moderate to strong winds **2** [met geestelijke, zedelijke kracht] powerful, forceful: *kort maar ~* **a)** brief and to the point; **b)** [fig] short but (*of:* and) sweet **3** [m.b.t. medicijnen e.d.] potent
de **krachtmeting** contest, trial of strength
de **krachtpatser** muscle-man, bruiser
de **krachtsinspanning** effort
de **krachtsport** strength sport
de **krachtterm** swearword: *hij gebruikte nogal veel ~en* he used a lot of swearwords (*of:*

strong language)

de **krachttraining** weight training

de **krak** crack, snap

krakelen quarrel, row

de **krakeling** [koekje] type of biscuit; [Am] type of cookie: *zoute ~en* pretzels

¹**kraken** (onov ww) crack; creak [hout, trap, schoenen]; crunch [zand, grind, sneeuw]: *een ~de stem* a grating voice

²**kraken** (ov ww) 1 crack [ook fig] 2 [inbreken] break into [gebouw]; crack [kluis, code]; hack [computer, databestand] 3 [afkraken] pan, slate ‖ *het pand is gekraakt* the building has been broken into by squatters

de **kraker** 1 squatter 2 [comp] hacker

krakkemikkig rickety

de **kram** clamp; cramp (iron) [bergbeklimming]; clasp [boeksluiting] ‖ [Belg] *uit zijn ~men schieten* blow one's top

de **kramiek** [Belg] currant loaf

de **kramp** cramp

krampachtig 1 forced: *met een ~ vertrokken gezicht* grimacing 2 [met wanhopige inspanning] frenetic: *zich ~ aan iem. (iets) vasthouden* cling to s.o. (sth.) for dear life 3 [als een kramp] convulsive

kranig plucky, brave

krankjorum [inf] bonkers, nuts

krankzinnig 1 mentally ill, insane, mad: ~ *worden* go insane, go out of one's mind 2 [onzinnig] crazy, mad

de **krankzinnige** madman, madwoman

de **krans** 1 wreath 2 ring: *een ~ om de zon* (of: *de maan*) a corona round the sun (of: moon)

de **kransslagader** coronary artery

de **krant** (news)paper

het **krantenartikel** newspaper article

het **krantenbericht** newspaper report

de **krantenbezorger** (news)paper boy (of: girl)

de **krantenkiosk** newspaper kiosk (of: stand)

het **krantenknipsel** newspaper cutting, press cutting

de **krantenkop** (newspaper) headline

de **krantenwijk** (news)paper round; [Am] (news)paper route

krap 1 tight; [smal] narrow 2 [gering] tight, scarce: *een ~pe markt* a small market; ~ *(bij kas) zitten* be short of money (of: cash) ‖ *met een ~pe meerderheid* with a bare majority

de ¹**kras** (zn) scratch

²**kras** (bn, bw) 1 [m.b.t. personen] strong, vigorous; [van oudere personen] hale and hearty 2 [m.b.t. zaken] strong, drastic: *dat is een nogal ~se opmerking* that is a rather crass remark

het **kraslot** scratch card

¹**krassen** (onov ww) 1 scrape: *zijn ring kraste over het glas* his ring scraped across the glass 2 [m.b.t. rauw keelgeluid] rasp; scrape [stem]; croak [kraai, mens]; hoot; screech

[uil]

²**krassen** (ov ww) scratch; carve [diep]

het **krat** crate

de **krater** crater: *een ~ slaan* leave a crater

het **krediet** 1 credit: *veel ~ hebben* enjoy great trust 2 [vertrouwen] credit, respect

de **kredietbank** ± finance company

de **kredietcrisis** credit crunch, credit crisis

de **kredietinstelling** credit institution (of: company)

kredietwaardig creditworthy

de **kreeft** lobster

de **Kreeft** [astrol] Cancer

de **Kreeftskeerkring** tropic of Cancer

de **kreek** 1 creek, cove 2 [riviertje] stream

de **kreet** 1 cry 2 [uitroep] slogan, catchword

de **krekel** cricket

het **kreng** 1 [secreet] beast, bastard; [vrouw] bitch 2 [rotding] wretched thing 3 [rottend dier] carrion

krenken offend, hurt

de **krent** currant: *de ~en uit de pap* the best bit●

de **krentenbol** currant bun

het **krentenbrood** currant loaf

krenterig stingy

Kreta Crete

de **kreukel** crease

¹**kreukelen** (onov ww) get creased (of: rumpled)

²**kreukelen** (ov ww) crease: *het zat in gekreukeld papier* it was wrapped in crumpled paper

kreukelig crumpled, creased

de **kreukelzone** crumple zone

¹**kreuken** (onov ww) get creased (of: rumpled)

²**kreuken** (ov ww) crease, crumple

kreukvrij crease-resistant

kreunen groan, moan

kreupel 1 lame 2 [gebrekkig] poor, clumsy

het **kreupelhout** undergrowth

de **krib** manger, crib

kribbig grumpy, catty

de **kriebel** itch, tickle: *ik krijg daar de ~s van* it gets on my nerves

kriebelen tickle; [jeuken] itch

de **kriebelhoest** tickling cough

kriebelig [klein geschreven] crabbed ‖ ~ *van iets worden* get irritated by sth.

de **kriek** 1 black cherry 2 [Belg; bier] cherry beer

krieken: *met (bij) het ~ van de dag* at (the crack of) dawn

de **krielkip** bantam hen

het **krieltje** (small) new potato

krijgen get; [ontvangen ook] receive; [grijpen, pakken ook] catch: *aandacht ~* receive● attention; *je krijgt de groeten van ... ...* send● (you) his regards; *zij kreeg er hoofdpijn van* it● gave her a headache; *slaap* (of: *trek*) ~ feel● sleepy (of: hungry); *iets af ~* get sth. done (o●

finished); *dat goed is niet meer te ~* you can't get hold of that stuff any more; *iem. te pakken ~* get (hold of) s.o.; *ik krijg nog geld van je* you (still) owe me some money; *iets voor elkaar ~* manage sth.

de **krijger** warrior

het **krijgertje**: *~ spelen* play tag (*of*: tig)

de **krijgsgevangene** prisoner of war

krijgshaftig warlike

de **krijgsheer** warlord

het **Krijgshof** [Belg] military high court

de **krijgslist** stratagem, ruse

de **krijgsmacht** armed forces, army

de **krijgsraad** court-martial

krijsen 1 shriek, screech **2** [huilen] scream

het **krijt** chalk; [kleurstift] crayon ‖ *bij iem. in het ~ staan* owe s.o. sth.

krijten chalk

het **krijtje** piece of chalk

de **krijtrots** chalk cliff

krijtwit (as) white as chalk

de **krik** jack

de **Krim**: *de ~* the Crimea

de **krimp** shrinkage: *~ van de bevolking* demographic shrinkage; *economische ~* economic shrinkage (*of*: contraction) ‖ *geen ~ geven* not flinch

krimpen shrink, contract

de **krimpfolie** clingfilm, shrink-wrapping

krimpvrij shrink-proof, shrink-resistant

de **kring** circle, ring; [elek] circuit: *in besloten ~* in a closed (*of*: private) circle, private(ly); *in politieke ~en* in political circles; *de huiselijke ~* the family (*of*: domestic) circle; *~en onder de ogen hebben* have bags under one's eyes; *~en maken op een tafelblad* make rings on a table top; *in een ~ zitten* sit in a ring (*of*: circle)

kringelen spiral

de **kringloop** cycle; [van geld, informatie] circulation

het **kringlooppapier** recycled paper

de **kringloopwinkel** shop specialized in recycled goods

de **kringspier** orbicularis, sphincter(-muscle)

krioelen swarm, teem

kriskras criss-cross

het **kristal** crystal

kristalhelder crystal-clear; lucid [van gedachten]

kristallen crystal

de **kristalsuiker** granulated sugar

de **¹kritiek** (zn) **1** criticism: *opbouwende* (*of*: *afbrekende*) *~* constructive (*of*: destructive) criticism **2** [bespreking ook] (critical) review: *goede* (*of*: *slechte*) *~en krijgen* get good (*of*: bad) reviews

²kritiek (bn) critical; [doorslaggevend ook] crucial: *de toestand van de patiënt was ~* the patient's condition was critical

kritiekloos uncritical: *iets ~ aanvaarden* ac-

cept sth. without question

kritisch 1 critical **2** [negatief ook] faultfinding: *een ~ iem.* a fault-finder

kritiseren criticize; [m.b.t. boek] review

de **Kroaat** Croat, Croatian

Kroatië Croatia

het **¹Kroatisch** Croatian

²Kroatisch (bn) Croatian

de **kroeg** pub: *altijd in de ~ zitten* always be in the pub

de **kroegbaas** publican

de **kroegentocht** pub-crawl; [Am] bar-hopping

de **kroegloper** pub-crawler

de **kroepoek** prawn crackers, shrimp crackers

de **kroes** mug

het **kroeshaar** frizzy hair, curly hair

kroezen frizzle, curl (up)

krokant crisp(y), crunchy

de **kroket** croquette

de **krokodil** crocodile

de **krokodillentranen**: *~ huilen* shed crocodile tears

de **krokus** crocus

de **krokusvakantie** ± spring half-term; [Am] ± semester break

krols on heat

krom 1 bent, crooked; [lijn] curved: *~me benen* bow-legs [O-benen] **2** [gebrekkig] clumsy: *~ Nederlands* bad Dutch

krombuigen bend

kromgroeien grow crooked

kromliggen scrimp and save

de **kromme 1** [gebogen lijn] curve **2** [curve] graph

¹krommen (onov ww) [krom worden] bend

²krommen (ov ww) [krom maken] bend

de **krommenaas**: [Belg] *zich van ~ gebaren* act dumb, pretend not to hear

de **kromming** bend(ing), curving; [in ruggengraat] curvature

kromtrekken warp; buckle [metaal]

kronen crown

de **kroniek** chronicle

de **kroning** crowning; [plechtig] coronation

de **kronkel** twist(ing); [redenering] kink

kronkelen twist, wind; [wriggelen] wriggle: *~ van pijn* writhe in agony

kronkelig twisting, winding

de **kronkelweg** twisting road, winding road, crooked path

de **kroon 1** crown; [van bloem] corolla **2** [vorst(in)] Crown: *een benoeming door de ~* a Crown appointment ‖ *dat is de ~ op zijn werk* that is the crowning glory of his work; *dat spant de ~* that takes the cake

de **kroongetuige** crown witness

het **kroonjaar** jubilee year

het **kroonjuweel** [letterlijk en figuurlijk] crown jewel

de **kroonkurk** crown cap

de **kroonlijst** cornice
de **kroonluchter** chandelier
de **kroonprins** crown prince; [fig] heir-apparent
de **kroonprinses** crown princess
het **kroonsteentje** connector
het **kroos** duckweed
het **kroost** offspring
de **krop 1** head: *een ~ sla* a head of lettuce **2** [m.b.t. vogels] crop, gizzard
het **krot** slum (dwelling), hovel
de **krottenwijk** slum(s)
het **kruid 1** herb **2** [specerij] herb, spice
   kruiden season, flavour; [fig ook] spice (up)
de **kruidenboter** herb butter
de **kruidenier** grocer
het **kruidenrekje** spice rack
de **kruidenthee** herb(al) tea
   kruidig spicy
het **kruidje-roer-mij-niet 1** [plantk] touch-me-not **2** [fig; persoon] thin-skinned (*of:* touchy) person
de **kruidkoek** ± spiced gingerbread
de **kruidnagel** clove
   ¹kruien (onov ww) [m.b.t. ijs] break up, drift
   ²kruien (ov ww) wheel
de **kruier** porter
de **kruik 1** jar, pitcher, crock **2** [warmwaterfles] hot-water bottle
het **kruim 1** crumb **2** [Belg] the pick of the bunch, the very best
de **kruimel** crumb
het **kruimeldeeg** crumbly pastry; [Am] crumb crust
de **¹kruimeldief** (zn) petty thief
de **²kruimeldief**ᴹᴱᴿᴷ (zn) [handstofzuiger] crumb-sweeper, dustbuster
   kruimelen crumble
het **kruimelwerk 1** [kleine karweitjes] odd jobs **2** [onbetekenend werk] pottering (about)
   kruimig mealy, floury
de **kruin** crown
   kruipen 1 creep, crawl **2** [zich moeilijk voortbewegen] crawl (along); drag [m.b.t. tijd]: *de uren kropen voorbij* time dragged (on)
   kruiperig cringing, slimy, servile
het **kruis 1** cross **2** [m.b.t. kledingstukken] crotch; seat [zitvlak] **3** [deel van het lichaam] crotch, groin **4** [m.b.t. munten] head: *~ of munt?* heads or tails? || [Belg; fig] *een ~ over iets maken* put an end to sth.; *een ~ slaan* cross o.s.
de **kruisband** cruciate ligament
het **kruisbeeld** crucifix
de **kruisbes** gooseberry
de **kruisbestuiving** cross-pollination [ook fig]
de **kruisboog 1** [bouwk] ogive **2** [pijl-en-boog] crossbow

   kruiselings crosswise, crossways
   kruisen cross, intersect: *patroon van elkaar ~de lijnen* pattern of intersecting lines
de **kruiser 1** cruiser **2** [jacht] cabin cruiser
   kruisigen crucify
de **kruisiging** crucifixion
de **kruising 1** crossing, junction, intersection; [vnl. buiten de stad] crossroads **2** [bevruchting] crossing, hybridization; [vnl. m.b.t. planten] cross-fertilization **3** [ontstane soort] cross, hybrid; [vnl. m.b.t. dieren] cross-breed
het **kruisje 1** cross; [(schrift)teken ook] mark **2** [kruisteken] sign of the cross
de **kruiskopschroevendraaier** Phillips screwdriver
het **kruispunt** crossing, junction, intersection; [vnl. buiten de stad] crossroad(s): [fig] *op een ~ staan* stand at the crossroads
de **kruisraket** cruise missile
de **kruisridder** crusader
de **kruissnelheid** cruising speed
de **kruisspin** diadem spider
de **kruissteek** cross-stitch
het **kruisteken** (sign of the) cross
de **kruistocht** crusade
de **kruisvaarder** crusader
het **kruisverhoor** cross-examination: *iem. aan een ~ onderwerpen* cross-examine s.o.
de **kruiswoordpuzzel** crossword (puzzle)
het **kruit** (gun)powder
de **kruitdamp** [ook fig] gunsmoke: [fig] *toen de ~ was opgetrokken* when the smoke (of battle) had cleared
het **kruitvat** powder keg
de **kruiwagen 1** (wheel)barrow **2** [fig] connections: *~s gebruiken* pull strings
de **kruk 1** stool **2** [loopstok] crutch **3** [deurknop] (door) handle
de **krukas** crankshaft
de **krul** curl; [lange haarlok] ringlet
   krullen curl
de **krullenbol** curly (head)
de **krulspeld** curler, roller
de **krultang** curling iron
het **kso** [Belg] afk van *kunstsecundair onderwijs* secondary fine arts education
   kubiek cubic
de **kubus** cube
   kuchen cough
de **kudde** herd [vnl. grote dieren]; flock [schapen, geiten]
het **kuddedier 1** [dier] herd animal **2** [mens] one of the herd (*of:* mob)
   kuieren stroll, go for a walk
de **kuif 1** forelock; [vetkuif] quiff **2** (head of) hair **3** [m.b.t. vogels] crest, tuft
het **kuiken** chick(en)
de **kuil** pit, hole; [uitholling] hollow; [in wegdek] pothole
het **kuiltje** dimple; [in kin ook] cleft

de **kuip** tub; barrel [ton, vat]

het **kuipje** tub

de ¹**kuis** (zn) [Belg] [schoonmaak] (house)cleaning: *grote ~* spring-cleaning

²**kuis** (bn, bw) chaste, pure

kuisen [Belg] clean

de **kuisheid** chastity, purity

de **kuisheidsgordel** chastity belt

de **kuisvrouw** [Belg] cleaning lady (of: woman)

de **kuit 1** [anat] calf **2** [m.b.t. vissen] spawn

het **kuitbeen** fibula

kukeleku cock-a-doodle-doo

kukelen go flying, tumble

de **kul** rubbish

de **kummel** [komijn] cum(m)in; [karwij] caraway (seed)

de **kumquat** cumquat

de **kunde** knowledge, learning

kundig able, capable, skilful: *iets ~ repareren* repair sth. skilfully

de **kunne** sex: *van beiderlei ~* of both sexes

¹**kunnen** (ww) [m.b.t. mogelijkheid] may, might, could, it is possible that …: *het kan een vergissing zijn* it may be a mistake

²**kunnen** (onov ww) [aanvaardbaar zijn] be acceptable: *zo kan het niet langer* it (of: things) can't go on like this; *die trui kán gewoon niet* that sweater's just impossible

³**kunnen** (ww) [m.b.t. bekwaamheid] can, could, be able to; be possible: *hij kan goed zingen* he's a good singer; *een handige man kan alles* a handy man can do anything; *hij liep wat hij kon* he ran as fast as he could; *hij kan niet meer* he can't go on; *buiten iets ~* do without sth.; *het deksel kan er niet af* the lid won't come off; *morgen kan ik niet* tomorrow's impossible for me

⁴**kunnen** (hww) [m.b.t. toelating] can, be allowed to; [form] may; [onvoltooid verleden tijd] could; be allowed to, might: *zoiets kun je niet doen* you can't do that sort of thing; *je had het me wel ~ vertellen* you might (of: could) have told me; *de gevangene kon ontsnappen* the prisoner was able to (of: managed to) escape

de **kunst 1** art: *een handelaar in ~* an art dealer **2** [kundigheid] art, skill: *zwarte ~* black magic; *dat is uit de ~* that's amazing! **3** [moeilijke handeling] trick

de **kunstacademie** art academy

het **kunstbeen** artificial leg

de **kunstbloem** artificial flower

de **kunstcriticus** art critic

de **kunstenaar** artist

het **kunst- en vliegwerk**: *met veel ~* by pulling out all the stops

de **kunstgalerij** (art) gallery

het **kunstgebit** (set of) false teeth, (set of) dentures; [gebitplaat] (dental) plate

de **kunstgeschiedenis** history of art; [vak] art history

het **kunstgras** artificial grass (of: turf)

de **kunstgreep** trick, manoeuvre

de **kunsthandelaar** art dealer

het/de **kunsthars** synthetic resin; [fenolhars] phenolic resin

de **kunstheup** artificial hip

kunstig ingenious, skilful

het **kunstijs** artificial ice, man-made ice; [baan] (ice) rink

de **kunstijsbaan** ice rink, skating rink

het **kunstje 1** knack, trick: *dat is een koud ~* that's child's play, there's nothing to it **2** [truc, toer] trick: *geen ~s!* none of your tricks!

het **kunstleer** imitation leather

het **kunstlicht** artificial light

de **kunstliefhebber** art lover

de **kunstmaan** satellite

kunstmatig artificial; [bewerkt ook] synthetic; man-made; [namaak ook] imitation

de **kunstmest** fertilizer

kunstrijden figure-skate

het **kunstschaatsen** figure-skating

de **kunstschat** art treasure

de **kunstschilder** artist, painter

de **kunststof** synthetic (material, fibre), plastic: *van ~* synthetic, plastic

het **kunststuk** work of art; [sport enz.] feat; [gevaarlijk] stunt: *een journalistiek ~je* a masterpiece of journalism; *dat is een ~ dat ik je niet na zou doen* that's a feat I couldn't match

de **kunstverzameling** art collection

de **kunstvezel** man-made fibre, synthetic fibre

het **kunstvoorwerp** work of art; [gebruiksvoorwerp] artefact

de **kunstvorm** art form, medium (of art)

het **kunstwerk** work of art, masterpiece: *dat is een klein ~je* it's a little gem (of: masterpiece)

kunstzinnig artistic(ally-minded): *~e vorming* art(istic) training (of: education)

de **kür** performance (to music)

de ¹**kuren** (zn, mv) quirks; [tijdelijk] moods: *hij heeft altijd van die vreemde ~* he's quirky (of: moody); *vol ~* **a)** [mens] moody; **b)** [paard] awkward

²**kuren** (onov ww) take a cure

de ¹**kurk** (zn) cork: *doe de ~ goed op de fles* cork the bottle properly

het/de ²**kurk** (zn) cork: *wij hebben ~ in de gang* we've got cork flooring in the hall

kurkdroog (as) dry as a bone, bone-dry

de **kurkentrekker** corkscrew

de **kurkuma** turmeric

de **kus** kiss: *geef me eens een ~* give me a kiss; *how about a kiss?*; *een ~ krijgen van iem.* get a kiss from (of: be kissed by) s.o.; *iem. een ~ toewerpen* blow s.o. a kiss; *~jes!* (lots of) love (and kisses) het **kushandje** a blown kiss: ~*s geven* blow kisses (to s.o.)

het **¹kussen** (zn) cushion; pillow [bed]; [opvulling] pad: *de ~s (op)schudden* plump up the pillows

²kussen (ww) kiss: *iem. gedag (vaarwel) ~* kiss s.o. goodbye; *elkaar ~* kiss (each other)

het/de **kussensloop** pillowcase, pillowslip

de **kust 1** coast, (sea)shore: *de ~ is veilig* the coast is clear; *een huisje aan de ~* a cottage by the sea; *onder (voor) de ~* off the coast, offshore; [vanuit zee gezien] inshore; *vijftig kilometer uit de ~* fifty kilometres offshore (*of:* off the coast) **2** [strand] seaside

het **kustgebied** coastal area (*of:* region)

de **kustlijn** coastline, shoreline

de **kustplaats** seaside town, coastal town

de **kuststreek** coastal region

de **kuststrook** coastal strip

de **kustvaarder** coaster

de **kustwacht** coast guard (service)

de **kut** [inf] cunt

de **kuub** cubic metre: *te koop voor een tientje de ~* on sale for ten euros a cubic metre

de **kuur** cure, course of treatment

het **kuuroord** health resort; [badplaats ook] spa

het **¹kwaad** (zn) **1** wrong, harm: *een noodzakelijk ~* a necessary evil; *van ~ tot erger vervallen* go from bad to worse **2** harm, damage: *meer ~ dan goed doen* do more harm than good; *dat kan geen ~* it can't do any harm

²kwaad (bn) [boosaardig] bad; [hond] vicious: *~ bloed zetten* breed (*of:* create) bad blood; *hij is de ~ste niet* he's not a bad guy

³kwaad (bn, bw) **1** bad, wrong: *het te ~ krijgen* be overcome (by); [emoties] break down **2** bad; [heel erg] evil: *ze bedoelde er niets ~s mee* she meant no harm (*of:* offence) **3** [boos] angry: *zich ~ maken, ~ worden* get angry; *iem. ~ maken* make s.o. angry; *~ zijn op iem.* be angry at (*of:* with) s.o.; *~ zijn om iets* be angry at (*of:* about) sth.

kwaadaardig 1 malicious; [ook hond] vicious **2** [schadelijk] pernicious; [gezwel, ziekte] malignant

kwaaddenkend suspicious

de **kwaadheid** anger: *rood worden van ~* turn red with anger (*of:* fury)

kwaadschiks unwillingly

kwaadspreken speak ill (*of:* badly): *~ van (iem.)* speak ill (*of:* badly) of (s.o.); [gelogen] slander (s.o.)

kwaadwillig malevolent

de **kwaal 1** complaint, disease, illness: *een hartkwaal* a heart condition **2** [onvolkomenheid] trouble, problem

de **kwab** (roll of) fat (*of:* flab), jowl

het **kwadraat** square: *drie ~* three squared

kwadratisch quadratic

de **kwajongen 1** mischievous boy, naughty

boy, brat **2** [snotneus] rascal

kwajongensachtig boyish, mischievous

de **kwajongensstreek** (boyish) prank, practi[cal] cal joke: *een ~ uithalen* play a practical joke

de **kwak 1** [verf, lijm, modder] dab; [slagroom] blob; [voedsel] dollop: *een ~ eten* a dollop o[f] food **2** [geluid] thud, thump, smack

kwaken quack; croak [kikvors]

de **kwakkel** [Belg] [canard] canard, unfounded rumour (*of:* story)

kwakkelen [m.b.t. weer] drag on; linger [winter]; be fitful

het **kwakkelweer** unsteady weather, change[able] able weather

¹kwakken (onov ww) bump, crash, fall wit[h] a thud: *hij kwakte tegen de grond* he landed with a thud on the floor

²kwakken (ov ww) [neersmijten] dump, chuck; dab [verf]: *zij kwakte haar tas op het bureau* she smacked her bag down on the desk

de **kwakzalver** quack (doctor)

de **kwakzalverij** quackery

de **kwal 1** [dier] jellyfish **2** [scheldwoord] jerk

de **kwalificatie** qualification(s)

de **kwalificatiewedstrijd** qualifying match

¹kwalificeren (ov ww) **1** [benoemen] call, describe as **2** [geschikt maken] qualify

zich **²kwalificeren** (wdk ww) [zich plaatsen] qualify (for)

kwalijk evil, vile, nasty; [bw] vilely; nastily badly: *de ~e gevolgen van het roken* the bad (*of:* detrimental) effects of smoking; *dat is een ~e zaak* that is a nasty business || *neem me niet ~, dat ik te laat ben* excuse my being late, excuse me for being late; *neem(t) (u) niet ~* I beg your pardon; *je kunt hem dat toc[h] niet ~ nemen* you can hardly blame him

kwalitatief qualitative: *~ was het verschil* groot there was a large difference in qualit[y]

de **kwaliteit 1** quality: *~ leveren* deliver a quality product; *hout van slechte ~* low-qua[l]ity wood; *van slechte ~ (of)* poor quality **2** [eigenschap ook] characteristic

de **kwaliteitsgarantie** guarantee, warrant[y] of quality

kwantificeren quantify

de **kwantiteit** quantity, amount

het **kwantum** quantum

de **kwantumkorting** quantity rebate

de **kwantumtheorie** quantum theory

de **kwark** fromage frais, curd cheese

de **kwarktaart** ± cheesecake

het **kwart** quarter: *voor een ~ leeg* a quarter empty; *het is ~ voor* (*of:* over) *elf* it is a qua[r]ter to (*of:* past) eleven; it is ten forty-five (*of:* eleven fifteen)

het **kwartaal** quarter, trimester; [ond] term: *(eenmaal) per ~* quarterly

de **kwartaalcijfers** quarterly balance

de **kwartel** quail: *zo doof als een ~* as deaf as [a]

post

het **kwartet** quartet: *een ~ voor strijkers* a string quartet

het **kwartetspel** happy families; [Am] old maid

kwartetten play happy families; [Am] play old maid

de **kwartfinale** quarter-finals: *de ~(s) halen* make the quarter-finals

de **kwartfinalist** quarter-finalist

het **kwartier** quarter (of an hour): *het duurde een ~* **a)** [wachten] it took a quarter of an hour; **b)** [voorstelling] it lasted a quarter of an hour; *om het ~* every quarter (of an hour) of an hour; *drie ~* three-quarters of an hour

het **kwartje** 25-cent piece; [Am] quarter: *het kost twee ~s* it costs fifty cents; *het ~ is gevallen* the penny has dropped, it's finally clicked

de **kwartnoot** crotchet; [Am] quarter note

het **kwarts** quartz

de **kwartslag** quarter (of a) turn

de **kwast 1** brush **2** [versiering op kleding] tassel; [klein] tuft: *met ~en (versierd)* tasselled **3** [drank] (lemon) squash, lemonade

de **kwatong** [Belg] scandalmonger: *~en beweren …* it is rumoured that …

het **kwatrijn** quatrain

de **kwebbel** chatterbox || *houd je ~ dicht* shut your trap

kwebbelen chatter

de **kweek 1** cultivation; culture [ook in laboratorium]; growing **2** [wat gekweekt wordt] culture, growth: [sport] *eigen ~* homegrown (players)

de **kweekplaats 1** nursery; [fig ook] breeding ground **2** [fig; broeinest] hotbed

de **kweekvijver** fish-breeding pond; [fig] breeding ground

kweken 1 grow, cultivate: *gekweekte planten* cultivated plants; *zelf gekweekte tomaten* home-grown tomatoes **2** [m.b.t. dieren] raise, breed: *oesters ~* breed oysters **3** [fig] breed, foster: *goodwill ~* foster goodwill

de **kweker** grower; [tuinder] (market) gardener; [planten, bomen] nurseryman

de **kwekerij** nursery; [groenten] market garden

kwekken chatter, jabber

de **kwelgeest** tormentor, teaser, pest

kwellen 1 hurt; [sterker] torment; torture **2** [van geestelijk leed] torment: *gekweld worden door geldgebrek* be troubled by lack of money; *een ~de pijn* an excruciating pain **3** [niet met rust laten] trouble, worry: *die gedachte bleef hem ~* the thought kept troubling him; *gekweld door wroeging* (of: *een obsessie*) haunted by remorse (of: by an obsession)

de **kwelling 1** torture, torment **2** [leed] torment, agony: *een brief schrijven is een ware ~ voor hem* writing a letter is sheer torment for him

het **kwelwater** seepage (water)

de **kwestie** question, matter; [probleem ook] issue: *een slepende ~* a matter that drags on; *de persoon* (of: *de zaak*) *in ~* the person (of: matter) in question; *een ~ van smaak* a question (of: matter) of taste; *een ~ van vertrouwen* a matter of confidence

kwetsbaar vulnerable: *dit is zijn kwetsbare plek* (of: *zijde*) this is his vulnerable spot (of: side)

de **kwetsbaarheid** vulnerability

kwetsen [verwonden] injure, wound, hurt, bruise: *iemands gevoelens ~* hurt s.o.'s feelings; *gekwetste trots* wounded pride

de **kwetsuur** injury

kwetteren twitter

de **kwibus** joker: *een rare ~* a weird chap (of: customer)

kwiek alert, spry

het/de **kwijl** slobber

kwijlen slobber: *om van te ~* mouth-watering

kwijnen: *een ~d bestaan leiden* linger on

kwijt 1 lost: *ik ben mijn sleutels ~* I have lost my keys; *zijn verstand ~ zijn* have lost one's mind **2** [verlost van] rid (of): *ik ben mijn kiespijn ~* my toothache is gone (of: over); *hij is al die zorgen ~* he is rid of all those troubles; *die zijn we gelukkig ~* we are well rid of him, good riddance to him **3** [vergeten] deprived (of): *ik ben zijn naam ~* I've forgotten his name; [fig] *nu ben ik het ~* it has slipped my memory; *de weg ~ zijn* be lost, have lost one's way || *ik kan mijn auto nergens ~* I can't park my car anywhere

zich **kwijten**: *zich van zijn taak ~* acquit o.s. of one's task

kwijtraken 1 lose: *zijn evenwicht ~* [ook fig] lose one's balance (of: composure); *de weg ~* lose one's way **2** [verkopen] dispose of, sell: *die zul je makkelijk ~* you will easily dispose of (of: get rid of) those

kwijtschelden forgive, let off: *hij heeft mij de rest kwijtgescholden* he has let me off the rest; *van zijn straf is (hem) 2 jaar kwijtgescholden* he had 2 years of his punishment remitted; *iem. een straf ~* let s.o. off a punishment

het **kwik** mercury: *het ~ stijgt* (of: *daalt*) the thermometer is rising (of: falling)

de **kwikstaart** wagtail

het **kwikzilver** mercury

de **kwinkslag** witticism

het **kwintet** quintet

kwispelen wag: *met de staart ~* wag one's tail

kwistig lavish

de **kwitantie** receipt || *een ~ innen* collect payment

de **I** I, L
de **¹la** (zn) [muz] la
de **²la** (zn) drawer; [geld] till: *de la uittrekken* (of: *dichtschuiven*) open (of: shut) a drawer
de **laadbak** (loading) platform
het **laadruim** cargo hold; [vliegtuig ook] cargo compartment, freight compartment
het **laadvermogen** carrying capacity
de **¹laag** (zn) **1** layer; [beschermlaag] coating; [dun] film; [dun] sheet; [verf] coat **2** [in de maatschappij] stratum: *in brede lagen van de bevolking* in large sections of the population ‖ *de volle ~ krijgen* get the full blast (of s.o.'s disapproval)
²laag (bn, bw) **1** low: *een ~ bedrag* a small amount; *het gas ~ draaien* turn the gas down; *de barometer staat ~* the barometer is low **2** [gemeen] low, mean
laag-bij-de-gronds commonplace: *~e opmerkingen* crude remarks
de **laagbouw** low-rise building
laagdrempelig 1 [bereikbaar] approachable, get-at-able, (easily) accessible **2** [begrijpelijk] accessible
laaghartig mean, low
het **laagseizoen** low season, off season
de **laagte** depression; hollow [m.b.t. heuvels]
de **laagvlakte** lowland plain, lowland(s)
laagvliegen fly low, hedge-hop
het **laagwater** low tide
laaien blaze
laaiend 1 wild: *~ enthousiast zijn over iets* be wildly enthusiastic about sth. **2** [woedend] furious
laakbaar reprehensible
de **laan** avenue: *iem. de ~ uitsturen* sack s.o., fire s.o.; [wegjagen] send s.o. packing
de **laars** boot
laat late: *van de vroege morgen tot de late avond* from early in the morning till late at night; *een wat late reactie* a rather belated reaction; *is het nog ~ geworden gisteravond?* did the people stay late last night?; *~ opblijven* stay up late; *gisteravond ~ late last night; hoe ~ is het?* what's the time?, what time is it?; *'s avonds ~ late at night; te ~ komen (op school, op kantoor, op je werk)* be late (for school, at the office, for work); *een dag te ~* a day late (of: overdue); *~ in de middag* (of: *het voorjaar)* in the late afternoon (of: spring); *beter ~ dan nooit* better late than never
de **laatbloeier** late-bloomer

laatdunkend conceited, condescending: *zich ~ uitlaten over iem.* be condescending about s.o.
de **laatkomer** latecomer
¹laatst (bn) **1** last: *dat zou het ~e zijn wat ik zou doen* that is the last thing I would do **2** [meest recent] latest, last: *in de ~e jaren* in the last few years, in recent years; *de ~e tijd* recently, lately **3** [afsluitend] final, last: *voor de ~e keer optreden* make one's last (of: final) appearance **4** [van twee dingen] latter: *in de ~e helft van juli* in the latter (of: second) half of July; *ik heb voorkeur voor de ~e* I prefer the latter
²laatst (bw) **1** [onlangs] recently, lately: *ik ben ~ nog bij hem geweest* I visited him recently **2** [in tijd, reeks] last: *morgen op zijn ~* tomorrow at the latest; *op het ~ waren ze allemaal dronken* they all ended up drunk; *voor het ~* for the last time; *toen zag hij haar voor het ~* that was the last time he saw her
de **laatstgenoemde** last (named, mentioned); [van twee] latter
laattijdig [Belg] tardy, tardily
het **lab** lab
het/de **label** label; [etiket] sticker; [adreskaartje] address tag
labelen label
het **labeur** [Belg] labour, chore
labeuren [Belg] slave away, toil
labiel unstable
het **labo** [Belg] lab
de **laborant** laboratory assistant (of: technician)
het **laboratorium** lab(oratory)
de **labrador** labrador
het **labyrint** labyrinth
de **lach** laugh, (burst of) laughter: *de slappe ~ hebben* have the giggles; *in de ~ schieten* burst out laughing; [Am ook] crack up
de **lachbui** fit of laughter
lachen 1 laugh; [glimlachen] smile: *hij kon zijn ~ niet houden* he couldn't help laughing; *laat me niet ~* don't make me laugh; *er is (valt) niets te ~* this is no laughing matter; *om* (of: *over*) *iets ~* laugh about (of: at); *tegen iem. ~* laugh at s.o.; *wie het laatst lacht, lacht het best* he who laughs last laughs longest **2** (+ om) laugh at: *daar kun je nu wel om ~, maar ...* it's all very well to laugh, but ...
lachend laughing, smiling
de **lacher** laugher
lacherig giggly
het **lachertje** laugh, joke
de **lachfilm** comedy
het **lachgas** laughing gas
het **lachsalvo** burst of laughter
de **lachspiegel** carnival mirror
de **lachspier** *op de ~en werken* get s.o. laughing
lachwekkend laughable; [belachelijk] ri-

diculous
laconiek laconic
de **lacune** gap
de **ladder** ladder, scale || *een ~ in je kous* a run (*of:* ladder) in your stocking
de **ladderwagen** ladder truck
ladderzat smashed, blind drunk
de **lade** drawer; [geld] till
de **ladekast** chest (of drawers); [archief] filing cabinet
laden 1 load: *koffers uit de auto ~* unload the bags from the car **2** [m.b.t. elektriciteit] charge: *een geladen atmosfeer* a charged atmosphere
de **lading 1** cargo; [schip] load: *te zware ~* overload **2** [elektriciteit] charge
de **ladyshave** ladyshave, women's shaver
laf cowardly
de **lafaard** coward
lafhartig zie laf
de **lafheid** cowardice
het **lagedrukgebied** low-pressure area
het **lagelonenland** low-wage country
het **lager** bearing
het **Lagerhuis** Lower House; [Groot-Brittannië en Canada] House of Commons
de **lagerwal** lee shore: *aan ~ geraken* come down in the world, go to seed
de **lagune** lagoon
het/de **lak** lacquer, varnish; [voor nagels] polish: *de ~ is beschadigd* the paintwork is damaged || *daar heb ik ~ aan* I couldn't care less
de **lakei** lackey
het **laken 1** sheet; [tafel] tablecloth: *de ~s uitdelen* rule the roost, run the show **2** [stof] cloth, worsted: *het ~ van een biljart* the cloth of a billiard table || *van hetzelfde ~ een pak krijgen*, [Belg] *van hetzelfde laken een broek krijgen* have a taste of one's own medicine
lakken 1 lacquer, varnish; polish [nagels] **2** [verven] paint, enamel
de **lakmoesproef** [ook fig] litmus test
laks lax
het **lakwerk** paint(work)
lallen slur one's words
het **¹lam** (zn) lamb
²lam (bn, bw) **1** paralysed; [fig ook] out of action **2** [krachteloos] numb
de **lama** llama
de **lambrisering** wainscot(t)ing, panelling
de **lamel** plate, (laminated) layer; [strook] strip
het **laminaat** laminate
lamleggen paralyse: *het verkeer ~* bring the traffic to a standstill
lamlendig shiftless
de **lamp** lamp, light; [gloeilamp] bulb: *er gaat een ~je bij mij branden* that rings a bell; *tegen de ~ lopen* get caught
de **lampion** Chinese lantern
het **lamsvlees** lamb
de **lamswol** lambswool

de **lanceerbasis** launch site, launch pad
het **lanceerplatform** launching site
lanceren launch; [raket ook] blast, lift off: *een bericht* (*of:* *een gerucht*) ~ spread a report (*of:* a rumour)
de **lancering** launch(ing); [raket ook] blast-off, lift-off
het **lancet** lancet
het **land 1** land: *aan ~ gaan* go ashore; *te ~ en ter zee* on land and sea; *~ in zicht!* land ho! **2** [staat] country: *~ van herkomst* country of origin; *in ons ~* in this country; *de Lage Landen* the Low Countries || [fig] *er is met hem geen ~ te bezeilen* you won't get anywhere with him, you're wasting your time with him
de **landarbeider** farm worker, agricultural worker
de **landbouw** farming: *~ en veeteelt* **a)** [voor vlees] arable farming and stockbreeding; **b)** [voor melk] arable and dairy farming
het **landbouwbedrijf** farm
het **landbouwbeleid** agricultural policy
de **landbouwer** farmer
de **landbouwgrond** agricultural land, farming land, farmland
landbouwkundig agricultural
de **landbouwmachine** agricultural machine, farming machine
de **landbouwuniversiteit** agricultural university; [in naam vaak] University of Agriculture
de **landeigenaar** landowner
landelijk 1 national **2** [m.b.t. het platteland] rural, country
landen land: *~ op Zaventem* land at Zaventem
de **landengte** isthmus, neck of land
de **landenwedstrijd** international match (*of:* contest)
landerig down in the dumps, listless
de **landerijen** (farm)land(s)
de **landgenoot** (fellow) countryman
het **landgoed** country estate
het **landhuis** country house
de **landing** landing: *een zachte ~* a smooth landing
de **landingsbaan** runway
het **landingsgestel** landing gear, undercart
de **landingstroepen** landing force(s)
het **landingsvaartuig** landing craft
landinwaarts inland
de **landkaart** map
het **landklimaat** continental climate
de **landloper** tramp, vagrant
de **landmacht** army, land forces
het **landmark** landmark
de **landmeter** (land) surveyor
de **landmijn** landmine
het **landnummer** international (dialling) code
de **landrot** landlubber
het **landsbelang** national interest

het **landschap** landscape
de **landsgrens** border
de **landskampioen** national champion
de **landstreek** region, district
de **landsverdediging** [Belg] defence
de **landtong** spit of land, headland
het **landverraad** (high) treason
de **landverrader** traitor (to one's country)
de **landweg** country road lane; [zandweg] (country) track
de **landwijn** local wine
de **landwind** land wind
de **landwinning** land reclamation
¹**lang** (bn) long; [persoon, staand voorwerp] tall: *de kamer is zes meter ~* the room is six metres long; *een ~e vent* a tall guy
²**lang** (bw) **1** long, (for) a long time: *ik blijf geen dag ~er* I won't stay another day, I won't stay a day longer; *~ duren* take a long time, last long (*of:* a long time); *ze leefden ~ en gelukkig* they lived happily ever after; *~ zal hij leven!* for he's a jolly good fellow!; *~ meegaan* last (a long time); *~ opblijven* stay up late; *ze kan niet ~er wachten* she can't wait any longer (*of:* more) **2** [met ontkenning] far (from), (not) nearly: *dat smaakt ~ niet slecht* it doesn't taste at all bad; *hij is nog ~ niet zover* he hasn't got nearly as far as that; *wij zijn er nog ~ niet* we've (still got) a long way to go; *bij ~e na niet* far from it
langdradig long-winded
langdurig long(-lasting), lengthy; long-standing, long-established
de **langeafstandsraket** long-range missile
de **langeafstandsvlucht** long-distance flight
het **langetermijngeheugen** long-term memory
langgerekt long-drawn-out, elongated
langlaufen ski cross-country
langlopend long-term
de **langoustine** langoustine
¹**langs** (bw) **1** along: *in een boot de kust ~ varen* sail along the coast, skirt the coast **2** [aan] round, in, by: *ik kom nog weleens ~* I'll drop in (*of:* round, by) sometime **3** [voorbij] past: *hij kwam net ~* he just came past || *ervan ~ krijgen* catch it
²**langs** (vz) **1** along: *~ de rivier wandelen* go for a walk along the river **2** via, by (way, means of): *~ de regenpijp naar omlaag* down the drainpipe; *hier* (*of: daar*) *~ this* (*of:* that) way **3** [voorbij] past: *~ elkaar heen praten* talk at cross purposes **4** [aan bij] in at: *wil jij even ~ de bakker rijden?* could you just drop in at the bakery?
langsgaan 1 [voorbijkomen] pass (by) **2** [bezoeken] call in (at)
langskomen 1 come past, come by, pass by **2** [op bezoek komen] come round (*of:* over), drop by, drop in

de **langslaper** late riser
de **langspeelplaat** long-playing record, LP
langsrijden ride past [op paard, fiets enz.]; drive past [met auto]
de **langstlevende** survivor
langszij alongside
languit (at) full-length, stretched out
langverwacht long-awaited
langwerpig elongated, long
langzaam 1 slow: *een langzame dood sterven* die a slow (*of:* lingering) death; *~ aan!* slow down!, (take it) easy!; *het ~ aan doen* take things eas(il)y; *~ maar zeker* slowly but surely **2** [geleidelijk] gradual, bit by bit, little by little: *~ werd hij wat beter* he gradually got a bit better
langzaamaan gradually: *het ~ doen* go slow
de **langzaamaanactie** go-slow
langzamerhand gradually, bit by bit, little by little: *ik krijg er ~ genoeg van* I'm beginning to get tired of it
lankmoedig long-suffering
de **lans** lance
de **lantaarn 1** street lamp, street light **2** lantern; [zaklamp] torch; [Am] flashlight
de **lantaarnpaal** lamp post
lanterfanten lounge (about), loaf (about), sit about (*of:* around) [vnl. thuis]
Laos Laos: *Democratische volksrepubliek ~* People's Democratic Republic of Laos
de **Laotiaan** Laotian
Laotiaans Laotian
de **lap** piece, length; [vod] rag
de **Lap** Lapp
het **lapje**: *iem. voor het ~ houden* have s.o. on, pull s.o.'s leg
de **lapjeskat** tabby-and-white cat; [Am] calico cat
Lapland Lapland
de **Laplander** Lapp, Laplander
Laplands Lapp(ish)
het **lapmiddel** makeshift (measure), stopgap
lappen patch, mend; cobble [schoenen] || *ramen ~* cobble the windows; *dat zou jij mij niet moeten ~* don't try that (one) on me; *iem. erbij ~* blow the whistle on s.o.
de **lappendeken** patchwork quilt
de **lappenmand**: [fig] *in de ~ zijn* be laid up, be on the sick list
de **laptop** laptop (computer)
larderen lard; [fig] (inter)lard
de **larie** rubbish
de **lariekoek** (stuff and) nonsense, rubbish
de ¹**lariks** (zn) [boom] larch
het ²**lariks** (zn) [hout] larch
de **larve** larva
de **las** weld [ijzer]; joint [hout]; [film] splice
de **lasagne** lasagna
het **lasapparaat** welding apparatus, welder; [film] splicer

de **lasbril** welding goggles
de **laser** laser
de **laserprinter** laser printer
de **lasershow** laser show
de **laserstraal** laser beam
het **laserwapen** laser weapon
de **lasnaad** weld
¹**lassen** (ww) weld [ijzer, plastic]; join [hout]; [film] splice
²**lassen** (ov ww) [invoegen, aanbrengen] put in; [ook fig] insert
de **lasser** welder [metaal]
de **lasso** lasso
de **last 1** load; burden [op schouders; ook figuurlijk]: *hij bezweek haast onder de ~* he nearly collapsed under the burden **2** [kosten, uitgave] cost(s), expense(s); *sociale ~en* National Insurance contributions; [Am] social security premiums **3** [hinder] trouble; [ongemak] inconvenience: *iem. tot ~ zijn* bother s.o.; *wij hebben veel ~ van onze buren* our neighbours are a great nuisance to us **4** [beschuldiging] charge: *iem. iets ten ~e leggen* charge s.o. with sth.
het **lastdier** beast of burden
de **lastenverlichting** reduction in the tax burden
de **lastenverzwaring** increase in the tax burden
de **laster** [gesproken] slander; [geschreven] libel
de **lastercampagne** smear campaign
lasteren [gesproken] slander; [geschreven] libel
de **lastgeving** order, instruction(s)
lastig difficult: *een ~ vraagstuk* a tricky problem
lastigvallen bother, trouble; [vrouw op straat] harass
de ¹**last minute** [reis] last-minute holiday (*of:* break)
²**last minute** (bn) last-minute
de **lastpost** nuisance, pest
de **lat** slat: *de bal kwam tegen de ~* the ball hit the crossbar; *zo mager als een ~* (as) thin as a rake; [fig] *de ~ te hoog leggen* set the bar too high; [Belg; fig] *de ~ gelijk leggen* give everyone the same odds
¹**laten** (ov ww) **1** omit, keep from: *laat dat!* stop that!; *hij kan het niet ~* he can't help (doing) it; *laat maar!* never mind! **2** leave, let: *waar heb ik dat potlood gelaten?* where did I leave (*of:* put) that pencil?; *iem. ~ halen* **a)** [bijv. de huisarts] send for s.o.; **b)** [bijv. van het station] have s.o. fetched; *daar zullen we het bij ~!* let's leave it at that! **3** [opbergen] put: *waar moet ik het boek ~?* where shall I put (*of:* leave) the book? **4** [toegang geven tot] show (into), let (into): *hij werd in de kamer gelaten* he was shown into the room **5** [toestaan] let, allow: *laat de kinderen maar*

just let the kids be
²**laten** (hww) [m.b.t. wenselijkheid, aansporing] let: *~ we niet vergeten, dat ...* don't let us forget that ...
latent latent
¹**later** (bn) later, subsequent; [toekomstige] future: *op ~e leeftijd* at an advanced age, late in life
²**later** (bw) later (on), afterwards; [op korte termijn] presently: *enige tijd ~* after some time (*of:* a while), a little later (on); *even ~* soon after, presently; *niet ~ dan twee uur* no later than two o'clock; *~ op de dag* later that (same) day, later in the day
lateraal lateral
het **Latijn** Latin
Latijns-Amerika Latin America
Latijns-Amerikaans Latin-American
de **latrelatie**: *ze hebben een ~* they are living apart together
de **laurier 1** laurel **2** bay [culinair]
lauw lukewarm
de **lauweren** laurels: *op zijn ~ rusten* rest on one's laurels
lauwwarm lukewarm
de **lava** lava
de **lavabo** [Belg] [wastafel] washbasin
laveloos sloshed, loaded
laven: *zich ~ aan* refresh o.s. at
de **lavendel** lavender
laveren [m.b.t. zeilen] tack; [fig] steer a middle course
het **lawaai** noise, din; [sterker] racket
lawaaierig noisy
de **lawaaimaker** noise-maker
de **lawine** avalanche; [fig ook] barrage [vragen, kritiek]
het **lawinegevaar** danger of avalanches
het **laxeermiddel** laxative
laxeren purge: *dat werkt ~d* that is a laxative
het **lazarus**: *zich het ~ schrikken* get the shock of one's life
de **lazer** body: *iem. op zijn ~ geven* beat the crap out of s.o.; [met woorden] bawl (*of:* chew) s.o. out
het **lcd-scherm** LCD display, screen
de **leaseauto** leased car
leasen lease
de **lector 1** [docent] lecturer **2** [Belg; m.b.t. academisch personeel] lector
de **lectuur** reading (matter)
de **ledematen** limbs
het **ledental** membership (figure)
lederen leather
de **lederwaren** leather goods (*of:* articles)
het **ledikant** bed(stead)
de **ledlamp** LED lamp, LED light
het **leed** sorrow, grief
het **leedvermaak** malicious pleasure
het **leedwezen** [form]: *tot mijn ~ ...* I regret to

say ...

leefbaar liveable, bearable; endurable [leven]: *een huis ~ maken* make a house inhabitable

de **leefgemeenschap** [bijv. van hippies] commune; [bijv. van monniken] community

het **leefklimaat** social climate

het **leefloon** [Groot-Brittannië] social security; [USA] welfare

het **leefmilieu** environment

de **leeftijd** age: *Gérard is op een moeilijke ~* Gérard is at an awkward age; *hij bereikte de ~ van 65 jaar* he lived to be 65; *op vijftienjarige ~* at the age of (*of*: aged) fifteen; *Eric ziet er jong uit voor zijn ~* Eric looks young for his age; [Belg] *de derde ~* the over sixty-fives

de **leeftijdgenoot** contemporary, peer

de **leeftijdsdiscriminatie** age discrimination

de **leeftijdsgrens** age limit

de **leefwijze** lifestyle, way of life, manner of living

leeg 1 empty; vacant [plaats]; flat [band]; blank [bladzijde, geluidsband]: *een lege accu* a flat battery; *met lege handen vertrekken* [fig] leave empty-handed **2** [vrij van werk] idle, empty **3** [fig] empty, hollow

leegeten finish, empty

het **leeggoed** [Belg] empties

leeghalen empty; clear out [gebouw]; turn out [zakken]; [stelen] ransack

het **leeghoofd** nitwit, empty-headed person

leeglopen (become) empty; become deflated [ballon]; go flat [band]; run down [accu]

leegmaken empty; finish [fles]; clear [ruimte]: *zijn zakken ~* turn out one's pockets

leegstaan be empty (*of*: vacant)

de **leegstand** vacancy

de **leegte** emptiness: *hij liet een grote ~ achter* he left a great void (behind him)

de **leek** layman

het/de **leem** loam

de **leemte** gap, blank

het **leen** loan: *iets van iem. in (te) ~ hebben* have sth. on loan from s.o.

de **leenheer** liege (lord)

de **leenman** vassal

het **leenstelsel** feudal system

leep cunning, canny

de **¹leer** (zn) apprenticeship: *in de ~ zijn (bij)* serve one's apprenticeship (with)

het **²leer** (zn) leather

het **leerboek** textbook

de **leergang** (educational) method, methodology

het **leergeld** apprenticeship fee: [fig] *~ betalen* pay one's dues, learn one's lesson

leergierig inquisitive, eager to learn

het **leerjaar** (school) year: *beroepsvoorbereidend ~* vocational training year

de **leerkracht** teacher, instructor

de **leerling 1** student, pupil **2** [volgeling] disciple, follower **3** apprentice, trainee: *leerling-verpleegster* trainee nurse

leerlooien tan

de **leerlooierij 1** tanning **2** [werkplaats, zaak] tannery

de **leermeester** master

de **leermethode** teaching method, training method

het **leermiddelen** educational aids

het **leerplan** syllabus, curriculum

de **leerplicht** compulsory education

leerplichtig of school age

leerrijk instructive, informative

de **leerschool** school

de **leerstoel** chair

de **leerstof** subject matter, (subject) material

het **leertje** washer

het **leervak** subject

de **leerweg** (learning) track, study option: *de theoretische ~* the theoretical track; *de gemengde ~* the combined track; *de kaderberoepsgerichte ~* the advanced vocational track; *de basisberoepsgerichte ~* the basic vocational track

leerzaam instructive, informative: *een leerzame ervaring* a valuable experience

leesbaar 1 legible [m.b.t. handschrift] **2** [aangenaam om te lezen] readable

leesblind dyslexic

de **leesblindheid** dyslexia

het **leesboek** reader

de **leesbril** reading glasses

de **leeslamp** reading lamp

de **leesmoeder** (parent) volunteer reading teacher

de **leest** last

het **leesteken** punctuation mark

de **leesvaardigheid** reading proficiency (*of*: skill)

het **leesvoer** something to read

de **leeszaal** reading room; [openbaar ook] public library

de **leeuw** lion: *zo sterk als een ~* as strong as a ox

de **Leeuw** [astrol] Leo

het **leeuwendeel** lion's share

de **leeuwentemmer** lion-tamer

de **leeuwerik** lark

de **leeuwin** lioness

het/de **lef** guts, nerve: *heb het ~ niet om dat te doe* don't you dare do that

de **lefgozer** hotshot; [negatief] show-off

de **leg**: *van de ~ zijn* have stopped laying

legaal legal

het **legaat** legacy

legaliseren legalize

de **legbatterij** battery (cage)

legen empty

de **legenda** legend

legendarisch legendary

de **legende** legend

het **leger 1** army; [van een staat ook] armed forces: *een ~ op de been brengen* raise an army; *in het ~ gaan* join the army **2** [van een haas] lair

de **legerbasis** army base

legeren 1 encamp **2** [inkwartieren] quarter; [bij burgers] billet

legergroen olive drab (*of:* green)

de **legering** alloy

de **legermacht** armed forces; [alleen landmacht] army

de **leges** (legal) dues, fees

leggen 1 lay (down); [worstelen, boksen] floor: *te ruste(n) ~* lay to rest **2** [van kippen] lay **3** [zetten] put, put aside

de **legging** leggings [mv]

legio countless: *hij maakte ~ fouten* the errors he made were legion

het **legioen 1** legion **2** supporters

de **legionella 1** [bacterie] Legionella pneumophila **2** [ziekte] legionnaires' disease

de **legislatuur 1** [wetgevende macht] (exercise of) legislative power **2** [Belg; zittingsperiode] term

legitiem legitimate

de **legitimatie** identification, proof of identity, ID

het **legitimatiebewijs** identity papers (*of:* card); ID

de **legitimatieplicht** compulsory identification

zich **legitimeren** identify o.s., prove one's identity

de **legkast** cupboard (with shelves)

de **legkip** laying hen

de **legpuzzel** jigsaw (puzzle)

de **leguaan** iguana

de **lei** slate: *(weer) met een schone ~ beginnen* start again with a clean slate

de **leiband** [in België, voor honden] leash: [fig] *hij loopt aan de ~ van …* he's spoonfed by …

leiden 1 lead, bring, guide: *iem. ~ naar* lead (*of:* steer) s.o. towards; *de nieuwe bezuinigingen zullen ertoe ~ dat …* as a result of the new cutbacks, …; *de weg leidde ons door het dorpje* the road took (*of:* led) us through the village; *zij leidde hem door de gangen* she led (*of:* guided) him through the corridors; *tot niets ~* lead nowhere **2** [besturen] manage; conduct [orkest, debat]; direct [onderzoek, gesprek]: *zich laten ~ door* be guided (*of:* ruled) by **3** [sport] (be in the) lead ‖ *een druk leven ~* lead a busy life

de **leider** leader; [hand] director; manager; [gids] guide

het **leiderschap** leadership

de **leiding 1** guidance, direction: *onder zijn bekwame ~* under his (cap)able leadership; *~ geven (aan)* direct [werkzaamheden]; lead [team]; manage, run [bedrijf]; govern [volk, vereniging]; preside over, chair [vergadering]; *wie heeft er hier de ~?* who's in charge here? **2** [bestuur] direction; [van een onderneming] management; [bestuurders ook] managers; [bestuurders ook] (board of) directors; [leiders] leadership: *de ~ heeft hier gefaald* the management is at fault here **3** [buis binnenshuis] pipe; [dunne draad] wire; [dik] cable: *elektrische ~* electric wire (*of:* cable) **4** lead: *Ajax heeft de ~ met 2 tegen 1* Ajax leads 2-1

leidinggevend executive, managerial, management

het **leidingwater** tap water

de **leidraad** guide(line)

het **leidsel** rein

de **leidsman** guide, leader

leien slate

het/de **leisteen** slate

het **¹lek** (zn) leak(age), puncture; flat [band]: *een ~ dichten* stop a leak

    ²lek (bn) leaky, punctured; flat [band]: *een ~ke band krijgen* get a puncture

de **lekkage** leak(age)

lekken 1 leak, be leaking; [schip ook] take in water; [kraan ook] drip **2** [doorsijpelen] leak, seep

¹lekker (bn) **1** nice, good, tasty; [erg lekker] delicious: *ze weet wel wat ~ is* she knows a good thing when she sees it; *is het ~? ja, het heeft me ~ gesmaakt* do you like it? yes, I enjoyed it **2** [van geur] nice, sweet **3** [gezond] well, fine: *ik ben niet ~* I'm not feeling too well **4** [aardig] nice, pleasant **5** [prettig] nice; comfortable [meubels, huis]; lovely: *~ rustig* nice and quiet

    ²lekker (bw) **1** well, deliciously: *~ (kunnen) koken* be a good cook **2** [prettig] nicely, fine: *slaap ~, droom maar ~* sleep tight, sweet dreams; *het ~ vinden om* like to ‖ *~ puh* hard cheese, yah boo sucks to you

de **lekkerbek** gourmet, foodie

het **lekkerbekje** fried fillet of haddock

de **lekkernij** delicacy; [snoep] sweet

het **lekkers** sweet(s); [hapje] snack

de **lel** clout

de **lelie** (madonna) lily

het **lelietje-van-dalen** lily of the valley

    ¹lelijk (bn) **1** ugly: *een ~ eendje* un ugly duckling; *het was een ~ gezicht* it looked awful **2** [ongunstig] bad, nasty: *een ~ hoestje* a bad cough

    ²lelijk (bw) badly, nastily: *zich ~ vergissen in iem. (iets)* be badly mistaken about s.o. (sth.)

de **lelijkerd 1** [lelijk] ugly man; [vrouw] hag, witch **2** [gemeen] rascal, ugly customer

lemen loam

het **lemmet** blade

de **lemming** lemming

de **lende 1** lumbar region, small of the back

2 [m.b.t. dieren] loin, haunch
de **lendenbiefstuk** sirloin
de **lendendoek** loincloth
lenen 1 [uitlenen] lend (to): *ik heb hem geld geleend* I have lent him some money **2** [te leen krijgen] borrow (of, from): *mag ik je fiets vandaag ~?* can I borrow your bike today?
de **lener 1** [gever] lender **2** [ontvanger] borrower
lengen: *de dagen ~* the days are growing longer (*of:* drawing) out
de **lengte 1** length: *een plank in de ~ doorzagen* saw a board lengthways (*of:* lengthwise) **2** [van persoon, plant] length, height: *hij lag in zijn volle ~ op de grond* he lay full-length on the ground || *over een ~ van 60 meter* for a distance of 60 metres
de **lengteas** longitudinal axis
de **lengtecirkel** meridian
de **lengtemaat** linear (*of:* longitudinal) measurement
de **lengterichting** longitudinal direction, linear direction
lenig lithe
de **lenigheid** litheness
de **lening** loan: *iem. een ~ verstrekken* grant s.o. a loan
de **lens** lens; [contactlenzen ook] contacts
de **lente** spring: *in de ~* in (the) spring, in springtime; *één zwaluw maakt nog geen ~* one swallow doesn't make a summer
lenteachtig springlike
het **lente-uitje** spring onion
de **lepel** spoon; [grote scheplepel] ladle; [lepeltje] teaspoon: *een baby met een ~ voeren* spoonfeed a baby **2** [hoeveelheid] spoonful
de **lepelaar** spoonbill
lepelen: *iets naar binnen ~* spoon sth. up
de **lepra** leprosy
de **leraar** teacher: *hij is ~ Engels* he's an English teacher
de **lerarenopleiding** secondary teacher training (course): *de tweedefaselerarenopleiding* post-graduate teacher training (course)
de **lerares** zie leraar
¹leren (bn) leather
²leren (ww) **1** learn ((how) to do): *een vak ~* learn a trade; *iem. ~ kennen* get to know s.o.; *op dat gebied kun je nog heel wat van hem ~* he can still teach you a thing or two; *hij wil ~ schaatsen* he wants to learn (how) to skate; *iets al doende ~* pick sth. up as you go along; *iets van buiten ~* learn sth. by heart **2** [m.b.t. leraar] teach: *de ervaring leert ...* experience teaches ... **3** [studeren] study, learn: *haar kinderen kunnen goed* (*of:* niet) *~ her children are good (of: no good) at school
³leren (ov ww) **1** [onderwijzen] teach (s.o. (how) to do sth.): *iem. ~ lezen en schrijven* teach s.o. to read and write **2** [van een ge-

woonte] pick up, learn: *hij leert het al aardig* he is beginning to get the hang of it
de **lering**: *~ uit iets trekken* learn (a lesson) from sth.
de **les 1** lesson, class: *ik heb ~ van 9 tot 12* I have lessons (*of:* classes) from 9 to 12; *een ~ laten uitvallen* drop a class; *~ in tekenen* drawing (*of:* art) classes **2** [fig] lecture, lesson: *bij de blijven* be alert; *dat is een goede ~ voor hem geweest* that's been a good lesson to him; *iem. de ~ lezen*, [Belg] *iem. de les spellen* give s.o. a talking-to; *een wijze ~* a wise lesson
de **lesauto** learner car; [Am] driver education car
de **lesbienne** lesbian
lesbisch lesbian
het **lesgeld** tuition fee(s)
lesgeven teach
het **leslokaal** classroom
de **Lesothaan** Mosotho
Lesothaans Lesotho
Lesotho Lesotho
het **lesrooster** school timetable; [Am] school schedule
lessen [m.b.t. dorst] quench
de **lessenaar** (reading, writing) desk, lectern
lest: *ten langen ~e* at (long) last, finally
het **lesuur** lesson, period
de **Let** Latvian
de **lethargie** lethargy
Letland Latvia
de **Letlander** zie Let
Letlands zie ²Lets
het **¹Lets** (zn) Latvian
²Lets (bn) Latvian
het **letsel** injury
letten 1 [acht slaan op] pay attention (to): *daar heb ik niet op gelet* I didn't notice; *op z gezondheid ~* watch one's health; *let op mijn woorden* mark my words; *let maar niet op ha* don't pay any attention to her **2** [toezicht houden op] take care of: *goed op iem. ~* tal good care of s.o.; *er wordt ook op de uitspra gelet* pronunciation is also taken into consi eration (*of:* account) || *wat let je?* what's keeping (*of:* stopping) you?
de **letter** letter; [mv, opschrift] lettering: *met grote ~s* in capitals
de **letteren** language and literature, arts: *~ studeren* be an arts student
de **lettergreep** syllable
de **letterkunde** literature
letterkundig literary
letterlijk literal: *iets al te ~ opvatten* take sth. too literally
het **letterteken** character
het **lettertype** type(face), fount; [Am] font
de **leugen** lie: *een ~tje om bestwil* a white lie
de **leugenaar** liar
leugenachtig lying
de **leugendetector** lie detector

leuk 1 funny, amusing: *hij denkt zeker dat hij ~ is* he seems to think he is funny; *ik zie niet in wat daar voor ~s aan is* I don't see the funny side of it **2** [aardig] pretty, nice: *een ~ bedrag* quite a handsome sum; *echt een ~e vent (knul)* a really nice guy; *dat staat je ~* that suits you **3** [prettig] nice, pleasant: *ik vind het ~ werk* I enjoy the work; *iets ~ vinden* enjoy (*of:* like) sth.; *laten we iets ~s gaan doen* let's do sth. nice; *~ dat je gebeld hebt* it was nice of you to call

de **leukemie** leukaemia

de **leukerd** funny man (*of:* guy)

net/de **leukoplast**ᴹᴱᴿᴷ sticking plaster

leunen lean (on, against): *achterover ~* lean back, recline

de **leuning 1** [hand]rail **2** [m.b.t. meubels] back, arm (rest) **3** [balustrade] rail(ing), guard rail

de **leunstoel** armchair

leuren peddle

de **leus** slogan, motto

de **leut** fun

leuteren drivel

Leuven Leuven, Louvain

het **¹leven** (zn) **1** life, existence: *de aanslag heeft aan twee mensen het ~ gekost* the attack cost the lives of two people; *het ~ schenken aan* give birth to; *zijn ~ wagen* risk one's life; *nog in ~ zijn* be still alive; *zijn ~ niet (meer) zeker zijn* be not safe here (any more) **2** [werkelijkheid] life, reality: *een organisatie in het ~ roepen* set up an organization **3** [levensduur] life, lifetime: *zijn hele verdere ~* for the rest of his life; *hun ~ lang hebben ze hard gewerkt* they worked hard all their lives **4** [levenswijze] life, living: *het ~ wordt steeds duurder* the cost of living is going up all the time; *zijn ~ beteren* mend one's ways **5** [drukte] life, liveliness: *er kwam ~ in de brouwerij* things were beginning to liven up

²leven (onov ww) **1** live, be alive: *blijven ~* stay alive; *en zij leefden nog lang en gelukkig* and they lived happily ever after; *leef je nog?* are you still alive?; *stil gaan ~* retire; *naar iets toe ~* look forward to sth. **2** [fig] live (on) **3** [in zijn onderhoud voorzien] live (on, by); [vaak minachtend] live off: *zij moet ervan ~* she has to live on it

levend living; live [dieren, muziek]; alive

levendig 1 lively **2** [vol leven] lively, vivacious: *~ van aard zijn* have a vivacious nature **3** [duidelijk] vivid, clear: *ik kan mij die dag nog ~ herinneren* I remember that day clearly **4** [vurig] vivid, spirited: *over een ~e fantasie beschikken* have a vivid imagination

levenloos lifeless, dead: *iem. ~ aantreffen* find s.o. dead

levensbedreigend life-threatening

de **levensbehoefte 1** necessity of life **2** [mv; levensbenodigdheden] necessities (of life)

het **levensbelang** vital importance

de **levensbeschouwing** philosophy of life

de **levensbeschrijving** biography, curriculum vitae

de **levensduur** [fig] **1** lifespan: *de gemiddelde ~ van de Nederlander* the life expectancy of the Dutch **2** [gebruiksduur] life

¹levensecht (bn) lifelike

²levensecht (bw) in a lifelike way (*of:* manner)

de **levenservaring** experience of life

de **levensfase** stage of life

de **levensgenieter** ± bon vivant, pleasure-lover

het **levensgevaar** danger of life, peril to life: *buiten ~ zijn* be out of danger

levensgevaarlijk perilous

de **levensgezel** life partner (*of:* companion)

levensgroot 1 [op natuurlijke grootte] life-size(d) **2** [zeer groot] huge, enormous

de **levenskunstenaar** master in the art of living

¹levenslang (bn) lifelong: *~e herinneringen* lasting memories ‖ *hij kreeg ~* he was sentenced to life (imprisonment)

²levenslang (bw) all one's life

het **levenslied** ± sentimental song

de **levensloop 1** course of life **2** curriculum vitae

de **levenslust** joy of living

levenslustig high-spirited

de **levensmiddelen** food(s)

de **levensomstandigheden** living conditions, circumstances (*of:* conditions) of life

het **levensonderhoud** support, means of sustaining life: *de kosten van ~ stijgen* (*of:* dalen) living costs are rising (*of:* falling)

de **levensovertuiging** philosophy of life

de **levenspartner** life partner, life companion

de **levensstandaard** standard of living

de **levensstijl** lifestyle, style of living

het **levensteken** sign of life

levensvatbaar viable; [plan] feasible

de **levensverwachting 1** expectation of (*of:* from) life **2** [m.b.t. leefduur] life expectancy

de **levensverzekering** life insurance (policy)

de **levensvreugde** joy of living

de **levenswandel** conduct (in life), life

het **levenswerk** life's work, lifework

de **levenswijsheid** wisdom

de **levenswijze** way of life

de **lever** liver: [Belg] *het ligt op zijn ~* it rankles him ‖ *iets op zijn ~ hebben* have sth. on one's mind

de **leverancier** supplier

de **leverantie** delivery, supply(ing)

leverbaar available, ready for delivery: *niet meer ~* out of stock

leveren 1 supply, deliver **2** [verschaffen] furnish, provide: *iem. stof ~ voor een verhaal* provide s.o. with material for a story

3 [klaarspelen] fix, do, bring off: *ik weet niet hoe hij het hem geleverd heeft* I don't know how he pulled it off

de **levering** delivery

de **leveringstermijn** delivery period (*of:* time)

de **leverpastei** liver paté

de **levertijd** delivery time

de **leverworst** liver sausage

lezen 1 read: *je handschrift is niet te* ~ your (hand)writing is illegible; *veel* ~ *over een schrijver* (*of: een bepaald onderwerp*) read up on a writer (*of:* on a particular subject); *ik lees hier dat …* it says here that … **2** [voorlezen] read (out, aloud) ‖ *de angst stond op zijn gezicht te* ~ anxiety was written all over his face

de **lezer** reader: *het aantal ~s van deze krant neemt nog steeds toe* the readership of this newspaper is still increasing

de **lezing 1** reading: *bij oppervlakkige* (*of: nauwkeurige*) ~ on a cursory (*of:* a careful reading) **2** [spreekbeurt] lecture

de **lhbt'er** afk van *lesbienne, homo, biseksueel, transgender* LGBT (afk van *lesbian, gay, bisexual, transgendered*)

de **liaan** liana, liane

de **Libanees** Lebanese

Libanon (the) Lebanon

de **libel** dragonfly

liberaal 1 liberal; [in Nederland ook] conservative **2** [ruimdenkend] liberal, broadminded

liberaliseren liberalize

het **liberalisme** liberalism

Liberia Liberia

de **Liberiaan** Liberian

Liberiaans Liberian

de **libero** [sport] sweeper

de **libido** libido, sex drive

Libië Libya

de **Libiër** Libyan

Libisch Libyan

de **¹licentiaat** (zn) [Belg] [persoon] licentiate

het **²licentiaat** (zn) [waardigheid, graad] licentiate, licence

de **licentie 1** licence **2** [startvergunning] permit

het **lichaam 1** body: *over zijn hele* ~ *beven* shake all over **2** [romp] trunk

de **lichaamsbeweging** (physical) exercise; [mv] gymnastics

de **lichaamsbouw** build, figure

het **lichaamsdeel** part of the body; [arm of been] limb

de **lichaamstaal** body language

de **lichaamsverzorging** personal hygiene

lichamelijk physical

het **¹licht** (zn) light: *tussen* ~ *en donker* in the twilight; *waar zit de knop van het* ~*?* where's the light switch?; *groot* ~ full beam; *dat werpt een nieuw* ~ *op de zaak* that puts things in a different light; *het* ~ *aandoen* (*of: uitdoen*) put the light on (*of:* off); *toen ging er een* ~*je (bij me) op* then it dawned on me; *het* ~ *staat op rood* the light is red; *aan het* ~ *komen* come to light

²licht (bn) **1** [niet zwaar] light, delicate: *zij voelde zich* ~ *in het hoofd* she felt light in the head; *een kilo te* ~ a kilogram underweight **2** [goed verlicht] light, bright: *het wordt al* ~ it is getting light **3** [helder] [ook in samst] light; pale [zeer licht] **4** [gemakkelijk] light, easy **5** [gering] light, slight: *een* ~*e afwijking hebben* be a bit odd; *een* ~*e blessure* a minor injury

³licht (bw) **1** lightly; [lopen, slapen, met weinig bagage] light: ~ *slapen* sleep light **2** [een beetje] slightly **3** [gemakkelijk] easily: ~ *verteerbaar* (easily) digestible, light **4** [zeer] highly: ~ *ontvlambare stoffen* highly (in)-flammable materials

de **lichtbak 1** light box **2** [reclamebord] illuminated sign

lichtbewolkt rather cloudy, with some clouds

lichtblauw light (*of:* pale) blue

de **lichtbron** light source, source of light

de **lichtbundel** beam of light

lichtelijk slightly

lichten 1 lift, raise **2** [eruit halen] remove: *iem. van zijn bed* ~ arrest s.o. in his bed

lichtend shining

lichterlaaie: *het gebouw stond in* ~ the building was in flames (*of:* ablaze)

lichtgelovig gullible

lichtgeraakt touchy: ~ *zijn* be quick to take offence

lichtgevend luminous

lichtgevoelig (light) sensitive

het **lichtgewicht** lightweight

lichtgewond slightly injured (*of:* wounded)

de **lichting 1** [jaargenoten] levy, draft **2** [m.b.t. brievenbus] collection

het **lichtjaar** light year

het **lichtjesfeest** Diwali, Festival of Lights

de **lichtkogel** (signal) flare

de **lichtkrans** halo; [astrol ook] aureole

de **lichtkrant** illuminated news trailer

de **lichtmast** lamp-post, lamp standard

het **lichtnet** (electric) mains, lighting system: *een apparaat op het* ~ *aansluiten* connect an appliance to the mains; *op het* ~ *werken* run off the mains

de **lichtpen** light pen(cil)

het **lichtpunt 1** point (*of:* spot) of light **2** [fig] ray of hope

de **lichtreclame** illuminated advertising, neon signs (*of:* advertising)

de **lichtschakelaar** light switch

de **lichtshow** light show

het **lichtsignaal** light signal, flash: *een* ~ *gev-*

flash

de **lichtsterkte** brightness; [nat] luminous intensity

de **lichtstraal** ray of light; [breder] beam (of: shaft) of light

lichtvaardig rash

de **lichtval** light

lichtvoetig light-footed

lichtzinnig 1 frivolous: ~ omspringen met trifle with **2** [losbandig] light, loose: ~ leven live a loose life

de **lichtzinnigheid** frivolity

het **lid 1** member: het aantal leden bedraagt … the membership is …; ~ van de gemeenteraad (town) councillor; ~ van de Kamer Member of Parliament, M.P.; deze omroep heeft 500.000 leden this broadcasting company has a membership of 500,000; ~ worden van join, become a member of; ~ zijn van de bibliotheek belong to the library; ~ zijn van be a member of; be (of: serve) on [comité e.d.]; zich als ~ opgeven apply for membership **2** [van het lichaam] part, member; [ledemaat ook] limb: recht van lijf en leden straight-limbed; het (mannelijk) ~ the (male) member

het **lidgeld** [Belg] [contributie] subscription

de **lidkaart** [Belg] [bewijs van lidmaatschap] membership card

het **lidmaatschap** membership: bewijs van ~ membership card; iem. van het ~ van een vereniging uitsluiten exclude s.o. from membership of a club; het ~ kost €25,- the membership fee is 25 euros; zijn ~ opzeggen resign one's membership

de **lidmaatschapskaart** membership card

de **lidstaat** member state

het **lidwoord** article: bepaald en onbepaald ~ definite and indefinite article

Liechtenstein Liechtenstein

de **Liechtensteiner** Liechtensteiner

Liechtensteins Liechtenstein

het **lied** song: het hoogste ~ zingen be wild with joy

de **lieden** folk, people: dat kun je verwachten bij zulke ~ that's what you can expect from people like that

liederlijk debauched

het **liedje** song: het is altijd hetzelfde ~ it's the same old story

het **¹lief** (zn) **1** girlfriend, boyfriend, beloved **2** joy: ~ en leed met iem. delen share life's joys and sorrows with s.o.

²lief (bn) **1** dear, beloved: (maar) mijn lieve kind (but) my dear; [in brieven] Lieve Maria Dear Maria **2** [vriendelijk; aangenaam] nice, sweet: een ~ karakter a sweet nature, a kind heart; zij zijn erg ~ voor elkaar they are very devoted to each other; dat was ~ van haar om jou mee te nemen it was nice of her to take you along **3** [mooi] dear, sweet: er ~ uitzien

look sweet (of: lovely) **4** [dierbaar] dear, treasured: iets voor ~ nemen put up with sth.; make do with sth.; tegenslagen voor ~ nemen take the rough with the smooth

³lief (bw) sweetly, nicely: iem. ~ aankijken give s.o. an affectionate look || ik ga net zo ~ niet I'd (just) as soon not go

liefdadig charitable: een ~ doel a good cause; het is voor een ~ doel it is for charity; ~e instellingen charitable institutions

de **liefdadigheid** charity, benevolence, beneficence: ~ bedrijven do charitable work

de **liefdadigheidsinstelling** charity, charitable institution

de **liefde** love: haar grote ~ her great love; kinderlijke ~ childish love (of: affection); [van kind voor ouder] filial love (of: affection); een ongelukkige ~ achter de rug hebben have suffered a disappointment in love; vrije ~ free love; de ware ~ true love; iemands ~ beantwoorden return s.o.'s love (of: affection); de ~ bedrijven make love; geluk hebben in de ~ be fortunate (of: successful) in love; ~ op het eerste gezicht love at first sight; hij deed het uit ~ he did it for love; trouwen uit ~ marry for love; de ~ voor het vaderland (the) love of one's country; ~ voor de kunst love of art; ~ is blind love is blind

liefdeloos loveless

de **liefdesbrief** love letter

het **liefdesleven** love life

het **liefdesverdriet** pangs of love: ~ hebben be disappointed in love

liefdevol loving: ~le verzorging tender loving care; iem. ~ aankijken give s.o. a loving look

het **liefdewerk** charity, charitable work: het is ~ oud papier it's for love only

liefhebben love

de **liefhebber** lover: een ~ van chocola a chocolate lover; een ~ van opera an opera lover (of: buff); zijn er nog ~s? (are there) any takers?; daar zullen wel ~s voor zijn there are sure to be customers for that

de **liefhebberij** hobby, pastime: een dure ~ [fig] an expensive hobby; tuinieren is zijn grootste ~ gardening is his favourite pastime

het **liefje** sweetheart

liefkozen caress, fondle, cuddle

de **liefkozing** caress

liefst 1 dearest, sweetest: zij zag er van allen het ~ uit she looked the sweetest (of: prettiest) of them all **2** rather, preferably: men neme een banaan, ~ een rijpe … take a banana, preferably a ripe one …; wat zou je het ~ doen? what would you rather do?, what would you really like to do?; in welke auto rijd je het ~? which car do you prefer to drive?

de **liefste** sweetheart, darling: mijn ~ my dear(est) (of: love)

liegen lie, tell a lie: hij staat gewoon te ~!

he's a downright liar!; *tegen iem.* ~ lie to s.o.;
*hij liegt alsof het gedrukt staat, hij liegt dat hij
barst* he is telling barefaced lies; *dat is allemaal
gelogen* that's a pack of lies

de **lier** lyre

de **lies** groin

de **liesbreuk** inguinal hernia

de **lieslaars** wader

het **lieveheersbeestje** ladybird; [Am] ladybug

de **lieveling 1** darling, sweetheart: *zij is de ~
van de familie* she's the darling of the family
2 [favoriet] favourite, darling: *de ~ van het
publiek* the darling (*of:* favourite) of the
public

liever rather: *ik drink ~ koffie dan thee* I prefer coffee to tea; *ik zou ~ gaan (dan blijven)* I'd
rather go than stay; *ik weet het, of ~ gezegd,
ik denk het* I know, at least, I think so; *als je ~
hebt dat ik wegga, hoef je het maar te zeggen* if
you'd sooner (*of:* rather) I'd leave, just say so;
ik zie hem ~ gaan dan komen I'm glad to see
the back of him; *hoe meer, hoe ~* the more
the better; *hij ~ dan ik* rather him than me

de **lieverd** darling: [iron] *het is me een ~je* he's
(*of:* she's) a nice one

lift 1 lift; [Am] elevator: *de ~ nemen* take
the lift **2** lift, ride: *iem. een ~ geven* give s.o. a
lift (*of:* ride); *een ~ krijgen* get (*of:* hitch) a
lift; *een ~ vragen* thumb (*of:* hitch) a lift

liften hitch(hike)

de **lifter** hitchhiker

de **liftkoker** lift shaft; [Am] elevator shaft

de **liga** league

het **ligbad** bath; [Am] (bath)tub

de **ligdag** lay day

de **ligfiets** recumbent bike

liggen 1 lie; [ziek] be laid up: *er lag een halve
meter sneeuw* there was half a metre of
snow; *lekker tegen iem. aan gaan ~* snuggle up
to s.o.; *lig je lekker? (goed?)* are you comfortable?; *ik blijf morgen ~ tot half tien* I'm going to stay in bed till 9.30 tomorrow; *gaan ~*
lie down; *hij ligt in (op) bed* he is (lying) in
bed; *op sterven ~* lie (*of:* be) dying **2** (+ aan)
depend (on); be caused by [veroorzaakt]; be
due to [veroorzaakt]: *dat ligt eraan* it depends; *ik denk dat het aan je versterker ligt* I
think that it's your amplifier that's causing
the trouble; *aan mij zal het niet ~* it won't be
my fault; *is het nu zo koud of ligt het aan mij?* is
it really so cold, or is it just me?; *het ligt aan
die rotfiets van me* it's that bloody bike of
mine; *als het aan mij ligt niet* not if I can help
it; *waar zou dat aan ~?* what could be the
cause of that?; *het lag misschien ook een beetje
aan mij* I may have had sth. to do with it; *het
kan aan mij ~, maar …* it may be just me, but
…; *als het aan mij ligt* if it is up to me **3** [m.b.t.
storm, wind] die down: *de wind ging ~* the
wind died down ‖ *die zaak ligt nogal gevoelig*
the matter is a bit delicate; *dat werk is voor*

ons blijven ~ that work has been left for us; *ik
heb (nog) een paar flessen wijn* ~ I have a few
bottles of wine (left); [Belg] *iem.* ~ *hebben*
take s.o. in; *ik heb dat boek laten* ~ I left that
book (behind); *dit bed ligt lekker* (*of:* hard)
this bed is comfortable (*of:* hard); *de zaken* ~
nu heel anders things have changed a lot
(since then); *het plan, zoals het er nu ligt, is onaanvaardbaar* as it stands, the plan is unacceptable; *uw bestelling ligt klaar* your order is
ready (for dispatch, collection); *zo ~ de zaken
nu eenmaal* I'm afraid that's the way things
are; *Antwerpen ligt aan de Schelde* Antwerp
lies on the Scheldt; *de schuld ligt bij mij* the
fault is mine; *onder het gemiddelde* ~ be below average; *de bal ligt op de grond* the ball is
on the ground; *op het zuiden* ~ face (the)
south; *ze* ~ *voor het grijpen* they're all over
the place

liggend lying, horizontal: *een ~e houding* a
lying (*of:* recumbent) posture

de **ligging** position, situation, location: *de ~
van de heuvels* the lie of the hills; *de schilder-
achtige ~ van dat kasteel* the picturesque location of the castle

light lite, diet: *cola ~* diet coke

de **lightrail** light rail

de **ligplaats** berth, mooring (place)

de **ligstoel** reclining chair (*of:* seat); [voor bui-
ten] deckchair

de **liguster** privet

lijdelijk resigned ‖ ~ *toezien* look on pas-
sively

het [1] **lijden** (zn) suffering; [pijn] pain; [pijn] agony; [verdriet] grief; [ellende] misery: *nu is hij
uit zijn ~ verlost* **a)** he is now released from his
suffering; **b)** [fig] that's put him out of his
misery; *een dier uit zijn ~ verlossen* put an animal out of its misery

[2] **lijden** (onov ww) suffer: *zij leed het ergst van
al* she was (the) hardest hit of all; *aan een
kwaal ~* suffer from a complaint; *zijn gezondheid leed er onder* his health suffered (from
it)

[3] **lijden** (ov ww) suffer, undergo: *hevige pijn ~*
suffer (*of:* be in) terrible pain; *een groot verlies ~* suffer (*of:* sustain) a great loss; *honger
~ starve* ‖ *het leed is geleden* the suffering is
over, what's done is done

lijdend suffering

de **lijdensweg**: *haar afstuderen werd een ~* she
went through hell getting her degree

lijdzaam patient; [passief] passive: ~ *toezien* stand by and watch

het **lijf** body: *in levenden lijve* **a)** [in eigen per-
soon] in person; **b)** [levend] alive and well;
bijna geen kleren aan zijn ~ hebben have hardly a shirt to one's back; *iets aan den lijve ondervinden* experience (sth.) personally; *iem. te
~ gaan* go for (*of:* attack) s.o.; *iem. (toevallig)
tegen het ~ lopen* run into s.o., stumble upon

s.o.; *ik kon hem niet van het ~ houden* I couldn't keep him off me; *gezond van ~ en leden* able-bodied || *dat heeft niets om het ~* there's nothing to it, that's nothing, it's a piece of cake

de **lijfarts** personal physician

de **lijfeigene** serf

lijfelijk physical: *zij was ~ aanwezig* she was there in person

de **lijfrente** annuity

de **lijfspreuk** motto

de **lijfstraf** corporal punishment

de **lijfwacht** bodyguard

het **lijk 1** corpse, (dead) body: *over mijn ~!* over my dead body!; *over ~en gaan* let nothing (*of:* no one) stand in one's way **2** [fig] carcass: *een levend ~* a walking corpse

lijkbleek deathly pale, ashen

lijken 1 be like, look (a)like, resemble: *je lijkt je vader wel* you act (*of:* sound, are) just like your father; *het lijkt wel wijn* it's almost like wine; *zij lijkt op haar moeder* she looks like her mother; *ze ~ helemaal niet op elkaar* they're not a bit alike; *dat lijkt nergens op (naar)* it is absolutely hopeless (*of:* useless) **2** [schijnen] seem, appear, look: *hij lijkt jonger dan hij is* he looks younger than he is; *het lijkt me vreemd* it seems odd to me; *het lijkt maar zo* it only seems that way **3** [aanstaan] suit, fit: *dat lijkt me wel wat* I like the sound (*of:* look) of that; *het lijkt me niets* I don't think much of it

de **lijkenpikker** [fig] vulture

de **lijkkist** coffin

de **lijkschouwer** autopsist, medical examiner; [jur] coroner

de **lijkschouwing** autopsy

de **lijkwagen** hearse

de **lijm** glue

lijmen 1 glue (together); [ook fig] patch up; [ook fig] mend: [fig] *de brokken ~* pick up the pieces; *de scherven aan elkaar ~* glue (*of:* stick) the pieces together **2** [overhalen] talk round, win over: *zich niet laten ~* refuse to be roped in

de **lijmpoging** attempt to patch up

de **lijmsnuiver** glue sniffer

de **lijn 1** line, rope; [m.b.t. hond] leash; lead: *~en trekken* (*of:* *krassen*) *op* draw (*of:* scratch) lines on; *een hond aan de ~ houden* keep a dog on the leash **2** [in gezicht] line, crease: *de scherpe ~en om de neus* the deep lines around the nose **3** (out)line, contour: *iets in grote ~en aangeven* sketch sth. in broad outlines; *in grote ~en* broadly speaking, on the whole; *aan de (slanke) ~ doen* slim, be on a diet **4** [linie] line, rank: *op dezelfde* (*of:* *op één*) *~ zitten* be on the same wavelength **5** [verk, telec] line, route: *de ~ Haarlem-Amsterdam* the Haarlem-Amsterdam line; *die ~ bestaat niet meer* that service (*of:* route) no longer exists; *blijft u even aan de ~ a.u.b.* hold the line, please; *ik heb je moeder aan de ~* your mother is on the phone **6** [fig] line, course, trend: *de grote ~en uit het oog verliezen* lose o.s. in details || *iem. aan het ~tje houden* keep s.o. dangling

de **lijndienst** regular service, scheduled service, line: *een ~ onderhouden op* run a regular service on

lijnen slim, diet

de **lijnkaart** [Belg] smart card for payment on public transport

de **lijnolie** linseed oil

[1]**lijnrecht** (bn) (dead) straight

[2]**lijnrecht** (bw) **1** straight, right: *~ naar beneden* straight down **2** directly, flatly: *~ staan tegenover* be diametrically (*of:* flatly) opposed to

de **lijnrechter** linesman

het **lijntoestel** airliner, scheduled plane

de **lijnvlucht** scheduled flight

het **lijnzaad** linseed

lijp silly, daft: *doe niet zo ~!* don't be silly! (*of:* daft!)

de **lijst 1** list, record, inventory, register: *~en bijhouden van de uitgaven* keep records of the costs; *zijn naam staat bovenaan de ~* he is (at the) top of the list; *iem. (iets) op een ~ zetten* put s.o. (sth.) on a list **2** [omlijsting] frame: *een vergulde ~* a gilt frame

de **lijstaanvoerder** (league) leader

de **lijster** thrush

de **lijsterbes** rowan (tree), mountain ash

de **lijsttrekker** ± party leader (during election campaign)

lijvig corpulent, hefty

lijzig drawling: *een ~e stem* a sing-song voice

de **lijzijde** lee (side)

de **lik 1** lick; smack [klap] **2** [een beetje] lick, dab

de **likdoorn** corn

de **likeur** liqueur

likkebaarden lick one's lips

likken lick

likmevestje: *een organisatie van ~* crummy (*of:* lousy) organization

het **lik-op-stukbeleid** tit-for-tat policy (*of:* strategy)

lila lilac; [zacht] lavender

de **lilliputter** midget, dwarf

Limburg Limburg

de **Limburger** Limburger

Limburgs Limburg

de **limerick** limerick

de **limiet** [vaak meervoud] limit

limiteren limit, confine

de **limo** limo

de **limoen** lime

de **limonade** lemonade: *priklimonade, ~ gazeuse* fizzy (*of:* aerated, sparkling) lemonade

de **limonadesiroop** lemon syrup

de **limousine** limousine, limo

de **linde** lime (tree), linden

lineair linear || *~e hypotheek* level repayment mortgage

linea recta straight: *~ gaan naar* go straight to

linedansen line dance

de **lingerie** lingerie, women's underwear, ladies' underwear

de **linguïst** linguist

het/de **liniaal** ruler

de **linie** line, rank: *door de vijandelijke ~ (heen)-breken* break through the enemy lines || *over de hele ~* on all points, across the board

link 1 risky, dicey: *~e jongens* a nasty bunch **2** [slim] sly, cunning

linken [comp] (hyper)link

linker left, left-hand; [van auto] nearside: *~ rijbaan* left lane; *het ~ voorwiel* the nearside wheel

de **linkerarm** left arm

het **linkerbeen** left leg: *hij is met zijn ~ uit bed gestapt* he got out of bed on the wrong side

de **linkerhand** left hand: *twee ~en hebben* be all fingers and thumbs

de **linkerkant** left(-hand) side, left

de **linkervleugel 1** left wing: *de ~ van een gebouw* (of: *een voetbalelftal*) the left wing of a building (of: football team) **2** [pol] left (wing), Left

de **linkerzijde** left(-hand) side, left, nearside: *zij zat aan mijn ~* she was sitting on my left

links 1 left, to (of: on) the left: *de tweede straat ~* the second street on the left; *~ en rechts* [ook fig] right and left, on all sides; *~ houden* keep (to the) left; *iem. ~ laten liggen* ignore s.o., pass s.o. over, give s.o. the cold shoulder; *iets ~ laten liggen* ignore sth., pass sth. over; *~ van iem. zitten* sit to (of: on) s.o.'s left **2** [naar de linkerzijde] left, left-handed, anticlockwise: *~ afslaan* turn (to the) left; *~ de bocht om rijden* take the left-hand bend (of: turn) **3** [met de linkerhand] left-handed; [met de linkervoet; sport ook] left-footed: *~ schrijven* write with one's left hand **4** [pol] left-wing, leftist, socialist

de **linksachter** left back

linksaf (to the) left, leftwards: *bij de brug moet u ~ (gaan)* turn left at the bridge

de **linksback** left back

de **linksbuiten** outside left, left-wing(er)

linkshandig left-handed

linksom left: *~ draaien* turn (to the) left

linnen linen, flax: *~ ondergoed* linen underwear, linen

het **linnengoed** linen

de **linnenkast** linen cupboard

het/de **¹linoleum** (zn) linoleum
²linoleum (bn) linoleum

het **linolzuur** linoleic acid

het **lint** ribbon, tape; [boordlint] (bias) binding; band: *het ~ van een schrijfmachine* a (typewriter) ribbon; *door het ~ gaan* blow one's top, fly off the handle

het **lintje** decoration: *een ~ krijgen* be decorated, get a medal

de **lintmeter** [Belg] [meetlint] tape measure

de **lintworm** tapeworm

de **linze** lentil

de **lip** lip: *dikke ~pen* thick (of: full) lips; *gesprongen ~pen* chapped (of: cracked) lips; *zijn ~pen ergens bij aflikken* lick (of: smack) one's lips; *aan iemands ~pen hangen* hang on s.o.'s lips (of: every word); [fig] *iem. op de ~ zitten* sit very close to s.o., be sticky

de **lipgloss** lipgloss

het **lipje** tab [ook van blikje]; lip

liplezen lip-read

de **liposuctie** liposuction

de **lippenstift** lipstick

de **liquidatie 1** [m.b.t. personen] liquidation, elimination **2** [m.b.t. transacties] liquidation, winding-up, break-up, dissolution; [op beurs ook] settlement

liquide liquid, fluid: *~ middelen* liquid (of: fluid) assets

liquideren 1 [hand] wind up, liquidate **2** [doden] eliminate, dispose of

de **lire** lira

de **lis** [plantk] flag, iris

de **lisdodde** reed mace

lispelen lisp, speak with a lisp

Lissabon Lisbon

de **list** trick, ruse, stratagem; [plan] cunning, craft, deception: *~ en bedrog* double-crossing, double-dealing

listig cunning, crafty, wily

de **litanie** litany

de **liter** litre: *twee ~ melk* two litres of milk

literair literary: *~ tijdschrift* literary journal

de **literatuur** literature

de **literatuurlijst** reading list, bibliography

de **literfles** litre bottle

de **litho** litho

Litouwen Lithuania

de **Litouwer** Lithuanian

het **¹Litouws** (zn) Lithuanian
²Litouws (bn) Lithuanian

het **lits-jumeaux** twin beds

het **litteken** scar, mark: *met ~s op zijn gezicht* with a scarred face

de **liturgie** liturgy, rite

liturgisch liturgical

live live

de **living** living room

de **livrei** livery

de **lob 1** seed leaf **2** [sport] lob

lobben lob

de **lobbes 1** big, good-natured dog **2** [persoon] kind soul, good-natured fellow, big softy

de **lobby 1** lobby **2** [wachtruimte in hotel]

lobby; lounge, foyer, hall
lobbyen lobby
de **locatie** location
de **locoburgemeester** deputy mayor, acting mayor
de **locomotief** engine, locomotive
loden 1 lead, leaden: ~ *pijp* lead pipe 2 [fig] leaden, heavy
het/de **loeder** [inf] brute, bastard
de **loef**: [fig] *iem. de ~ afsteken* steal a march on s.o.
de **loefzijde** windward (side)
de **loei** [klap] thump; bash; [schot] sizzler; cracker: *een ~ verkopen (uitdelen)* hit (*of*: lash) out (at s.o.)
loeien 1 moo; low [koeien]; bellow [stier] 2 [m.b.t. de wind enz.] howl; whine [wind]; roar [golven, vlammen]; blare; hoot [hoorn]; wail [sirene]: *de motor laten ~* race the engine; *met ~de sirenes* with blaring sirens
loeihard 1 [m.b.t. snelheid] amazingly fast 2 [m.b.t. geluid] blaring, deafening
de **loempia** spring roll, egg roll
loensen squint, be cross-eyed
de **loep** magnifying glass, lens: *iets onder de ~ nemen* scrutinize sth., take a close look at sth.
loepzuiver flawless, perfect
de **loer** 1 lurking: *op de ~ liggen* [ook fig] lie in wait (for), lurk, be on the lookout (for) 2 [streek] trick: *iem. een ~ draaien* play a nasty (*of*: dirty) trick on s.o.
loeren leer (at); [met moeite zien] peer at; [bespieden] spy on: *het gevaar loert overal* there is danger lurking everywhere; *op iem. (iets) ~* lie in wait for s.o. (sth.)
de ¹**lof** (zn) 1 praise, commendation: *iem. ~ toezwaaien* give (high) praise to s.o., pay tribute to s.o.; *~ oogsten* win praise; *vol ~ zijn over* speak highly of, be full of praise for 2 [roem] honour, credit
het ²**lof** (zn) [witlof] [Brussels] chicory
loffelijk praiseworthy
het **loflied** hymn, song of praise: *een ~ op de natuur* an ode to nature
de **loftrompet**: *de ~ over iem. steken* trumpet forth (*of*: sing) s.o.'s praises
de **loftuiting** (words of) praise, eulogy
de **lofzang** ode
log unwieldy, cumbersome, ponderous, clumsy, heavy; [traag] sluggish; lumbering: *een ~ gevaarte* a cumbersome (*of*: an unwieldy) monster; *een ~ge olifant* a ponderous elephant; *met ~ge tred lopen* lumber (along), move with heavy gait
de **logaritme** logarithm
het **logboek** log(book), journal: *in het ~ opschrijven* log
de **loge** box, loge
de **logé** guest, visitor: *we krijgen een ~* we are having a visitor (*of*: s.o. to stay)
het **logeerbed** spare bed
de **logeerkamer** guest room, spare (bed)-room, visitor's room
de **logeerpartij** stay; [Am; kindert] slumber party, pyjama party
logen soak in (*of*: treat with) lye
logenstraffen belie
logeren stay, put up; [in logement, kosthuis ook] board; [in logement, kosthuis ook] lodge: *blijven ~* stay the night, stay over; *ik logeer bij een vriend* I'm staying at a friend's (home) (*of*: with a friend); *kan ik bij jou ~?* could you put me up (for the night)?; *in een hotel ~* stay at a hotel; *iem. te ~ krijgen* have s.o. staying
de **logica** logic: *er zit geen ~ in wat je zegt* there is no logic in what you're saying
het **logies** accommodation, lodging(s): *~ met ontbijt* bed and breakfast
de **login** login
de **loginnaam** [comp] log-in name
logisch logical, rational: *een ~e tegenstrijdigheid* a logical paradox; *~ denken* think logically (*of*: rationally); *dat is nogal ~* that's only logical, that figures
de **logistiek** logistics
het **logo** logo
de **logopedie** speech therapy
de **logopedist** speech therapist
de **loipe** (ski) run
de **lok** 1 lock, strand of hair; tress [vnl. bij vrouw, meisje]; [krul] curl; [krul] ringlet 2 [mv: haren] locks, hair; tresses [vnl. bij vrouw, meisje]
het ¹**lokaal** (zn) (class)room
²**lokaal** (bn) local; [m.b.t. het lichaam ook] topical: *om 10 uur lokale tijd* at 10 o'clock local time; *lokale verdoving* local anaesthesia
het **lokaas** bait
lokaliseren locate
het **loket** (office) window; [theater, station] booking office, ticket office; [theater ook] box-office (window); [postkantoor, bank] counter
de **lokettist** booking-clerk, ticket-clerk; [theater ook] box-office clerk; [postkantoor, bank] counter clerk
lokken 1 entice, lure: *in de val ~* lure into a trap 2 [aantrekken] tempt, entice, attract
het **lokkertje** bait, carrot; [lokartikel ook] loss leader; special offer
de **lokroep** call (note)
de **lol** laugh, fun, lark: *zeg, doe me een ~ (en hou op)* do me a favour (and knock it off, will you); *voor de ~* for a laugh, for fun (*of*: a lark); *ik doe dit niet voor de ~* I'm not doing this for the good of my health; *de ~ was er gauw af* the fun was soon over
de **lolbroek** clown, joker
het **lolletje** [inf]: *dat is geen ~* it's not exactly a laugh a minute
lollig [inf] jolly, funny

de **lolly** lollipop, lolly
de **lommerd** pawnshop
lommerrijk shady
de **¹lomp** (zn) [vnl. mv] rag; [vnl. mv] tatter
²lomp (bn, bw) **1** [plomp] ponderous, unwieldy: ~e schoenen clumsy shoes; zich ~ bewegen move clumsily, he got in an ungainly manner **2** [onhandig] clumsy, awkward, ungainly **3** [onbeleefd] rude, unmannerly, uncivil: iem. ~ behandelen treat s.o. rudely, be uncivil to s.o.
de **lomschool** [Ned] remedial school
Londen London
Londens London
lonen be worth: dat loont de moeite niet it is not worth one's while
lonend paying, rewarding; [financieel ook] profitable; [financieel ook] remunerative: dat is niet ~ that doesn't pay
de **long** lung
de **longarts** lung specialist
de **longdrink** long drink
het **longemfyseem** [med] (pulmonary) emphysema
de **longkanker** lung cancer
de **longlist** longlist
de **longontsteking** pneumonia
lonken make eyes at
de **lont** fuse; [van vuurwerk ook] touchpaper: [fig] een kort ~je hebben have a short fuse
loochenen deny
het **lood 1** lead: met ~ in de schoenen with a heavy heart **2** [kogel(s)] lead, shot, ammunition ‖ uit het ~ (geslagen) zijn be thrown off one's balance
de **loodgieter** plumber
het **loodje** (lead) seal ‖ de laatste ~s wegen het zwaarst the last mile is the longest one; het ~ leggen **a)** come off badly, get the short end of the stick; **b)** [doodgaan] kick the bucket
de **loodlijn** perpendicular (line), normal (line)
loodrecht perpendicular (to), plumb; sheer [helling]: ~ op iets staan be at right angles to sth.
de **¹loods** (zn) [persoon] pilot
de **²loods** (zn) shed; [vliegtuigloods] hangar
loodsen pilot, steer, conduct; [een groep ook] shepherd
loodvrij lead-free, unleaded
loodzwaar heavy
het **loof** foliage, leaves; green [van groente]
de **loofboom** deciduous tree
het **Loofhuttenfeest** Feast of Tabernacles
het/de **loog** caustic (solution), lye
looien tan
het **looizuur** tannic acid, tannin
de **¹look** [modetrend] look
het/de **²look** [plant] allium
loom 1 heavy, leaden; [langzaam] slow; [langzaam] sluggish: zich ~ bewegen move heavily (of: sluggishly) **2** [futloos] languid,

listless
het **loon 1** pay, wage(s): een hoog ~ verdienen earn high wages **2** [straf] deserts, reward: hij gaf hem zijn verdiende ~ he gave him his just deserts
de **loonadministratie** wages administration (of: records)
de **loonbelasting** income tax
de **loondienst** paid employment, salaried employment
de **loonlijst** payroll
de **loonmatiging** wage restraint
het **loonstrookje** payslip
de **loonsverhoging** wage increase, pay increase, increase in wages (of: pay), rise; [Am] raise
de **loop 1** course, development: de ~ van de Rijn the course of the Rhine; zijn gedachten de vrije ~ laten give one's thoughts (of: imagination) free rein; in de ~ der jaren through the years **2** [m.b.t. vuurwapen] barrel **3** [vlucht] run, flight
de **loopafstand** walking distance
de **loopbaan** career
de **loopbrug** footbridge
de **loopgraaf** trench
de **loopgravenoorlog** trench war(fare) [ook fig]
het **loopje** [muz] run, roulade
de **loopjongen** errand boy, messenger boy
de **looplamp** portable inspection lamp
de **loopneus** runny nose, running nose
de **looppas** jog, run
de **loopplank** gangplank, gangway
het **looprek** walking frame, walker
loops on heat, in heat, in season
de **looptijd** term, (period of) currency, duration
het **loopvlak** tread
loos false, empty: ~ alarm false alarm ‖ er is iets ~ something's up (of: going on)
de **loot** shoot, cutting
het **lootje** lottery ticket, raffle ticket, lot: ~s trekken draw lots
¹lopen (onov ww) **1** walk, go: iem. in de weg ~ get in s.o.'s way; op handen en voeten ~ walk on one's hands and feet, walk on all fours **2** [rennen] run: het op een ~ zetten take to one's heels **3** [zich ontwikkelen ook] run, go: het is anders gelopen it worked out (of: turned out) otherwise ‖ dit horloge loopt uitstekend this watch keeps excellent time; de kraan loopt niet meer the tap's stopped running; een motor die loopt op benzine an engine that runs on petrol; alles loopt gesmeerd everything's running smoothly; iets laten ~ **a)** let sth. go; **b)** [nalatig] let sth. slide (of: slip)
²lopen (ov ww) go to, attend: college ~ attend lectures
lopend 1 running, moving: ~e band

conveyor belt; [systeem] assembly line; [fig] *aan de ~e band* continually, ceaselessly **2** [huidig] current, running: *het ~e jaar* the current year **3** [stromend] running; streaming [ook ogen]; [neus, oor ook] runny

de **loper 1** walker; [voor bank e.d.] courier; messenger **2** [tapijt] carpet (strip); runner [op kast, tafel] **3** [schaakstuk] bishop **4** [sleutel] pass-key, master key, skeleton key, picklock

het/de **lor** rag

los 1 loose, free; undone [veter, knoop]; [afneembaar] detachable; [roerend] movable: *er is een schroef ~* a screw has come loose; *~!* let go! **2** [afzonderlijk] loose, separate, odd, single: *thee wordt bijna niet meer ~ verkocht* tea is hardly sold loose any more **3** [niet gespannen] slack, loose ‖ *met ~se handen rijden* ride with no hands; *ze leven er maar op ~* they live from one day to the next

losbandig lawless; loose [vnl. m.b.t. vrouw]; fast, dissipated

losbarsten break out, burst out, flare up, erupt; [storm ook] blow up

de **losbol** fast liver, rake

losbranden fire (*of:* blaze) away: *brand maar los!* fire away!

¹**losbreken** (onov ww) **1** break out (*of:* free), escape: *de hond is losgebroken* the dog has torn itself free **2** burst out, blow up: *een hevig onweer brak los* a heavy thunderstorm broke

²**losbreken** (ov ww) break off, tear off (*of:* loose), separate

losdraaien 1 [uit elkaar halen] unscrew, untwist **2** [opendraaien, losmaken] take off, twist off, loosen

de **loser** loser

losgaan come loose, work loose, become untied (*of:* unstuck, detached)

het **losgeld** ransom (money)

losjes 1 loosely **2** [luchthartig] airily, casually

loskloppen beat, knock loose (*of:* off)

losknopen undo, untie

loskomen 1 come loose, come off, break loose (*of:* free), come apart: *hij kan niet ~ van zijn verleden* he cannot forget his past **2** [zich uiten] come out, unbend, relax

loskoppelen detach, uncouple, disconnect, separate

loskrijgen 1 get loose; [los ook] get undone; [vrij ook] get free (*of:* released): *een knoop ~* get a knot untied **2** secure, extract, (manage to) obtain; [geld ook] raise

¹**loslaten** (onov ww) come off, peel off, come loose (*of:* unstuck, untied), give way

²**loslaten** (ov ww) **1** release, set free, let off, let go, discharge; unleash [hond]: *laat me los!* let go of me!, let me go! **2** [vertellen] reveal, speak; release [informatie]; leak [geheimen]:

geen woord ~ over iets keep mum (*of:* close) about sth.

losliggend loose

loslippig loose-lipped, loose-tongued

loslopen walk about (freely), run free; be at large [misdadiger]; stray [vee] ‖ *het zal wel ~* it will be all right, it'll sort itself out

loslopend stray, unattached

losmaken 1 release, set free; untie [knoop in touw]: *de hond ~* unleash the dog; *een knoop ~* untie a knot, undo a button **2** [minder samenhangend maken] loosen (up); rake [grond] **3** [oproepen] stir up [interesse]: *die tv-film heeft een hoop losgemaakt* that TV film has created quite a stir

de **losprijs** ransom (money)

losraken come loose (*of:* off, away), dislodge, become detached

losrukken tear loose, rip off, wrench, yank away (*of:* off)

de **löss** loess

losscheuren tear loose, rip off (*of:* away)

losschroeven unscrew, loosen; screw off [deksel]; disconnect [bijv. stangen]

lossen 1 [uitladen] unload, discharge **2** [afschieten] discharge; shoot [wapen]; fire: *een schot op (het) doel ~* shoot at goal

losslaan 1 [losraken] break away **2** [fig] go astray: *die jongen is helemaal losgeslagen* that boy has gone completely astray

losstaan: *~ van* be unrelated to

losstaand detached; isolated [feit]; freestanding [huis, schuur, muur enz.]; disconnected

lostrekken pull loose, loosen, draw loose

los-vast half-fastened; [fig] casual

¹**losweken** (onov ww) become unstuck

²**losweken** (ov ww) soak off; [met stoom] steam off (*of:* open)

loszitten be loose; be slack [touw]: *die knoop zit los* that button is coming off

het **lot 1** lottery ticket [met geldprijs]; raffle ticket [met prijs in natura] **2** [wat door een lot wordt toegewezen] lot, share: [fig] *zij is een ~ uit de loterij* she is one in a thousand **3** [de fortuin] fortune, chance **4** [noodlot] lot, fate, destiny: *iem. aan zijn ~ overlaten* leave s.o. to fend for himself, leave s.o. to his fate; *berusten in zijn ~* resign o.s. to one's fate

loten draw lots

de **loterij** lottery

de **lotgenoot** companion (in misfortune, adversity), fellow-sufferer

de **loting** drawing lots

de **lotion** lotion, wash

de **lotto** lottery

de **lotus** lotus

louche shady, suspicious(-looking)

de **lounge** lounge

¹**louter** (bn) sheer, pure; [niet meer dan]

mere; bare: *uit ~ medelijden* purely out of compassion; *door ~ toeval* by pure coincidence

²louter (bw) purely, merely, only: *het heeft ~ theoretische waarde* it has only theoretical value

loven 1 praise, commend, laud **2** [rel] praise, bless, glorify: *looft de Heer* praise the Lord

lovend laudatory, approving; [alleen ná zn] full of praise

de **loverboy** lover boy

het **lovertje** spangle, sequin

de **lowbudgetfilm** low-budget film, film made on a shoestring

loyaal loyal, faithful, steadfast

de **loyaliteit** loyalty

¹lozen (ww) drain, empty: *~ in (op) de zee* discharge into the sea

²lozen (ov ww) [zich ontdoen van] get rid of, send off, dump

de **lozing** drainage, discharge, dumping

de **lp** LP

het **lpg** afk van *liquefied petroleum gas* LPG, LP gas

het **lso** [Belg] afk van *lager secundair onderwijs* junior secondary general education

de **lucht 1** air: *~ krijgen* **a)** breathe; **b)** [fig] get room to breathe; *in de ~ vliegen* blow up, explode; *die bewering is uit de ~ gegrepen* that statement is totally unfounded; *uit de ~ komen vallen* appear out of thin air; [Belg; zeer verbaasd zijn] be dumbfounded **2** [hemel] sky **3** [reuk, geur] smell, scent, odour || *gebakken ~* hot air

de **luchtaanval** air raid

de **luchtafweer** anti-aircraft guns

het **luchtafweergeschut** anti-aircraft guns

het **luchtalarm** air-raid warning (*of:* siren), (air-raid) alert

de **luchtballon** [luchtvaartuig] (hot-air) balloon

het **luchtbed** air-bed, Lilo, inflatable bed

de **luchtbel** air bubble (*of:* bell)

de **luchtbevochtiger** humidifier

de **luchtbrug 1** [brug] overhead bridge **2** [luchtverbinding] airlift

luchtdicht airtight, hermetic

de **luchtdruk** (atmospheric) pressure, air pressure

het **luchtdrukpistool** air pistol

luchten air, ventilate

de **luchter** candelabrum, chandelier

het/de **luchtfilter** air filter (*of:* cleaner)

de **luchtfoto** aerial photo(graph), aerial view

luchtgekoeld air-cooled

het **luchtgevecht** dogfight

luchthartig light-hearted, carefree

de **luchthaven** airport

de **luchthavenbelasting** airport tax

luchtig 1 light, airy **2** [m.b.t. kleren] light, cool, thin **3** airy, light-hearted: *iets op ~e toon meedelen* announce sth. casually **4** [licht] airy, vivacious, light || *~ gekleed* lightly dressed

het **luchtje** smell, scent, odour: *er zit een ~ aan* [fig] there is sth. fishy about it || *een ~ scheppen* take a breath of fresh air, get a bit of fresh air

het **luchtkasteel** castle in the air, daydream

de **luchtkoker** air (*of:* ventilating) shaft

het **luchtkussen** air cushion (*of:* pillow)

de **luchtlaag** layer of air

de **luchtlandingstroepen** airborne troops

luchtledig exhausted (*of:* void) of air: *een ~e ruimte* a vacuum

de **luchtmacht** air force

de **luchtmachtbasis** air(-force) base

luchtmobiel airborne

de **luchtpijp** windpipe, trachea

de **luchtpost** airmail

het **luchtruim** atmosphere, airspace, air

het **luchtschip** airship, dirigible

de **luchtspiegeling** mirage

de **luchtsprong** jump in the air, caper

de **luchtstreek** zone, region

de **luchtstroom** air current, flow of air

de **luchtvaart** aviation, flying

de **luchtvaartmaatschappij** airline (company): *de Koninklijke Luchtvaartmaatschappij* Royal Dutch Airlines, KLM

de **luchtverfrisser** air freshener

het **luchtverkeer** air traffic

de **luchtverkeersleider** air traffic controller

de **luchtverversing** ventilation

de **luchtvervuiling** air pollution

de **luchtvochtigheid** humidity

de **luchtweerstand** drag, air resistance

de **luchtwegen** bronchial tubes

de **luchtzak** air pocket, air hole

luchtziek airsick

de **luchtziekte** airsickness

de **lucifer** match

het **lucifersdoosje** matchbox

het **lucifershoutje** matchstick

lucky lucky

lucratief lucrative, profitable

ludiek playful: *~e protestacties* happening

luguber lugubrious, sinister

de **¹lui** (zn, mv) people, folk: *zijn ouwe ~* his old folks (*of:* parents)

²lui (bn, bw) lazy, idle, indolent; [loom] slow [loom] heavy: *een ~e stoel* an easy chair; *liever ~ dan moe zijn* be bone idle

de **luiaard 1** lazybones **2** [dierk] sloth

luid loud: *~ en duidelijk* loud and clear; *met ~e stem* in a loud voice

¹luiden (onov ww) **1** sound, ring; toll [doodsklok]: *de klok luidt* the bell is ringing (*of:* tolling) **2** [m.b.t. woorden] read, run: *het vonnis luidt …* the verdict is …

²luiden (ov ww) ring, sound

luidkeels loudly, at the top of one's voice
luidop [Belg] [hardop] aloud, out loud
luidruchtig noisy, boisterous
de **luidspreker** (loud)speaker
de **luier** nappy
luieren be idle (of: lazy), laze
de **luifel** awning
de **luiheid** laziness, idleness
het **luik** hatch; [in een vloer] trapdoor; [voor een raam] shutter
Luik Liège
de **luilak** lazybones, sluggard
Luilekkerland (land of) Cockaigne, land of plenty
de **luim** humour, mood, temper
de **luipaard** leopard
de **luis** louse; aphid [planten]
de **luister** lustre, splendour: *een gebeurtenis ~ bijzetten* add lustre to an event
de **luisteraar** listener
het **luisterboek** audio book
luisteren 1 listen: *goed kunnen ~* be a good listener; *luister eens* listen ..., say ... **2** [afluisteren] eavesdrop, listen (in) **3** [reageren (op)] listen, respond: *naar hem wordt toch niet geluisterd* nobody pays any attention to (of: listens to) him anyway || *dat luistert nauw* that requires precision, it's very precise work
luisterrijk splendid, glorious, magnificent
de **luistertoets** listening comprehension test
de **luistervaardigheid** listening (skill)
de **luistervink** eavesdropper
de **luit** lute
de **luitenant** lieutenant
de **luiwammes** [inf] lazybones
luizen: *iem. erin ~* take s.o. in, trick s.o. into sth.; [verleiden tot een verspreking, vergissing] trip s.o. up
de **luizenbaan** soft job, cushy job
het **luizenleven** cushy life
lukken succeed, be successful, work, manage, come off (of: through), gel: *het is niet gelukt* it didn't work, it didn't go through, it was no go; *het lukte hem te ontsnappen* he managed to escape; *die foto is goed gelukt* that photo has come out well
lukraak haphazard, random, wild, hit-or-miss
de **lul** [inf] **1** prick, cock **2** [sul] prick, drip
lullen [inf] (talk) bullshit, drivel
lullig shitty, (bloody) stupid, pathetic: *doe niet zo ~* don't be such a jerk (of: tit)
lumineus brilliant, bright
de **lummel** clodhopper, gawk
lummelen hang around, fool around
de **lunch** lunch(eon)
het **lunchconcert** lunch concert
lunchen lunch, have (of: eat, take) lunch
het **lunchpakket** packed lunch
de **lunchpauze** lunch break

de **lunchroom** tearoom; [Am] ± coffee shop
de **luren**: *iem. in de ~ leggen* take s.o. in, take s.o. for a ride
lurken suck noisily
de **lurven**: *iem. bij zijn ~ pakken* get s.o., grab s.o.
de **lus** loop; noose [lasso, strop]
de **lust 1** desire, interest: *tijd en ~ ontbreken me om ...* I have neither the time nor the energy to (of: for) ... **2** lust, passion, desire **3** [plezier] delight, joy: *~en en lasten* joys and burdens; *zwemmen is zijn ~ en zijn leven* swimming is all the world to him, swimming is his ruling passion; *een ~ voor het oog* a sight for sore eyes
lusteloos listless, languid, apathetic
lusten like, enjoy, be fond of, have a taste for: *ik zou wel een pilsje ~* I could do with a beer; [fig] *ik lust hem rauw* let me get my hands on him
lustig [vrolijk] cheerful, gay, merry
de **lustmoord** sex murder (of: killing)
het **lustobject** sex object
het **lustrum** lustrum
luthers Lutheran
luttel little, mere; [bij mv] few; inconsiderable
luwen subside, die down
de **luwte** lee, shelter
de **luxaflex**MERK Venetian blinds
de **¹luxe** (zn) luxury: *het zou geen (overbodige) ~ zijn* it would certainly be no luxury, it's really necessary
²luxe (bn) luxury, fancy, de luxe: *een ~ tent* a posh (of: fancy) place
het **luxeartikel** luxury article; [mv] luxury goods
Luxemburg Luxembourg
de **Luxemburger** Luxembourger
Luxemburgs (of/from) Luxembourg
luxueus luxurious, opulent, plush
het **lyceum** ± grammarschool; [Am] high school
de **lymf** lymph
de **lymfklier** lymph node (of: gland)
lynchen lynch
de **lynx** lynx
de **lyriek** lyric(al) (poetry)
lyrisch lyric(al)

m

de **m** m, M

de **ma** mum; [Am] mom: *pa en ma* Mum (*of:* Mom) and Dad

de **maag** stomach: *ergens mee in zijn ~ zitten* be worried about sth., be troubled by sth.; *iem. iets in de ~ splitsen* unload sth. onto s.o.

de **maagband** gastric band, lap band

de **maagd** virgin

de **Maagd** [astrol] Virgo

het **maag-darmkanaal** gastrointestinal tract

maagdelijk virginal: *~ wit* virgin white

de **maagdelijkheid** virginity

het **maagdenvlies** hymen

de **maagklacht** stomach disorder

de **maagkramp** [mv] stomach cramps

de **maagpijn** stomach-ache

het **maagsap** gastric juice

het **maagzuur** heartburn

de **maagzweer** ulcer

maaien mow, cut

de **maaier** mower

de **maaimachine** (lawn)mower

de **maak**: *er zijn plannen in de ~ om ...* plans are being made to ...

het **¹maal** (zn) meal: *een feestelijk ~* a festive meal

het/de **²maal** (zn) **1** time: *een paar ~* once or twice, several times; *anderhalf ~ zoveel* half as much (*of:* many) (again) **2** times: *lengte ~ breedte ~ hoogte* length times width times height; *tweemaal drie is zes* two times three is six

de **maalstroom** whirlpool; [fig] vortex

het **maalteken** multiplication sign

de **maaltijd** meal, dinner

de **maaltijdcheque** [Belg] luncheon voucher

de **maan** moon

de **maand** month: *de ~ januari* the month of January; *een ~ vakantie* a month's holiday; *drie ~en lang* for three months; *binnen een ~* within a month; *een baby van vier ~en* a four-month-old baby

het **maandabonnement** monthly subscription; [voor trein e.d.] monthly season ticket

de **maandag** Monday: *ik train altijd op ~* I always train on Mondays; *ik doe het ~ wel* I will do it on Monday; *'s ~s* on Mondays, every Monday

¹maandags (bn) Monday

²maandags (bw) on Mondays

het **maandblad** monthly (magazine)

maandelijks monthly, once a month, every month: *in ~e termijnen* in monthly instalments

maandenlang for months, months long

de **maandkaart** monthly (season) ticket

het **maandsalaris** monthly salary

het **maandverband** sanitary towel; [Am] sanitary napkin

de **maanfase** phase (of the moon)

de **maanlanding** moon landing

het **maanlandschap** moonscape, lunarscape

het **maanlicht** moonlight

het **maanmannetje** man in the moon

de **maansverduistering** eclipse of the moon, lunar eclipse

het **maanzaad** poppy seed

¹maar (bw) **1** but, only, just: *zeg het ~: koffie of thee?* which will it be: coffee or tea?; *kom ~ binnen* come on in; *dat komt ~ al te vaak voo* that happens only (*of:* all) too often; *het is ~ goed dat je gebeld hebt* it's a good thing you rang; *als ik ook ~ een minuut te lang wegblijf* if I stay away even a minute too long; *doe het nu ~ just do it; *let ~ niet op hem* don't pay any attention to him; *ik zou ~ uitkijken* you'd better be careful **2** only, as long as: *als het ~ klaar komt* as long as (*of:* so long as) it is finished **3** (if) only: *ik hoop ~ dat hij het vindt* I only hope he finds it ǁ *wat je ~ wil* whatever you want; *ik vind het ~ niks* I'm none too happy about it; *zoveel als je ~ wilt* as much (*of:* many) as you like

²maar (vw) but: *klein, ~ dapper* small but tough ǁ *ja ~, als dat nu niet zo is* yes, but wha' if that isn't true?; *nee ~!* really!

de **maarschalk** Field Marshal; [Am] General o the Army

de **maart** March

de **maas** mesh: *door de mazen (van het net) glip pen* slip through the net

de **Maas** Meuse

de **¹maat** (zn) **1** size, measure; [precieze afmetingen] measurements: *in hoge mate* to a great degree, to a large extent; *in toenemende mate* increasingly, more and more; *welke ~ hebt u?* what size do you take? **2** measure: *maten en gewichten* weights an' measures **3** moderation **4** [muz] time; [alg ook] beat: *(geen) ~ kunnen houden* be (un)able to keep time **5** [muz] bar, measure: *de eerste maten van het volkslied* the first few bars of the national anthem ǁ *de ~ is vol* that's the limit

de **²maat** (zn) **1** [makker] pal, mate **2** (team)mate; [kaartsp] partner

de **maatbeker** measuring cup

maatgevend normative; [een maat voor] indicative: *dat is toch niet ~?* that is not a criterion, is it?

het **maatgevoel** sense of rhythm

het **maatglas** measuring glass; [chem] graduated cylinder

maathouden [muz] keep time

het **maatje** chum, pal: *goede ~s zijn met iem.* b

the best of friends with s.o.; *goede ~s worden met iem.* chum up with s.o.

de **maatjesharing** ± young herring

het **maatkostuum** custom-made suit, tailored suit

de **maatregel** measure: *~en nemen* (of: *treffen*) take steps

de **maatschap** partnership

maatschappelijk 1 social: *hij zit in het ~ werk* he's a social worker **2** joint: *het ~ kapitaal* nominal capital

de **maatschappij 1** society, association **2** [bedrijf] company

de **maatschappijleer** social studies

de **maatstaf** criterion, standard(s)

het **maatwerk** custom-made clothes (of: shoes)

macaber macabre

de **macaroni** macaroni

Macedonië Macedonia

de **Macedoniër** Macedonian

het **¹Macedonisch** Macedonian

²Macedonisch (bn) Macedonian

de **machete** machete

¹machinaal (bn) mechanized, machine

²machinaal (bw) mechanically, by machine

de **machine** machine; [mv ook] machinery

de **machinebankwerker** lathe operator

het **machinegeweer** machine-gun

de **machinekamer** engine room

de **machinist 1** [spoorw] engine driver; [Am] engineer **2** [scheepv] engineer

de **¹macho** (zn) macho

²macho (bn) macho

de **macht 1** power, force: *(naar) de ~ grijpen* (attempt to) seize power; *aan de ~ zijn* be in power; *iem. in zijn ~ hebben* have s.o. in one's power; *de ~ over het stuur verliezen* lose control of the wheel **2** [persoon, instantie ook] authority: *rechterlijke ~* the judicial branch, the judiciary; *de uitvoerende* (of: *wetgevende*) *~* the executive (of: legislative) branch **3** [vermogen] power, force: *dat gaat boven mijn ~* that is beyond my power; *met (uit) alle ~* with all one's strength || [wisk] *een getal tot de vierde ~ verheffen* raise a number to the fourth power; [wisk] *drie tot de derde ~* three cubed

machteloos powerless: *machteloze woede* impotent (of: helpless) anger

de **machteloosheid** powerlessness

de **machthebber** ruler, leader

machtig 1 powerful, mighty: *haar gevoelens werden haar te ~* she was overcome by her emotions **2** [m.b.t. voedsel] rich, heavy **3** competent (in)

machtigen authorize

de **machtiging** authorization

het **machtsblok** power block

de **machtshonger** lust for power

het **machtsmiddel** means of (exercising) power, weapon

het **machtsmisbruik** abuse of power

de **machtsovername** assumption of power; [inf] take-over

de **machtspolitiek** power politics

de **machtspositie** position of power

de **machtsstrijd** struggle for power, power struggle

het **machtsvacuüm** power vacuum

machtsverheffen raise to the power

het **machtsvertoon** display of power, show of strength

het **macramé** macramé

macro macro

macrobiotisch macrobiotic

Madagaskar Madagascar

de **madam** lady: *de ~ spelen (uithangen)* act the lady

de **made** maggot, grub

het **madeliefje** daisy

de **madonna** [Maria] Madonna

Madrileens of/from Madrid; [vóór zn] Madrid

maf crazy, nuts: *doe niet zo ~* don't be so daft, stop goofing around

maffen sleep, snooze, kip

de **maffia** mafia

de **maffioso** mafioso

de **mafkees** [inf] goof(ball), nut

het **magazijn 1** warehouse [pakhuis]; stockroom [in winkels]; supply room [op kantoren e.d.] **2** [m.b.t. vuurwapen] magazine

de **magazijnbediende** warehouseman [in pakhuizen]; supply clerk [op kantoren e.d.]

het **magazine 1** [tijdschrift] magazine **2** [op tv] current affairs programme

mager 1 thin; [broodmager] skinny **2** [met weinig vet] lean: *~e riblappen* lean beef (ribs) **3** [sober] feeble

de **magie** magic

magisch magic(al)

magistraal magisterial; [fig ook] masterly

de **magistraat** magistrate

het **magma** magma

de **magnaat** magnate, tycoon

de **magneet** magnet

de **magneetkaart** swipe card

de **magneetzweeftrein** magnetic levitation train, maglev train

het **magnesium** magnesium

magnetisch magnetic

de **magnetiseur** magnetizer

het **magnetisme** magnetism

de **magnetron** microwave

magnifiek magnificent

de **magnolia** magnolia

de **maharadja** maharaja(h)

het **¹mahonie** (zn) mahogany

²mahonie (bn) mahogany

de **mail** (e-)mail

het **mailadres** mail address

de **mailbox** mail box

mailen 1 e-mail **2** [reclame verzenden] do
a mailshot

de **mailing** mailing

de **mailinglijst** mailing list

de **mailinglist** mailing list

de **maillot** tights

het **mailtje** e-mail

de **mainport** transport hub

de **mais** maize; [Am] corn: *gepofte* ~ popcorn

de **maiskolf** corn-cob

de **maiskorrel** kernel of maize; [Am] kernel of
corn

de **maîtresse** mistress

de **maizena** cornflour; [Am] cornstarch

de **majesteit** Majesty

majestueus majestic(al)

de **majeur** major: *in* ~ *spelen* play in a major
key

de **majoor** major

de **majoraan** (sweet) marjoram

de **majorette** (drum) majorette

mak 1 tame(d) **2** [fig] meek, gentle

de **makelaar 1** estate agent; [Am] real estate
agent **2** [tussenhandelaar] broker, agent: ~
in assurantiën insurance broker

de **makelaardij** brokerage, agency; [in onroerend goed] estate agency

de **makelij** make, produce: *van eigen* ~ home-
grown, home-produced

maken 1 [repareren] repair, fix: *zijn auto
kan niet meer gemaakt worden* his car is beyond repair; *zijn auto laten* ~ have one's car
repaired (*of:* fixed) **2** [vervaardigen] make,
produce; [in fabriek] manufacture: *fouten* ~
make mistakes; *cider wordt van appels gemaakt* cider is made from apples **3** [veroor-
zaken] cause ‖ *je hebt daar niets te* ~ you have
no business there; *dat heeft er niets mee te* ~
that's got nothing to do with it; *ze wil niets
meer met hem te* ~ *hebben* she doesn't want
anything more to do with him; *het (helemaal)*
~ make it (to the top); *hij zal het niet lang meer
~* he is not long for this world; *je hebt het ernaar gemaakt* you('ve) asked for it; *ik weet het
goed gemaakt* I'll tell you what, I'll make you
an offer; *hoe maakt u het?* how do you do?;
hoe maakt je broer het? how is your brother?;
maak dat je wegkomt! get out of here!

de **maker** maker, producer; artist [van schilde-
rij]

de **make-up** make-up

¹makkelijk (bn) easy, simple

²makkelijk (bw) easily, readily: *jij hebt* ~
praten it's easy (enough) for you to talk

de **makker** pal, mate

het **makkie** piece of cake; [karwei] cushy job,
easy job

de **makreel** mackerel

de **¹mal** (zn) mould, template ‖ *iem. voor de* ~
houden make fun of s.o., pull s.o.'s leg

²mal (bn, bw) silly, foolish: *nee, ~le meid

(jongen) no, silly!; *ben je* ~? of course not!,
are you kidding?

malafide fraudulent, crooked

de **Malagassiër** Malagasy

Malagassisch Malagasy

de **malaise 1** malaise **2** depression, slump

de **malaria** malaria

Malawi Malawi

de **Malawiër** Malawian

Malawisch Malawian

de **Malediven** Maldive Islands, Maldives

Maleis Malay; [Am] Malayan

Maleisië Malaysia

de **Maleisiër** Malaysian

Maleisisch Malaysian

¹malen (onov ww) turn, grind

²malen (ov ww) grind; crush [erts]

het **mali** [Belg] deficit, shortfall

Mali Mali

de **maliënkolder** coat of mail

de **¹Malinees** Malian

²Malinees (bn) Malian

de **maling** grind ‖ *daar heb ik* ~ *aan* I don't care
two hoots (*of:* give a hoot); ~ *aan iets (iem.)
hebben* not care (*of:* not give a rap) about
sth. (s.o.); *iem. in de* ~ *nemen* pull s.o.'s leg,
fool s.o.

de **mallemoer**: *dat gaat je geen* ~ *aan* that's
none of your damn (*of:* bloody) business;
naar zijn ~ ruined, finished

de **malloot** idiot, fool

mals tender

het/de **malt** [alcoholvrij bier] low alcohol beer,
non-alcoholic beer

Malta Malta

Maltees Maltese

Maltezer Maltese

de **malus** (financial) penalty

de **malversatie** malversation [alleen ev]; embezzlement

de **mama** mam(m)a

de **mammoet** mammoth

de **mammoettanker** mammoth tanker, supertanker

de **man 1** man: *op de* ~ *spelen* **a)** go for the man
(*of:* player); **b)** [fig] get personal; *een* ~ *uit
duizenden* a man in a million; *een* ~ *van weini*
woorden a man of few words; *hij is een* ~ *van*
zijn woord he is as good as his word **2** [mens
man, human: *de gewone (kleine)* ~ the man
in the street, the common man; *vijf* ~ *sterk*
five strong; *met hoeveel* ~ *zijn we?* how man
are we?, how many of us are there? **3** [echt
genoot] husband

het **management** management

het **managementteam** management team

managen manage

de **manager** manager

de **manche 1** [wedstrijdonderdeel] heat
2 [bridge] game

de **manchet** cuff

de **manchetknoop** cuff link

het **manco 1** [gebrek] defect, shortcoming **2** [leemte] shortage

de **mand** basket ‖ *bij een verhoor door de ~ vallen* have to own up (*of:* come clean); *door de ~ vallen als coach* fail as a coach, be a failure as a coach

het **mandaat** mandate: [Belg] *een dubbel ~ a* double mandate

de **mandarijn** mandarin; [klein] tangerine

de **mandataris 1** [gevolmachtigde] mandatary **2** [Belg; afgevaardigde] representative

de **mandekking** [sport] man-to-man marking; [Am] man-on-man coverage

de **mandoline** mandolin

de **mandril** mandrill

de **manege** riding school, manège

de **¹manen** (zn, mv) mane

²manen (ov ww) **1** remind; [sterker] demand: *iem. om geld ~* demand payment from s.o. **2** [aansporen] urge ‖ *iem. tot kalmte ~* calm s.o. down

de **maneschijn** moonlight

het **mangaan** manganese

het **mangat** manhole

de **mangel**: [scherts; fig] *door de ~ gehaald worden* [ondervraagd] be put through the wringer; [bekritiseerd] be crucified

de **mango** mango

de **mangrove** mangrove

manhaftig manful, manly: *zich ~ gedragen* act manfully (*of:* bravely)

de **maniak** maniac; [m.b.t. gezondheid] freak; [m.b.t. film] buff; [m.b.t. film] fan

maniakaal maniacal

de **manicure** manicurist

de **manie** mania

de **manier 1** way, manner: *daar is hij ook niet op een eerlijke ~ aangekomen* he didn't get that by fair means; *hun ~ van leven* their way of life; *op een fatsoenlijke ~* in a decent manner, decently; *op de een of andere ~* somehow or other; *op de gebruikelijke ~* (in) the usual way; *dat is geen ~ (van doen)* that is no way to behave **2** [mv] manners: *wat zijn dat voor ~en!* what kind of behaviour is that!

het **manifest** manifesto

de **manifestatie** demonstration; [zonder politiek doel] happening; [cultureel e.d.] event

zich **manifesteren** manifest o.s.

de **manipulatie** manipulation: *genetische ~* genetic engineering

manipuleren manipulate

manisch-depressief manic-depressive

het **manjaar** man-year

mank lame: *~ lopen* (walk with a) limp

het **mankement** defect; [m.b.t. machines] bug

¹mankeren (onov ww) be wrong, be the matter: *wat mankeert je toch?* what's wrong (*of:* the matter) with you?; *er mankeert nogal wat aan* there's a fair amount wrong with it

²mankeren (ov ww) have sth. the matter: *ik mankeer niets* I'm all right, there's nothing wrong with me

de **mankracht** manpower

het **manna** manna

mannelijk male, masculine: *een ~e stem* a masculine voice

het **mannenkoor** male choir, men's chorus

de **mannenstem** male voice, man's voice

de **mannequin** model

het **mannetje 1** little fellow, little guy **2** man: *daar heeft hij zijn ~s voor* he leaves that to his underlings **3** [dier, plant] male ‖ *zijn ~ staan* hold one's (own) ground, stick up for o.s.

de **mannetjesputter** strapper, he-man, she man

de **manoeuvre** manoeuvre

manoeuvreren manoeuvre: *iem. in een onaangename positie ~* manoeuvre s.o. into an awkward position

de **manometer** manometer, pressure gauge

mans: *zij is er ~ genoeg voor* she can handle it

de **manschappen** men

manshoog man-size(d), of a man's height

de **mantel 1** coat; [zonder mouwen; ook fig] cloak **2** [techn] casing, housing

de **mantelorganisatie** umbrella organization

het **mantelpak** suit

de **mantelzorg** volunteer aid

de **mantra** mantra

de **manufacturen** drapery

het **manuscript** manuscript; [getypt ook] typescript

het **manusje-van-alles** jack-of-all-trades; [iem. die alles moet opknappen] (general) dogsbody

het **manuur** man-hour

het **manwijf** mannish woman, battle-axe

de **map** file, folder

de **maquette** (scale-)model

de **maraboe** marabou

de **marathon** marathon: *halve ~* half-marathon

de **marathonloop** marathon race

marchanderen bargain

marcheren march

de **marconist** radio operator

de **marechaussee** military police, MP

de **maretak** mistletoe

de **margarine** margarine

de **marge 1** margin: *gerommel in de ~* fiddling about **2** band [m.b.t. wisselkoersen, rentetarieven]

marginaal marginal

de **margriet** marguerite, (ox-eye) daisy

Maria-Hemelvaart Assumption (of the Virgin Mary)

de **marihuana** marijuana, marihuana

de **marine** navy

de **marinebasis** naval base
marineren marinate, marinade .
de **marinier** marine: *het Korps Mariniers* the Marine Corps; the Marines
de **marionet** puppet
maritiem maritime
de **marjolein** marjoram
de **mark** mark
markant striking
de **markeerstift** marker, marking pen
markeren mark
de **marketing** marketing
de **markies** marquis
de **markiezin** marquise
de **markt** market: *een dalende* (of: *stijgende*) ~ a bear (of: bull) market; *naar de* ~ *gaan* go to market; *van alle ~en thuis zijn* be able to turn one's hand to anything; *zichzelf uit de* ~ *prijzen* price o.s. out of the market ‖ [Belg] *het niet onder de* ~ *hebben* be having a hard time
het **marktaandeel** market share, share of the market
de **marktdag** market day
de **markteconomie** market economy
de **markthal** market hall, covered market
de **marktkoopman** market vendor, stallholder
het/de **marktkraam** market stall (of: booth)
het **marktonderzoek** market research
het **marktwaarde** market value
de **marktwerking** free-market system, free competition
de **marmelade** marmalade
het **marmer** marble
marmeren marble
de **marmot 1** marmot **2** [cavia] guinea pig
de **Marokkaan** Moroccan
Marokkaans Moroccan
Marokko Morocco
de **mars** march ‖ *hij heeft niet veel in zijn* ~ **a)** he hasn't got much about him; **b)** [weet niet veel] he is pretty ignorant; **c)** [m.b.t. hersens] he isn't very bright; **d)** [kan niet veel] he's not up to much; *hij heeft heel wat in zijn* ~ **a)** he has a lot to offer; **b)** [weet veel] he is pretty knowledgeable; **c)** [m.b.t. hersens] he's a clever chap; *voorwaarts* ~*!* forward march!; *ingerukt* ~*!* dismiss!
Mars Mars
het/de **marsepein** marzipan
de **marskramer** hawker, pedlar
het **marsmannetje** Martian
de **martelaar** martyr
het **martelaarschap** martyrdom
de **marteldood** death through torture
martelen torture
de **martelgang** [ook fig] calvary
de **marteling** torture
de **¹marter** (zn) [dier] marten
het **²marter** (zn) [bont] marten
de **Martinikaan** inhabitant (of: native) of Martinique

Martinikaans of/from Martinique
Martinique Martinique
het **marxisme** Marxism
de **marxist** Marxist
de **mascara** mascara
de **mascotte** mascot
het **masker** mask
de **maskerade 1** [optocht] masked procession **2** [feest, figuurlijk] masquerade
maskeren mask, disguise
het **masochisme** masochism
de **masochist** masochist
de **massa 1** [groot aantal, hoeveelheid] mass, heaps: *hij heeft een* ~ *vrienden* he has heaps (of: loads) of friends; ~ *'s mensen* masses (of: swarms) of people **2** [m.b.t. mensen] mass, crowd; [pol] masses [mv]: *met de* ~ *meedoen* go with (of: follow) the crowd
massaal 1 massive: ~ *verzet* massive resistance **2** mass, wholesale; bulk [goederen]
de **massabijeenkomst** mass meeting
de **massage** massage
het **massagraf** mass grave
de **massamedia** mass media [ook ev]
de **massamoord** mass murder
de **massaproductie** mass production
de **massasprint** field sprint
het **massavernietigingswapen** weapon of mass destruction
masseren massage, do a massage on
de **masseur** masseur
massief solid, massive, heavy: *een ring van zilver* a ring of solid silver
de **mast 1** [op schepen; antenne] mast: *de* ~ *strijken* lower the mast **2** [voor elektriciteitdraden] pylon
de **master** Master: *zijn* ~ *doen* do one's MA/MSc/Master's, take one's finals
het **masterplan** master plan
masturberen masturbate
de **¹mat** (zn) mat: ~*ten kloppen* beat (of: shake mats
²mat (bn) [schaakmat] checkmate: ~ *staan* checkmated; *iem.* ~ *zetten* checkmate s.o.
³mat (bn, bw) **1** mat(t); dull [klank, oog, markt]; dim [licht]; pearl [gloeilamp] **2** [nie doorschijnend] mat(t); [(venster)glas] froste
de **matador** matador
de **match** match: *er was geen* ~ *tussen hen* the didn't click, they were not well-matched
het **matchpoint** [sport] match point: *op* ~ *sta* be at match point
de **mate** measure, extent, degree: *in dezelfde* ~ equally, to the same extent; *in mindere* ~ a lesser degree; *in grote* (of: *hoge*) ~ to a great (of: large) extent, largely
mateloos immoderate, excessive: ~ *rijk* ir mensely rich
de **matennaaier** rat
het **materiaal** material(s)

de **materialist** materialist
materialistisch materialistic
de **materie** matter; [zaak, kwestie] (subject) matter
het **¹materieel** (zn) material(s), equipment: *rollend ~* rolling stock
²materieel (bn) material: *materiële schade* property (*of:* material) damage
de **materniteit** [Belg] maternity ward
het **matglas** frosted glass
de **mathematicus** mathematician
mathematisch mathematical
matig 1 moderate **2** [tamelijk slecht] moderate, mediocre
matigen moderate, restrain: *matig uw snelheid* reduce your speed
de **matiging** moderation
de **matinee** matinee
matineus early
het **matje** mat: *op het ~ moeten komen* **a)** [ter verantwoording] be put on the spot; **b)** [berisping] be (put) on the carpet
de **matrak** [Belg] truncheon, baton
het/de **matras** mattress
de **matrijs** mould, matrix
de **matrix** matrix
de **matroos** sailor
de **matse** matzo
matsen [inf] do a favour; [m.b.t. baantje e.d.] wangle
de **mattenklopper** carpet-beater
Mauritaans Mauritanian
Mauritanië Mauretania
de **Mauritaniër** Mauritanian
de **Mauritiaan** Mauritian
Mauritiaans Mauritian
Mauritius (island of) Mauritius
het **mausoleum** mausoleum
mauwen 1 [miauwen] miaow, mew **2** [zeuren] whine
de **mavo** school for lower general secondary education
m.a.w. afk van *met andere woorden* in other words
het **maxi** maxi
¹maximaal (bn) maximum, maximal
²maximaal (bw) at (the) most: *dit werk duurt ~ een week* this work takes a week at most
het **maximum** maximum
de **maximumsnelheid** speed limit [van weg]; maximum speed [van voertuig]
de **maximumtemperatuur** maximum temperature
de **mayonaise** mayonnaise: *patat met ~* chips with mayonnaise; [Am] French fries with mayonnaise
de **mazelen** measles
de **mazout** [Belg] (heating) oil
de **mazzel** (good) luck: *de ~!* see you!; *~ hebben* have (good) luck

mazzelen have (good) luck
het **mbo** afk van *middelbaar beroepsonderwijs* intermediate vocational education
m.b.v. afk van *met behulp van* by means of
me me
de **ME** afk van *mobiele eenheid* anti-riot squad
de **meander** meander
het **meao** afk van *middelbaar economisch en administratief onderwijs* intermediate business education
de **mecanicien** mechanic
de **meccano** meccano (set)
de **mechanica** mechanics
het/de **mechaniek** mechanism
de **mechanisatie** mechanization
mechanisch mechanical: *~ speelgoed* clockwork toys
mechaniseren mechanize
het **mechanisme** mechanism; [fig ook] machinery
de **medaille** medal
het **medaillon** medallion; [openspringend] locket
mede [form] also: *~ hierdoor* as a consequence of this and other factors; *~ namens* also on behalf of; *~ wegens* partly due to
de **medeburger** fellow citizen
mededeelzaam communicative
de **mededeling** announcement, statement
het **mededelingenbord** notice board
de **mededinger** rival; [in wedstrijd] competitor
het **mededogen** compassion
de **mede-eigenaar** joint owner
de **medeklinker** consonant
de **medeleerling** fellow pupil
het **medeleven** sympathy: *oprecht ~* sincere sympathy; *mijn ~ gaat uit naar* my sympathy lies with; *zijn ~ tonen* express one's sympathy
het **medelijden** pity, compassion: *heb ~ (met)* have mercy (upon); *~ met zichzelf hebben* feel sorry for o.s.
de **medemens** fellow man
medeplichtig accessory
de **medeplichtige** accessory (to), accomplice; [handlanger] partner
de **medereiziger** fellow traveller (*of:* passenger)
medeschuldig implicated (in), also guilty, also to blame
de **medestander** supporter
medeverantwoordelijk jointly responsible (for), co-responsible (for)
de **medewerker 1** fellow worker, co-worker; [aan boek e.d.] collaborator; [aan krant enz.] contributor, correspondent: *onze juridisch* (*of: economisch*) *~* our legal (*of:* economics) correspondent **2** employee, staff member
de **medewerking** cooperation, assistance: *de politie riep de ~ in van het publiek* the police made an appeal to the public for coopera-

tion

het **medeweten** (fore)knowledge: *dit is buiten mijn ~ gebeurd* this occurred unknown to me (*of:* without my knowledge)

de **medezeggenschap** say; [in bedrijf] participation

de **media** media

mediageniek mediagenic

de **mediaspeler 1** [computerprogramma] media player **2** [apparaat] (portable) media player

de **mediastilte** media silence

de **mediatheek** multimedia centre (*of:* library)

de **mediator** mediator

het **medicament** medicament, medicine

de **medicijn** medicine: *een student (in de) ~en* a medical student

het **medicijnkastje** medicine chest (*of:* cabinet)

de **medicus** doctor, medical practitioner

medio in the middle of: *~ september* in mid-September

medisch medical: *op ~ advies* on the advice of one's doctor

de **meditatie** meditation

mediteren meditate

mediterraan Mediterranean

het **¹medium** (zn) medium

²medium (bn) [m.b.t. kledingmaten] medium(-sized)

mee with, along: *waarom ga je niet ~?* why don't you come along? ‖ *met de klok ~* clockwise; *kan ik ook ~?* can I come too?; *hij heeft zijn uiterlijk ~* he has his looks going for him; *dat kan nog jaren ~* that will last for years; *het kan er ~ door* it's all right, it'll do; *ergens te vroeg* (*of: te laat*) *~ komen* be too early (*of:* late) with sth.

meebrengen 1 bring (along) (with one): *wat zal ik voor je ~?* what shall I bring you? **2** involve: *de moeilijkheden die dit met zich heeft meegebracht* the difficulties which resulted from this

¹meedelen (onov ww) share (in), participate (in): *alle erfgenamen delen mee* all heirs are entitled to a share

²meedelen (ov ww) inform (of), let … know; [officieel] notify, announce; [berichten] report: *ik zal het haar voorzichtig ~* I shall break it to her gently; *hierbij deel ik u mee, dat … * I am writing to inform you that …

meedingen compete

meedoen join (in), take part (in): *mag ik ~?* can I join in (*of:* you)?; *~ aan een wedstrijd* compete in a game; *~ aan een project* (*of: staking*) take part in a project (*of:* strike); *oké, ik doe mee* okay, count me in

meedogenloos merciless

mee-eten eat with (s.o.)

de **mee-eter** blackhead, whitehead

meegaan 1 go along (*of:* with), accompany, come along (*of:* with): *is er nog iem. die meegaat?* is anyone else coming (*of:* going)? **2** [fig] go (along) with, agree (with): *met de mode ~* keep up with (the) fashion **3** [bruikbaar blijven] last: *dit toestel gaat jaren mee* this machine will last for years

meegaand compliant, pliable

¹meegeven (onov ww) give (way), yield: *de planken geven niet mee* there is no give in the boards

²meegeven (ov ww) give: *iem. een boodschap ~* send a message with s.o.

meehelpen help (in, with), assist (with)

¹meekomen (onov ww) **1** come (also), come along **2** [in school] keep up (with)

²meekomen (onov ww) **1** come (along, with, also): *ik heb er geen bezwaar tegen als h meekomt* I don't object to his coming (along **2** [van tempo e.d.] keep up (with)

meekrijgen 1 get, receive: *kan ik het geld direct ~?* can I have the money immediately **2** [op zijn hand krijgen] win over, get on one's side

het **meel** flour

de **meeldraad** stamen

meeleven sympathize

meelijwekkend pitiful

meelopen walk along (with), accompany

de **meeloper** hanger-on

meeluisteren listen (in)

meemaken experience; [doorstaan] go through; live; [zien gebeuren] see; [deelnemen aan] take part (in): *had hij dit nog maar mee mogen maken* if he had only lived to se this; *ze heeft heel wat meegemaakt* she has seen (*of:* been through) a lot

meenemen take along (*of:* with): [in restaurant, bijv. Chinees eten] *~ graag* to take away please ‖ *dat is meegenomen* that's a (welcome) bonus, that's (always) sth.

meepraten take part (*of:* join) in a conve sation: *daar kun je niet over ~* you don't kno anything about it

het **¹meer** (zn) [water] lake

²meer (telw) **1** more: *~ dood dan levend* more dead than alive; *des te ~* all the more (so); *steeds ~* more and more; *hij heeft ~ bo ken dan ik* he has got more books than I (have) **2** [verder] more, further: *wie waren nog ~?* who else was there?; *wat kan ik nog doen?* what else can I do? **3** [met ontkenning] any more, no more, (any) longer: *zij i geen kind ~* she is no longer a child; *hij had geen appels ~* he had no more apples, he w out of apples **4** [vaker] more (often): *we moeten dit ~ doen* we must do this more of ten ‖ *onder ~* among other things; [personen] among others; *zonder ~* **a)** [beslist] na urally, of course; **b)** [meteen] right away

de **ME'er** riot policeman

meerdaags of (*of:* for) more than one day: ~*e weerprognose* weather forecast for the coming days

de ¹**meerdere** (zn) superior; [mil] superior officer

²**meerdere** (telw) several, a number of

de **meerderheid** majority

meerderjarig of age: ~ *worden* come of age

de **meerderjarige** adult

de **meerderjarigheid** adulthood, legal age

meerderlei multiple

meerekenen count (in)

meerijden come (*of:* ride) (along) with: *ik vroeg of ik mee mocht rijden* I asked for a lift

meerjarig of more than one year; long-term

de **meerkeuzetoets** multiple-choice test

de **meerkeuzevraag** multiple-choice question

de **meerkoet** coot

meermaals several times, more than once

meeroken be subjected to passive smoking

de **meerpaal** mooring post

meerstemmig many-voiced

het **meervoud** plural: *in het* ~ (in the) plural

¹**meervoudig** (bn) plural

²**meervoudig** (bw) poly-, multi-: ~ *onverzadigde vetzuren* polyunsaturated fatty acids

de **meerwaarde** surplus (*of:* excess) value

het **meerwerk** [bouwk] additional (*of:* extra) work

meerzijdig multilateral

de **mees** tit

meesjouwen lug; [Am] tote

meeslepen 1 drag (along) 2 carry (with, away): *zich laten* ~ get carried away

meeslepend compelling, moving

meesleuren sweep away (*of:* along)

meesmuilen smirk

meespelen [in spel] take part (*of:* join) in a game; play (along with); [in toneelstuk, film] be a cast member

¹**meest** (bn) 1 most, the majority of: *op zijn* ~ at (the) most 2 [zeer veel, groot] most, greatest

²**meest** (bw) most, best: *de* ~ *gelezen krant* the most widely read newspaper

meestal mostly, usually

de **meester** 1 master: ~ *in de rechten* ± Master of Laws 2 [onderwijzer] teacher, (school)-master

het **meesterbrein** mastermind

de **meesteres** mistress

de **meesterhand** master-hand, touch of the master

meesterlijk masterly

het **meesterschap** mastery, skill

het **meesterstuk** masterpiece

het **meesterwerk** masterpiece, masterwork

de **meet**: *van* ~ *af aan* from the beginning

meetbaar measurable

¹**meetellen** (onov ww) count: *dat telt niet mee* that doesn't count

²**meetellen** (ov ww) count also, count in, include

de **meeting** meeting

het **meetinstrument** measuring instrument

de **meetkunde** geometry

de **meetlat** measuring rod: [fig] *iem. langs de* ~ *leggen* judge s.o.

het **meetlint** tape-measure

meetronen coax along

de **meeuw** (sea)gull

meevallen turn out (*of:* prove, be) better than expected: *dat zal wel* ~ it won't be so bad

de **meevaller** piece (*of:* bit) of luck: *een financiële* ~ a windfall

meevoelen sympathize (with)

meevoeren carry (along)

meewarig pitying: *met een* ~*e blik keek ze hem aan* she looked at him pityingly

meewerken 1 cooperate, work together: *we werkten allemaal een beetje mee* we all pulled together, we all did our little bit 2 [helpen] assist: *allen werkten mee om het concert te laten slagen* everyone assisted in making the concert a success || ~*d voorwerp* indirect object

meezingen sing along (with)

meezitten be favourable: *het zat hem niet mee* luck was against him; *als alles meezit* if all goes well, if everything runs smoothly

de **megabioscoop** multiplex

de **megabyte** megabyte

de **megafoon** megaphone

de **megahertz** megahertz

megalomaan megalomaniac(al)

de **mei** May

de **meid** girl, (young) woman: *je bent al een hele* ~ you're quite a woman (*of:* girl)

de **meidengroep** female band

de **meidoorn** hawthorn

de **meikever** May-bug, cockchafer

de **meineed** perjury

het **meisje** 1 girl, daughter 2 [jonge vrouw] girl, young woman (*of:* lady) 3 [vriendin] girlfriend 4 [dienstmeisje] girl, maid

meisjesachtig girlish, girl-like

de **meisjesnaam** maiden name

mej. afk van *Mejuffrouw* Miss

de **mejuffrouw** Miss; [gehuwde of ongehuwde vrouw] Ms

mekaar [inf] each other, one another || *komt voor* ~ OK, I'll see to it

het **mekka** Mecca

mekkeren 1 [van geit] bleat 2 [zaniken] keep on (at s.o. about sth.), nag

melaats leprous

de **melaatsheid** leprosy

de **melancholie** melancholy

melancholiek melancholy
de **melange** blend, mélange
¹**melden** (ov ww) report, inform (of); [aankondigen] announce: *ze heeft zich ziek gemeld* she has reported (herself) sick; *she called in sick*; *niets te ~ hebben* [fig] have nothing (*of:* no news) to report
zich ²**melden** (wdk ww) report, check in
de **melding** mention(ing), report(ing)
de **meldkamer** centre; [voor noodgevallen] emergency room
melig corny
de **melk** milk: *halfvolle ~* low-fat milk; *koffie met ~* white coffee
de **melkboer** milkman
de **melkbus** milk churn
melken milk
de **melkfles** milk bottle
het **melkgebit** milk teeth
de **melkkoe 1** dairy cow **2** [fig] milch cow
het/de **melkpoeder** powdered milk, dehydrated milk
de **melktand** milk tooth
het **melkvee** dairy cattle
de **melkveehouder** dairy farmer
de **Melkweg** Milky Way
de **melodie** melody, tune
melodieus melodious
het **melodrama** melodrama
melodramatisch melodramatic(al)
de **meloen** melon
het/de **membraan** membrane
het/de **memo** memo
de **memoires** memoirs
memorabel memorable
het **memorandum** memorandum, note
memoreren mention, remind
de **memorie 1** [geheugen] memory: *kort van ~ zijn* have a short memory **2** [beschouwing] memorandum: [pol] *~ van toelichting* explanatory memorandum
men 1 people; [inf] people; they: *~ zegt* it is said, people (*of:* they) say; *~ zegt dat hij ziek is* he is said to be ill **2** [ik en iedereen met mij] one; [inf] you: *~ kan hen niet laten omkomen* they cannot be allowed to die; *~ zou zeggen dat ...* by the look of it ... **3** [één of meer personen] one; [inf] they: *~ had dat kunnen voorzien* that could have been foreseen; *~ hoopt dat ...* it is hoped that ...
de **meneer** gentleman; [met naam] Mr
menen 1 mean: *dat meen je niet!* you can't be serious!; *ik meen het!* I mean it! **2** [bedoelen] intend, mean: *het goed met iem. ~ mean* well towards s.o. **3** [veronderstellen] think: *ik meende dat ...* I thought ...
menens: *het is ~* it's serious
de **mengeling** mixture
het **mengelmoes** mishmash, jumble
¹**mengen** (ov ww) **1** mix, blend: *door elkaar ~ mix* together **2** [in verband brengen] mix,

bring in: *mijn naam wordt er ook in gemengd* my name was also brought in (*of:* dragged in)
zich ²**mengen** (wdk ww) [zich inlaten met] get (o.s.) involved (in), get (o.s.) mixed up (in): *zich in de discussie ~* join in the discussion
de **mengkleur** mixed (*of:* blended) colour
de **mengkraan** mixer tap
het **mengpaneel** mixing console, mixer
het **mengsel** mixture, blend
de **menie** red lead
meniën red-lead
menig many [met mv]; many a [met ev]: *in opzicht* in many respects
menigeen many (people)
menigmaal many times, many a time
de **menigte** crowd
de **mening** opinion, view: *afwijkende ~* dissenting view (*of:* opinion); *zijn ~ geven* give one's opinion (*of:* view); *naar mijn ~* in my opinion (*of:* view), I think, I feel; *van ~ veranderen* change one's opinion (*of:* view); *voor zijn ~ durven uitkomen* stand up for one's opinion
de **meningsuiting** (expression of) opinion, speech: *vrije ~* freedom of speech
het **meningsverschil** difference of opinion
de **meniscus** meniscus, kneecap
mennen drive
de **menopauze** menopause
de ¹**mens** (zn) **1** human (being), man; [mensdom] man(kind): *ik ben ook maar een ~* I'm only human; *dat doet een ~ goed* that does you good; *geen ~* not a soul **2** [mv; personen] people: *de gewone ~en* ordinary people **3** [type] person: *een onmogelijk ~ zijn* be impossible (to deal with)
het ²**mens** (zn) [vrouw] thing, creature: *het is e braaf (best) ~* she's a good (old) soul
de **mensa** refectory; [voor studenten] (student) cafeteria
de **mensaap** anthropoid (ape), man ape
het **mensbeeld** portrayal of man(kind)
menselijk 1 human: *vergissen is ~* to err is human **2** [humaan] humane: *niet ~* inhumane, inhuman
de **menselijkheid** humanity: *misdaden tege de ~* crimes against humanity
de **menseneter** cannibal
de **mensengedaante** human form
de **mensenhandel** human trafficking
de **mensenhater** misanthrope
de **mensenheugenis** human memory: *sind ~ from (of:* since) time immemorial
de **mensenkennis** insight into (human) character (*of:* human nature)
het **mensenleven** (human) life
de **mensenmassa** crowd
de **mensenrechten** human rights
mensenschuw shy, afraid of people
de **mensensmokkel** frontier-running

de **mensenvriend** philanthropist

het **mens-erger-je-niet** ludo; [Am] sorry

de **mensheid** human nature, humanity

menslievend charitable, humanitarian; [weldadig] philanthropic

mensonterend degrading, disgraceful

mensonwaardig degrading

de **menstruatie** menstruation, period

de **menstruatiepijn** menstrual pain

menstrueren menstruate

menswaardig decent, dignified

de **menswetenschappen** [biologie, medicijnen, antropologie enz.] life sciences; [politiek, economie enz.] social sciences

mentaal mental

de **mental coach** mental coach

de **mentaliteit** mentality

de **menthol** menthol

de **mentor 1** [studiebegeleider] tutor; [Am] student adviser **2** [adviseur] mentor

et/de **menu** menu

de **menubalk** menu bar, button bar

et/de **menuet** minuet

de **menukaart** menu

de **mep** smack ‖ *de volle ~* the full whack

meppen smack

merci thanks

Mercurius Mercury

de **merel** blackbird

meren moor

het **merendeel** greater part; [van iets telbaars ook] majority

merendeels 1 [voor het grootste gedeelte] for the most part **2** [meestal] mostly

het **merg** (bone) marrow: *die kreet ging door ~ en been* it was a harrowing (*of:* heart-rending) cry

de **mergel** marl

de **meridiaan** meridian

het **merk 1** [handelsmerk] brand (name), trademark; [technische producten] make [tv, auto, ijskast enz.] **2** [teken] mark; [keur] hallmark [bijv. op zilver, goud]

het **merkartikel** proprietary brand

merkbaar noticeable

merken 1 notice, see: *dat is (duidelijk) te ~* it shows; *hij liet niets ~* he gave nothing away; *je zult het wel ~* you'll find out; *ik merkte het aan zijn gezicht* I could tell (*of:* see) by the look on his face **2** [markeren] mark; [met brandmerk] brand

de **merkkleding** designer wear (*of:* clothes)

merkwaardig [vreemd] peculiar: *het ~e van de zaak is ...* the curious (*of:* odd) thing (about it) is ...

de **merrie** mare

het **mes** knife; [van apparaat] blade: *het ~ snijdt aan twee kanten* it is doubly advantageous

mesjogge crazy, nutty

het **mespunt** *een ~je zout toe* a pinch of salt

de **mess** mess (hall), messroom

messcherp razor-sharp

de **Messias** Messiah

het **messing** brass

de **messteek** stab (of a knife)

de **mest 1** manure **2** [kunstmatig] fertilizer

mesten fertilize; [van dieren] fatten

de **mesthoop** dunghill

het **mestkalf** fatting calf

de **mestvaalt** dunghill

het **mestvee** beef cattle, store cattle, fatstock

de **mestvork** dung fork

met 1 (along) with, of: *~ Janssen* [aan de telefoon] Janssen speaking (*of:* here); *~ wie spreek ik?* [aan de telefoon] who am I speaking to?; *spreken ~ iem.* speak to s.o.; *~ (zijn) hoevelen zijn zij?* how many of them are there? **2** [plus] with, and; [inclusief] including: *~ rente* with interest; *~ vijf* plus (*of:* and) five; *tot en ~ hoofdstuk drie* up to and including chapter three **3** [vermengd met] (mixed) with, and **4** [door middel van] with, by, through, in: *~ de trein van acht uur* by the eight o'clock train **5** [gelijktijdig met] with, by, at: *ik kom ~ Kerstmis* I'm coming at Christmas ‖ *een zak ~ geld* a bag of money

de ¹**metaal** (zn) metal industry; [m.b.t. staal] steel industry

het ²**metaal** (zn) metal

metaalachtig metallic: *het klinkt ~* it sounds metallic

de **metaalbewerking** metalworking

de **metaaldetector** metal detector

de **metaalindustrie** metallurgical industry

de **metaalmoeheid** metal fatigue

de **metafoor** metaphor: *om een ~ te gebruiken* metaphorically speaking

metafysisch metaphysical

metalen 1 metal, metallic **2** [als van metaal] metallic

metallic metallic

de **metamorfose** metamorphosis

meteen 1 immediately, at once, right (*of:* straight) away: *ze kwam ~ toen ze het hoorde* she came as soon as she heard it; *dat zeg ik u zo ~* I'll tell you in (just) a minute; *ze was ~ dood* she was killed instantly; *nu ~* (right) now, this (very) minute **2** [tegelijkertijd] at the same time, too: *koop er ook ~ eentje voor mij* buy one for me (too) while you're about it

meten measure; [met meettoestel] meter

de **meteoor** meteor

de **meteoriet** meteorite

de **meteorologie** meteorology

meteorologisch meteorological

de **meteoroloog** meteorologist

de ¹**meter** (zn) **1** metre: *méters boeken* yards of books; *vierkante* (*of:* *kubieke*) *~ square* (*of:* cubic) metre **2** [meetapparaat] meter, gauge: *de ~ opnemen* read the meter **3** [wijzer, naald] indicator, (meter) needle ‖ *voor*

geen ~ not at all, no way
de ²**meter** (zn) [peettante] godmother
de **meterkast** meter cupboard
de **metgezel** companion
het **methaan** methane
het **methadon** methadone
de **methode** method, system
de **methodiek** methodology
de **meting** measuring, measurement
metriek metric
de **metro** underground (railway); [Am] subway; [m.b.t. Londen ook] tube; [m.b.t. Europese steden, ook] metro
de **metronoom** metronome
de **metropool** metropolis
het **metrostation** undergroundstation; [Am] subway station; [m.b.t. Londen ook] tube station; [m.b.t. Europese steden, ook] metro station
het **metrum** metre
de **metselaar** bricklayer
metselen build (in brick, with bricks); [bakstenen op elkaar voegen] lay bricks
de **metten**: *korte ~ maken (met)* make short (*of:* quick) work (of)
metterdaad indeed, in fact
het **meubel** piece of furniture; [mv] furniture
de **meubelboulevard** furniture heaven (*of:* strip)
de **meubelmaker** furniture maker
de **meubelzaak** furniture business (*of:* shop)
het **meubilair** furniture, furnishings
meubileren furnish
de **meug**: *iets tegen heug en ~ opeten* force down sth.
de **meute** gang, crowd
de **mevrouw** 1 madam, ma'am, miss 2 [m.b.t. een (gehuwde) vrouw] Mrs; [gehuwd, ongehuwd] Ms
de **Mexicaan** Mexican
Mexicaans Mexican
Mexico Mexico
mezelf myself, me: *ik vermaak ~ wel* I'll look after myself
de **mezzosopraan** mezzo-soprano
m.i. afk van *mijns inziens* in my opinion
miauw miaow, mew
miauwen miaow, mew
de **micro** [Belg] mike
de **microbe** microbe
de **microfilm** microfilm
de **microfoon** microphone; [inf] mike
de **microgolf** [Belg] microwave
het **microkrediet** microcredit
het **micro-organisme** micro-organism
de **microprocessor** microprocessor
de **microscoop** microscope
microscopisch microscopic: *~ klein* microscopic
de **middag** 1 afternoon: *'s ~s* in the afternoon; *om 5 uur 's ~s* at 5 o'clock in the afternoon, at

5 p.m. 2 [12 uur] noon: *tussen de ~* at lunchtime
het **middagdutje** afternoon nap
het **middageten** lunch(eon)
de **middagpauze** lunch hour, lunchtime, lunch-hour break
de **middagtemperatuur** afternoon temperature
het **middaguur** [12 uur 's middags] noon
het **middel** 1 [taille] waist 2 [hulpmiddel] means: *het is een ~, geen doel* it's a means to an end; *door ~ van* by means of 3 [geneesmiddel] remedy: *een ~tje tegen hoofdpijn* a headache remedy; *het ~ is soms erger dan de kwaal* the remedy may be worse than the disease
middelbaar middle; [m.b.t. onderwijs] secondary
de **middeleeuwen** Middle Ages
middeleeuws medi(a)eval: *~e geschriften* medi(a)eval documents; *~e opvattingen* medi(a)eval ideas
het **middelgebergte** low mountain range
middelgroot medium-size(d)
middellands Mediterranean: *de Middellandse Zee* the Mediterranean (Sea)
middellang 1 [m.b.t. lengte] medium (length (*of:* range)) 2 [m.b.t. duur] medium length (*of:* term)
de **middellijn** diameter
de **middelmaat** average
middelmatig average, mediocre: *ik vind het maar ~* I think it's pretty mediocre
de **middelmatigheid** mediocrity
het **middelpunt** centre, middle
middelpuntvliedend centrifugal
middels by means of
middelst middle(most)
de **middelvinger** middle finger
het ¹**midden** (zn) 1 middle, centre: *dat laat ik in het ~* I won't go into that; *de waarheid ligt in het ~* the truth lies (somewhere) in between 2 [m.b.t. een verzameling] middle, midst: *~ van* in the midst of, among
²**midden** (bw) in the middle of: *~ in de zomer* in the middle of (the) summer; *hij is ~ (in de) veertig* he is in his middle forties (*of:* mid-forties)
Midden-Amerika Central America
de **middenberm** central reservation
middendoor in two
Midden-Europa Central Europe
Midden-Europees Central-European
de **middengolf** medium wave
middenin in the middle (*of:* centre)
de **middenjury** [Belg] central examination committee
het **middenkader** middle management
de **middenklasse** medium range (*of:* size)
de **middenmoot** middle bracket (*of:* group): *die sportclub hoort thuis in de ~* that's just a

average club
de **middenmoter** [inf] ± average joe; [Am] average guy
het **middenoor** middle ear
het **Midden-Oosten** Middle East
het **middenpad** (centre) aisle; [trein, zaal ook] gangway
het **middenrif** midriff, diaphragm
het **middenschip** [bouwk] nave
de **middenstand** (the) self-employed, tradespeople
de **middenstander** tradesman, shopkeeper
het **middenstandsdiploma** ± retailer's certificate (of: diploma)
de **middenstip** centre spot
het **middenveld** midfield
de **middenvelder** midfielder, midfield player
de **middenweg** [fig] middle course, medium: de gulden ~ the golden mean, the happy medium
de **middernacht** midnight
middernachtelijk midnight
het **midgetgolf** miniature golf, midget golf
de **midlifecrisis** midlife crisis
de **midvoor** centre forward
de **midweek** midweek
de **midwinter** midwinter
de **miep** bird; [Am] broad
de **mier** ant
de **miereneter** ant-eater
de **mierenhoop** anthill
de **mierenneuker** nitpicker
de **mierikswortel** horseradish
het **mietje** [scheldwoord; inf] gay, pansy
miezeren drizzle
miezerig 1 drizzly **2** [klein] tiny, puny
de **migraine** migraine
de **migrant** migrant
de **migratie** migration
migreren migrate
de **mihoen** (thin) Chinese noodles
mij 1 me: hij had het (aan) ~ gegeven he had given it to me; dat is van ~ that's mine; een vriend van ~ a friend of mine; dat is ~ te duur that's too expensive for me **2** myself: ik schaam ~ zeer I am deeply ashamed
mijden avoid
de **mijl** mile
mijlenver miles (away); [bw ook] for miles
de **mijlpaal** milestone
mijmeren muse (on), (day)dream (about)
de **¹mijn** (zn) mine [ook militair]: op een ~ lopen strike (of: hit) a mine
²mijn (bez vnw) my ‖ daar moet ik het ~e van weten I must get to the bottom of this
de **mijnbouw** mining (industry)
de **mijnenlegger** minelayer; [mv ook] minecraft
de **mijnenveger** minesweeper
het **mijnenveld** minefield
mijnerzijds [form] on (of: for) my part

de **mijnheer 1** [als aanspreking] sir: ~ de voorzitter Mr chairman; ~ Jansen Mr Jansen **2** [heer] gentleman
de **mijnschacht** mine shaft
de **mijnwerker** miner
de **mijt** mite
de **mijter** mitre
mijzelf myself
mikken (take) aim: ~ op iets (take) aim at sth.
de **mikmak** caboodle
het **mikpunt** butt, target
Milaan Milan
mild mild; soft [regen]; gentle
de **milicien** [Belg; vero] conscript
het **milieu 1** milieu: iem. uit een ander ~ from a different social background (of: milieu) **2** [biol] environment
het **milieubeheer** conservation (of nature), environmental protection
de **milieubescherming** conservation, environmental protection
de **milieubeweging** ecology movement, environmental movement
milieubewust environment-minded, environmentally conscious
de **milieueffectrapportage** environmental impact statement
de **milieuheffing** environmental tax (of: fee)
de **milieuramp** environmental disaster
de **milieuvervuiling** environmental pollution
milieuvriendelijk ecologically sound, environmentally friendly (of: safe)
de **milieuwetgeving** environmental legislation
de **¹militair** (zn) soldier, serviceman
²militair (bn, bw) military: in ~e dienst gaan do one's military service, join the Army
de **militant** [Belg] activist
militaristisch militarist(ic)
de **militie** [Belg; vero] compulsory military service
miljard billion, (a, one) thousand million: de schade loopt in de ~en euro's the damage runs into billions of euros
de **miljardair** multimillionaire
miljardste billionth
het **miljoen** million
de **miljoenennota** budget
de **miljoenenschade** damage amounting to millions
de **miljoenenstad** city with over a million inhabitants
de **miljoenste** millionth
de **miljonair** millionaire
de **milkshake** milk shake
het **mille** (one) thousand
het **millennium** millennium
de **millibar** millibar
het **milligram** milligram

de **milliliter** millilitre
de **millimeter** millimetre
millimeteren [haar] crop
de **milt** spleen
het **miltvuur** [med] anthrax
de **mime** mime
de **mimespeler** mime artist
de **mimiek** facial expression
de **mimosa** mimosa
de [1]**min** (zn) minus; [teken] minus (sign) ‖ *zij heeft op haar rapport een zeven* ~ she has a seven minus on her report; *de thermometer staat op* ~ *10°* the thermometer is at minus 10°; *tien* ~ *drie is zeven* ten minus three equals seven; ~ *of meer* more or less
[2]**min** (bn) **1** [niet goed genoeg] poor: *arbeiders waren haar te* ~ workmen were beneath her **2** [weinig] little, few: *zo* ~ *mogelijk fouten maken* make as few mistakes as possible
minachten disdain, hold in contempt
minachtend disdainful, contemptuous: ~ *behandelen* treat with contempt
de **minachting** contempt, disdain: *uit* ~ *voor* in contempt of
de **minaret** minaret
de **minarine** [Belg] low-fat margarine
minder 1 less, fewer; [kleiner] smaller: *hij heeft niet veel geld, maar nog* ~ *verstand* he has little money and even less intelligence; *dat was* ~ *geslaagd* that was less successful; *hoe* ~ *erover gezegd wordt, hoe beter* the less said about it the better; *vijf minuten meer of* ~ give or take five minutes; *groepen van negen en* ~ groups of nine and under **2** [slechter] worse: *mijn ogen worden* ~ my eyes are not what they used to be
minderbedeeld less fortunate
de **mindere** inferior
minderen decrease: *vaart* ~ slow down; ~ *met (roken)* cut down on (smoking)
de **minderheid** minority
de **mindering** decrease: *iets in* ~ *brengen (op)* deduct sth. (from)
minderjarig minor: ~ *zijn* be a minor
de **minderjarigheid** minority
minderwaardig inferior (to)
de **minderwaardigheid** inferiority
het **minderwaardigheidscomplex** inferiority complex
mineraal mineral ‖ *rijk aan mineralen* rich in minerals
het **mineraalwater** mineral water
de **mineur** minor
het **mini** mini
de **miniatuur** miniature
de **minibar** minibar
de [1]**miniem** (zn) [Belg] junior member (10, 11 years) of sports club
[2]**miniem** (bn, bw) small, slight, negligible
de **minima** minimum wage earners
minimaal 1 minimal, minimum: ~ *preste-*

ren perform very poorly **2** [minstens] at leas
minimaliseren minimize
het **minimum** minimum
de **minimumleeftijd** minimum age
het **minimumloon** minimum wage
de **minimumtemperatuur** minimum temperature
de **minirok** miniskirt
de **minister** minister, secretary of state; [Am] secretary: ~ *van Binnenlandse Zaken* Ministe of the Interior; Home Secretary; [Am] Secre tary of the Interior; ~ *van Buitenlandse Zake* Minister for Foreign Affairs; Secretary of State for Foreign and Commonwealth Affairs; Foreign Secretary; [Am] Secretary of State; ~ *van Defensie* Minister of Defence; Secretary of State for Defence; [Am] Secretary of Defense; Defense Secretary; ~ *van Economische Zaken* Minister for Economic Affairs; Secretary of State for Trade and Industry; [Am] ± Secretary for Commerce; ~ *va Financiën* Minister of Finance; Chancellor o the Exchequer; [Am] Secretary of the Treasury; ~ *van Justitie* Minister of Justice; ± Lord (High) Chancellor; [Am] ± Attorney Genera ~ *van Landbouw en Visserij* Minister of Agri culture and Fisheries; ~ *van Onderwijs en Wetenschappen* Minister of Education and Science; [Am] Secretary of Education; ~ *van Ontwikkelingssamenwerking* Minister for Overseas Development; ~ *van Sociale Zake en Werkgelegenheid* Minister for Social Services and Employment; [Am] ± Secretary of Labor; ~ *van Verkeer en Waterstaat* Minister of Transport and Public Works; [Am] Se retary of Transportation; ~ *van Volkshuisve ting, Ruimtelijke Ordening en Milieubeheer* Minister for Housing, Regional Developme and the Environment; [Am] ± Secretary for Housing and Urban Development; ~ *van Volksgezondheid, Welzijn en Sport* Ministe of Health, Welfare and Sport; [Am] ± Secre tary of Health and Human Services; *eerste* prime minister, premier
het **ministerie** ministry, department: ~ *van Buitenlandse Zaken* Ministry of Foreign Af fairs; Foreign (and Commonwealth) Office [Am] State Department; ~ *van Defensie* Mi istry of Defence; [Am] Department of Defense; (the) Pentagon; ~ *van Financiën* Min try of Finance; Treasury; [Am] Treasury De partment ‖ *het Openbaar Ministerie* the Pub lic Prosecutor
ministerieel ministerial: *de ministeriële v antwoordelijkheid* ministerial responsibili
de **minister-president** prime minister, pre mier
de **ministerraad** council of ministers
de **ministerspost** ministerial post
de **minnaar** lover, mistress
de **minne** *zie* [1]*min*

minnetjes poor

het **minpunt** minus (point)

minst 1 slightest, lowest: *niet de (het) ~e …* [kans, twijfel enz.] not a shadow of …, not the slightest … **2** least: *op z'n ~* at the (very) least; *bij het ~e of geringste* at the least little thing **3** least [bij niet-telbare naamwoorden]; fewest [bij telbare naamwoorden]: *zij verdient het ~e geld* she earns the least money; *de ~e fouten* the fewest mistakes

minstens at least: *ik moet ~ vijf euro hebben* I need five euros at least

de **minstreel** minstrel

het **minteken** minus (sign)

minus minus

minuscuul tiny, minuscule, minute

de **minutenwijzer** minute hand

minutieus meticulous: *iets ~ beschrijven* describe sth. in meticulous (of: minute) detail

de **minuut 1** minute: *het is tien minuten lopen* it's a ten-minute walk **2** [ogenblik] second, minute: *de situatie verslechterde met de ~* the situation was getting worse by the minute

het **mirakel** miracle, wonder

de **mirre** myrrh

de **¹mis** (zn) Mass

²mis (bn, bw) **1** [niet raak] out, off target: *~ poes!* tough (luck)!; *was het ~ of raak?* was it a hit or a miss? **2** [onjuist, verkeerd] wrong: *het liep ~* it went wrong; *daar is niks ~ mee* there's nothing wrong with that

het **misbaar** uproar, hullabaloo

het **misbaksel** bastard, louse

het **misbruik** abuse, misuse; [overmatig gebruik ook] excess: *~ van iem. maken* take advantage of s.o., use s.o., exploit s.o.; *seksueel ~* sexual abuse

misbruiken 1 abuse, misuse; impose upon [goedheid] **2** [verkrachten] violate

de **misdaad** crime

de **misdaadbestrijding** crime prevention, fight against crime

misdadig criminal

de **misdadiger** criminal

de **misdadigheid** crime, criminality

de **misdienaar** acolyte; [jongen ook] altar boy

misdoen do wrong

zich **misdragen** misbehave; [m.b.t. kinderen ook] be (a) naughty (boy, girl)

het **misdrijf** criminal offence, criminal act, crime; [jur] felony

de **misdruk** bad copy

miserabel miserable, wretched

de **misère** misery

misgaan go wrong: *dit plan moet haast wel ~* this plan is almost sure to fail

misgrijpen miss one's hold

misgunnen (be)grudge, resent

mishandelen ill-treat, maltreat; [lichamelijk letsel toebrengen] batter: *dieren ~* be cruel to (of: maltreat) animals

de **mishandeling** ill-treatment, maltreatment; [jur] battery

miskennen misunderstand: *een miskend genie* (of: *talent*) a misunderstood genius (of: talent)

de **miskenning** denial

de **miskleun** blunder, boob

de **miskoop** bad bargain, bad buy

de **miskraam** miscarriage

misleiden mislead, deceive: *iem. ~* lead s.o. up the garden path

de **misleiding** deception

¹mislopen (onov ww) [misgaan] go wrong, miscarry: *het plan liep mis* the plan miscarried (of: was a failure)

²mislopen (ov ww) miss (out on): [scherts] *hij is zijn carrière misgelopen* he missed his vocation, he's in the wrong business

de **mislukkeling** failure

mislukken fail, be unsuccessful, go wrong; [plan, poging ook] fall through; break down [onderhandelingen, huwelijk]: *een mislukte advocaat* (of: *schrijver*) a failed lawyer (of: writer); *een mislukte poging* an unsuccessful attempt

de **mislukking** failure

mismaakt deformed

de **mismaaktheid** deformity

het **mismanagement** mismanagement

mismoedig dejected, dispirited, discouraged

misnoegd displeased (with/at)

het **misnoegen** displeasure

de **mispel** medlar

mispeuteren [Belg] do sth. wrong, be up to

misplaatst out of place, misplaced; [opmerking ook] uncalled-for

misprijzen disapprove of: *een ~de blik* a look of disapproval, a disapproving look

het **mispunt** pain (in the neck), bastard, louse

zich **misrekenen** miscalculate

het **missaal** missal

misschien perhaps, maybe: *bent u ~ mevrouw Hendriks?* are you Mrs Hendriks by any chance?; *heeft u ~ een paperclip voor me?* do you happen to have (of: could you possibly let me have) a paper clip?; *het is ~ beter als …* it may be better (of: perhaps it's better) if …; *~ vertrek ik morgen, ~ ook niet* maybe I'll leave tomorrow, maybe not; *zoals je ~ weet* as you may know; *wilt u ~ een kopje koffie?* would you care for some coffee?

misselijk 1 sick (in the stomach): *om ~ van te worden* sickening, nauseating, disgusting **2** [onuitstaanbaar] nasty; [gedrag ook] disgusting; revolting: *een ~e grap* a sick joke

de **misselijkheid** (feeling of) sickness, nausea

missen miss, go without; [niet hebben zonder ook] spare; afford [vnl. m.b.t. geld]; [niet hebben] lack; [niet hebben] lose: [fig] *zijn* *doel* ~ miss the mark; *iem. zeer* ~ miss s.o. badly; *ik kan mijn bril niet* ~ I can't get along without my glasses; *kun je je fiets een paar uurtjes* ~? can you spare your bike for a couple of hours?; *ze kunnen elkaar niet* ~ they can't get along without one another; *ik zou het voor geen geld willen* ~ I wouldn't part with it (*of:* do without it) for all the world || *dat kan niet* ~ that can't fail (*of:* go wrong), that's bound to work (*of:* happen)

de **misser 1** failure, mistake, flop **2** [sport] miss; [schot] bad shot, poor shot; [worp] misthrow; bad throw; [biljarten] miscue

de **missie** mission; [bekeringsactiviteit] missionary work

de **missionaris** missionary

misslaan miss

misstaan not suit || *een verontschuldiging zou niet* ~ an apology would not be out of place

de **misstand** abuse, wrong

de **misstap 1** false step, wrong step **2** [verkeerde, slechte daad] slip: *een* ~ *begaan* make a slip; slip up

de **missverkiezing** beauty contest

de **mist** fog; [lichter] mist: *dichte* ~ (a) thick fog; *de* ~ *ingaan* **a)** [van dingen, zaken e.d.] go wrong (*of:* fail) completely; **b)** [m.b.t. grap ook] fall flat; **c)** [van personen] go wrong, be all at sea

de **mistbank** fog bank

misten be foggy, be misty

het **mistgordijn** curtain of fog

de **misthoorn** foghorn

mistig [nevelig] foggy; [lichter] misty

de **mistlamp** fog lamp

de **mistletoe** mistletoe

mistroostig 1 [m.b.t. personen] dispirited, dejected **2** [m.b.t. zaken] dismal, miserable

de **misvatting** misconception, fallacy

het **misverstand** misunderstanding: *een* ~ *uit de weg ruimen* clear up a misunderstanding

misvormd deformed, disfigured; [fig] distorted

de **misvorming 1** deformation; [fig] distortion **2** [datgene wat misvormd is] deformity; [fig] distortion

de **mitella** sling

de **mitrailleur** machine-gun

mits if, provided that: ~ *goed bewaard, kan het jaren meegaan* (if) stored well, it can last for years

de **mix** mix

de **mixdrank** mix

mixen mix

de **mixer** [handmixer] mixer; [bekervormig] liquidizer; blender

het **mkb** afk van *midden- en kleinbedrijf* small and medium-sized businesses

MKZ afk van *mond-en-klauwzeer* foot and mouth (disease)

ml afk van *milliliter* ml

de **mlk-school** school for children with learning problems

mm afk van *millimeter* mm

m.m.v. afk van *met medewerking van* with the cooperation of

mobiel mobile: ~*e telefoon* mobile (phone); [Am] cellphone

het **mobieltje** mobile (phone); [Am] cellphone

het/de **mobilhome** [Belg] camper (van)

de **mobilisatie** mobilization

mobiliseren mobilize

de **mobiliteit** [beweeglijkheid] mobility

de **mobilofoon** radio-telephone

de **mocassin** moccasin

modaal average

de **modaliteit 1** [taalk] modality **2** [voorwaarde] term

de **modder** mud; [slijk] sludge

het **modderbad** mudbath

modderen muddle (along, through)

het/de **modderfiguur**: *een* ~ *slaan* cut a sorry figure, look like a fool

modderig muddy

de **modderpoel** quagmire; [fig; smeerboel] mire

de **modderschuit** mud boat (*of:* barge)

moddervet gross(ly fat)

de **mode** fashion: *zich naar de laatste* ~ *kleden* dress after the latest fashion; *(in de)* ~ *zijn* be fashionable

modebewust fashion-conscious

het **modeblad** fashion magazine

de **modegek** fashion plate

de **modegril** fashion fad

het **model 1** model, type, style: ~ *staan voor* serve as a model (*of:* pattern) for; *als* ~ *nemen voor iets* model sth. (*of:* o.s.) on **2** [ontwerp] model, design: *het* ~ *van een overhemd* the style of a shirt **3** [juiste, ideale vorm] model: style: *goed in* ~ *blijven* stay in shape

de **modelbouw** model making, modelling (to scale)

het **modellenbureau** modelling agency

modelleren model: ~ *naar* fashion after, model on

de **modelwoning** show house

het/de **modem** modem

de **modeontwerper** fashion designer

modern modern: *het huis is* ~ *ingericht* the house has a modern interior; *de* ~*ste technieken* most modern (*of:* state-of-the-art) technology

moderniseren modernize

de **modernisering** modernization

de **modeshow** fashion show

het **modewoord** vogue word

de **modezaak** clothes shop, clothes store; [groot] fashion store

modieus fashionable: *een modieuze dame* lady of fashion

modificeren modify

de **modulatie** modulation

de **module** module

de **modus** mode

de **¹moe** (zn) mum(my); [Am] mom ‖ *nou ~!* well I say!

²moe (bn) **1** tired: *~ van het wandelen* tired with walking **2** [beu] tired (of), weary (of): *zij is het warme weer ~* she is (sick and) tired of the hot weather

de **moed 1** courage, nerve: *al zijn ~ bijeenrapen (verzamelen)* muster up (*of:* summon up, pluck up) one's courage **2** [vertrouwen] courage, heart: *met frisse ~ beginnen* begin with fresh courage; [na tegenslag ook] come up smiling; *de ~ opgeven* lose heart; *~ putten uit* take heart from; *de ~ zonk hem in de schoenen* his heart sank into his boots

moedeloos despondent, dejected

de **moedeloosheid** despondency, dejection

de **moeder** mother: *een alleenstaande ~* a single mother; *hij is niet bepaald ~s mooiste* he's no oil-painting; *bij ~s pappot (blijven) zitten* be (*of:* remain) tied to one's mother's apron strings; *vadertje en ~tje spelen* play house

het **moederbedrijf** parent company

Moederdag Mother's Day

het **moederhuis** [Belg] maternity home

de **moederkoek** placenta

het **moederland** motherland

moederlijk 1 motherly **2** [zoals (van) een moeder] maternal

de **moedermaatschappij** parent company

de **moedermelk** mother's milk

het **moederschap** motherhood

de **moederskant** mother's side, maternal side: *grootvader van ~* maternal grandfather

het **moederskindje 1** mother's child **2** [onzelfstandig] mummy's boy (*of:* girl)

de **moedertaal** mother tongue: *iem. met Engels als ~* a native speaker of English

de **moedervlek** birthmark, mole

de **moederziel**: *~ alleen* all alone

moedig brave; [met lef] plucky

moedwillig wilful, malicious

de **moeflon** mouf(f)lon

de **moeheid** tiredness, weariness

moeilijk 1 difficult: *~ opvoedbare kinderen* problem children; *doe niet zo ~* don't make such a fuss; *het ~ hebben* have a rough time, have a (hard (*of:* bad)) time of it **2** [zwaar] hard, difficult: *het is ~ te geloven* it's hard to believe; *hij maakte het ons ~* he gave us a hard (*of:* difficult) time **3** hardly: *daar kan ik ~ iets over zeggen* it's hard for me to say ‖ *zij is een ~ persoon* she is hard to please

de **moeilijkheid** difficulty, trouble, problem: *om moeilijkheden vragen* be asking for trouble; *in moeilijkheden verkeren* be in trouble; *daar zit (ligt) de ~* there's the catch

de **moeite 1** effort, trouble: *vergeefse ~* wast-

ed effort; *bespaar je de ~* (you can) save yourself the trouble (*of:* bother); *~ doen* take pains (*of:* trouble); *u hoeft geen extra ~ te doen* you need not bother, don't put yourself out; *het is de ~ niet (waard)* it's not worth it (*of:* the effort, the bother); *het is de ~ waard om het te proberen* it's worth a try (*of:* trying); *het was zeer de ~ waard* it was most rewarding; *dank u wel voor de ~!* thank you very much!, sorry to have troubled you!; *dat is me te veel ~!* that's too much trouble **2** [last] trouble, difficulty; [minder sterk] bother: *ik heb ~ met zijn gedrag* I find his behaviour hard to take (*of:* accept)

moeiteloos effortless, easy: *leer ~ Engels!* learn English without tears!

moeizaam laborious ‖ *zich ~ een weg banen (door)* make one's way with difficulty (through)

de **moer 1** nut **2** [moeder] [ongemarkeerd] mother **3** [wijfjesdier] [konijn] doe; [bijenkoningin] queen (bee); [vos] vixen ‖ *daar schiet je geen ~ mee op* that doesn't get you anywhere; *dat gaat je geen ~ aan* that's none of your damn (*of:* bloody) business

het **moeras** swamp, marsh

het **moerasgebied** marshland

moerassig swampy

de **moersleutel** spanner; [Am] wrench

het **moes** purée

de **moesson** monsoon

de **moestuin** kitchen garden, vegetable garden

¹moeten (ov ww) [mogen] like

²moeten (hww) **1** must, have to, should, ought to: *ik moet zeggen, dat …* I must say (*of:* have to say) that …; *ik moest wel lachen* I couldn't help laughing; *het heeft zo ~ zijn* it had to be (like that); *als het moet* if I (*of:* we) must **2** want, need: *ik moet er niet aan denken wat het kost* I hate to think (of) what it costs; *~ jullie niet eten?* don't you want to eat?; *dat moet ik nog zien* I'll have to see; *wat moet dat?* what's all this about?; *het huis moet nodig eens geschilderd worden* the house badly needs a coat of paint **3** [behoren] should, ought to: *dat moet gezegd (worden)* it has to be said; *moet je eens horen* listen (to this); *de trein moet om vier uur vertrekken* the train is due to leave at four o'clock; *je moest eens weten …* if only you knew …; *dat moet jij (zelf) weten* it's up to you; *moet je nu al weg?* are you off already?; *ze moet er nodig eens uit* she needs a day out **4** [waar(schijnlijk) zijn] must; [naar men zegt] be supposed to, said to: *zij moet vroeger een mooi meisje geweest zijn* she must have been a pretty girl once **5** [Belg] need (to), have (to): *u moet niet komen* you needn't come

de **moezelwijn** Moselle (wine)

de **¹mof** [scheldnaam] kraut

de **²mof** [techn] (coupling) sleeve, bush, socket

¹mogelijk (bn) possible, likely, potential: *hoe is het ~ dat je je daarin vergist hebt?* how could you possibly have been mistaken about this?; *het is ~ dat hij wat later komt* he may come a little later; *het is heel goed ~ dat hij het niet gezien heeft* he may very well not have seen it; *het is ons niet ~ ...* it's impossible for us, we cannot possibly ...; *al het ~e doen* do everything possible; *zoveel ~* as far/often/much as possible

²mogelijk (bw) [misschien] possibly, perhaps

mogelijkerwijs possibly, perhaps, conceivably

de **mogelijkheid 1** [abstract] possibility; [te grijpen kans] chance; [gebeurtenis] eventuality: *zij onderschat haar mogelijkheden* she underestimates herself **2** [mv; kans op succes] possibilities, prospects

¹mogen (ov ww) [aardig vinden] like: *ik mag hem wel* I quite (*of:* rather) like him

²mogen (hww) **1** can, be allowed to, may, must, should, ought to: *mag ik een kilo peren van u?* (can I have) a kilo of pears, please; *mag ik uw naam even?* could (*of:* may) I have your name, please?; *je mag gaan spelen, maar je mag je niet vuilmaken* you can go out and play, but you're not to get dirty; *als ik vragen mag* if you don't mind my asking; *mag ik even?* do you mind?, may I?; *mag ik er even langs?* excuse me (please) **2** [reden hebben, moeten] should, ought to: *je had me weleens ~ waarschuwen* you might (*of:* could) have warned me; *hij mag blij zijn dat ...* he ought to (*of:* should) be happy that ... **3** [m.b.t. toegeving] may, might ‖ *het mocht niet baten* it didn't help, it was to no avail; *dat ik dit nog mag meemaken!* that I should live to see this!; *dat mocht je willen* wouldn't you just like that; you'd like that, wouldn't you?; *het heeft niet zo ~ zijn* it was not to be; *zo mag ik het horen* (*of:* zien) that's what I like to hear (*of:* see)

de **mogendheid** power

het **¹mohair** (zn) mohair

²mohair (bn) mohair

Mohammed Mohammed

de **mohammedaan** Mohammedan

mohammedaans Mohammedan

Mohikanen Mohicans

de **mok** mug

de **moker** sledgehammer

de **mokerslag** sledgehammer blow [ook fig]

de **mokka** mocha (coffee)

het/de **mokkel** [inf] chick, cracker

mokken grouse, sulk

de **¹mol** (zn) [muz] **1** [teken] flat **2** [toonaard] minor

de **²mol** (zn) mole

Moldavië Moldavia

de **Moldaviër** Moldavian

Moldavisch Moldovan

moleculair molecular

het/de **molecule** molecule

de **molen 1** (wind)mill **2** [hengelsport] reel ‖ *het zit in de ~* it is in the pipeline

de **molenaar** miller

de **molensteen** millstone

de **molenwiek** sail arm, wing

molesteren molest

mollen wreck, bust (up)

mollig plump; [kind] chubby

het/de **molm** mouldered wood

de **molotovcocktail** Molotov cocktail

de **molshoop** molehill

het **molton** flannel

de **Molukken** Moluccas, Molucca Islands

de **Molukker** Moluccan

Moluks Molucca(n)

het/de **mom**: *onder het ~ van de weg te vragen* on (*of:* under) the pretext of asking the way

het **moment** moment, minute: *één ~, ik kom ze* one moment please, I'm coming; hang on a minute, I'm coming; *daar heb ik geen ~ aan gedacht* it never occurred to me

momenteel at present, at the moment, currently

de **momentopname** [fig] random indication (*of:* picture)

mompelen mumble, mutter

Monaco Monaco

de **monarch** monarch

de **monarchie** monarchy

de **monarchist** monarchist; [m.b.t. de Engels- Burgeroorlog] royalist

de **mond** mouth; muzzle [vuurwapen]: *een grote ~ hebben* **a)** be loud-mouthed; **b)** [bru taal zijn] be cheeky, give s.o. lip; **c)** [stoer doen] talk big; *iem. een grote ~ geven* talk back at (*of:* to) s.o., give s.o. lip; *hij kan zijn grote ~ niet houden* he can't keep his big mouth shut; *dat is een hele ~ vol* that's quite mouthful; *zijn ~ houden* [beleefd] keep quiet; shut up; *zijn ~ opendoen* open one's mouth; [mening geven] speak up; *iem. de ~ snoeren* silence s.o.; *zijn ~ voorbijpraten* spi the beans; *met de ~ vol tanden staan* be at a loss for words, be tongue-tied

mondain fashionable: *een ~e badplaats* a sophisticated resort, a luxury resort

monddood: *~ maken* silence

mondeling oral; verbal [overeenkomst]; b word of mouth [bericht, informatie]: *een ~ examen* an oral (exam(ination)); *een ~e toe zegging* (*of:* afspraak) a verbal agreement (*of:* arrangement)

het **mond-en-klauwzeer** foot-and-mouth disease

de **mondharmonica** harmonica

de **mondhoek** corner of the mouth

mondiaal worldwide, global

de **mondialisering** globalization
mondig of age [alleen ná zelfstandig naamwoord]; mature, independent
de **monding** mouth; estuary [rivier]
het **mondje** mouthful; taste [eten of drinken]: *een ~ Turks spreken* have a smattering of Turkish; *(denk erom,) ~ dicht* mum's the word; *hij is niet op zijn ~ gevallen* **a)** [rad van tong] he has a ready tongue; **b)** [bijt van zich af] he gives as good as he gets
mondjesmaat scantily, sparsely
het **mondkapje** surgical mask
de **mond-op-mondbeademing** mouth-to-mouth (resuscitation, respiration), rescue breathing
het **mondstuk 1** mouthpiece; [van pijp ook] nozzle [slang] **2** filter
de **mond-tot-mondreclame** advertisement by word of mouth, word-of-mouth advertising
de **mondvol** mouthful
de **mondvoorraad** provisions, supplies
de **Monegask** Monegasque
Monegaskisch Monegasque
monetair monetary: *het Internationaal Monetair Fonds* the International Monetary Fund
de **moneybelt** money belt
Mongolië Mongolia
mongoloïde mongoloid
Mongoloïde Mongoloid
de **mongool** mongol
de **Mongool** [inwoner van Mongolië] Mongol(ian)
het **¹Mongools** Mongolian
²Mongools (bn) Mongolian: *de ~e volksrepubliek* the Mongolian People's Republic
de **monitor 1** monitor **2** [Belg] youth leader **3** [Belg; studiebegeleider] tutor
monitoren monitor
de **monnik** monk
het **monnikenwerk** drudgery, donkey work
mono mono
de **monocle** monocle
de **monocultuur** monoculture
de **¹monofoon** (zn) monophonic ringtone
²monofoon (bn) monophonic
monogaam monogamous
de **monogamie** monogamy
de **monografie** monograph
het **monogram** monogram
de **monoloog** monologue
monomaan monomaniac(al)
het **monopolie** monopoly
de **monopoliepositie** monopoly position
de **monopolist** monopolist
monotoon monotonous, in a monotone
de **monseigneur** Monsignor
het **monster 1** [gedrocht] monster **2** [proefwaar] sample, specimen **3** [zeer groot, omvangrijk iets] monster, giant

monsteren 1 [keuren] examine, inspect **2** [inspecteren] review, inspect
monsterlijk monstrous, hideous
de **monsterzege** mammoth victory
de **montage 1** assembly, mounting **2** [film] editing
de **montagefoto 1** [m.b.t. bestaande foto's] photomontage **2** [m.b.t. getuigenverklaringen] Photofit (picture)
de **Montenegrijn** Montenegran
het **Montenegrijns** Montenegran
Montenegro Montenegro
monter lively, cheerful, vivacious
monteren 1 assemble; install [machine enz.] **2** [aan iets bevestigen] mount, fix **3** [m.b.t. film/foto] edit; cut [film]; assemble [foto] **4** [opmaken, in orde brengen] fix; [schilderij ook] mount [sieraden]
de **montessorischool** Montessori school
de **monteur** mechanic; [voor reparaties] serviceman; repairman
het/de **montuur** frame: *een bril zonder ~* rimless glasses
het **monument** monument: *een ~ ter herinnering aan de doden* a memorial to the dead
monumentaal monumental
de **monumentenlijst** ± list of national monuments and historic buildings
¹mooi (bn) **1** beautiful: *iets ~ vinden* think sth. is nice **2** [m.b.t. mensen] good-looking, handsome; [vrouw ook] pretty, beautiful **3** [fraai] lovely, beautiful: *zij ziet er ~ uit* she looks lovely; *deze fiets is er niet ~er op worden* this bicycle isn't what it used to be **4** [fraai gekleed, verzorgd] smart: *zich ~ maken* dress up **5** [uitstekend] good; [heel mooi] excellent: *~e cijfers halen* get good marks; [Am] get good grades **6** [aangenaam, gunstig] good, fine; nice, handsome [bedrag]: *het kon niet ~er* it couldn't have been better; *te ~ om waar te zijn* too good to be true **7** [leuk] good, nice: *een ~ verhaal* a nice (of: good) story; *het is ~ (geweest) zo!* that's enough now!, all right, that'll do!
²mooi (bw) well, nicely: *jij hebt ~ praten* it's all very well for you to talk; *dat is ~ meegenomen* that is so much to the good; *~ zo!* good!, well done!
het **moois** fine thing(s), sth. beautiful: [iron] *dat is ook wat ~!* a nice state of affairs!
de **moord** murder; [sluipmoord] assassination; [jur] homicide: *een ~ plegen* commit murder, take a life; *~ en brand schreeuwen* scream blue murder
de **moordaanslag** attempted murder
moorddadig murderous
moorden kill, murder
de **moordenaar** murderer, killer
moordend murderous, deadly; [dodelijk] fatal: *~e concurrentie* cut-throat competition
de **moordkuil**: *van zijn hart geen ~ maken* make

no disguise of one's feelings

de **moordpartij** (wholesale) massacre, slaughter

de **moordzaak** murder case

de **moorkop** chocolate éclair

de **moot** piece

de **mop** joke: *een schuine* ~ a dirty joke

de **mopperaar** grumbler

mopperen grumble, grouch

de **moraal** morality, moral(s)

moraliseren moralize

moralistisch moralistic

het **moratorium** moratorium; [m.b.t. experimenten ook] ban

morbide morbid

mordicus: *ergens* ~ *tegen zijn* be dead against sth.

het **¹moreel** (zn) morale: *het* ~ *hoog houden* keep up morale

²moreel (bn, bw) moral

de **mores** mores

de **morfine** morphine

morfologisch morphologic(al)

de **¹morgen** (zn) morning: *de hele* ~ all morning; *'s* ~*s* in the morning; *(goede)* ~*!* (good) morning!; *om 8 uur 's* ~*s* at 8 a.m.

²morgen (bw) tomorrow: *vandaag of* ~ one of these days; ~ *over een week* a week tomorrow; *tot* ~*!* see you tomorrow!, till tomorrow!; *de krant van* ~ tomorrow's (news)paper

morgenavond tomorrow evening

morgenmiddag tomorrow afternoon

morgenochtend tomorrow morning

het **morgenrood** aurora, red morning sky

morgenvroeg tomorrow morning

het **mormel** mutt: *een verwend* ~ a spoilt brat

de **mormoon** Mormon; [eigen benaming] Latter-day Saint

de **morning-afterpil** morning-after pill

morrelen fiddle

morren grumble

morsdood (as) dead as a doornail

het **morse** Morse (code)

morsen (make a) mess (on, of), spill: *het kind zit te* ~ *met zijn eten* the child is messing around with his food

het **morseteken** Morse sign

morsig dirty, messy

de **mortel** mortar

het/de **mortier** mortar

de **mortiergranaat** mortar bomb

het **mortuarium 1** mortuary **2** [rouwcentrum] funeral parlour; [Am] funeral home

het **mos** moss

de **moskee** mosque

Moskou Moscow

de **moslim** Muslim, Moslem

de **moslima** moslima

de **mossel** mussel

de **mosterd** mustard: *hij weet waar Abraham de* ~ *haalt* he knows what's what

het **mosterdgas** mustard gas

de **mot** moth

het **motel** motel

de **motie** motion

het **motief 1** motive **2** [vorm, figuur] motif, design

de **motivatie** motivation

motiveren 1 explain, account for; [verdedigen] defend; [rechtvaardigen] justify **2** [stimuleren] motivate

de **motor 1** engine; [elektromotor] motor: *de* ~ *starten* (of: *afzetten*) start (of: turn off) the engine **2** [motorfiets] motorcycle **3** [drijvende kracht] driving force

de **motoragent** motorcycle policeman

het **motorblok** engine block

de **motorboot** motorboat

de **motorcoureur** motorcycle racer; [motorsport] rider

de **motorcross** motocross

de **motorfiets** motorcycle, motorbike, bike: ~ *met zijspan* sidecar motorcycle

de **motoriek** (loco)motor system, locomotion

motorisch motor: *een* ~ *gehandicapte* a disabled person; *hij is* ~ *gestoord* he has a motor disability

het **motorjacht** motor yacht

de **motorkap** bonnet; [Am] hood

de **motorolie** (engine) oil

de **motorpech** engine trouble

de **motorrace** motorcycle race

de **motorrijder** motorcyclist

de **motorrijtuigenbelasting** ± road tax

de **motorsport** motorcycle racing

het **motorvoertuig** motor vehicle; [Am] automobile

de **motregen** drizzle

motregenen drizzle

mottig moth-eaten, scruffy

het **motto** motto; [vnl. politiek] slogan

de **mountainbike** mountain bike

de **mousse** mousse

mousseren sparkle, fizz

het/de **mout** malt

de **mouw** sleeve: *de* ~*en opstropen* roll up one's sleeves; *ergens een* ~ *aan weten te passen* find a way (a)round sth.

mouwloos sleeveless

het **mozaïek** mosaic

de **Mozambikaan** Mozambican

Mozambikaans Mozambican

Mozambique Mozambique

Mozes Moses

de **mp3** [digitaal muziekfragment] MP3

de **mp3-speler** MP3 player

de **MRI-scan** MRI scan

MS afk van *multiple sclerose* MS

msn'enᴹᴱᴿᴷ chat

het **mt** afk van *managementteam* management team

de **mts** afk van *middelbare technische school* intermediate technical school

de **muesli** muesli

de **muezzin** muezzin

muf musty, stale; stuffy [kamer]

de **mug** mosquito; [klein] gnat: *van een ~ een olifant maken* make a mountain out of a molehill

de **muggenbeet** mosquito bite

de **muggenbult** mosquito bite

de **muggenolie** insect repellent

muggenziften niggle, split hairs, nit-pick

de **muggenzifter** niggler, hairsplitter, nit-picker

de **muil** mouth, muzzle

het **muildier** mule

de **muilezel** hinny

de **muilkorf** muzzle

muilkorven muzzle

de **muis** mouse; [van hand] ball

de **muisarm** mouse arm

de **muiscursor** mouse cursor

muisgrijs dun(-coloured)

de **muisklik** mouse click

de **muismat** mousemat, mouse pad

muisstil (as) still (*of:* quiet) as a mouse

muiten mutiny

de **muiterij** mutiny: *er brak ~ uit* a mutiny broke out

de **muizenissen** worries

de **muizenval** mousetrap

mul loose, sandy

de **mulat** mulatto

multicultureel multicultural

multifunctioneel multifunctional

de **multimedia** multimedia

de **multimiljonair** multimillionaire

de **multinational** multinational

multiple multiple

de **multiplechoicetest** multiple choice test

het **multiplex** multi-ply (board)

multiresistent multiresistant: *~e bacteriën* multiresistant bacteria

de **multivitamine** multivitamin

het **mum**: *in een ~ (van tijd)* in a jiffy (*of:* trice)

de **mummie** mummy

München Munich

de **munitie** (am)munition, ammo

de **munt 1** coin: *iem. met gelijke ~ terugbetalen* give s.o. a taste of their own medicine **2** [voor automaten] token

de **munteenheid** monetary unit

munten 1 [geld] mint, coin **2** [woord, begrip] coin ‖ [fig] *het op iem. gemunt hebben* have it in for s.o., be down on s.o.; *zij hebben het op mijn leven gemunt* they're after my life

het **muntgeld** coin, coinage

het **muntstelsel** monetary system

het **muntstuk** coin

murmelen mumble, murmur

murw tender, soft

de **mus** sparrow

het **museum** museum; [m.b.t. beeldende kunst ook] (art) gallery

de **musical** musical

musiceren make music

de **musicoloog** musicologist

de **musicus** musician

de **muskaatdruif** muscadine

de **muskaatwijn** muscatel

de **musketier** musketeer

de **muskiet** mosquito

het **muskietengaas** mosquito net(ting)

de **muskusrat** muskrat

de **must** must

de **mutant** mutant

de **mutatie 1** mutation; [comp, boekh] transaction **2** [(om)wisseling] mutation; turnover [van personeel]

muteren mutate

de **muts** hat, cap

de **mutualiteit** [Belg] health insurance scheme

de **muur** wall: *een blinde ~* a blank wall; *de muren komen op mij af* the walls are closing in on me; [sport] *een ~tje vormen (opstellen)* make a wall; *uit de ~ eten, iets uit de ~ trekken* ± eat from a vending machine

het **muurbloempje** wallflower

de **muurkrant** wall poster

de **muurschildering** mural

muurvast firm, solid; [onbuigzaam] unyielding; [onbuigzaam] unbending: *de besprekingen zitten ~* the talks have reached total deadlock

de **muurverf** masonry paint

de **muzak** muzak

de **muze 1** muse **2** [mv] (the) Muses: *zich aan de ~n wijden* devote o.s. to the arts

de **muziek** music: *op de maat van de ~ dansen* dance in time to the music; *op ~ dansen* dance to music; *dat klinkt mij als ~ in de oren* it's music to my ears

het **muziekinstrument** musical instrument

het **muziekje** bit (*of:* piece) of music: *een ~ opzetten* play a bit of music

de **muziekkapel** band

de **muziekles** music lesson

het **muziekmobieltje** music cellphone (*of:* mobile phone)

de **muzieknoot** (musical) note

het **muziekpapier** music paper

de **muziekschool** school of music

de **muzieksleutel** clef

de **muziekstandaard** music stand

het **muziekstuk** piece of music, composition

de **muziekuitvoering** musical performance

muzikaal musical: *~ gevoel* feel for music

de **muzikant** musician

mw. afk van *mevrouw of mejuffrouw* Ms

Myanmar Myanmar

de **¹Myanmarees** inhabitant (*of:* native) of

Myanmar
²**Myanmarees** (bn) Myanmar
het **mysterie** mystery
mysterieus mysterious
mystiek 1 mystic, mysterious **2** [m.b.t. de mystiek] mystical: *een ~e ervaring* a mystical experience
de **mythe** myth; [persoon] legend
mythisch mythic(al)
de **mythologie** mythology
mythologisch mythological

n

de **n** n, N

na after: *de ene blunder na de andere maken* make one blunder after the other (*of:* another); *na u!* after you! || *wat eten we na?* what's for dessert?; *op een paar uitzonderingen na* with a few exceptions; *de op één na grootste* (*of: sterkste*) the second biggest (*of:* strongest); *het op drie na grootste bedrijf* the fourth largest company

de **naad** seam; [m.b.t. planken ook] joint || *zich uit de ~ werken* work o.s. to death

het **naadje**: *het ~ van de kous willen weten* want to know all the ins and outs

naadloos seamless

de **naaf** hub

de **naaidoos** sewing box

naaien [vervaardigen] sew

het **naaigaren** sewing thread (*of:* cotton): *een klosje ~* a reel of thread (*of:* cotton)

de **naaimachine** sewing machine

de **naaister** seamstress

naakt 1 naked, nude: *~ slapen* sleep in the nude 2 [onbedekt, onbegroeid] bare

de **naaktloper** nudist

de **naaktslak** slug

het **naaktstrand** nude beach

de **naald** needle: *het oog van een ~* the eye of a needle

de **naaldboom** conifer

het **naaldbos** coniferous forest

de **naaldhak** stiletto(heel); [Am] spike heel

het **naaldhout** softwood, coniferous wood

de **naam** name; [faam ook] reputation: *een goede* (*of: slechte*) *~ hebben* have a good (*of:* bad) reputation; *zijn ~ eer aandoen* live up to one's reputation (*of:* name); *dat mag geen ~ hebben* that's not worth mentioning; *~ maken* make a name for o.s. (with, as); *de dingen bij de ~ noemen* call a spade a spade; *een cheque uitschrijven op ~ van* make out a cheque to; *ten name van, op ~ van* in the name of; *wat was uw ~ ook weer?* what did you say your name was?

het **naambordje** nameplate

de **naamdag** [r-k] name day

de **naamgenoot** namesake

het **naamkaartje** calling-card, business card

naamloos anonymous, unnamed

het **naamplaatje** nameplate

de **naamval** case

het **naamwoord** noun: *een bijvoeglijk ~* an adjective; *een zelfstandig ~* a noun

naamwoordelijk nominal

na-apen ape, mimic

de **na-aper** mimic, copycat

¹**naar** (bn, bw) nasty, horrible

²**naar** (vz) 1 to, for: *~ huis gaan* go home; *~ de weg vragen* ask the way; *op zoek ~* in search of; *~ iem. vragen* ask for (*of:* after) s.o. 2 [overeenkomstig] (according) to: *ruiken* (*of: smaken*) *~* smell (*of:* taste) of

naargeestig gloomy, dismal

¹**naargelang** (vz) according to, depending on: *al ~ de leeftijd* depending on (one's) age

²**naargelang** (vw) as: *~ je ouder wordt...* as you get older

naarmate as: *~ je meer verdient, ga je ook meer belasting betalen* the more you earn, the more tax you pay

naartoe: *waar moet dit ~?* where will this lead us?

¹**naast** (bn) 1 near(est), closest; immediate [omgeving, tijd]: *de ~e bloedverwanten* the next of kin 2 [mis] out, off (target): *hij schoot ~* he shot wide

²**naast** (vz) 1 next to, beside; [mis] wide of: *~ iem. gaan zitten* sit down next to (*of:* beside) s.o. 2 [op één lijn met] alongside, next to: *~ elkaar* by side, next to one another 3 [onmiddellijk volgend op] after, next to

de **naaste** neighbour

de **naastenliefde** charity

de **nabehandeling** after-care

de **nabeschouwing** summing-up; [inf] recap, review

nabespreken discuss afterwards

de **nabestaande** (surviving) relative; [mv] next of kin

nabestellen reorder, have copies made of

¹**nabij** (bn) close, near: *de ~e omgeving* the immediate surroundings

²**nabij** (vz) near (to), close to: *om en ~ de duizend euro* roughly (*of:* around, about) a thousand euros

nabijgelegen nearby

de **nabijheid** neighbourhood, vicinity

nablijven stay behind

nablussen damp down

nabootsen imitate, copy; [spottend] mimic

de **nabootsing** imitation, copying; copy

naburig neighbouring, nearby

de **nacht** night: *de afgelopen ~* last night; *de komende ~* tonight; *het werd ~* night (*of:* darkness) fell; *tot laat in de ~* deep into the night; *'s ~s* at night; *om drie uur 's ~s* at three o'clock in the morning, at three a.m.

nachtblind night-blind

nachtbraken 1 [uitgaan] stay out till the early hours 2 [werken] work into the early hours

de **nachtbraker** 1 [iem. die 's nachts uitgaat] night-reveller 2 [iem. die 's nachts doorwerkt] night owl

de **nachtclub** nightclub

nachtdienst

de **nachtdienst** night shift
het **nachtdier** nocturnal animal
de **nachtegaal** nightingale
nachtelijk 1 night 2 nocturnal, of night 3 [bij nacht] night(time)
het **nachthemd** nightgown
de **nachtjapon** nightgown, nightdress, nightie
de **nachtkaars:** *uitgaan als een* ~ peter out (like a damp squib)
het **nachtkastje** night table, bedside table
het **nachtleven** nightlife
de **nachtmerrie** nightmare
de **nachtmis** midnight mass
de **nachtploeg** night shift
de **nachtrust** night's rest
het **nachtslot** double lock
de **nachttrein** night train
het **nachtverblijf** night's lodging; [van dieren] night-quarters [mv]
de **nachtvlucht** night flight
de **nachtvoorstelling** late-night performance
de **nachtvorst** night frost; [aan de grond] ground frost
de **nachtwake** vigil, night watch
de **nachtwaker** night watchman
het **nachtwerk** nightwork
de **nachtzoen** good-night kiss: *iem. een* ~ *geven* kiss s.o. good night
de **nachtzuster** night nurse
de **nacompetitie** [voetb] play-offs
de **nadagen:** *in de* ~ *van zijn carrière* in the twilight (*of:* the latter days) of one's career, towards the end of one's career
de **nadarafsluiting** [Belg] crush barrier
nadat after: *het moet gebeurd zijn* ~ *ze vertrokken waren* it must have happened after they left
het **nadeel** disadvantage; [schade] damage; drawback: *zo zijn voor- en nadelen hebben* have its pros and cons; *al het bewijsmateriaal spreekt in hun* ~ all the evidence is against them; *ten nadele van* to the detriment of
nadelig adverse, harmful
nadenken 1 think: *even* ~ let me think; *ik heb je niet bij nagedacht* I did it without thinking; *ik moet er eens over* ~ I'll think about it 2 [nader overwegen] think, reflect (on, upon), consider: *zonder erbij na te denken* without (even, so much as) thinking; *stof tot* ~ food for thought
nadenkend thoughtful
nader 1 closer, nearer: *partijen* ~ *tot elkaar proberen te brengen* try to bring parties closer together 2 [nauwkeuriger] closer; [gegevens] further; more detailed (*of:* specific): *bij* ~*e kennismaking* on further (*of:* closer) acquaintance
naderbij closer, nearer
naderen approach

naderhand afterwards
nadien after(wards), later
nadoen 1 copy 2 [imiteren] imitate, copy; [spottend] mimic: *de scholier deed zijn leraar na* the schoolboy mimicked his teacher
de **nadruk** emphasis, stress
nadrukkelijk emphatic, express
nagaan 1 [controleren] check (up): *we zullen die zaak zorgvuldig* ~ we will look carefully into the matter 2 work out (for o.s.), examine: *voor zover we kunnen* ~ as far as we can gather (*of:* ascertain) 3 [zich voorstellen] imagine: *kun je* ~! just imagine!
de **nageboorte** afterbirth
de **nagedachtenis** memory: *ter* ~ *aan mijn moeder* in memory of my mother
de **nagel** nail; [van dier] claw
nagelbijten bite one's nails
het/de **nagellak** nail polish (*of:* varnish)
de **nagelriem** cuticle
nagenoeg almost, nearly
het **nagerecht** dessert (course)
het **nageslacht** offspring, descendants
nahouden keep (in) (after hours), detain (after hours)
naïef naive
de **na-ijver** envy, jealousy
de **naïviteit** naïveté
het **najaar** autumn
de **najaarsmode** autumn fashion(s)
najagen 1 [achtervolgen] chase 2 [streven naar] go for (*of:* after), pursue: *een doel* ~ pursue a goal
nakaarten have a chat afterwards
het **nakie** [inf]: *in zijn* ~ *staan* stand naked (to the world)
nakijken 1 watch, follow (with one's eyes): *zij keek de wegrijdende auto na* she watched the car drive off 2 [controleren, nazien] check, have (*of:* take) a look at: *zich laten* ~ have a check-up 3 [corrigeren] correct: *veel proefwerken* ~ mark a lot of papers; [Am] grade a lot of papers || [fig] *hij had het* ~ he could whistle for it
de **nakomeling** descendant; [mv] offspring
¹**nakomen** (onov ww) come later, arrive later, come after(wards)
²**nakomen** (ov ww) [van afspraken e.d.] observe; [uitvoeren] perform; [uitvoeren] fulfil: *een belofte* ~ keep a promise
het **nakomertje** afterthought
nalaten 1 leave (behind); [schenken] bequeath (to) 2 [niet doen] refrain from (-ing): *hij kan het niet* ~ *een grapje te maken* he cannot resist making a joke
de **nalatenschap** estate, inheritance
nalatig negligent
de **nalatigheid** negligence
naleven observe; comply with [wet]
de **naleving** observance, compliance (with)
nalezen read again

nalopen 1 walk after, run after **2** [controleren] check

de **namaak** imitation, copy; [vervalst] fake; [vervalst] counterfeit

namaken 1 imitate, copy **2** [van waardepapieren e.d.] fake, counterfeit

name: *met* ~ especially, particularly; *ze heeft je niet met* ~ *genoemd* she didn't mention your name (specifically)

namelijk 1 [te weten] namely **2** [immers] you see, as it happens, it so happens (that): *ik had* ~ *beloofd dat …* it so happens I had promised that …

namens on behalf of

nameten check (*of:* verify) (the measurements of)

Namibië Namibia

de **Namibiër** Namibian

Namibisch Namibian

de **namiddag** afternoon

de **nanny** nanny

de **naoorlogs** postwar

het **napalm** napalm

Napels Naples

napluizen examine closely, scrutinize, unravel

het **¹nappa** (zn) nap(p)a (leather), sheepskin

²nappa (bn) nap(p)a (leather), sheepskin

napraten echo, parrot

de **nar** fool, idiot

de **narcis** [wit] narcissus; [geel] daffodil

de **narcose** narcosis; [middel] anaesthetic

narekenen go over (*of:* through) (again), check

de **narigheid** trouble

naroepen 1 call after **2** [najouwen] jeer at

narrig peevish: ~ *reageren* react peevishly

nasaal nasal

de **naschok** aftershock

de **nascholing** refresher course, continuing education

de **nascholingscursus** continuing-education course; [herhalingscursus] refresher course

het **naschrift** postscript

het **naseizoen** late season

de **nasi** rice: ~ *goreng* fried rice

naslaan: *het woordenboek erop* ~ consult a dictionary

het **naslagwerk** reference book (*of:* work)

de **nasleep** aftermath, (after)effects, consequences

de **nasmaak** aftertaste

naspelen [muz] repeat (by ear); play (sth.) after (s.o.); [theat] represent; play (out), act (out)

nastaren stare (*of:* gaze) after

nastreven aim for, aim at, strive for (*of:* after): *geluk* ~ seek happiness

nasynchroniseren dub

het **¹nat** (zn) liquid; [van vlees, fruit] juice

²nat (bn, bw) **1** wet; [vochtig] moist; damp: ~

worden get wet; *door en door* ~ drenched (*of:* soaked) (to the skin) **2** [regenachtig] wet; rainy [weer]

natafelen linger at the table

natekenen draw

natellen count again, check

de **natie** nation, country

nationaal national

het **nationaalsocialisme** National Socialism; [in Duitsland ook] Nazism

de **nationaalsocialist** National Socialist, Nazi

de **nationalisatie** nationalization

nationaliseren nationalize

het **nationalisme** nationalism

de **nationalist** nationalist

nationalistisch nationalist(ic)

de **nationaliteit** nationality: *hij is van Britse* ~ he has the British nationality

natmaken wet; [vochtig] moisten

natrappen kick s.o. when he is down

natrekken check (out); [naspeuren] investigate

het **natrium** sodium

het **nattevingerwerk** guesswork

de **nattigheid** damp: ~ *voelen* smell a rat, be uneasy (about sth.)

de **natura**: *in* ~ in kind

de **naturalisatie** naturalization

naturaliseren naturalize: *zich laten* ~ be naturalized

naturel 1 [natuurlijk] natural: ~ *leer* natural leather; ~ *linnen* unbleached linen **2** [sport; zonder gebruik van doping] natural

het **naturisme** naturism, nudism

de **naturist** naturist

de **natuur 1** nature; [landschap] country(side); scenery: *wandelen in de vrije* ~ (take a) walk (out) in the country(side); *terug naar de* ~ back to nature **2** [geaardheid] nature, character: *twee tegengestelde naturen* two opposite natures (*of:* characters); *dat is zijn tweede* ~ that's become second nature (to him)

het **natuurbeheer** (nature) conservation

de **natuurbescherming** (nature) conservation, protection of nature

het **natuurgebied** scenic area; [natuurleven] nature reserve; wildlife area

de **natuurgenezer** healer

natuurgetrouw true to nature (*of:* life)

de **natuurkunde** physics

natuurkundig physical, physics

de **natuurkundige** physicist

de **natuurliefhebber** nature lover, lover of nature

natuurlijk natural; [m.b.t. weergave] true to nature (*of:* life): *maar* ~*!* why, of course! (*of:* naturally!)

het **natuurmonument** nature reserve

het **natuurproduct** natural product

het **natuurreservaat** nature reserve

het **natuurschoon** natural (*of:* scenic) beauty

het **natuurtalent** [talent] gift; natural talent, born talent; [persoon] gifted (*of:* naturally talented) person

het **natuurverschijnsel** natural phenomenon

de **natuurvoeding** organic food, natural food, wholefood

de **natuurwetenschap** (natural) science

het **¹nauw** (zn) (tight) spot (*of:* corner): *iem. in het ~ drijven* drive s.o. into a corner, put s.o. in a (tight) spot

²nauw (bn, bw) **1** narrow **2** [dicht aaneensluitend; innig] close: *een ~e samenhang* a close connection **3** [precies] precise, particular: *wat geld betreft kijkt hij niet zo ~* he's not so fussy (*of:* strict) when it comes to money **4** [m.b.t. kleren e.d.] narrow, close-fitting; [te nauw] tight

nauwelijks hardly, scarcely, barely || *ik was ~ thuis, of ...* I'd only just got home when ...

nauwgezet painstaking, conscientious, scrupulous; [stipt] punctual

nauwkeurig [nauwgezet] accurate, precise; [zorgvuldig] careful; [oplettend] close: *tot op de millimeter ~* accurate to (within) a millimetre

de **nauwkeurigheid** accuracy, precision, exactness: *met de grootste ~* with clockwork precision

nauwlettend close; [plichtsgetrouw] conscientious; [zorgvuldig] careful: *~ toezien op* keep a close watch on

n.a.v. afk van *naar aanleiding van* in connection with, with reference to

de **navel** navel

de **navelsinaasappel** navel orange

navelstaren indulgence in navel-gazing

de **navelstreng** umbilical cord, navel string

het **naveltruitje** crop top

navenant [inf]: *de prijzen zijn ~ hoog* the prices are correspondingly (*of:* proportionately) high; *de prijs is laag en de kwaliteit is ~* the price is low and so is the quality

navertellen repeat, retell: *hij zal het niet ~* he won't live to tell the tale

de **navigatie** navigation

navigeren navigate

de **NAVO** afk van *Noord-Atlantische Verdragsorganisatie* NATO

navolgen follow, imitate: *iemands voorbeeld ~* follow s.o.'s example

de **navolger** follower, imitator, copier

de **navolging** imitation, following

de **navraag** inquiry: *~ doen bij* inquire with

navragen inquire (about, into)

navrant distressing: *een ~ geval* a sad case

navulbaar refillable

de **navulverpakking** refillable packaging

de **naweeën 1** afterpains, aftereffects **2** [vervelende gevolgen] aftereffects; [van oorlog, geweld] aftermath

de **nawerking** aftereffect(s)

nawijzen point at (*of:* after): *iem. met de vinger ~* point the finger at s.o.

het **nawoord** afterword, epilogue

de **nazaat** descendant, offspring

nazeggen repeat: *zeg mij na* repeat after me

nazenden send on (*of:* after), forward

de **nazi** Nazi

nazien look over (*of:* through), check

de **nazit** informal gathering after a meeting, performance, ...

de **nazomer** late summer

de **nazorg 1** [med] aftercare **2** [onderhoud] maintenance

NB afk van *nota bene* NB

n.Chr. afk van *na Christus* AD (Anno Domini)

de **neanderthaler** Neanderthal (man)

de **necropolis** necropolis

de **nectar** nectar

de **nectarine** nectarine

nederig humble, modest

de **nederlaag** defeat; [tegenslag] setback: *een ~ lijden* suffer a defeat, be defeated

Nederland the Netherlands, Holland

de **Nederlander** Dutchman: *de ~s* the Dutch

het **Nederlanderschap** Dutch nationality: *het ~ verliezen* lose one's Dutch nationality

het **Nederlands** Dutch: *het Algemeen Beschaafd ~* Standard Dutch

Nederlandstalig Dutch-speaking: *een ~ lied* a song in Dutch

de **nederzetting** settlement, post

nee 1 no: *geen ~ kunnen zeggen* not be able to say no; *daar zeg ik geen ~ tegen* I wouldn't say no (to that); *~ toch* you can't mean it; really?; surely not **2** [m.b.t. verrassing, verontwaardiging] really, you're joking (*of:* kidding)

de **neef 1** [zoon van broer of zuster] nephew **2** [zoon van oom of tante] cousin: *zij zijn ~ e nicht* they are cousins

neer down

neerbuigend condescending, patronizing

neerdalen come down, go down, descend

neergaan: *de straat* (*of:* trap) *op- en ~* go up and down the street (*of:* stairs)

neergooien throw down, toss down: *het bijltje er bij ~* throw in the towel

neerhalen 1 take down, pull down, lower **2** [omverhalen] pull (*of:* take, knock) down, raze **3** [neerschieten] take down, bring down

neerkijken look down (on), look down one's nose (at)

neerkomen 1 come down, descend, fall, land: *waar is het vliegtuig neergekomen?* where did the aeroplane land? **2** [treffen] fall (on): *alles komt op mij neer* it all falls on my shoulders **3** [de bedoeling hebben] com (*of:* boil) down (to), amount (to): *dat komt c* *hetzelfde neer* it comes (*of:* boils down) to the same thing

de **neerlandicus** Dutch specialist, student of (*of:* authority on) Dutch

neerleggen 1 put (down), lay (down), set (down): *een bevel naast zich* ~ disregard (*of:* ignore) a command **2** [afstand doen van] put aside, lay down: *zijn ambt* ~ resign (from) one's office

neerploffen flop down, plump down

neersabelen 1 put to the sword, cut down (with a sword) **2** [fig] tear apart, tear to pieces; torpedo

neerschieten 1 shoot (down) **2** [neerhalen] bring down, down

¹**neerslaan** (onov ww) fall down; drop down [klep]: *een wolk van stof sloeg neer op het plein* a cloud of dust settled on the square

²**neerslaan** (ov ww) **1** [naar beneden slaan] turn down [rand, kraag]; let down; lower [klep]: *de ogen* ~ lower one's eyes **2** [tegen de grond slaan] strike down, knock down; [sport] floor || *een opstand* ~ put down (*of:* crush) an insurrection (*of:* a rebellion)

neerslachtig dejected, depressed

de **neerslag 1** precipitation; [regen ook] rain; rainfall; [hagel] layer; [sneeuw ook] fall: *kans op* ~ chance of rain **2** [verzinksel] deposit

neersteken stab (to death)

neerstorten crash down, thunder down; crash [vliegtuig]: ~*d puin* falling rubble

neerstrijken 1 [m.b.t. vogels] alight, settle (on), perch (on) **2** [m.b.t. mensen] descend (on); [zich vestigen] settle (on): *op een terrasje* ~ descend on a terrace

neertellen pay (out), fork out

neervallen 1 [op de grond vallen] fall down, drop down: *werken tot je erbij neervalt* work till you drop **2** [gaan zitten] drop (down), flop (down)

neerwaarts downward(s), down

neerzetten put down, lay down, place; [koffers ook] set down; [gebouw ook] erect: *een goede tijd* ~ record a good time

de **neet** nit

het ¹**negatief** (zn) negative (plate, film)

²**negatief** (bn, bw) **1** negative; [vnl. wiskunde, natuurkunde] minus: *een* ~ *getal* a negative (*of:* minus) (number) **2** [m.b.t. personen] negative, critical

negen nine: ~ *op (van) de tien keer* nine times out of ten

negende ninth

negentien nineteen

negentiende nineteenth

negentiende-eeuws nineteenth-century

negentig ninety: *hij was in de* ~ he was in his nineties

de **neger** (African, American) black (person); [neg; vero] Negro

negeren ignore, take no notice of; [per-

soon ook] give the cold shoulder; [naast zich neerleggen] disregard; [naast zich neerleggen] brush aside: *iem. volkomen* ~ cut s.o. dead

neigen incline (to, towards), be inclined (to, towards), tend (to, towards)

de **neiging** inclination, tendency

de **nek** nape (*of:* back) of the neck: *je* ~ *breken over de rommel* trip over the rubbish; *zijn* ~ *uitsteken* stick one's neck out; *tot aan zijn* ~ *in de schulden zitten* be up to one's ears in debt; *iem. in zijn* ~ *hijgen* be close on s.o.'s heels; *uit zijn* ~ *praten* talk out of the back of one's neck; *over zijn* ~ *gaan* heave, puke

de **nek-aan-nekrace** neck-and-neck race

nekken break (*of:* wring) s.o.'s neck

de **nekkramp** spotted fever

het **nekvel** scruff of the neck: *iem.* (*of:* *een hond*) *in zijn* ~ *pakken* take s.o. (*of:* a dog) by the scruff of the neck

nemen 1 take: *maatregelen* ~ take steps (*of:* measures); *de moeite* ~ *om* take the trouble to; *ontslag* ~ resign; *een kortere weg* ~ take a short cut; *iem. iets kwalijk* ~ take sth. ill of s.o.; *iem. (niet) serieus* ~ (not) take s.o. seriously; *strikt genomen* strictly (speaking); *iem. (even) apart* ~ take s.o. aside; *voor zijn rekening* ~ deal with, account for **2** [iets eten, drinken] have: *wat neem jij?* what are you having?; *neem nog een koekje* (do) have another biscuit **3** [zich verschaffen] take, get, have, take out: *een dag vrij* ~ have (*of:* take) a day off **4** [zich bedienen van] take, use: *de bus* ~ catch (*of:* take) the bus, go by bus **5** [af-, wegnemen] take; [oorlog, schaakspel enz. ook] seize; capture

het **neofascisme** neo-Fascism

het **neon** neon

de **neonazi** neo-Nazi

de **neonreclame** neon sign(s)

de **nep** sham, fake, swindle; [afzetterij] rip-off: *het is allemaal* ~ it's bogus (*of:* fake, a sham)

Nepal Nepal

de **Nepalees** Nepalese, Nepali

neppen [inf] humbug, bamboozle, cheat: *ze hebben me aardig genept met dit horloge* I've really been ripped off with this watch

de **nepper** fake

Neptunus Neptune

de **nerd** nerd

de **nerf** [m.b.t. hout] grain(ing), texture; [m.b.t. blad] vein; rib

nergens 1 nowhere: *met onbeleefdheid kom je* ~ being rude will get you nowhere; *ik kon* ~ *naartoe* I had nowhere to go **2** [niets] nothing: ~ *aan komen!* don't touch!; *ik weet* ~ *van* I know nothing about it

de **nering**: *de tering naar de* ~ *zetten* cut one's coat according to one's cloth

de ¹**nerts** (zn) [dier] mink

het ²**nerts** (zn) [bont] mink

nerveus nervous, tense, high(ly)-strung
de **nervositeit** nervousness
het **nest 1** nest; [roofvogel ook] eyrie; [hol] den; hole **2** [worp] litter, nest; brood [vnl. vogels, insecten] **3** [ingewikkelde zaak] jam, spot, fix: *in de ~en zitten* be in a fix
nestelen nest
het **¹net** (zn) **1** net: *achter het ~ vissen* miss out, miss the boat **2** [netwerk] network, system; [communicatie ook] net; mains [elektrisch]; grid [gas, elektriciteit]: *een ~ van telefoonverbindingen* a network of telephone connections
²net (bn) **1** [netjes] neat, tidy; [goed onderhouden] trim: *iets in het ~ schrijven* copy out sth. **2** [beschaafd] respectable, decent: *een ~te buurt* a respectable (*of:* genteel) neighbourhood
³net (bw) [juist] just, exactly: *~ goed* serves you/him (*of:* her, them) right; *het gaat maar ~* it's a tight fit; *zij ging ~ vertrekken* she was about to leave; *~ iets voor hem* **a)** [net wat hij zoekt] just the thing for him; **b)** [kenmerkend voor hem] just like him, him all over; *~ wat ik dacht* just as I thought; *dat is ~ wat ik nodig heb* that's exactly what I need; *ze is ~ zo goed als hij* she's every bit as good as he is; *zo is het maar ~* right you are!, just as you say!; *we hadden ~ zo goed niets kunnen doen* we might just as well have done nothing; *we kwamen ~ te laat* we came just too late; *~ echt* just like the real thing; *wij zijn ~ thuis* we've (only) just come home
de **netbal** netball
netelig thorny, knotty, tricky
de **netelroos** nettle rash
de **netheid** neatness, tidiness; cleanliness [van aard]; [kleding ook] smartness
netjes 1 neat, tidy, clean **2** [keurig] neat, smart: *~ gekleed* all dressed up **3** [zoals het hoort] decent, respectable, proper: *gedraag je ~* behave yourself
het **netnummer** dialling code; [Am] area code
de **netspanning** mains voltage
de **nettiquette** netiquette
netto net, nett, clear, real: *het ~ maandsalaris* the take-home pay; *de opbrengst bedraagt ~ €2000,-* the net(t) profit is €2,000
de **nettowinst** net profit
het **netvlies** retina
het **netwerk** [m.b.t. relaties] network, crisscross pattern; [fig ook] system: *een ~ van intriges* a web of intrigue
netwerken network
neuken [inf] screw, fuck
neuraal neural
neuriën hum
de **neurochirurgie** neurosurgery
de **neurologie** neurology, neuroscience
de **neuroloog** neurologist
de **neuroot** neurotic, psycho, nutcase

de **neurose** neurosis
neurotisch neurotic
de **neus 1** nose, scent; [fig ook] flair: *een fijne ~ voor iets hebben* have a good nose for sth., have an eye for sth.; *een frisse ~ halen* get a breath of fresh air; *doen alsof zijn ~ bloedt* play (*of:* act) dumb; [Belg] *van zijn ~ maken* show off, make a fuss; *de ~ voor iem. (iets) ophalen* turn up one's nose at s.o. (sth.); look down one's nose at s.o. (sth.); *zijn ~ snuiten* blow one's nose; *zijn ~ in andermans zaken steken* stick one's nose into other people's affairs; *iem. met zijn ~ op de feiten drukken* make s.o. face the facts; *niet verder kijken dan zijn ~ lang is* be unable to see further than (the end of) one's nose; *dat ga ik jou niet aan je ~ hangen* that's none of your business **2** [uiteinde van een voorwerp] nose; [spuit ook] nozzle; (toe)cap [schoen]; toe [schoen] ‖ *dat examen is een wassen ~* that exam is just a mere formality
de **neusdruppels** nose drops
het **neusgat** nostril
de **neushoorn** rhinoceros, rhino
de **neuslengte** nose, hair('s breadth)
neuspeuteren pick one's nose
de **neusvleugel** nostril
de **neut** drop, snort(er)
neutraal neutral, impartial
neutraliseren neutralize, counteract
de **neutraliteit** neutrality: *de ~ schenden* violate neutrality
de **neutronenbom** neutron bomb
neuzen browse, nose around (*of:* about)
de **nevel** mist; [licht] haze; [druppeltjes] spray
nevelig misty, hazy
de **nevenactiviteit** sideline
het **neveneffect** side effect
de **nevenfunctie** additional job
de **neveninkomsten** additional income
de **newfoundlander** Newfoundland (dog)
de **ngo** NGO
het **Nicaragua** Nicaragua
de **Nicaraguaan** Nicaraguan
Nicaraguaans Nicaraguan
de **nicht 1** [dochter van broer of zuster] niece **2** [dochter van oom of tante] cousin **3** [homo] fairy, queen, poofter; [Am] faggot
nichterig fairy, poofy
de **nicotine** nicotine
niemand no one, nobody: *voor ~ onderdoen* be second to none; *~ anders dan* none other than
het **niemandsland** no-man's-land
de **nier** kidney: *gebakken ~(tjes)* fried kidney(s
de **niersteen** kidney stone
de **niesbui** attack (*of:* fit) of sneezing
¹niet (onb vnw) nothing, nought: *dat is ~ meer dan een suggestie* that's nothing more than a suggestion
²niet (bw) not: *~ geslaagd* (*of:* gereed) un-

successful (*of:* unprepared); *ik hoop van* ~ I hope not; *hoe vaak heb ik* ~ *gedacht …* how often have I thought …; *geloof jij dat verhaal* ~*? ik ook* ~ don't you believe this story? neither (*of:* nor) do I; ~ *alleen …, maar ook …* not only … but also …; *het betaalt goed, daar* ~ *van* it's well-paid, that's not the point, but; *helemaal* ~ not at all; no way; *denk dat maar* ~ don't you believe it!; *ik neem aan van* ~ I don't suppose so, I suppose not; *ze is* ~ *al te slim* she is none too bright

nieten staple

nietes it isn't: *het is jouw schuld!* ~*! welles!* it's your fault! - oh no it isn't! - oh yes it is!

nietig 1 invalid, null (and void) 2 [klein] puny

de **nietje** staple

de **nietmachine** stapler

niet-roken non-smoking

niets 1 not at all: *dat bevalt mij* ~ I don't like that at all 2 nothing, not anything: *weet je* ~ *beters?* don't you know (of) anything better?; *zij moet* ~ *van hem hebben* she will have nothing to do with him; *verder* ~*?* is that all?; *ik geloof er* ~ *van* I don't believe a word of it; *voor* ~ **a)** [gratis] for nothing, gratis, free (of charge); **b)** [tevergeefs] for nothing; *niet voor* ~ [niet zonder reden] not for nothing, for good reason; *dat is* ~ *voor mij* that's not my cup of tea; *dit is* ~ *dan opschepperij* that's just (*of:* mere) boasting ‖ *in het* ~ *verdwijnen* disappear into thin air

de **nietsnut** good-for-nothing

nietsontziend unscrupulous, uncompromising

nietsvermoedend unsuspecting

nietszeggend meaningless; [m.b.t. woorden] empty: *een* ~*e opmerking* a triviality, a purposeless remark

niettegenstaande notwithstanding, despite, in spite of: ~ *het feit dat …* notwithstanding (*of:* despite, in spite of) the fact that …

niettemin nevertheless, nonetheless, even so, still: ~ *is het waar dat …* it is nevertheless true that …

nietwaar is(n't) it?, do(n't) you?, have(n't) we?: *jij kent zijn pa,* ~*?* you know his dad, don't you?; *dat is mogelijk,* ~*?* it's possible, isn't it?

nieuw 1 [pas gemaakt] new, recent: *het* ~*ste op het gebied van* the latest thing in 2 [niet gebruikt] new; [ongedragen] unworn; [ongebruikt] unused: *zogoed als* ~ as good as new 3 [vers] fresh; [jong] young: ~*e haring* early-season herring(s) 4 [ander] new, fresh; [origineel] original; [baanbrekend] novel: *een* ~ *begin maken* make a fresh start; *ik ben hier* ~ I'm new here 5 [modern] new; modern [m.b.t. geschiedenis, techniek]

de **nieuwbouw** 1 [het bouwen] construction

of new buildings 2 [huizen in aanbouw] new(ly built) houses

de **nieuwbouwwijk** new housing estate (*of:* development)

de **nieuweling** 1 novice, beginner 2 [op school e.d.] new boy (*of:* girl, pupil)

de **nieuwemaan** new moon

Nieuw-Guinea New Guinea

Nieuwjaar New Year, New Year's Day: *gelukkig (zalig) nieuwjaar!* Happy New Year!

de **nieuwjaarsdag** New Year's Day

de **nieuwjaarswens** New Year's greeting(s)

de **nieuwkomer** newcomer; [op school] new boy (*of:* girl, pupil): *een* ~ *in de top veertig* a newcomer to the top twenty

het **nieuws** news; [één bericht] piece of news: *buitenlands* (of: *binnenlands*) ~ foreign (*of:* domestic) news; *ik heb goed* ~ I have (some) good news; *dat is oud* ~ that's stale news; that's ancient history; *het* ~ *van acht uur* the eight o'clock news; *is er nog* ~*?* any news?, what's new?

het **nieuwsbericht** news report; [via radio, tv ook] news bulletin; [kort] news flash

de **nieuwsbrief** newsletter

de **nieuwsdienst** news service, press service

nieuwsgierig curious (about), inquisitive, nosy

de **nieuwsgierigheid** curiosity, inquisitiveness: *branden van* ~ be dying from curiosity

de **nieuwsgroep** newsgroup

de **nieuwslezer** newsreader

het **nieuwsoverzicht** news summary: *kort* ~ rundown on the news

de **nieuwswaarde** news value

de **nieuwszender** news network

het **nieuwtje** [bericht] piece (*of:* item, bit) of news

Nieuw-Zeeland New Zealand

de **Nieuw-Zeelander** New Zealander

Nieuw-Zeelands New Zealand; of, from New Zealand

niezen sneeze

de ¹**Niger** [rivier] Niger

²**Niger** [staat] Niger

de ¹**Nigerees** Nigerien

²**Nigerees** (bn) Nigerien

Nigeria Nigeria

de **Nigeriaan** Nigerian

Nigeriaans Nigerian

nihil nil, zero

de **nijd** envy, jealousy: *groen en geel worden van* ~ *over iets* be green with envy at sth.; *haat en* ~ hatred and malice

nijdig angry, annoyed, cross

de **Nijl** Nile

het **nijlpaard** hippopotamus; [inf] hippo

nijpend pinching, biting: *het* ~ *tekort aan* the acute shortage of

de **nijptang** (pair of) pincers

nijver industrious, hard-working

de **nijverheid** industry

de **nikab** niqab, face veil

het **nikkel** nickel

nikkelen 1 nickel **2** [vernikkeld] nickel-plated

niks nothing; [Am] zilch: *dat wordt* ~ that won't work; *nou, ik vind het maar* ~*!* well I don't think much of it

niksen sit around, loaf about, laze about, do nothing

de **niksnut** good-for-nothing, layabout

de **nimf** nymph

nimmer never

nippen sip (at), take a sip

het **nippertje**: *op het* ~ at the very last moment (*of:* second), in the nick of time; *dat was op het* ~ that was a close (*of:* near) thing; *de student haalde op het* ~ *zijn examen* the student only passed by the skin of his teeth

het **nirwana** nirvana

de **nis** niche, alcove

het **nitraat** nitrate

het **nitriet** nitrite

het **niveau** level, standard: *rugby op hoog* ~ top-class rugby; *het* ~ *daalt* the tone (of the conversation) is dropping; *onder zijn* ~ *werken* work below one's capability

nivelleren level (out)

de **nivellering** levelling (out), evening out

nl. afk van *namelijk* viz.

Noach Noah: *de ark van* ~ Noah's ark

nobel [edelmoedig] noble(-minded), generous

de **Nobelprijs** Nobel prize: *de* ~ *voor de vrede* the Nobel Peace prize

noch neither, nor: ~ *de een* ~ *de ander* neither the one nor the other

nochtans [form] nevertheless, nonetheless

de **no-claimkorting** no claim(s) bonus

nodeloos unnecessary: *zich* ~ *ongerust maken* worry over nothing

¹**nodig** (bn, bw) **1** necessary, needful: *zij hadden al hun tijd* ~ they had no time to waste (*of:* spare); *iets* ~ *hebben* need (*of:* require) sth.; *er is moed voor* ~ *om* it takes courage to; *dat is hard (dringend)* ~ that is badly needed, that is vital; *zo (waar)* ~ if need be, if necessary **2** [gebruikelijk] usual, customary

²**nodig** (bw) [dringend] necessarily, needfully, urgently ‖ *dat moet jij* ~ *zeggen* look who's talking

noemen 1 call, name: *noem jij dit een gezellige avond?* is this your idea of a pleasant evening?; *dat noem ik nog eens moed* that's what I call courage!; *iem. bij zijn voornaam* ~ call s.o. by his first name; *een kind naar zijn vader* ~ name a child after his father **2** [vermelden] mention, cite; name [(op)noemen]: *om maar eens iets te* ~ to name (but) a few [van namen, voorbeelden]

noemenswaardig appreciable, considerable, noticeable, worthy of mention: *niet* ~ inappreciable; nothing to speak of

de **noemer** denominator

nog 1 still, so far: *niemand heeft dit* ~ *geprobeerd* no one has tried this (as) yet; *zelfs nu* ~ even now; *tot* ~ *toe* so far, up to now **2** [voortdurend] still **3** even, still: ~ *groter* even larger, larger still **4** [van nu af] from now (on), more: ~ *drie nachtjes slapen* three (more) nights **5** [opnieuw] again, (once) more: ~ *één woord en ik schiet* one more word and I'll shoot; *neem er* ~ *eentje!* have another (one)! ‖ *ik zag hem vorige week* ~ I saw him only last week; *verder* ~ *iets?* anything else?; *ze zijn er* ~ *maar net* they've only just arrived; ~ *geen maand geleden* less than a month ago

de **noga** nougat

nogal rather, fairly, quite, pretty: *ik vind het* ~ *duur* I think it is rather (*of:* quite) expensive; *er waren er* ~ *wat* there were quite a few (of them)

nogmaals once again (*of:* more)

de **no-goarea** no-go area

de **nok** ridge, crest, peak

de **nomade** nomad

nominaal nominal

de **nominatie** nomination (list)

nomineren nominate

de **non** nun, sister

het **non-actief**: *(tijdelijk) op* ~ *staan* be suspended

de **nonchalance** nonchalance, casualness

nonchalant nonchalant, casual

de **nonnenschool** convent (school)

non-profit nonprofit

de **nonsens** nonsense, rubbish

non-stop nonstop

de **nood** distress; [uiterste nood] extremity; [noodgeval] (time(s) of) emergency: *uiterste* ~ dire need; *mensen in* ~ people in distress (*of:* trouble); *in de* ~ *leert men zijn vrienden kennen* a friend in need is a friend indeed; *in geval van* ~ in an emergency, in case of need

de **noodgang** breakneck speed

het **noodgebouw** temporary building, makeshift building

noodgedwongen out of (*of:* from) (sheer) necessity: *wij moeten* ~ *andere maatregelen treffen* we are forced to take other measures

het **noodgeval** (case of) emergency

de **noodhulp 1** [tijdelijke werkkracht] temporary help, worker **2** [bij rampen] emergency relief, emergency aid

de **noodklok** alarm (bell)

de **noodkreet** cry of distress, call for help

de **noodlanding** forced landing, emergency landing, belly landing, crash landing

noodlijdend destitute, indigent, needy

het **noodlot** fate

noodlottig fatal (to), disastrous (to), ill-fated: *een ~e reis* an ill-fated journey

de **noodmaatregel** emergency measure

de **noodoplossing** temporary solution

de **noodrem** emergency brake, safety brake

de **noodsituatie** emergency (situation), difficult position, precarious position

de **noodsprong** desperate move (*of:* measure)

de **noodstop** emergency stop

de **noodtoestand** emergency (situation), crisis

de **nooduitgang** emergency exit; [brandtrap] fire-escape

de **noodvaart** breakneck speed

het **noodverband** first-aid (*of:* emergency, temporary) dressing

de **¹noodweer** (zn) [zelfverdediging] self-defence

het **²noodweer** (zn) heavy weather, storm, filthy weather

de **noodzaak** necessity, need: *ik zie de ~ daarvan niet in* I don't see the need for this

noodzakelijk necessary, imperative, essential, vital: *het hoogst ~e* the bare necessities

noodzakelijkerwijs necessarily, inevitably, of necessity

noodzaken force, oblige, compel

nooit 1 never: *bijna ~* hardly ever, almost never; *~ van mijn leven* never in my life; *~ van gehoord!* never heard of it (*of:* him) **2** [in geen geval] never, certainly not, definitely not, no way: *je moet het ~ doen* you must never do that; *~ ofte nimmer* absolutely not, never ever; *dat ~!* never!

de **Noor** Norwegian

noord north(erly), northern

Noord-Afrika North Africa

Noord-Amerika North America

Noord-Amerikaans North American

Noord-Atlantisch North Atlantic

Noord-Brabant North Brabant

Noord-Brabants North Brabant

noordelijk north(erly), northern, northerly, northward: *de wind is ~* the wind is northerly; *een ~e koers kiezen* steer a northerly course; *het ~ halfrond* the northern hemisphere

het **noorden** north; [gebied, land] North: *ten ~ van* (to the) north of

de **noordenwind** north(erly) wind

de **noorderbreedte** north latitude: *Madrid ligt op 40 graden ~* Madrid lies in 40° north latitude

de **noorderkeerkring** Tropic of Cancer

het **noorderlicht** aurora borealis, northern lights

de **noorderling** northerner

de **noorderzon**: *met de ~ vertrekken* do a moonlight flit; abscond; skeddadle

Noord-Holland North Holland

de **Noord-Ier** inhabitant (*of:* native) of Northern Ireland

Noord-Ierland Northern Ireland

Noord-Iers (of) Northern Ireland

de **Noordkaap** North Cape, Arctic Cape

Noord-Korea North Korea

de **Noord-Koreaan** North Korean

Noord-Koreaans North Korean

de **noordkust** north(ern) coast

noordoost northeast(erly)

het **noordoosten** north-east

de **noordpool** North Pole

de **Noordpool** [gebied bij de noordpool] Arctic

de **noordpoolcirkel** Arctic Circle

het **noordpoolgebied** Arctic (region)

noordwaarts northward(s), northward

noordwest northwest(erly)

het **noordwesten** north-west

de **Noordzee** North Sea

de **Noorman** Norseman, Viking

het **Noors** Norwegian

Noorwegen Norway

de **noot 1** nut: *een harde ~ (om te kraken)* a tough (*of:* hard) nut (to crack) **2** [muz] note: *hele (of: halve) noten spelen* play semibreves (*of:* minims); *een kwart ~* a crotchet; *een valse ~* a wrong note **3** [voetnoot] (foot)note: *ergens een kritische ~ bij plaatsen* comment (critically) on sth.

de **nootmuskaat** nutmeg

de **nop** nix: *voor ~* for nothing, for free

nopen impel, compel

de **nopjes**: *in zijn ~ zijn* be (as) pleased as Punch, be delighted

noppes: *je kunt er voor ~ naar binnen* you can go there for nothing (*of:* for free); *heb ik nou alles voor ~ gedaan?* has it all been an utter waste of time?

de **nor** clink, nick

het **nordic walking** Nordic Walking

de **noren** racing skates

de **norm** standard, norm

normaal normal: *~ ben ik al thuis om deze tijd* I am normally (*of:* usually) home by this time

de **normaalschool** [Belg] training college for primary school teachers

normaliseren normalize

normaliter normally, usually, as a rule

Normandië Normandy

de **Normandiër** Norman

Normandisch Norman

het **normbesef** sense of standards (*of:* values)

de **normering** [normstelling] standard

de **normvervaging** blurring of (moral) standards

nors surly, gruff, grumpy

de **nostalgie** nostalgia

nostalgisch nostalgic

de **nota 1** account, bill **2** [geschrift] memorandum

de **notabele** dignitary, leading citizen

nota bene nota bene, please note ‖ *ze heeft ~ alwéér een andere auto* she's got yet another new car, would you believe

het **notariaat 1** office of notary (public) **2** notary's practice

notarieel notarial: *een notariële akte* a notarial act (*of:* deed)

de **notaris** notary (public)

het **notariskantoor** notary('s) office

de **notatie** notation; [manier ook] notation system

het/de **notebook** notebook (computer)

de **notenbalk** staff, stave

de **notenboom** walnut (tree)

de **notendop** nutshell

het **notenhout** walnut

de **notenkraker** (pair of) nutcrackers

het **notenschrift** (musical) notation; [op notenbalk] staff notation

¹**noteren** (onov ww) [in vaste lijsten opnemen] list; [op lijsten noteren] quote

²**noteren** (ov ww) **1** note (down), make a note of, record, register; book [bestellingen]: *een telefoonnummer ~* jot down (*of:* make a note) of a telephone number **2** [bepalen, opgeven] quote: *aan de beurs genoteerd zijn* be listed on the (stock) market

de **notering** [in vaste lijst] quotation; [prijs, koers] quoted price; rate

de **notie** notion, idea: *geen flauwe ~* not the faintest notion

de **notitie** note; [memo] memo(randum)

het **notitieblok** notepad, memo pad; scribbling pad

het **notitieboekje** notebook, memorandum book

notoir notorious

de **notulen** minutes

notuleren take (the) minutes

de **notulist** minutes secretary

¹**nou** (bw) **1** now: *wat moeten we ~ doen?* what do we (have to) do now? **2** now (that): *~ zij het zegt, geloof ik het* now that she says so I believe it

²**nou** (tw) **1** now, well: *kom je ~?* well, are you coming? **2** [m.b.t. verbazing, bevestiging] well, really: *meen je dat ~?* do you really mean it?; *hoe kan dat ~?* how on earth can that be? (*of:* have happened?); *~ dan!* exactly, couldn't agree more!; *~, en of!* you bet! **3** [m.b.t. onzekerheid] again: *wanneer ga je ~ ook weer weg?* when were you leaving again? **4** [als toegeving] oh (very) well, never mind: *~ ja, zo erg is 't niet* never mind, it's not all that bad; *dat is ~ niet bepaald eenvoudig* well, that's not so easy **5** [m.b.t. ongepastheid] oh, now, … on earth, … ever: *waar bleef je ~?* where on earth have you been? ‖ *~ en?* [wat zou dat?] so what?; *~, dat was het*

dan well (*of:* so), that was that

Nova Zembla Novaya Zemlya

de **novelle** short story, novella

de **november** November

nu 1 now, at the moment: *nu en dan* now and then, at times, occasionally; *ik kan nu niet* I can't (right, just) now; *nu nog niet* not yet; *tot nu (toe)* up to now, so far **2** [tegenwoordig] now(adays), these days ‖ *het hier en het nu* the here and now

de **nuance** nuance

nuanceren nuance; [onderscheiden] differentiate; [opmerking] qualify

nuchter 1 fasting; newborn [dier]: *voor de operatie moet je ~ zijn* you must have an empty stomach before surgery **2** [niet dronken] sober: *~ worden* sober up **3** sober, plain: *de ~e waarheid* the plain (*of:* simple) truth **4** [verstandig] sober(-minded), sensible, level-headed

nucleair nuclear

de **nudist** nudist, naturist

nuffig prim, prissy

de **nuk** mood, quirk

nukkig quirky, moody, sullen

de **nul** nought; [USA en wetenschappelijk] zero; 0: *tien graden onder ~* ten (degrees) below zero; *PSV heeft met 2-0 verloren* PSV lost two-nil ‖ [fig] *nul op het rekest krijgen* meet with a refusal; [sollicitant enz.] be turned down

de **nulmeridiaan** prime meridian

het **nulpunt** zero (point)

numeriek numerical, numeric

het **nummer 1** number, figure: *~ één van de klas zijn* be top of one's class; *mobiel ~* mobil (phone) number; [Am] cellphone number; *vast ~* landline number **2** [tijdschrift enz.] number, issue: *een ~ van een tijdschrift* a number (*of:* issue) of a periodical; *een oud ~* a back issue (*of:* number) **3** [liedje] number; [bijv. op cd] track: *een ~ draaien* play a track **4** [act] act, routine, number: *een ~ brengen* do a routine (*of:* an act) ‖ *iem. op zijn ~ zette* put s.o. in his (*of:* her) place

het **nummerbord** number plate; [Am] license plate

nummeren number

de **nummering** numeration

de **nummermelder** caller ID

het **nummertje 1** number **2** [inf] screw, fuck

de **nummerweergave** caller ID

nurks gruff

het **nut** use(fulness); [voordeel] benefit; [waarde] point; [waarde] value; [zin] purpose: *he heeft geen enkel ~ om …* it is useless (*of:* pointless) to …; *ik zie er het ~ niet van in* I don't see the point of it

het **nutsbedrijf**: *openbare nutsbedrijven* publi utilities

nutteloos 1 useless: *een nutteloze vraag* a

pointless question **2** [zonder resultaat] fruitless
de **nutteloosheid** uselessness, futility
nuttig 1 useful: *zich ~ maken* make o.s.
useful **2** [voordeel opleverend] advantageous: *zijn tijd ~ besteden* make good use of
one's time
nuttigen consume, take, partake of
de **nv** afk van *naamloze vennootschap* plc
(public limited company); [Am] Inc (incorporated)
n.v.t. afk van *niet van toepassing* n/a
het/de **nylon** nylon
de **nymfomane** nymphomaniac

O

o O, oh, ah ‖ *o zo verleidelijk* ever so tempting
o.a. afk van *onder andere* among other
things, for instance
de **oase** oasis
de **obelisk** obelisk
de **O-benen** bandy legs, bow-legs: *met ~* bandy-legged, bow-legged
de **ober** waiter
de **obesitas** obesity
het **object** object
objectief objective
de **objectiviteit** objectiveness, objectivity, impartiality
obligaat obligatory: *obligate toespraken*
standard speeches
de **obligatie** bond, debenture
obsceen obscene
obscuur 1 obscure, dark **2** [neg] shady, obscure: *een ~ zaakje* a shady (*of:* doubtful)
business
obsederen obsess
de **observatie** observation
de **observatiepost** observation post
de **observator** observer
het **observatorium** observatory
observeren observe, watch
de **obsessie** obsession, hang-up
het **obstakel** obstacle, obstruction, impediment: *een belangrijk ~ vormen* constitute a
major obstacle
obstinaat obstinate, stubborn
de **obstipatie** constipation
de **obstructie** obstruction: *~ plegen* commit
obstruction
de **occasie** [Belg] bargain
de **occasion** used car
occult occult
het **occultisme** occultism
de **oceaan** ocean, sea: *de Stille (Grote) Oceaan*
the Pacific (Ocean)
Oceanië Oceania
och oh, o, ah: *~ kom* oh, go on (with you)
de **ochtend** morning; [heel vroeg] dawn; daybreak: *de hele ~* all morning; *om 7 uur 's ~s* at
7 o'clock in the morning, at 7 a.m.
het **ochtendblad** morning (news)paper
het **ochtendgloren** [form] daybreak
het **ochtendhumeur** (early) morning mood:
een ~ hebben have got up on the wrong side
of the bed
e **ochtendjas** dressing gown; [voor vrouwen]
housecoat
ochtendkrant morning (news)paper

de **ochtendmens** early bird (*of:* riser)
de **ochtendschemering** dawn
de **ochtendspits** morning rush hour
het/de **octaaf** octave, eighth
het **octaan** octane
de **octopus** octopus
het **octrooi** patent: *~ aanvragen* apply for a
patent
de **ode** ode: *een ~ brengen aan iem.* pay tribute
to s.o.
oecumenisch ecumenical, interfaith
het **oedeem** [med] (o)edema
het **oedipuscomplex** Oedipus complex
oef phew, whew, oof
het **oefenboek** workbook, exercise book
¹**oefenen** (onov ww) [trainen, repeteren]
train, practise; rehearse [rol]; drill [soldaten]:
~ voor een voorstelling rehearse for a performance
²**oefenen** (ov ww) train, coach; [mil] drill:
zich ~ in het zwemmen practise swimming
de **oefening 1** exercise: *dat is een goede ~ voor
je* it is good practice for you **2** [opgave] exercise, drill
het **oefenterrein** practice ground, training
ground
de **oefenwedstrijd** training (*of:* practice,
warm-up) match; [boksen] sparring match
de **oehoe** eagle owl
oei oops; [pijn] ouch
het ¹**Oekraïens** (zn) Ukrainian
²**Oekraïens** (bn) Ukrainian
de **Oekraïne** Ukraine
de **Oekraïner** Ukrainian
de **oen** [inf] blockhead, dummy
oeps oops, whoops
de **Oeral** *de ~* the Urals; the Ural Mountains
het **oerbos** primeval forest
oergezellig [inf] very pleasant; [feest] delightful
de **oerknal** Big Bang
de **oermens** primitive (*of:* prehistoric) man
oeroud ancient, prehistoric, primeval
oersaai deadly dull
de **oertijd** prehistoric times
het **oerwoud 1** primeval forest, virgin forest;
[tropisch] jungle **2** [fig] jungle, chaos, hotchpotch
de **OESO** OECD
de **oester** oyster
de **oesterbank** oyster bank
de **oesterzwam** oyster mushroom
het **oestrogeen** oestrogen
het **oeuvre** oeuvre, works, body of work
de **oever** bank [van rivier, vijver, kanaal]; shor
[van zee, meer]: *de rivier is buiten haar ~s getreden* the river has burst its banks
oeverloos [zonder begrenzing] endless, in
terminable: *~ gezwets* blather, claptrap
de **Oezbeek** Uzbek
het ¹**Oezbeeks** (zn) Uzbek

²Oezbeeks (bn) Uzbek
Oezbekistan Uzbekistan
of 1 (either …) or: *je krijgt of het een of het ander* you get either the one or the other; *het is óf het een óf het ander* you can't have it both ways; *Sepke zei weinig of niets* Sepke said little or nothing; *min of meer* more or less; *vroeg of laat* sooner or later, eventually **2** [verklarend] or: *de influenza of griep* influenza, or flu **3** [na ontkenning of beperking] (hardly …) when, (no sooner …) than: *ik weet niet beter of …* for all I know … **4** [toegevend] although, whether … or (not), no matter (how, what, where): *of je het nu leuk vindt of niet* whether you like it or not **5** [alsof] as if, as though: *hij doet of er niets gebeurd is* he is behaving (*of:* acts) as if nothing has happened; *het is net of het regent* it looks just as though it were raining **6** [bij twijfel, onzekerheid] whether, if: *ik vraag me af of hij komen zal* I wonder whether (*of:* if) he'll come ‖ *ik weet niet, wie of het gedaan heeft* I don't know who did it; *wanneer of ze komt, ik weet 't niet* when she is coming I don't know; *een dag of tien* about ten days, ten days or so

het **offensief** offensive: *in het ~ gaan* go on the offensive

het **offer** offering, sacrifice, gift, donation: *zware ~s eisen* take a heavy toll

de **offerande** offering, sacrifice; [r-k] offertory
offeren sacrifice, offer (up)

het **offerfeest** ceremonial offering

het **Offerfeest** [islam] Eid al-Adha, Celebration of Sacrifice

de **offerte** offer; [geschreven] tender; quotation

de **official** official
officieel 1 official, formal: *iets ~ meedelen* announce sth. officially **2** [formeel] formal, ceremonial

de **officier** officer
officieus unofficial, semi-official
offline off-line
offshore offshore

de **offshoring** offshoring
ofschoon (al)though, even though
ofte: *nooit ~ nimmer* not ever
oftewel *zie ofwel*
ofwel 1 [tegenstellend] either … or **2** [verklarend] or, that is, i.e.: *de cobra ~ brilslang* the cobra, or hooded snake

het **ogenblik 1** moment, instant, minute, second: *een ~ rust* a moment's peace; *in een ~ in* a moment; *juist op dat ~* just at that very moment (*of:* instant); *(heeft u) een ~je?* just a moment (*of:* minute); [aan de telefoon] would you mind waiting a moment? **2** [tijdstip] moment, time, minute
ogenblikkelijk immediately, at once, this instant: *ga ~ de dokter halen* go and fetch the doctor immediately (*of:* at once)

ogenschijnlijk apparent, ostensible; [bw ook] at first sight
ogenschouw: *iets in ~ nemen* take stock of sth.

o.g.v. afk van *op grond van* on the basis of

het/de **ohm** ohm

de **ok** afk van *operatiekamer* operating theatre
OK [in orde] OK

de **okapi** okapi
oké OK

de **oker** ochre

de **oksel** armpit

de **oktober** October

de **oldtimer** [auto] vintage car

de **oleander** oleander

de **olie** oil

de **oliebol 1** [lekkernij] ± doughnut ball **2** [fig; sullig persoon] idiot, fathead

de **olieboycot** oil boycott

de **oliebron** oil well

de **oliecrisis** oil crisis
oliedom (as) dumb as an ox

de **oliekachel** oil heater

de **olielamp** oil lamp
oliën oil, lubricate; [invetten] grease

de **olieraffinaderij** oil refinery

het **oliesel** anointing, extreme unction, last rites: *het laatste (Heilig) ~ toedienen* administer extreme unction (*of:* the last rites)

de **olietanker** (oil) tanker

de **olieverf** oil colour(s), oil paint

de **olievlek** [op zee] (oil-)slick: *zich als een ~ uitbreiden* spread unchecked

de **olifant** elephant: *als een ~ in een porseleinkast* like a bull in a china shop

de **olifantshuid**: [fig] *een ~ hebben* have a thick skin, have a hide like a rhinoceros

de **oligarchie** oligarchy

de **olijf** olive

de **Olijfberg** Mount of Olives

de **olijfboom** olive (tree)

de **olijfolie** olive oil
olijk [form] roguish, arch

de **olm** elm (tree)
o.l.v. afk van *onder leiding van* conducted by
O.L.V. afk van *Onze-Lieve-Vrouw* BVM; Our (Blessed) Lady

de **olympiade** Olympiad, Olympics, Olympic Games
olympisch Olympic
¹om (bn) **1** [rond] roundabout, circuitous: *een straatje (blokje) om* round the block **2** [voorbij] over, up, finished: *voor het jaar om is* before the year is out; *uw tijd is om* your time is up
²om (bw) **1** [ergens omheen] (a)round, about; on [kleding e.d.]: *doe je das om* put your scarf on; *toen zij de hoek om kwamen* when they came (a)round the corner

2 [m.b.t. doel] about: *waar gaat het om?* what's it about?; [onenigheid ook] what's the matter?

³**om** (vz) **1** [rondom] (a)round, about: *om de hoek* (just) round the corner **2** [m.b.t. tijdstippen] at: *ik zie je vanavond om acht uur* I'll see you tonight at eight (o'clock); *om een uur of negen* around nine (o'clock) **3** [telkens na] every: *om beurten* in turn; *om de twee uur* every two hours **4** [m.b.t. reden] for (reasons of), on account of, because of: *om deze reden* for this reason **5** [m.b.t. doel] to, in order to, so as to: *niet om te eten* not fit to eat, inedible

het **OM** afk van *Openbaar Ministerie* Public Prosecutor

de **oma** gran(ny), grandma, grandmother

de **omafiets** ± sit-up-and-beg type bicycle

Oman Oman

de **Omanier** Omani

Omanitisch Omani

omarmen embrace; [inf] hug: *een voorstel ~ accept* a proposal with open arms

ombinden tie on (*of:* round)

ombouwen convert; [moderniseren] reconstruct; [veranderen] rebuild; alter

ombrengen kill, murder

de **ombudsman** ombudsman

ombuigen 1 restructure, adjust, change (the direction of) **2** bend (round, down, back) [draad, enz.]

omcirkelen (en)circle, ring; [fig ook] surround: *de politie omcirkelde het gebouw* the police surrounded the building

omdat because, as: *juist ~ … precisely because …; waarom ga je niet mee? ~ ik er geen zin in heb* why don't you come along? because I don't feel like it

omdoen put on: *zijn veiligheidsgordel ~* fasten one's seat belt

omdopen rename

¹**omdraaien** (onov ww) **1** [een draai maken om] turn (round): *de brandweerauto draaide de hoek om* the fire engine turned the corner **2** [omkeren] turn back (*of:* round)

²**omdraaien** (ov ww) **1** turn (round), turn over: *zich ~* roll over (on one's side) **2** [m.b.t. situaties] reverse, swing round

omduwen push over; [ongewild] knock over

de **omega** omega

de **omelet** omelette

omfloerst shrouded: *met ~e stem* in a muffled voice

omgaan 1 go round; [hoek, bocht ook] turn; round: *de hoek ~* turn the corner; *een blokje ~* (go for a) walk around the block **2** [leven met, hanteren] go about (with), associate (with); [hanteren] handle; manage: *zo ga je niet met mensen om* that's no way to treat people

omgaand: *per ~e antwoorden* answer by return (of post, mail)

de **omgang** contact, association: *hij is gemakkelijk* (of: *lastig*) *in de ~* he is easy (*of:* difficult) to get on with

de **omgangsregeling** arrangement(s) concerning parental access

de **omgangstaal** everyday speech

de **omgangsvormen** manners, etiquette

¹**omgekeerd** (bn) **1** turned round; [ondersteboven] upside down; [binnenstebuiten] inside out; [achterstevoren] back to front: *~ evenredig* inversely proportional (to) **2** [tegenovergesteld] opposite, reverse

²**omgekeerd** (bw) the other way round: *het is precies ~* it's just the other way round

omgeven surround, encircle: *geheel door land ~* landlocked

de **omgeving** neighbourhood, vicinity, surrounding area (*of:* districts)

omgooien 1 knock over, upset **2** [veranderen] change round

de **omhaal** [sport] overhead kick ‖ *met veel ~ van woorden* in a roundabout way

omhakken chop down, cut down, fell

het **omhalen** [Belg] collect, make a collection

de **omhaling** [Belg] collection

omhanden: *niets ~ hebben* have nothing to do; be at a loose end

omhangen hang over (*of:* round)

omheen round (about), around: *ergens ~ draaien* talk round sth., beat about the bush

omheinen fence off (*of:* in)

de **omheining** fence, enclosure

omhelzen embrace, hug: *iem. stevig ~* give s.o. a good hug

de **omhelzing** embrace, hug

omhoog 1 up (in the air) **2** [naar boven] up(wards); [de lucht in] in(to) the air: *handen ~!* hands up!

omhooggaan go up(wards), rise: *de prijzen gaan omhoog* prices are going up (*of:* are rising)

omhooghouden hold up

omhoogkomen 1 [naar boven komen] come (*of:* get) up **2** [fig; hogerop komen] get on (*of:* ahead)

omhoogzitten: *met iets ~* [niet kunnen oplossen] be stuck over (*of:* on) sth.; [niet kwijt kunnen] be stuck with sth.

omhullen envelop, wrap

het **omhulsel** covering, casing, envelope, shell [zaadje] husk; [peulvrucht, graan] hull; [peulvrucht ook] pod

de **omissie** omission

de **omkadering** [Belg] staff-pupil ratio

omkeerbaar reversible

¹**omkeren** (onov ww) [keren] turn back, turn round

²**omkeren** (ov ww) **1** [omdraaien] turn (round); turn [hooi, kaas enz.]; invert: *zich ~*

turn (a)round **2** [m.b.t. situaties] switch (round), change (round); [verdraaien] twist (round)

omkijken 1 look round: *hij keek niet op of om* he didn't even look up **2** [aandacht besteden] look after; worry about, bother about [meestal negatief]: *niet naar iem.* ~ not worry (*of:* bother) about s.o.; leave s.o. to his own devices; *je hebt er geen* ~ *naar* it needs no looking after

omkleden change, put other clothes on

omkomen 1 die; [gedood worden ook] be killed: ~ *van honger* starve to death **2** [om iets heen komen] come round, turn: *hij zag haar juist de hoek* ~ he saw her just (as she was) coming round (*of:* turning) the corner

omkoopbaar bribable, corruptible

omkopen bribe, buy (over), corrupt: *zich laten* ~ accept a bribe

de **omkoperij** bribery, corruption

omlaag down, below: *naar* ~ down(wards)

omlaaggaan go down

omleggen 1 [om iets heen leggen] put round; [Am] put around; [verband] put on **2** [vermoorden] kill

omleiden divert, re-route; train [plant]

de **omleiding** [verk] (traffic) diversion, detour; [vervangende route] relief route, alternative route

omliggend surrounding

omlijnen outline

de **omlijsting** frame; [fig] setting

de **omloop** circulation

de **omloopsnelheid 1** [ec] rate of circulation **2** [astron] orbital velocity

¹**omlopen** (onov ww) walk round, go round: *ik loop wel even om* I'll go round the back

²**omlopen** (ov ww) [omverlopen] (run into and) knock over

de **ommekeer** turn(about); [180 graden] about-turn; about-face, U-turn, revolution

het **ommetje** stroll, (little) walk

het **ommezien**: *in een* ~ *was hij terug* (*of: klaar*) he was back (*of:* finished) in a jiffy

de **ommezijde** reverse (side), back, other side: *zie* ~ see overleaf

de **ommezwaai** revolution; [van koers] reversal, U-turn: *een politieke* ~ a political U-turn

de **omnisport** [Belg] multifaceted sports program at youth sport camps

de **omnivoor** omnivore

omploegen 1 [met de ploeg werken] plough (up) **2** [onderploegen] plough in (*of:* under)

ompraten persuade, bring round, talk round; [om iets te doen] talk into; [om iets niet te doen] talk out of

de **omrastering** fencing, fence(s)

omrekenen convert (to), turn (into)

¹**omrijden** (onov ww) make a detour, take a roundabout route, take the long way round

²**omrijden** (ov ww) [omverrijden] knock down, run down

omringen surround, enclose

de **omroep** broadcasting corporation (*of:* company), (broadcasting) network

omroepen 1 broadcast, announce (over the radio, on TV) **2** [oproepen] call (over the PA, intercom): *iemands naam laten* ~ have s.o. paged

de **omroeper** announcer

de **omroepinstallatie** sound system

omroeren stir, churn

omruilen exchange, trade (in), change (over, round, places), swap

omschakelen convert, change (*of:* switch) over (to)

de **omschakeling** switch, shift, changeover

omscholen retrain, re-educate: *waarom laat je je niet* ~? why don't you get retrained?

de **omscholing** retraining, re-education

omschoppen kick over

omschrijven 1 describe, determine **2** [definiëren] define, specify, state: *iemands bevoegdheden nader* ~ define s.o.'s powers

de **omschrijving 1** description, paraphrase **2** definition, specification, characterization

omsingelen surround, besiege

¹**omslaan** (onov ww) **1** [om iets heen gaan] turn [hoek]; round [boei, paal] **2** [radicaal veranderen] change; break [weer]; swing (round), veer (round): *het weer slaat om* the weather is breaking **3** [kantelen] overturn, topple, keel (over); capsize [schip]

²**omslaan** (ov ww) **1** [omvouwen] fold over (*of:* back); turn down [broekspijp]; turn back [mouw] **2** [m.b.t. een pagina] turn (over)

omslachtig laborious, time-consuming [procedure]; lengthy [verhaal]; wordy [spreker]; long-winded [spreker]; roundabout [methode]

het/de **omslag 1** [rand, boord] cuff [mouw] **2** [kaft] cover; [los] dust jacket

de **omslagdoek** shawl, wrap

het **omslagpunt** turning point

omsluiten enclose, surround

omsmelten melt down, re-melt

omspitten dig up, break up, turn over

omspoelen rinse (out), wash out, wash up

omspringen deal (with): *slordig met andermans boeken* ~ be careless with s.o. else's books

de **omstander** bystander, onlooker, spectator: *de* ~*s* bystanders

omstandig elaborate: *iets* ~ *uitleggen* elaborate (*of:* amplify) on sth.

de **omstandigheid** circumstance; [mv ook] situation; condition: *naar omstandigheden* considering (*of:* under) the circumstances; *in de gegeven omstandigheden* under (*of:* in) the circumstances

omstoten knock over

omstreden controversial; [figuur, idee ook] debatable; contentious; contested [gebied]; disputed [gebied]: *een ~ boek* a controversial book

omstreeks [rond, tegen] (round) about, (a)round, towards, in the region (*of:* neighbourhood) of

de **omstreken** neighbourhood, district; [mv] environs; [mv] surroundings: *de stad Brugge en ~* the city of Bruges and (its) environs

omtoveren transform

de **omtrek 1** [wisk] perimeter [van willekeurige figuur]; circumference; periphery [van cirkel] **2** contour(s), outline(s), silhouette; skyline [stad] **3** [nabijheid, omgeving] surroundings, vicinity, environs, surrounding district (*of:* area): *in de wijde ~* for miles around

omtrekken pull down || *een ~de beweging maken* **a)** make an enveloping (*of:* outflanking) movement; **b)** [fig] (try to) circumvent the issue

¹**omtrent** (bw) about, approximately

²**omtrent** (vz) **1** [m.b.t. tijdstip] about, (a)round **2** concerning, with reference to, about

omturnen win over, bring round; [Am] bring around

omvallen fall over (*of:* down); turn over (*of:* on its side) [bijv. auto]: *~ van de slaap* be dead tired

de **omvang 1** girth, circumference, bulk(iness) **2** [grootte] dimensions, size, volume, magnitude, scope: *de volle ~ van de schade* the full extent of the damage

omvangrijk sizeable; bulky [boek]; extensive [gebied]

omvatten contain, comprise, include, cover

omver over, down

omvergooien knock over, bowl over, upset, overturn

omverlopen knock, run down (*of:* over), bowl over: *omvergelopen worden* be knocked off one's feet

omverrijden run, knock down (*of:* over)

omverwerpen 1 knock over (*of:* down), throw down **2** [fig] overthrow [bijv. regering]

omvliegen 1 [snel voorbijgaan] fly past, fly by, rush by: *een bocht ~* tear round a corner **2** fly round, tear round, race round: *de tijd vloog om* the time flew by

omvormen transform, convert (into)

omvouwen [(ten dele) vouwen] fold down (*of:* over); turn down [bladzijde in boek]

omwaaien be (*of:* get) blown down, blow down; [mens] be blown off one's feet

de **omweg** detour, roundabout route, roundabout way: *langs een ~* indirectly; *een ~ maken* make a detour, take a roundabout route

de **omwenteling 1** rotation, revolution, turn; orbit [van hemellichaam] **2** [pol] revolution, upheaval

¹**omwisselen** (onov ww) change places, swap places, change seats

²**omwisselen** (ov ww) exchange (for), swap: *dollars ~ in euro* change dollars into euros

omzeilen skirt, get round; by-pass [obstakel]

de **omzendbrief** [Belg] [rondschrijven] circular (letter)

de **omzet 1** turnover, volume of trade (*of:* business) **2** [som van de opbrengsten] returns, sales, business

de **omzetbelasting** sales tax, turnover tax

omzetten 1 turn over, sell: *goederen ~* sell goods **2** [veranderen] convert (into), turn (into): *een terdoodveroordeling in levenslang ~* commute a sentence from death to life imprisonment

omzichtig cautious, circumspect, prudent

omzien look (after)

omzwaaien change subject(s)

de **omzwerving** wandering, ramble: *nachtelijke ~en* nocturnal rambles

onaangedaan unmoved: *~ blijven* remain unmoved

onaangekondigd unannounced: *een ~ bezoek* a surprise visit

onaangenaam unpleasant, disagreeable

onaangepast maladjusted: *~ gedrag vertonen* show maladjusted behaviour

onaangetast unaffected; intact

onaannemelijk implausible, incredible, unbelievable

onaantastbaar unassailable, impregnable

onaantrekkelijk unattractive, unprepossessing, unappealing

onaanvaardbaar unacceptable

onaardig [onvriendelijk] unpleasant, unfriendly, unkind

onachtzaam inattentive, careless; [nalatig] negligent

onaf unfinished, incomplete

onafgebroken 1 continuous, sustained: *40 jaar ~ dienst* 40 years continuous service **2** [voortdurend] unbroken, uninterrupted: *we hebben drie dagen ~ regen gehad* the rain hasn't let up for three days

onafhankelijk independent (of)

de **onafhankelijkheid** independence

onafscheidelijk inseparable (from)

onafzienbaar immense, vast

onbaatzuchtig unselfish

onbarmhartig merciless, unmerciful, ruthless

onbedaarlijk uncontrollable

de **onbedachtzaamheid** thoughtlessness, rashness

onbedekt uncovered, exposed

onbedoeld unintentional, inadvertent:

iem. ~ *kwetsen* hurt s.o. unintentionally

onbedorven [gaaf, fris] unspoilt, untainted

onbeduidend insignificant, trivial, inconsequential

onbegaanbaar impassable

onbegonnen hopeless, impossible

onbegrensd unlimited, boundless, infinite

onbegrijpelijk incomprehensible, unintelligible

het **onbegrip** incomprehension, lack of understanding, ignorance

onbehaaglijk uncomfortable

het **onbehagen** discomfort (about)

onbeheerd abandoned, unattended, ownerless: *laat uw bagage niet* ~ *achter* do not leave your baggage unattended

onbeheerst uncontrolled, unrestrained

onbeholpen awkward, clumsy, inept

onbehoorlijk unseemly; improper, indecent: *hij gedraagt zich* ~ he behaves in an unseemly manner; ~*e taal* indecent language; *het was nogal* ~ *van hem om ...* it was rather unbecoming of him to ...

onbehouwen coarse, crude

onbekend unknown, out-of-the-way, unfamiliar: *met* ~*e bestemming vertrekken* leave for an unknown destination

de **onbekende** unknown (person), stranger

onbekommerd carefree, unconcerned

onbekwaam incompetent, incapable

onbelangrijk unimportant, insignificant; inconsiderable [mate, bedrag]: *iets* ~*s* sth. trivial

onbeleefd impolite, rude

de **onbeleefdheid** impoliteness, rudeness, incivility, discourtesy; [belediging] insult

onbelemmerd unobstructed

onbemand unmanned

de **onbenul** fool, idiot

onbenullig inane, stupid, fatuous

onbepaald 1 indefinite, unlimited **2** [niet precies vastgesteld] indefinite, indeterminate, undefined

onbeperkt unlimited, unbounded

onbeproefd untried: *geen middel* ~ *laten* leave no stone unturned

onbereikbaar 1 inaccessible **2** [door geen moeite verkrijgbaar] unattainable, out of (*of:* beyond) reach: *een* ~ *ideaal* an unattainable ideal

onberekenbaar unpredictable

onberispelijk perfect; [gedrag] irreproachable

onbeschaafd 1 uncivilized **2** [m.b.t. omgangsvormen] uneducated, unrefined

onbeschadigd undamaged, intact

onbescheiden 1 immodest, forward **2** [nieuwsgierig] indiscreet, indelicate **3** [brutaal] presumptuous, bold: *zo* ~ *zijn om ...* be so bold as to ...

onbeschoft rude, ill-mannered, boorish

onbeschreven blank

onbeschrijfelijk indescribable; beyond description (*of:* words) [na werkwoord]; [neg] unspeakable: *het is* ~ it defies (*of:* beggars) description

onbeslist undecided, unresolved: *de wedstrijd eindigde* ~ the match ended in a draw

onbespeelbaar unplayable; [sportveld ook] not fit (*of:* unfit) for play

onbespoten unsprayed

onbespreekbaar taboo

onbesproken: *van* ~ *gedrag* of irreproachable (*of:* blameless) conduct

onbestaanbaar impossible

onbestelbaar undeliverable

onbestemd vague

onbestendig unsettled, variable: *het weer is* ~ the weather is changeable (*of:* variable)

onbestuurbaar 1 uncontrollable, out of control; unmanageable [ook paard, schip] **2** [m.b.t. land, organisatie] ungovernable

onbesuisd rash

onbetaalbaar 1 prohibitive, impossibly dear **2** [onschatbaar] priceless, invaluable **3** [kostelijk] priceless, hilarious

onbetaald unpaid (for); [rekeningen, bedragen ook] outstanding; unsettled; [schuld ook] undischarged

onbetekenend insignificant

onbetrouwbaar unreliable; [persoon ook] untrustworthy; shady [malafide]; shifty [malafide]

onbetuigd: *zich niet* ~ *laten* keep one's end up

onbetwist undisputed: *de* ~*e kampioen* the unrivalled champion

onbevangen open(-minded)

onbevestigd unconfirmed

onbevlekt immaculate

onbevoegd unauthorized; unqualified [ook zonder diploma]

de **onbevoegde** unauthorized person; unqualified person [ook zonder diploma]

onbevooroordeeld unprejudiced, open-minded

onbevredigend unsatisfactory

onbewaakt unguarded, unattended

onbeweeglijk motionless

onbewerkt unprocessed, raw

onbewezen unproved, unproven

onbewogen 1 immobile **2** [onaangedaan] unmoved

onbewolkt cloudless, clear

onbewoonbaar uninhabitable

onbewoond [m.b.t. land, streek] uninhabited: *een* ~ *eiland* a desert island

onbewust unconscious (of): *iets* ~ *doen* do sth. unconsciously

onbezoldigd unpaid

onbezonnen unthinking, rash, thought-

less
onbezorgd carefree, unconcerned: *een ~e oude dag* a carefree old age
onbillijk unfair, unreasonable
onbrandbaar incombustible, non-flammable
onbreekbaar unbreakable, non-breakable
het **onbruik**: *in ~ raken* fall (*of:* pass) into disuse, go out of date
onbruikbaar unusable; [nutteloos] useless
onbuigzaam inflexible
de **oncoloog** oncologist
oncomfortabel uncomfortable
oncontroleerbaar unverifiable
onconventioneel unconventional
ondankbaar ungrateful: *een ondankbare taak* a thankless (*of:* an unrewarding) task
de **ondankbaarheid** ingratitude
ondanks in spite of, contrary to: *~ haar inspanningen lukte het (haar) niet* for (*of:* despite) all her efforts, she didn't succeed
ondeelbaar indivisible: *een ~ getal* a prime number
ondefinieerbaar indefinable
ondemocratisch undemocratic
ondenkbaar inconceivable, unthinkable
¹**onder** (bw) below, at the bottom: *~ aan de bladzijde* at the foot (*of:* bottom) of the page
²**onder** (vz) **1** [lager dan, beneden] under, below, underneath: *hij zat ~ de prut* he was covered with mud; *de tunnel gaat ~ de rivier door* the tunnel goes (*of:* passes) under(neath) the river; *zes graden ~ nul* six degrees below zero **2** [te midden van] among(st): *er was ruzie ~ de supporters* there was a fight among the supporters; *~ andere* among other things; *~ ons gezegd (en gezwegen)* between you and me (and the doorpost) ‖ *~ toezicht van de politie* under police surveillance; *zij leed erg ~ het verlies* she suffered greatly from the loss
onderaan at the bottom, below: *~ op de bladzijde* at the bottom (*of:* foot) of the page
de **onderaannemer** subcontractor
onderaards subterranean
onderaf: *hij heeft zich van ~ opgewerkt* he has worked his way up from the bottom of the ladder
de **onderafdeling** subdepartment
de **onderarm** forearm
het **onderbeen** (lower) leg; [voorkant] shin; [kuit] calf
onderbelicht 1 [foto] underexposed **2** [fig] neglected, give too little attention
onderbewust subconscious
het **onderbewuste** subconscious, unconscious
het **onderbewustzijn** subconscious
de **onderbezetting** undermanning, being short-handed
de **onderbouw** the lower classes of secondary school
onderbouwen build, found; [fig ook] substantiate
onderbreken 1 interrupt, break **2** [storen, afbreken] interrupt, cut short; [gesprek ook] break in (on)
de **onderbreking 1** interruption **2** [pauze] break
onderbrengen 1 accommodate; [van slaapplaats] lodge; [van woon-, werkplaats] house; [tijdelijk] put up: *zijn kinderen bij iem. ~* lodge one's children with s.o. **2** [categoriseren] class(ify) (with, under, in)
de **onderbroek** [mannen] underpants; [vrouwen] panties
de **onderbuik** abdomen
het **onderbuikgevoel** (instinctive) envy, hate, rancour
de **onderdaan** subject
het **onderdak** accommodation; [toevluchtsoord] shelter; [slaapplaats] lodging: *iem. ~ geven* accommodate (*of:* lodge) s.o., get s.o. a place; *~ vinden* find accommodation
onderdanig submissive, humble
het **onderdeel** part, (sub)division; [tak] branch: *het volgende ~ van ons programma* the next item on our programme
de **onderdirecteur** assistant manager: *~ van een school* deputy headmaster
onderdoen be inferior (to): *voor niemand ~* yield to no one, be second to none
onderdompelen immerse, submerge
onderdoor under
onderdrukken 1 oppress **2** [bedwingen] suppress, repress: *een glimlach ~* suppress a smile
de **onderdrukking** oppression
onderduiken 1 go into hiding, go underground **2** [onder water duiken] dive (in)
de **onderduiker** person in hiding
onderen 1 (+ naar) down(wards); [in huis] downstairs **2** (+ van) [aan de onderkant] be low, underneath **3** (+ van) [van beneden] from below; [in huis] from downstairs: *van ~ af beginnen* start from scratch (*of:* the bottom)
¹**ondergaan** (onov ww) go down; [zon ook] set: *de ~de zon* the setting sun
²**ondergaan** (ov ww) undergo, go through
de **ondergang 1** ruin, (down)fall: *dat was zijn ~* that was his undoing **2** [het dalen] setting
ondergeschikt 1 subordinate **2** [van weinig betekenis] minor, secondary
de **ondergeschikte** subordinate
ondergeschoven: [fig] *een ~ kindje* an issue that deserves more attention, a neglected issue
de **ondergetekende 1** undersigned: *ik, ~* I, the undersigned **2** [ik] yours truly
het **ondergoed** underwear
de **ondergrens** lower limit

de **ondergrond** base; [vnl. abstract] basis; foundation: *witte sterren op een blauwe ~* white stars on a blue background

ondergronds underground

de **ondergrondse 1** underground; [Am] subway **2** [verzetsbeweging] underground, resistance

onderhand meanwhile

de **onderhandelaar** negotiator

onderhandelen negotiate; [geldzaken ook] bargain

de **onderhandeling 1** negotiation; [geldzaken ook] bargaining **2** [bespreking] negotiation; [mv ook] talks

onderhands 1 [in het geheim] underhand(ed), backstairs, underhand: *iets ~ regelen* make hole-and-corner arrangements **2** [niet in het openbaar] private **3** [sport] underhand, underarm: *een bal ~ ingooien* throw in a ball underarm

onderhavig present, in question, in hand

onderhevig liable (to), subject (to)

het **onderhoud** maintenance, upkeep

onderhouden 1 maintain, keep up; [auto ook] service: *het huis was slecht ~* the house was in bad repair; *betrekkingen ~ met* maintain (*of:* have) relations with; *een contact ~* keep in touch **2** [verzorgen] maintain, support

onderhoudend entertaining, amusing

de **onderhoudsbeurt** overhaul, service

de **onderhuur** sublet: *iets in ~ hebben* have the subtenancy of sth.

de **onderhuurder** subtenant

¹**onderin** (bw) below, at the bottom

²**onderin** (vz) at the bottom of: *het ligt ~ die kast* it's at the bottom of that cupboard

de **onderjurk** slip

de **onderkaak** lower jaw; [dieren ook] mandible

de **onderkant** underside, bottom

onderkennen recognize

de **onderkin** double chin

onderkoeld supercooled: *ernstig ~* suffering from hypothermia; [fig] *een ~e reactie* an unemotional reaction, a cold reaction

het **onderkomen** somewhere to go (*of:* sleep, stay), accommodation; [schuilplaats] shelter

de **onderkruiper 1** [bij staking] scab **2** [klein persoon] squirt, shrimp

de **onderlaag** lower layer; [waarop iets rust] foundation; [verf] undercoat: [fig] *de ~ van de maatschappij* the dregs of society

onderlangs along the bottom (*of:* foot), underneath

onderlegd (well-)grounded: *zij is goed ~* she's well educated

het **onderlichaam** lower part of the body

het **onderlijf** lower part of the body

onderling mutual, among ourselves, among them(selves), together: *de partijen konden de kwestie ~ regelen* the parties were able to arrange the matter between (*of:* among) themselves

de **onderlip** lower lip: *de ~ laten hangen* ± pout

onderlopen be flooded

ondermijnen undermine, subvert

ondernemen undertake, take upon o.s.

ondernemend enterprising

de **ondernemer** entrepreneur, employer; [exploitant] operator; [eigenaar] owner

de **onderneming 1** undertaking, enterprise; [met risico's] venture: *het is een hele ~* it's quite an undertaking **2** [bedrijf] company, business; [groot] concern: *een ~ drijven* carry on an enterprise

de **ondernemingsraad** works council, employees council

de **onderofficier** NCO, non-commissioned officer

het **onderonsje** private chat

onderontwikkeld underdeveloped, backward

onderop at the bottom, below

het **onderpand** pledge, security, collateral: *tegen ~ lenen* borrow on security

de **onderpastoor** [Belg; r-k] curate, priest in charge

het **onderricht** instruction, tuition

onderrichten instruct, teach

onderschatten underestimate

het **onderscheid** difference, distinction: *een ~ maken tussen ...* distinguish ... from ... (*of:* between) ...

¹**onderscheiden** (ov ww) **1** distinguish, discern: *niet te ~ zijn van* be indistinguishable from **2** [orde verlenen] decorate: *~ worden met een medaille* be awarded a medal

zich ²**onderscheiden** (wdk ww) distinguish o.s. (for)

de **onderscheiding** decoration, honour: [Belg] *met ~* with distinction

onderscheppen intercept

het **onderschrift** caption, legend

onderschrijven subscribe to, endorse

het **onderspit**: *het ~ delven* get the worst (of it)

onderst bottom(most), under(most)

onderstaand (mentioned) below

ondersteboven 1 upside down: *je houdt het ~* you have it the wrong way up **2** [van streek] upset: *~ zijn van iets* be upset (*of:* cut up) about sth.

de **ondersteek** bedpan

het **onderstel** chassis, undercarriage; [van vliegtuig ook] landing gear

ondersteunen support; [bijstaan ook] back (up)

de **ondersteuning 1** [het steunen] support **2** [hulp, bijstand] support, (public) assistance

onderstrepen underline

het **onderstuk** base, lower part

ondertekenen sign

de **ondertekening 1** signing **2** [handtekening] signature

ondertitelen subtitle

de **ondertiteling** subtitles

de **ondertoon** undertone; [fig ook] undercurrent, overtone

ondertussen meanwhile, in the meantime

onderuit 1 (out) from under: *je kunt er niet ~ haar ook te vragen* you can't avoid inviting her, too **2** [omver] down [gaan]; flat; over [vallen] **3** [met de benen uitgestrekt] sprawled, sprawling

onderuitgaan topple over, be knocked off one's feet; [struikelen, uitglijden] trip; slip

onderuithalen 1 [sport] bring down, take down **2** [doen afgaan] trip up, floor: *hij werd volledig onderuitgehaald* they wiped the floor with him

ondervangen overcome

onderverdelen (sub)divide; break down [in rubrieken]

de **onderverdeling** subdivision, breakdown

onderverhuren sublet, sublease

onderverzekerd underinsured

ondervinden experience: *medeleven ~* meet with sympathy; *moeilijkheden* (of: *concurrentie*) *~* be faced with difficulties (of: competition)

de **ondervinding** experience

ondervoed undernourished

de **ondervoeding** undernourishment; [wat betreft hoeveelheid] malnutrition

de **ondervraagde** interviewee; [politie] person heard (of: questioned)

ondervragen 1 interrogate; question [verdachte, kandidaat]; examine [getuigen]; hear [getuigen] **2** [in vraaggesprek] interview

de **ondervraging** questioning, interrogation, examination, interview

onderwaarderen underestimate

onderweg 1 on (of: along) the way; [tijdens vervoer] in transit; [tijdens vervoer] en route: *we zijn het ~ verloren* we lost it on the way **2** [nog niet aangekomen] on one's (of: its, the) way

de **onderwereld** underworld

het **onderwerp** subject (matter)

onderwerpen subject

onderwijl meanwhile

het **onderwijs** education, teaching: *academisch ~* university education; *bijzonder ~* private education; [Belg] special needs education; *buitengewoon ~* special needs education; *hoger ~* higher education; *lager ~* primary education; *middelbaar (voortgezet) ~* secondary education; *openbaar ~* state education; *algemeen secundair ~* general secondary education; *speciaal ~* special needs education; [Belg] *technisch secundair ~* sec-

ondary technical education; [Belg] *vernieuwd secundair ~* comprehensive school system; *voortgezet ~* secondary education

de **onderwijsinspectie** schools inspectorate

de **onderwijsinstelling** educational institution

de **onderwijskunde** didactics, theory of education

het **onderwijsprofiel** educational profile

onderwijzen teach, instruct: *iem. iets ~* instruct s.o. in sth., teach s.o. sth.

de **onderwijzer** (school)teacher, schoolmaster, schoolmistress

de **onderzeeër** submarine

de **onderzetter 1** mat, coaster **2** [onder hete pannen] mat, stand

de **onderzijde** underside

het **onderzoek 1** [bestudering] investigation, examination, study, research: *bij nader ~* on closer examination (of: inspection) **2** investigation; [door politie] inquiry: *een ~ instellen naar* inquire into, examine, investigate **3** [med] examination, check-up

onderzoeken 1 examine, inspect, investigate; [doorzoeken] search; [op samenstelling] test (for): *de dokter onderzocht zijn ogen* the doctor examined his eyes **2** [bestuderen] investigate, examine, inquire into: *mogelijkheden ~* examine (of: investigate) possibilities **3** [nagaan] inquire into, investigate, examine || *het bloed ~* carry out a blood test

de **onderzoeker** researcher, research worker (of: scientist), investigator

de **onderzoeksrechter** [Belg] ± examining magistrate

ondeskundig incompetent: *~ gerepareerd* repaired amateurishly

de **ondeugd** vice

ondeugdelijk inferior

ondeugend naughty, mischievous

ondiep shallow; superficial [wond]: *een ~e tuin* a short garden

het **ondier** monster, beast

het **onding** rotten thing, useless thing

ondoelmatig inefficient

ondoenlijk unfeasible, impracticable

ondoordacht inadequately considered, rash

ondoordringbaar impenetrable; impermeable (to) [voor water, stof, lucht]: *ondoordringbare duisternis* (of: *wildernis*) impenetrable darkness (of: wilderness)

ondoorgrondelijk unfathomable; [m.b.t. mensen] inscrutable

ondoorzichtig 1 non-transparent, opaque **2** [fig] obscure

ondraaglijk unbearable

ondrinkbaar undrinkable

ondubbelzinnig unambiguous; [duidelijk] unmistakable

onduidelijk indistinct; [onverklaard] obscure; [onverklaard] unclear: *de situatie is ~* the situation is obscure (*of:* unclear); *~ spreken* speak indistinctly

de **onduidelijkheid** indistinctness, lack of clarity; [sterker] obscurity

onecht 1 [niet wettig] illegitimate **2** [onnatuurlijk, niet echt] false **3** [vals] fake(d)

oneens in disagreement, at odds: *het met iem. ~ zijn over iets* disagree with s.o. about sth.

oneerbaar indecent, improper

oneerbiedig disrespectful

oneerlijk dishonest, unfair

de **oneerlijkheid** dishonesty, unfairness

oneetbaar inedible; not fit to eat [na werkwoord]: *dit oude brood is ~* this stale bread is not fit to eat

oneffen uneven

oneigenlijk improper: *~ gebruik* improper use

oneindig infinite, endless: *~ groot* (*of: klein*) infinite(ly large), infinitesimal(ly)

de **oneindigheid** infinity

de **onenigheid** discord, disagreement

onervaren inexperienced

de **onervarenheid** inexperience, lack of experience (*of:* skill)

oneven odd, uneven

onevenredig disproportionate

onevenwichtig unbalanced, unstable

onfatsoenlijk ill-mannered, bad-mannered; [aanstootgevend] offensive; [onbetamelijk] improper; indecent

onfeilbaar infallible

onfortuinlijk unfortunate, unlucky

onfris 1 unsavoury; stale [lucht]; musty [ruimte]; stuffy [ruimte]; *er ~ uitzien* not look fresh; [m.b.t. personen] look unsavoury **2** [bedenkelijk] unsavoury, shady: *een ~se affaire* an unsavoury (*of:* a shady) business

ongeacht irrespective of, regardless of

ongeboren unborn

ongebreideld unbridled, unrestrained

ongebruikelijk unusual

ongebruikt unused; [nieuw] new

ongecompliceerd uncomplicated

ongedaan undone: *dat kun je niet meer ~ maken* you can't go back on it now

ongedeerd unhurt, uninjured, unharmed

ongedekt uncovered

het **ongedierte** vermin

het **ongeduld** impatience

ongeduldig impatient

ongedurig restless, restive, fidgety

ongedwongen relaxed, informal

ongeëvenaard unequalled, unmatched

ongefrankeerd unstamped

ongegeneerd unashamed, impertinent

ongegrond unfounded, groundless: *~e klachten* unfounded complaints

ongehinderd unhindered: *~ werken* work undisturbed

ongehoord outrageous: *~ laat* outrageously late

ongehoorzaam disobedient

de **ongehoorzaamheid** disobedience

ongehuwd single, unmarried

ongeïnteresseerd uninterested: *~ toekijken* watch with indifference

ongekend unprecedented

ongekroond uncrowned

ongekunsteld artless, unaffected

ongeldig invalid

ongelegen inconvenient, awkward

ongeletterd 1 [niet geleerd] unlettered **2** [analfabeet] illiterate

het **¹ongelijk** (zn) wrong: *ik geef je geen ~* I don't blame you

²ongelijk (bn, bw) **1** unequal: *het is ~ verdeeld in de wereld* there's a lot of injustice in the world; *een ~e strijd* an unequal (*of:* a one-sided) fight **2** [oneffen, onregelmatig] uneven

de **ongelijkheid 1** inequality; [niet gelijkend] difference **2** [oneffenheid, ongelijkmatigheid] unevenness

ongelijkmatig uneven, unequal; [onregelmatig] irregular

ongelofelijk incredible, unbelievable

het **ongeloof** disbelief

ongeloofwaardig incredible, implausible

ongelovig 1 disbelieving, incredulous **2** [niet gelovend] unbelieving

het **ongeluk** accident: *een ~ krijgen* have an accident; *per ~ iets verklappen* inadvertently let sth. slip

het **ongelukje** mishap: [euf] *een ~ hebben* have a little accident

ongelukkig 1 unhappy: *iem. diep ~ maken* make s.o. deeply unhappy **2** [geen geluk hebbend] unlucky **3** [m.b.t. zaken] unfortunate: *hij is ~ terechtgekomen* he landed awkwardly

de **ongeluksdag** unlucky day

het **ongeluksgetal** unlucky number

de **ongeluksvogel** [fig] unlucky person

het **ongemak** inconvenience, discomfort

ongemakkelijk uncomfortable

ongemanierd ill-mannered

ongemerkt unnoticed: *~ (weten te) ontsnappen* (manage to) escape without being noticed

ongemoeid undisturbed: *iem. ~ laten* leave s.o. alone

ongemotiveerd unmotivated, without motivation

ongenaakbaar 1 [niet toegankelijk] unapproachable **2** [sport; onverslaanbaar] indomitable

de **ongenade 1** disgrace, disfavour: *in ~ vallen* fall into disfavour **2** [woede] displeasure

ongenadig merciless(ly): *het is ~ koud* it is

bitterly cold; *hij kreeg een ~ pak voor zijn broek* he got a merciless thrashing

ongeneeslijk incurable: *~ ziek* incurably ill

ongenietbaar disagreeable

het **ongenoegen** displeasure, dissatisfaction

ongenuanceerd over-simplified: *~ denken* think simplistically; *een ~e uitlating* a blunt remark

ongeoorloofd illegal, illicit, improper

ongepast improper

de **ongerechtigheid** 1 [onrechtvaardigheid] injustice 2 [gebrek] flaw

het **ongerede**: *in het ~ raken* [kapot] break down; [zoek] get lost; [in de war] get mixed up

ongeregeld 1 disorderly, disorganized 2 [onregelmatig] irregular: *op ~e tijden* at odd times || *een zootje ~* a mixed bag; [personen ook] a motley crew

de **ongeregeldheden** disturbances, disorders

ongerept untouched, unspoilt

het **ongerief** inconvenience

ongerijmd absurd: [wisk] *een bewijs uit het ~e* an indirect demonstration (of: proof)

ongerust worried, anxious (for): *ik begin ~ te worden* I'm beginning to get worried

de **ongerustheid** concern, worry

ongeschikt unsuitable

ongeschonden intact, undamaged

ongeschoold unskilled, untrained

ongeslagen unbeaten

ongesteld: *zij is ~* she is having her period

ongestoord 1 undisturbed 2 [zonder storing] clear: *~e ontvangst* clear reception

ongestraft unpunished: *iets ~ doen* get away with sth.

ongetrouwd unmarried, single: *~e oom* bachelor uncle; *~e tante* maiden aunt

ongetwijfeld no doubt, without a doubt, undoubtedly

ongevaarlijk harmless, safe

het **ongeval** accident

de **ongevallenverzekering** accident insurance

ongeveer about, roughly, around: *dat is het ~* that's about it

ongevoelig insensitive (to), insensible (to)

de **ongevoeligheid** insensitivity

ongevraagd unasked(-for), uninvited

ongewapend unarmed

ongewenst unwanted, undesired; [onwenselijk] undesirable

ongewerveld invertebrate: *~e dieren* invertebrates

ongewijzigd unaltered, unchanged

ongewild 1 [onopzettelijk] unintentional, unintended 2 [ongewenst] unwanted

ongewis uncertain

ongewoon unusual

ongezellig 1 unsociable 2 [onbehaaglijk]

cheerless, comfortless 3 [onprettig] unenjoyable, dreary, no fun

ongezien 1 unseen, unnoticed 2 [zonder het gezien te hebben] (sight) unseen: *hij kocht het huis ~* he bought the house (sight) unseen

ongezoet unsweetened

ongezond 1 unhealthy 2 [zwak, wankel] unsound, unhealthy

ongezouten 1 unsalted, saltless 2 unvarnished [waarheid]; strong, outspoken [kritiek]

ongrijpbaar elusive

ongunstig unfavourable: *in het ~ste geval* at (the) worst; *op een ~ moment* at an awkward moment

onguur 1 [ruw, gemeen] unsavoury 2 [m.b.t. het weer] rough

onhaalbaar unfeasible

onhandelbaar unmanageable, unruly, intractable

onhandig clumsy, awkward: *zij is erg ~* she all fingers and thumbs

de **onhandigheid** clumsiness, awkwardness

onhebbelijk unmannerly: *de ~e gewoonte hebben om … * have the objectionable habit of …

het **onheil** calamity, disaster; [ondergang] doom

onheilspellend ominous

de **onheilsprofeet** prophet of doom

onherbergzaam inhospitable

onherkenbaar unrecognizable

onherroepelijk irrevocable

onherstelbaar irreparable: *~ beschadigd* damaged beyond repair

onheus impolite

on hold: *een project ~ zetten* put a project on hold

onhoorbaar inaudible

onhoudbaar 1 unbearable, intolerable 2 [niet tegen te houden] unstoppable

onhygiënisch unhygienic, insanitary

onjuist 1 inaccurate, false 2 [fout, verkeerd] incorrect, mistaken

onkerkelijk nondenominational; [niet-praktiserend] nonchurchgoing

onkies indelicate

onklaar: *iets ~ maken* put sth. out of order, inactivate sth.

de **onkosten** 1 expense(s), expenditure: *~ vergoed* (all) expenses covered 2 [buitengewone kosten] extra expense(s)

de **onkostenvergoeding** payment (of: reimbursement) of expenses; [m.b.t. auto] mileage allowance

onkreukbaar upright, unimpeachable

het **onkruid** weed(s): *~ vergaat niet* ill weeds grow apace

onkuis 1 [ongepast] improper, indecent 2 [onzedig] unchaste, impure

de **onkunde** ignorance
onkwetsbaar invulnerable
onlangs recently, lately: *ik heb hem ~ nog gezien* I saw him just the other day
onleesbaar 1 illegible **2** [m.b.t. de inhoud] unreadable
online on-line
onlogisch illogical
de **onlusten** riots, disturbances
de **onmacht** impotence, powerlessness
onmatig intemperate, immoderate, excessive
de **onmens** brute, beast
onmenselijk inhuman
onmerkbaar unnoticeable, imperceptible
onmetelijk immense, immeasurable
onmiddellijk immediate, immediately, directly, at once, straightaway: *ik kom ~ naar Utrecht* I'm coming to Utrecht straightaway (*of:* at once, immediately)
de **onmin**: *met iem. in ~ leven* be at odds with s.o.
onmisbaar indispensable, essential
onmiskenbaar unmistakable, indisputable: *hij lijkt ~ op zijn vader* he looks decidedly like his father
onmogelijk impossible: *een ~ verhaal* a preposterous story; *ik kan ~ langer blijven* I can't possibly stay any longer; *iem. het leven ~ maken* pester the life out of s.o.
onmondig incapable (of self-government)
onnadenkend unthinking: *~ handelen* act without thinking
onnatuurlijk unnatural
onnauwkeurig inaccurate
de **onnauwkeurigheid** inaccuracy
onnavolgbaar inimitable
onnodig unnecessary, needless, superfluous: *~ te zeggen dat ...* needless to say ...
onnozel foolish, silly: *met een ~e grijns* with a sheepish grin
de **onnozelaar** [Belg; neg] Simple Simon, birdbrain
onofficieel unofficial
onomstotelijk indisputable, conclusive
onomwonden frank, plain
ononderbroken continuous, uninterrupted
onontbeerlijk indispensable
onontkoombaar inescapable, inevitable: *dat leidt ~ tot verlies* that inevitably leads to loss(es)
onooglijk unsightly, ugly
onopgemerkt unnoticed, unobserved
onophoudelijk continuous, ceaseless, incessant
onoplettend inattentive, inadvertent
onoplosbaar 1 insoluble, indissoluble **2** [m.b.t. problemen] unsolvable
onopvallend inconspicuous, nondescript; [niet opdringerig] unobtrusive; [niet opdrin-

gerig] discreet: *~ te werk gaan* act discreetly
onopzettelijk unintentional, inadvertent
onovergankelijk [taalk] intransitive
onoverkomelijk insurmountable
onovertroffen unsurpassed, unrivalled
onoverwinnelijk invincible
onoverzichtelijk cluttered, poorly organized (*of:* arranged)
onpaar unpaired, odd
onparlementair unparliamentary
onpartijdig impartial, unbiased
de **onpartijdigheid** impartiality
onpasselijk sick
onpeilbaar 1 unfathomable **2** [grenzeloos] unlimited
onpersoonlijk impersonal
onplezierig unpleasant, nasty
onpraktisch impractical
onprettig unpleasant, disagreeable, nasty
onproductief unproductive
het **onraad** trouble, danger: *~ bespeuren* smell a rat
onrealistisch unrealistic
het **onrecht** injustice, wrong: *iem. ~ (aan)doen* do s.o. wrong; *ten ~e* **a)** [abusievelijk] erroneously, mistakenly; **b)** [ongerechtvaardigd] wrongfully, improperly
onrechtmatig unlawful, illegal; [ten onrechte] wrongful; unjust
onrechtvaardig unjust
de **onrechtvaardigheid** injustice, wrong
onredelijk unreasonable, unfounded
onregelmatig irregular
onreglementair not regulatory
onrein unclean
onrendabel uneconomic
onrijp 1 [nog niet rijp] unripe, unseasoned **2** [m.b.t. personen] immature
onroerend immovable: *makelaar in ~ goed* estate agent
de **onroerendezaakbelasting** property tax(es)
de **onrust** restlessness, agitation: *~ zaaien* stir up trouble
onrustbarend alarming
onrustig restless, turbulent
de **onruststoker** troublemaker, agitator
het **¹ons** (zn) quarter of a pound, four ounces: *een ~ ham* a quarter of ham
²ons (pers vnw) us: *het is ~ een genoegen* (it's) our pleasure; *onder ~ gezegd* (just) between ourselves; *dat is van ~* that's ours, that belongs to us
³ons (bez vnw) [m.b.t. eigendom] our: *~ huis* our house; *uw boeken en die van ~* your books and ours
onsamenhangend incoherent, disconnected
onschadelijk harmless; [niet kwaadaardig] innocent; [m.b.t. chemicaliën] non-noxious: *een bom ~ maken* defuse a bomb

onschatbaar invaluable: *van onschatbare waarde zijn* be invaluable
onschendbaar immune
onscherp out of focus, blurred
de **onschuld** innocence
onschuldig 1 innocent, guiltless **2** [onschadelijk] innocent, harmless
onsmakelijk 1 distasteful, unpalatable **2** [m.b.t. het gemoed, gevoel] distasteful, disagreeable, unsavoury
onsportief unsporting, unsportsmanlike: *hij heeft zich ~ gedragen* he behaved unsportingly
onstabiel unstable
onsterfelijk immortal
de **onsterfelijkheid** immortality
onstuimig 1 [m.b.t. het weer] turbulent **2** [hartstochtelijk] passionate, tempestuous
onstuitbaar unstoppable
onsympathiek uncongenial: *een ~e houding* an unengaging manner
onszelf ourselves
ontaard degenerate
ontaarden degenerate (into), deteriorate
ontactisch impolitic
ontberen lack
de **ontbering** hardship, (de)privation
ontbieden summon, send for
het **ontbijt** breakfast: *een kamer met ~* bed and breakfast, B & B
ontbijten (have) breakfast
de **ontbijtkoek** ± gingercake, gingerbread
ontbinden [opheffen] dissolve; disband [genootschap, leger]; annul [contract, huwelijk enz.]
de **ontbinding 1** annulment [contract, huwelijk enz.] **2** [bederf, ook figuurlijk] decomposition, decay; corruption [ook fig]: *tot ~ overgaan* decompose, decay; *in staat van ~* in a state of decomposition
ontbloot bare, naked
ontbloten bare; [onthullen] expose
de **ontboezeming** outpouring
ontbossen deforest
ontbranden ignite
ontbreken 1 be lacking (in): *waar het aan ontbreekt is ...* what's lacking is ...; *er ontbreekt nog veel aan* there's still much to be desired **2** [m.b.t. personen] be absent, be missing
ontcijferen decipher
ontdaan upset, disconcerted
ontdekken discover: *iets bij toeval ~* hit upon (*of:* stumble on) sth.
de **ontdekker** discoverer
de **ontdekking** discovery, find: *een ~ doen* make a discovery
de **ontdekkingsreiziger** explorer, discoverer
zich **ontdoen** (+ van) dispose of, get rid of, remove
ontdooien thaw, defrost; [sneeuw ook]

melt
ontduiken evade, elude, dodge
ontegenzeglijk undeniable, incontestab|
onteigenen 1 [m.b.t. zaken] expropriate| **2** [m.b.t. personen] dispossess
ontelbaar countless, innumerable
ontembaar untameable, indomitable
onterecht undeserved, unjust
onteren dishonour, violate
onterven disinherit
ontevreden dissatisfied (with): *je mag nie| ~ zijn* (you) mustn't grumble
de **ontevredenheid** dissatisfaction (about, with)
zich **ontfermen** (+ over) take pity on
ontfutselen filch, pilfer
ontgaan 1 escape, pass (by): *de overwin-ning kon ons niet meer ~* victory was ours **2** [aan het oog, oor ontsnappen] escape, miss, fail to notice: *het kon niemand ~ dat n| one could fail to notice that **3** [niet duidel| zijn] escape, elude: *de logica daarvan ontga| mij* the logic of it escapes me
ontgelden: *hij heeft het moeten ~* he got in the neck, he had to pay for it
ontginnen reclaim; [cultiveren] cultivate|
de **ontginning** exploitation, development; [m.b.t. grond ook] reclamation
ontglippen slip, get away: *de bal ontglip| hem* the ball slipped out of his hands
de **ontgoocheling** disillusionment
ontgroeien outgrow: [fig] *de kinderscho| nen* (*of: schoolbanken*) *ontgroeid zijn* have left one's childhood (*of:* schooldays) behir|
de **ontgroening** ragging; [Am] hazing
het **onthaal 1** welcome, reception **2** [Belg] r| ception
de **onthaalouder** [Belg] temporary host to (foreign) children
onthaasten de-stress, relax, calm down
onthalen entertain: *iem. warm ~* give s.o| warm welcome
onthand inconvenienced
ontharen depilate
ontheemd homeless; [fig] uprooted
ontheffen exempt, release
de **ontheffing** exemption; release [van verplichting]: *~ hebben van* be released from|
onthoofden behead, decapitate
de **onthoofding** decapitation, beheading
¹**onthouden** (ov ww) remember: *goed ge| zichten kunnen ~* have a good memory fo| faces; *ik zal het je helpen ~* I'll remind you c|
zich ²**onthouden** (wdk ww) abstain (from), re| frain (from)
de **onthouding 1** [van stemming] abstenti| **2** [m.b.t. geslachtsverkeer] continence, ab| stinence
onthullen 1 [laten zien] unveil **2** [beke| maken] reveal, disclose, divulge
de **onthulling 1** [m.b.t. een standbeeld] u|

veiling 2 [openbaarmaking] revelation, disclosure: *opzienbarende ~en* startling disclosures

onthutst disconcerted, dismayed

¹**ontkennen** (onov ww) [niet bekennen] plead not guilty

²**ontkennen** (ov ww) deny, negate: *hij ontkende iets met de zaak te maken te hebben* he denied any involvement in the matter

ontkennend negative

de **ontkenning** denial, negation

de **ontkerkelijking** secularization

ontketenen let loose, unchain [krachten]; unleash [energie]

ontkiemen germinate; [fig ook] bud

ontkleden undress: *zich ~* undress

de **ontknoping** ending, dénouement: *zijn ~ naderen* reach a climax

ontkomen 1 escape, get away 2 [zich onttrekken] evade, get round

ontkoppelen uncouple; [fig] disconnect, unlink

ontkrachten enfeeble: *een bewijs ~* take the edge off a piece of evidence

ontkurken uncork, unstop(per)

ontladen unload; [elek] discharge: [fig] *zich ~* be released

de **ontlading** 1 [m.b.t. emoties] release 2 [nat] discharge

¹**ontlasten** (ov ww) [verlichten van last] unburden, relieve: *we moeten hem wat ~* we've got to take some of the weight off his shoulders

zich ²**ontlasten** (wdk ww) [zijn behoefte doen] empty (*of:* move, open) one's bowels

de **ontlasting** stools, (human) excrement; [med] faeces

ontleden 1 dissect, anatomize 2 [analyseren] analyse: *een zin ~* analyse (*of:* parse) a sentence

de **ontleding** 1 dissection 2 [analyse] analysis

ontlenen 1 (+ aan) [overnemen uit] derive (from), borrow (from), take 2 (+ aan) [te danken hebben] take (from), derive (from)

ontlokken elicit (from)

ontlopen differ from: *die twee ~ elkaar niet veel* they don't differ greatly

ontluiken burgeon, bud: *een ~de liefde* an awakening love; *een ~d talent* a burgeoning (*of:* budding) talent

ontmaagden deflower

ontmantelen dismantle, strip

ontmaskeren unmask, expose

ontmoedigen discourage, demoralize; [afschrikken] deter: *we zullen ons niet laten ~ door ...* we won't let ... get us down

ontmoeten 1 [onvoorzien] meet, run into, bump into 2 [volgens afspraak] meet, see

de **ontmoeting** meeting, encounter: *een toevallige ~* a chance meeting (*of:* encounter)

de **ontmoetingsplaats** meeting place

ontnemen take away

de **ontnieter** staple extractor

de **ontnuchtering** disillusionment, disenchantment

ontoegankelijk inaccessible, impervious (to)

ontoelaatbaar inadmissible

ontoereikend inadequate

ontoerekeningsvatbaar not responsible; [jur] of unsound mind

ontoonbaar unpresentable

ontploffen explode, blow up: *ik dacht dat hij zou ~* I thought he'd explode

de **ontploffing** explosion

ontplooien develop

zich **ontpoppen** reveal o.s. (as), turn out (to be)

ontrafelen unravel, disentangle

ontredderd upset, broken down: *in ~e toestand* in a desperate situation

ontregeld unsettled, disordered

ontregelen disorder, disorganize, dislocate

ontroeren move, touch

ontroerend moving, touching; [sentimenteel] tear-jerking

de **ontroering** emotion

ontroostbaar inconsolable, brokenhearted

de ¹**ontrouw** (zn) 1 disloyalty, unfaithfulness 2 [overspel] unfaithfulness, infidelity

²**ontrouw** (bn) 1 disloyal (to), untrue (to) 2 [overspelig] unfaithful

ontruimen 1 [verlaten] clear, vacate 2 [doen verlaten] clear, evacuate: *de politie moest het pand ~* the police had to clear the building

de **ontruiming** 1 [het (doen) verlaten] evacuation 2 [de bewoners uitzetten] eviction

ontschepen disembark

ontschieten slip, elude

ontsieren mar, blot

ontslaan 1 dismiss, discharge: *ontslagen worden* be dismissed; *iem. op staande voet ~* dismiss s.o. on the spot 2 [vrijstellen] relieve, discharge: *een patiënt ~ uit een ziekenhuis* discharge a patient from hospital

het **ontslag** 1 dismissal, discharge: *eervol ~* honourable discharge; *(zijn) ~ nemen* resign, hand in one's notice (*of:* resignation) 2 [verzoek, verklaring] resignation, notice 3 [vrijstelling] exemption

de **ontslagbrief** notice [aan werknemer]; (letter of) resignation [van werknemer]

de **ontslagvergoeding** severance pay

de **ontsluiting** 1 [het ontsluiten] opening up: *de ~ van een gebied* the opening up of an area 2 [bij bevalling] dilat(at)ion

ontsmetten disinfect

de **ontsmetting** disinfection, decontamination

het **ontsmettingsmiddel** disinfectant, anti-

septic
ontsnappen 1 escape (from): *aan de dood
~* escape death **2** [m.b.t. gevangenschap] escape, get away, get out: *weten te ~* make
one's getaway **3** [niet opmerken] escape,
elude: *aan de aandacht ~* escape notice
4 [een voorsprong nemen] pull (*of*: break)
away (from)
de **ontsnapping** escape
¹**ontspannen** (bn) relaxed, easy: *zich ~ gedragen* have an easy manner
²**ontspannen** (ov ww) **1** [weer slap maken]
slacken, unbend **2** [tot rust brengen] relax:
zich ~ relax
de **ontspanning** relaxation, recreation
ontsporen 1 be derailed **2** [fig] go (*of*: run)
off the rails
de **ontsporing** derailment; [fig] lapse
ontspringen rise: *de rivier ontspringt in de
bergen* the river rises in the mountains || [fig]
de dans ~ have a lucky escape
ontspruiten originate (from)
het ¹**ontstaan** (zn) origin; creation [van de aar-
de]; development, coming into existence
²**ontstaan** (onov ww) **1** come into being,
arise: *door haar vertrek ontstaat een vacature*
her departure has created a vacancy **2** [be-
ginnen] originate, start
ontsteken [med] be(come) inflamed
de **ontsteking 1** [med] inflammation
2 [m.b.t. een verbrandingsmotor] ignition
ontsteld dismayed
de **ontsteltenis 1** [verwarring, beroering]
dismay, confusion **2** [schrik] dismay; [afgrij-
zen] horror
ontstemd untuned, out of tune
de **ontstentenis**: *bij ~ van* in the absence of
ontstijgen [form] mount, rise (up)
ontstoken inflamed
ontstoppen 1 [verstopping verwijderen]
unblock, unclog **2** [van de stop ontdoen] un-
stop(per), uncork
de **ontstopper** plunger
zich **onttrekken** withdraw (from), back out of
onttronen dethrone, depose
de **ontucht** illicit sexual acts, sexual abuse
ontvangen 1 receive; collect [geld]; draw
[loon]: *in dank ~* received with thanks **2** [ont-
halen] receive; [hartelijk] welcome: *iem. hartelijk (of: met open armen) ~* receive s.o. with
open arms, make s.o. very welcome
de **ontvanger 1** receiver, recipient **2** [toestel]
receiver
de **ontvangst 1** receipt: *betalen na ~ van de
goederen* pay on receipt of goods; *na ~ van
uw brief* on receipt of your letter; *tekenen
voor ~* sign for receipt **2** [m.b.t. geld] collection **3** [gasten, radiosignalen] reception: *een
hartelijke (of: gunstige) ~* a warm (of: favourable) reception
het **ontvangstbewijs** receipt

ontvankelijk 1 [vatbaar] susceptible (to):
~ voor open to, receptive to **2** [jur] admissi-
ble, sustainable
ontvlambaar inflammable
ontvlammen inflame
ontvluchten 1 escape (from), run away
from **2** [wegvluchten] flee
de **ontvoerder** kidnapper
ontvoeren kidnap
de **ontvoering** kidnapping
ontvouwen unfold
ontvreemden steal
ontwaken awake, (a)rouse
ontwapenen disarm: *een ~de glimlach* a
disarming smile
de **ontwapening** disarmament
ontwaren [form] descry
ontwarren disentangle
ontwennen get out of the habit
de **ontwenningskuur** detoxification
de **ontwenningsverschijnselen** withdrawal
symptoms
het **ontwerp** draft; [techn] design
ontwerpen 1 design [kleding, meubels,
gebouw]; plan [stad, wegen] **2** [opstellen]
devise, plan; formulate [stelsel, regeling];
draft; draw up [contract, document]
de **ontwerper** designer, planner
ontwijken avoid
ontwijkend evasive
de **ontwikkelaar** developer
ontwikkeld 1 developed, mature **2** [gees-
telijk gevormd] educated, informed; [be-
schaafd] cultivated; [beschaafd] cultured
¹**ontwikkelen** (ov ww) **1** develop **2** [kenn
bijbrengen] educate: *zich ~* educate o.s. ||
to's ~ en afdrukken process a film
zich ²**ontwikkelen** (wdk ww) develop (into):
zullen zien hoe de zaken zich ~ we'll see how
things develop
de **ontwikkeling 1** development, growth:
~ komen develop **2** [het kundig zijn] education: *algemene ~* general knowledge
de **ontwikkelingshulp** foreign aid, development assistance
het **ontwikkelingsland** developing country
de **ontwikkelingsmaatschappij** development company
ontworstelen: *zij ontworstelde zich aan z*
greep she struggled out of his grasp
ontwortelen uproot
ontwrichten 1 [m.b.t. samenleving e.d.]
disrupt **2** [m.b.t. ledematen] dislocate
het **ontzag** awe, respect
ontzaglijk tremendous, enormous: *~ vee*
an awful lot, terribly much
¹**ontzeggen** (ov ww) refuse, deny
zich ²**ontzeggen** (wdk ww) deny o.s.: *hij ontze*
de zich veel om ... he made many sacrifices
...
de **ontzegging** denial, refusal: *~ van de rijb*

voegdheid disqualification from driving
ontzenuwen refute, disprove
ontzet relief
ontzetten 1 [+ uit; verwijderen] expel, remove **2** [bevrijden] [stad] relieve; [levend wezen] rescue **3** [doen schrikken] appal, horrify
¹ontzettend (bn) **1** [vreselijk] appalling **2** [geweldig] terrific, immense, tremendous
²ontzettend (bw) awfully, tremendously: *het spijt me* ~ I'm terribly (*of:* awfully) sorry
de **ontzetting 1** [ontneming van ambt/recht] deprivation; [ambt] removal: ~ *uit een recht* disfranchisement **2** [bevrijding] [stad] relief; [levend wezen] rescue **3** [schrik] horror, dismay: *tot onze* ~ to our dismay (*of:* horror)
ontzien spare: *iem.* ~ spare s.o.
onuitputtelijk inexhaustible
onuitroeibaar ineradicable; [onkruid] indestructible
onuitspreekbaar unpronounceable
onuitsprekelijk unspeakable
onuitstaanbaar unbearable, insufferable: *die kerel vind ik* ~ I can't stand that guy
onvast unsteady, unstable
onveilig unsafe, dangerous
de **onveiligheid** danger(ousness)
onveranderd unchanged, unaltered
¹onveranderlijk (bn) [constant] unchanging, unvarying
²onveranderlijk (bw) [steeds, almaar] invariably
onverantwoord irresponsible
onverantwoordelijk irresponsible; [niet te verdedigen] unjustifiable
onverbeterlijk incorrigible
onverbiddelijk unrelenting, implacable
onverdeeld undivided
onverdiend undeserved
onverdraagzaam intolerant (towards)
de **onverdraagzaamheid** intolerance
onverenigbaar incompatible (with)
onvergeeflijk unforgivable, inexcusable
onvergelijkbaar incomparable
onvergetelijk unforgettable
onverhard unpaved
onverhoeds unexpected
¹onverholen (bn) unconcealed
²onverholen (bw) openly
onverhoopt unhoped-for, unexpected; [bw] in the unlikely event
onverklaarbaar inexplicable, unaccountable: *op onverklaarbare wijze* unaccountably
onverkoopbaar unsaleable
onverkort 1 [in zijn geheel] unabridged **2** [onaangetast] unimpaired: ~ *van toepassing* fully applicable
onverkwikkelijk nasty
de **onverlaat** miscreant
onverlet: *dat laat* ~ *dat* ... the fact remains that ...

onvermijdelijk inevitable: ~*e fouten* unavoidable mistakes
¹onverminderd (bn, bw) undiminished: ~ *van kracht blijven* [contract] remain in full force
²onverminderd (vz) without prejudice to
onvermoeibaar indefatigable, tireless
het **onvermogen** impotence, powerlessness; inability [om iets te doen]
onvermurwbaar unrelenting
onverricht: ~*er zake terugkeren* return without having achieved one's aim
¹onverschillig (bn) indifferent (to): *hij zat daar met een* ~ *gezicht* he sat there looking completely indifferent (*of:* unconcerned)
²onverschillig (bw) indifferently: *iem.* ~ *behandelen* treat s.o. with indifference
de **onverschilligheid** indifference
onverschrokken fearless
onverslijtbaar indestructible; durable [goederen]
onverstaanbaar unintelligible; [onduidelijk sprekend] inarticulate; [zacht sprekend] inaudible
onverstandig foolish, unwise
onverstoorbaar imperturbable, unflappable
onverteerbaar indigestible; [figuurlijk ook] unacceptable
onvertogen indecent: *er is geen* ~ *woord gevallen* there was no bad feeling
onvervalst pure, unadulterated; broad [dialect]
onvervangbaar irreplaceable
onvervreemdbaar inalienable
onvervuld unfulfilled
onverwacht unexpected, surprise: *dat soort dingen gebeurt altijd* ~ that sort of thing always happens when you least expect it
onverwachts unexpected, sudden, surprise
onverwarmd unheated
onverwoestbaar indestructible; [stof, tapijt ook] tough; durable
onverzadigbaar insatiable
onverzadigd 1 [hongerig] insatiate(d) **2** [nat] unsaturated
onverzekerd uninsured; [niet gedekt] uncovered
onverzettelijk unbending, intransigent
onverzoenlijk irreconcilable [tegenstanders]
onverzorgd careless, untidy; [niet verzorgd] uncared-for; untended: *zij ziet er* ~ *uit* she neglects her appearance
onvindbaar untraceable; not to be found [na werkwoord]
onvoldaan 1 [onbetaald] unpaid **2** [ontevreden] unsatisfied
de **¹onvoldoende** (zn) unsatisfactory mark; [Am] unsatisfactory grade; fail: *een* ~ *halen*

fail (an exam, a test); *hij had twee ~s* he had two unsatisfactory marks

²**onvoldoende** (bn, bw) insufficient, unsatisfactory: *een ~ hoeveelheid* an insufficient amount

onvolkomen imperfect

onvolledig incomplete

onvolprezen [form] unsurpassed

onvoltooid unfinished: *~ verleden tijd* simple past (tense), imperfect (tense)

onvolwassen immature: *~ reageren* react in an adolescent way

¹**onvoorbereid** (bn) unprepared

²**onvoorbereid** (bw) unaware(s), by surprise

onvoordelig unprofitable, uneconomic(al): *~ uit zijn* pay too high a price

onvoorspelbaar unpredictable

onvoorstelbaar inconceivable, unimaginable, unthinkable: *het is ~!* it's unbelievable!, it's incredible!

onvoorwaardelijk unconditional, unquestioning: *~e straf* non-suspended sentence

onvoorzichtig careless; [sterker] reckless: *je hebt zeer ~ gehandeld* you have acted most imprudently

de **onvoorzichtigheid** carelessness; [sterker] recklessness; lack of caution

¹**onvoorzien** (bn) unforeseen: *~e uitgaven* incidental expenditure(s)

²**onvoorzien** (bw) accidentally

de **onvrede** dissatisfaction (with)

onvriendelijk unfriendly, hostile

onvrij unfree

onvrijwillig involuntary

onvruchtbaar infertile, barren

de **onvruchtbaarheid** infertility

onwaar untrue, false

onwaardig unworthy (of)

onwaarschijnlijk unlikely, improbable: *het is hoogst ~ dat* it is most (*of:* highly) unlikely that

de **onwaarschijnlijkheid** improbability, unlikelihood

het **onweer** thunderstorm: *we krijgen ~* we're going to have a thunderstorm

onweerlegbaar irrefutable

de **onweersbui** thunder(y) shower

onweerstaanbaar irresistible, compelling

onwel unwell, ill, indisposed

onwelkom unwelcome

onwennig unaccustomed, ill at ease: *zij staat er nog wat ~ tegenover* she has not quite got used to the idea

onweren thunder: *het heeft geonweerd* there has been a thunderstorm

onwerkbaar unworkable: *een onwerkbare situatie* [ook] an impossible situation

onwerkelijk unreal

onwetend 1 [geen kennis bezittend] igno-

rant **2** [onbewust] unaware

de **onwetendheid** ignorance: *uit* (*of: door*) *~* out of (*of:* through) ignorance

onwetenschappelijk unscientific, unscholarly

onwettig 1 illegal; [verboden] illicit; unlawful **2** [m.b.t. kinderen] illegitimate

onwezenlijk unreal

onwijs awfully, fabulously, terrifically, eve so: *~ gaaf* brill; *~ hard werken* work like mad (*of:* crazy)

de **onwil** unwillingness: *uit pure ~* out of shee stubbornness; [Am] out of sheer bloody-mindedness

onwillekeurig 1 involuntary **2** inadvertently, unconsciously || *~ lachte hij* he laughed in spite of himself

onwillig unwilling

onwrikbaar irrefutable

onzalig unlucky: *wie kwam er op die ~e gedachte?* whose silly idea was it?

onzedelijk indecent, obscene

de **onzedelijkheid** immorality, indecency, immodesty

onzeker 1 insecure, unsure **2** [niet vaststaand] uncertain, unsure; precarious [positie]: *het aantal gewonden is nog ~* the numbe of injured is not yet known; *hij nam het zeke voor het ~e* he decided to play safe

de **onzekerheid** uncertainty, doubt: *in ~ late* (*of: verkeren*) keep (*of:* be) in a state of sus pense

onzelfstandig dependent (on others)

Onze-Lieve-Heer Our Lord, (the good) God

Onze-Lieve-Vrouw Our Lady

het **onzevader** Lord's Prayer: *het ~ bidden* say the Lord's Prayer

onzichtbaar invisible

onzijdig neutral

de **onzin** nonsense: *klinkklare ~* utter nonsense; *~ verkopen* talk nonsense

onzindelijk not toilet-trained

onzinnig absurd, senseless; nonsensical [gepraat]

onzorgvuldig careless, negligent

¹**onzuiver** (bn) **1** impure **2** [bruto] gross **3** [afwijkend] inaccurate, imperfect

²**onzuiver** (bw) out of tune

het **oog 1** eye: *een blauw ~* a black eye; *dan ku je het met je eigen ogen zien* then you can se for yourself; *goede ogen hebben* have goo eyesight; *geen ~ dichtdoen* not sleep a win zijn ogen geloven* (*of: vertrouwen*) believe (*of:* trust) one's eyes; *hij had alleen ~ voor ha* he only had eyes for her; *aan één ~ blind* blind in one eye; *iem. iets onder vier ogen zeggen* say sth. to s.o. in private; *goed uit z ogen kijken* keep one's eyes open; *kun je nie uit je ogen kijken?* can't you look where you're going?; *zijn ogen de kost geven* take all in; ~ om ~, tand om tand an eye for an eye, a tooth for a tooth **2** [blik] look, glance, eye: *zij kon haar ogen niet van hem afhouden* she couldn't take (*of:* keep) her eyes off him; *(zo) op het ~* on the face of it; *iem. op het ~ hebben* [denken aan] have s.o. in mind, have one's eye on s.o.; *wat mij voor ogen staat* what I have in mind **3** [gezichtskring, ook figuurlijk] view, eye: *zo ver het ~ reikt* as far as the eye can see; *in het ~ lopend* conspicuous, noticeable; *iets uit het ~ verliezen* lose sight of sth.; *uit het ~, uit het hart* out of sight, out of mind ‖ *in mijn ogen* in my opinion (*of:* view); *met het ~ op* with a view to; in view of

de **oogappel** apple of one's eye: *hij was zijn moeders ~* he was the apple of his mother's eye

de **oogarts** ophthalmologist, eye specialist

de **oogbol** eyeball

de **ooggetuige** eyewitness

het **ooggetuigenverslag** eyewitness report

de **ooghoek** corner of the eye

de **ooghoogte** eye level

het **oogje 1** eye: *een ~ dichtknijpen* (*of: dichtdoen*) close (*of:* shut) one's eyes (to) **2** [blik] glance, look, peep: *een ~ in het zeil houden* keep a lookout ‖ *een ~ hebben op* have one's eye on

de **oogklep** blinker; [Am] blinder: [fig] *~pen voor hebben* be blind to, be blinkered

het **ooglid** (eye)lid

oogluikend: *iets ~ toelaten (toestaan)* turn a blind eye to sth.

het **oogmerk**: *met het ~ om* with a view to, with the object (*of:* intention) of

de **oogopslag** glance, look, glimpse

het **oogpunt** viewpoint, point of view

de **oogschaduw** eyeshadow

de **oogst 1** harvesting, reaping **2** [gewas] harvest, crop: *de ~ binnenhalen* bring in the harvest

oogsten harvest; pick [fruit]

oogstrelend delightful

de **oogsttijd** harvest(ing) time

oogverblindend blinding, dazzling: *een ~e schoonheid* a raving beauty

de **oogwenk** moment, instant

de **oogwimper** (eye)lash

het **oogwit** white of the eye

de **ooi** ewe

de **ooievaar** stork

ooit ever, at any time: *Jan, die ~ een vriend van me was* John, who was once a friend of mine; *groter dan ~ tevoren* bigger than ever (before); *de beste prestatie ~* the best-ever performance

ook 1 also, too: *zijn er ~ brieven?* are there any letters?; *morgen kan ~ nog* tomorrow will be all right too; *ik hou van tennis en hij ~* I like tennis and so does he; *ik ben er ~ nog* I'm here too; *hij kookte en heel goed ~* he did the

cooking and very well too; *hij heeft niet gewacht, en ik trouwens ~ niet* he didn't wait and neither did I; *zo vreselijk moeilijk is het nu ~ weer niet* it's not all that difficult (after all); *dat hebben we ~ weer gehad* so much for that, that's over and done with; *opa praatte ~ zo* grandpa used to talk like that (too); *dat is waar ~!* that's true, of course!; [bij het plots te binnen schieten] oh, I almost forgot! **2** [zelfs] even: *~ al is hij niet rijk* even though he's not rich **3** [als versterking] anyhow, anyway: *hoe jong ik ~ ben …* (as) young as I may be (*of:* am) …; *hoe het ~ zij, laten we nu maar gaan* anyway, let's go now; *wat je ~ doet* whatever you do; *wie (dan) ~* whoever; *hoe zeer zij zich ~ inspande* however she tried **4** [in wenszinnen, uitroepen] again, too: *dat gezanik ~* all that fuss (too); *jij hebt ~ nooit tijd!* you never have any time!; *hoe heet hij ~ weer?* what was his name again?

de **oom** uncle

het **oor 1** ear: *met een half ~ meeluisteren* listen with only an ear; *dat gaat het ene ~ in, het andere uit* it goes (at) in one ear and out (at) the other; *zijn oren (niet) geloven* (not) believe one's ears; *een en al ~ zijn* be all ears; [Belg] *op zijn beide (of: twee) oren slapen* have no worries, sleep the sleep of the just; *doof aan één ~* deaf in one ear; *gaatjes in de oren hebben* have pierced ears; *iets in de oren knopen* get sth. into one's head; *ik stond wel even met mijn oren te klapperen* I couldn't believe my ears (*of:* what I was hearing); *iem. met iets om de oren slaan* blow s.o. up over sth.; *tot over de oren verliefd zijn* be head over heels in love; [fig] *het zit tussen je oren* it's all in your head **2** [aan voorwerp] handle, ear ‖ *iem. een ~ aannaaien* fool s.o., take s.o. for a ride

de **oorarts** otologist, ear specialist

de **oorbel** earring

het **oord** [plek] region, place; [vakantie] resort

het **oordeel** judg(e)ment; [vonnis] verdict; sentence

oordelen 1 judge, pass judgement; [veroordelen] sentence **2** [tot een gevolgtrekking komen] judge, make up one's mind

het **oordopje 1** [tegen lawaai] earplug **2** [oortelefoon] earphone

de **oordruppels** eardrops

de **oorkonde** document, charter, deed

de **oorlel** lobe (of the ear)

de **oorlog** war: *het is ~* there's a war on; *de ~ verklaren aan* declare war on; *~ voeren* wage war

de **oorlogsheld** war hero

de **oorlogsmisdadiger** war criminal

het **oorlogspad**: *op het ~ zijn* be on the warpath

het **oorlogsschip** warship

de **oorlogssterkte**: *op ~* at fighting strength

de **oorlogsverklaring** declaration of war

oorlogszuchtig warlike, war-minded

de **oorlogvoering** conduct (of: waging) of the war, warfare

oormerken earmark [ook m.b.t. financiën]

de **oorontsteking** inflammation of the ear

de **oorpijn** earache

de **oorring** earring

de **oorschelp** auricle

het/de **oorsmeer** ear wax

de **oorsprong** origin, source: *van* ~ originally

¹**oorspronkelijk** (bn) original, innovative: *een* ~ *kunstenaar* an original (of: innovative) artist

²**oorspronkelijk** (bw) originally, initially

de **oorspronkelijkheid** originality

het **oortje** [oortelefoon] earphone

oorverdovend deafening

de **oorvijg** box on the ear

de **oorworm** earwig

de **oorzaak** cause, origin: ~ *en gevolg* cause and effect

oorzakelijk: ~ *verband* causal connection, causality

oost east: ~ *west, thuis best* east, west, home's best

het **Oostblok** Eastern bloc

Oost-Duitsland [gesch] East Germany; [officieel] German Democratic Republic

oostelijk 1 eastern **2** [naar het oosten] easterly; eastward; [uit het oosten] easter(ly) [m.b.t. wind]: *een ~e wind* an easterly wind

het **oosten** east: *ten* ~ *van* (to the) east of; *het* ~ *van Frankrijk* eastern France

Oostende Ostend

Oostenrijk Austria

de **Oostenrijker** Austrian

Oostenrijks Austrian

de **oostenwind** east wind, easterly

de **oosterburen** neighbours to the east

de **oosterlengte** eastern longitude

oosters oriental

Oost-Europa Eastern Europe

Oost-Europees East European

Oost-Indisch East Indian ‖ ~ *doof zijn* pretend not to hear

de **oostkust** east(ern) coast

oostwaarts eastward

de **Oostzee** Baltic (Sea)

het **ootje**: *iem. in het* ~ *nemen* take s.o. for a ride, pull s.o.'s leg

ootmoedig humble

¹**op** (bn) [op-, verbruikt] used up, gone: *het geld* (of: *mijn geduld*) *is op* the money (of: my patience) has run out; *hij is op van de zenuwen* he is a nervous wreck

²**op** (bw) up: *trap op en trap af* up and down the stairs; *de straat op en neer lopen* walk up and down the street; *zij had een nieuwe hoed op* she had a new hat on

³**op** (vz) **1** in, on, at: *op een motor rijden* ride a motorcycle; *op de hoek wonen* live on the

corner; *later op de dag* later in the day; *op negenjarige leeftijd* at the age of nine; *op maandag* (on) Monday; *op een maandag* on a Monday; *op vakantie* on holiday; *op zijn vroegst* at the earliest; *op haar eigen manier* in her own way; *op zijn minst* at (the very) least, *op zijn snelst* at the quickest **2** [m.b.t. een verhouding] in, to: *op de eerste plaats* in the first place, first(ly); in first place [wedstrijd]; *de auto loopt 1 op 8* the car does 8 km to the litre; *één op de duizend* one in a thousand; *op één na de laatste* the last but one

de **opa** grandpa, grandad

de ¹**opaal** (zn) [steen] opal

het ²**opaal** (zn) [mineraal] opal

opbaren place on a bier: *opgebaard liggen* lie in state

opbellen (tele)phone, call, ring (up): *ik zal je nog wel even* ~ I'll give you a call (of: ring)

opbergen put away, store; [documenten e.d.] file (away)

opbeuren cheer up

opbiechten confess: *alles eerlijk* ~ make a clean breast of it

opbieden: *tegen iem.* ~ bid against s.o.

opblaasbaar inflatable

de **opblaasboot** inflatable boat

opblazen blow up, inflate

opblijven stay up

opbloeien 1 bloom **2** [toenemen in bloei] flourish, prosper

het **opbod**: *iets bij* ~ *verkopen* sell sth. by auction

opboksen compete

opborrelen bubble up

de **opbouw 1** construction **2** structure

opbouwen build up, set up: *het weefsel is uit cellen opgebouwd* the tissue is made up (of: composed) of cells

opbouwend constructive

opbranden be burned up (of: down)

opbreken 1 break up, take down (of: apart) **2** [openbreken] break up, tear up: *d straat* ~ dig (of: break) up the street

opbrengen 1 bring in, yield **2** [in staat zi tot] work up: *begrip* (of: *belangstelling*) ~ *voor* show understanding for (of: an interes in) **3** [bedekken met] apply

de **opbrengst** yield, profit; [van belasting] revenue

opdagen turn up, show up

opdat so that

opdienen serve (up), dish up

opdiepen dig up

zich **opdirken** [inf; scherts] doll (of: jazz) o.s. u

opdissen serve up, dish up

opdoeken shut down

opdoemen loom (up), appear

opdoen 1 gain, get: *kennis* ~ acquire knowledge; *inspiratie* ~ gain inspiration **2** apply, put on

zich **opdoffen** [inf] doll o.s. up

de **opdoffer 1** [oplawaai] punch **2** [teleurstelling] setback

de **opdonder** punch

opdonderen get lost

opdraaien: *ik wil hier niet voor ~* I don't want to take any blame for this; *voor de kosten ~* foot the bill; *iem. voor iets laten ~* land (*of:* saddle) s.o. with sth.

de **opdracht** assignment, order: *we kregen ~ om …* we were told to …, given orders to …

de **opdrachtgever** client, customer

opdragen charge, commission, assign

opdraven show up, put in an appearance

opdreunen rattle off, reel off, drone

opdrijven force up, drive up

¹**opdringen** (onov ww) push forward, press forward; press on, push on [verder]

²**opdringen** (ov ww) force on, press on; [raad, mening ook] intrude on, impose on: *dat werd ons opgedrongen* that was forced on us

zich ³**opdringen** (wdk ww) force o.s. on, impose o.s. (on), impose one's company (on): *ik wil me niet ~* I don't want to intrude

opdringerig obtrusive; [persoon ook] pushy: *~e reclameboodschappen* aggressive advertising

opdrinken drink (up)

opdrogen dry (up); [rivier, bron, figuurlijk ook] run dry

de **opdruk** (im)print

opdrukken 1 print on(to), impress on(to); stamp on(to) [met stempel] **2** push up, press up: *zich ~* do press-ups

opduikelen dig up

opduiken 1 surface, rise (*of:* come) to the surface **2** [verschijnen] turn up

opduwen push up, press up

opdweilen mop up

opeen together

opeens suddenly, all at once, all of a sudden

de **opeenstapeling** accumulation, build-up

opeenvolgend successive, consecutive

de **opeenvolging** succession

opeisen claim, demand: *de aandacht ~* demand (*of:* compel) attention; *een aanslag ~* claim responsibility for an attack

open open; [niet op slot ook] unlocked; [niet bezet] vacant: *de deur staat ~* the door is ajar (*of:* open); *met ~ ogen* with one's eyes open; *een ~ plek in het bos* a clearing in the woods; *tot hoe laat zijn de winkels ~?* what time do the shops close?; *~ en bloot* openly, for all (the world) to see

openbaar public, open: *de openbare orde verstoren* disturb the peace ‖ *in het ~* in public, publicly

de **openbaarheid** publicity

de **openbaarmaking** publication, disclosure

¹**openbaren** (ov ww) reveal

zich ²**openbaren** (wdk ww) manifest o.s.

de **openbaring** revelation

openbarsten burst open

openbreken break (open), force open, prise open: *een slot ~* force a lock

de **opendeurdag** [Belg] open day

¹**opendoen** (onov ww) open the door; answer the door (*of:* bell, ring) [na bellen, kloppen]: *er werd niet opengedaan* there was no answer

²**opendoen** (ov ww) open

opendraaien open; turn on [kraan]; unscrew [deksel, dop]

openduwen push open

¹**openen** (onov ww) open, begin: [kaartsp] *met schoppen ~* lead spades

²**openen** (ov ww) **1** open; turn on [kraan]; unscrew [deksel, dop]: [comp] *een bestand ~* open a file, get into a file **2** [beginnen] open, start

de **opener** opener

opengaan open

openhalen tear: *ik heb mijn jas opengehaald aan een spijker* I tore my coat on a nail

openhartig frank, candid; [oprecht] straightforward: *een ~ gesprek* a heart-to-heart (talk)

de **openhartigheid** frankness, candour

de **openheid** openness, sincerity: *in alle ~* in all candour

openhouden keep open: *de deur voor iem. ~ hold* the door (open) for s.o.

de **opening** opening; [gat ook] gap

de **openingsplechtigheid** opening ceremony, inauguration

openlaten 1 leave open; leave on, leave running [kraan] **2** [niet invullen] leave blank; [datum] leave open

openlijk 1 open, overt: *~ voor iets uitkomen* openly admit sth. **2** [in het openbaar] public: *iets ~ verkondigen* declare sth. in public

de **openlucht** open air: *in de ~ slapen* sleep in the open air

het **openluchtmuseum** open-air museum, historical village

het **openluchttheater** open-air theatre

openmaken open (up)

openslaan open

openslaand: *~e deuren* double doors

opensnijden cut (open)

openstaan be open; [niet op slot ook] be unlocked: *mijn huis staat altijd voor jou open* my door will always be open to (*of:* for) you; *de kraan staat open* the tap is on (*of:* is running)

openstellen open

opentrekken pull open, open: *een grote bek ~* open one's big mouth

openvallen fall open, drop open

openvouwen unfold, open (out)

openzetten open; turn on [kraan]

de **opera** opera

de **operatie** operation, surgery: *een grote* (of: *kleine*) ~ *ondergaan* undergo major (of: minor) surgery

operatief surgical, operative

de **operatiekamer** operating room

de **operatietafel** operating table

operationeel operational; [machine ook] in running (of: working) order

opereren 1 work; [werken met] use 2 [med] operate, perform surgery (of: an operation): *iem.* ~ operate on s.o.; *zij is geopereerd aan de longen* she has had an operation on the lungs

de **operette** light opera

opeten eat (up), finish

opfleuren cheer up, brighten up

opflikkeren flare up, flicker

opfokken work up, whip up, stir up

opfrissen freshen (up): *zijn Engels* ~ brush up (on) one's English; *zich* ~ freshen up; [Am] wash up

opgaan 1 go up; [trap, heuvel ook] climb 2 [m.b.t. de zon] come up, rise 3 [opgegeten, opgedronken worden] go, be finished 4 [juist zijn] hold good (of: true), apply: *dit gaat niet op voor arme mensen* this doesn't apply to (of: this is not true of) poor people ‖ *als het die kant opgaat met de maatschappij dan …* if that is the way society is going …

opgaand rising

de **opgang**: ~ *maken* catch on, take (on)

de **opgave** 1 statement, specification: *zonder* ~ *van redenen* without reason given 2 [vraagstuk] question [vnl. m.b.t. huiswerk, examen e.d.]: *schriftelijke* ~*n* written assignments 3 [taak] task, assignment

opgeblazen puffy, bloated, swollen

opgebrand burnt-out, worn-out

opgefokt worked up

opgeilen [inf] turn on

opgelaten embarrassed

het **opgeld**: ~ *doen* catch on, take (on)

opgelucht relieved: ~ *ademhalen* heave a sigh of relief

opgeruimd tidy, neat: ~ *staat netjes* good riddance (to bad rubbish)

opgescheept: *met iem. (iets)* ~ *zitten* be stuck with s.o. (sth.)

opgeschoten lanky

opgetogen delighted, overjoyed

opgeven 1 give up, abandon: *(het) niet* ~ not give in (of: up), hang on; *je moet nooit (niet te gauw)* ~ never say die 2 [opnoemen] give, state: *zijn inkomsten* ~ *aan de belasting* declare one's income to the tax inspector; *als reden* ~ give (of: state) as one's reason 3 [opdragen] give, assign 4 [aanmelden] enter: *zich* ~ *voor een cursus* enrol (of: sign up) for a course; *als vermist* ~ report (as) missing 5 [overgeven] give (up), surrender

opgewassen equal (to); [tegen zaak ook] up (to): *hij bleek niet* ~ *tegen die taak* the tas‹ proved beyond him (of: too much for him)

opgewekt cheerful, good-humoured: *hij* ‹ *altijd heel* ~ he is always in good spirits (of: bright and breezy)

opgewonden 1 excited 2 [zenuwachtig] agitated, in a fluster

opgezet 1 swollen, bloated 2 [Belg] happ‹ content: ~ *zijn met iets* be pleased about st‹

opgooien throw up, toss up

opgraven dig up, unearth; [archeologie] excavate; exhume [lijk]

de **opgraving** 1 dig(ging); [archeologisch ook] excavation; exhumation [lijk]: ~*en vor‹ den plaats in …* excavations were carried o‹ in … 2 [plaats] excavation, dig, (archaeolo‹ ical) site

opgroeien grow (up)

de **ophaalbrug** lift bridge, drawbridge

de **ophaaldienst** collecting service, collectic‹ service

ophalen 1 raise, draw up, pull up; hoist [vlag, zeil] 2 [afhalen] collect: [comp] *een b‹ stand* ~ download a file; *vuilnis* ~ collect re‹ fuse (of: rubbish); [Am] collect garbage; *k‹ je me vanavond* ~? are you coming round f‹ me tonight? 3 [in herinnering brengen] bring up, bring back, recall: *herinneringen‹ aan de goede oude tijd* reminisce about the good old days 4 [inzamelen] collect 5 [verbeteren] brush up (on), polish up: *rapport‹ fers* ~ improve on one's (report) marks

ophanden: ~ *zijn* be imminent, be close at hand, be approaching

¹**ophangen** (onov ww) [van telefoon] ha‹ up, ring off

²**ophangen** (ov ww) hang (up); [mededel‹ ook] post: *de was* ~ hang out the wash(in‹ *zich* ~ hang o.s.

ophebben 1 wear, have on 2 [gegeten, gedronken hebben] have finished, have h‹

de **ophef** fuss, noise, song (and dance): ~ *m‹ ken over iets* kick up (of: make a fuss) abo‹ sth.; *zonder veel* ~ without much ado

opheffen 1 raise, lift: *met opgeheven ho‹* with (one's) head held high 2 [tenietdoen‹ cancel (out), neutralize: *het effect* ~ *van ie‹* counteract sth. 3 [doen ophouden] remo‹ discontinue [dienst, zaak, cursus]: *de club werd na een paar maanden opgeheven* the c‹ was disbanded after a couple of months

de **opheffingsuitverkoop** closing-down sale

ophefmakend [Belg] [sensationeel] sen‹ tional

ophelderen clear up, clarify

de **opheldering** explanation

ophemelen praise to the skies, extol

ophijsen pull up, hoist (up); raise [vlag, zeil]

ophitsen 1 egg on, goad: *een hond ~* tease (*of:* bait) a dog; *iem.* ~ get s.o.'s hackles up **2** [opruien] incite, stir up: *de mensen tegen elkaar ~* set people at one another's throats
ophoepelen [inf] get lost, clear (*of:* push, buzz) off
ophogen raise
ophokken: *pluimvee ~* keep poultry in-doors
zich **ophopen** pile up, accumulate: *de sneeuw heeft zich opgehoopt* the snow has banked up
¹ophouden (onov ww) stop; quit [niet doorgaan met]; (come to an) end: *de straat hield daar op* the street ended there; *dan houdt alles op* then there's nothing more to be said; *plotseling ~* break off; *ze hield maar niet op met huilen* she (just) went on crying (and crying); ~ *met roken* give up (*of:* stop) smoking; *het is opgehouden met regenen* the rain has stopped; *even ~ met werken* have a short break in one's work; *hou op!* stop it!, cut it out!; *laten we erover ~* let's leave it at that
²ophouden (ov ww) **1** hold up, delay; [persoon ook] keep; [persoon ook] detain: *iem. niet langer ~* not take up any more of s.o.'s time; *dat houdt de zaak alleen maar op* that just slows things down; *ik werd opgehouden* I was delayed (*of:* held up) **2** [van hoed, muts] keep on ‖ *de schijn* ~ keep up appearances, go through the motions
de **opinie** opinion, view
het **opinieblad** ± news magazine
de **opiniepeiling** (opinion) poll: *(een) ~(en) houden (over)* canvass opinion (on)
et/de **opium** opium
opjagen hurry, rush; [niet met rust laten] hound
opjutten [inf] needle, give (s.o.) the jitters
opkalefateren patch (up), doctor (up)
opkijken 1 look up: ~ *tegen iem.* look up to s.o. **2** [verrast worden] sit up, be surprised: *daar kijk ik van op* I'd never have thought it
opkikkeren: *daar zal je van ~* it'll pick you up, it'll do you good
het **opklapbed** foldaway bed
opklappen fold up
opklaren brighten up, clear up: *de lucht klaart op* the sky's clearing up
opklimmen climb
opkloppen 1 [cul] beat up: *slagroom ~* whip cream **2** [overdrijven] exaggerate
de **opknapbeurt** redecoration, facelift
¹opknappen (onov ww) pick up, revive: *het weer is opgeknapt* the weather has bright-ened up; *hij zal er erg van ~* it'll do him all the good in the world
²opknappen (ov ww) **1** tidy up, do up, re-decorate; [restaureren] restore: *het dak moet nodig eens opgeknapt worden* the roof needs repairing (*of:* fixing) **2** [uitvoeren] fix, carry

out: *dat zal zij zelf wel ~* she'll take care of it herself
zich **³opknappen** (wdk ww) freshen (o.s.) up
opknopen string up
opkomen 1 come up [gewas enz.]; rise [deeg, getijde]; come in [getijde]: *spontaan* (*of: vanzelf*) ~ crop up **2** [boven de horizon komen] rise, ascend **3** [in gedachte komen] occur; [weer opkomen] recur: *het komt niet bij hem op* it doesn't occur to him; *het eerste wat bij je opkomt* the first thing that comes into your mind **4** [beginnen te ontstaan] come on [koorts, storm]; set in [koorts]; rise [wind]: *ik voel een verkoudheid* ~ (*of: de koorts*) ~ I can feel a cold (*of:* the fever) com-ing on **5** [theat] enter, come on (stage) **6** [verdedigen] fight (for), stand up (for): *steeds voor elkaar ~* stick together ‖ *kom op, we gaan* come on, let's go; *kom maar op als je durft!* come on if you dare!
de **opkomst 1** [m.b.t. de zon, maan] rise **2** [aantal verschenen mensen] attendance; [bij verkiezingen] turnout **3** [m.b.t. het to-neel] entrance **4** [vooruitgang] rise, boom
opkopen buy up
opkrabbelen struggle up (*of:* to) one's feet
opkrikken 1 jack up **2** [opvijzelen] hype up, pep up: *het moreel ~* boost morale
opkroppen bottle up, hold back
opkuisen [Belg] clean (up), tidy (up)
oplaadbaar rechargeable
oplaaien flare (*of:* flame, blaze) up
opladen charge
de **oplader** charger
de **oplage** edition, issue; [van krant] circula-tion: *een krant met een grote ~* a newspaper with a wide circulation
oplappen patch up
oplaten fly [vlieger]; release [vogel]; launch [ballon, zweefvliegtuig]
de **oplawaai** wallop
oplazeren [inf] bugger off, piss off, beat it
opleggen enforce; impose [straf, belasting, boete]: *wetten ~* enforce (*of:* impose, lay down) laws; *iem. het zwijgen ~* [ook fig] si-lence s.o., put (*of:* reduce) s.o. to silence
de **oplegger** semi-trailer, trailer: *truck met ~* articulated lorry; [Am] articulated truck
opleiden educate, instruct: *hij is tot advo-caat opgeleid* he has been trained as a lawyer
de **opleiding 1** education, training: *een we-tenschappelijke ~* an academic (*of:* a univer-sity) education; *een ~ volgen (krijgen)* receive training, train; *zij volgt een ~ voor secretaresse* she is doing a secretarial course **2** institute, (training) college; [school voor speciale op-leidingen] academy
het **opleidingscentrum** training centre
opletten 1 watch, take care: *let op waar je loopt* look where you're going; *let maar eens*

op mark my words; wait and see **2** [aandachtig luisteren] pay attention: *opgelet!, let op!* attention please!, take care!
oplettend 1 observant, observing: *zij sloeg hem ~ gade* she watched him carefully (*of:* closely) **2** [aandachtig luisterend] attentive
de **oplettendheid** attention, attentiveness
opleuken liven up, brighten up
opleven revive
opleveren 1 [afleveren] deliver; surrender [onroerend goed]: *tijdig ~* deliver on time **2** [opbrengen] yield: *wat levert dat baantje op?* what does (*of:* how much does) the job pay?; *voordeel ~* yield profit; *het schrijven van boeken levert weinig op* writing (books) doesn't bring in much **3** [voortbrengen] produce: *het heeft me niets dan ellende opgeleverd* it brought me nothing but misery
de **oplevering** delivery; [m.b.t. gebouw] completion
de **opleving** revival; [herstel] recovery; upturn, pick-up: *een plotselinge ~* an upsurge
oplezen read (out), call (out, off)
oplichten swindle, cheat, con: *iem. ~ voor 2 ton* swindle (*of:* con) s.o. out of 200,000 euros
de **oplichter** swindler, crook, con(fidence) man (woman)
de **oplichterij** swindle, con(-trick)
de **oplichting** fraud, con(-trick)
oplikken lick up, lap up
de **oploop 1** crowd **2** [relletje] riot, tumult
¹**oplopen** (onov ww) **1** go up, run up, walk up: *de trap ~* run (*of:* go, walk) up the stairs **2** [toenemen] increase, mount, rise: *de spanning laten ~* build up the tension **3** [botsen op] bump into, run into
²**oplopen** (ov ww) [opdoen] catch, get: *een verkoudheid ~* catch a cold || *achterstand ~* get behind, fall behind
oplopend 1 rising, sloping (upwards) **2** [toenemend] increasing, mounting: *een hoog ~e ruzie* a flaming row
oplosbaar solvable
de **oploskoffie** instant coffee
het **oplosmiddel** solvent; thinner [voor verf]
¹**oplossen** (onov ww) dissolve: *die vlekken lossen op als sneeuw voor de zon* those stains will vanish in no time
²**oplossen** (ov ww) **1** [een oplossing vinden] solve **2** [tot een goed einde brengen] (re)-solve: *dit zou het probleem moeten ~* this should settle (*of:* solve) the problem
de **oplossing** solution [ook chemie, natuurkunde]; answer
opluchten relieve: *dat lucht op!* what a relief!; *opgelucht ademhalen* draw a breath of relief
de **opluchting** relief: *tot mijn grote ~* to my great relief, much to my relief
opluisteren grace, add lustre to
de **opmaak 1** layout, set-out, mock-up; [comp]

format **2** [versiering] embellishment [versiering]; trimming [garnering]
de **opmaat** overture(s), prelude
opmaken 1 finish (up), use up: *al zijn geld* spend all one's money **2** [gezichtsverfraaiing] make up: *zich ~* make o.s. up **3** [samenstellen] draw up: *de balans ~* weigh the pros and cons, take stock **4** lay out, make up **5** [concluderen] gather: *moet ik daaruit ~ da ... do I gather (*of:* conclude) from it that ...
de **opmars** [ook fig] march, advance
opmerkelijk remarkable, striking
opmerken 1 observe, note [bespeuren] **2** [bemerken, de aandacht vestigen op] note, notice **3** [een opmerking maken] observe, remark: *mag ik misschien even iets ~?* may I make an observation?
de **opmerking** remark, observation, comment: *hou je brutale ~en voor je* keep your comments to yourself
opmerkzaam attentive, observant
opmeten measure; [landmeetkunde] survey
opnaaien needle: *laat je toch niet zo ~ kee* your hair (*of:* shirt) on
de **opname 1** [in een ziekenhuis] admission **2** [foto] shot; [film] shooting; take; [van geluid] recording **3** [m.b.t. geld] withdrawal
opnemen 1 [m.b.t. tegoed] withdraw: *ee snipperdag ~* take a day off **2** [beoordelen] take: *iets (te) gemakkelijk ~* be (too) casual about sth. **3** [geluid, beeld] record; [film] shoot: *een concert ~* record a concert **4** [grootte, waarde bepalen] measure: *de gasmeter ~* read the (gas)meter; *de tijd ~ (van)* time a person **5** [noteren] take down **6** [een plaats geven] admit, introduce, include: *laten ~ in een ziekenhuis* hospitalize; *het ziekenhuis opgenomen worden* be admitted to hospital **7** [ergens deel van doen uit maken] admit, receive: *ze werd snel opgeno men in de groep* she was soon accepted as one of the group **8** [m.b.t. telefoon] answe *er wordt niet opgenomen* there's no answer **9** [absorberen] absorb || *het tegen iem. ~ ta* s.o. on; *hij kan het tegen iedereen ~* he can hold his own against anyone; *het voor iem. speak (*of:* stick) up for s.o.
opnieuw 1 (once) again, once more: *telkens (steeds) ~* again and again; time and (time) again **2** [van voren af] (once) again, once more: *nu moet ik weer helemaal ~ beg nen* now I'm back to square one
opnoemen name, call (out); [opsommen] enumerate: *te veel om op te noemen* too much (*of:* many) to mention
de **opoe** gran(ny), gran(d)ma
opofferen sacrifice
de **opoffering** sacrifice; [fig] expense [moei]
het **oponthoud** stop(page), delay: *~ hebber* be delayed

opschieten

oppakken run in, pick up, round up
de **oppas** babysitter, childminder
oppassen 1 look out, be careful: *pas op voor zakkenrollers* beware of pickpockets **2** [op kinderen] babysit
de **oppasser** keeper
oppeppen pep (up) [nieuwe energie geven]
opperbest splendid, excellent: *in een ~ humeur* in high spirits
het **opperbevel** supreme command, high command
de **opperbevelhebber** commander-in-chief, supreme commander
opperen put forward, propose, suggest
het **opperhoofd** chief, chieftain
de **opperhuid** epidermis
oppermachtig supreme
opperst supreme, complete
het **oppervlak 1** surface, face **2** [grootte in m²] (surface) area
oppervlakkig superficial, shallow: *(zo) ~ beschouwd* on the face of it; *iem. ~ kennen* have a nodding acquaintance with s.o., know s.o. slightly
de **oppervlakkigheid** superficiality, shallowness
de **oppervlakte 1** surface, face **2** [buitenvlakken van een lichaam] surface (area)
het **oppervlaktewater** surface water
het **Opperwezen** Supreme Being
oppiepen bleep
oppikken pick up, collect: *ik pik je bij het station op* I will pick you up at the station
oppimpen pimp up, sex up
opplakken stick (on), glue (on), paste (on), affix
oppoetsen polish (up): [fig] *zijn Frans ~* brush up one's French
oppompen pump up [band]; blow up [voetbal]; inflate [luchtbed]
de **opponent** opponent
de **opportunist** opportunist
opportunistisch opportunistic
de **oppositie** opposition
de **oppositieleider** opposition leader, leader of the opposition
oppotten hoard (up)
oprakelen [fig] rake up, drag up
opraken [benzine, geld, voorraden] run out (*of:* short, low), be low; [fig; geduld] run out
oprapen pick up, gather
oprecht sincere, heartfelt
de **oprechtheid** sincerity: *in alle ~* in all sincerity
oprichten set up, establish; start [zaak, club]; found [vereniging]: *een onderneming ~ establish* (*of:* start) a company
de **oprichter** founder
de **oprichting** foundation; [m.b.t. een zaak]

establishment; [m.b.t. een vereniging] formation
oprijden [voortrijden] ride along; [auto ook] drive along: *een oprijlaan ~* turn into a drive; *tegen iets ~* crash into (*of:* collide with) sth.
de **oprijlaan** drive(way)
oprijzen rise, tower
de **oprit 1** drive, access **2** [van een autoweg] approach road, slip road
de **oproep** call, appeal
oproepen 1 summon, call (up); page [iemands naam omroepen]: *als getuige ~* call as a witness; *opgeroepen voor militaire dienst* conscripted (*of:* drafted) into military service **2** [in gedachten] call up, evoke, conjure up; [iets negatiefs ook] arouse
de **oproepkracht** stand-by employee (*of:* worker)
het **oproer** revolt; [tegen regering] insurrection
de **oproerkraaier** agitator, insurgent
de **oproerpolitie** riot police
oprollen 1 [in elkaar rollen] roll up, curl up; coil up [touw]; wind **2** [arresteren] round up
de **oprotpremie** [inf] **1** [bij ontslag] severance pay **2** [bij terugkeer naar vaderland] repatriation bonus
oprotten [vulg] piss off, sod off, bugger off
opruien incite, agitate
opruimen clean (out), clear (out), tidy (up), clear (up): *de rommel ~* clear (*of:* tidy) away the mess; *opgeruimd staat netjes* a) that's things nice and tidy again; b) [iron] good riddance (to bad rubbish)
de **opruiming** clearance; [winkel] (clearance) sale; clear-out
de **opruimingsuitverkoop** (stock-)clearance sale
oprukken advance
opscharrelen rake up, dig up
opschepen saddle with, palm off on: *iem. met iets ~* saddle s.o. with sth., plant sth. on s.o.
de **opscheplepel** tablespoon, server
¹**opscheppen** (onov ww) [pochen] brag, boast: *~ met (over) zijn nieuwe auto* show off one's new car
²**opscheppen** (ov ww) dish up, serve out, spoon out; ladle out [soep]: *mag ik je nog eens ~?* may I give you (*of:* will you have) another helping?
de **opschepper** boaster, braggart
opschepperig boastful
de **opschepperij** bragging; exhibitionism [vertoon]; show [vertoon]
opschieten 1 hurry up, push on (*of:* ahead) **2** [vorderen] get on, make progress (*of:* headway): *daar schiet je niks mee op* that's not going to get you anywhere **3** [overweg kunnen] get on (*of:* along): *ze kunnen goed met elkaar ~* they get on very well (together)

opschorten [vergadering] adjourn; [wetsontwerp, vonnis, oordeel] suspend; [uitvoering] postpone, put on hold

het **opschrift** 1 legend; inscription [munt, gebouw, standbeeld]; lettering [deur, vliegtuig] 2 [m.b.t. boeken, geschriften] headline [boven krantenbericht]; heading [titel, kop]; caption [illustratie]; direction [adres]

opschrijven write/take/put (*of:* note, jot) down: *schrijf het maar voor mij op* charge it to (*of:* put it on) my account

opschrikken start, startle, jump

opschudden 1 [weer zacht maken] shake up, fluff up, plump up: *de kussens* ~ shake (*of:* plump, fluff) up the pillows 2 [wakker schudden] shake (up): *ze werd opgeschud uit haar dromen* she was shaken out of her dreams; *een ingeslapen organisatie* ~ shake things up at a sleepy organization

de **opschudding** commotion, disturbance

opschuiven move up (*of:* over), shift up, shove up

opslaan 1 lay up, store 2 [omhoog slaan] hit up; serve [serveren] 3 [m.b.t. de ogen] lift, raise 4 [comp] save: *gegevens* ~ store data

de **opslag** 1 rise; [Am; vnl. m.b.t. loon] raise; [op premie, bedrag, prijs] surcharge: ~ *krijgen* get (*of:* receive) a rise 2 [sport] serve; service [service]; ball [worp] 3 [van goederen] storage

de **opslagplaats** warehouse, (storage) depot; store [graan, munitie]; depository [goederen]

de **opslagtank** storage tank

opslokken swallow up (*of:* down)

¹**opsluiten** (ov ww) shut up, lock up; confine [gevangenen]; put (*of:* place) under restraint [psychiatrische patiënten]; cage [dier]; pound [in asiel, kennel]: *opgesloten in zijn kamertje zitten* be cooped up in one's room

zich ²**opsluiten** (wdk ww) shut o.s. in, lock o.s. up

de **opsluiting** confinement, imprisonment: *eenzame* ~ solitary confinement

de **opsmuk** finery, gaudery: *zonder* ~ unadorned, plain

opsnorren [inf] ferret out, rake out

opsnuiven sniff (up), snuff; inhale [geneesmiddel, rook]; snort [cocaïne]

opsodemieteren [inf] piss off, fuck off

het **opsolferen** [Belg] palm off (on): *iem. iets* ~ palm sth. off on s.o.

opsommen enumerate, recount

de **opsomming** enumeration, list, run-down

opsouperen squander, spend

opsparen save up; [oppotten] hoard (up)

opspelden pin up/on

opspelen play up

opsplitsen split up (into), break up (into)

opsporen track, trace; detect [fout, lek];

track down, hunt down [misdadiger, wild]

de **opsporing** location, tracing

de **opsporingsdienst** investigation service (*of:* department)

de **opspraak** discredit: *in* ~ *komen* get o.s. talked about

opspringen jump/leap (*of:* spring, start) up; [opveren] spring (*of:* jump, start) to one's feet; bounce [bal]

opstaan stand up, get up, get (*of:* rise) to one's feet, get on one's feet: *met vallen en* ~ with ups and downs; *hij staat altijd vroeg op* he's an early riser (*of:* bird), he is always up early

de **opstand** (up)rising, revolt, rebellion, insurrection

de **opstandeling** rebel, insurgent

opstandig rebellious, mutinous, insurgent

de **opstanding** resurrection: *de* ~ *van Christus* the Resurrection of Christ

de **opstap** step: *struikel niet over het* ~*je* don't stumble over the step, mind the step

¹**opstapelen** (ov ww) pile up, heap up, stack (up); [vergaren] amass; accumulate

zich ²**opstapelen** (wdk ww) pile up, accumulate, mount up

opstappen go away, move on; be off; [ontslag nemen] resign

opsteken 1 put up, hold up, raise 2 [wijzen worden] learn; pick up [ideeën, taal, gewoonte]: *zij hebben er niet veel van opgestoken* they have not taken much of it in 3 [m.b.t. haar] gather up, pin up

de **opsteker** [meestal opstekertje] windfall, piece of (good) luck

het **opstel** (school) essay, composition: *een* ~ *maken over* write/do an essay (*of:* a paper) on

¹**opstellen** (ov ww) 1 set up (*of:* erect); [materiaal]; post, place (sth., s.o.); [in formatie] arrange; dispose, line up; deploy [leger, wapens]: [sport] *opgesteld staan* be lined up 2 [ontwerpen] draw up, formulate; draft [vnl. van voorlopige versie]: *een plan* ~ draw up a plan

zich ²**opstellen** (wdk ww) 1 take up a position; [in een formatie] form; line up, station o.s., post o.s. 2 [houding aannemen] take up a position (on), adopt an attitude (towards); [zich voordoen] pose (as): *zich keihard* ~ take a hard line

de **opstelling** 1 placing, erection; deployment [wapens]; [arrangement] position; arrangement 2 [standpuntbepaling] position, attitude 3 [sport] line-up

opstijgen 1 ascend, rise; [klimmen ook] go up; [luchtv] take off; [luchtvaart, ruimtevaart] lift off 2 [te paard stijgen] mount

opstoken incite (to), put up (to sth.)

het **opstootje** disturbance, (street) row

de **opstopping** stoppage, blockage; [verk] traffic jam; congestion

opstrijken pocket, rake in, scoop in, scoop up

opstropen roll up, turn up

opstuiven 1 [m.b.t. stof] fly up **2** [van mensen] dash up, tear up; [driftig] flare out/ up

opsturen send, post, mail

optekenen write, note, take down

optellen add (up), count up, total up: *twee getallen (bij elkaar)* ~ add up two numbers

de **optelling 1** [het optellen] addition **2** [optelsom] (addition) sum

opteren: ~ *voor* opt for, choose

de **opticien** optician

de **optie 1** option [ook handel]; choice, alternative: *een* ~ *op een huis hebben* have an option on a house **2** [Belg] optional subject

de **optiebeurs** options market

de **optiek** point of view, angle

optillen lift (up), raise

¹**optimaal** (bn) optimum

²**optimaal** (bw) optimal

optimaliseren optimize

het **optimisme** optimism

de **optimist** optimist

optimistisch optimistic: *de zaak* ~ *bekijken* look on the bright side

optioneel optional

optisch optic(al), visual

de **optocht** procession, parade; [manifestatie] march

optornen battle (with), struggle (against)

het ¹**optreden** (zn) **1** action; [handelwijze] way of acting; behaviour; [houding] attitude; manner; [voorkomen] bearing; demeanour: *het* ~ *van de politie werd fel bekritiseerd* the conduct of the police was strongly criticized **2** [uitvoering] appearance, performance; [voorstelling] show

²**optreden** (onov ww) **1** appear; perform [vnl. in clubs]: *in een film* ~ appear in a film **2** [een functie vervullen] act (as), serve (as) **3** [handelen] act, take action: *streng* ~ take firm action

het **optrekje** pied-à-terre

¹**optrekken** (onov ww) **1** [m.b.t. auto's] accelerate **2** [zich bezighouden met] [zorgen voor] be busy (with); take care (of); [omgaan met] hang around (with): *samen* ~ hang around together **3** [omhoog stijgen] rise, lift

²**optrekken** (ov ww) pull up, haul up, raise; [hijsen] hoist (up): *met opgetrokken knieën* with one's knees pulled up

optrommelen drum up

optuigen dress up, tart up

opvallen strike, be conspicuous, attract attention (of: notice): ~ *door zijn kleding* attract attention because of (of: on account of) one's clothes

opvallend striking, conspicuous, marked: *het ~ste kenmerk* the most striking feature

de **opvang** relief, emergency measures

opvangen 1 catch, receive **2** [horen] overhear, pick up, catch: *flarden van een gesprek* ~ overhear scraps of conversation **3** [helpen] take care of; receive [vluchtelingen]: *de kinderen* ~ *als ze uit school komen* take care of (*of:* look after) the children after school **4** [in iets verzamelen] catch, collect

het **opvanghuis** reception centre, relief centre

opvatten take, interpret: *iets verkeerd (fout)* ~ misinterpret (*of:* misunderstand) sth.

de **opvatting** view, notion, opinion

opvegen sweep up

opvijzelen boost

opvissen 1 [uit het water halen] dredge up **2** [fig] fish out/up, dig up

opvliegen 1 [omhoogvliegen] fly up **2** [vlug opstaan] jump to one's feet **3** [driftig worden] flare out/up

opvliegend short-tempered, quick-tempered

de **opvlieger** flush

opvoeden bring up, raise: *goed* (of: *slecht*) *opgevoed* well-bred (*of:* ill-bred); well (*of:* badly) brought up

de **opvoeder** educator, tutor, governess

de **opvoeding** upbringing, education: *een strenge* ~ a strict upbringing

opvoedkundig educational, educative, pedagogic(al)

opvoeren 1 [kracht, omvang doen toenemen] increase; step up, speed up [de gang van iets]; accelerate [de gang van iets]: *een motor* ~ tune (up) an engine; *de snelheid* ~ raise (*of:* step up) the pace; [auto] increase speed **2** [theat] perform, put on, present

de **opvoering 1** production, presentation **2** [keer, gelegenheid] performance

opvolgen 1 [m.b.t. de troon] succeed **2** [m.b.t. belofte enz.] follow up, observe; comply with [regels]; obey [geboden]: *iemands advies* ~ follow (*of:* take) s.o.'s advice

de **opvolger** successor (to)

opvouwbaar folding, fold-up, foldaway; collapsible [doos, boot]

opvouwen fold up; [om op te bergen] fold away

opvragen claim, ask for; [terugvragen] reclaim; [terugvragen] ask for (sth.) back

opvreten eat up, devour: [scherts] *ik kan je wel* ~ I could just eat you up

opvrolijken cheer (s.o.) up, brighten (s.o.) up

opvullen stuff, fill

opwaaien (get) blow(n) up

opwaarderen revalue, upgrade, uprate

opwaarts upward; [bw ook] upwards: *~e druk* upward pressure, upthrust; [als hoedanigheid van een vloeistof] buoyancy

opwachten lie in wait for

de **opwachting**: *zijn* ~ *maken* **a)** [bezoeken]

pay (someone) a visit; **b)** [ontstaan] arise, arrive; **c)** [mee gaan doen] be ready to participate (*of:* for ...)

¹opwarmen (onov ww) **1** warm up, heat up **2** [sport] warm up, loosen up, limber up

²opwarmen (ov ww) warm up, heat up, reheat

opwegen be equal (to); [goedmaken] make up (for); compensate (for)

opwekken 1 arouse; excite [belangstelling, gevoelens]; stir: *de eetlust (van iem.)* ~ whet (s.o.'s) appetite **2** [m.b.t. energie] generate, create: *elektriciteit* ~ generate electricity

opwekkend 1 [aangenaam stemmend] cheerful **2** [med] tonic

opwellen well up, rise

de **opwelling** impulse: *in een* ~ *iets doen* do sth. on impulse

zich **opwerken** work one's way up, climb the ladder

opwerpen 1 [omhoogwerpen] throw up: *een muntstuk* ~ toss a coin **2** [opperen] raise **3** [doen verrijzen] raise, erect: *barricades* ~ raise (*of:* erect) barriers ‖ *zich* ~ *als* set o.s. up as

¹opwinden (ov ww) **1** [m.b.t. klok enz.] wind up **2** [m.b.t. draad enz.] wind **3** [enthousiast maken] excite, wind (*of:* key, tense) up

zich **²opwinden** (wdk ww) become incensed, get excited, fume: *zich* ~ *over iets* get worked up about sth.

opwindend 1 exciting, thrilling: *het was heel* ~ it was quite a thrill **2** [prikkelend] sexy, suggestive

de **opwinding** excitement; [spanning] tension: *voor de nodige* ~ *zorgen* cause quite a stir

opzadelen saddle

opzeggen 1 cancel, terminate; resign [betrekking, lidmaatschap]; [op termijn] give notice: *zijn betrekking* ~ resign from one's job, resign one's post **2** [m.b.t. gedicht, gebed] read out; recite [gedicht, les]

de **opzegtermijn** (period, term of) notice

de **¹opzet** (zn) **1** organization; [plan] scheme; idea; [ontwerp] layout; design, plan; [structuur, toestand] set-up **2** [beoogd doel] intention, aim

het **²opzet** (zn) [bedoeling] intention, purpose: *met* ~ on purpose

opzettelijk deliberate, intentional; [bw] on purpose: *hij deed het* ~ he did it on purpose

¹opzetten (onov ww) blow up; arise [storm]; gather [nevel, wolken]; rise, set in

²opzetten (ov ww) **1** [overeind zetten] put up, raise; [verticaal zetten] stand (sth., s.o.) up: *een tent* ~ pitch (*of:* put up) a tent **2** [op iets plaatsen] put on: *zijn hoed* ~ put one's

hat on; *theewater* ~ put the kettle on (for tea) **3** [op touw zetten] set up, start (off): *een zaak* ~ set up in business, set up shop **4** [m.b.t. dode dieren] stuff

het **opzicht** respect, aspect: *ten* ~*e van* **a)** [in vergelijking met] compared with (*of:* to), in relation to; **b)** [rekening houdend met] with respect (*of:* regard) to, as regards; *in geen enkel* ~ in no way, not in any sense

de **opzichter 1** supervisor; overseer [van werken]; superintendent **2** [m.b.t. de bouw(werken)] inspector; [op bouwterrein] (site) foreman

opzichtig showy [kleur]; blatant [daad]

het **¹opzien** (zn) stir, fuss; [verbazing] amazement: *veel* ~ *baren* cause quite a stir (*of:* fuss)

²opzien (onov ww) **1** look up: *daar zullen ze van* ~ that'll make them sit up (and take notice) **2** (+ tegen) [vrezen] not be able to face, shrink from: *ergens als (tegen) een berg tegen* ~ dread sth.

opzienbarend sensational, spectacular, stunning

de **opziener** supervisor, inspector

opzij 1 [uit de weg] aside, out of the way **2** [aan de zijkant] at (*of:* on) one side

opzijgaan give way to, make way for, go to one side

opzijleggen: *geld* ~ put money aside; *hij legde het boek opzij tot 's avonds* he put the book aside till the evening

opzijzetten put (*of:* set) aside, table, discard, scrap

opzitten [m.b.t. honden] sit up (and beg) ‖ *hij heeft er 20 jaar tropen* ~ he's been in the tropics 20 years

opzoeken 1 look up, find: *een adres* ~ look up an address **2** [bezoeken] look up, call on

opzuigen suck up; [met stofzuiger] hoover up, vacuum up: *limonade door een rietje* ~ drink lemonade through a straw

opzwellen swell (up, out), bulge; billow [van een zeil, kleren]; balloon [van een zeil, kleren]

opzwepen [fig] whip up

oraal oral

het **orakel** oracle

de **orang-oetan** orang-utan

het **¹oranje** (zn) [kleur] orange; [m.b.t. verkeerslicht] amber

²oranje (bn) orange; [m.b.t. verkeerslicht] amber

Oranje 1 [vorstenhuis] (the house of) Orange **2** [sport] the Dutch team

de **oratie** oration

het **oratorium 1** [muz] oratorio **2** [r-k] oratory

de **orchidee** orchid

de **orde 1** order: *voor de goede* ~ *wijs ik u erop dat ...* for the record, I would like to remind you that ...; *iem. tot de* ~ *roepen* call s.o. to order **2** [geregelde toestand, rust] order;

[discipline ook] discipline: *verstoring van de openbare ~* disturbance of the peace; *dat komt (wel) in ~* it will turn out all right (*of:* OK); *in ~!* all right!, fine!, OK! ‖ *iem. een ~ verlenen* invest s.o. with a decoration, decorate s.o.; *dat is van een heel andere ~* that is of an entirely different order; *aan de ~ van de dag zijn* be the order of the day

ordelijk neat, tidy

ordeloos disorganized, disorderly

ordenen arrange, sort (out)

de **ordening 1** arrangement, organization **2** [volgens voorschriften] regulation, structuring

ordentelijk respectable, decent

de **order** order, instruction, command: *uitstellen tot nader ~* put off until further notice; *een ~ plaatsen voor twee vrachtauto's bij D.* order two lorries from D.

de **ordeverstoring** disturbance, disturbance (*of:* breach) of the peace

ordinair 1 common, vulgar; [grof] coarse; crude **2** [alledaags] common, ordinary, normal

de **ordner** (document) file

de **oregano** oregano

oreren 1 [speechen] deliver a speech **2** [uitweiden] orate

het **orgaan** organ

de **orgaandonatie** organ donation

de **orgaantransplantatie** organ transplant(ation)

de **organisatie 1** organization, arrangement **2** [vereniging] organization, society, association

de **organisatieadviseur** organization consultant

de **organisator** organizer

organisatorisch organizational

organisch organic

organiseren 1 organize, arrange **2** [op touw zetten] organize, fix up, stage

het **organisme** organism

de **organist** organist, organ player

het **orgasme** orgasm, climax

het **orgel** (pipe) organ: *een ~ draaien* grind an organ

de **orgelman** organ-grinder

de **orgie** orgy, revelry

de **Oriënt** Orient

de **oriëntatie** orientation, information: *zijn ~ kwijtraken* lose one's bearings

zich **oriënteren 1** orientate o.s. **2** [informatie vergaren] look around

het **oriënteringsvermogen** sense of direction

de **originaliteit** originality

de **origine** origin: *zij zijn van Franse ~* they are of French origin (*of:* extraction)

origineel original

de **orka** orc(a)

de **orkaan** hurricane

de **orkaankracht** hurricane force

het **orkest** orchestra

orkestreren orchestrate

het **ornaat**: [scherts] *in vol ~* in best bib and tucker, dressed (up) to the nines

het **ornament** ornament

de **orthodontist** orthodontist

orthodox orthodox

de **orthopedie** orthop(a)edics

orthopedisch orthop(a)edic

de **os** bullock, ox: *slapen als een os* sleep like a log

de **OS** afk van *Olympische Spelen* Olympic Games

de **ossenhaas** tenderloin

de **ossenstaartsoep** oxtail soup

de **otter** otter

oubollig corny, waggish

oud 1 old: *zo'n veertig jaar ~* fortyish; *vijftien jaar ~* fifteen years old (*of:* of age), aged fifteen; *hij werd honderd jaar ~* he lived to (be) a hundred; *de ~ste zoon* **a)** [van twee] the elder son; **b)** [van meer dan twee] the oldest son; *haar ~ere zusje* her elder (*of:* big) sister; *hoe ~ ben je?* how old are you?; *toen zij zo ~ was als jij* when she was your age; *zij zijn even ~* they are the same age; *hij is vier jaar ~er dan ik* he is four years older than me; *kinderen van zes jaar en ~er* children from six upwards **2** [bejaard] old, aged: *de ~e dag* old age; *men is nooit te ~ om te leren* you are never too old to learn **3** [reeds lang bestaand] old, ancient; long-standing [situatie]: *een ~ mop* a corny joke; *~ papier* waste paper; *~er in dienstjaren* senior **4** [uit vroeger tijd afkomstig] ancient; [verouderd] outdated; [verouderd] archaic: *~ nummer* [van tijdschrift] back issue **5** [voormalig] ex-, former, old ‖ *~ en jong* young and old; *~ en nieuw vieren* see in the New Year

oudbakken stale

de **oudedagsvoorziening** provision for old age

de **oudejaarsavond** New Year's Eve

de **ouder** parent: *mijn ~s* my parents; my folks

de **ouderavond** parents' evening

de **ouderdom** age, (old) age

de **ouderdomskwaal** old person's complaint

de **ouderejaars** older student, senior student

ouderlijk parental

de **ouderling** church warden, elder

de **ouderraad** parents' council

het **ouderschapsverlof** [zwangerschap] maternity leave; [alg] parental leave

ouderwets old-fashioned; [verouderd] outmoded

de **oudgediende** old hand, veteran

de **oudheid** antiquity, ancient times

de **oudheidkunde** arch(a)eology

het **oudjaar** New Year's Eve

het **oudje** old person, old chap, old fellow, old

dear, old girl
de **oud-leerling** former pupil
de **oudoom** great-uncle
oudsher: *van ~* of old, from way back
de **oudste 1** oldest, eldest: *wie is de ~, jij of je broer?* who is older, you or your brother? **2** [in rang] (most) senior
de **oud-strijder** war veteran
de **oudtante** great-aunt
de **outbox** outbox
de **outcast** outcast
de **outfit** outfit
de **outlet** outlet
het/de **outplacement** outplacement
de **output** output: *als ~ leveren* output
de **outsider** outsider
de **outsourcing** outsourcing
de **ouverture** overture, prelude
de **ouwe 1** [baas] chief, boss **2** [vader] old man ‖ *een gouwe ~* a golden oldie
de **ouwehoer** [inf] windbag
ouwehoeren [inf] go on
de **ouwel** wafer
ouwelijk oldish, elderly
het **ov** afk van *openbaar vervoer* public transport
het **¹ovaal** (zn) oval
²ovaal (bn) oval
de **ovatie** ovation
de **ov-chipkaart** [Ned] public transport pass
de **oven** oven
de **ovenschaal** baking dish, casserole
de **ovenschotel** oven dish
de **ovenwant** oven glove; [Am] oven mitt
¹over (bn) [voorbij] over, finished: *de pijn is al ~* the pain has gone
²over (bw) **1** [van de ene plaats naar de andere] across, over: *zij zijn ~ uit Ankara* they are over from Ankara; *~ en weer* back and forth; [van weerskanten] from both sides **2** [resterend] left, over: *als er genoeg tijd ~ is* if there is enough time left
³over (vz) **1** over, above: *~ een periode van ...* over a period of ... **2** [op, langs, aan de andere kant van] across, over: *hij werkt ~ de grens* he works across (of: over) the border; *~ de heuvels* over (of: beyond) the hills; *~ straat lopen* walk around; *~ de hele lengte* all along **3** [wat betreft] about: *de winst ~ het vierde kwartaal* the profit over the fourth quarter **4** [via] by way of, via: *zij communiceren ~ de mobilofoon* they communicate by mobile telephone; *zij reed ~ Nijmegen naar Zwolle* she drove to Zwolle via Nijmegen; *een brug ~ de rivier* a bridge over (of: across) the river **5** [wegens] about: *verheugd ~* delighted at (of: with) **6** [boven, langs iets heen] over, across **7** [na verloop van] after, in: *zaterdag ~ een week* a week on Saturday **8** [meer, verder dan] over, past: *zij is twee maanden ~ tijd* she is two months overdue;

tot ~ zijn oren in de problemen zitten be up to one's neck in trouble; *het is kwart ~ vijf* it is a quarter past five; *het is vijf ~ half zes* it is twenty-five to six
overal 1 everywhere; [om 't even waar] anywhere: *~ bekend* widely known; *van ~* from everywhere, from all over the place **2** [alles] everything: *zij weet ~ van* she knows about everything
de **overall** overalls
overbekend very well-known
overbelast overloaded, overburdened
overbelasten overload, overburden, overtax
de **overbelasting** stress, strain
overbelichten overexpose
de **overbevolking** overpopulation
overbevolkt overpopulated
overbezet overcrowded: *mijn agenda is al ~* my programme is already overbooked
het **overblijfsel 1** relic; [restant] remnant; [mv] remains **2** [afval, restant] [mv] remains [vnl. m.b.t. eten; mv] leftovers; remnant [van een stof]
overblijven 1 be left, remain: *van al mijn goede voornemens blijft zo niets over* all my good intentions are coming to nothing now **2** [nog te doen] be left (over)
de **overblijver** school-luncher
overbluffen confound, dumbfound: *laat door hem niet ~* don't let him come it over (of: with) you
overbodig superfluous, redundant; [niet nodig] unnecessary: *~ te zeggen* needless to say; *het is geen ~e luxe* it would be no luxury, it's really necessary
overboeken transfer
de **overboeking** transfer (into, to)
overboord overboard: *man ~!* man overboard!
overbrengen 1 take (of: bring, carry) (across), move, transfer **2** [meedelen] convey, communicate: *boodschappen* (of: *iemands groeten*) *~* convey messages (of: s.o.'s greetings) **3** [overdragen] pass (on)
overbruggen bridge; [m.b.t. tijd, kloof, verschil] tide over
de **overbruggingsperiode** interim (period)
de **overcapaciteit** overcapacity
de **overdaad** excess
overdadig excessive, profuse; [verkwistend] extravagant; [verkwistend] lavish; [verkwistend] wasteful
overdag by day, during the daytime
overdekken cover
overdekt covered: *een ~ zwembad* an indoor swimming pool
overdenken consider, think over
overdoen do again: *een examen ~* resit an examination; [fig] *iets (nog eens) dunnetjes give a repeat performance, have another t*

(of: go) (at sth.)

overdonderen overwhelm, confound: *een ~d succes* an overwhelming success

de **overdosis** overdose

de **overdracht** transfer, handing over

overdrachtelijk metaphorical

overdragen hand over, assign; delegate [belangen, taken]

overdreven exaggerated: *hij doet (is) wel wat ~* he lays it on a bit thick; *dat is sterk ~* that is highly (of: grossly) exaggerated; that's a bit thick

overdrijven 1 overdo (it, sth.), go too far (with sth.): *je moet (het) niet ~* you mustn't overdo it (of: things) **2** [te sterk weergeven] exaggerate

de **overdrijving** exaggeration; [m.b.t. taal ook] overstatement

de **overdruk** [techn] overpressure

overduidelijk patently obvious, evident

overdwars crosswise, transversely

overeen 1 to the same thing **2** [over elkaar] crossed ‖ [Belg] *de armen ~* arms crossed

[1]**overeenkomen** (onov ww) **1** correspond (to): *~ met de beschrijving* fit the description **2** [identiek zijn] be similar (to): *geheel ~ met* fully correspond to (of: with)

[2]**overeenkomen** (ov ww) agree (on), arrange: *zoals overeengekomen* as agreed; *iets met iem. ~* arrange sth. with s.o.

de **overeenkomst 1** similarity, resemblance: *~ vertonen met* show similarity to, resemble **2** [afspraak] agreement: *een ~ sluiten met iem.* make (of: enter into) an agreement with s.o.

overeenkomstig in accordance with, according to: *~ de verwachtingen* in line with expectations

overeenstemmen *zie* [1]*overeenkomen*

de **overeenstemming 1** harmony, conformity, agreement: *niet in ~ met* out of line (of: keeping) with, inconsistent with **2** [eensgezindheid] agreement: *tot (een) ~ komen* come to terms, reach an agreement

overeind 1 upright; [staande op uiteinde] on end: *~ gaan staan* stand up (straight), get to one's feet **2** standing: *~ blijven* keep upright; [m.b.t. personen ook] keep one's footing

overgaan 1 move over (of: across), go over, cross (over): *de brug ~* go over the bridge, cross (over) the bridge **2** [van eigenaar veranderen] transfer, pass **3** [bevorderd worden] move up: *van de vierde naar de vijfde klas ~* move up from the fourth to the fifth form **4** [veranderen in] change, convert, turn: *de kleuren gingen in elkaar over* the colours shaded into one another **5** [beginnen met, gaan gebruiken] [beginnen met] move on to; proceed to, turn to; [gaan gebruiken]

change (over) (to); switch (over) (to): *~ tot de aanschaf van* (of: *het gebruik van*) ... start buying (of: using) ... **6** [voorbijgaan] pass (over, away); [van gevoelens ook] wear off; [van weer ook] blow over: *de pijn zal wel ~* the pain will wear off **7** ring [van een bel]

de **overgang 1** transitional stage, link **2** [verandering, wisseling] transition, change(over) **3** [menopauze] change of life, menopause: *in de ~ zijn* be at the change of life

de **overgangsperiode** transition(al) period

overgankelijk [taalk] transitive

de **overgave 1** [capitulatie] surrender, capitulation **2** [toewijding] dedication, devotion, abandon(ment)

[1]**overgeven** (onov ww) be sick, vomit, throw up

zich [2]**overgeven** (wdk ww) surrender

overgevoelig hypersensitive, oversensitive

het **overgewicht** overweight, extra (weight)

[1]**overgieten** (ov ww) bathe [licht]; cover

[2]**overgieten** (ov ww) pour (into)

de **overgooier** pinafore dress

het **overgordijn** long (heavy, lined) curtain

overgroot vast, huge: *met overgrote meerderheid* by an overwhelming majority

de **overgrootmoeder** great-grandmother

de **overgrootvader** great-grandfather

overhaast rash, hurried, (over)hasty

overhaasten rush, hurry

overhalen 1 persuade, talk (s.o.) into (sth.): *iem. tot iets ~* talk s.o. into doing sth. **2** [trekken aan] pull (on): *de trekker ~* pull the trigger

de **overhand** upper hand, advantage

overhandigen hand (over), present: *iem. iets ~* hand sth. over to s.o.

de **overheadkosten** overhead cost (of: expenses)

de **overheadprojector** overhead projector

overhebben 1 [beschikbaar stellen] have (for), be prepared to give (for); [kunnen missen] not begrudge (s.o. sth.): *ik zou er alles voor ~* I would do (of: give) anything for it **2** [meer hebben dan nodig is] have over, have left: *geen geld meer ~* have no more money left

overheen 1 over: *daar groeit hij wel ~* he will grow out of it **2** [langs de oppervlakte] across, over: *er een doek ~* (of: *dweil*) *~ halen* run a cloth (of: mop) over it **3** [verder dan] past ‖ *ergens ~ lezen* miss (of: overlook) sth.; [fig] *zich ergens ~ zetten* get the better of sth., overcome sth., get over it

overheerlijk absolutely delicious

overheersen dominate, predominate

de **overheerser** oppressor, dictator

de **overheersing** rule, oppression

de **overheid 1** government **2** [college] authority: *de plaatselijke ~* the local authorities

het **overheidsbedrijf** public enterprise, state enterprise; [nutsbedrijf] a public utility company

de **overheidsdienst** government service, public service, the civil service

de **overheidsinstelling** government institution (of: agency)

overheidswege: *van* ~ by the authorities, officially

overhellen lean (over), tilt (over)

het **overhemd** shirt

overhevelen transfer

overhoophalen turn upside down

overhoopliggen 1 be in a mess **2** [onenigheid hebben met] be at loggerheads (with): *ze liggen altijd met elkaar overhoop* they're always at loggerheads (with one another)

overhoren test

de **overhoring** test

overhouden have left, still have

overig remaining, other

overigens anyway, for that matter, though

overjarig more than one year old

de **overjas** overcoat

de **overkant** other side, opposite side: *zij woont aan de* ~ she lives across the street

de **overkapping** covering, roof

overkijken look over: *zijn les* ~ look through one's lesson

overkoepelend coordinating

overkoken boil over

¹overkomen (onov ww) **1** come over: *oma is uit Marokko overgekomen* granny has come over from Morocco **2** [begrepen worden] come across, get across

²overkomen (onov ww) happen to, come over: *dat kan de beste* ~ that could happen to the best of us; *ik wist niet wat mij overkwam* I didn't know what was happening to me

¹overladen (bn) overloaded, overburdened

²overladen (ov ww) shower, heap on (of: upon): *hij werd* ~ *met werk* he was overloaded with work

³overladen (ov ww) transfer; [trein, schip ook] trans-ship

overlangs lengthwise; [wet] longitudinal: *iets* ~ *doorsnijden* cut sth. lengthwise

overlappen overlap

de **overlast** inconvenience, nuisance: ~ *veroorzaken* cause trouble (of: annoyance)

overlaten 1 leave: *laat dat maar aan mij over!* just leave that to me! **2** [achterlaten] leave (over): *veel* (of: *niets*) *te wensen* ~ leave much (of: nothing) to be desired

overleden dead

de **overledene** deceased

het **overleg 1** thought, consideration **2** [met anderen] consultation, deliberation: ~ *voeren (over)* consult (on); *in (nauw)* ~ *met* in

(close) consultation with; *in onderling* ~ by mutual agreement

overleggen 1 consider: *hij overlegt wat hem te doen staat* he is considering what he has to do **2** [met anderen] consult, confer: *iets met iem.* ~ consult (with) s.o. on sth.

overleven survive, outlive

de **overlevende** survivor

overleveren hand over, turn over, turn in

de **overlevering** tradition: *via mondelinge* ~ via oral tradition

overlezen read over (of: through): *een artikel vluchtig* ~ skim through an article

overlijden die

het **overlijdensbericht** death announcement: *de ~en* [in een krant] the obituaries; [inf] the deaths

de **overloop** landing

overlopen 1 walk over (of: across) **2** [naar een andere partij gaan] go over, defect: ~ *naar de vijand* desert (of: defect) to the enemy **3** [overstromen] overflow ‖ ~ *van enthousiasme* be brimming (of: bubbling) (over) with enthusiasm

de **overloper** deserter, defector

de **overmaat** excess: *tot* ~ *van ramp* to make matters worse

de **overmacht 1** superior numbers (of: strength, forces): *tegenover een geweldige* ~ *staan* face fearful odds **2** circumstances beyond one's control, force majeure; Act of God [m.b.t. verzekeringen]

overmaken [m.b.t. een bedrag] transfer, remit

overmannen overcome, overpower, overwhelm

overmatig excessive

overmeesteren overpower, overcome

de **overmoed** overconfidence, recklessness

overmoedig overconfident, reckless

overmorgen the day after tomorrow

overnachten stay (of: spend) the night, stay (over)

de **overnachting 1** stay **2** [keer] night: *het aantal ~en* the number of nights (spent, slept)

de **overname** takeover, purchase, taking-over

overnemen 1 receive **2** [op zich nemen] take (over): *de macht* ~ assume power **3** [navolgen] adopt: *de gewoonten van een land* ~ adopt the customs of a country **4** [kopen] take over, buy

de **overpeinzing** reflection

overplaatsen transfer

de **overplaatsing** transfer, move

overplanten 1 [verplanten] transplant **2** [med] transplant, graft

de **overproductie** overproduction

overreden persuade

¹overrijden (onov ww) [over iets heen rijden] drive over; [op fiets, paard] ride over

²**overrijden** (ov ww) run over, knock down
overrijp overripe
overrompelen (take by) surprise, catch off guard, catch napping
overrulen overrule
overschaduwen [fig] overshadow, put in the shade
overschakelen 1 switch over 2 [overstappen] switch (of: change, go) over: *op de vierdaagse werkweek* ~ go over to a four-day week
de **overschakeling** switch-over, changeover
overschatten overestimate, overrate
de **overschatting** overestimation; overrating [van belang of invloed]
overschieten dash over (of: across): *het kind was plotseling de weg overgeschoten* the child had suddenly dashed (out) across the road
het **overschot** remainder; [niet meer te gebruiken rest] remains; residue; [kleine rest] remnant(s): *het stoffelijk* ~ the (mortal) remains, the body || [Belg] ~ *van* be absolutely right
overschreeuwen shout down: [fig] *zijn angst* ~ try to drown one's fear
overschrijden exceed, go beyond
¹**overschrijven** (ov ww) [comp] overwrite
²**overschrijven** (ov ww) 1 [m.b.t. een tekst] copy; [neg] crib: *iets in het net* ~ copy sth. out neatly 2 transfer; [op andermans naam zetten] put in (s.o.'s) name
de **overschrijving** 1 [op een andere naam] putting in s.o. (else)'s name; [sport] transfer 2 [bedrag] remittance
¹**overslaan** (onov ww) 1 jump (over); [ziekte] be infectious; be catching 2 [m.b.t. de stem] break, crack: *met ~de stem* with a catch in one's voice
²**overslaan** (ov ww) miss (out), skip, leave out, omit: *één beurt* ~ miss one turn; *een bladzijde* ~ skip a page; *een jaar* ~ skip a year
de **overslag** transfer, transshipment
overspannen 1 overstrained, overtense(d) 2 [overwerkt] overwrought: *hij is erg* ~ he is suffering from severe (over)strain
het **overspel** adultery
overspelen 1 replay: *de wedstrijd moest overgespeeld worden* the match had to be replayed 2 [sport] play on (to), pass the ball on to
overspelig adulterous
overspoelen wash over; [ook fig] flood (across), inundate
het **overstaan**: *ten* ~ *van* in the presence of, before
overstag: ~ *gaan* [scheepv] tack; [fig] change one's mind
de **overstap** changeover, switch-over
overstappen 1 step over, cross 2 [m.b.t. een vervoermiddel] change, transfer: ~ *op de*

trein naar Groningen change to the Groningen train
de **overste** 1 lieutenant-colonel 2 [in klooster] (father, mother) superior, prior, prioress
de **oversteek** crossing
de **oversteekplaats** crossing(-place); [voor voetgangers ook] pedestrian crossing
oversteken cross (over), go across, come across
overstelpen shower, swamp, inundate
overstemmen drown (out); [overschreeuwen] shout down
¹**overstromen** (onov ww) 1 flow over, flood 2 [overlopen] overflow
²**overstromen** (ov ww) 1 flood, inundate 2 flood, swamp: *de markt* ~ *met* flood the market with
de **overstroming** flood
overstuur upset; [persoon ook] shaken
de **overtocht** crossing; [lange afstand] voyage
overtollig 1 surplus, excess 2 [overbodig] superfluous, redundant
overtreden break, violate
de **overtreder** offender, wrongdoer
de **overtreding** offence, violation (of: breach) (of the rules); [sport] foul: *een zware* ~ a bad foul; *een* ~ *begaan tegenover een tegenspeler* foul an opponent
overtreffen exceed, surpass, excel
het/de **overtrek** cover, case
¹**overtrekken** (onov ww) pass (over)
²**overtrekken** (ov ww) [overtekenen] trace: *met inkt* ~ trace in ink
³**overtrekken** (ov ww) cover; [meubelen ook] upholster
overtuigd confirmed, convinced: *hij was ervan* ~ *te zullen slagen* he was confident (of: sure) that he would succeed; *ik ben er (vast, heilig) van* ~ *dat* ... I'm (absolutely) convinced that ...
overtuigen convince, persuade
overtuigend convincing; [argument, reden ook] cogent; [argument ook] persuasive; [bewijs ook] conclusive
de **overtuiging** conviction, belief, persuasion: *godsdienstige* ~ religious persuasion (of: beliefs); *vol (met)* ~ with conviction
overtypen [opnieuw] retype; type out [klad]
het **overuur** overtime hour; [mv vnl.] overtime: *overuren maken* work overtime
de **overval** surprise attack; [politie ook] raid; [beroving] hold-up; [met vuurwapens] stick-up
overvallen 1 raid; [vooral beroven] hold up; assault [persoon]; surprise [vijand] 2 [verrassen] surprise, take by surprise; overtake [storm, ongeluk]
de **overvaller** raider, attacker
¹**overvaren** (onov ww) cross (over), sail across

²**overvaren** (ov ww) [overzetten] ferry, take across, put across

ververhit overheated: *de gemoederen raakten ~* feelings ran high

ververhitten overheat

ververmoeid overtired, exhausted

de **oververtegenwoordiging** overrepresentation

de **ververzekering** overinsurance

overvleugelen outstrip, eclipse

de **overvloed** abundance

overvloedig abundant, plentiful, copious

overvloeien 1 [overlopen] overflow, run over **2** (+ van) [vol zijn van] overflow (with): *~ van enthousiasme* bubble (over) with enthusiasm

overvoeren glut, overstock, oversupply, surfeit

overvol overfull; [met mensen ook] overcrowded; packed

overvragen overcharge, ask too much

overwaaien blow over [ook fig]

de **overwaarde** surplus value: *de ~ van een huis* home equity

overwaarderen overvalue, overrate

de ¹**overweg** (zn) level crossing; [Am] railroad crossing: *een bewaakte ~* a guarded (*of:* manned) level crossing

²**overweg** (bw): *met een nieuwe machine ~ kunnen* know how to handle a new machine; *goed met elkaar ~ kunnen* get along well

overwegen consider, think over, think out: *de nadelen (risico's) ~* count the cost; *wij ~ een nieuwe auto te kopen* we are thinking of (*of:* considering) buying a new car

overwegend predominantly, mainly, for the most part

de **overweging 1** consideration, thought **2** [reden] consideration, ground, reason

overweldigen overwhelm, overcome

overweldigend overwhelming, overpowering: *een ~e meerderheid halen* win a landslide victory

het **overwerk** overtime (work)

overwerken work overtime

overwerkt overworked, overstrained

het **overwicht** ascendancy, preponderance; [gezag] authority

de **overwinnaar** victor, winner; [veroveraar] conqueror

overwinnen 1 defeat, overcome **2** [bedwingen] conquer, overcome **3** [te boven komen] conquer, overcome, surmount: *moeilijkheden ~* overcome/surmount (*of:* get over) difficulties

de **overwinning** victory, conquest, triumph; [sport ook] win: *een ~ behalen* win a victory, be victorious, win, triumph; *een verpletterende ~* a sweeping victory

overwinteren 1 (over)winter **2** [de winter overleven] hibernate

de **overwintering** (over)wintering, hibernation

overwoekeren overgrow, overrun: *overwoekerd worden door onkruid* become overgrown with weeds

overzees oversea(s)

overzetten take across (*of:* over); [met veer] ferry (across, over): *iem. de grens ~* deport s.o.

het **overzicht 1** survey, view: *~ vanuit de lucht* bird's-eye view; *ik heb geen enkel ~ meer* I have lost all track of the situation **2** [samenvatting] survey, (over)view, summary; [van wat voorafging ook] review

overzichtelijk well-organized; [te overzien] clearly set out

overzien survey; [van boven af] overlook; command (a view of); review [wat voorafging]: *de gevolgen zijn niet te ~* the consequences are incalculable

de **overzijde** other side, opposite side: *aan de ~ van het gebouw* opposite the building

overzwemmen swim (across): *het Kanaal ~* swim the Channel

de **ov-jaarkaart** annual season ticket, travel card

de **OVSE** afk van *Organisatie voor Veiligheid en Samenwerking in Europa* OSCE

de **ovulatie** ovulation

de **oxidatie** oxidation

het **oxide** oxide

oxideren oxidize

de **ozb** afk van *onroerendezaakbelasting* property tax(es)

het/de **ozon** ozone

de **ozonlaag** ozone layer

p

de **p** p, P

de **pa** dad(dy), pa: *haar pa en ma* her mum and dad(dy)

p/a afk van *per adres* c/o

het **paadje** path; [door wildernis] trail

paaien placate, appease

de **paal 1** post, stake, pole; [heipaal] pile **2** [doelpaal] (goal)post: *hij schoot tegen (op) de ~* he hit the (goal)post || *voor ~ staan* look foolish (*of:* stupid)

paaldansen pole dancing

de **paalwoning** pile dwelling

het **paar 1** pair, couple: *twee ~ sokken* two pairs of socks **2** [enkele stuks] (a) few, (a) couple of

het **paard 1** horse: *op het verkeerde ~ wedden* back the wrong horse; *men moet een gegeven ~ niet in de bek zien* never look a gift horse in the mouth; *over het ~ getild zijn* be swollen-headed, be puffed up; *het ~ achter de wagen spannen* **a)** [iets verkeerd aanpakken] make things difficult for o.s.; **b)** [onlogisch denken] put the cart before the horse **2** [gymnastiek-toestel] (vaulting) horse **3** [schaakstuk] knight

de **paardenbloem** dandelion

de **paardenkastanje** horse chestnut

de **paardenkracht** horsepower

het **paardenmiddel** rough remedy

de **paardenrennen** horse races

de **paardensport** equestrian sport(s); [rennen] horse racing

de **paardensprong 1** [sprong van een paard] jump **2** [schaken] knight's move

de **paardenstaart 1** horsetail **2** [haardracht] ponytail

de **paardenstal** stable

de **paardenvijg** [mv] horse-droppings; horse-dung

paardrijden ride (horseback): *zij zit op ~* she is taking riding lessons

de **paardrijder** horseman, horsewoman; rider

het **paarlemoer** mother-of-pearl

paars purple

de **paartijd** mating season; [van herten enz.] rut

het **paartje** couple, pair: *een pas getrouwd ~* a newly wed couple, newly-weds

paasbest : *op zijn ~ zijn* be all dressed up

de **paasdag** Easter Day: *Eerste ~* Easter Sunday

het **paasei** Easter egg

het **paasfeest** Easter

de **paashaas** Easter bunny (*of:* rabbit)

de **paasvakantie** Easter holidays

de **pabo** [Ned] teacher training college (for primary education)

de **pacemaker** pacemaker

de **pacht** lease: *in ~ nemen* lease, take on lease

pachten lease, rent

de **pachter** leaseholder, lessee; [van boerderij ook] tenant (farmer)

de **pachtsom** rent, rental

het **pacifisme** pacifism

de **pacifist** pacifist

pacifistisch pacifist(ic)

het **pact** pact, treaty

de **¹pad** (zn) toad || [Belg] *een ~ in iemands korf zetten* thwart s.o.; set off

het **²pad** (zn) **1** path, walk; [niet aangelegd] track; [spoor] trail; [in kerk, schouwburg enz.] gangway; aisle: *platgetreden ~en bewandelen* walk the beaten path (*of:* tracks) **2** [levensweg] path, way: *iem. op het slechte ~ brengen* lead s.o. astray; *hij is het slechte ~ opgegaan* he has taken to crime; *iemands ~ kruisen* cross s.o.'s path || *op ~ gaan* set off

de **paddenstoel** [alg] fungus; [giftig] toadstool; [eetbaar] mushroom

de **paddo** shroom, magic mushroom

de **padvinder** (boy) scout, girl guide

de **padvinderij** scouting

de **paella** paella

paf : *iem. ~ doen staan* make s.o. gasp, stagger s.o.; *ik sta ~* I'm flabbergasted!, well, blow me down!

paffen puff

pafferig [gezicht] doughy; [lichaam] puffy

pag. afk van *pagina* p.

de **page** page

de **pagina** page: *~ 2 en 3* pages 2 and 3

de **pagode** pagoda

paintballen go paintballing

de **pais** : *alles is weer ~ en vree* peace reigns once more

het **pak 1** pack(age); [pakje] packet; [pakketje] parcel; [kartonnen doos] carton: *een ~ melk* a carton of milk; *een ~ sneeuw* a layer of snow **2** [kostuum] suit: *een nat ~ halen* get drenched, get a drenching **3** [bij elkaar gebonden] [baal] bale; [partij] batch; [bundel, pakket] bundle; [stapeltje] packet: *een ~ oud papier* a batch (*of:* bundle) of waste paper || *een kind een ~ slaag geven* spank (*of:* wallop) a child, give a child a spanking; *dat is een ~ van mijn hart* that takes a load off my mind, that's a great relief

het **pakhuis** warehouse, storehouse

het **pakijs** pack (ice)

de **Pakistaan** Pakistani

Pakistaans Pakistan(i), of Pakistan, from Pakistan

Pakistan Pakistan

het **pakje** parcel, present

¹pakken (onov ww) hold; grip [anker, rem];

bite [sleutel, wiel]; take [verf]
²**pakken** (ov ww) **1** get, take, fetch: *een pen* ~ get a pen; *pak een stoel* grab a chair **2** [vastnemen] catch, grasp, grab; [grijpen] seize: *een kind (eens lekker)* ~ [knuffelen] hug (*of:* cuddle) a child; *de daders zijn nooit gepakt* the offenders were never caught; *proberen iem. te ~ te krijgen* try to get hold of s.o.; *iets te ~ krijgen* lay one's hands on sth.; [fig] *iem. te ~ nemen* have a go at s.o.; *nou heb ik je te ~* got you!; *als ik hem te ~ krijg* if I catch him, if I lay hands on him; *iem. op iets* ~ get s.o. on sth.; *pak me dan, als je kan!* catch me if you can! **3** [inpakken] pack; wrap up [cadeautje]: *zijn boeltje bij elkaar* ~ pack (one's bags)
pakkend catching; catchy [liedje]; fascinating, appealing; fetching [stijl]; arresting [krantenkop]; gripping [verhaal, boek]; catching; attractive [reclame]: *een ~e titel* a catchy (*of:* an arresting) title
de **pakkerd** hug and a kiss
het **pakket 1** [(post)pakje] parcel **2** [set] pack; [gereedschap] kit; [fig] package
de **pakketpost** parcel post
pakkie-an: *dat is niet mijn* ~ that's not my department
de **pakking** gasket, packing
het **pakpapier** packing paper, wrapping paper
de **paksoi** pak-choi cabbage
pakweg roughly, approximately, about, around
de ¹**pal** catch
²**pal** (bw) directly: *de wind staat* ~ *op het raam* the wind blows right on the window; *hij stond* ~ *voor mijn neus* he stood directly in front of me || [fig] ~ *staan voor iets* stand firm for sth.
het **paleis 1** palace; [hof] court **2** [groot openbaar gebouw] hall
de **Palestijn** Palestinian
Palestijns Palestinian, Palestine
Palestina Palestine
het **palet** palette
de **paling** eel, eels
de **palissade** palisade, stockade
de **pallet** pallet (board)
de **palm** palm
de **palmboom** palm
de **palmolie** palm oil
Palmpasen Palm Sunday
de **palmtak** palm
de **palmtop** palmtop
het **pamflet** pamphlet; [vlugschrift] broadsheet
pamperen pamper
het **pampus**: *voor* ~ *liggen* be dead to the world, be out cold
de **pan 1** pan; [fig] *dat swingt de* ~ *uit* that's really far out; [fig] *de* ~ *uit rijzen* soar, snowball, rocket **2** [dakbedekking] (pan)tile || *in de* ~ *hakken* cut to ribbons (*of:* pieces), make

mincemeat of
Panama Panama
de **Panamees** Panamanian
het/de **pancreas** pancreas
het **pand 1** premises, property, building, house **2** [onderpand] pawn, pledge, security
de **panda** panda
de **pandjesjas** tailcoat
het **paneel** panel
het **paneermeel** breadcrumbs
het **panel** panel
paneren bread(crumb)
de **panfluit** pan pipe(s)
pang pow, bang
de **paniek** panic, alarm; [gevoel] terror: *er ontstond* ~ panic broke out; ~ *zaaien* spread panic (*of:* alarm); *geen* ~! don't panic
paniekerig panicky, panic-stricken: ~ *reageren* panic (in reaction to)
het **paniekvoetbal 1** [voetb] panicky play **2** [fig] panic measure(s) (*of:* behaviour): ~ *spelen* be panicking
de **paniekzaaier** panic-monger, alarmist
panisch panic, frantic: *een ~e angst hebben voor iets* (of: *om iets te doen*) be terrified (of doing) sth.
panklaar 1 [cul] ready to cook **2** [fig] ready-made: *een panklare oplossing* an instant solution
de **panne** breakdown: ~ *hebben* have a breakdown, have engine trouble
de **pannenkoek** pancake
de **pannenlap** oven cloth; [want] oven glove
de **pannenset** set of (pots and) pans
de **pannenspons** scourer, scouring pad
het **panorama** panorama
de **pantalon** (pair of) trousers; [voor sport en vrije tijd] (pair of) slacks: *twee ~s* two pair(s) of trousers
de **panter** panther; [Afrikaanse] leopard
de **pantoffel** (carpet) slipper
de **pantoffelheld** faint-heart
de **pantomime** mime, dumbshow
het **pantser 1** (plate) armour, armour-plating **2** [harnas] (suit of) armour
de **pantserdivisie** armoured division
pantseren armour(-plate)
de **pantserwagen** armoured car
de **panty** (pair of) tights: *drie ~'s* three pairs of tights
de **pap** porridge; [voor zieken, zuigelingen] pap: *ik lust er wel ~ van* this is meat and drink to me || *geen ~ meer kunnen zeggen* **a)** [vermoeid] be (dead)beat; **b)** be whacked (out), be fagged (out); **c)** [veel gegeten hebben] be full up
de **papa** papa, dad(dy)
de **papaja** papaya, pawpaw
de **paparazzo** paparazzo
de **papaver** poppy
de **papegaai** parrot

de **paper** paper
de **paperassen** papers, paperwork; [inf] bumf
de **paperback** paperback
de **paperclip** paperclip
het **Papiamento** Papiamento
het **papier 1** paper: *zijn gedachten op ~ zetten* put one's thoughts down on paper **2** [officieel bewijsstuk] [vnl. mv] paper; document **papieren** paper
het **papiergeld** paper money: *€100,- in ~* 100 euros in notes
het **papier-maché** papier-mâché
het **papiertje** piece of paper; [van snoepje] wrapper
de **papierversnipperaar** (paper) shredder
de **papierwinkel** mass of paperwork
de **papil** papilla
het **papkind** milksop, sissy
de **paplepel**: *dat is hem met de ~ ingegeven* he learned it at his mother's knee
Papoea-Nieuw-Guinea Papua New Guinea
de **pappa** papa, dad, daddy
de **pappenheimer**: *hij kent zijn ~s* he knows his people (*of:* customers)
papperig 1 [week als pap] mushy **2** [dik] puffy
de **pappie** daddy
de **paprika** (sweet) pepper
het **paprikapoeder** paprika
de **paps** dad, daddy
de **papyrus** papyrus
de **papzak** potbelly
de **paraaf** initials
paraat ready, prepared
de **parabel** parable
de **parabool** [wisk] parabola
de **parachute** parachute
parachutespringen parachuting
de **parachutist** parachutist
de **parade** parade
het **paradepaard** showpiece
paraderen parade
het **paradijs** paradise
paradijselijk heavenly
de **paradox** paradox
paradoxaal paradoxical
paraferen initial
de **paraffine** paraffin wax
de **parafrase** paraphrase
de **paragnost** psychic
de **paragraaf** section
Paraguay Paraguay
de **Paraguayaan** Paraguayan
Paraguayaans Paraguayan
de **¹parallel** (zn) parallel: *deze ~ kan nog verder doorgetrokken worden* this parallel (*of:* analogy) can be carried further
²parallel (bn, bw) **1** parallel (to, with): *die wegen lopen ~ aan (met) elkaar* those roads run parallel to each other; [techn] *~ schakelen* shunt **2** [vergelijkbaar] parallel (to), analogous (to, with)
het **parallellogram** parallelogram
de **parallelweg** parallel road
paramedisch paramedical
de **parameter** parameter
paramilitair paramilitary
de **paranoia** paranoia
paranoïde paranoid
paranormaal paranormal, psychic
de **paraplu** umbrella
de **parapsychologie** parapsychology, psychic research
de **parasiet 1** [biol] parasite **2** [klaploper] parasite, sponge(r)
parasiteren parasitize; [fig] sponge (on, off)
de **parasol** sunshade, parasol
parastataal [Belg] semi-governmental: *parastatale instelling* semi-governmental institution, ± quango
de **paratroepen** paratroopers
de **paratyfus** paratyphoid (fever)
het **parcours** track
pardoes bang, slap, smack
het **¹pardon** (zn) pardon, mercy: *generaal ~* amnesty; *zonder ~* without mercy, mercilessly
²pardon (tw) pardon (me), I beg your pardon, excuse me, (so) sorry: *stond ik op uw tenen? ~!* sorry, did I step on your toe?
de **parel** pearl
parelen pearl: *het zweet parelde op haar voorhoofd* her forehead was beaded with sweat
het **parelhoen** guinea fowl; [vrouwtje] guinea hen
¹paren (onov ww) mate (with)
²paren (ov ww) [fig] combine (with), couple (with): *gepaard gaan met* go (hand in hand) with
pareren parry
het/de **parfum** perfume, scent
parfumeren scent, perfume
de **paria** pariah, outcast
Parijs Paris
de **paring 1** [geslachtsdaad] mating **2** [sport; het in paren rangschikken] pairing
de **Parisienne** Parisian
de **pariteit** parity
het **park 1** park **2** [auto's] fleet; [machines] plant
de **parka** parka
de **parkeerautomaat** (car-park) ticket machine (*of:* dispenser); [Am] (parking lot) ticket machine
de **parkeerbon** parking ticket
de **parkeergarage** (underground) car park; [Am] (underground) parking garage
het **parkeergeld** parking fee
de **parkeergelegenheid** parking facilities
de **parkeermeter** parking meter

de **parkeerplaats** parking place (*of:* space); [parkeerterrein] car park; [Am] parking lot

de **parkeerschijf** (parking) disc

het **parkeerterrein** car park; [Am] parking lot

het **parkeerverbod** parking ban; [opschrift] No Parking: *hier geldt een ~* this is a no-parking zone

parkeren park; [stoppen] pull in (*of:* over)

het **parket 1** [parketvloer] parquet (floor) **2** [het Openbaar Ministerie] public prosecutor ‖ *in een lastig ~ zitten* find o.s. in a difficult (*of:* an awkward) position

de **parketvloer** parquet (floor)

de **parkiet** parakeet

de **parking** [Belg] car park; [Am] parking lot

de **parkinson** Parkinson's disease

het **parlement** parliament: *in het ~* in parliament

parlementair parliamentary

de **parlementariër** member of (a) parliament, parliamentarian; [afgevaardigde] representative

de **parlementsverkiezing** parliamentary election

parmantig jaunty, dapper

parochiaal parochial

de **parochiaan** parishioner

de **parochie** parish

de **parodie** parody (of, on); [ongewenst] travesty (of)

parodiëren parody

het **parool** watchword, slogan: *opletten is het ~* pay attention is the motto

het **part** share, portion ‖ *voor mijn ~* for all I care, as far as I'm concerned; *iem. ~en spelen* play tricks on s.o.

het/de **parterre** ground floor; [Am-Eng ook] first floor

de **participatie** participation

participeren participate (in), take part (in)

de **¹particulier** (zn) private individual (*of:* person): *geen verkoop aan ~en* trade (sales) only

²particulier (bn, bw) private: *het ~ initiatief* private enterprise

de **partij 1** party, side: *de strijdende ~en* the warring parties; *~ kiezen* take sides **2** [m.b.t. goederen] set, batch, lot; [zending] consignment; [zending] shipment: *bij (in) ~en verkopen* sell in lots **3** [muz] part **4** [spel] game

het **partijbestuur** party executive (committee)

het **partijcongres** party congress; [Groot-Brittannië] party conference; [USA] party convention

partijdig bias(s)ed, partial

de **partijleider** party leader

de **¹partijpolitiek** party politics [mv]

²partijpolitiek (bn) party political

de **partituur** score

de **partizaan** partisan

de **partner 1** partner, companion **2** [compagnon] (co-)partner, associate

het **partnerregister** register in which cohabitation contracts are officially recorded

het **partnerschap** partnership: *een geregistreerd ~* a civil partnership

parttime part-time

de **parttimebaan** part-time job

de **parttimer** part-timer

de **party** party

de **partydrug** party drug

de **partytent** party tent

de **parvenu** parvenu

de **¹pas** (zn) **1** step, pace; [manier van lopen] gait: *iem. de ~ afsnijden* cut (*of:* head) s.o. of **2** [in gebergte] pass **3** [legitimatiebewijs] pass; passport [paspoort] ‖ *het leger moest er aan te ~ komen* the army had to step in; *goed van ~ komen* [bijv. geld] come in handy (*of:* useful); *dat komt uitstekend van ~* that's just the thing; *altijd wel van ~ komen* always come in handy

²pas (bw) **1** [zojuist; nog maar net] (only) just, recently: *hij begint ~* he is just beginning, he has only just started; *~ geplukt* freshly picked; *een ~ getrouwd stel* a newly-wed couple; *~ geverfd* wet paint; *ik werk hier nog maar ~* I'm new here (*of:* to this job) **2** [niet meer dan] only, just: *hij is ~ vijftig (jaar)* he's only fifty **3** [niet eerder dan] only, not until: *~ toen vertelde hij het mij* it was only then that he told me; *~ toen hij weg was, begreep ik …* it was only after he had left that I understood …; *~ geleden, ~ een paar dagen terug* only recently, only the other day **4** [nog] really: *dat is ~ een vent* he's (what I call) a real man; *dat is ~ hard werken!* now, that really is hard work!

het **Pascha** Pesach

Pasen Easter

de **pasfoto** passport photo(graph)

pasgeboren newborn, newly born

pasgetrouwd newly married

het **pashokje** fitting room

het **pasje 1** step **2** [legitimatiebewijs] pass

de **paskamer** fitting room

pasklaar (made) to measure; fitted [kleed]; [fig] ready-made

het **paspoort** passport

de **paspoortcontrole** passport control

de **pass** [sport] pass: *een goede ~ geven* make good pass

de **passaat** trade wind

de **passage** passage, extract: *een ~ uit een ge dicht voorlezen* read an extract from a poem

de **passagier** passenger

het **passagiersschip** passenger ship

passant: *en ~ in passing*; [schaakspel] *en ~ slaan* take (a pawn) en passant

¹passen (onov ww) **1** fit: *het past precies* it fits like a glove; *deze sleutel past op de meeste sloten* this key fits most locks **2** (+ bij) fit, go (with), match: *deze hoed past er goed bij thi*

hat is a good match; *ze ~ goed* (of: *slecht*) *bij elkaar* they are well-matched (*of:* ill-matched) **3** (+ op) [letten (op), (ervoor) waken)] look after, take care of: *op de kinderen ~* look after the children; *pas op het afstapje* (of: *je hoofd*) watch/mind the step (*of:* your head) **4** [kaartsp] pass

²**passen** (ov ww) **1** fit: *~ en meten* try it in all different ways; *met wat ~ en meten komen we wel rond* with a bit of juggling we'll manage **2** [precies genoeg betalen] pay with the exact money: *hebt u het niet gepast?* haven't you got the exact change? (*of:* money?) **3** [m.b.t. kleren] try on

passend 1 suitable (for), suited (to), appropriate: *niet bij elkaar ~e partners* incompatible partners; *niet bij elkaar ~e sokken* odd socks; *slecht bij elkaar ~* ill-matched **2** [gepast, correct] proper, becoming: *een ~ gebruik maken van* make proper use of

de **passer** compass

de **passerdoos** compass case

¹**passeren** (ww) pass, overtake: *de auto passeerde (de fietser)* the car overtook (the cyclist); *een huis ~* pass (by) a house

²**passeren** (ov ww) **1** [door] pass through; [over] cross: *de grens* (of: *een brug*) *~* cross the border (*of:* a bridge); *de vijftig gepasseerd zijn* have turned fifty **2** [overslaan] pass over: *zich gepasseerd voelen* feel passed over

de **passie** [hartstocht] passion (for); [voor een zaak] zeal (for), enthusiasm (for)

passief passive

het **passiespel** passion play

de **passievrucht** passion fruit

de **passiva** liabilities

het **password** password

de **pasta 1** [mengsel] paste **2** [deegwaar] pasta

de **pastei** pasty, pie

het **pastel** pastel

de **pasteltint** pastel shade (*of:* tone)

pasteuriseren pasteurize

de **pastille** pastille, lozenge

de **pastoor** (parish) priest; [mil; in gevangenis] padre: *Meneer Pastoor* Father

de **pastor** pastor, minister; [r-k] priest

pastoraal 1 [m.b.t. pastor] pastoral: *~ medewerker* church worker **2** [m.b.t. landleven] pastoral, bucolic

het **pastoraat 1** [zorg] pastoral care **2** [ambt] priesthood

de **pastorie** parsonage; [r-k] presbytery

de **pasvorm** fit

pat stalemate: *iem. ~ zetten* stalemate s.o.

de **patat** chips, French fries: *een zakje ~* a bag of chips; *~ met* chips with mayonnaise

het **patatje** (portion of) chips

de **patatkraam** ± fish and chips stand; [Am] ± hot dog stand

de **patch** patch

de **paté** pâté

het **patent** patent

patenteren (grant a) patent ‖ *een gepatenteerde leugenaar* a patent liar

de **pater** father

de ¹**paternoster** [r-k; rozenkrans] rosary

het ²**paternoster** [r-k; gebed] paternoster, Our Father

pathetisch pathetic

het **pathos** pathos; [hoogdravend] melodrama

het **patience** patience; [Am] solitaire

de **patiënt** patient: *zijn ~en bezoeken* do one's rounds

de **patio** patio

de **patisserie 1** pastries **2** [winkel] pastry shop

de **patriarch** patriarch

de **patrijs** partridge

de **patrijspoort** porthole

de **patriot** patriot

patriottisch patriotic

het **patronaat** [Belg] employers

de **patrones 1** patron (saint) **2** [beschermvrouwe] patron(ess)

de ¹**patroon** (zn) **1** [beschermer, beschermheer] patron **2** [baas] boss

de ²**patroon** (zn) [m.b.t. wapen, vulpen] cartridge: *een losse ~* a blank

het ³**patroon** (zn) **1** [model, voorbeeld] pattern, design: *volgens een vast ~* according to an established pattern **2** [patroon] pattern, style

de **patrouille** patrol

patrouilleren patrol

pats wham, bang: *pats-boem* wham bam

de **patser** show-off

patserig flashy

de **patstelling** stalemate [ook fig]

de **pauk** kettledrum; [mv] timpani

de **paukenist** kettledrummer

de **paus** pope

pauselijk papal, pontifical: *~ gezag* papacy, papal authority

de **pauw** peacock; [vrouwtje ook] peahen

de **pauze** interval, break, intermission; [sport] (half-)time: *een kwartier ~ houden* take (*of:* have) a fifteen-minute break; *een ~ inlassen* introduce an extra break

pauzeren pause, take a break, have a rest

het **paviljoen** pavilion

de **pavlovreactie** Pavlovian response

het **pay-per-view** pay-per-view

de **pc** afk van *personal computer* pc

de **pech 1** bad (*of:* hard, tough) luck: *~ gehad* hard (*of:* tough) luck **2** [panne] breakdown ‖ *~ met de auto* car trouble

de **pechdienst** [Belg] breakdown service

de **pechstrook** [Belg] hard shoulder

de **pechvogel** unlucky person: *hij is een echte ~* he's a walking disaster area

het/de **pedaal** treadle; [m.b.t. muziekinstrument, fiets] pedal

de **pedaalemmer** pedal bin

de **pedagogiek** (theory of) education, educational theory (of: science); [vaktaal] pedagogy
pedagogisch pedagogic(al): ~e academie teacher(s') training college
de **pedagoog** education(al)ist
pedant pedantic
de **peddel** paddle
peddelen paddle
de **pedicure** chiropodist, pedicure
de ¹**pedofiel** (zn) paedophile
²**pedofiel** (bn) paedophile
de **pee** [inf]: (ergens) de ~ (over) in hebben be annoyed about sth.
de **peen** carrot || ~tjes zweten be in a cold sweat
de **peer 1** pear **2** [lampje] bulb
de **pees** tendon, sinew
de **peetmoeder** godmother
de **peetoom** godfather
de **peettante** godmother
de **peetvader** godfather
de **pegel** icicle
de **peignoir** dressing gown, housecoat
het **peil 1** level, standard: het ~ van de conversatie daalde the level of conversation dropped **2** [bepaalde stand] mark, level: zijn conditie op ~ brengen (of: houden) get o.s. into condition, keep fit (of: in shape) || dat is beneden ~ that is below the mark
de **peildatum** set day, reference date
peilen 1 sound, fathom **2** [fig] gauge [karakter]; sound (out) [gevoelens, meningen]: ik zal Bernard even ~, kijken wat die ervan vindt I'll sound Bernard out, see what he thinks
het **peilglas** gaugeglass
de **peiling** sounding
het **peillood** plumb (of: lead) line
peilloos unfathomable
de **peilstok** [in water] sounding rod; [wijn] gauging-rod; [auto] dipstick
peinzen (+ over) think about, contemplate: hij peinst er niet over he won't even contemplate (of: consider) it; hij peinst zich suf over een oplossing he is racking his brains to find a solution
het/de **pek** pitch
de **pekel** salt, grit
het **pekelvlees** salted meat
de **pekinees** pekinese
de **pelgrim** pilgrim
de **pelgrimstocht** pilgrimage
de **pelikaan** pelican
pellen peel, skin; blanch [amandelen]; husk [rijst]; hull [rijst]; shell [pinda's]
het **peloton 1** platoon **2** [sport] pack, (main)-bunch
de **pels** fleece, fur
het **pelsdier** furred animal, furbearing animal
de **pelsjager** trapper
de **pen 1** pen **2** [metalen stift] pin; [breipen] needle

de **penalty** penalty (kick, shot): een ~ nemen take a penalty
de **penaltystip** penalty spot
het/de **pendant** counterpart
de **pendel** commuting
de **pendelaar** commuter
de **pendeldienst** shuttle service
pendelen commute
het **pendelverkeer** commuter traffic
de **pendule** (mantel) clock (with pendulum)
penetrant penetrating
de **penetratie** penetration
penetreren penetrate
penibel painful, awkward
de **penicilline** penicillin
de **penis** penis
penitentiair penitentiary: een ~e inrichting a penitentiary; [inf] a pen
de **penlight 1** [zaklamp] penlight **2** [batterij] penlight battery
pennen scribble, pen
de **pennenstreek** penstroke: met één ~ with one stroke of the pen
de **pennenvrucht** product of one's pen
de **penning** token
de **penningmeester** treasurer
de **pens** [buik] paunch, belly, gut
het **penseel** (paint)brush
het **pensioen** pension, retirement (pay); [bedrijfspensioenfonds ook] superannuation: ~ aanvragen apply for a pension; met ~ gaan retire
het **pensioenfonds** pension fund
pensioengerechtigd pensionable: de ~e leeftijd bereiken reach retirement age
de **pensioenuitkering** pension, retirement pay
het **pension 1** guest house, boarding house **2** [kost en inwoning] bed and board: vol ~ full board; in ~ zijn be a lodger **3** [m.b.t. huisdieren] animal home
het **pensionaat** boarding school
de **pensionhouder** landlord
de **pensionhoudster** landlady
de **penvriend** pen-friend; [Am] pen pal
de **peper** pepper: een snufje ~ a dash of pepper
peperduur very expensive, pricey
de **peperkoek** ± gingerbread, gingercake
de **peperkorrel** peppercorn
de **pepermolen** pepper mill
de **pepermunt** peppermints: een rolletje ~ a tube of peppermints
de **pepernoot** ± spiced ginger nut
het **pepmiddel** pep pill
de **pepperspray** pepper spray
de **peptalk** pep talk
per 1 per, a, by: iets ~ post verzenden send sth. by post (of: mail); het aantal inwoners ~ vierkante kilometer the number of inhabitants per square kilometre; iets ~ kilo (of:

paar) *verkopen* sell sth. by the kilo (*of:* in pairs); *ze kosten 3 euro ~ stuk* they cost 3 euros apiece (*of:* each); *~ uur betaald worden* be paid by the hour **2** [met ingang van] from, as *of:* *de nieuwe tarieven worden ~ 1 februari van kracht* the new rates will take effect on February 1

het **perceel 1** [pand] property **2** [stuk land] parcel, lot, section

het **percent** per cent

het **percentage** percentage

de **percussie** percussion

de **perenboom** pear (tree)

perfect perfect: *hij gaf een ~e imitatie van die zangeres* he did a perfect imitation of that singer; *in ~e staat* **a)** [auto's, toestellen enz.] in mint condition; **b)** [huis] in perfect condition; *alles is ~ in orde* everything is perfect

de **perfectie** perfection

perfectioneren perfect, bring to perfection

de **perfectionist** perfectionist

perfectionistisch perfectionist

de **perforator** perforator, punch

perforeren perforate: *een geperforeerde long* a perforated lung

de **pergola** pergola

de **periferie** periphery

de **periode** period, time; [fase] phase; episode, chapter: *~n met zon* sunny periods; *verkozen voor een ~ van twee jaar* elected for a two-year term (of office)

et/de ¹**periodiek 1** [uitgave, tijdschrift] periodical **2** [salarisverhoging] increment

²**periodiek** (bn, bw) periodic(al): *het ~ systeem* the periodic table

de **periscoop** periscope

het **perk 1** bed; [voor bloemen ook] flower bed **2** [begrenzing] bound, limit: *binnen de ~en houden* limit, contain; *dat gaat alle ~en te buiten* that's the very limit

het **perkament** parchment

de ¹**permanent** (zn) permanent (wave)

²**permanent** (bn) **1** permanent, perpetual **2** [duurzaam] permanent, enduring; lasting [vrede, gevaar]; standing [commissie, tentoonstelling]

³**permanent** (bw) permanently, perpetually, all the time

permanenten give a permanent wave, perm

de **permissie** permission, leave

permitteren permit, grant permission, allow: *ik kan me niet ~ dat te doen* [het is mij te duur] I can't afford to do that

perplex perplexed, baffled, flabbergasted

het **perron** platform

de **pers 1** press: *de ~ te woord staan* talk to the press **2** [drukpers] (printing) press: *ter ~e gaan* go to press

de **Pers** Persian

het **persagentschap** press (*of:* news) agency

het **persbericht** press report, newspaper report

het **persbureau** news agency, press agency, press bureau

de **persconferentie** press conference, news conference

per se at any price, at all costs: *hij wilde haar ~ zien* he was set on seeing (*of:* determined to see) her

¹**persen** (ww) press, compress: *je moet harder ~* you must press harder

²**persen** (ov ww) **1** [drukken] press; [stempelen] stamp (out) **2** [door drukken uit iets halen] press (out), squeeze (out) **3** [door drukken verplaatsen] press, squeeze, push: *zich door een nauwe doorgang ~* squeeze (o.s.) through a narrow gap

de **persfotograaf** press photographer, newspaper photographer

de **persiflage** (+ op) parody (of)

de **perskaart** press card (*of:* pass)

het/de **personage** character, role

de **personalia** personal particulars (*of:* details)

het **personeel** personnel, staff; [werknemers ook] employees; workforce; [bemanning ook] crew; [fabrieksarbeiders ook] (factory) hands: *tien man ~* a staff of ten; *wij hebben een groot tekort aan ~* we are badly understaffed (*of:* short-staffed); *onderwijzend ~* teaching staff

de **personeelschef** personnel manager, staff manager

de **personeelszaken 1** personnel matters, staff matters **2** [afdeling] personnel department

de **personenauto** (private, passenger) car

de **personificatie** personification

de **persoon** person, individual; [mv meestal] people: *een tafel voor één ~* a table for one ‖ *ze kwam in (hoogst)eigen ~* she came personally (*of:* in person)

¹**persoonlijk** (bn) **1** personal, private: *om ~e redenen* for personal (*of:* private) reasons, for reasons of one's own; *een ~ onderhoud* a personal talk **2** [individueel] personal, individual

²**persoonlijk** (bw) personally ‖ *~ vind ik hem een kwal* personally, I think he's a pain

de **persoonlijkheid** personality, character

de **persoonsbeschrijving** personal description

het **persoonsbewijs** identity card

persoonsgebonden personal

de **persoonsvorm** finite verb

het **perspectief 1** [vooruitzicht] prospect, perspective **2** perspective, context: *iets in breder ~ zien* look at (*of:* see) sth. in a wider context ‖ *in ~ tekenen* draw in perspective

de **perssinaasappel** juice orange

de **persvrijheid** freedom of the press

pertinent definite(ly), emphatic(ally)
Peru Peru
de **Peruaan** Peruvian
Peruaans Peruvian
pervers perverted, degenerate; [abnormaal, tegennatuurlijk] unnatural
Perzië Persia
de **perzik** peach
Perzisch Persian
de **peseta** peseta
het **pessimisme** pessimism
de **pessimist** pessimist
pessimistisch pessimistic, gloomy
de **pest 1** (bubonic) plague, pestilence **2** [klein] miserable || *de ~ in hebben* be in a foul mood; *de ~ aan iets (iem.) hebben* loathe/detest sth. (s.o.)
pesten pester, tease: *hij zit mij altijd te ~ he is always on at me*
het **pesticide** pesticide
de **pestkop** pest, nuisance
de **pesto** pesto
de **pet 1** cap: *met de ~ naar iets gooien* [met weinig inzet] make a half-hearted attempt at sth., have a shot at sth.; *met de ~ rondgaan* pass the hat round **2** [fig; hersens] upstairs: *dat gaat boven mijn ~* that is beyond me; *ik kan er met mijn ~ niet bij* it beats me || *geen hoge ~ op hebben van* not think much of, have a low opinion of
het **petekind** godchild
de **peter** godfather
de **peterselie** parsley
de **petfles** PET-bottle, (reusable) plastic bottle
de **petitie** petition: *een ~ indienen* file a petition
de **petroleum** petroleum, mineral oil
petto: *iets in ~ hebben* have sth. in reserve (*of*: in hand)
de **petunia** petunia
de **peuk 1** butt, stub **2** [sigaret] fag
de **peul** pod, capsule
de **peulenschil** trifle: *dat is maar een ~(letje) voor hem* **a)** [m.b.t. bedrag] that's peanuts (*of*: chicken feed) to him; **b)** [m.b.t. karwei] he can do it standing on his head
de **peulvrucht** [erwten, bonen] dried legume
de **peuter** pre-schooler, toddler
peuteren [wroeten] pick: *in zijn neus ~* pick one's nose
de **peuterleidster** nursery-school teacher
de **peuterspeelzaal** playgroup
de **peutertuin** day nursery, crèche
pezen [inf] slave
pezig sinewy, stringy
de **pfeiffer** glandular fever
het **pgb** [Ned] afk van *persoonsgebonden budget* personal budget
het **phishing** phishing
de **pH-waarde** pH value
de **pi** pi

de **pianist** pianist, piano player
de **piano** piano
het **pianoconcert 1** [uitvoering] piano recital *een ~ geven* give a piano recital **2** [muziekstuk] piano concerto
de **pianoles** piano lesson
pianospelen play(ing) the piano
de **pianostemmer** piano tuner
de **pias** clown, buffoon
de **piccalilly** piccalilli
de **piccolo 1** bell-boy **2** [fluit] piccolo
de **picknick** picnic
picknicken picnic
de **picknickmand** picnic hamper (*of*: basket)
de **pick-up** record player
pico bello splendid, outstanding
het **pictogram** pictogram
de **pief** [inf] type, sort: [iron] *zich een hele ~ voelen* think one is a big shot (*of*: cheese)
de **piek 1** [plukje haar] spike: *een ~ haar* a spike of hair **2** [bergtop] peak, summit **3** [kerstversiering] top
pieken be spiky, stand out
de **piekeraar** worrier, brooder
piekeren worry, brood
piekfijn posh, smart
het **piekuur** peak hour; [verk] rush hour
de **piemel** willie
pienter bright, sharp, shrewd
piep squeak [muizen]; peep; cheep [vogel]
piepen squeak [muizen]; peep; cheep [vogels]; creak [scharnieren, deuren]; pipe [schril stemgeluid]
de **pieper 1** b(l)eeper **2** [aardappel] spud
piepjong: *niet (zo) ~ meer zijn* be no chicken
piepklein teeny(-weeny), teensy
het **piepschuim** styrofoam, polystyrene foam
de **piepstem** squeaky voice
de **pieptoon** bleep, beep
de **piepzak** [inf]: *in de ~ zitten* have the wind up
de **pier 1** worm, earthworm **2** [in zee] pier
de **piercing** piercing
het **pierenbad** paddling pool
de **pies** [inf] pee, wee
piesen [inf] pee, wee
de **piet** geezer, feller: *hij vindt zichzelf een hele ~* he thinks he's really s.o.
Piet: *Jan, ~ en Klaas* Tom, Dick and Harry; *voor ~ Snot bijzitten* sit there like a fool
de **piëteit** piety
pietepeuterig [inf] **1** [overdreven precies] finical, finicky **2** [erg klein] microscopic(al)
het **pietje-precies**: *een ~ zijn* be a fusspot
pietluttig meticulous, petty, niggling
het **pigment** pigment
de **pigmentvlek** birthmark, mole
de **pij** (monk's) habit, frock
de **pijl** arrow: *nog meer ~en op zijn boog hebben* have more than one string to one's bow
de **pijl-en-boog** bow and arrow

de **pijler** pillar
pijlsnel (as) swift as an arrow
het **pijltje** dart
de **pijltjestoets** [comp] scroll arrow
de **pijn** pain; [aanhoudend] ache: ~ *in de buik hebben* have (a) stomach-ache, have a pain in one's stomach; ~ *in de keel hebben* have a sore throat; *iem.* ~ *doen* hurt s.o., give s.o. pain || *met veel* ~ *en moeite iets gedaan krijgen* get sth. accomplished with a great deal of trouble (of: a great effort)
de **pijnappel** pine cone
de **pijnbank** rack
de **pijnboom** pine (tree)
de **pijngrens** pain threshold
pijnigen 1 [martelen] torture 2 [pijn aandoen] torment: *zijn hersens* ~ beat one's brains out
¹**pijnlijk** (bn) 1 painful, sore: ~ *aanvoelen* hurt, be painful 2 [krenkend] painful, hurtful: *een ~e opmerking* an embarrassing remark 3 [onaangenaam] painful, awkward, embarrassing: *er viel een ~e stilte* there was an uncomfortable silence
²**pijnlijk** (bw) painfully: ~ *getroffen zijn* be pained
pijnloos painless
de **pijnstiller** painkiller
de **pijp** 1 pipe, tube 2 [broekspijp] leg
pijpen [inf; seksueel] blow; suck off: *gepijpt worden* be blown (of: sucked (off)) || [fig] *naar iemands* ~ *dansen* dance attendance (up)on s.o.
de **pijpenkrul** corkscrew curl
de **pijpensteel**: [fig] *het regent pijpenstelen* it's raining cats and dogs
de **pijpleiding** piping; [over grote afstand] pipeline
de **pik** penis: [vulg] *een stijve* ~ a hard-on
pikant piquant
pikdonker pitch-dark, pitch-black
het **pikhouweel** pickaxe
¹**pikken** (ww) [met de snavel] peck
²**pikken** (ov ww) 1 [stelen] lift, pinch: *zij heeft dat geld gepikt* she stole that money 2 [accepteren] take, put up with: *pik jij dat allemaal maar?* do you just put up with all that?; *we* ~ *het niet langer* we won't take it any longer
pikzwart pitch-black: ~ *haar* raven(-black) hair
de **pil** pill: *het is een bittere* ~ *voor hem* it is a bitter pill for him to swallow; *de* ~ *slikken* be on the pill
de **pilaar** pillar
de **piloot** pilot: *automatische* ~ automatic pilot
de **pilot** pilot
et/de **pils** beer, lager
pimpelen tipple, booze
de **pimpelmees** blue tit
pimpelpaars (lurid) purple: *hij is* ~ *van de*

kou he is blue with cold
pimpen pimp
de **pin** peg, pin
het **pinapparaat** PIN-code reader
de **pinautomaat** ± EFTPOS, Electronic Fund Transfer at Point Of Sale: *kan ik de* ~ *gebruiken?* can I use my direct debit card?, can I use Chip and PIN?
het/de **pincet** (pair of) tweezers
de **pincode** PIN code
de **pinda** peanut
de **pindakaas** peanut butter
de **pindasaus** peanut sauce
de **pineut** dupe: *de* ~ *zijn* be the dupe
de **pingelaar** 1 [voetb] player who holds on to the ball 2 [afdinger] haggler
pingelen 1 [afdingen] haggle (over, about) 2 [m.b.t. voetbal] hold on to the ball
het **pingpong** ping-pong
pingpongen play ping-pong
de **pinguïn** penguin
de **pink** little finger
de **pinksterbloem** cuckoo flower, lady's smock
de **pinksterdag** Whit Sunday, Whit Monday
Pinksteren Whitsun(tide)
de **pinkstergemeente** Pentecostal church
pinnen 1 [betalen met pasje] pay by switch card 2 [uit automaat] withdraw cash from a cashpoint
pinnig tart; [persoon] snappish
de **pinpas** cash card; [om in winkel te betalen] switch card
de **pint** pint
het **pintje** [Belg] pint (of beer)
de **pioen** peony
de **pion** pawn
de **pionier** pioneer
het/de **pipet** pipette
pips washed out, pale
de **piraat** pirate
de **piramide** pyramid
het **piramidespel** pyramid scheme
de **piranha** piranha
de **piratenzender** pirate (radio station)
de **piraterij** piracy: ~ *op internet* Internet piracy
de **pirouette** pirouette
de **pis** piss
de **pisang** banana
pisnijdig [inf] pissed off
de **pispaal** target
de **pispot** piss-pot
de **pissebed** woodlouse
pissen piss
pissig pissed off, bloody annoyed
de **pistache** pistachio (nut)
de **piste** 1 ring 2 [wielersp] track 3 [skisport] piste
de **pistolet** bread roll
het **pistool** pistol, gun: *nietpistool* staple gun

de **¹pit** (zn) **1** seed; pip [van appel, sinaasappel enz.]; stone [van kers, perzik enz.] **2** [in kaars] wick **3** [brander] burner

het/de **²pit** (zn) spirit: *er zit ~ in die meid* she's a girl with spirit

het **pitabroodje** pitta (bread)

de **pitbullterriër** pit bull (terrier)

de **pits** pit(s)

pitten turn in, kip: *gaan ~* hit the sack

pittig 1 lively, pithy; [taal] racy **2** [fig] stiff **3** [kruidig] spicy, hot, strong **4** [moeilijk] tough

pittoresk picturesque; [route] scenic

de **pixel** pixel

de **pizza** pizza

de **pizzakoerier** pizza deliverer, pizza delivery boy

de **pizzeria** pizzeria

de **pk** afk van *paardenkracht* h.p.

de **PKN** afk van *Protestantse Kerk in Nederland* Dutch United Protestant Chruches

de **plaag** plague

de **plaaggeest** tease(r)

de **plaat 1** plate; sheet [van dun glas, metaal]; slab [van marmer, steen, beton] **2** [grammofoonplaat] record **3** [prent] plate, print || [inf, fig] *uit zijn ~ gaan* [van vreugde] be over the moon; [van woede] hit the roof

het **plaatje 1** plate; [hout, glas] sheet; [marmer] slab; [om nek] identity disc **2** [foto] snapshot, photo **3** [verklarende tekening e.d.] picture

de **plaats 1** place, position: *de ~ van bestemming* the destination; *de juiste man op de juiste ~* the right man in the right place; *op uw ~en! klaar, af* on your marks, get set, go; *in (op) de eerste ~* in the first place; *op de eerste ~ komen* come first, take first place; *op de eerste ~ eindigen* be (placed) first; *ter ~e* on the spot; [bij rampen] on the scene; [Belg] *ter ~e trappelen* be stuck **2** [ingenomen, nodige ruimte] room, space; [zitplaats] seat: *~ maken (voor iem.)* make room (for s.o.) **3** [stad, dorp] town **4** [zit-, staan-, ligplaats] place; [zitplaats ook] seat: *neemt u a.u.b. ~* please take your seats || *in ~ van* instead of

de **plaatsbepaling** orientation

de **plaatsbespreking** booking, reservation

het **plaatsbewijs** ticket

¹plaatselijk (bn) local: *een ~e verdoving* a local anaesthetic

²plaatselijk (bw) **1** [ter plaatse] locally, on the spot: *iets ~ onderzoeken* investigate sth. on the spot **2** [op enkele plaatsen] in some places: *~ regen* local showers

¹plaatsen (ov ww) **1** place, put: *de ladder tegen het schuurtje ~* lean (of: put) the ladder against the shed; *iets niet kunnen ~* [ook fig] not be able to place sth. **2** [klasseren] rank || *een order ~* place an order

zich **²plaatsen** (wdk ww) qualify (for)

het **plaatsgebrek** lack of space

plaatshebben take place

de **plaatsing 1** placement, positioning **2** [sport] ranking; [kwalificatie] qualification

plaatsmaken make room (of: space) (for)

de **plaatsnaam** place name

plaatsnemen take a seat

het **plaatstaal** sheet steel, steelplate

plaatsvervangend substitute; [tijdelijk] temporary: *~e schaamte* vicarious shame

de **plaatsvervanger** substitute, replacement, deputy [met volmacht]

plaatsvinden take place, happen

de **placebo** placebo

de **placemat** place mat

de **placenta** placenta

de **pladijs** [Belg] plaice

het **plafond** ceiling

de **plag** sod, turf

plagen tease: *iem. met iets ~* tease s.o. about sth.

plagerig teasing

de **plagerij** teasing

het **plagiaat** plagiarism: *~ plegen* plagiarize

de **plaid** travelling rug; [Am] plaid blanket

de **plak 1** slice: *iets in ~ken snijden* slice sth. **2** [tandaanslag] (dental) plaque || *onder de ~ zitten* be henpecked

het **plakband** adhesive tape

het **plakboek** scrapbook

het **plakkaat** placard, poster

de **plakkaatverf** poster paint

¹plakken (onov ww) stick; [comp] paste || *ergens blijven ~* stick (of: hang) around somewhere; [té lang] outstay one's welcome

²plakken (ov ww) **1** stick (to, on), glue (to, on) **2** [herstellen] repair: *een band ~* repair a puncture

de **plakker** billsticker

plakkerig sticky

het **plakplaatje** transfer

het **plaksel** paste

de **plakstift** Pritt stick

het **plakwerk** sticking, glueing

plamuren fill

de **plamuur** filler

het **plamuurmes** filling-knife

het **plan 1** plan: *een ~ uitvoeren* carry out a plan; *een ~ maken (voor ...)* draw up a plan for sth., plan sth.; *het ~ opvatten (om)* (to), intend (to), propose (to); *een ~ smeden (tegen)* scheme (against), plot (against); *zijn ~ trekken* [Belg] manage, cope; *wat ben je van ~?* what are you going to do?; *we waren net van ~ om ...* we were just about (of: going) ... **2** [ontwerp] plan, design

het **plan de campagne** plan (of: scheme) of action

de **planeconomie** planned economy

de **planeet** planet

het **planetarium** planetarium

de **plank** plank; [dun] board; [schap] shelf: *de ~ misslaan* be wide of the mark

de **plankenkoorts** stage fright

het **plankgas** ± full throttle; *~ geven* step on the gas

de **plankton** plankton

plankzeilen windsurfing, boardsailing

planmatig systematic; [naar verwachting] according to plan

plannen plan

de **planning** plan, planning

de **planologie** (town and country) planning

de **plant** plant

plantaardig vegetable

de **plantage** plantation

planten plant; [uitplanten] plant out

de **plantenbak** flower box

de **planteneter** herbivore

de **plantengroei** 1 plant growth 2 [vegetatie] vegetation

de **plantenkas** greenhouse

de **planter** planter

de **plantkunde** botany

het **plantsoen** public garden(s), park

de **plaque** plaque

de **plas** 1 puddle, pool 2 [urine] water, pee: *een ~je (moeten) doen* (have to) go (to the toilet, loo); [kindert] (have to) do a wee(-wee) 3 [poel] pool, pond

het **plasma** plasma

¹**plassen** (onov ww) 1 [urineren] go (to the toilet, loo), (have a) pee: *ik moet nodig ~* I really have to go 2 [knoeien] splash

²**plassen** (ov ww) pass: *bloed ~* pass blood (in one's urine)

het ¹**plastic** (zn) plastic

²**plastic** (bn) plastic

de ¹**plastiek** 1 [beeldhouwkunst] plastic art(s) 2 [voorwerp] model

het ²**plastiek** [Belg; plastisch] plastic

plastificeren plasticize

plastisch plastic

¹**plat** (bn) 1 flat 2 [door staking] closed down, shut down: *de haven gaat morgen ~* tomorrow the port will be shut down

²**plat** (bn, bw) broad || *~ praten* speak in dialect; *~ uitgedrukt* to put it crudely (*of:* coarsely); *de zaal ~ krijgen* a) [overdonderen] carry the audience with one; b) [aan het lachen brengen] bring the house down

de ¹**plataan** (zn) [boom] plane (tree)

het ²**plataan** (zn) [hout] plane (tree)

platbranden burn to the ground

het **plateau** 1 [bord] dish, platter 2 [hoogvlakte] plateau

de **plateauzool** platform sole

de **platenspeler** record player

de **platenzaak** record shop

het **platform** platform

platgaan 1 be bowled over by (s.o.): *de zaal ging plat* [m.b.t. lachen] the audience

was rolling in the aisles 2 [comp] fail, go down

het ¹**platina** (zn) platinum

²**platina** (bn) platinum

platleggen 1 lay flat 2 [door een staking] bring to a standstill

platliggen [door een staking] be at a standstill

platlopen trample down

platonisch platonic

platspuiten [inf] knock out with sedatives

de **plattegrond** 1 (street) map 2 [van gebouwen enz.] floor plan

de **plattekaas** [Belg] cottage cheese, cream cheese

het **platteland** country(side)

de **plattelandsbevolking** rural population

plattrappen trample down

plattreden trample down: *platgetreden paden* well-trodden paths

de **platvis** flatfish

platvloers coarse, crude

de **platvoet** flatfoot

platzak (flat) broke

plausibel plausible

plaveien pave

het **plaveisel** paving, pavement

de **plavuis** (floor) tile; [stenen] flag(stone)

het/de **playback** miming

playbacken mime (to one's own, another person's voice)

de **playboy** playboy

het **plebs** plebs [meestal mv]

plechtig solemn: *~ beloven (te)* solemnly promise (to)

de **plechtigheid** ceremony

plechtstatig solemn

het **plectrum** plectrum

de **plee** loo; [Am] john: *op de ~ zitten* be in the loo

het **pleeggezin** foster home

het **pleegkind** foster-child: *(iem.) als ~ opnemen* take (s.o.) in as foster-child

de **pleegouders** foster-parents

plegen commit

het **pleidooi** 1 plea: *een ~ houden voor* make a plea for 2 [van advocaat] counsel's speech (*of:* argument)

het **plein** square, plaza: *op (aan) het ~ in* the square

de **pleinvrees** agoraphobia

de ¹**pleister** (zn) (sticking) plaster

het ²**pleister** (zn) [kalkmengsel] plaster

pleisteren 1 plaster 2 [pleisters leggen op] put a plaster on

de **pleisterplaats** stopping place

het **pleisterwerk** plasterwork, plaster(ing)

het **pleit** 1 [rechtsgeding] (law)suit: *het ~ winnen* win one's suit 2 [geschil] dispute: *het ~ beslechten* decide the argument

de **pleitbezorger** [fig] advocate, champion,

supporter
pleiten plead: *dat pleit voor hem* that is to his credit

de **pleiter** counsel

de **plek 1** spot: *een blauwe ~* a bruise; *iemands zwakke ~ raken* find s.o.'s weak spot **2** [plaats] spot, place: *ter ~ke* on site, in situ
plenair plenary
plengen: *tranen ~* shed tears, weep

de **plensbui** downpour

¹**plenzen** (onov ww) pour

²**plenzen** (ov ww) splash

het **pleonasme** pleonasm
pletten 1 [verbrijzelen] crush **2** [platmaken] flatten; [in menigte] squash
pletter: *te ~ slaan tegen de rotsen* be dashed against the rocks; *zich te ~ vervelen* be bored stiff (*of:* to death)
pleuren [inf] chuck: *hij pleurde zijn rommel in de kast* he chucked his junk in the closet

het/de **pleuris** [inf]: *de ~ breekt uit* the shit hits the fan; *ik schrok me de ~* I was frightened to death, I was scared out of my wits; *krijg de ~* go to hell

de **plevier** plover

het **plexiglas** plexiglass
plezant [Belg] pleasant

het **plezier 1** pleasure, fun: *iem. een ~ doen* do s.o. a favour; *~ hebben* have fun, enjoy o.s.; *veel ~!* enjoy yourself! **2** [genoegen] pleasure, enjoyment: *met alle ~* with pleasure; *ik heb hier altijd met ~ gewerkt* I have always enjoyed working here
plezieren: *als ik je ermee kan ~* if that's what makes you happy; *iem. met iets ~* oblige s.o. with sth.
plezierig pleasant

het **plezierjacht** pleasure yacht

de **plezierreis** (pleasure) trip, outing

de **plicht** duty: *het is niet meer dan je ~ (om …)* you are in duty bound (to …); *de ~ roept* duty calls; *zijn ~ doen* (*of:* *vervullen*) do one's duty, perform one's duty; *zijn ~ verzaken* neglect one's duty
plichtmatig dutiful: *een ~ bezoekje* a duty call

de **plichtpleging** ceremony: *met veel ~en* with considerable ceremony; *zonder ~(en)* unceremonious(ly), without ceremony

het **plichtsbesef** sense of duty
plichtsgetrouw dutiful

het **plichtsverzuim** neglect of duty

de **plint** skirting board; [Am] baseboard

de **ploeg 1** gang; shift [in ploegendienst]: *in ~en werken* work (in) shifts **2** [sport] team; side [vooral voetbal] **3** [landbouwwerktuig] plough
ploegen plough: *een akker* (*of:* *het land*) *~* plough a field (*of:* the land)

de **ploegendienst** shift work: *in ~ werken* work (in) shifts

de **ploegleider** [sport] team manager; [aan voerder] captain

het **ploegverband**: [sport] *in ~* as a team

de **ploert** cad, scab

de **ploeteraar** plodder, slogger
ploeteren plod (away, along)

de **plof** thud, bump, plop
ploffen 1 thud, flop **2** [ontploffen] pop, bang || *in een stoel ~* plump down (*of:* flop) into a chair
plomp [log] plump; squat [mensen]; cumbersome [zaken]
plompverloren bluntly

de **plons** splash || *~! daar viel de steen in het water* splash! went the stone into the water
plonzen splash

de **plooi** pleat, fold || *zijn gezicht in de ~ houd* keep a straight face
plooibaar [fig] pliable, flexible
plooien fold, pleat, crease

de **plooirok** pleated skirt

de **plot** plot

¹**plotseling** (bn) sudden, unexpected

²**plotseling** (bw) suddenly, unexpectedly

het/de ¹**pluche** (zn) plush

²**pluche** (bn) plush
pluchen plush

de **plug** plug

de **pluim 1** plume, feather **2** [toef] plume; [klein] tuft: *een ~ van rook* a plume of smoke || *iem. een ~ geven* pat s.o. on the back

de **pluimage** plumage

het **pluimvee** poultry

de **pluis** bit of fluff || *het is daar niet ~* there's sth. fishy there
pluizen give off fluff; [op trui] pill

de **pluk 1** tuft, wisp **2** [oogst] crop
plukken 1 pick: *pluk de dag* live for the moment **2** [m.b.t. veren] pluck

de **plumeau** feather duster

de **plumpudding** plum pudding

de **plunderaar** plunderer, looter
plunderen 1 plunder, loot **2** [leegrove] plunder, raid; rifle through [iemands zak geldlade]: *de koelkast ~* raid the fridge

de **plundering** plundering, looting

de **plunje** togs, duds

de **plunjezak** kitbag

het/de ¹**plus** (zn) **1** plus (sign) **2** [op batterijen e] plus (pole)

²**plus** (vz) plus: *twee ~ drie is vijf* two plus (and) three is five || *vijfenzestig ~* over-65
plusminus approximately, about: *~ du zend euro* approximately (*of:* about) a th sand euros

het **pluspunt** plus, asset: *ervaring is bij sollic ties een ~* experience is a plus (*of:* an asse when applying for a job

het **plusteken** plus (sign)

het **plutonium** plutonium
pneumatisch pneumatic

de **po** chamber pot, po
pochen boast, brag
pocheren poach
de **pochet** dress-pocket handkerchief, breast-pocket handkerchief
het **pocketboek** paperback
de **podcast** podcast
het **podium** 1 stage; [gedeelte van het toneel] apron 2 [verhoging] platform, podium
de **poedel** poodle
poedelnaakt stark naked, in one's birthday suit
de **poedelprijs** [sport] booby prize
het **poeder** powder
de **poederblusser** powder extinguisher
de **poederbrief** powder letter
de **poederdoos** compact
poederen powder: *zich (het gezicht)* ~ powder one's face (*of:* nose)
de **poedermelk** dried milk, powdered milk
de **poedersneeuw** powder snow
de **poedersuiker** icing sugar
de **poedervorm**: *in* ~ in powder form
de **poef** hassock
t/de **poeha** hoo-ha, fuss
de **poel** pool; puddle [op straat]
de **poelier** poulterer('s)
de **poema** puma
t/de **poen** dough, dosh
de **¹poep** (zn) [inf] [uitwerpselen] crap, shit; [honden-, vogelpoep] dog-do; bird-do
de **²poep** [Belg; inf] [achterste] bum; [Am] fanny: *op zijn* ~ *krijgen* get (*of:* be) spanked
poepen [inf] 1 [zijn behoefte doen] (have a) crap: *in zijn broek* ~ do it in one's pants 2 [Belg; neuken] screw, fuck
de **poes** (pussy)cat: *een jong* ~*je* a kitten || *mis* ~*!* wrong!
het **poesiealbum** album (of verses)
poeslief suave, bland, smooth; honeyed [woorden]; sugary [woorden, glimlach]; silky [glimlach, toon, manieren]: *iets* ~ *vragen* a question, ask sth. in the silkiest tones
de **poespas** hoo-ha, song and dance: *laat die* ~ *maar achterwege* stop making such a song and dance about it
de **poesta** puszta
de **poet** [Bargoens] loot
poëtisch poetic
de **poets**: *iem. een* ~ *bakken* play a trick (*of:* hoax) on s.o.; [Belg] ~ *wederom* tit for tat
de **poetsdoek** cleaning cloth, cleaning rag
poetsen clean; polish [polijsten]: *zijn tanden* ~ brush one's teeth
de **poetsvrouw** cleaning woman
de **poëzie** poetry
de **pof**: *op de* ~ on tick, on credit
de **pofbroek** knickerbockers [mv]
poffen roast; pop [mais]
het **poffertje** kind of small pancake
pogen [form] endeavour, attempt, seek

de **poging** attempt, try; [met krachtsinspanning] effort: *een* ~ *wagen* have a try at sth.; ~ *tot moord* attempted murder; *een vergeefse* ~ a vain (*of:* futile, useless) attempt
de **pogrom** pogrom
de **pointe** point: *hij heeft de* ~ *niet begrepen* he missed the point
pokdalig pockmarked
poken poke
het **poker** poker
pokeren play poker
de **pokken** smallpox
het **pokkenweer** [inf] filthy (*of:* lousy) weather
de **pol** clump
polair polar
de **polarisatie** polarization
polariseren polarize
de **polder** polder
het **poldermodel** polder model
de **polemiek** polemic: *een* ~ *voeren* engage in a polemic (*of:* controversy)
Polen Poland
de **poli** outpatients'
de **poliep** [med] polyp
polijsten polish (up); [met schuurpapier ook] sand(paper)
de **polikliniek** outpatient clinic
poliklinisch: ~*e patiënt* outpatient
de **polio** polio
de **polis** (insurance) policy
de **polishouder** policyholder
de **polisvoorwaarden** terms (*of:* conditions) of a policy
de **politicologie** political science
de **politicus** politician
de **politie** police (force)
de **politieagent** police officer, policeman
de **politieauto** police car, patrol car
het **politiebericht** police message
de **politiebewaking** police protection
het **politiebureau** police station
de **politiecommissaris** Chief of Police
de **politiehond** police dog
de **¹politiek** (zn) 1 politics: *in de* ~ *zitten* be in politics, be a politician 2 [beleid] policy: *binnenlandse* (*of:* *buitenlandse*) ~ internal (*of:* foreign) policy
²politiek (bn, bw) political
de **politiemacht** body of police, police presence: *er was een grote* ~ *op de been* the police were present in force
de **politieman** policeman, police officer
de **politierechter** magistrate
de **politiestaat** police state
het **politietoezicht** police supervision
de **politieverordening** by-law; [Am] local ordinance
de **polka** polka
de **poll** poll
de **pollen** pollen
de **pollepel** wooden spoon

het **polo 1** [balspel] polo **2** [kledingstuk] sports shirt

de **polonaise 1** conga: *een ~ houden* do the conga **2** [dans, muziek(stuk)] polonaise

het **poloshirt** sports shirt, tennis shirt

de **pols 1** wrist **2** [polsslag] pulse: *iem. de ~ voelen* feel (*of:* take) s.o.'s pulse

het **polsbandje** wrist band

polsen: *iem. ~ over iets* sound s.o. out on (*of:* about) sth.

het **polsgewricht** wrist (joint)

het **polshorloge** wristwatch

de **polsslag** pulse

de **polsstok** (jumping) pole

polsstokhoogspringen pole vaulting

de **polyester** polyester

de **polyether** polyether; [schuimrubber ook] foam rubber

de **¹polyfoon** (zn) polyphonic ringtone

²polyfoon (bn) polyphonic

de **polygamie** polygamy

Polynesisch Polynesian

de **pomp** pump

de **pompbediende** service (*of:* petrol) station attendant

de **pompelmoes** grapefruit

pompen pump

pompeus pompous

de **pomphouder** petrol station owner; [Am] gas station owner

de **pompoen** pumpkin

het **pompstation** filling station, service station

de **poncho** poncho

het **pond** half a kilo(gram), 500 grams; [ongeveer] pound; [munteenheid] pound: *het weegt een ~* it weighs half a kilo || *het volle ~ moeten betalen* have to pay the full price

poneren postulate, advance: *een stelling ~* advance a thesis

ponsen punch

de **ponskaart 1** [geperforeerde kaart] punch(ed) card **2** [plastic pasje] embossed card

de **pont** ferry(boat)

pontificaal pontifical

de **ponton** pontoon

de **pontonbrug** pontoon bridge

de **pony 1** pony **2** [haar] fringe

de **pooier** pimp

de **pook 1** poker **2** [versnellingshendel] gear lever, (gear)stick

de **pool** pole

de **Pool** Pole

de **poolcirkel** polar circle

de **poolexpeditie** polar expedition

het **poolgebied** polar region

het **poolijs** polar ice

het **poollicht** polar lights [mv]; aurora polaris

het **¹Pools** (zn) Polish

²Pools (bn) Polish

de **poolshoogte** latitude, altitude of the

pole: *~ nemen* **a)** [scheepv] take one's bearings; **b)** [fig] size up the situation

de **Poolster** (the) Pole Star, Polaris

de **poon** gurnard

de **poort** gate, gateway

de **poos** while, time: *een hele ~* a good while, long time

de **poot 1** [lichaamsdeel] paw, leg: *de poten va een tafel* the legs of a table; [fig] *zijn ~ stijf houden* stand firm, stick to one's guns; *geen hebben om op te staan* not have a leg to stand on **2** [homo] queer, gay (man) || *de ~ van een bril* the arms of a pair of glasses; [f alles kwam op zijn ~jes terecht* everything turned out all right

het **pootgoed** seeds [mv]

pootjebaden paddle

de **pop 1** doll **2** [marionet] puppet: *daar heb de ~pen al aan het dansen* here we go, now we're in for it **3** [etalagepop, paspop] dum my: *zij is net een aangeklede ~* she looks lik dressed-up doll

het **popcorn** popcorn

popelen quiver: *zitten te ~ om weg te mo gen* be raring (*of:* itching) to go

het **popfestival** pop festival, rock festival

de **popgroep** pop group, rock group, rock band

de **popmuziek** rock music, pop music

het **poppenhuis** doll's house

de **poppenkast 1** puppet theatre **2** puppet show

de **poppenwagen** doll's pram; [Am] baby carriage

popperig doll-like, pretty-pretty

de **popster** pop star, rock star

populair popular

populairwetenschappelijk popular-science

populariseren popularize

de **populariteit** popularity

de **populatie** population

de **populier** poplar

het **populisme** populism

de **pop-up** pop-up

de **por** jab, prod, dig

poreus porous

de **porie** pore

de **porno** porn(o)

de **pornografie** pornography

pornografisch pornographic

porren prod: *iem. in de zij ~* poke s.o. in t ribs || *ergens wel voor te ~ zijn* not take mu persuasion

het **porselein** china(ware), porcelain

porseleinen china, porcelain

de **porseleinkast** china cabinet

de **¹port** (zn) [wijn] port (wine)

het/de **²port** (zn) **1** postage **2** [strafport] surchar

het **portaal** porch, hall; [kerk ook] portal

portable portable

de **portal** portal

de **portefeuille** wallet

de **portemonnee** purse, wallet

de **portie 1** share, portion: *zijn ~ wel gehad hebben* have had one's fair share **2** [gedeelte] portion; [aan tafel] helping: *een grote (flinke) ~ geduld* a good deal of patience

het/de **portiek** porch; [ingebouwd] doorway

de **¹portier** (zn) doorkeeper, gatekeeper

het **²portier** (zn) [van auto] door

het/de **porto** postage

de **portofoon** walkie-talkie

de **portokosten** postage charges (*of:* expenses)

de **Porto Ricaan** Puerto Rican

Porto Ricaans Puerto Rican

Porto Rico Puerto Rico

het **portret** portrait

de **portretschilder** portrait-painter

portretteren portray

Portugal Portugal

Portugees Portuguese

portvrij post-paid, postage free

de **pose** pose, posture: *een ~ aannemen* assume a pose

poseren pose, sit

de **positie 1** position, posture: *~ kiezen* (of: *innemen*) choose (*of:* take) up a position **2** [mening, houding] position, attitude: *in een conflict ~ nemen* (of: *kiezen*) take (*of:* choose) sides in a conflict **3** [toestand] position, situation **4** [betrekking] position, post **5** [maatschappelijke rang, rol] (social) position, status, (social) rank: *een hoge ~* a high position (*of:* rank) (in society)

positief 1 positive, affirmative **2** [opbouwend] positive, favourable: *positieve kritiek* constructive criticism; *iets ~ benaderen* approach sth. positively

de **positiekleding** maternity clothes

de **positieven**: *weer bij zijn ~ komen* come to one's senses

de **¹post** (zn) **1** post office, postal services **2** [poststukken, postbestelling] post, mail: *aangetekende ~* registered mail; *elektronische ~* electronic mail, e-mail **3** post; [kantoor] post office; [bus] letterbox **4** [raam-, deurstijl] post, jamb **5** [m.b.t. boekhouding, begroting] item [op rekening]; entry [boekhouding]: *de ~ salarissen* the salary item **6** post, position: *een ~ bekleden* hold a post, occupy a position

de **²post** [comm; posting] post

het **postadres** address

het **postagentschap** sub-post office

de **postbezorging** postal delivery, delivery of the post; [Am] mail delivery, delivery of the mail

de **postbode** postman; [Am] mailman

de **postbus** postoffice box, PO Box

de **postcode** postal code; [Am] ZIP code

de **¹postdoc** postdoc(toral); [Am-Eng ook] postgraduate

²postdoc (bn) postdoctoral; [Am-Eng ook] postgraduate

de **postduif** carrier pigeon, homing pigeon

de **postelein** purslane

¹posten (onov ww) [op wacht staan] stand guard

²posten (ov ww) post; [Am] mail; send off

de **poster** poster

posteren post

poste restante poste restante; [Am] general delivery: *De heer H. de Vries, ~ Hoofdpostkantoor Brighton* Mr H. de Vries, c/o Main Post Office, Brighton

de **posterijen** Post Office, Postal Services

de **posting** [comm] post

de **postkamer** post room

het **postkantoor** post office

de **postkoets** stagecoach

postmodern postmodern

postnataal postnatal

het **postnummer** [Belg] postcode, postal code

de **postorder** mail order

het **postorderbedrijf** mail-order firm (*of:* company), catalogue house

het **postpakket** parcel, parcel-post package

het **postpapier** writing paper, letter paper, notepaper: *~ en enveloppen* stationery

de **postrekening** giro bank account

het **poststempel** postmark

postuum posthumous

het **postuur** figure, shape; [(lichaams)bouw] build; [(lichaams)lengte] stature

het **postvak** pigeon-hole

postvatten 1 [gaan staan] take up one's station, post o.s. **2** [m.b.t. gedachte, mening] take form

de **postwissel** postal order, money order

de **postzegel** stamp: *voor een euro aan ~s bijplakken* stamp an excess amount of one euro; *voor drie euro aan ~s bijsluiten* enclose three euros in stamps

de **postzegelverzameling** stamp collection

de **¹pot** (zn) [inf; lesbienne] dyke, dike; [neutraal] gay

de **²pot** (zn) **1** pot [aardewerk]; jar [glas]: *een ~ jam* a jar of jam **2** [po] pot, chamber pot: *hij kan (me) de ~ op* he can get stuffed **3** [kookpot] pot, saucepan: *eten wat de ~ schaft* eat whatever's going **4** [inzet bij spellen] kitty, pool ‖ *dat is één ~ nat* you can't really tell the difference; [m.b.t. personen] they're birds of a feather

potdicht tight, locked, sealed: *de deur is ~* the door is shut tight

poten plant; [zaaien, planten] set; [zaaien, uitzetten] put in

potent potent, virile

de **potentaat** potentate

de **potentiaal** potential

de **potentie** potence

het **¹potentieel** (zn) potential; [aanleg, talent] capacity

²potentieel (bn, bw) **1** potential: *potentiële koper* prospective (of: would-be) buyer **2** [in aanleg] latent, potential

de **potgrond** potting compost (soil)

potig burly, sturdy, husky

het **potje 1** (little) pot; [cul] terrine: *zijn eigen ~ koken* [fig] fend for o.s. **2** [partijtje] game: *een ~ kaarten, biljarten* play a game of cards, billiards **3** [opzij gelegd geld] fund ‖ *er een ~ van maken* mess (of: muck) things up

het **potjeslatijn** gibberish; mumbo jumbo

het **potlood** pencil: *met ~ tekenen* draw in pencil

de **potloodslijper** pencil sharpener

de **potloodventer** flasher

de **potplant** pot plant, potted plant

het/de **potpourri** potpourri, medley

potsierlijk clownish, ridiculous, grotesque

potten 1 [opsparen] hoard; [hamsteren] stash (away) **2** [in potten doen] pot

pottenbakken pottery(-making), ceramics

de **pottenbakker** potter

de **pottenbakkerij** pottery

de **pottenkijker** Nosy Parker, snooper

potverteren squander

de **potvis** sperm whale

de **poule** group

pover poor, meagre, miserable: *een ~ resultaat* a poor result

de **pr** afk van *public relations* PR

Praag Prague

de **praal** splendour, pomp: *met pracht en ~* with pomp and circumstance

het **praalgraf** mausoleum

de **praat** talk: *veel ~(s) hebben* be all talk; *met iem. aan de ~ raken* get talking to s.o. ‖ *een auto aan de ~ krijgen* get a car to start

de **praatgroep** discussion group

het **praatje 1** chat, talk **2** [woorden] talk, speech: *mooie ~s* fine words **3** [mv; kapsones] airs: *~s krijgen* put on airs

de **praatjesmaker 1** boaster, braggart **2** [zwetser] windbag, gasbag

de **praatpaal** emergency telephone

de **praatshow** [tv] chat show, talk show

de **praatstoel** *hij zit weer op zijn ~* he's on again

de **pracht 1** magnificence, splendour **2** [fig] beauty, gem

prachtig 1 splendid, magnificent **2** [van grote schoonheid] exquisite, gorgeous ‖ *~!* excellent!

de **prachtkerel** a fine man; [inf] a great guy

het **practicum** practical, lab(oratory): *ik heb vanmiddag ~* I've got a practical this afternoon

de **pragmaticus** pragmatist

pragmatisch pragmatic(al)

de **prairie** prairie

de **prak** mash, mush ‖ *een auto in de ~ rijden* smash (up) a car

prakken mash

prakkiseren 1 [piekeren] brood, worry: *zich suf ~* worry o.s. sick **2** [nadenken] muse, think

de **praktijk** practice; [ervaring] experience: *echt een man van de ~* a doer (rather than a thinker); *een eigen ~ beginnen* start a practice of one's own; *in de ~* in (actual) practice; *iets in ~ brengen* put sth. into practice, apply (of: implement) sth.

de **praktijkervaring** practical experience

praktijkgericht practically-oriented

¹praktisch (bn, bw) **1** practical, handy, useful: *~e kennis* working knowledge **2** [nuchter] practical, realistic; businesslike [zakelijk]

²praktisch (bw) [bijna] practically, almost: *de was is ~ droog* the laundry's practically dr

praktiseren practise

de **praline** chocolate (praline)

prat proud: *~ gaan op zijn intelligentie* boast (of: brag) about one's intelligence

praten talk, speak: *we ~ er niet meer over* let's forget it, let's leave it at that; *je hebt ge makkelijk ~* it's easy (of: it's all right) for yo to talk; *daarover valt te ~* that's a matter for discussion; *iedereen praat erover* it's the talk of the town, everyone is talking about it; *langs iem. heen ~* talk across s.o.; *hij kan ~ a Brugman* he can talk the hind legs off a don key

de **prater** talker: *hij is geen grote ~* he isn't much of a talker

de **prauw** proa

het/de **pre** preference: *een ~ hebben* have the preference

precair precarious, delicate

het **precedent** precedent: *een ~ scheppen* establish (of: create) a precedent

¹precies (bn, bw) precise, exact, accurate, specific: *~ een kilometer* one kilometre exactly; *dat is ~ hetzelfde* that is precisely (of: exactly) the same (thing); *om ~ te zijn* to be precise; *~ in het midden* right in the middle, *om twaalf uur* at twelve (o'clock) sharp, on the stroke of twelve; *~ op tijd* right on time *drie jaar geleden* exactly (of: precisely) three years ago

²precies (tw) precisely, exactly

preciseren specify: *kunt u dat nader ~?* could you be more specific?

de **precisie** precision, accuracy

het **predicaat 1** [titel] title **2** [taalk] predicat

de **predikant 1** [prot] minister, pastor; vicar rector; parson [anglicaanse kerk]; clergym **2** [r-k] preacher

prediken preach

de **preek 1** sermon, homily (on): *een ~ houd* deliver a sermon **2** [vermaning] sermon, le

de **preekstoel** pulpit
prefabriceren prefabricate
preferent preferred, preferential
prefereren prefer: *dit is te ~ boven dat* this is preferable to that
de **prehistorie** prehistory
prehistorisch prehistoric
de **prei** leek
preken 1 preach, deliver (*of:* preach) a sermon **2** [m.b.t. zedenpreek] preach, moralize
de **prelude** prelude
prematuur premature
de **premie 1** premium, bonus, gratuity **2** [m.b.t. verzekeringen] premium; [vnl. m.b.t. sociale verzekering] (insurance) contribution: *de sociale ~s* social insurance (*of:* security) contributions
de **premier** prime minister, premier
de **première** première; [m.b.t. toneel ook] first night; opening performance
de **preminiem** [Belg] junior member (6-10 years) of sports club
prenataal antenatal; [Am] prenatal
de **prent** print, illustration; [satirisch] cartoon
de **prentbriefkaart** (picture) postcard
het **prentenboek** picture book
prepaid pay-as-you-go, prepay: *~ beltegoed* prepaid phone credit
het **preparaat** preparation
prepareren prepare
het **prepensioen** pre-pension scheme; [Am] pre-pension plan
de **presbyteriaan** Presbyterian
de **preselectie** [Belg] qualifying round
het **¹present** (zn) present, gift
²present (bn) present; [vergadering, officiële functie] in attendance: *ze waren allemaal ~* they were all present; *~!* present!, here!
de **presentatie** presentation, introduction: *de ~ is in handen van Joris* the programme is presented by Joris
de **presentator** presenter [van nieuws, actualiteiten]; host, hostess, anchorman
het **presenteerblaadje** tray, platter: *de baan werd hem op een ~ aangeboden* the job was handed to him on a silver platter
presenteren 1 present, introduce **2** [aanbieden] present; [m.b.t. etenswaren enz.] offer **3** [doen voorkomen] pass off (as) **4** [als presentator optreden] present, host
de **presentie** presence
de **presentielijst** attendance list, (attendance) roll, (attendance) register
de **president** President
de **president-directeur** chairman (of the board)
presidentieel presidential
de **presidentsverkiezing** presidential election
pressen press, put pressure on

de **pressie** pressure
de **prestatie** performance, achievement, feat: *een hele ~* quite an achievement; *een ~ leveren* achieve sth., perform well, do well
het **prestatieloon** merit pay
presteren achieve, perform: *hij heeft nooit veel gepresteerd* he has never done anything to speak of
het **prestige** prestige
prestigieus prestigious
de **pret 1** fun, hilarity: *~ hebben* (of: *maken*) have fun, have a good time; *dat was dolle ~* it was great (*of:* glorious) fun; *dat mag de ~ niet drukken* never mind **2** [genoegen] fun, enjoyment **3** [vermaak] fun, entertainment: *(het is) uit met de ~!* the party is over
pretenderen profess (to be), make out, pretend (to be)
de **pretentie** pretension: *ik heb niet de ~ ...* I make no pretension(s) to ..., I don't pretend to ...
pretentieus pretentious
het **pretje** bit of fun: *dat is geen ~* that's no picnic
de **pretogen** twinkling eyes
het **pretpark** amusement park
prettig pleasant, nice: *~ weekend!* have a pleasant (*of:* nice) weekend; *deze krant leest ~* this paper is nice to read
preuts prudish, prim (and proper)
de **preutsheid** prudishness, primness
prevaleren prevail
prevelen mumble, murmur
de **preventie** prevention
preventief preven(ta)tive, precautionary
de **pr-functionaris** PR officer
het **prieel** summerhouse, arbour
priegelen do fine (*of:* delicate) (needle)work
het **priegelwerk** close work, delicate work
de **priem** awl, bodkin
het **priemgetal** prime (number)
de **priester** priest
prijken be resplendent, adorn
de **prijs 1** price; [voor vervoer] fare; [volgens tarief] charge: *voor een zacht ~je* at a bargain price; *tot elke ~* at any price (*of:* cost), at all costs **2** [prijskaartje] price (tag): *het ~je hangt er nog aan* it has still got the price on **3** [wat je wint] prize, award: *een ~ uitloven* put up a prize; *in de prijzen vallen* be among the winners **4** [uitgeloofde beloning] reward, prize || *iets op ~ stellen* appreciate sth.
prijsbewust cost-conscious
de **prijsdaling** fall (*of:* drop, decrease) in price
prijsgeven give up, abandon, consign
het **prijskaartje** price tag
de **prijsklasse** price range, price bracket
de **prijslijst** price list
de **prijsopgave** estimate; [offerte] quotation; tender

de **prijsuitreiking** distribution of prizes; [ceremonie] prize-giving (ceremony)

de **prijsvechter 1** [winkel] discounter **2** [vechtsporter] prize fighter

de **prijsverhoging** price increase, rise

de **prijsverlaging** price reduction, price cut

de **prijsvraag** competition, (prize) contest

de **prijswinnaar** prizewinner

¹**prijzen** (ov ww) praise, commend: *een veelgeprezen boek* a highly-praised book ‖ *zich gelukkig ~ met* call (*of:* consider) o.s. lucky that

²**prijzen** (ov ww) price; [met prijskaartje ook] ticket; mark: *vele artikelen zijn tijdelijk lager geprijsd* many articles have been temporarily marked down

prijzig expensive, pricey

de **prik 1** prick, prod **2** [injectie] injection, shot **3** [limonade] pop, fizz: *mineraalwater zonder ~* still mineral water ‖ *dat is vaste ~* that happens all the time

de **prikactie** lightning strike

het **prikbord** noticeboard; [Am] bulletin board

het **prikje**: *iets voor een ~ kopen* buy sth. dirt cheap (*of:* for next to nothing)

de **prikkel** incentive, stimulant, stimulus

prikkelbaar touchy, irritable

het/de **prikkeldraad** barbed wire

¹**prikkelen** (onov ww) [prikkelend gevoel geven] prickle, tingle; sting [bijv. door brandnetel]: *mijn been prikkelt* my leg is tingling

²**prikkelen** (ov ww) [ergeren] irritate, vex

¹**prikken** (onov ww) [m.b.t. insecten, rook enz.] sting, tingle: *de rook prikt in mijn ogen* the smoke is making my eyes smart

²**prikken** (ov ww) **1** prick; [met vork ook] prod: *een ballon lek ~* pop a balloon **2** [vasthechten] stick (to), affix (to): *een poster op de muur ~* pin a poster on the wall **3** [injectie geven] inject

de **prikklok** time clock

de **priklimonade** pop

pril early, fresh, young

¹**prima** (bn, bw) excellent, great, terrific, fine: *een ~ vent* a nice chap; [Am] a great guy

²**prima** (tw) great

het **primaat** primacy, pre-eminence

¹**primair** (bn) [elementair] primary, basic

²**primair** (bn, bw) **1** primary, initial, first **2** [de eerste plaats innemend] primary, principal, essential, chief

de **primeur** sth. new; scoop [voor krant]

primitief 1 primitive, elemental **2** [gebrekkig] primitive, makeshift: *het ging er heel ~ toe* it was very rough and ready there

de **primula** primula, primrose

het **principe** principle: *een man met hoogstaande ~s* a man of high principles; *uit ~* on principle, as a matter of principle

principieel 1 fundamental, essential, basic

2 [m.b.t. een overtuiging] on principle, of principle: *een ~ dienstweigeraar* a conscientious objector (to military service)

de **prins** prince

prinselijk princely

de **prinses** princess

Prinsjesdag [Ned] ± day of the Queen's (*of:* King's) speech

de **print 1** [uitdraai] print-out **2** [wat gedrukt is] print

printen print

de **printer** printer

de **prior** prior

de **prioriteit** priority: *~en stellen* establish priorities; get one's priorities right

het **prisma** prism

het **privaatrecht** private law

de **privacy** privacy, seclusion: *iemands ~ schenden* infringe (on) s.o.'s privacy, invade s.o.'s privacy

privatiseren privatize, denationalize

privé private, confidential, personal: *ik zou je graag even ~ willen spreken* I'd like to talk to you privately (*of:* in private) for a minute

de **privédetective** private detective

het **privéleven** private life

de **privésfeer**: *in de ~* personal, private

het **privilege** privilege

pro pro(-) ‖ *het ~ en het contra horen* hear the pros and cons

probaat effective, efficacious: *een ~ middel* an efficacious remedy, a tried and tested remedy

het **probeersel** experiment, try-out

proberen 1 try (out), test: *het met water er zeep ~* try soap and water **2** [een poging doen] try, attempt: *dat hoef je niet eens te ~* you needn't bother (trying that)

het **probleem** problem, difficulty, trouble: *in de problemen zitten* be in difficulties (*of:* trouble); *geen ~!* no problem!; *ergens geen ~ van maken* not make a problem of (*of:* about) sth., not make difficulties about sth.

het **probleemgeval** problematical case

probleemloos uncomplicated, smooth, trouble-free: *alles verliep ~* things went very smoothly (*of:* without a hitch)

de **probleemstelling** definition (*of:* formulation) of a problem

de **problematiek** problem(s), issue

problematisch problematic(al)

het **procedé** process, technique

procederen litigate, take legal action, proceed (against); [strafrecht] prosecute: *gaan ~* go to court

de **procedure 1** procedure, method **2** [proces] (law)suit, action, legal proceedings (*of:* procedure): *een ~ tegen iem. aanspannen* start legal proceedings against s.o.

de **procedurefout** procedural mistake, mistake in procedure het **procent** per cent, percent: *honderd ~ zeker* dead certain (*of:* sure)

procentueel in terms of percentage

het **proces 1** (law)suit; [m.b.t. strafrecht] trial; action, legal proceedings: *iem. een ~ aandoen* take s.o. to court **2** [ontwikkelingsgang] process

de **proceskosten** (legal) costs

de **processie** procession

de **processor** processor

het **proces-verbaal** charge; [dagvaarding] summons; ticket: *een ~ aan zijn broek krijgen* be booked, get a ticket; *~ opmaken tegen iem.* take s.o.'s name and addresss, book s.o.

de **proclamatie 1** [openbare afkondiging] proclamation **2** [Belg; bekendmaking] public announcement of the results (of a competition, exams, …)

proclameren proclaim

de **procuratiehouder** deputy manager

de **procureur** [jur] ± solicitor; [Am] ± attorney: [Belg] *~ des Konings* ± public prosecutor

de **procureur-generaal** [jur] Procurator-General; ± Attorney General [Groot-Brittannië, USA]

pro Deo free (of charge), for nothing

de **producent** producer

de **producer** producer

produceren produce, make, manufacture; generate [warmte, elektriciteit]

het **product** product, production; [handelsproduct ook] commodity: *het bruto nationaal ~* the gross national product; the GNP

de **productie 1** production: *uit de ~ nemen* stop producing (*of:* production) **2** [wat geproduceerd is] production; [opbrengst] output; yield; [agrarisch ook] produce

productief 1 productive, fruitful **2** [veel voortbrengend] productive, prolific: *een ~ dagje* a good day's work

de **productiekosten** cost(s) of production

de **productieleider** production manager; [theater, film] producer

de **productiemaatschappij** film production company

het **productieproces** production process, manufacture

de **productiviteit** productivity, productive capacity

het **productschap** ± Commodity Board

de **proef 1** test, examination, trial: *op de ~ stellen* put to the test; *proeven nemen* carry out experiments **2** [probeersel] test, try, trial, probation: *iets een week op ~ krijgen* have sth. on a week's trial; *op ~* on probation **3** [typ] proof ‖ *de ~ op de som nemen* test sth., put it to the test, try (out) sth.

de **proefballon** trial balloon: [fig] *een ~netje oplaten* float a trial balloon, put out a feeler

het **proefdier** laboratory animal

proefdraaien [m.b.t. machines] trial run, test run

het **proefkonijn** guinea pig

het **proeflokaal** public house

de **proefneming** test(ing)

proefondervindelijk [door proefneming] experimental, by experiment (*of:* experience)

de **proefperiode** trial period; [ook m.b.t. baan] probationary period; probation

de **proefpersoon** (experimental, test) subject

het **proefproces** test case

de **proefrit** test drive; [m.b.t. trein enz.] trial run: *een ~ maken met de auto* test-drive the car

het **proefschrift** (doctoral, Ph D) thesis, dissertation

de **proeftijd** probation, probationary period, trial period: [jur] *voorwaardelijk veroordeeld met een ~ van twee jaar* a suspended sentence with two years' probation

de **proeftuin** experimental garden (*of:* field)

het **proefwerk** test (paper): *een ~ opgeven* set a test

proesten 1 sneeze **2** [snuivend blazen] snort, splutter

proeven taste, try, sample, test: *van het eten ~* try some of the food

de **proeverij** tasting

de **prof 1** [professor] prof **2** [professional] pro

profaan profane

de **profclub** professional club

de **profeet** prophet, prophetess

professioneel professional ‖ *iets ~ aanpakken* approach sth. in a professional way

de **professor** professor: *~ in de taalwetenschap* a professor of linguistics; *een verstrooide ~* an absent-minded professor

de **profetie** prophecy

profetisch prophetic

proficiat congratulations: *~ met je verjaardag* happy birthday!

het **profiel** profile

de **profielschets** profile

de **profielzool** grip sole, sole with a tread

het **profijt** profit, benefit

profileren 1 [het eigen karakter doen uitkomen van] characterize, make known **2** [profiel aanbrengen] profile, mould

profiteren profit (from, by), take advantage (of), exploit: *zoveel mogelijk ~ van* make the most of

de **profiteur** profiteer

pro forma for form's sake, for appearance's sake

het **profvoetbal** professional football

de **prognose** prognosis, forecast

het **programma 1** programme: *het hele ~ afwerken* go (*of:* get) through the whole programme **2** [comp] program

het **programmaboekje** programme

de **programmagids** [ongev] listings; [Am] TV

guide
de **programmamaker** programme maker (*of:* writer), producer
de **programmatuur** software; programs [mv]
de **programmeertaal** computer language
¹**programmeren** (ww) [comp] program
²**programmeren** (ov ww) [programma opstellen] programme, schedule: *de uitzending is geprogrammeerd voor woensdag* the programme is to be broadcast on Wednesday
de **programmeur** programmer
de **progressie 1** [vooruitgang] progress **2** [evenredige stijging] progression
progressief progressive; [pol ook] liberal
het **project** project
projecteren project
de **projectie** projection
het **projectiel** missile, projectile
de **projectleider** project manager
de **projectontwikkelaar** property developer; [Am] real estate developer
de **projector** projector
de **proleet** [pej] plebeian
het **proletariaat** proletariat
de **proletariër** proletarian
prolongeren prolong, extend: [sport] *zijn titel ~* retain one's (championship) title
de **proloog** prologue
de **promenade** shopping precinct, shopping mall
het **promillage** [m.b.t. alcohol] blood alcohol level
het **promille** per thousand, per mil(le): *acht ~* 0.8 percent
prominent prominent
promoten promote
de **promotie** promotion: *~ maken* get promotion
de **promotor 1** [hoogleraar] ± tutor (*of:* supervisor) (of a PhD student) **2** [voorstander] promoter
de **promovendus 1** [academicus] doctoral (*of:* PhD) student **2** [sport] promoted player (*of:* team)
promoveren 1 [aan universiteit] take one's doctoral degree (*of:* one's Ph D): *hij is gepromoveerd op een onderzoek naar ...* he obtained his doctorate with a thesis on ... **2** [sport] be promoted, go up
prompt 1 [snel] prompt, speedy **2** [stipt] punctual, prompt: *~ op tijd* right (*of:* dead) on time
pronken flaunt (o.s., sth.); [lopen te pronken] prance; strut: *zij loopt graag te ~ met haar zoon* she likes to show off her son
de **prooi 1** prey; [jacht] quarry **2** [slachtoffer] prey, victim: *ten ~ vallen aan* become prey to
proost cheers
proosten toast, raise one's glass
de **prop** ball: *een ~ watten* a wad of cotton wool || *met iets op de ~pen komen* come up

with sth.
de **propaganda** propaganda
propageren propagate
de **propedeuse** foundation course
propedeutisch preliminary, introductory
de **propeller** (screw) propeller, (air)screw
proper neat, tidy; clean
de **proportie 1** proportion, relation: *iets in juiste) ~(s) zien* keep sth. in perspective **2** [afmeting] proportion, dimension
proportioneel proportional
proppen shove, stuff, cram, pack: *iedereen werd in één auto gepropt* everyone was squeezed (*of:* packed) into one car
propvol full to the brim (*of:* to bursting), chock-full, crammed; [vol mensen ook] packed (tight): *een ~le bus* an overcrowded bus
het/de **prospectus** prospectus
de **prostaat** prostate (gland)
de **prostaatkanker** cancer of the prostate
de **prostituee** prostitute
de **prostitutie** prostitution
het **protectionisme** protectionism
het/de **proteïne** protein
het **protest** protest: *uit ~ (tegen)* in protest (against); *~ aantekenen tegen* enter (*of:* lodge) a protest against, raise an objection against
de **protestant** Protestant
protestants Protestant; [niet-anglicaans] dissenting; Nonconformist
de **protestbeweging** protest movement
protesteren protest
de **protestmars** protest march
de **prothese** prothesis, prosthesis; [gebit] dentures; [gebit] false teeth
het **protocol 1** protocol **2** [verslag] record
protocollair required by protocol, according to protocol
het **proton** [nat] proton
de **protonkaart** [Belg] rechargeable smart card
het **prototype** prototype
protserig flash(y)
het/de **proviand** provisions: *~ inslaan* stock (up) provisions, victual
de **provider** provider
provinciaal provincial: *een provinciale weg* ± a secondary road
de **provincie** province, region: *de ~ Limburg* the Province of Limburg
de **provisie** [loon] commission; [makelaar] brokerage
provisorisch provisional, temporary
provoceren provoke, incite
provocerend provocative, provoking
het **proza** prose
prozaïsch prosaic
de **pruik** wig, toupee
pruilen pout, sulk

de **pruim 1** plum; prune [gedroogd] **2** [pluk tabak] plug, wad
pruimen chew tobacco
de **pruimenboom** plum (tree)
Pruisen Prussia
Pruisisch Prussian
het **prul 1** [papiertje] piece of waste paper **2** [waardeloos voorwerp] (piece of) trash, piece of rubbish (of: junk)
de **prullaria** nicknacks, knickknacks
de **prullenbak 1** [prullenmand] waste paper basket, wastebasket **2** [comp] recycle bin, trash can
de **prullenmand** wastepaperbasket; [voornamelijk Am-Eng] wastebasket: *dat gaat rechtstreeks de ~ in* that is going straight into the wastepaperbasket
de **prut 1** mud, ooze, sludge **2** [brij] mush **3** [koffiedik] grounds
de **pruts** [Belg] trinket
prutsen mess about (of: around), potter (about), tinker (about): *je moet niet zelf aan je tv gaan zitten ~* you shouldn't mess about with your TV-set yourself
de **prutser** botcher, bungler
het **prutswerk** botch(-up)
pruttelen simmer, perk; percolate [koffie]
het **PS** afk van *postscriptum* PS
de **psalm** psalm
het **psalmboek** psalm-book, psalter
het **pseudoniem** pseudonym
de **psoriasis** psoriasis
pst ps(s)t: *~! kom eens hier!* ps(s)t! come here!
de **psyche** psyche
psychedelisch psychedelic
de **psychiater** psychiatrist: *je moet naar een ~* you should see a psychiatrist
de **psychiatrie** psychiatry
psychiatrisch psychiatric: *een ~e inrichting* a mental hospital
psychisch psychological, mental: *~ gestoord* emotionally disturbed; *dat is ~, niet lichamelijk* that is psychological, not physical
de **psychoanalyse** psychoanalysis
de **psychologie** psychology
psychologisch psychological
de **psycholoog** psychologist
de **psychopaat** psychopath
de **psychose** psychosis
psychosomatisch psychosomatic
de **psychotherapeut** psychotherapist
de **psychotherapie** psychotherapy, psychotherapeutics
psychotisch psychotic
PTSS [med] PTSD (afk van *post-traumatic stress disorder*)
de **PTT** afk van *Post, Telegrafie, Telefonie* Post Office
de **puber** adolescent
puberaal adolescent

puberen reach puberty
de **puberteit** puberty, adolescence: *in de ~ zijn* be going through one's adolescence
de **publicatie** publication
publiceren publish
de **publiciteit** publicity: *~ krijgen* attract attention, get publicity; *iets in de ~ brengen* bring sth. to public notice
de **public relations** public relations
het **¹publiek** (zn) **1** public; [sport] crowd; [film, toneel] audience; [boek, krant] readership; [klanten] clientele; [museum] visitors: *een breed ~ proberen te bereiken* try to cater for a broad public; *veel ~ trekken* attract (of: draw) a good crowd, be well attended; *het grote ~* the general public, the millions **2** [de massa] (general) public: *toegankelijk voor (het) ~* open to the (general) public
²publiek (bn, bw) public: *er was veel ~e belangstelling* it was well attended
de **publieksprijs** prize awarded by the public
de **publiekstrekker** crowd-puller; [m.b.t. theater, concert enz. ook] (good) box-office draw; [m.b.t. film, toneelstuk ook] box-office success, box-office hit
de **publiekswissel** last-minute substitution
de **pudding** pudding
de **puf** (get up and) go, energy: *ergens de ~ niet meer voor hebben* not feel up to sth. any more
puffen pant: *~ van de warmte* pant with the heat
het **pufje** puff
de **pui** (lower) front, (lower) façade; [van winkel] shopfront
puik 1 choice [eten]; top quality **2** [voortreffelijk] great, first-rate
puilen bulge
het/de **puimsteen** pumice (stone)
het **puin** rubble: *~ ruimen* **a)** clear up the rubble; **b)** [fig] pick up the pieces, sort sth. out; *in ~ liggen* lie (of: be) in ruins; be smashed (up, to bits)
de **puinhoop 1** heap of rubble (of: rubbish) **2** [rotzooi] mess, shambles: *jij hebt er een ~ van gemaakt* you have made a mess of it
puinruimen 1 [opruimen] clear up the debris **2** [fig] pick up the pieces
de **puist** pimple, spot: *~jes uitknijpen* squeeze spots
de **pukkel** pimple, spot
de **pul** tankard, mug
pulken pick: *zit niet zo in je neus te ~* stop picking your nose
de **pullover** pullover, sweater
de **pulp 1** pulp: *tot ~ geslagen* beaten to a pulp **2** [m.b.t. boeken, films] pulp, junk (reading)
pulseren pulsate
de **pummel** lout, boor
de **pump** pump
de **punaise** drawing pin; [Am] thumbtack
de **punctie** [med] puncture: *lumbale ~* lumbar

puncture
punctueel punctual
de **punk** punk
de **punker** punk
de **¹punt** (zn) **1** [uiteinde] point, tip; [hoek] corner; [hoek] angle: *het ligt op het ~je van mijn tong* it's on the tip of my tongue; *een ~ aan een potlood slijpen* sharpen a pencil; *op het ~je van zijn stoel zitten* be (sitting) on the edge of his seat **2** [puntig gesneden] wedge ‖ [Belg] *op ~ stellen* arrange, fix up
het **²punt** (zn) **1** [plaats] point, place: *het laagste ~ bereiken* reach rock-bottom **2** [moment] point, moment: *hij stond op het ~ om te vertrekken* he was (just) about to leave **3** [onderdeel] point; [van programma, agenda ook] item; [van aanklacht ook] count; [kwestie, onderwerp ook] matter; [kwestie, onderwerp ook] question; [kwestie, onderwerp ook] issue: *zijn zwakke ~* his weak point; *tot in de ~jes verzorgd* **a)** [uitstekend gekleed] impeccably dressed; **b)** [zeer goed georganiseerd] shipshape; *geen ~!* no problem!
het/de **³punt** (zn) **1** [leesteken] full stop; [decimaalpunt ook] decimal (point): *~en en strepen* dots and dashes; *de dubbelepunt* the colon; *ik was gewoon kwaad, ~, uit!* I was just angry, full stop **2** [m.b.t. waardering] point: *hoeveel ~en hebben jullie?* what's your score?; *op ~en winnen (verslaan)* win on points; *hij is twee ~en vooruitgegaan* he has gone up (by) two marks **3** [cijfer] mark [bijv. door jury]
het **puntdak** gable(d) roof, peaked roof
punten 1 [een punt maken aan] sharpen, point **2** [de punten afnemen van] trim
de **puntendeling** draw
de **puntenlijst** [bij spel] scorecard; scoresheet; [op school] report
de **puntenslijper** (pencil) sharpener
de **puntentelling** scoring
de **punter 1** [boot] punt **2** [sport] toe-kick, toe-shot
puntgaaf perfect, flawless
het **punthoofd**: *ik krijg er een ~ van* it is driving me crazy (*of:* up the wall)
puntig pointed, sharp: *~e uitsteeksels* sharp points; *~e bladeren* pointed leaves
het **puntje 1** (small, little) point, tip, dot: *de ~s op de i zetten* dot the i's and cross the t's **2** [broodje] ± roll **3** [vlek, stip] dot; [ook op lichaam] spot ‖ *als ~ bij paaltje komt* when it comes to the crunch (*of:* point)
de **puntkomma** semicolon
de **puntmuts** pointed cap, pointed hat
puntsgewijs point by point, step by step
de **puntzak** cornet, cone
de **pupil 1** pupil, student **2** [sport] ± junior
de **puppy** puppy
de **puree** puree; [aardappels] mashed potatoes ‖ *in de ~ zitten* be in hot water (*of:* the soup)
pureren puree, mash

purgeren purge (of/from): *een ~d middel* laxative
het **¹purper** (zn) purple
²purper (bn) purple
de **purser** purser
het/de **pus** pus
pushen push (on), urge (on), drive (on)
de **put 1** well: *dat is een bodemloze ~* it's a bo[t]tomless pit; *diep in de ~ zitten* be down, fee[l] low; *iem. uit de ~ halen* cheer s.o. up **2** [afvoerput] drain ‖ *geld in een bodemloze ~ gooien* pour (*of:* throw) money down the drain
de **putsch** putsch
putten draw (from, on)
puur 1 pure: *pure chocola* plain chocolate *goud* solid gold; *een whisky ~ graag* a straig[ht] whisky, please **2** [zuiver en alleen; geheel al] pure, absolute, sheer: *het was ~ toeval* [dat] *ik hem zag* it was pure chance that I saw hi[m]
de **puzzel** puzzle
puzzelen do puzzles, solve crossword, jig[saw] puzzles
het **pvc** PVC
de **pygmee** pygmy
de **pyjama** pyjamas: *twee ~'s* two pairs of py[jamas]
de **pylon** [verk] (traffic) cone
de **pyloon** [bijv. van brug] pylon
Pyreneeën Pyrenees
de **pyromaan** pyromaniac, firebug
de **pyrrusoverwinning** Pyrrhic victory
Pythagoras Pythagoras: *stelling van ~* Py[thagorean theorem
de **python** python

q

de **q** q
Qatar Qatar
de **¹Qatarees** Qatari
²Qatarees (bn) Qatari
qua as regards, as far as … goes
de **quarantaine** quarantine: *in ~ gehouden worden* be kept in quarantine
quartair quaternary: *de ~e sector* the government (*of:* public) sector
quasi 1 [pseudo-] quasi(-), pseudo-: *een quasi-intellectueel* a pseudo-intellectual
2 [Belg] almost, nearly: *het is ~ onmogelijk* it is scarcely (*of:* hardly) possible
het **quatre-mains** (piano) duet, composition for four hands
de **quatsch** nonsense, rubbish: *ach, ~!* nonsense!
de **querulant** quarrelmonger, troublemaker
de **quiche** quiche
de **quilt** quilt
quilten quilt
quitte quits, even: *~ spelen* break even; *~ staan met* be quits with
het **qui-vive**: *op zijn ~ zijn* be on the qui vive (*of:* the alert)
de **quiz** quiz
de **quizleider** quizmaster
het **quorum** quorum
de **quota** quota, share
het **quotiënt** quotient
het **quotum** quota

r

de **r** r, R

de **¹ra** (zn) [scheepv] yard

²ra (tw): *ra, ra, wie is dat?* guess who?

de **raad 1** [advies] advice: *iem. ~ geven* advise s.o.; *luister naar mijn ~* take my advice **2** [adviserend college] council, board: *de ~ van bestuur* (of: *van commissarissen*) the board (of directors, of management) || *met voorbedachten rade* intentionally, deliberately; *moord met voorbedachten rade* premeditated (of: wilful) murder; *hij weet overal ~ op* he's never at a loss; *geen ~ weten met iets* not know what to do with sth.; not know how to cope with sth.; *ten einde ~ zijn* be at one's wits' end

het **raadhuis** town hall, city hall

raadplegen consult, confer with

het **raadsbesluit** decision (of the council)

het **raadsel 1** riddle: *een ~ opgeven* ask a riddle **2** [mysterie, geheim] mystery: *het is mij een ~ hoe dat zo gekomen is* it's a mystery to me how that could have happened; *voor een ~ staan* be mystified, puzzled, baffled

raadselachtig mysterious, puzzling

het **raadslid** councillor

de **raadsman** legal adviser

de **raadzaal** council chamber

raadzaam advisable, wise

de **raaf** raven

raak home: *~ schieten* hit the mark; *ieder schot was ~* every shot went home; [iron] *het is weer ~* they're at it again || *maar ~* at random; *maar ~ slaan* hit right and left; *klets maar ~* say what you like

de **raaklijn** tangent (line)

het **raakpunt** point of contact: *ze hebben geen enkel ~* they have absolutely nothing in common

het **raakvlak 1** [wisk] tangent plane **2** [vlak van overeenkomst] interface, common ground: *de taalkunde heeft ~ken met andere disciplines* linguistics has much ground in common with other disciplines; *het ~ tussen* the interface between

het **raam** window, casement: *het ~pje omlaag draaien* wind down the car window

het **raamkozijn** window frame

de **raamvertelling** frame story

het **raamwerk** framework; outline: *het Europese ~* the shared institutions of the EU; *het ~ van haar scriptie is af* the outline of her thesis is finished

de **raap** turnip || *recht voor zijn ~* straight from the shoulder

de **raapstelen** turnip tops (of: greens)

¹raar (bn) odd, funny, strange: *een rare* an odd fish, an oddball; *een rare snuiter* a strange guy, a weirdo

²raar (bw) [vreemd] oddly, strangely: *daar zul je ~ van opkijken* you'll be surprised

raaskallen rave, talk gibberish, talk rot

de **raat** (honey)comb

de **rabarber** rhubarb

het **rabat** discount

de **rabbi** rabbi

de **rabbijn** rabbi

rabiaat rabid

de **rabiës** rabies

de **race** race: *nog in de ~ zijn* still be in the running; *een ~ tegen de klok* a race against time; *het is een gelopen ~* it's a foregone conclusion

de **raceauto** racing car

de **racebaan** (race)track

de **racefiets** racing bicycle (of: bike)

racen race

het **racisme** racism

de **racist** racist

racistisch racist

het **racket** racket

het **rad** [(tand)wiel] (cog)wheel: *het ~ van avontuur* the wheel of Fortune; *iem. een ~ voor (de) ogen draaien* pull the wool over s.o.'s eyes

de **radar** radar

radeloos desperate

raden guess: *raad eens wie daar komt* guess who's coming; *goed geraden* you've guessed it; *mis (fout) ~* guess wrong; *je raadt het toch niet* you'll never guess; *je mag driemaal ~ wie het gedaan heeft* you'll never guess who did it || *dat is je geraden* you'd better

het **radertje** cog(wheel): *een klein ~ in het geheel zijn* be just a cog in the machine

het **raderwerk** wheels, gear(s)

de **radiator** radiator

radicaal radical, drastic: *een ~ geneesmiddel* a radical cure; *een radicale partij* a radical party

radicaliseren radicalize

de **radijs** radish

de **radio** radio, radio set: *de ~ uitzetten* switch off (of: turn off) the radio

radioactief radioactive: *~ afval* radioactive waste

de **radioactiviteit** radioactivity

radiografisch radiographic || *~ bestuurd* radio-controlled

de **radiologie** radiology

de **radioloog** radiologist

de **radio-omroep** broadcasting service

het **radioprogramma** radio programme

het **radiostation** radio (of: broadcasting) station

het **radiotoestel** radio (set)

de **radio-uitzending** radio broadcast (*of:* transmission)

de **radiozender** radio transmitter

het **radium** [chem] radium

de **radius** radius

de **radslag** cartwheel: *~en maken* turn cartwheels

de **rafel** frayed end, loose end: *de ~s hangen erbij* it is falling apart

rafelen fray: *een gerafeld vloerkleed* a frayed carpet

rafelig frayed

de **raffinaderij** refinery

het **raffinement** refinement, subtlety

raffineren refine

het **rag** cobweb(s)

de **rage** craze, rage: *de nieuwste ~* the latest craze

de **ragebol** ceiling mop

ragfijn as light (*of:* fine, thin) as gossamer

de **ragout** ragout: *~ van rundvlees* beef ragout (*of:* stew)

de **rail** 1 rail: *iets (iem.) weer op de ~s zetten* put sth. (s.o.) back on the rails 2 [spoorweg] rail(way): *vervoer per ~* rail transport

de **raison**: *à ~ van ...* on payment of ...; *~ d'être* raison d'être

rakelings closely, narrowly: *de steen ging ~ langs zijn hoofd* the stone narrowly missed his head

¹**raken** (onov ww) [geraken (tot), worden] get, become: *betrokken ~ bij* become involved in; *gewend ~ aan* get used to; [sport] *uit vorm ~* lose one's form

²**raken** (ov ww) 1 hit 2 [beroeren] affect, hit: *dat raakt me totaal niet* that leaves me cold 3 [aanraken] touch: *de auto raakte heel even het paaltje* the car grazed the post

de **raket** missile, rocket: *een ~ lanceren* launch a missile (*of:* rocket)

de **raketbasis** missile base, rocket base

het **raketschild** space shield, rocket shield

de **rakker** rascal

de **rally** rally

de **ram** ram

de **Ram** Aries, the Ram

de **ramadan** Ramadan

ramen estimate

de **raming** estimate

de **ramkoers**: *op ~ liggen* be on a collision course, be heading for a direct confrontation

de **rammel** beating: *een pak ~* a beating

de **rammelaar** rattle

¹**rammelen** (onov ww) 1 rattle: *aan de deur ~* rattle the door; *met z'n sleutels ~* clink one's keys 2 [onsamenhangend in elkaar zitten] be ramshackle: *dit plan rammelt aan alle kanten* this plan is totally unsound ‖ *ik rammelde van de honger* my stomach was rumbling with hunger

²**rammelen** (ov ww) [schudden] shake: *een kind door elkaar ~* give a child a shaking

rammen ram, bash in (*of:* down): *de deur ~* bash the door down; *de auto ramde een muur* the car ran into a wall

de **rammenas** winter radish

de **ramp** disaster: *een ~ voor het milieu* an environmental disaster; *ik zou het geen ~ vinden als hij niet kwam* I wouldn't shed any tears if he didn't come; *tot overmaat van ~* to make matters worse

het **rampenplan** contingency plan

het **rampgebied** disaster area

de **rampspoed** misfortune, adversity

rampzalig disastrous

de **rancune** rancour: *~ koesteren jegens iem.* hold a grudge against s.o.; *sans ~* no hard feelings

rancuneus vindictive

de **rand** 1 edge, rim: *de ~ van een bord* (*of:* schaal) the rim of a plate (*of:* dish); *een opstaande ~* a raised edge; *een brief met een zwarte ~* a black-edged letter; *aan de ~ van de stad* on the outskirts of the town; *aan de ~ van de samenleving* on the fringes of society 2 [versiering] border, edge: *een ~ langs het tafelkleed* a border on the tablecloth 3 [omlijsting] frame, rim: *de ~ van een spiegel* the frame of a mirror; *een bril met gouden ~en* gold-rimmed glasses 4 [m.b.t. een holte, diepte] edge, brink, (b)rim, verge: *aan de ~ van de afgrond* a) on the brink of the precipice; b) [fig] on the verge of disaster; *tot de ~ gevuld* filled to the brim 5 [Zuid-Afrikaanse munt] rand ‖ *zwarte ~en onder zijn nagels hebben* have dirt under one's fingernails

de **randapparatuur** peripheral equipment

de **randgemeente** suburb

de **randgroepjongere** young drop-out

het **randje** edge, border, rim; [fig] verge; [fig] brink ‖ *op het ~ (af)* on the borderline; *dat was op het ~* that was close (*of:* touch and go)

de **Randstad**: *de ~ (Holland)* the cities (*of:* conurbation) of western Holland

het **randverschijnsel** marginal phenomenon

de **randvoorwaarde** precondition

de **rang** 1 rank, position: *een ~ hoger dan hij* one rank above him; *mensen van alle ~en en standen* people from all walks of life 2 [m.b.t. plaatsen] circle: *we zaten op de tweede ~* we were in the upper circle

het **rangeerterrein** marshalling yard

rangeren shunt: *een trein op een zijspoor ~* shunt a train into a siding

de **ranglijst** (priority) list, list (of candidates); [sport sector] (league) table: *bovenaan de ~ staan* be at the top of the list

het **rangnummer** number

de **rangorde** order

rangschikken 1 classify, order, class 2 [ordenen] order, arrange: *alfabetisch ~* arrange

in alphabetical order
de **rangschikking 1** [classificatie] classification **2** [plaatsing in een (volg)orde] arrangement, order
het **rangtelwoord** ordinal (number)
de **ranja**ᴹᴱᴿᴷ orange squash, orangeade
de **rank** tendril
de **ransel** knapsack
ranselen flog, thrash
het **rantsoen** ration, allowance: *een ~ boter* a
ration (*of:* an allowance) of butter
rantsoeneren ration
ranzig rancid
rap quick, swift: *iets ~ doen* do sth. quickly
rapen pick up
de **rapmuziek** rap music
rappen rap
de **rapper** rapper
het **rapport** report, despatch: *~ uitbrengen* (*of:*
opmaken) *over* produce (*of:* make) a report
on; *een onvoldoende op zijn ~ krijgen* get a fail
mark in one's report
de **rapportage** report(ing)
het **rapportcijfer** report mark
de **rapportenvergadering** meeting to discuss pupils' reports
rapporteren report; [door journalist] cover: *~ aan* report to
de **rapsodie** rhapsody
rara: *~, wat is dat?* guess what this is; *~, wie*
ben ik? guess who
de **rariteit** curio(sity): *een handeltje in ~en* an
antique shop
het ¹**ras** (zn) race [mensen]; breed [dieren]; variety [planten]: *van gemengd ~* of mixed race
²**ras** (bn, bw) swift; rapid, quick: *met ~se*
schreden swiftly, rapidly
de **rasartiest** born artist
rasecht (true) born
de **rashond** pedigree dog, pure-bred dog
de **rasp** grater
het **raspaard** thoroughbred
raspen grate: *kaas ~* grate cheese
de **rassendiscriminatie** racial discrimination
de **rassenhaat** racial hatred
de **rasta** Rasta(farian)
de **raster** fence, lattice
raszuiver pure-blooded; [van dieren] pure-
bred
de **rat** rat: *hij zat als een ~ in de val* he was caught
out
de **rataplan**: [fig] *de hele ~* the whole caboodle (*of:* lot)
de **ratel** rattle
ratelen rattle: *de wekker ratelt* the alarm
clock is jangling
de **ratelslang** rattlesnake
ratificeren ratify
de **ratio 1** reason **2** [evenredige verhouding]
ratio
rationeel rational

het/de **ratjetoe** hotchpotch, mishmash
rato: *naar ~* pro rata, in proportion
de **rats**: *in de ~ zitten (over)* have the wind up
(about)
het **rattengif** rat poison
het **rattenkruit** arsenic
¹**rauw** (bn) **1** raw: *~e biefstuk* raw steak
2 [m.b.t. lichaamsdelen, keel] sore: *een ~e*
plek a raw spot **3** [m.b.t. personen] rough,
tough ‖ *dat viel ~ op mijn dak* that was an unexpected blow; *ik lust hem ~* I let him do his
worst
²**rauw** (bw) rawly, sorely, roughly
de **rauwkost** vegetables eaten raw
de **ravage 1** ravage(s), havoc: *die hevige storm*
heeft een ~ aangericht that violent storm has
wreaked havoc **2** [puinhoop] debris
de **rave** rave
het **ravijn** ravine, gorge
de **ravioli** ravioli
ravotten romp, horse around
het **rayon** district; territory [van verkoper]: *hij*
heeft Limburg als zijn ~ he works Limburg
de **rayonchef** area supervisor
razen race, tear: *de auto's ~ over de snelweg*
the cars are racing along the motorway
razend 1 furious: *iem. ~ maken* infuriate
s.o.; *als een ~e tekeergaan* rave like a madman
2 [mateloos] terrific: *hij heeft het ~ druk* he's
up to his neck in work; *~ snel, in ~e vaart* at a
terrific pace, at breakneck speed
razendsnel super-fast, high-speed
de **razernij** frenzy, rage: *in blinde ~* in a blind
rage; *iem. tot ~ brengen* infuriate s.o.
de **razzia** razzia
de **r&b** R&B, rhythm and blues
de **re** re, D
de **reactie** reaction, response: *als ~ op* in reaction to; *snelle ~s* sharp reflexes; *een ~ verto-*
nen respond
de **reactiesnelheid** speed of reaction
reactionair reactionary
de **reactor** reactor: *snelle ~* fast reactor
de **reader** reader
de **reageerbuis** test tube: *bevruchting in een ~*
test-tube (*of:* in vitro) fertilization
de **reageerbuisbaby** test-tube baby
reageren react (to); respond [op medische
behandeling]: *te sterk ~* overreact; *moet je*
eens kijken hoe hij daarop reageert look how
he reacts to that; *ze reageerde positief op de*
behandeling she responded to the treatment
realiseerbaar realizable, feasible
¹**realiseren** (ov ww) realize: *dat is niet te ~*
that is impracticable
zich ²**realiseren** (wdk ww) [beseffen] realize
het **realisme** realism
de **realist** realist
realistisch realistic: *~ beschrijven* (*of:* schil-
deren) describe (*of:* paint) realistically
de **realiteit** reality: *we moeten de ~ onder ogen*

zien we must face facts (*of:* reality)

de **realiteitszin** sense of reality

de **realitysoap** reality soap

de **reallifesoap** real-life soap

de **reanimatie** resuscitation, reanimation

reanimeren resuscitate, revive

de **rebel** rebel

rebelleren rebel: ~ *tegen* ... rebel against ...

de **rebellie** rebellion

rebels rebellious

de **rebound** rebound

de **rebus** rebus

recalcitrant recalcitrant

recapituleren recapitulate, summarize

de **recensent** reviewer, critic

recenseren review

de **recensie** review, notice: *lovende (juichende) ~s krijgen* get rave reviews

recent recent

het **recept 1** [med] prescription: *alleen op ~ verkrijgbaar* available only on prescription **2** [m.b.t. gerechten] recipe [voor koken]

de **receptie 1** reception: *staande ~* stand-up reception **2** [ontvangstbalie] reception (desk): *melden bij de ~* report to the reception (desk)

de **receptionist** receptionist

de **recessie** recession

de **recette** receipts

de **recherche** criminal investigation department

de **rechercheur** detective

het **¹recht** (zn) **1** justice, right: *iem. ~ doen* do s.o. justice; *iem. (iets) geen ~ doen* be unfair to s.o. (sth.); *het ~ handhaven* uphold the law; *het ~ aan zijn kant hebben* be in the right **2** [rechtsregels] law: *student (in de) ~en* law student; *burgerlijk ~* civil law; *het ~ in eigen handen nemen* take the law into one's own hands; *~en studeren* read (*of:* study) law; *volgens Engels ~* under English law **3** [bevoegdheid] right: *~ van bestaan hebben* have a right to exist; *het ~ van de sterkste* the law of the jungle; *dat is mijn goed ~* that is my right; *het volste ~ hebben om ...* have every right to ...; *niet het ~ hebben iets te doen* have no right to do sth.; *goed tot zijn ~ komen* show up well; *voor zijn ~(en) opkomen* defend one's right(s) **4** [mv; bevoegdheden behorend bij een stand, positie] rights: *de ~en van de mens* human rights **5** [aanspraak] right, claim: *~ op uitkering* entitlement to a benefit; *~ hebben op iets* have the right to sth. **6** [mv; bevoegdheid tot reproductie van een boek, film enz.] (copy)right(s): *alle ~en voorbehouden* all rights reserved ‖ [fig] *iets tot zijn ~ laten komen* do justice to sth., give sth. its due

²recht (bn, bw) **1** straight: *de auto kwam ~ op ons af* the car was coming straight at us;

iets ~ leggen put sth. straight; *~ op iem. (iets) afgaan* go straight for s.o. (sth.); *iem. ~ in de ogen kijken* look s.o. straight in the eye; *~ voor zich uitkijken* look straight ahead; *hij woont ~ tegenover mij* he lives straight across from me; *~ tegenover elkaar* face-to-face **2** [rechtop] straight (up), upright: *~ zitten* (*of: staan*) sit (*of:* stand) up straight; *~ overeind* straight up; *bolt upright* **3** right [kant van stof]; direct [evenredigheid]; directly: *de ~e zijde van een voorwerp* the right side of an object **4** [juist] right [woord, pad]; true [oorzaak]: *op het ~e pad blijven* keep to the straight and narrow ‖ *~e hoek* right angle

de **rechtbank 1** court (of law, justice), lawcourt: *voor de ~ moeten komen* have to appear in court (*of:* before the court) **2** [gebouw] court, law courts, magistrates' court; [Am] courthouse

rechtbreien put right, rectify

rechtbuigen straighten (out), bend straight

rechtdoor straight on (*of:* ahead)

rechtdoorzee straight, honest, sincere

de **¹rechter** (zn) judge, magistrate: *naar de ~ stappen* go to court; *voor de ~ moeten verschijnen* have to appear in court

²rechter (bn) right; [m.b.t. zaken] right(-hand): *de ~ deur* the door on the (*of:* your) right

de **rechterarm** right arm

het **rechterbeen** right leg

de **rechter-commissaris** examining judge (*of:* magistrate)

de **rechterhand** right hand: *de tweede straat aan uw ~* the second street on your right

de **rechterkant** right(-hand) side: *aan de ~ on* the right(-hand) side

de **rechterlijk** judicial, court: *de ~e macht* the judiciary

de **rechtervleugel 1** right wing: *de ~ van een gebouw* (*of: een voetbalelftal*) the right wing of a building (*of:* football team) **2** [pol] right (wing), Right

de **rechtervoet** right foot

de **rechterzijde** right(-hand) side: *pijn in de ~ hebben* have a pain in one's right side; *aan de ~ on* the right(-hand side)

rechtgeaard right-minded: *iedere ~e Fransman* every true Frenchman

de **rechthoek** rectangle, oblong

rechthoekig 1 right-angled, at right angles: *een ~e driehoek* a right-angled triangle **2** [met de vorm van een rechthoek] rectangular, oblong: *een ~e kamer* a rectangular room

rechtmatig rightful [erfgenaam enz.]; lawful [handeling]; legitimate [bewind, erfgenaam]: *de ~e eigenaars* the rightful (*of:* legitimate) owners

rechtop upright, straight (up); on end [van

langwerpige voorwerpen]: ~ *lopen* walk up-right; ~ *zitten* sit up straight
rechts 1 right(-hand): *de eerste deur* ~ the first door on (*of:* to) the right; ~ *afslaan* turn (off to the) right; ~ *houden* keep (to the) right; ~ *rijden* drive on the right; ~ *boven* (*of: beneden*) top (*of:* bottom) right; *hij zat* ~ *van mij* he sat on my right(-hand side) **2** [rechts-handig] right-handed: ~ *schrijven* write with one's right hand **3** [pol] right-wing

de **rechtsachter** right back
rechtsaf (to the, one's) right: *bij de splitsing moet u* ~ you have to turn right at the junction

de **rechtsbescherming** legal protection
de **rechtsbijstand** legal aid
de **rechtsbuiten** right-winger, outside right
rechtschapen righteous, honest
het **rechtsgebied** jurisdiction
rechtsgeldig (legally) valid, lawful
de **rechtsgeldigheid** legality, legal force (*of:* validity)
de **rechtsgeleerde** lawyer
de **rechtsgelijkheid** equality before the law, equality of rights (*of:* status)
het **rechtsgevoel** sense of justice
rechtshandig right-handed
de **rechtshulp** legal aid: *bureau voor* ~ legal advice centre
rechtsom (to the) right
rechtsomkeert: ~ *maken* **a)** [mil] do an about-turn; **b)** [fig] make a U-turn
de **rechtsongelijkheid** inequality of status, legal inequality
de **rechtsorde** legal order, system of law(s)
de **rechtspersoon** legal body (*of:* entity, person)
de **rechtspositie** legal position
de **rechtspraak 1** administration of justice (*of:* of the law) **2** [rechtspleging] jurisdiction: *de* ~ *in strafzaken* criminal jurisdiction
rechtspreken administer justice: *de* ~*de macht* the judicature; the judiciary; ~ *in een zaak* judge a case
de **rechtsstaat** constitutional state
rechtstreeks 1 direct, straight(forward): *een* ~*e verbinding* a direct connection; ~ *naar huis gaan* go straight (*of:* right) home **2** [zonder tussenschakel] direct, immediate: *een* ~*e uitzending* a direct broadcast; *hij wendde zich* ~ *tot de minister* he went straight to the minister
de **rechtsvervolging** legal proceedings, prosecution: *een* ~ *tegen iem. instellen* institute legal proceedings against s.o.; *ontslaan van* ~ acquit
de **rechtsvordering 1** [handeling] (legal) action **2** [procedure] legal procedure
de **rechtswinkel** law centre (*of:* clinic)
de **rechtszaak** lawsuit: *ergens een* ~ *van maken* take a matter to court

de **rechtszaal** courtroom
de **rechtszitting** sitting (*of:* session) of the court
rechttoe: ~, *rechtaan* straightforward; *het was allemaal* ~ *rechtaan* it was plain sailing all the way
rechttrekken [goedmaken] set right, put right
rechtuit straight on (*of:* ahead): ~ *lopen* walk straight on
rechtvaardig just, fair: *een* ~ *oordeel* a fair judg(e)ment; *iem.* ~ *behandelen* treat s.o. fairly
rechtvaardigen justify; [wettigen ook] warrant: *zich tegenover iem.* ~ justify o.s. to s.o.
de **rechtvaardigheid** justice
de **rechtvaardiging** justification
rechtzetten 1 put right, set right, rectify **2** [in de juiste stand zetten] adjust **3** [overeind zetten] set up, put up, raise
rechtzinnig orthodox; [prot] Reformed
de **recidivist** [jur] recidivist, repeated offender
het **recital** recital
de **reclamatie 1** [het reclameren] reclamatie **2** [bezwaarschrift] claim
de **reclame 1** advertising, publicity: ~ *maker (voor iets)* advertise (sth.) **2** [bericht] ad(vertisement), sign
de **reclameaanbieding** special offer
de **reclameboodschap** commercial
het **reclamebureau** advertising agency
de **reclamecampagne** advertising campaign: *een* ~ *voeren* run (*of:* conduct) an advertising campaign
de **reclamefolder** advertising brochure (*of:* pamphlet)
reclameren complain, put in a claim
de **reclamespot** commercial, (advertising) spot
de **reclamestunt** advertising stunt, publicity stunt
de **reclassering** after-care and rehabilitation
de **reclasseringsambtenaar** probation officer
de **reconstructie** reconstruction
reconstrueren reconstruct
de **reconversie** [Belg] switch
het **record** record: *een* ~ *breken* (*of: vestigen*) break (*of:* establish) a record
de **recorder** recorder
de **recordhouder** record-holder
de **recordpoging** attempt on a record
de **recreant** ± holiday-maker; [Am] vacationer
de **recreatie** recreation, leisure
recreatief recreational
zich **recreëren** recreate
rectaal [med] rectal
de **rectificatie** rectification
rectificeren rectify

de **rector 1** headmaster; [voornamelijk Am] principal **2** [van universiteit enz.] rector

het **reçu** receipt

recyclen recycle

recycleren [Belg] recycle

de **recycling** recycling

de **redacteur** editor

de **redactie** editors, editorial staff

redactioneel editorial: *een ~ artikel* an editorial

reddeloos: *~ verloren* irretrievably lost, beyond redemption

¹**redden** (ov ww) **1** save, rescue; [bij ramp ook] salvage: *de ~de hand toesteken* be the saving of a person; *we moeten zien te ~ wat er te ~ valt* we must make the best of a bad job; *gered zijn* be helped [bijv. door iets te krijgen]; *een ~de engel* a ministering angel **2** (+ het) [gedaan krijgen] manage: *de zieke zal het niet ~* the patient won't pull through || *Jezus redt* Jesus saves

zich ²**redden** (wdk ww) manage, cope: *ik red me best!* I can manage all right!

de **redder** rescuer, saviour

de **redding** rescue, salvation

de **reddingsactie** rescue operation

de **reddingsboot** lifeboat

de **reddingsbrigade** rescue party (*of:* team)

de **reddingsoperatie** rescue operation

de **reddingspoging** rescue attempt (*of:* bid, effort): *hun ~en mochten hem niet baten* their attempts (*of:* efforts) to rescue him were in vain

het **reddingswerk** rescue work (*of:* operations)

de **rede 1** reason, sense: *hij is niet voor ~ vatbaar* he won't listen to (*of:* see) reason **2** [redevoering] speech; address [toespraak]: *een ~ houden* make a speech **3** [begripsvermogen] reason, intelligence, intellect || *iem. in de ~ vallen* interrupt s.o.; *directe, indirecte ~* direct, indirect speech

¹**redelijk** (bn) **1** rational, sensible **2** [billijk; acceptabel] reasonable, fair: *binnen ~e grenzen* within (reasonable) limits; *een ~e prijs* a reasonable price; *een ~e kans maken* stand a reasonable chance

²**redelijk** (bw) **1** rationally: *~ denken* think rationally **2** [tamelijk] reasonably, fairly: *ik ben ~ gezond* I am in reasonably good health

redelijkerwijs in fairness: *~ kunt u niet meer verlangen* in all fairness you cannot expect more

de **redelijkheid**: *dat kan in ~ niet van ons gevraagd worden* that cannot in reasonableness (*of:* fairness) be asked of us

redeloos 1 irrational **2** [dwaas] unreasonable

de **reden 1** reason, cause, occasion: *om persoonlijke ~en* for personal reasons; *ik heb er mijn ~ voor* I have my reasons; *om die ~ voor* for

that reason; *geen ~ tot klagen hebben* have no cause (*of:* ground) for complaint; *een ~ te meer om ...* all the more reason why ... **2** [motief, argument] reason, motive: *zonder opgaaf van ~en* without reason; *~ geven tot* give cause for

de **redenaar** speaker, orator

redeneren reason, argue (about): *daartegen is (valt) niet te ~* there is no arguing with that

de **redenering** reasoning, argumentation: *een fout in de ~* a flaw in the reasoning; *een logische ~* a logical line of argument

de **reder** shipowner

de **rederij** shipping company, shipowner(s)

redetwisten argue

de **redevoering** speech, address: *een ~ houden* make (*of:* deliver) a speech

redigeren edit

het **redmiddel** remedy: *een laatste ~* a last resort

reduceren reduce, decrease: *gereduceerd tarief* reduced rate

de **reductie** reduction, decrease; [vnl. besnoeiing] cut; cutback: *~ geven* give a discount

het/de **ree** roe(deer)

de **reebok** roebuck

reeds [form] already: *~ bij het begin* already from the (very) beginning; *~ lang* for a long time

reëel 1 real, actual: *reële groei van het inkomen* growth of real income **2** [zakelijk, nuchter] realistic, reasonable: *een reële kijk op het leven hebben* have a realistic outlook on life

de **reeks 1** series, row; string [woorden, tekens] **2** [opeenvolging] series, succession, sequence: *een ~ ongelukken* a string (*of:* succession) of accidents

de **reep 1** strip; thong [leer]; [band] band; [reepje] sliver: *de komkommer in ~jes snijden* slice the cucumber thinly **2** [van chocolade] (chocolate) bar

de **reet 1** crack, chink **2** [vulg; achterste] arse; [Am] ass; backside

het **referaat** lecture, paper: *een ~ houden over iets* read a paper on sth.

het **referendum** referendum: *een bindend ~* a binding referendum

de **referentie** [(opgave van) personen] reference; [persoon ook] referee: *mag ik u als ~ opgeven?* may I use you as a reference?

het **referentiekader** frame of reference

refereren refer (to)

reflecteren reflect, mirror

de **reflectie** reflection

de **reflector** reflector; [op wegdek] Catseye

de **reflex** reflex: *een aangeboren ~* an innate reflex

de **reformwinkel** health food shop, wholefood shop

het **refrein** refrain, chorus: *iedereen zong het ~*

mee everybody joined in the chorus
de **refter** refectory
de **regatta** regatta
het **regeerakkoord** coalition agreement
de **regeerperiode** period of office, period of government
de **regel 1** line: *een ~ overslaan* skip a line; [bij schrijven ook] leave a line blank; *tussen de ~s door lezen* read between the lines **2** [gewoonte] rule: *het is ~ dat ...* it is a (general) rule that ...; *in de ~* as a rule, ordinarily **3** [voorschrift] rule, regulation; [van spel ook] law: *tegen alle ~s in* contrary to (*of:* against) all the rules
de **regelafstand** line space, spacing: *op enkele ~* single-spaced
regelbaar regulable; [verstelbaar] adjustable
regelen 1 regulate; [organiseren] arrange; fix (up); settle [zaken, schulden]; control [verkeer]; [techn ook] adjust; [orde scheppen] order: *de geluidssterkte ~* adjust the volume; *de temperatuur ~* regulate (*of:* control) the temperature; *het verkeer ~* direct the traffic; *ik zal dat wel even ~* I'll take care of that **2** [bepalen, vaststellen] regulate, lay down rules for
de **regelgeving** rules; [aanwijzingen] instructions
de **regeling 1** regulation, arrangement, settlement, ordering; control [verkeer]; [afstelling] adjustment: *de ~ van de geldzaken* the settling of money matters; *een ~ treffen* make an arrangement (*of:* a settlement) **2** [schikking] arrangement, settlement; scheme [pensioen, sparen]
de **regelmaat** regularity: *met de ~ van de klok* as regular as clockwork
regelmatig 1 regular, orderly: *een ~e ademhaling* regular (*of:* even) breathing; *een ~ leven leiden* lead a regular (*of:* an orderly) life **2** [geregeld] regular; [vaak] frequent: *~ naar de kerk gaan* be a regular churchgoer; *dat komt ~ voor* that happens regularly
de **regelneef** [iron] busybody, organizer
regelrecht straight, direct; [bw ook] right: *de kinderen kwamen ~ naar huis* the children came straight home
de **regen 1** rain: *aanhoudende ~* persistent rain; *in de stromende ~* in the pouring rain; *zure ~* acid rain **2** [bui] rain; [buitje] shower
regenachtig rainy, showery: *een ~e dag* a rainy day
de **regenboog** rainbow
de **regenboogtrui** [sport] rainbow jersey
het **regenboogvlies** iris
de **regenbui** shower (of rain); [zwaar] downpour
de **regendruppel** raindrop
regenen rain; [licht] shower; drizzle: *het heeft flink geregend* there was quite a down-

pour; *het regent dat het giet* it is pouring
de **regenjas** raincoat, mackintosh
de **regenkleding** rainproof clothing, rainwear
de **regenmeter** rain gauge
het **regenpak** waterproof suit
de **regenpijp** drainpipe
de **regent 1** regent **2** [Belg] teacher for lower classes in secondary school
de **regentijd** rainy season, rains: *in de ~* during the rainy season
de **regenton** water butt
de **regenval** rain(fall); [bui] shower
de **regenvlaag** scud, rainy squall
het **regenwater** rainwater
de **regenworm** earthworm
het **regenwoud** rainforest
regeren rule (over); reign [vnl. vorst]; govern, control: *de ~de partij* the party in power
de **regering** government: *de ~ is afgetreden* the government has resigned
het **regeringsbeleid** government policy
het **regeringsbesluit** government decision
de **regeringsleider** leader of the government
de **regeringspartij** party in office (*of:* power), government party
de **regeringsverklaring** government policy statement
de **regie** direction, production
het **regime** regime
het **regiment** regiment
de **regio** region, area
het **regiokorps** regional police force
regionaal regional
regisseren direct, produce
de **regisseur** director, producer
het **register 1** register, record: *de ~s van de burgerlijke stand* the register of births, deaths and marriages; *een alfabetisch ~* an alphabetical register **2** [inhoudsopgave] index, table of contents
de **registeraccountant** chartered accountant, certified public accountant
de **registratie** registration
registreren register, record
het **reglement** regulation(s), rule(s); [concreet] rule book; [concreet] rules and regulations *huishoudelijk ~* regulations
reglementair regulation, prescribed, official: *iets ~ vaststellen* prescribe sth.; [sport] *winnen* be declared the winner(s)
regressief regressive
reguleren regulate, control, adjust
regulier regular, normal
de **rehabilitatie** rehabilitation, vindication
rehabiliteren rehabilitate, vindicate
de **rei** [Belg] [stadsgracht] town canal, city canal
de **reiger** heron
reiken reach, extend: *zo ver het oog reikt* a

far as the eye can see
reikhalzend longingly, anxiously
de **reikwijdte** range, scope
reilen: *het ~ en zeilen van de politiek* the ins and outs of politics; *zoals het nu reilt en zeilt* as things are at the moment
rein clean || [rel] *~e dieren* clean animals
de **reïncarnatie** reincarnation
reinigen clean (up), wash; cleanse [wonden]: *chemisch ~* dry-clean
de **reiniging** cleaning, cleansing, washing, purification: *chemische ~* dry-cleaning
de **reinigingsdienst** cleansing service (*of*: department)
het **reinigingsmiddel** cleansing agent, clean(s)er; [(af)wasmiddel] detergent
de **reis 1** trip, journey; voyage [per boot]; passage [per boot]; flight [per vliegtuig]: *enkele ~* single (journey); [Am] one-way; *goede ~* have a good (*of*: pleasant) journey; *een ~ om de wereld maken* go round the world; *op ~ gaan* go on a journey **2** [arrangement] trip, tour: *een geheel verzorgde ~* a package tour (*of*: holiday)
het **reisbureau** travel agency; [winkel] travel agent's
de **reischeque** traveller's cheque
het **reisgezelschap** tour(ing) group (*of*: party); [in bus ook] coach party
de **reisgids 1** travel brochure (*of*: leaflet) **2** [boek] guidebook, (travel) guide **3** [persoon] (travel) guide, courier
de **reiskosten** travelling expenses: *reis- en verblijfkosten* travel and living expenses
de **reiskostenvergoeding** travelling allowance
de **reisleider** (travel, tour) guide, courier
de **reisorganisatie** travel organization (*of*: company), tour operator
de **reisorganisator** tour operator
de **reisplanner** journey planner
de **reisverzekering** travel insurance
de **reiswieg** carrycot, portable crib
reizen travel, go on a trip (*of*: journey): *op en neer ~* travel up and down; *per spoor ~* travel by train
de **reiziger 1** traveller, tourist; [passagier] passenger: *~s naar Londen hier overstappen* passengers for London change here **2** [handelsreiziger] travelling salesman
de ¹**rek** (zn) elasticity, give, flexibility: *de ~ is er uit* the party is over
het ²**rek** (zn) rack; shelves [mv]
rekbaar elastic: *een ~ begrip* an elastic concept, a broad notion
¹**rekenen** (onov ww) **1** calculate, do sums (*of*: figures), reckon: *goed kunnen ~* be good at figures; *in euro ~* reckon in euros **2** [rekening houden met] consider, include, take into consideration (*of*: account): *daar had ik niet op gerekend* I hadn't counted on (*of*: ex-

pected) that; *daar mag je wel op ~* you'd better allow for that **3** (+ op) [vertrouwen] rely, count on, trust: *kan ik op je ~?* can I count (*of*: depend) on you?; *reken maar niet op ons* count us out **4** (+ op) [verwachten] expect: *je kunt op 40 gasten ~* you can expect 40 guests
²**rekenen** (ov ww) **1** count: *alles bij elkaar gerekend* all told; *in all* **2** [(geld) vragen] charge, ask: *hoeveel rekent u daarvoor?* how much do you charge for that? **3** [begrijpen onder] count, number: *zich ~ tot* count o.s. as (*of*: among) **4** [in aanmerking nemen] bear in mind, remember, allow for: *reken maar!* you bet!
de **rekenfout** miscalculation
het **Rekenhof** [Belg] (the) Treasury
de **rekening 1** bill; [Am ook] check; invoice: *een hoge ~* a stiff bill; *een ~ betalen* (*of*: voldoen) pay/settle an account (*of*: a bill); *ober, mag ik de ~?* waiter, may I have the bill please? **2** [staat met debet- en creditzijde] account: *een ~ openen (bij een bank)* open an account (at a bank); *op ~ van* at the expense of; *dat is voor mijn ~* I'll take care of that, leave that to me; *kosten voor zijn ~ nemen* pay the costs **3** (+ voor) expense: *voor eigen ~* at one's own expense || *~ houden met iets* take sth. into account; *je moet een beetje ~ houden met je ouders* you should show some consideration for your parents
de **rekening-courant** current account
de **rekeninghouder** account holder
het **rekeningnummer** account number
de **Rekenkamer** audit office, auditor's office
de **rekenkunde** arithmetic, maths
rekenkundig arithmetic(al)
de **rekenliniaal** slide rule
de **rekenmachine** calculator
de **rekenschap** account, explanation: *ik ben u geen ~ verschuldigd* I don't owe you any explanation || *zich ~ van iets geven* realise; give account of sth.
de **rekensom 1** sum; [mv ook] number work **2** [fig] problem, question: *het is een eenvoudig ~metje* it's just a matter of adding two and two; *een eenvoudige ~ leert dat ...* it is easy to calculate that ...
het **rekest** petition
¹**rekken** (onov ww) stretch: *dat elastiek rekt niet goed meer* that elastic has lost its stretch
²**rekken** (ov ww) **1** [wijder maken] stretch (out) [schoenen, linnen] **2** [m.b.t. duur] drag out, draw out; prolong [onderhandelingen, leven]: *het leven van een stervende ~* prolong a dying person's life; [voetb] *tijd ~* use delaying tactics
rekruteren recruit
de **rekruut** recruit
de **rekstok** horizontal bar, high bar
het **rekwisiet** (stage-)property, prop
de **rel** disturbance, riot: *een ~ schoppen* kick up

(*of:* cause) a row

het **relaas** account: *zijn ~ doen* tell one's story

het **relais** relay

relateren relate

de **relatie 1** relation(s), connection, relationship, contact: *~s onderhouden (met)* maintain relations (with); *in ~ staan tot* have relations with **2** [liefdesverhouding] affair, relationship: *een ~ hebben met iem.* have a relationship with s.o.

het **relatiebureau** dating agency

relatief relative, comparative

het **relatiegeschenk** business gift

relativeren put into perspective

relaxed relaxed, cool, laid-back

relaxen relax

relevant relevant: *die vraag is niet ~* that question is irrelevant

de **relevantie** relevance

het **reliëf** relief

de **religie** religion

religieus religious

de **relikwie** relic

de **reling** rail

de **relschopper** rioter, hooligan

de **rem** brake: *op de ~ gaan staan* slam (*of:* jam) on the brakes

de **rembekrachtiging** power(-assisted) brakes

het **remblok** brake block

het **rembours** cash on delivery, COD: *onder ~ versturen* send (sth.) COD

het/de **remedie** remedy: *dat is de aangewezen ~* that is the obvious remedy

de **remise** draw, tie, drawn game

het **remlicht** brake light

remmen brake; [fig ook] curb; check [stuiten, afremmen]; inhibit [vertragen, ook psychisch]: *geremd in zijn ontwikkeling* curbed in its development

de **remming** check; [fig] inhibition

het/de **rempedaal** brake pedal

het **remspoor** skid mark

de **remweg** braking distance

de **ren** [voor kippen enz.] run

de **renaissance** renaissance

de **renbaan** (race)track, (race)course

rendabel profitable, cost-effective

het **rendement 1** return, yield, output: *het ~ van obligaties* the return (*of:* yield) on bonds **2** [nuttig effect] efficiency, output, performance: *het ~ van een elektrische lamp* the efficiency (*of:* output) of an electric lamp

renderen pay (a profit): *niet ~d* not commercially viable

het **rendier** reindeer

rennen run, race: *we zijn laat, we moeten ~* we're late; we must dash (off) (*of:* must fly)

de **renner** rider

de **renovatie** renovation, redevelopment

renoveren renovate; [hele wijk] redevelop

het **renpaard** racehorse, thoroughbred

de **rentabiliteit** productivity, cost-effectiveness, profitability

de **rente** interest: *~ opbrengen* yield interest; *~ op ~* compound interest; *een lening tegen vijf procent ~* a loan at five per cent interest

renteloos 1 [van lening] interest-free **2** [van kapitaal] non-productive

de **rentenier** person of independent (*of:* private) means

rentenieren 1 live off one's investments **2** [niets uitvoeren] lead a life of leisure

het **rentepercentage** interest rate

de **rentestand** interest rate

de **renteverhoging** rise in interest rates

de **renteverlaging** fall in interest rates

de **rentevoet** interest rate, rate of interest

de **rentmeester** steward, manager

de **rentree** comeback, re-entry: *zijn ~ maken* make one's comeback

de **reorganisatie** reorganization

reorganiseren reorganize: *het onderwijs ~* reorganize the educational system

rep: *het hele land was in ~ en roer* the entire country was in (an) uproar

de **reparateur** repairer, repairman; [monteur] service engineer

de **reparatie** repair: *mijn horloge is in (de) ~* my watch is being repaired

repareren repair, mend, fix: *dat is niet meer te ~* it's beyond repair

repatriëren repatriate

het **repertoire** repertoire, repertory: *het klassieke ~* the classics; *zijn ~ afwerken* do one's repertoire

¹**repeteren** (onov ww) **1** [instuderen] rehearse **2** [zich herhalen] repeat, circulate

²**repeteren** (ov ww) rehearse; [oefenen] run through, go through

de **repetitie** rehearsal; run-through [toneel-, muziekstuk]; practice [vooral van koren]: *generale ~* dress rehearsal [toneel]; final (*of:* last) rehearsal [muziek]

de **replica** replica, copy

de **repliek** retort, response: *iem. van ~ dienen* put s.o. in his place

de **reportage** report, coverage; [commentaar] commentary: *de ~ van een voetbalwedstrijd* the coverage of a football match

de **reporter** reporter

reppen 1 mention **2** hurry, rush

de **represaille** reprisal, retaliation: *~s nemen (tegen)* retaliate (*of:* take reprisals) (against)

representatief 1 representative (of), typical (of): *een representatieve groep van de bevolking* a cross-section of the population; *ee representatieve steekproef* a representative sample **2** [goede indruk makend] representative, presentable: *een representatieve functie* a representative position

representeren represent

de **repressie** repression
repressief repressive
de **reprimande** reprimand; [berisping] rebuke; [standje] talking-to
reproduceren reproduce, copy
de **reproductie** reproduction, copy
het **reptiel** reptile
de **republiek** republic
de **republikein** republican
republikeins republican
de **reputatie** reputation, name; fame [(goede) naam]: *een goede* (of: *slechte*) *~ hebben* have a good (of: bad) reputation; *iemands ~ schaden, slecht zijn voor iemands ~* damage s.o.'s reputation
het **requiem** requiem (mass)
de **research** research
het **reservaat** reserve, preserve: *indianenreservaat* Indian reservation; *natuurreservaat* nature reserve
de **reserve 1** reserve(s): *zijn ~s aanspreken* draw on one's reserves **2** [terughoudendheid] reserve, reservation: *zonder enige ~* without reservations
de **reservebank** reserve(s') bench, sub bench
het **reserveonderdeel** spare part
reserveren 1 reserve, put aside (of: away, by): *1000 euro ~ voor* set aside 1000 euros for; *een artikel voor iem. ~* put aside an article for s.o. **2** [bespreken] book, reserve: *een tafel ~* reserve (of: book) a table
de **reservering** booking, reservation
de **reservesleutel** spare key
het **reservewiel** spare wheel
het **reservoir** reservoir, tank
resetten reset
resistent resistant (to): *~ worden tegen antibiotica* become resistant (of: immune) to antibiotics
de **resolutie** resolution
resoluut resolute, determined
resoneren resonate
het **resort** resort
het **respect** respect; [achting] regard; [eerbied] deference: *~ afdwingen* command respect; *voor iets (iem.) ~ tonen* show respect for sth. (s.o.); *met alle ~* with all (due) respect
respectabel respectable; [aanzienlijk] considerable
respecteren respect, appreciate: *zichzelf ~d* self-respecting; *iemands opvattingen ~* respect s.o.'s views
respectievelijk respective: *bedragen van ~ 10, 20 en 30 euro* sums of 10, 20 and 30 euros respectively
respectloos disrespectful: *iem. ~ behandelen* treat s.o. disrespectfully
het **respijt** respite, grace, delay
het/de **respons** response, reaction
het **ressentiment** resentment
het **ressort** jurisdiction

ressorteren: *~ onder* come under
de **rest** rest, remainder: *de ~ van het materiaal* the remainder of the material; *voor de ~ geen nieuws* otherwise no news
het **restant** remainder, remnant
het **restaurant** restaurant
de **restauratie** restoration
restaureren restore
resten remain, be left: *hem restte niets meer dan ...* there was nothing left for him but to ...; *nu rest mij nog te verklaren ...* now it only remains for me to say ...
resteren be left, remain
restitueren refund, pay back
de **restitutie** refund
het **restje**: *ik heb nog een ~ van gisteren* I've got a few scraps (left over) from yesterday
de **restrictie** restriction
de **restwarmte** residual heat (of: warmth)
restylen give sth./s.o. a makeover
het **resultaat** result, effect, outcome: *het plan had het beoogde ~* the plan had the desired effect; *resultaten behalen* achieve results; *met het ~ dat ...* with the result that ...; *zonder ~* with no result **2** [opbrengst] result; [winst] returns
resulteren result: *het daaruit ~de verlies* the loss resulting from it, the resulting loss; *~ in* result in, lead up to; *dit heeft geresulteerd in zijn ontslag* this has resulted in his dismissal; *wanneer het signaal sterk is dan zal dat ~ in een goede ontvangst* if the signal is strong, high quality reception will be the result; *wat resulteert is ...* the result (of: outcome, upshot) is ...
het **resumé** summary, abstract
resumeren 1 [samenvatten] summarize **2** [herhalen] recapitulate
de **resusfactor** Rhesus factor
rete- very
de **retoriek** rhetoric: *holle ~* empty rhetoric
retorisch rhetorical: *een ~e vraag* a rhetorical question
de **retort** retort
retoucheren retouch, touch up
het ¹**retour** (zn) return (ticket); [Am] round-trip (ticket): *een ~ eerste klas Utrecht* a first-class return (ticket) to Utrecht; *op zijn ~* past his (of: its) best
²**retour** (bw) back || *~ afzender* return to sender; *drie euro ~* three euros change
het **retourbiljet** return ticket; [Am] round-trip ticket
de **retourenveloppe** self-addressed envelope
retourneren return
het **retourtje** return; [Am] round-trip
de **retourvlucht 1** [thuisreis] return flight **2** [heen en weer] return flight; [Am] round-trip flight
het **retrospectief** retrospective: *in ~* in retro-

spect

de **return** 1 [het terugslaan] return 2 [tweede wedstrijd] return match, return game 3 [computer] return: *een harde* ~ a hard return; *een zachte* ~ a soft return

de **reu** male dog

de **reuk** 1 smell, odour: *een onaangename* ~ *verspreiden* give off an unpleasant smell 2 [reukzin] smell; [van dieren ook] scent: *op de* ~ *afgaan* hunt by scent
reukloos odourless [gas e.d.]; scentless [bloem]

de **reukzin** (sense of) smell

het **reuma** rheumatism
reumatisch rheumatic

de **reünie** reunion

de **reuring** 1 [drukte] buzz, hum 2 [beroering] stir: *voor* ~ *zorgen* cause a stir (*of:* an uproar), rock the boat

de **reus** giant
reusachtig 1 gigantic, huge 2 [prachtig] great, terrific
reuze [in hoge mate] enormously: ~ *veel* an awful lot; ~ *bedankt* thanks awfully

de **reuzel** lard

het **reuzenrad** Ferris wheel

de **revalidatie** rehabilitation

het **revalidatiecentrum** rehabilitation centre
revalideren recover, convalesce

de **revaluatie** revaluation
revalueren revalue

de **revanche** 1 revenge: ~ *nemen op iem.* take revenge on s.o. 2 [sport] return (game, match); [boksen] return bout: *iem.* ~ *geven* give s.o. a return game

zich **revancheren** revenge (o.s.), be revenged

de **revers** lapel
reviseren overhaul

de **revisie** 1 [herziening] revision; [jur] review 2 [periodieke controle] overhaul, going-over

de **revolte** revolt, insurgence

de **revolutie** revolution: *de Amerikaanse Revolutie* the American War of Independence
revolutionair revolutionary: *een* ~*e ontdekking* a revolutionary discovery

de **revolver** revolver

de **revue** 1 revue, show 2 review
Rhodos Rhodes

het/de **Riagg** afk van *Regionale Instelling voor Ambulante Geestelijke Gezondheidszorg* regional institute for mental welfare
riant ample, spacious: *een* ~*e villa* a spacious villa

de **rib** rib: *de zwevende* ~*ben* the floating ribs; *je kunt zijn* ~*ben tellen* he is a bag of bones; *dat is een* ~ *uit je lijf* that costs an arm and a leg

de **ribbel** rib, ridge; [in zand enz.] ripple

de **ribbenkast** rib cage

de **ribbroek** cord(uroy) trousers

de **ribeye** ribeye

het **ribfluweel** cord(uroy)

de **ribkarbonade** rib chop

de **richel** ledge, ridge

¹**richten** (ww) 1 direct, aim, orient: *gericht op* aimed at, directed at, oriented towards; *zijn ogen op iets* ~ focus one's eyes on sth.; *het geweer op iem.* ~ aim a gun at s.o. 2 [sturen] direct, address; extend [uitnodiging, dankwoord enz.]: *een brief, aan mij gericht* a letter addressed to me; *een vraag* ~ *tot de voorzitter* direct a question to the chairman 3 [in bepaalde richting brengen] align: *naar het oosten gericht* facing east

zich ²**richten** (wdk ww) 1 (+ tot) [zich wenden tot] address (o.s. to): *richt u met klachten tot ons bureau* address any complaints to our office 2 (+ naar) [als voorbeeld nemen] conform to: *zich* ~ *naar de omstandigheden* be guided by circumstances

de **richting** direction: *zij gingen* ~ *Amsterdam* they went in the direction of (*of:* they headed for) Amsterdam; *iem. een zetje in de goede* ~ *geven* give s.o. a push in the right direction; [verk] ~ *aangeven* indicate direction, signal; *dat komt aardig in de* ~ that's looks sth. like it; *van* ~ *veranderen* change direction

de **richtingaanwijzer** (direction) indicator

het **richtingsgevoel** sense of direction

de **richtlijn** guideline; [mv] directions: *iets volgens de* ~*en uitvoeren* do sth. in the prescribed way

de **richtmicrofoon** directional microphone

het **richtsnoer** guideline; directions [mv]

de **ridder** knight: *iem. tot* ~ *slaan* dub s.o. a knight; knight s.o.
ridderen knight: *geridderd worden* be knighted, receive a knighthood
ridderlijk chivalrous ‖ *hij kwam er* ~ *voor uit* he frankly (*of:* openly) admitted it

de **ridderorde** knighthood, order

de **ridderzaal** great hall
ridicuul ridiculous

de **riedel** tune, jingle

de **riek** (three-pronged) fork
rieken smack (of), smell (of), reek (of): *die riekt naar verraad* this smacks of treason

de **riem** 1 belt 2 strap [aan horloge e.d.]; belt [over schouder]; sling [van fototoestel, kijker, geweer]; leash [van hond] 3 [mv; veiligheidsgordels] seat belts

het **riet** reed; [dik] cane
rieten reed; [van biezen] rush; [van bamboe] cane; [van tenen] wicker(work): ~ *stoel* cane (*of:* wicker) chair; ~ *dak* thatched roof

het **rietje** 1 straw 2 [muz] reed

de **rietsuiker** cane sugar

het **rif** reef
rigoureus rigorous

de **rij** 1 row, line: ~*en auto's* rows of cars; [files] queues of cars; *een* ~ *bomen* a line of trees; *een* ~ *mensen* a) [naast elkaar] a row of people; **b)** [achter elkaar] a line (*of:* queue) of people; *in de eerste* (*of: voorste*) *~en* in the front seats (*of:* rows); *in de ~ staan* queue; [Am] stand in line **2** [volgorde] row; [cijfers] string: *een ~ getallen* **a)** [onder elkaar] a column of figures; **b)** [naast elkaar] a row of figures; *ze niet allemaal op een ~tje hebben* have a screw loose

de **rijbaan** roadway; [strook] lane: *weg met gescheiden rijbanen* dual carriageway

het **rijbewijs** driving licence; [Am] driver's license: *z'n ~ halen* pass one's driving test

de **rijbroek** jodhpurs, riding breeches

rijden 1 [besturen] drive [auto, bus, trein]; ride [(motor)fiets, paard]: *honderd kilometer per uur ~* drive (*of:* do) a hundred kilometres an hour; *het is twee uur ~* it's a two-hour drive; *hij werd bekeurd omdat hij te hard reed* he was fined for speeding; *door het rode licht ~* go through a red light; *in een auto ~* drive (in) a car; *op een (te) paard ~* ride a horse (*of:* on horseback) **2** drive [auto]; ride [(motor)fiets, rolstoel]; [snelheid hebben] move; [volgens dienstregeling] run [trein, bus]; do [m.b.t. snelheid, afstand]: *hoeveel heeft je auto al gereden?* how many miles (*of:* kilometres) has your car done?; *(te) dicht op elkaar ~* not keep one's distance; *de tractor rijdt op dieselolie* the tractor runs (*of:* operates) on diesel oil; *die auto rijdt lekker* that car is pleasant to drive **3** [schaatsen] skate

rijdend 1 mobile: *~e bibliotheek* mobile (*of:* travelling) library; [Am] bookmobile **2** [in beweging zijnd] moving

de **rijder** rider [racefietser]; driver [auto]; [fietser] cyclist

het **rijdier** riding animal, mount

rijendik packed

het **rijexamen** driving test: *~ doen* take one's driving test

het **rijgedrag** driving (behaviour), motoring performance

rijgen thread, string

de **rijglaars** lace-up boot

de **rijinstructeur** driving instructor

het **¹rijk** (zn) **1** realm: *het ~ der hemelen* the Kingdom of Heaven; *het Britse Rijk* the British Empire; *het Derde Rijk* the Third Reich **2** [land, natie] state, kingdom, empire **3** [landelijke overheid] government, State: *door het Rijk gefinancierd* State-financed ‖ *het ~ alleen hebben* have the place (all) to o.s.

²rijk (bn) **1** rich, wealthy: *stinkend ~ zijn* be filthy rich **2** [overvloedig] rich; fertile [grond enz.]; generous [maal]: *hij heeft een ~e verbeelding* he has a fertile imagination ‖ *ik ben je liever kwijt dan ~* I'd rather see the back of you

de **rijkaard** rich person; [slang] moneybags

de **rijkdom 1** wealth, affluence **2** [iets dat de mens van nut is] resource: *natuurlijke ~men* natural resources

rijkelijk lavish, liberal

de **rijkelui** rich people

het **rijkeluiskind** rich man's son, rich man's daughter

de **rijksambtenaar** public servant

de **rijksbegroting** (national) budget

de **rijksdaalder** two-and-a-half guilder coin

de **rijksdienst** national agency

de **rijksinstelling** government institution (*of:* institute)

het **rijksinstituut** national institute

het **rijksmuseum** national museum; [voor kunst ook] national gallery

de **rijksoverheid** central government, national government

de **rijkspolitie** national police (force)

het **rijksregisternummer** [Belg] Citizen Service Number (CSN)

de **rijksuniversiteit** state university

de **Rijksvoorlichtingsdienst** government information service

de **Rijkswacht** [Belg] state police

de **rijkswachter** [Belg] state policeman

Rijkswaterstaat ± Department (*of:* Ministry) of Waterways and Public Works

de **rijksweg** national trunk road; [Am] state highway

de **rijlaars** riding boot

de **rijles** driving lesson; [paard] riding lesson: *~ nemen* take driving (*of:* riding) lessons

het **rijm** rhyme; [gedicht ook] verse: *op ~* rhyming, in rhyme

de **rijmelarij** doggerel (verse)

rijmen 1 be in rhyme (*of:* verse), rhyme (with): *deze woorden ~ op elkaar* these words rhyme (with each other) **2** [verzen maken] rhyme, versify ‖ *dat viel niet te ~ met ...* that could not be reconciled with ...

het **rijmpje** rhyme, short verse

de **Rijn** Rhine

de **rijnaak** Rhine barge

de **¹rijp** (zn) (white) frost, hoarfrost

²rijp (bn) **1** ripe: *~ maken (worden)* ripen, mature **2** [m.b.t. personen] mature: *op ~ere leeftijd* at a ripe age **3** (+ voor) [geschikt geworden] ripe (for), ready (for): *~ voor de sloop* ready for the scrap heap **4** [goed overwogen] serious: *na ~ beraad* after careful consideration

het **rijpaard** saddle horse

rijpen ripen; [m.b.t. personen, zaken] mature

de **rijpheid** ripeness, maturity: *tot ~ komen* ripen, mature

de **rijschool** driving school; [manege] riding school (*of:* academy)

het **rijshout** osier, brush(wood)

de **rijst** rice

de **rijstebrij** rice pudding

de **rijstijl** driving style

de **rijstkorrel** grain of rice

de **rijstrook** (traffic) lane

de **rijsttafel** (Indonesian) rice meal

de **rijtijd** driving time; [duur van een rit] travel time

het **rijtjeshuis** terrace(d) house; [Am] row house

het **rijtuig 1** carriage **2** [treinstel] carriage; [Am] car

de **rijvaardigheid** driving ability (of: proficiency)

het **rijverbod** driving ban

de **rijweg** road(way)

het **rijwiel** (bi)cycle

het **rijwielpad** cycle path, cycle track

de **rijwielstalling** (bi)cycle lock-up

rijzen rise: *laat het deeg ~* leave the dough to rise; *de prijzen ~ de pan uit* prices are soaring

rijzig tall: *~ van gestalte* tall in build (of: stature)

de **rikketik** ticker

de **riksja** rickshaw

rillen shiver, shudder, tremble: *hij rilde van de kou* he shivered with cold

rillerig shivery

de **rilling** shiver, shudder, tremble: *koude ~en hebben* have the shakes (of: shivers); *er liep een ~ over mijn rug* a shiver ran down my spine

de **rimboe** jungle

de **rimpel** wrinkle: *een gezicht vol ~s* a wrinkled face

rimpelen 1 wrinkle (up): *het voorhoofd ~* wrinkle one's forehead **2** [plooien (maken in)] crinkle (up)

rimpelig wrinkled: *een ~e appel* a wizened apple

de **ring** ring

de **ringbaard** fringe of beard

de **ringband** ring-binder

ringeloren: *zich laten ~* let o.s. be bullied (of: browbeat)

ringen ring

de **ringmap** ring-binder

de **ringslang** grass snake, ring(ed) snake

de **ringtone** ring tone

de **ringvaart** ring canal, belt canal

de **ringvinger** ring finger

de **ringweg** ring road

de **ringworm** ringworm

rinkelen jingle, tinkle; ring [bel]; chink [glas, metaal]: *~de ruiten* rattling panes of glass; *de ~de tamboerijn* the jingling tambourine

de **rinoceros** rhinoceros, rhino

de **riolering** sewerage, sewer system

het **riool** sewer: *een open ~* an open sewer

de **riooljournalistiek** gutter journalism

het **risico** risk: *dat behoort tot de ~'s van het vak* that's an occupational hazard; *het ~ lopen*

(van) run the risk (of); *te veel ~'s nemen* run (of: take) too many risks; *op eigen ~* at one's own risk; *voor ~ van de eigenaar* at the owner's risk; *geen ~ willen nemen* not want to take any chances

risicodragend risk-bearing

de **risicogroep** high-risk group

de **risicowedstrijd** high-risk match

riskant risky: *een ~e onderneming* a risky enterprise

riskeren risk

de **rit 1** ride, run; [met auto ook] drive: *een ~je maken* go for a ride **2** [wielersp] stage, ride [fig] *de zaak weer op de ~ krijgen* get things back on track (of: the rails)

het **ritme** rhythm: *uit zijn ~ raken* lose one's rhythm

ritmisch rhythmic(al): *~ bewegen* move rhythmically

de **rits 1** zipper, zip **2** [serie, rij] bunch; string [namen, auto's]; batch [schriften, brieven]; battery [camera's, vragen]: *een ~ kinderen* whole string of children

ritselen rustle: *ik hoor een muis ~ achter het behang* I can hear a mouse scuffling behind the wallpaper; *~ met een papiertje* rustle a paper

ritsen [verk] zipper merge, merge alternately

de **ritssluiting** zipper, zip: *kun je me even helpen met mijn ~?* can you help zip me up? (of: unzip me?)

het ¹**ritueel** (zn) ritual

²**ritueel** (bn) ritual

de **ritzege** stage victory: *een ~ behalen* win a stage

de **rivaal** rival

de **rivaliteit** rivalry

de **rivier** river: *een ~ oversteken* cross a river; *een huis aan de ~* a house on the river

de **Rivièra** Riviera

de **rivierarm** arm of a river

de **riviermond** river mouth; [breed] estuary

de **rob** seal

de **robbenjacht** seal hunting

de ¹**robijn** (zn) [edelsteen] ruby

het ²**robijn** (zn) [mineraal] ruby

de **robot** robot: *hij lijkt wel een ~* he is like a robot

robuust robust; solid [dingen]: *een ~e gezondheid* robust health

de **rochel 1** [speeksel] lump of spit **2** [reutel] hawk

rochelen hawk (up)

de **rock-'n-roll** rock 'n' roll

de **rockzanger** rock singer

het **rococo** rococo

de **roddel** gossip: *de nieuwste ~s uit de showwereld* the latest gossip in show business; *~en achterklap* gossip

de **roddelaar** gossip

het **roddelblad** gossip magazine
roddelen gossip (about)
de **roddelpers** gutter press, gossip papers
de **rodehond** German measles, rubella
de **rodekool** red cabbage
het **Rode Kruis** Red Cross
de **rodelbaan** toboggan run; [officiële sport] luge run
rodelen toboggan; [officiële sport] luge run
de **rodeo** rodeo
de **rododendron** rhododendron
de **roe** rod
de **roebel** rouble
de **roede** rod
het **roedel** [herten e.d.] herd; [honden, wolven] pack
de **roeibaan** rowing course
de **roeiboot** rowing boat
roeien row: *met grote slagen* ~ take big strokes
de **roeier** rower, oarsman
de **roeispaan** oar; [lichte riem] scull; [kort, met breed blad] paddle
de **roeiwedstrijd** boat race, rowing race; [groot concours] regatta
roekeloos reckless: ~ *rijden* drive recklessly
de **roem** glory, fame, renown: *op zijn* ~ *teren* rest on one's laurels
de **Roemeen** Romanian
het **Roemeens** Romanian
roemen praise, speak highly of
Roemenië Romania
de **roemer** rummer
roemloos inglorious
roemrijk glorious: *een* ~ *verleden* a glorious past
roemrucht illustrious, renowned
de **roep** call; [van vogel ook] cry; shout
¹**roepen** (ww) call, cry, shout; [dringend vragen] clamour: *om hulp* ~ call (*of:* cry) out for help; *een* ~*de in de woestijn* a voice (crying) in the wilderness
²**roepen** (ov ww) [ontbieden] call, summon: *de ober* ~ call the waiter; *iem. op het matje* ~ carpet s.o.; *de plicht roept (mij)* duty calls; *ik zal je om zeven uur* ~ I'll call you at seven; *je komt als geroepen* (you're) just the person we need; *daar voel ik mij niet toe geroepen* I don't quite feel like it
de **roepia** rupiah
de **roeping** vocation, mission, calling
de **roepnaam** nickname
het **roer** 1 rudder 2 [stuurmiddelen] helm; [roerpen ook] tiller: *het* ~ *niet uit handen geven* remain at the helm; *het* ~ *omgooien* [fig] change course (*of:* tack)
roerbakken stir-fry
het **roerei** scrambled eggs [mv]
roeren stir, mix: *de soep* ~ stir the soup; *door elkaar* ~ mix together

roerend moving, touching
de **roerganger** helmsman, steersman: *de grote* ~ [Mao Zedong] the Great Helmsman
roerig lively, active, restless
roerloos motionless, immovable, immobile
het **roerstaafje** coffee stirrer
de **roes** 1 [toestand van bedwelming] flush; high [drugs e.d.]: *in een* ~ in a whirl (of excitement) 2 [bedwelming] fuddle, intoxication; high [drank, drugs]: *zijn* ~ *uitslapen* sleep it off
het/de **roest** rust: *een laag* ~ a layer of rust || *oud* ~ scrap iron
roestbruin rust, rust-coloured
roesten rust, get rusty
roestig rusty
roestvrij rustproof, rust-resistant: ~ *staal* stainless steel
het **roet** soot: *zo zwart als* ~ as black as soot
het/de **roetfilter** soot filter, particle filter
roetsjen slide
roetzwart black, pitch-black
de **roffel** roll; [langzamer] ruffle
roffelen roll: *met de vingers op de tafel* ~ drum (one's fingers) on the table
de **rog** ray
de **rogge** rye: *brood van* ~ bread made from rye
het **roggebrood** rye bread, pumpernickel
de **rok** 1 skirt; petticoat [onderrok]: *Schotse* ~ kilt; *een wijde* ~ a full skirt 2 [jas voor mannen] tail coat, tails: *de heren waren in* ~ the men wore evening dress
de **rokade** castling: *de korte* (of: *lange*) ~ castling on the king's side (*of:* queen's side)
roken 1 smoke, puff (at): *stoppen met* ~ stop (*of:* give up) smoking; *verboden te* ~ no smoking; *minder gaan* ~ cut down on smoking; *de schoorsteen rookt* the chimney is smoking 2 [in de rook hangen] smoke, cure
de **roker** smoker
rokerig smoky
de **rokkenjager** womanizer
het **rokkostuum** dress suit
de **rol** 1 [theat] part, role: *zijn* ~ *instuderen* learn one's part; *de* ~*len omkeren* reverse roles; [wraak] turn the tables 2 [opgerolde hoeveelheid] roll; [hol] cylinder; [touw enz.] coil; [perkament] scroll; [camera] reel; spool: *een* ~ *behang* a roll of wallpaper; *een* ~ *beschuit* a packet of rusks 3 [rolrond stuk materiaal] roller; [deegrol] rolling pin || *een* ~ *spelen* a) [zich anders voordoen] play a part, play-act; b) [van invloed zijn] play a part (in), enter in(to)
het/de **rolgordijn** (roller) blind: *een* ~ *ophalen* (of: *laten zakken*) let up (*of:* down) a blind
de **rolkoffer** wheeled suitcase
de **rollade** rolled meat
de **rollator** Zimmer frame, rollator
rollebollen 1 [buitelen] turn (*of:* go) head over heels 2 [vrijen] tumble, roll

¹rollen (onov ww) roll: *er gaan koppen ~* heads will roll; *de zaak aan het ~ brengen* set the ball rolling

²rollen (ov ww) **1** [oprollen] roll (up): *een sigaret ~* roll a cigarette **2** [wikkelen] wrap, roll (up): *zich in een deken ~* wrap o.s. up in a blanket **3** [stelen] lift: *zakken ~* pick pockets

het **rollenpatroon** sex role

het **rollenspel** role-playing

de **roller** roller

het **rolletje** (small) roll; [rolrond voorwerp] roller: *een ~ drop* a packet of liquorice; *alles liep op ~s* everything went like clockwork (*of:* went smoothly)

het **rolluik** roll-down shutter

het **rolmodel** role model

de **rolschaats** roller skate

rolschaatsen roller skate

de **rolschaatser** roller skater

de **rolstoel** wheelchair: *toegankelijk voor ~en* with access for wheelchairs

de **roltrap** escalator, moving staircase

de **rolverdeling** cast(ing); [fig] division of roles

de **Roma** Roma (gypsies)

Romaans 1 Latin: *de ~e volken* the Latin peoples **2** [m.b.t. taal] Romance, Latin

de **roman** novel

de **romance** romance

de **romanschrijver** novelist, fiction writer

de **romanticus** romantic

de **romantiek** romance: *een vleugje ~* a touch of romance

romantisch romantic

romantiseren romanticize

Rome Rome: *het oude ~* Ancient Rome; *zo oud als de weg naar ~* as old as the hills

de **Romein** Roman

Romeins Roman: *uit de ~e oudheid* from Ancient Rome; *het ~ recht* Roman law

romig creamy

de **rommel 1** mess, shambles: *~ maken* make a mess **2** [ondeugdelijke waar] junk, rubbish, trash

rommelen 1 rumble, roll: *de donder rommelt in de verte* the thunder is rumbling in the distance **2** rummage: *in zijn papieren ~* shuffle one's papers

rommelig messy, untidy

de **rommelmarkt** flea market, jumble sale

de **romp 1** trunk; [van mens, standbeeld ook] torso **2** [m.b.t. grote voorwerpen] shell; [van schip] hull

de **romper** rompers [mv]

de **rompslomp** fuss, bother: *ambtelijke ~* red tape, bureaucracy; *papieren ~* paperwork

¹rond (bn, bw) **1** round, circular **2** [zo dat er niets ontbreekt] arranged, fixed (up): *de zaak is ~* everything is arranged (*of:* fixed) **3** [ongeveer] around, about ‖ *een mooi ~ bedrag* a nice round figure

²rond (vz) **1** round; [fig] surrounding: *in de berichtgeving ~ de affaire* in the reporting of the affair **2** [ongeveer] around, about: *~ de middag* around midday; *~ de 2000 betogers* approximately (*of:* about, some) 2000 demonstrators

rondbazuinen broadcast, trumpet (around)

rondbrengen bring round

ronddelen hand round (*of:* around); [kaartspel] deal: *wie moet de kaarten ~?* whose deal is it?, who's dealing?

ronddraaien turn (round); [snel] spin (round): *~ in een cirkel, kringetje* go round in circles

ronddwalen wander, wander around

de **ronde 1** rounds; [politie] beat: *de ~ doen* g on one's rounds **2** [rondgang; sessie] round(s): *de eerste ~ van onderhandelingen* the first round of talks; *de praatjes doen de ~* stories are going around **3** [omtrek van een wedstrijdbaan] lap, circuit: *laatste ~* bell lap *twee ~n voor* (*of:* achter) *liggen* be two laps ahead (*of:* behind) **4** [wielerwedstrijd] tour [meerdaags]; race: *de ~ van Frankrijk* the Tou de France

de **rondetafelconferentie** round-table conference

rondgaan 1 go round: *~ als een lopend vuurtje* spread like wildfire **2** [beurtelings langskomen] go round, pass round: *laat de schaal nog maar eens ~* pass the plate round again

de **rondgang 1** circuit **2** [het bezoeken van afdelingen] tour

rondhangen hang around (*of:* about)

de **ronding** curve

het **rondje 1** round: *een ~ van de zaak* (a round of) drinks on the house; *hij gaf een ~* he stoc a round (of drinks) **2** [ronde] [sport]; lap; cir cuit

rondkijken look round: *goed ~ voor je iets koopt* shop around

rondkomen manage, get by; [geld ook] live: *hij kan er net mee ~* he can just manage (*of:* get by) on it

rondleiden 1 lead round **2** [overal heen leiden] show round, take round: *mensen in een museum ~* show (*of:* take) people round museum

de **rondleiding** (guided, conducted) tour

rondlopen go around, walk around: *je moet daar niet mee blijven ~* you shouldn't l that weigh (*of:* prey) on your mind

rondneuzen nose about, prowl

¹rondom (bw) all round, on all sides: *het plein met de huizen ~* the square with house round it

²rondom (vz) (a)round

het **rondpunt** [Belg] roundabout

de **rondreis** tour, circular tour: *op haar ~ doc*

de Verenigde Staten on her tour of America
rondreizen travel around (*of:* about): *de wereld ~ travel* round the globe (*of:* world)
rondrennen run around, chase about
rondrijden go for a drive (*of:* run, ride)
de **rondrit** tour
rondslingeren lie about (*of:* around): *zijn boeken laten ~ leave* his books lying around (*of:* about)
rondsturen send round: *circulaires ~ distribute* circulars
de **rondte** circle, round(ness): *in de ~ zitten* sit in a circle
rondtrekken travel (a)round: *~de seizoenarbeiders* migrant seasonal workers
ronduit plain, straight(forward), frank: *het is ~ belachelijk* absolutely (*of:* simply) ridiculous; *iem. ~ de waarheid zeggen* tell s.o. the plain truth
de **rondvaart** round trip, circular trip (*of:* tour); [lange afstand] cruise: *een ~ door de grachten maken* make (*of:* go) for a tour of the canals
de **rondvaartboot** boat for canal trips
rondvertellen put about, spread about: *hij heeft dat overal rondverteld* he spread (*of:* put) that about everywhere
rondvliegen fly about (*of:* around): *geraakt worden door ~de kogels* be hit by flying bullets
de **rondvlucht** round trip (by plane/helicopter): *een ~ boven de stad maken* go for a round trip over the town
de **rondvraag**: *iets voor de ~ hebben* have sth. for any other business
de **rondweg** ring road, bypass, relief road: *een ~ aanleggen om L.* by-pass L.
rondzwerven roam about, wander about: *op straat ~* **a)** [kinderen] hang about the streets; **b)** [zwervers] roam the streets
ronken 1 [snurken] snore **2** [van motoren] throb
ronselen recruit
de **röntgenfoto** X-ray, roentgenogram, roentgenograph: *een ~ laten maken* have an X-ray taken
het **röntgenonderzoek** X-ray
de **röntgenstralen** X-rays, roentgen rays
rood red; ginger [haar]; ruddy [wangen]; [rood-geel] copper(y); ginger: *met een ~ hoofd van de inspanning* flushed with exertion; *iem. de rode kaart tonen* show s.o. the red card; *door ~ (licht) rijden* jump the lights; *~ worden* go red (*of:* scarlet), flush, blush; *het licht sprong op ~* the light changed to red; *over de rooie gaan* [boos zijn] flip one's lid, lose one's cool ‖ *~ staan* be in the red; *in het ~ (gekleed)* dressed in red
roodbont red and white [vee]; skewbald [paard]
het **roodborstje** robin (redbreast)

de **roodbruin** reddish brown, russet; sorrel [paard]: *het ~ van herfstbladeren* the russet (colour) of autumn leaves
roodgloeiend red-hot: *de telefoon staat ~* the telephone hasn't stopped ringing
roodharig red-haired, red-headed
de **roodhuid** redskin
Roodkapje Little Red Riding Hood
de **roodvonk** scarlet fever
de **roof 1** robbery: *op ~ uitgaan* commit robbery **2** [het bejagen] preying, hunting
de **roofbouw** exhaustion, overuse: *~ plegen op zijn gezondheid* undermine one's health; *~ plegen op zijn lichaam* wear o.s. out
het **roofdier** animal (*of:* beast) of prey, predator
de **roofmoord** robbery with murder
de **roofoverval** robbery, hold-up: *een ~ plegen op een juwelierszaak* rob a jeweller's
de **rooftocht** raid
de **roofvogel** bird of prey
rooien dig up; lift, raise [aardappels, bieten enz.]; uproot [boom]: *een bos ~* clear a wood (*of:* forest)
de **rook** smoke; [rook en gassen] fume(s): *men kan er de ~ snijden* it's thick with smoke in here; *in ~ opgaan* go up in smoke; *onder de ~ van de stad wonen* live a stone's throw from the town; *waar ~ is, is vuur* there's no smoke without fire
de **rookbom** smoke bomb
het **rookgordijn** smokescreen: *een ~ leggen* put up (*of:* lay) a smokescreen
het **rookkanaal** flue
de **rooklucht** smell of smoke
de **rookmelder** smoke alarm, smoke detector
de **rookpaal** ± pillar indicating 'smoking zone' on a railway platform
de **rookpauze** cigarette break: *een ~ inlassen* take a break for a cigarette
de **rookschade** smoke damage
het **rooksignaal** smoke signal
het **rookverbod** ban on smoking
het **rookvlees** ± smoke-dried beef (*of:* meat)
rookvrij no(n)-smoking: *een ~ gebouw* a non-smoking building, a smoke-free building
de **rookwolk** cloud (*of:* pall) of smoke
de **rookworst** ± smoked sausage
de **room** cream: *dikke ~* double cream; *zure ~* sour cream
de **roomboter** butter
het **roomijs** ice cream
de **roomkaas** cream cheese
rooms Roman Catholic
Rooms Roman
de **roomsaus** cream sauce
het **rooms-katholicisme** Roman Catholicism
rooms-katholiek Roman Catholic
de **roomsoes** cream puff
de **roos 1** rose: [fig] *op rozen zitten* lie on a bed

of roses **2** [van een schietschijf] bull's-eye: *in de ~ schieten* score a bull's-eye; *(midden) in de ~ bang in the middle* **3** [hoofdroos] dandruff

rooskleurig rosy, rose-coloured: *een ~e toekomst* a rosy (*of:* bright) future

het/de **rooster 1** grid, grating, grate; [vnl. versiering] grille; gridiron [van barbecue enz.]: *het ~ van de kachel* the stove grate; [Belg] *iem. op het ~ leggen* grill s.o. **2** [tabel] grid **3** [programma, schema] schedule [ook school]; timetable, roster: *een ~ opstellen (opmaken)* draw up a roster (*of:* rota)

roosteren 1 grill, roast, broil **2** [m.b.t. brood] toast

het **ros** steed

de **rosbief** roast beef

de **rosé** rosé (wine)

rossig reddish, ruddy; sandy [haar]

rot 1 rotten, bad; decayed [kies]; putrid [ei]: *door en door ~, zo ~ als een mispel* rotten to the core **2** [ellendig] rotten, lousy, wretched: *zich ~ lachen* split one's sides laughing; *zij schrok zich ~* she got the fright of her life, she was scared out of her wits; *zich ~ vervelen* be bored to tears

het/de **rotan** rattan

de **rotatie** rotation, revolution

het **rotding** damn thing, bloody thing

roteren rotate: *een ~de beweging* a rotary motion

het **rotje** (fire)cracker, squib, banger

het **rotjong** brat, little pest

de **rotonde** roundabout

de **rotopmerking** nasty remark

de **rotor** rotor

de **rots** rock, cliff; [steil] crag: *als een ~ in de branding* as steady as a rock; *het schip liep op de ~en* the ship struck the rocks

rotsachtig rocky, rugged

het **rotsblok** boulder

de **rotskust** rocky coast

de **rotstreek** dirty trick, mean trick: *iem. een ~ leveren* play a dirty trick on s.o.

de **rotstuin** rock garden, rockery

rotsvast rock-solid, rocklike: *een ~e overtuiging* a deep-rooted conviction

de **rotswand** rock face, cliff face

rotten rot, decay: *~d hout* rotting wood

rottig rotten, nasty

de **rottigheid** misery, wretchedness

de **rottweiler** Rottweiler

de **rotvent** bastard, jerk

het **rotweer** awful weather

de **rotzak** [scheldwoord; inf] bastard, jerk

de **rotzooi 1** (piece of) junk, trash **2** [wanorde] mess, shambles

rotzooien mess about: *~ met de boekhouding* tamper with the accounts

het/de **rouge** rouge, blusher

de **roulatie** circulation: *in ~ brengen* bring into circulation [film]

rouleren 1 circulate, be in circulation **2** [om beurten doen] rotate, take turns; [ploegendienst] work in shifts

de **roulette** roulette (table)

de **route** route, way; round [melkboer]

de **routekaart 1** [kaart] key map **2** [pol] road map

de **routeplanner** route planner

de **routine 1** [vaardigheid] practice, skill, knack **2** [sleur] routine, grind: *de dagelijkse ~* the daily grind

de **routineklus** routine job

routinematig routine

het **routineonderzoek** routine check-up

routineus routine

de **rouw** mourning; [droefheid ook] sorrow, grief: *in de ~ zijn* be in mourning; *in ~ dompelen* plunge into mourning

de **rouwadvertentie** death announcement

de **rouwband** mourning band, black armband

rouwen mourn, grieve

rouwig regretful, sorry: *ergens niet ~ om zijn* not regret sth.

de **rouwkrans** funeral wreath

de **rouwstoet** funeral procession

roven steal, rob

de **rover** robber

royaal 1 generous, open-handed: *een royale beloning* a handsome (*of:* generous) reward **2** [voldoende] spacious, ample: *een royale meerderheid* a comfortable majority

royeren expel (from)

roze pink, rose

de **rozemarijn** rosemary

de **rozenbottel** rose hip

de **rozengeur** smell (*of:* scent) of roses: *het is niet alleen ~ en maneschijn* it's not all sweetness and light there

de **rozenkrans** rosary: *de ~ bidden* say the rosary

de **rozenstruik** rose bush

rozig languid

de **rozijn** raisin

RSI RSI

het/de **rubber** rubber

de **rubberboot** (rubber) dinghy

rubberen rubber

de **rubberlaars** rubber boot, wellington

rubriceren class, classify

de **rubriek 1** column, feature, section: *de advertentierubriek(en)* the advertising column **2** [categorie] section, group

de **ruchtbaarheid** publicity: *~ aan iets geven* give publicity to sth.

rücksichtslos unscrupulous, thoughtless

de **rucola** rocket; [Am] arugula

rudimentair rudimentary

de **rug** back: *iem. de ~ toekeren* turn one's back on s.o.; *achter de ~ van iem. kwaadspreken* about s.o. behind his back; *ik zal blij zijn als achter de ~ is* I'll be glad to get it over and done with; *hij heeft een moeilijke tijd achter de ~* he had a difficult time; *het (geld) groeit mij niet op de ~* I am not made of money; *een duwtje* (of: *steuntje*) *in de ~* [fig] a bit of encouragement (of: support), a helping hand, a leg up; *met de ~ tegen de muur* with one's back to the wall

het **rugby** rugby

rugbyen play rugby (of: rugger)

de **rugdekking** backing: *iem. ~ geven* [sport] cover a team-mate; [fig] back s.o.

ruggelings 1 [rug tegen rug] back to back **2** [achterstevoren] backward(s)

de **ruggengraat** backbone, spine

het **ruggenmerg** spinal marrow (of: cord)

de **ruggensteun 1** [steun in de rug] back support **2** [hulp] backing, support: *iem. ~ geven* give s.o. backing

de **ruggespraak** consultation: *~ met iem. houden* consult s.o.

de **rugklachten** back trouble, backache

de **rugleuning** back (of a chair)

het **rugnummer** (player's) number

de **rugpijn** pain in the back, backache

de **rugslag** backstroke, back-crawl

de **rugwind** tail wind, following wind

de **rugzak** rucksack, backpack

rugzwemmen swim backstroke

de **rui 1** moult(ing) **2** [Belg] covered canal, roofed-over canal

ruien moult, shed one's feathers

de **ruif** rack

ruig 1 rough: *een ~ feest* a rowdy party **2** [harig] shaggy, hairy

¹**ruiken** (onov ww) **1** smell: *aan iets ~* have a smell (of: sniff) at sth. **2** [stinken] smell, stink, reek

²**ruiken** (ov ww) [ook fig] smell, scent: *onraad ~* scent (of: sense) danger; *hoe kon ik dat nu ~!* how could I possibly know!

de **ruiker** posy, bouquet

de **ruil** exchange, swap

¹**ruilen** (onov ww) change: *ik zou niet met hem willen ~* I would not change places with him

²**ruilen** (ww) exchange, swap

de **ruilhandel** barter (trade): *~ drijven* barter

het **ruilmiddel** means (of: medium) of exchange

de **ruilverkaveling** land consolidation

het ¹**ruim** (zn) hold

²**ruim** (bn, bw) **1** spacious, large; roomy: *een ~ assortiment* a large assortment; *~ wonen* live spaciously **2** [open, onbelemmerd] free: *~ baan maken* make way; *in de ~ste zin* in the broadest sense **3** [met tussenruimte, wijd] wide, roomy, loose: *die jas zit ~* that coat is loose-fitting **4** [meer dan voldoende] ample, liberal: *een ~e meerderheid* a big majority

³**ruim** (bw) (rather) more than, sth. over, well over: *~ een uur* well over an hour; *dat is ~*

voldoende that is amply sufficient

ruimdenkend broad(-minded)

ruimen 1 clear out **2** [wegruimen] clear away

ruimhartig [form] generous, warm-hearted

ruimschoots amply, plentifully: *~ de tijd* (of: *gelegenheid*) *hebben* have ample time (of: opportunity); *~ op tijd aankomen* arrive in ample time

de **ruimte** room; [plaats] space: *wegens gebrek aan ~* for lack of room (of: space); *de begrippen ~ en tijd* the concepts of time and space; *te weinig ~ hebben* be cramped for space; *~ uitsparen* save space; *iem. de ~ geven* give s.o. elbow room

het **ruimtegebrek** lack (of: shortage) of space

het **ruimtelaboratorium** spacelab

ruimtelijk 1 spatial, spacial, space: *~e ordening* environmental (of: town and country) planning **2** [driedimensionaal] three-dimensional: *~ inzicht hebben* have good spatial skills

het **ruimtepak** space suit

het **ruimteschip** spacecraft

het **ruimtestation** space station

de **ruimtevaarder** spaceman, astronaut

de **ruimtevaart** space travel

het **ruimtevaartuig** spacecraft

het **ruimteveer** (space) shuttle

de **ruin** gelding

de **ruïne** ruins, ruin; [persoon] wreck

ruïneren ruin

de **ruis** noise; [m.b.t. hart] murmur

ruisen rustle; [van water enz.] gurgle

de **ruit 1** (window)pane, window **2** [vierhoek] diamond [ook kaartspel]; [patroon in textiel e.d.] check

de ¹**ruiten** (zn) diamonds: *ruitenvrouw* queen of diamonds; *ruitenboer* jack (of: knave) of diamonds; *~ is troef* diamonds are trumps

²**ruiten** (bn) check(ed), chequered

de **ruitensproeier** screenwasher; [Am] windshield washer

de **ruitenwisser** windscreen wiper, wiper

de **ruiter** horseman, rider

de **ruiterij** cavalry, horse

ruiterlijk frank: *iets ~ toegeven* admit sth. frankly

het **ruiterpad** bridle path

de **ruitersport** equestrian sport(s), riding

het **ruitjespapier** squared paper

de ¹**ruk** (zn) **1** jerk, tug **2** [windvlaag] gust (of: wind) **3** [afstand] distance, way **4** [tijdsduur] time, spell: *in één ~ doorwerken* work on at one stretch; *dat kan me geen ~ schelen* I don't give a damn

²**ruk** (bn, pred) [inf] [waardeloos] the pits, crappy

¹**rukken** (onov ww) jerk (at), tug (at)

²**rukken** (ov ww) tear, wrench: *iem. de kleren*

van het lijf ~ tear the clothes from s.o.'s body

de **rukwind** squall, gust (of wind)

rul loose, sandy

de **rum** rum

de **rumboon** rum bonbon

de **rum-cola** rum and coke

het **rumoer** noise; [kabaal] din; racket, row: ~ *maken* make a noise

rumoerig noisy

de **run** run: *er was een* ~ *op die bank* there was a run on that bank

het **rund 1** cow; [mv] cattle; [trekdier] ox **2** [koe] cow; [stier] bull; [mv] cattle **3** [stommeling] idiot, fool: *een* ~ *van een vent* a prize idiot ‖ *bloeden als een* ~ bleed like a pig

het **rundergehakt** minced beef, mince

de **runderlap** braising steak

de **runderrollade** collared beef, rolled beef

het **rundvee** cattle: *twintig stuks* ~ twenty head of cattle

het **rundvlees** beef

de **rune** rune

runnen run, manage: *hij runt het bedrijf in z'n eentje* he runs the company all by himself

de **running**: *in de* ~ *zijn voor ...* be in the running for ...; *uit de* ~ *zijn* be out of the running

de **rups** caterpillar

de **rupsband** caterpillar (track)

het **rupsvoertuig** caterpillar

de **Rus** Russian

Rusland Russia

de **Russin** *zie Rus*

Russisch Russian ‖ *een* ~ *ei* egg mayonnaise; ~ *roulette* Russian roulette

de **rust 1** rest; [ontspanning] relaxation **2** rest; [(middag)slaapje] lie-down **3** [het vrij zijn van drukte] quiet: *gun hem wat* ~ give him a break; *nooit (geen ogenblik)* ~ *hebben* never have a moment's peace; *wat* ~ *nemen* take a break; *laat me met* ~! leave me alone!; *tot* ~ *komen* settle (*of:* calm) (down) **4** [stilte] (peace and) quiet; [stilte, kalmte] still(ness): *alles was in diepe* ~ all was quiet **5** [sport] half-time, interval

de **rustdag** rest day; [vrije dag] day off; holiday

rusteloos restless

rusten 1 rest, relax, take (*of:* have) a rest: *even* ~ have (*of:* take) a break **2** [slapen] rest, sleep: *hij ligt te* ~ he is resting **3** [vrij zijn] rest, pause **4** [als iets bezwarends] weigh; [gebukt gaan onder] be burdened (*of:* encumbered) with: *op hem rust een zware verdenking* he is under strong suspicion ‖ *we moeten het verleden laten* ~ we've got to let bygones be bygones

rustgevend 1 comforting **2** [kalmerend] restful, calming

het **rusthuis** rest home

rustiek rural; [idyllisch] pastoral

¹**rustig** (bn, bw) **1** peaceful, quiet **2** [niet in

beweging] calm, still: *het water is* ~ the water's calm **3** [niet haastig] steady: *een ~e ademhaling* even breathing **4** [kalm] calm: *weer* calm weather; ~ *antwoorden* answer calmly; *zich* ~ *houden* keep calm; *hij komt* ~ *een uur te laat* he quite happily (*of:* cheerfully) comes an hour late; *ze zat* ~ *te lezen* she sat quietly reading; *het* ~ *aan doen* take it easy **5** [ongestoord] quiet; smooth [verloop] [zonder voorvallen] uneventful: *daar kan ik studeren* I can study there in peace; *het is hie lekker* ~ it's nice and quiet here

²**rustig** (bw) [zonder bezwaar] safely: *je ku me* ~ *bellen* feel free to call me; *dat mag je weten* I don't mind if you know that

de **rustplaats** resting place: *de laatste* ~ the *nal resting place; *naar zijn laatste* ~ *brengen* lay to rest

het **rustpunt** pause; period [aan het eind van de zin]

de **ruststand** [sport] half-time score

de **rustverstoring** disturbance

ruw 1 rough: *een ~e plank* a rough plank; *een ~e schets* a rough draft; *een* ~ *spel* a rough game; *iets* ~ *afbreken* break sth. off abruptly; *iem.* ~ *behandelen* treat s.o. roug ly **2** [niet afgewerkt] raw, crude; roughhewn [steen]: *~e olie* crude oil

ruwweg roughly: ~ *geschat* at a rough es mate (*of:* guess)

de **ruzie** quarrel, argument: *slaande* ~ *hebber* have a blazing row; *een* ~ *bijleggen* patch a quarrel; ~ *krijgen met iem.* have an argument with s.o.; ~ *zoeken* look for trouble (a fight); ~ *hebben met iem.* (*of: om iets*) qua rel with s.o. (*of:* over sth.)

ruziën quarrel

de **ruziezoeker** quarrelsome person

Rwanda Rwanda

de ¹**Rwandees** Rwandan

²**Rwandees** (bn) Rwandan

S

de **s** s, S
saai boring, dull
de **saamhorigheid** solidarity
de **sabbat** sabbath
het **sabbatical year** sabbatical year
sabbelen suck: ~ aan een lolly suck a lollipop
de **sabel** sabre
de **sabotage** sabotage
saboteren 1 [sabotage plegen] commit sabotage (on) **2** [in de war sturen] sabotage, undermine
de **saboteur** saboteur
het **sacrament** sacrament
de **sacristie** sacristy
het **sadisme** sadism
de **sadist** sadist
sadistisch sadistic
het **sadomasochisme** sadomasochism
de **safari** safari: op ~ gaan go on safari
de **safe** safe, safe-deposit box
de **¹saffier** (zn) [edelsteen] sapphire
het **²saffier** (zn) [mineraal] sapphire
de **saffraan** saffron
de **sage** legend
de **Sahara** Sahara
saillant salient
Saksisch Saxon
de **salade** salad
de **salamander** salamander
de **salami** salami
de **salariëring** payment
het **salaris** salary, pay
de **salarisschaal** salary scale
de **salarisverhoging** (salary) increase, (pay) rise
het **saldo** balance: een positief ~ a credit balance; een negatief ~ a deficit; per ~ on balance
het **saldotekort** deficit; [op giro-, bankrekening] overdraft
de **salesmanager** sales manager
de **salie** sage
de **salmiak** salty liquorice powder
de **salmonella** salmonella
het **salomonsoordeel** judgment of Solomon
t/de **salon** drawing room, salon
salonfähig socially acceptable
de **salontafel** coffee table
het **salpeterzuur** nitric acid
de **salto** somersault
salueren salute
het **saluut** salute

het **saluutschot** salute
het **salvo** salvo, volley
Samaritaan Samaritan ‖ de barmhartige ~ the good Samaritan
de **samba** [dans] samba
de **sambal** sambal
samen 1 together; in chorus [zingen, spreken]: zij hebben ~ een kamer they share a room **2** [onderling] with each other, with one another: het ~ goed kunnen vinden get on well (together) **3** [in sommen] in all, altogether: ~ is dat 21 euro that makes 21 euros altogether (of: in all)
samenbrengen bring together
samendrukken compress
samengaan go together, go hand in hand: niet ~ met not go (together) with
samengesteld compound
de **samenhang** connection
samenhangen be connected, be linked: dat hangt samen met het klimaat that has to do with the climate
samenhangend related, connected: een hiermee ~ probleem a related problem
samenknijpen squeeze together; screw up [ogen]
samenkomen come together, meet (together); converge (on) [in één punt, op één plaats]
de **samenkomst** meeting
samenleven live together
de **samenleving** society: de huidige ~ modern society
het **samenlevingscontract** cohabitation agreement
de **samenloop** concurrence, conjunction: een ~ van omstandigheden a combination of circumstances
samenpersen compress, press together
het **samenraapsel** pack; [vnl. ideeën] ragbag
samenscholen assemble
de **samenscholing** gathering, assembly
samensmelten fuse (together)
samenspannen conspire, plot (together)
het **samenspel** combined action (of: play); [sport] teamwork
het **samenstel** composition, system
samenstellen 1 put together, make up, compose: samengesteld zijn uit be made up (of: composed) of **2** [opstellen, schrijven] draw up, compose; compile [lijst, woordenboek enz.]
de **samensteller** compiler; [auteur] composer
de **samenstelling** composition, make-up
samentrekken contract, shrink
samenvallen coincide (with); [overeenkomen] correspond: gedeeltelijk ~ overlap
samenvatten summarize, sum up: kort samengevat (to put it) in a nutshell; iets in een paar woorden ~ sum sth. up in a few words
de **samenvatting** summary; [m.b.t. wedstrijd

ook] highlights [mv]

samenvoegen join (together)

samenwerken cooperate, work together: *gaan ~* join forces (with); *nauw ~* cooperate closely

de **samenwerking** cooperation, teamwork: *in nauwe ~ met* in close collaboration with

samenwonen 1 live together, cohabit **2** [onder hetzelfde dak wonen] live (together) with, share a house (*of:* flat)

het **samenzijn** gathering

de **samenzweerder** conspirator

samenzweren conspire, plot: *tegen iem. ~* conspire (*of:* plot) against s.o.

de **samenzwering** conspiracy, plot

samsam fifty-fifty: *~ doen* go halves (with s.o.)

het **sanatorium** sanatorium

de **sanctie** sanction: *~s opleggen aan* impose sanctions against (*of:* on); *~s verbinden aan* apply sanctions to

sanctioneren sanction

de **sandaal** sandal

de **sandwich 1** sandwich **2** [Belg] bridge roll

saneren 1 put in order, see to: *zijn gebit laten ~* have one's teeth seen to **2** [op orde stellen] reorganize, redevelop: *de binnenstad ~* redevelop the town centre

de **sanering 1** [m.b.t. gebit] ± course of dental treatment **2** reorganization; [stedenbouw] redevelopment; [milieu] clean-up (operation)

het **¹sanitair** (zn) sanitary fittings, bathroom fixtures

²sanitair (bn) sanitary: *~e artikelen* bathroom equipment; *~e voorzieningen* toilet facilities

het **Sanskriet** Sanskrit: *dat is ~ voor hem* that is Greek to him

de **santenkraam**: [scherts, pej] *de hele ~* the whole lot (*of:* caboodle); [inf; Am] the whole shebang (*of:* enchilada)

het **sap** juice [vrucht]; sap [plant]; fluid [lichaam]: *het ~ uit een citroen knijpen* squeeze the juice from a lemon

de **sapcentrifuge** juice extractor, juicer

het **sapje** (fruit) juice

de **sappel** [inf] *zich (te) ~ maken over iets* worry about sth.

sappelen slave (*of:* slog) (away), drudge

sappig [m.b.t. vrucht] juicy: *~ vlees* juicy (*of:* succulent) meat

het **sarcasme** sarcasm

sarcastisch sarcastic: *~e opmerkingen* snide remarks

de **sarcofaag** sarcophagus

de **sardine** sardine

Sardinië Sardinia

de **sarong** sarong

sarren bait, (deliberately) provoke, needle

de **sas**: *hij is zeer in zijn ~ met zijn nieuwe auto*

he's delighted (*of:* over the moon, very pleased) with his new car

de **satan** devil, fiend

Satan Satan

satanisch satanic(al), diabolic: *een ~e blik* (*of:* lach) a fiendish look (*of:* laugh)

de **saté** satay

de **satelliet** satellite

de **satellietschotel** satellite dish

de **satellietstaat** satellite (state)

de **satellietverbinding** satellite link(-up)

de **satésaus** satay sauce

het **satéstokje** skewer

het **satijn** satin

satijnen satin

de **satire** satire: *een ~ schrijven op* satirize, write a satire on

satirisch satiric(al)

Saturnus Saturn

de **saucijs** sausage

het **saucijzenbroodje** sausage roll

Saudi-Arabië Saudi Arabia

Saudi-Arabisch Saudi (Arabian)

de **Saudiër** Saudi (Arabian)

Saudisch Saudi (Arabian)

de **sauna** sauna (bath)

de **saus** sauce; [jus] gravy; [op sla] (salad) dressing: *zoetzure ~* [m.b.t. oosterse gerechten] sweet and sour (sauce)

de **sauskom** sauce boat

de **sauslepel** sauce spoon (*of:* ladle)

sauteren sauté

¹sauzen (ov ww) [verven] distemper, colour wash

²sauzen (onpers ww): *het saust* it's pouring

de **savanne** savannah

saven [comp] save

de **savooiekool** savoy (cabbage)

de **sax** sax(ophone)

de **saxofonist** saxophonist, saxophone player

de **saxofoon** saxophone

de **S-bocht** S-bend

het **scala** scale, range: *een breed ~ van artikelen* wide range of items

de **scalp** scalp

het **scalpel** scalpel

scalperen scalp

de **scan** scan

scanderen chant

Scandinavië Scandinavia

de **Scandinaviër** Scandinavian

Scandinavisch Scandinavian

scannen scan

de **scanner** scanner

het **scenario** scenario; screenplay [film]; script [drama]

de **scene** scene

de **scène** scene: *hij had de overval zelf in ~ gezet* he had faked the robbery himself

de **scepsis** scepticism

de **scepter** sceptre: *de ~ voeren (zwaaien) h*

sway (over)
sceptisch sceptical

de **schaaf 1** [voor hout] plane **2** [om plakjes te snijden] slicer

de **schaafwond** graze, scrape

het **¹schaak** (zn) chess: *een partij ~* a game of chess

²schaak (bn) in check: *~ staan* be in check; *iem. ~ zetten* put s.o. in check

het **schaakbord** chessboard

schaakmat checkmate: *~ staan* be check-mated; *iem. ~ zetten* checkmate s.o.

de **schaakpartij** game of chess

het **schaakspel 1** chess **2** [bord en stukken] chess set

het **schaakstuk** chessman, piece

het **schaaktoernooi** chess tournament

de **schaal 1** [maatstaf] scale: *er wordt op grote ~ misbruik van gemaakt* it is misused on a large scale; *op ~ tekenen* draw to scale; *~ 4:1* a scale of four to one **2** [schotel] dish; plate [ook voor collecte]: *een ~ met fruit* a bowl of fruit

het **schaaldier** crustacean

het **schaalmodel** scale model

de **schaalverdeling** graduation, scale divi-sion: *een ~ op iets aanbrengen* graduate sth.

de **schaalvergroting** increase (in scale), ex-pansion

het **schaambeen** pubis, pubic bone

het **schaamdeel** genital(s), private part(s): *de vrouwelijke (of: mannelijke) schaamdelen* the female (of: male) genitals

het **schaamhaar** pubic hair

de **schaamlippen** labia: *de grote (of: de klei-ne) ~* the labia majora (of: minora)

het **schaamrood**: *iem. het ~ naar de kaken jagen* bring a blush (of shame) to s.o.'s cheeks

de **schaamte** shame: *blozen (of: rood worden) van ~* blush (of: go red) with shame; *plaats-vervangende ~ voelen* be ashamed for s.o. (else)

schaamteloos shameless

het **schaap** sheep: *een kudde schapen* a flock of sheep; *het zwarte ~ (van de familie) zijn* be the black sheep (of the family); *~jes tellen* count sheep

schaapachtig silly: *iem. ~ aankijken* look stupidly at s.o.; *~ lachen* grin sheepishly

de **schaapherder** shepherd

de **schaar 1** (pair of) scissors [mv]: *de ~ in iets zetten* take the scissors (of: a pair of scissors) to sth.; *één ~* one pair of scissors; *twee scha-ren* two (pairs of) scissors **2** [van dieren e.d.] pincers [mv]; claws [mv]

¹schaars (bn) scarce: *mijn ~e vrije ogenblik-ken* my rare free moments

²schaars (bw) sparingly, sparsely; [m.b.t. kleding] scantily: *~ verlicht* dimly lit

de **schaarste** scarcity, shortage

de **schaats** skate: *de ~en onderbinden* put on one's skates

de **schaatsbaan** (skating) rink

schaatsen skate

de **schaatser** skater

schabouwelijk [Belg] wretched, dismal

de **schacht 1** shaft; [sleutel] shank; [plantk] stem **2** [Belg] fresher, first-year student

de **schade 1** loss(es): *de ~ inhalen* recoup one's losses; *~ lijden* suffer a loss **2** [beschadiging] damage; [persoon ook] harm: *~ aanrichten* damage sth.; *~ aan iets toebrengen* (of: be-rokkenen) do (of: cause) damage to sth.; *zijn auto heeft heel wat ~ opgelopen* his car has suffered quite a lot of damage; *de ~ loopt in de miljoenen* the damage runs into millions ‖ *door ~ en schande wijs worden* live and learn, learn the hard way

de **schadeclaim** insurance claim (for dam-age): *een ~ afhandelen* settle a claim

de **schade-expert** loss adjuster; [Am] insur-ance adjuster

het **schadeformulier** claim form

schadelijk harmful, damaging: *~e dieren* pests, vermin; *~e gewoonten* pernicious habits

schadeloosstellen compensate; [m.b.t. onkosten ook] repay; [m.b.t. onkosten ook] reimburse: *zich ergens voor ~* compensate (o.s.) for sth.

de **schadeloosstelling** compensation: *volle-dige ~ betalen* pay full damages

schaden damage, harm: *roken schaadt de gezondheid* smoking damages your health; *baat het niet, het schaadt ook niet* it can't do any harm and it may do some good

de **schadepost** loss, (financial) setback

de **schadevergoeding** compensation; dam-ages [mv]: *volledige ~ betalen* pay full dam-ages; *~ eisen voor* claim compensation (of: damages) for; *€1000,- ~ krijgen* receive 1000 euros in damages

de **schaduw** shade, shadow: *in iemands ~ staan* be outshone (of: overshadowed) by s.o.; *uit de ~ treden* [ook fig] come out of the shad-ows

schaduwen shadow, tail: *iem. laten ~* have s.o. shadowed (of: tailed)

het **schaduwkabinet** shadow cabinet

de **schaduwzijde 1** shady side **2** [nadelige kant] drawback: *de ~ van een overigens nuttige maatregel* the drawback to an otherwise useful measure

schaften [pauzeren] break (for lunch, din-ner)

de **schakel** link: *een belangrijke ~* a vital link; *de ontbrekende ~* the missing link

de **schakelaar** switch

de **schakelarmband** chain bracelet

schakelen 1 connect: *parallel (of: in serie) ~* connect in parallel (of: in series) **2** [m.b.t. motorvoertuigen] change, change gear(s): *naar de tweede versnelling ~* change to second

(gear)

de **schakeling 1** connection, circuit **2** [m.b.t. een auto] gear change: *automatische* ~ automatic gear change

de **schakelkast** switch box, switch cupboard

schaken play chess: *een partijtje* ~ play a game of chess; *simultaan* ~ play simultaneous chess

de **schaker** chess player

de **schakering 1** [verscheidenheid van eigenschappen, denkbeelden] diversity **2** [kleurschikking] pattern(ing)

het **schaliegas** shale gas

schalks mischievous, sly

schallen (re)sound; [lach] peal

schamel poor, shabby: *een* ~ *pensioentje* a meagre (of: miserable) pension

zich **schamen** be ashamed (of), be embarrassed: *zich dood* (of: *rot*) ~ die with shame; *daar hoef je je niet voor te* ~ there's no need to be ashamed of that; *zich nergens voor* ~ not be ashamed of anything

schamper scornful, sarcastic, sneering

schamperen sneer

het **schampschot** grazing shot

het **schandaal 1** scandal, outrage: *een publiek* (of: *een politiek*) ~ a public outrage, a political scandal **2** [schande] shame, disgrace: *een grof* ~ a crying shame

de **schandaalpers** gutter press

schandalig scandalous, outrageous, disgraceful: ~ *duur* outrageously expensive; *het is* ~ *zoals hij ons behandelt* it's disgraceful the way he treats us

de **schande** disgrace, shame: *het is (een)* ~ it's a disgrace; ~ *van iets spreken* cry out against sth.

schandelijk scandalous, outrageous: *een* ~ *boek* an infamous book

de **schandpaal**: *iem. aan de* ~ *nagelen* pillory s.o.

de **schandvlek 1** [smet] blot **2** [persoon] disgrace

de **schans** ski jump

schansspringen ski jump

het/de **schap** shelf: *de ~pen bijvullen* re-stock the shelves

de **schapenkaas** sheep's (of: ewe's) cheese

de **schapenscheerder** sheepshearer

de **schapenvacht** sheepskin, fleece

het **schapenvlees** mutton, lamb

de **schapenwol** sheep's wool

de **schapenwolkjes** fleecy clouds

schappelijk reasonable, fair

de **schar** dab, sheepdog

¹**scharen** (onov ww) [m.b.t. voertuigen] jackknife

²**scharen** (ov ww) [opstellen] range: *zich om het vuur* ~ gather round the fire; [fig] *zich achter iem.* ~ side with s.o.

het/de **scharminkel** scrag(gy person): *een mager* ~

a bag of bones

het **scharnier** hinge: *om een* ~ *draaien* hinge

scharnieren hinge

de **scharrel** [inf] **1** [persoon] flirt **2** [oppervlakkige relatie] flirtation: *aan de* ~ *zijn* fool around

de **scharrelaar** odd-jobber

het **scharrelei** free-range egg

scharrelen 1 rummage (about): *hij scharrel de hele dag in de tuin* he potters about in the garden all day (long) **2** [m.b.t. kippen] scratch

de **scharrelkip** free-range chicken

de **schat 1** treasure: *een verborgen* ~ a hidden treasure **2** [groot bezit aan geld] treasure, riches: ~*ten aan iets verdienen* make a fortune out of sth.; *een* ~ *aan gegevens* (of: *materiaal*) a wealth of data (of: material) **3** [lieverd] darling, dear, honey: *zijn het geen ~jes* aren't they sweet?

de **schatbewaarder** [Belg] [penningmeester] treasurer

schateren roar (with laughter): *de kinderen* ~ *van plezier* the children shouted with pleasure

de **schaterlach** loud laughter

de **schatgraver** treasure digger

de **schatkamer** treasury, treasure house

de **schatkist 1** treasure chest **2** [staatskas] treasury, (the) Exchequer

schatplichtig tributary: ~ *zijn aan iem.* be indebted to s.o.

schatrijk wealthy: *ze zijn schat- en* ~ they are fabulously wealthy

de **schattebout** dear, darling

schatten value; estimate [verlies, schade] assess [inkomen, schade ook]; appraise [m.b.t. taxateur]: *de afstand* ~ estimate the distance; *hoe oud schat je hem?* how old do you take him to be?; *de schade* ~ *op* assess the damage at

schattig sweet, lovely: *zij ziet er* ~ *uit* she looks lovely

de **schatting** estimate, assessment: *een voorzichtige* ~ a conservative estimate; *naar* ~ *drie miljoen* an estimated three million

schaven 1 plane: *planken* ~ plane boards **2** [licht verwonden] graze, scrape **3** [fijn snijden den met een schaaf] slice, shred: *komkommers* ~ slice cucumbers

het **schavot** scaffold: *iem. op het* ~ *brengen* **a)** condemn s.o. to the scaffold; **b)** [fig] cause s.o.'s downfall

de **schavuit** rascal

de **schede 1** [voor mes, zwaard e.d.] sheath **2** [anat] vagina

de **schedel** skull

de **schedelbasisfractuur** fracture of the base of the skull

scheef 1 crooked [rug, boomstam]; [schu oblique; leaning [toren]; slanting [oppervlak]; sloping [oppervlak]: *scheve hoeken* oblique angles; *een ~ gezicht trekken* pull a wry face; *een scheve neus hebben* have a crooked nose; *het schilderij hangt ~* the picture is crooked **2** [verkeerd] wrong, distorted: *de zaak gaat (loopt) ~* things are going wrong

de **scheefgroei** [fig] adverse development
scheel cross-eyed
scheelzien squint

de **scheen** shin: *iem. tegen de schenen schoppen* tread on s.o.'s toes

het **scheenbeen** shinbone

de **scheenbeschermer** shinguard

de **scheepsbouw** shipbuilding (industry)

de **scheepsbouwer** shipbuilder

de **scheepshut** (ship's) cabin

de **scheepslading** shipload, (ship's) cargo

de **scheepsramp** shipping disaster

het **scheepsrecht**: *driemaal is ~* third time lucky

het **scheepsruim** (ship's) hold

de **scheepswerf** shipyard

de **scheepvaart** shipping (traffic), navigation

het **scheepvaartverkeer** shipping (traffic)

het **scheerapparaat** shaver

de **scheerkwast** shaving brush

de **scheerlijn 1** [spanlijn] stretching wire **2** [m.b.t. een tent] guy (rope)

het **scheermes** razor

het **scheermesje** razor blade

de **scheerwol** (virgin) wool: *zuiver ~* pure new wool

de **scheerzeep** shaving soap

de **scheet** fart: *een ~ laten* fart
scheidbaar separable

¹**scheiden** (onov ww) **1** part (company), separate: *hier ~ onze wegen* here our ways part; *~ van* part (of: separate) from; *als vrienden ~* part (as) friends **2** [m.b.t. huwelijk] divorce: *separate* [van tafel en bed]: *zij gaan ~* they are getting divorced

²**scheiden** (ov ww) **1** separate, divide: *dooier en eiwit ~* separate the yolk from the (egg) white; *het hoofd van de romp ~* sever the head from the body; *twee vechtende jongens ~* separate two fighting boys; *huisvuil ~* sort the household waste **2** [echtscheiding uitspreken] divorce; separate [van tafel en bed]: *zich laten ~* get a divorce

de **scheiding 1** separation, detachment: *een ~ maken (veroorzaken) (in)* rupture, disrupt **2** [m.b.t. huwelijk] divorce: *~ van tafel en bed* legal separation, separation from bed and board **3** [m.b.t. haar] parting

de **scheidingswand** dividing wall

de **scheidslijn** dividing line; [fig] borderline

de **scheidsmuur** [tussenmuur] partition; [fig] barrier

de **scheidsrechter** umpire [tennis, cricket, honkbal]; referee [voetbal, hockey]: *als ~ optreden bij een wedstrijd* umpire (of: referee) a match

de **scheikunde** chemistry
scheikundig chemical
schel shrill: *een ~le stem* a shrill (of: piercing) voice

de **Schelde** Scheldt
schelden curse, swear: *vloeken en ~* curse and swear; *op iem. ~* scold s.o., call s.o. names

de **scheldnaam** term of abuse

het **scheldwoord** term of abuse

het **schelen 1** differ: *ze ~ twee maanden* they are two months apart **2** [ter harte gaan] concern, matter: *het kan mij niets* (of: *geen bal) ~* I don't give a hoot (of: care two hoots); *het kan me niet ~* I don't care; [geen bezwaar] I don't mind; *kan mij wat ~!* why should I care! ‖ *het scheelde geen haar* it was a close shave; *het scheelde weinig, of hij was verdronken* he narrowly escaped being drowned; *dat scheelt (me) weer een ritje* that saves (me) another trip

de **schelm** crook

de **schelp 1** shell **2** [deel van het oor] auricle

de **schelpdieren** shellfish

de **schelvis** haddock

het **schema 1** diagram, plan **2** plan, outline **3** [tijdsplanning] schedule: *we liggen weer op ~* we're back on schedule; *achter* (of: *voor) op het ~* behind (of: ahead of) schedule
schematisch schematic, diagrammatic: *iets ~ voorstellen (aangeven)* represent sth. in diagram form

de **schemer** twilight: *de ~ valt* evening is falling

het **schemerdonker** twilight, half-light; [donkerder] dusk
schemeren ['s avonds] grow dark; ['s ochtends] become light: *het begint te ~* it is getting dark (of: light); twilight is setting in
schemerig dusky

de **schemering** twilight, dusk, dawn

de **schemerlamp** [op vloer] floor lamp, standard lamp

de **schemertoestand** twilight state
schenden 1 damage **2** [verbreken] break, violate: *een verdrag* (of: *mensenrechten) ~* violate a treaty (of: human rights)

de **schending** violation [eer, verdrag, rechten]; breach [vertrouwen]

de **schenkel** shank
schenken 1 pour (out) **2** [cadeau geven] give: *zijn hart ~ aan* give one's heart to ‖ *geen aandacht ~ aan iem.* take no notice (of: account) of s.o., pay no attention to s.o.

de **schenking** gift, donation: *een ~ doen* make a gift (of: donation)

de **schennis** violation: *~ plegen* commit indecent exposure

de **schep 1** scoop; [groter] shovel **2** [hoeveelheid] (table)spoon(ful), scoop(ful): *drie ~pen* *ijs* three scoops of ice cream

de **schepen** [Belg] alderman

het **schepencollege** [Belg] bench of (Mayor and) Aldermen

het **schepijs** (easy-scoop) ice cream

het **schepje 1** (small) spoon **2** [hoeveelheid] spoon(ful): *een ~ suiker* a spoonful of sugar || [fig] *er een ~ (boven)op doen* **a)** add a little extra; **b)** [(een verhaal enz.) aandikken] heighten (the effect)

het **schepnet** dip (*of:* landing) net

scheppen 1 create: *God schiep de hemel en de aarde* God created heaven and earth **2** [met een schep, emmer enz.] scoop, shovel: *een emmer water ~* draw a bucket of water; *leeg ~* empty; *vol ~* fill; *zand op een kruiwagen ~* shovel sand into a wheelbarrow

de **schepper** creator

de **schepping** creation

het **scheppingsverhaal** story of the Creation

het **schepsel** creature

scheren shave; [m.b.t. dieren] shear: *zich ~* shave; *geschoren schapen* shorn sheep || *scheer je weg!* get away!, buzz off!

de **scherf** fragment; splinter [ook m.b.t. granaten]: *in scherven (uiteen)vallen* fall to pieces; *scherven brengen geluk* ± no good crying over spilt milk

de **schering**: [fig] *dat is ~ en inslag* that is the order of the day

het **scherm 1** screen, shade **2** [toneeldoek] curtain: *de man achter de ~en* the man behind the scenes **3** [beeldscherm] screen, display

schermen fence

de **schermutseling** skirmish, clash

het ¹**scherp** (zn) **1** edge: *op het ~ van de snede balanceren* be on a knife-edge **2** [kogels] ball: *met ~ schieten* fire (with) live ammunition; *op ~ staan* be on edge

²**scherp** (bn) **1** sharp, pointed; [wisk] acute [hoek]: *een ~e kin* a pointed chin **2** [m.b.t. de zintuigen] sharp, pungent, hot; spicy [voedsel]; cutting; biting [kou, wind]: *~e mosterd* (*of: kerrie*) hot mustard (*of:* curry) **3** [streng] strict, severe: *~ toezicht* close control **4** [vinnig] sharp, harsh: *~e kritiek* sharp criticism **5** [duidelijk uitkomend] sharp, clear-cut: *een ~ contrast vormen* be in sharp contrast with; [foto] *~ stellen* focus **6** [met vermogen te doden] live [munitie]; armed [bom]

scherpen sharpen

scherpomlijnd clear-cut, well-defined

de **scherpschutter** sharpshooter; [verdekt] sniper

de **scherpslijper** quibbler

de **scherpte** sharpness, keenness: *de ~ van het beeld* [van kijker, tv] the sharpness of the picture; *de ~ van een foto* the focus of a picture

scherpzinnig 1 acute, discerning, sharp(-witted): *een ~e geest* a subtle mind **2** [spits-

vondig] shrewd, clever: *~ antwoorden* give a shrewd answer

de **scherts** joke, jest

schertsen joke, jest

de **schertsfiguur** joke, nonentity

de **schertsvertoning** joke

de **schets** sketch: *een eerste ~* a first draft; *een ruwe* (*of: korte*) *~ van mijn leven* a rough (*of:* brief) outline of my life

het **schetsboek** sketchbook

schetsen sketch: *een beeld ~ van* paint a picture of; *ruw (in grote lijnen) ~* give a rough sketch (of)

schetteren blare

de **scheur 1** crack, crevice; [spleet] split: *een ~ in een muur* a crack in a wall **2** [m.b.t. weefsel, papier] tear: *hij heeft een ~ in mijn nieuw boek gemaakt* he has torn my new book || *zijn ~ opentrekken* open one's big mouth

de **scheurbuik** scurvy: *aan ~ lijdend* scorbutic

¹**scheuren** (onov ww) [een scheur krijgen] tear (apart) [stof, papier]; crack [iets hards]; [hout ook] split: *pas op, het papier zal ~* be careful, the paper will tear; *de auto scheurde door de bocht* the car came screeching round the corner

²**scheuren** (ov ww) tear: *zijn kleren ~* tear one's clothes

de **scheuring** rift, split; [binnen kerk] schism

de **scheurkalender** block-calendar

de **scheut 1** [van plant] shoot, sprout **2** [korte pijn] twinge, stab (of pain) **3** [hoeveelheid vloeistof] dash; shot [sterkedrank]: *een ~ melk* a dash of milk

scheutig generous

schichtig nervous, timid; skittish [paard]

schielijk quickly, rapidly

het **schiereiland** peninsula

de **schietbaan** shooting range

¹**schieten** (onov ww) **1** shoot; [met vuurwapen ook] fire: *op iem. ~* shoot (*of:* take a shot) at s.o. **2** [snel bewegen] shoot, dash: *prijzen ~ omhoog* prices are soaring **3** (+ laten) [niet langer tegenhouden] let go, release; drop [persoon]; forget [persoon]: *laat hem ~* forget (about) him || *de tranen schoten haar in de ogen* tears rushed to her eyes; *weer te binnen ~* come back (to mind); *iem. te hulp ~* rush to s.o.'s aid (*of:* assistance)

²**schieten** (ov ww) shoot: *hij kon haar wel ~* he could (cheerfully) have murdered her; *zich een kogel door het hoofd ~* blow out one's brains; *naast ~* miss; *in het doel ~* net (the ball)

het **schietgebed** short prayer, quick prayer: *een ~je doen* say a quick prayer

de **schietpartij** shoot-out

de **schietschijf** target

de **schietstoel** ejector seat, ejection seat

de **schiettent** rifle gallery, shooting gallery

¹**schiften** (onov ww) [m.b.t. melk] curdle,

turn

²**schiften** (ov ww) sort (out), sift (through)

de **schifting 1** sifting: *Jan is bij de eerste ~ afgevallen* Jan was weeded out in the first round **2** curdling *[van melk]*

de **schijf 1** disc **2** [draaiend] disc, plate; [van pottenbakker] (potter's) wheel **3** [plak] slice: *een ~je citroen* a slice of lemon **4** [geheugenschijf] disk

de **schijfrem** disc brake

de **schijn 1** appearance, semblance: *op de uiterlijke ~ afgaan* judge by (outward) appearances; *~ bedriegt* appearances are deceptive; *de ~ ophouden tegenover de familie* keep up appearances in front of the family **2** [vertoon] show, appearances: *schone ~* glamour, cosmetics, gloss **3** [zeer kleine hoeveelheid] shadow, gleam: *geen ~ van kans hebben* not have the ghost of a chance

schijnbaar seeming, apparent: *~ oprecht* seemingly sincere

de **schijnbeweging** feint, dummy (movement, pass): *een ~ maken* (make) a feint

de ¹**schijndood** (zn) apparent death, suspended animation

²**schijndood** (bn) apparently dead, in a state of suspended animation

schijnen 1 shine: *de zon schijnt* the sun is shining; *met een zaklantaarn in iemands gezicht ~* flash a torch in s.o.'s face **2** [lijken] seem, appear: *het schijnt zo* it looks like it; *hij schijnt erg rijk te zijn* apparently he is very rich

schijnheilig hypocritical, sanctimonious: *met een ~ gezicht* sanctimoniously

het **schijnhuwelijk** marriage of convenience

het **schijnsel** shine, light

het **schijntje**: *ik kocht het voor een ~* I bought it for a song

de **schijnvertoning** diversion

de **schijnwerper** floodlight; [op het toneel] spotlight: *iem. in de ~s zetten* spotlight s.o.; *in de ~s staan* be in the limelight

t/de **schijt** [inf] shit, crap

schijten [inf] shit, crap

de **schijterd** funk, scaredy-cat

schijterig chicken-hearted

de **schijterij** [inf] shits [mv]; trots; runs [beide mv]: *aan de ~ zijn* have the shits (*of*: trots, runs)

de **schik** contentment, fun: *~ hebben in zijn werk* enjoy one's work

schikken arrange, order: *de boeken in volgorde ~* put the books in order

de **schikking** arrangement, ordering || *een ~ treffen (met)* reach an understanding (with)

de **schil** [dun] skin; [dik] rind [sinaasappel]; peel [banaan, sinaasappel]

het **schild 1** shield; [kreeft, schildpad] shell **2** [bord met opschrift] sign

de **schilder 1** (house-)painter; (house-)decorator [binnenshuis] **2** [kunstschilder(es)] painter

schilderachtig picturesque; scenic [route]

schilderen paint, decorate: *zijn huis laten ~* have one's house painted

het **schilderij** painting, picture: *een ~ in olieverf* an oil painting

de **schildering** painting, picture: *~en op een wand* murals

de **schilderkunst** (art of) painting

het **schildersbedrijf** painter and decorator's business

de **schildersezel** (painter's) easel

het **schilderstuk** painting, picture

het **schilderwerk 1** painting: *het ~ op de wand* the mural (painting) **2** [werk voor, van een huisschilder] paintwork: *het ~ aanbesteden* give out the paintwork by contract

de **schildklier** [med] thyroid gland

de **schildknaap** shield-bearer, squire

de **schildpad** tortoise; turtle [vnl. zee]

de **schildwacht** sentry, guard: *~en aflossen* change the guard

de **schilfer** scale; flake [van zacht oppervlak]; chip [van hard oppervlak]; sliver [scherp, bijv. glas]

schilferen flake (off), peel (off)

schillen peel: *aardappels ~* peel potatoes

de **schim** shadow: *~men in het donker* shadows in the dark

de **schimmel 1** mould, mildew: *de ~ van kaas afhalen* scrape the mould off cheese; *er zit ~ op die muur* there is mildew on the wall **2** [plantk] fungus **3** [paard] grey

schimmelen mould, become mouldy (*of*: mildewed)

schimmelig mouldy

de **schimmelinfectie** fungal infection

het **schimmenspel** shadow theatre, shadow play

schimmig shadowy

schimpen scoff, jeer, sneer

het **schip** ship; [vnl. voor op zee] vessel; [voor binnenvaart] barge; boat: *zijn schepen achter zich verbranden* burn one's boats; *het zinkende ~ verlaten* leave the sinking ship; *per ~* by ship (*of*: boat); *schoon ~ maken* [fig] make a clean sweep, clean things up

de **schipbreuk** shipwreck, wreck: *~ lijden* **a)** [schip zelf] founder, be wrecked; **b)** [opvarenden] be shipwrecked

de **schipbreukeling** shipwrecked person

de **schipper 1** master (of a ship), captain, skipper **2** [bestuurder van een binnenvaartuig] captain of a barge

schipperen give and take: *je moet een beetje weten te ~* you've got to give and take (a bit)

de **schipperstrui** seaman's pullover

het **schisma** schism

schitteren 1 glitter, shine, twinkle: *zijn ogen schitterden van plezier* his eyes twinkled with amusement 2 [uitblinken] shine (in, at), excel (in, at): ~ *in gezelschap* be a social success

schitterend 1 brilliant, sparkling: *het weer was ~* the weather was gorgeous **2** [prachtig] splendid, magnificent: *een ~ doelpunt* a marvellous goal

de **schittering** brilliance, radiance

schizofreen schizophrenic

de **schizofrenie** schizophrenia

de **schlager** (schmalzy) pop(ular) song

de **schlemiel** wally

de **schmink** greasepaint, make-up

schminken make (s.o.) up: *zich ~* make (o.s.) up

de **schnabbel** (bit of a) job on the side: *daar heb ik een leuke ~ aan* it brings in a bit extra for me

de **schnitzel** (veal, pork) cutlet, schnitzel

het **schoeisel** footwear

de **schoen** shoe: *twee paar ~en* two pairs of shoes; *hoge ~en* boots; [Belg] *in nauwe ~tjes zitten* be in dire straits; *zijn ~en aantrekken* put on one's shoes; *zijn ~en uittrekken* take off one's shoes; [fig] *de stoute ~en aantrekken* take the plunge; *ik zou niet graag in zijn ~en willen staan* I wouldn't like to be in his shoes

de **schoenenzaak** shoe shop

de **schoener** schooner

de **schoenlepel** shoehorn

de **schoenmaat** shoe size

de **schoenmaker** cobbler, shoemaker: *die schoenen moeten naar de ~* those shoes need repairing

het/de **schoensmeer** shoe polish, shoe cream

de **schoenveter** shoelace: *zijn ~s strikken* (of: *vastmaken*) lace up (of: tie) one's shoes

de **schoenzool** sole

de **schoep** blade

de **schoffel** hoe

schoffelen weed

schofferen treat with contempt

het **schoffie** rascal

de **schoft 1** bastard **2** [schouder van een dier] shoulder; [van een paard ook] withers [mv]

schofterig rascally

de **schok 1** shock: *dat nieuws zal een ~ geven* that news will come as quite a shock; *de ~ te boven komen* get over the shock **2** [stoot] jolt: [elek] *een ~ krijgen* receive a shock; *de ~ken van een aardbeving* earthquake tremors; *de ~ was zo hevig dat ...* the (force of the) impact was so great that ...

het **schokbeton** vibrated concrete

de **schokbreker** shock absorber

de **schokdemper** shock absorber

het **schokeffect** shock, impact: *voor een ~ zorgen* create a shock

¹**schokken** (onov ww) shake, jolt

²**schokken** (ov ww) shock: *~de beelden* shocking scenes

de ¹**schol** (zn) plaice

²**schol** (tw) [Belg] cheers!

de **scholekster** oystercatcher

scholen school, train

de **scholengemeenschap** ± comprehensive school

de **scholier 1** pupil; [Am] student **2** [Belg] junior member (14, 15 years) of sports club

de **scholing** training, schooling: *een man met weinig ~* a man of little schooling (of: education)

de **schommel** swing

schommelen 1 swing; [stoel, trein] rock; [boot] roll **2** [met een schommel spelen] swing, rock: *ze zijn aan het ~* they are playing on the swings **3** [m.b.t. waarden, bedragen] fluctuate

de **schommeling** fluctuation, swing

de **schommelstoel** rocking chair

de **schoof** sheaf

schooien beg: *die hond schooit bij iedereen om een stukje vlees* that dog begs a piece of meat from everybody

de **schooier** tramp, vagrant; [Am] bum

de **school** school: *een ~ haringen* a school of herring; *een bijzondere ~* a denominational school; *hogere ~* college for higher education; *de lagere ~* primary school; *de middelbare ~* secondary school; [Am] high school; *een neutrale ~* a non-denominational school; *een openbare ~* a state school; [Am] a public school; *Vrije School* Rudolf Steiner School; *een witte ~* a predominantly white school; *naar ~ gaan* go to school; *de kinderen zijn naar ~* the children are at school; *op de middelbare ~ zitten* go to (of: attend) secondary school; *uit ~ komen* come home from school; *als de kinderen van ~ zijn* when the children have finished school; *zij werd van ~ gestuurd* she was expelled from school; *een ~ voor voortgezet onderwijs* a secondary school

de **schoolagenda** school diary

de **schoolarts** school doctor

de **schoolbank** school desk: *ik heb met hem de ~en gezeten* we went to school together, we were schoolmates

de **schoolbel** school bell

het **schoolbestuur** board of governors

schoolblijven stay in (after school), be kept in (after school)

het **schoolboek** school book, textbook

het **schoolbord** blackboard

de **schoolbus** school bus

de **schooldag** school day: *de eerste ~* the first day of school

het **schoolfeest** school party

schoolgaand schoolgoing

het **schoolgebouw** school (building)

het **schoolgeld** tuition, fee(s)

het **schoolhoofd** principal, headmaster, headmistress

het **schooljaar** school year: *het eerste ~ over moeten doen* have to repeat the first year
de **schooljeugd** school-age children, school-agers
de **schooljongen** schoolboy
de **schooljuffrouw** (school)teacher
de **schoolkeuze** choice of school
de **schoolklas** class, form
de **schoolkrant** school (news)paper
het **schoollokaal** schoolroom
de **schoolmeester 1** [onderwijzer] school-teacher **2** [betweter] pedant, prig: *de ~ spelen (uithangen)* be a pedant
het **schoolmeisje** schoolgirl
het **schoolonderzoek** exam(ination)
de **schoolopleiding** education: *een goede ~ genoten hebben* have had the advantage of a good education
het **schoolplein** (school) playground: *de kinderen spelen op het ~* the children were playing in the playground
de **schoolreis** school trip
de **schoolreünie** school reunion
schools 1 school, schoolish **2** [weinig zelf-standig] scholastic
het **schoolschrift** school notebook
de **schoolslag** breaststroke
de **schooltas** schoolbag; [met schouderband] satchel
de **schooltelevisie** educational television
de **schooltijd** school time (*of:* hours): *de ~en variëren soms van school tot school* school hours can vary from school to school; *buiten* (*of: na*) ~ outside (*of:* after) school; *gedurende de ~, onder ~* during school (time)
het **schoolvak** school subject
de **schoolvakantie** school holidays
de **schoolverlater** school leaver; [Am] recent graduate; [zonder diploma] drop-out
het **schoolverzuim** school absenteeism
het **schoolvoorbeeld** classic example: *dit is een ~ van hoe het niet moet* this is a classic example of how it shouldn't be done
de **schoolvriend** school friend
schoolziek shamming, malingering
schoolzwemmen swimming (in school)
het **¹schoon** (zn) beauty: *het vrouwelijk ~* female beauty
²schoon (bn) **1** clean; [netjes, opgeruimd] neat: *~ water* clean (*of:* fresh) water **2** [mooi] beautiful, fine: *de schone kunsten* the fine arts **3** [vrij van onkosten] clear; [m.b.t. belasting] after tax: *50 pond ~ per week verdienen* make 50 pounds a week net (*of:* after tax) **4** [Belg] fine, pretty ‖ *tachtig kilo ~ aan de haak* eighty kilo's net (weight); [mensen] eighty kilo's without clothes; *zijn kans ~ zien* see one's chance (*of:* opportunity)
de **schoonbroer** brother-in-law
de **schoondochter** daughter-in-law
de **schoonfamilie** in-laws

de **schoonheid** beauty
de **schoonheidsfoutje** little slip, flaw
het/de **schoonheidssalon** beauty salon (*of:* parlour)
de **schoonheidsspecialiste** beautician; [make-up] cosmetician
het **schoonheidsvlekje** beauty spot
de **schoonheidswedstrijd** beauty contest
schoonhouden clean: *een kantoor ~* clean an office
de **schoonmaak** (house) cleaning, clean-up: *de grote ~* the spring-cleaning; *grote ~ houden* spring-clean; make a clean sweep
de **schoonmaakartikelen** cleaning products, cleanser(s)
schoonmaken clean
de **schoonmaker** cleaner
de **schoonmoeder** mother-in-law
de **schoonouders** in-laws
het **schoonschrift** calligraphy
schoonspoelen rinse (out)
schoonspringen platform diving
de **schoonvader** father-in-law
de **schoonzoon** son-in-law
de **schoonzus** sister-in-law
schoonzwemmen synchronized swimming
de **schoorsteen** chimney: *de ~ trekt niet goed* the chimney doesn't draw well; *de ~ vegen* sweep the chimney
de **schoorsteenmantel** mantelpiece
de **schoorsteenveger** chimney sweep
schoorvoetend reluctantly
de **schoot** lap: *bij iem. op ~ kruipen* clamber onto s.o.'s lap
het **schoothondje** lapdog
de **schop 1** kick: *een vrije ~* a free kick; *iem. een ~ onder zijn kont geven* kick s.o. on (*of:* up) the behind **2** [schep] shovel; [spade] spade
de **¹schoppen** (zn) spades: *~ is troef* spades are trump; *één ~* one spade
²schoppen (ww) kick: *tegen een bal ~* kick a ball ‖ *het ver ~* go far (in the world)
het/de **schoppenaas** ace of spades
schor hoarse, husky
het **schorem** riff-raff, scum
de **schorpioen** scorpion
de **Schorpioen** Scorpio
de **schors** bark
schorsen 1 [tijdelijk sluiten] adjourn [vergadering] **2** [uitsluiten] suspend: *een speler voor drie wedstrijden ~* suspend a player for three games; *als lid ~* suspend s.o. from membership
de **schorseneer** scorzonera
de **schorsing** suspension: *door zijn gedrag een ~ oplopen* be suspended for bad conduct
het/de **schort** apron: *een ~ voordoen* put on an apron
schorten: *het schort aan ...* the trouble is ...; *wat schort eraan?* what's wrong?, what's the

matter?

het **schot 1** shot [knal]: *een ~ in de roos* a bull's-eye; *een ~ op goal* a shot at goal **2** [bereik] range: *buiten ~ blijven, zich buiten ~ houden* keep out of range; *iem. (iets) onder ~ hebben* have s.o. (sth.) within range; *onder ~ houden* keep covered; *onder ~ nemen* cover **3** [voortgang] movement: *er komt (zit) ~ in de zaak* things are beginning to get going (*of:* to move) **4** [afscheiding] partition

de **Schot** Scot

de **schotel 1** dish; [klein] saucer: *een vuurvaste ~* an ovenproof dish **2** [gerecht] dish: *een warme ~* a hot dish ‖ *een vliegende ~* a flying saucer

de **schotelantenne** (satellite) dish, dish aerial, saucer aerial

Schotland Scotland

de **schots** (ice) floe ‖ *~ en scheef* higgledy-piggledy, topsy-turvy

Schots [uit, van Schotland] Scottish, Scots; [niet voor personen; wel in vaste uitdrukkingen] Scotch: *~e whisky* Scotch (whisky)

de **schotwond** bullet wound, gunshot wound

de **schouder** shoulder: *de ~s ophalen* shrug one's shoulders; *iem. op zijn ~ kloppen* pat s.o. on the back; *een last van iemands ~s nemen* [fig] take a weight off s.o.'s shoulders

de **schouderband** shoulder strap: *zonder ~jes* strapless

het **schouderblad** shoulder blade (*of:* bone)

het **schouderklopje** pat on the back

de **schoudertas** shoulder bag

de **schoudervulling** shoulder pad

de **schouw** mantel(piece)

de **schouwburg** theatre: *naar de ~ gaan* go to the theatre

het **schouwspel** spectacle; [aanblik] sight; [spektakel] show: *een aangrijpend ~* a touching sight

schraal 1 [mager] lean **2** [m.b.t. grond] poor; arid [dor] **3** [m.b.t. het weer] bleak; cutting [wind] **4** [m.b.t. huid] dry: *schrale handen* chapped hands

schragen 1 [steunen] prop (up) **2** [fig] support, buoy (up)

de **schram** scratch, scrape: *geen ~metje hebben* not have a scratch; *vol ~men zitten* be all scratched

schrander clever, sharp

schranzen gormandize, stuff o.s.

schrap braced: *zich ~ zetten* brace o.s.; [weigeren toe te geven] dig (one's heels) in

schrapen 1 clear: *de keel ~* clear one's throat **2** [bij elkaar halen] scrape: *geld bij elkaar ~* scrape money together

schrappen 1 scrape [worteltjes e.d.]; scale [vis] **2** [doorhalen] strike off, strike out, delete: *iem. als lid ~* drop s.o. from membership

de **schrede** pace, step

de **schreef**: *over de ~ gaan* overstep the mark

de **schreeuw** shout, cry: *een ~ geven* (let out a) yell, give a cry

¹**schreeuwen** (onov ww) **1** [gillen] scream, cry (out), yell (out) **2** [roepen (om)] cry out (for): *deze problemen ~ om een snelle oplossing* these problems are crying out for a quick solution **3** [hevig tekeergaan] scream, shout: *hij schreeuwt tegen iedereen* he shouts at everyone **4** [m.b.t. dieren] cry; screech [pauw, uil]; squeal [varken]

²**schreeuwen** (ov ww) shout (out), yell (out): *een bevel ~* shout (*of:* yell) (out) an order

de **schreeuwlelijk 1** loudmouth, bigmouth **2** [kind] squaller, screamer

schreien weep, cry (out) ‖ *bittere* (*of:* hete) *tranen ~* weep bitter (*of:* hot) tears

schriel thin, meagre

het **schrift 1** writing: *iets op ~ stellen* put sth. in writing; *ik heb het op ~* I have it in writing **2** [handschrift] (hand)writing: *duidelijk leesbaar ~* legible handwriting **3** [cahier] exercise book, notebook

de **Schrift** Scripture(s): *de Heilige ~* (Holy) Scripture, the Scriptures

schriftelijk written, in writing: *een ~e cursus* a correspondence course; *~ bevestigen* confirm in writing; *iets ~ vastleggen* put sth. in writing ‖ *voor het ~ zakken* fail one's written exams

schrijden stride, stalk

de **schrijfbenodigdheden** stationery, writing materials

het **schrijfblok** writing pad, (note)pad

de **schrijffout** writing error, slip of the pen

het **schrijfgerei** stationery

de **schrijfmachine** typewriter

het **schrijfpapier** writing paper

de **schrijfster** writer

de **schrijftaal** written language

de **schrijfvaardigheid** writing skill

schrijlings straddling, astride: *~ op een paard zitten* sit astride a horse

schrijnen 1 chafe **2** [m.b.t. wonden] smart

schrijven write: *een vriend ~* write to a friend; *voluit ~* write (out) in full; *op een advertentie ~* answer an advertisement; *op het moment waarop ik dit schrijf* at the time of writing

de **schrijver** writer, author

de **schrik 1** terror, shock, fright: *iem. ~ aanjagen* give s.o. a fright; *van de ~ bekomen* get over the shock; *met de ~ vrijkomen* have a lucky escape; *tot mijn ~* to my alarm (*of:* horror); *tot hun grote ~* to their horror **2** [vrees] fright, fear **3** [wie, wat schrik veroorzaakt] terror: *hij is de ~ van de buurt* he is the terror of the neighbourhood

schrikaanjagend terrifying, frightening

schrikbarend alarming, shocking: *~ hoge prijzen* staggering prices het **schrikbeeld** phantom, spectre, bogey: *het ~ van de werkloosheid* the spectre of unemployment

het **schrikbewind** reign of terror: [fig] *een ~ voeren* terrorize the place, conduct a reign of terror

de **schrikdraad** electric fence

de **schrikkeldag** leap day

het **schrikkeljaar** leap year

de **schrikkelmaand** February

schrikken be shocked (*of:* scared, frightened): *ik schrik me kapot (dood)* I'm scared stiff (*of:* to death); *wakker ~* wake with a start; *iem. laten ~* frighten s.o.; *hij schrok ervan* it frightened him; *van iets ~* be frightened by sth.; *iem. aan het ~ maken* give s.o. a fright

schril 1 shrill; [piepend] squeaky: *een ~le stem* a shrill voice **2** [scherp afstekend] sharp; glaring [kleuren]

schrobben scrub

de **schroef 1** screw: *alles staat weer op losse schroeven* everything's unsettled (*of:* up in the air) again; [fig] *de schroeven aandraaien* put the screws on; *een ~ vastdraaien* (*of: losdraaien*) tighten (*of:* loosen) a screw; *er zit een ~je bij hem los* he has a screw loose **2** [voor voortstuwing] screw propeller

het **schroefdeksel** screw cap, screw-on lid

de **schroefdop** screw cap, screw top: *de ~ van een fles losdraaien* screw the top off a bottle

de **schroefdraad** (screw) thread

schroeien 1 singe; sear [vlees]: *zijn kleren ~* singe one's clothes **2** [sterk uitdrogen] scorch: *de zon schroeide het gras* the sun scorched the grass

schroeven screw: *iets in elkaar ~* screw sth. together; *iets uit elkaar ~* unscrew sth.

de **schroevendraaier** screwdriver

schrokken cram down, gobble: *zit niet zo te ~* don't bolt your food like that

schromelijk gross: *~ overdreven* grossly exaggerated

schromen hesitate

schrompelen shrivel

de **schroom** hesitation, diffidence

de ¹**schroot** (zn) [strook hout] lath: *een muur met ~jes betimmeren* lath a wall

het ²**schroot** (zn) **1** scrap (iron, metal) **2** [brokstukken] lumps [mv]

de **schroothoop** scrap heap: *deze auto is rijp voor de ~* this car is fit for the scrap heap

de **schub** scale

schuchter shy, timid: *een ~e poging* a timid attempt

schudden shake; shuffle [kaarten]: *~ voor gebruik* shake before use; *iem. flink de hand ~* pump s.o.'s hand; *nee ~ (met het hoofd)* shake one's head; *iem. van zich af ~* shake s.o. off; *iem. door elkaar ~* shake s.o. up ‖ *dat kun je wel ~!* forget it!, nothing doing!

de **schuier** brush

de **schuif 1** [grendel] bolt **2** [Belg] drawer

de **schuifbalk** [comp] scroll bar

het **schuifdak** sunroof

de **schuifdeur** sliding door

schuifelen shuffle: *met de voeten ~* shuffle one's feet

het **schuifje** (small) bolt

de **schuifladder** extension ladder

de **schuifpui** sliding patio doors, sliding French window; [Am] sliding French door

het **schuifraam** [op en neer] sash window; [heen en weer] sliding window

de **schuiftrombone** slide trombone

de **schuiftrompet** trombone

de **schuifwand** sliding wall

schuilen 1 hide: *daarin schuilt een groot gevaar* that carries a great risk (with it) **2** [beschutting zoeken] shelter (from)

schuilgaan be hidden: *de zon ging schuil achter donkere wolken* the sun was hidden (*of:* went) behind dark clouds

zich **schuilhouden** be in hiding, hide o.s. away

de **schuilkelder** air-raid shelter

de **schuilnaam** pseudonym, pen-name

de **schuilplaats 1** hiding place, (place of) shelter; hideout [vnl. van misdadigers]: *iem. een ~ verlenen* give shelter to s.o. **2** [plaats om te schuilen] shelter: *een ~ zoeken* take shelter

het **schuim** foam; froth [op bier enz.]; lather [zeep]

het **schuimbad** bubble bath

schuimbekken foam: *~ van woede* foam with rage

het **schuimblusapparaat** foam extinguisher

schuimen foam, froth; lather [zeep]: *die zeep schuimt niet* that soap does not lather

de **schuimkraag** head

het **schuimpje** meringue

het ¹**schuimplastic** (zn) foam plastic
    ²**schuimplastic** (bn) foam plastic

de ¹**schuimrubber** (zn) foam rubber
    ²**schuimrubber** (bn) foam rubber

de **schuimspaan** skimmer

de **schuimwijn** sparkling wine

schuin 1 slanting, sloping: *~e rand* bevelled edge; *een ~e streep* a slash; *een stuk hout ~ afzagen* saw a piece of wood slantwise; *iets ~ houden* slant sth.; *~ oversteken* cross diagonally; *~ schrijven* write in italics; *hier ~ tegenover* diagonally across from here **2** [onfatsoenlijk] smutty, dirty ‖ *met een ~ oog kijken naar* [fig] look at … with envious eyes, cast envious looks at

de **schuinsmarcheerder** debauchee

de **schuit** barge, boat

het **schuitje** boat: *in hetzelfde ~ zitten* be in the same boat

¹**schuiven** (onov ww) **1** slide: *de lading ging ~* the cargo shifted; *in elkaar ~* slide into one

another, telescope **2** [zich met een stoel ver-
plaatsen] move (*of:* bring) one's chair: *dichterbij* ~ bring one's chair closer ‖ *laat hem
maar* ~ let him get on with it; *met data* ~ re-
arrange dates

²**schuiven** (ov ww) push, shove: *een stoel bij
de tafel* ~ pull up a chair; *iets (iem.) terzijde* ~
brush sth. (s.o.) aside; *iets voor zich uit* ~ put
sth. off, postpone sth.

de **schuiver** skid, lurch: *een* ~ *maken* skid,
lurch

de **schuld 1** debt: *zijn ~en afbetalen* pay off
(*of:* settle) one's debts; *~en hebben* have
debts, be in debt; *zich in de ~en steken* incur
debts, get into debt **2** [verantwoordelijk-
heid] guilt, blame: *iem. de* ~ *van iets geven*
blame s.o. for sth.; *het is mijn eigen* ~ it is my
own fault; *eigen* ~ *dikke bult* it's your own
fault

de **schuldbekentenis 1** [document] bond;
IOU [I owe you] **2** [schuld toegeven] admission (*of:* confession) of guilt: *een volledige* ~
afleggen make a full confession
schuldbewust conscious of guilt, contrite

de **schuldeiser** creditor

de **schuldenaar** debtor

het **schuldgevoel** feeling of guilt, guilty conscience
schuldig 1 owing: *hoeveel ben ik u ~?* how
much do I owe you? **2** [schuld hebbend]
guilty: *zich* ~ *voelen* feel guilty; *de rechter
heeft hem* ~ *verklaard* the judge has declared
him guilty

de **schuldige** culprit, guilty party; [overtreder]
offender

de **schuldsanering** debt restructuring

de **schuldvraag** the question of guilt

de **schulp** shell: *in zijn* ~ *kruipen* withdraw (*of:*
retire) into one's shell
schunnig shabby; [taal] filthy
schuren 1 grate, scour **2** [met schuurpa-
pier] sand(paper)

de **schurft** scabies; mange [vnl. dieren]: *de* ~
aan iem. hebben hate s.o.'s guts

de **schurk** scoundrel, villain

de **schurkenstaat** rogue state

de **schurkenstreek** piece of villainy

het **schut** shelter, cover ‖ *iem. voor* ~ *zetten*
make s.o. look a fool; *voor* ~ *staan* look a fool
(*of:* an idiot)

het **schutblad** endpaper, end leaf

de **schutkleur** camouflage

de **schutsluis** lock

de **schutspatroon** patron (saint)
schutten [m.b.t. schepen] lock

de **schutter** [met geweer] rifleman; marksman
‖ *hij is een goede* ~ he is a crack shot
schutteren 1 [onhandig] fumble **2** [verle-
gen] falter, stammer

de **schutting** fence: *een* ~ *om een bouwterrein
zetten* fence off a construction site

de **schuttingtaal** foul language, obscene language: ~ *uitslaan* use foul (*of:* obscene) language

het **schuttingwoord** four-letter word, ob-
scenity

de **schuur** shed; barn [van boerderij]: *de oogst
in de* ~ *brengen* bring in the harvest

de **schuurmachine** sander, sanding machine

het **schuurmiddel** abrasive

het **schuurpapier** sandpaper

het/de **schuurpoeder** scouring powder

de **schuurspons** scourer
schuw shy, timid
schuwen shun, shrink from

de **schwalbe** deliberate dive to draw a penalty

de **schwung** verve, dash

de **sciencefiction** science fiction, sci-fi

de **sclerose** sclerosis: *multiple* ~ multiple sclerosis

de **scooter** (motor) scooter

de **scootmobiel** miniscooter, mobility scooter

de **score** score: *een gelijke* ~ a draw (*of:* tie);
een ~ *behalen van …* make a score of …

het **scorebord** scoreboard
scoren score: *een doelpunt* ~ score (a goal)

de **scout 1** [lid van scouting] Scout **2** [talent-
scout] talent-scout

de **scouting** Scouting
scrabbelenᴹᴱᴿᴷ play Scrabble
screenen screen; [inf] vet

de **screensaver** screensaver

het **script** script

de **scriptie** thesis, term paper: *een* ~ *schrijven
over* write a thesis about (*of:* on)
scrollen scroll

het **scrotum** scrotum

de **scrupule** scruple, qualm
scrupuleus scrupulous

de **sculptuur** sculpture

de **seance** seance [van spiritisten]
sec afk van *seconde* sec

de **seconde 1** second: *in een onderdeel van e*
~ in a split second **2** [ogenblik] second, moment: *hij houdt geen* ~ *zijn mond* he never
stops talking

de **secondelijm** superglue

de **secondewijzer** second hand

het **secreet** (dirty) swine, sod; [vrouw ook] bit

de **secretaire** writing desk

de **secretaresse** secretary

het **secretariaat** secretariat; [kantoor ook]
secretary's office

de **secretaris** secretary; clerk [in gemeente,
rechtbank]

de **secretaris-generaal** secretary-general

de **sectie 1** [m.b.t. lijk] autopsy; post-mortem
(examination); dissection: ~ *verrichten* carout a post-mortem (*of:* an autopsy) **2** [afdeling] section; department [m.b.t. een orgasatie, school]: *de* ~ *betaald voetbal* the Foe

ball League; *de ~ Frans* the French department

de **sector** sector: *de agrarische ~* the agricultural sector; *de zachte ~* the social sector

de **secularisatie** secularization

seculier secular

secundair secondary, minor: *van ~ belang* of minor importance

secuur precise, meticulous

sedert since [vanaf]; for [gedurende]: *~ enige tijd* for some time

seffens [Belg] at once, straightaway

het **segment** segment: *de ~en van een tunnel* the sections of a tunnel

het **sein 1** signal, sign: *het ~ op veilig zetten* set the sign at clear **2** [waarschuwing, tip] tip, hint: *geef me even een ~tje als je hulp nodig hebt* just let me know if you need any help

seinen 1 signal; flash [met lichten] **2** [berichten afzenden] telegraph; [draadloos] radio

de **seinwachter** signalman

seismisch seismic

de **seismograaf** seismograph

het **seizoen** season: *weer dat past bij het ~* seasonable weather; *buiten het ~* in the off-season, out of season; off-season

de **seizoenarbeid** seasonal work (*of:* employment)

de **seizoenarbeider** seasonal worker

de **seizoenopruiming** end-of-season sale

de **seizoenkaart** season ticket

de **seizoenwerkloosheid** seasonal unemployment

de **seks** sex: *~ hebben* have sex; *onveilige ~* unprotected sex

de **sekse** sex: *iem. van de andere ~* s.o. of the opposite sex

de **seksfilm** sex film; [inf] skin-flick

de **seksist** sexist; [man] male chauvinist

seksistisch sexist, like a sexist: *een ~e opmerking* a sexist remark

het **seksleven** sex life

de **seksshop** sex shop, porn shop

het **sekssymbool** sex symbol

de **seksualiteit** sexuality

seksueel sexual: *seksuele voorlichting* sex education; *~ overdraagbare aandoeningen* sexually transmitted disease(s)

de **seksuoloog** sexologist

de **sekte** sect

de **selderij** celery

select select

selecteren select, pick (out): *hij werd niet geselecteerd voor die wedstrijd* he was not picked (*of:* selected) for that match

de **selectie** selection: [sport] *de ~ bekendmaken* announce the selection, name the squad

selectief selective

de **selectieprocedure** selection procedure

de **selectiewedstrijd** selection match; [voor-

ronde wedstrijd] preliminary match

de **semafoon** ± radio(tele)phone

het **semester** six months, semester, term (of six months)

de **semieten** Semites

het **seminarie** seminary: *op het ~ zitten* be at a seminary

het **semioverheidsbedrijf** semi state-controlled company

de **senaat** senate

de **senator** senator: *tot ~ gekozen worden* be elected (as) senator

Senegal Senegal

de ¹**Senegalees** Senegalese

²**Senegalees** (bn) Senegalese

seniel senile

de **seniliteit** senility

de **senior** senior

de **seniorenpas** pensioner's ticket (*of:* pass), senior citizen's pass (*of:* reduction card)

de **sensatie** sensation, feeling; [opwinding] thrill; [opschudding] stir: *op ~ belust zijn* be looking for sensation

de **sensatiepers** gutter press

de **sensatiezucht** sensationalism

sensationeel sensational; [opzienbarend] spectacular

sensibel sensitive (to)

sensitief sensitive

de **sensor** sensor

sensueel sensual

het **sentiment** sentiment: *vals ~* cheap sentiment

sentimenteel sentimental: *een sentimentele film* a sentimental film; a tear-jerker

separaat separate

de **separatist** separatist

seponeren dismiss, drop

de **september** September

septisch septic: *~e put* septic tank

sereen serene

de **serenade** serenade: *iem. een ~ brengen* serenade s.o.

de **sergeant** sergeant

de **sergeant-majoor** sergeant major

de **serie** series; [feuilleton] serial: *een Amerikaanse ~ op de tv* an American serial on TV

de **seriemoordenaar** serial killer

het **serienummer** serial number

de **serieproductie** serial production, series production

serieus serious; straight [zonder grapjes]: *een serieuze zaak* no laughing matter; *~?* seriously?, really?

de **sering** lilac: *een boeket ~en* a bouquet of lilac

seropositief HIV-positive

het **serpent 1** [slang] serpent **2** [persoon] shrew, bitch

de **serpentine** streamer

de **serre 1** sunroom **2** [broeikas] [aan huis, ge-

bouw vast] conservatory [voor planten]
het **serum** serum
de **serveerster** waitress
de **server** server
serveren serve: *koel* ~ serve chilled; *onderhands* (of: *bovenhands*) ~ serve underarm (*of:* overarm)
het **servet** napkin
de **service 1** service: *dat is nog eens* ~! that is what I call service! **2** [bedieningsgeld] service charge: ~ *inbegrepen* service charges included
de **servicebeurt** service: *met je auto naar de garage gaan voor een* ~ take the car to be serviced
de **serviceflat** service flat
de **servicekosten** service charge(s)
Servië Serbia
de **Serviër** Serb(ian)
het **servies** service: *theeservies* tea service (*of:* set); *30-delig* ~ 30-piece service
het **serviesgoed** crockery
het **¹Servisch** (zn) Serbian
²Servisch (bn) Serbian
het **sesamzaad** sesame seed(s)
de **sessie** session, sitting; [van muzikanten] jam session
de **set** set
het **setpoint** set point
de **setter** setter: *Ierse* ~ Irish setter
het/de **sexappeal** sex appeal
de **sextant** sextant
het **sextet** sextet(te)
sexy sexy
de **Seychellen** the Seychelles
de **sfeer 1** atmosphere **2** [karakteristieke eigenschap] atmosphere; character [plaats, gebouw]; ambience [plaats]: *een huis met een heel eigen* ~ a house with a distinctive character **3** [gebied] sphere: *in hogere sferen zijn* have one's head in the clouds
sfeervol attractive
de **sfinx** sphinx
de **shag** hand-rolling tobacco: ~ *roken* roll one's own
de **shampoo** shampoo
het **shantykoor** shanty choir
de **sharia** sharia(h)
de **sheet** sheet
de **sheriff** sheriff
de **sherry** sherry
de **shetlander** Shetland (pony)
het **shirt** shirt; [bloes] blouse
de **shirtreclame** shirt advertising
shit [inf] [vulg] shit
de **shoarma** doner kebab: *een broodje* ~ a doner kebab
de **shock** shock
de **shocktherapie** shock treatment (*of:* therapy)
de **shocktoestand** state of shock: *hij is in* ~ he

is in (a state of) shock
shoppen shop; [vergelijken] shop around
de **short** shorts [mv]
de **shortlist** shortlist
het **shorttrack** short-track speed skating
de **shot 1** [foto] shot **2** [injectie] shot: *een* ~ *nemen* take a shot; [slang] jack up
het **shotten** [Belg] play football
de **shovel** shovel
de **show** show, display
de **showbusiness** show business
showen show, display
de **showroom** show room
de **shredder** shredder
de **shuttle** shuttle
de **si** [muz] ti, si
de **siamees** Siamese (cat)
Siamees Siamese
Siberië Siberia
Siberisch Siberian
de **Siciliaan** Sicilian
Sicilië Sicily
sidderen tremble, shiver: *ik sidderde bij de gedachte alleen al* the very thought of it made me shudder
de **siddering** shudder, shiver: *er ging een* ~ *door de menigte* a shudder (*of:* shiver) went through the crowd
de **sier** show: *dat is alleen maar voor de* ~ it's only for show ‖ *goede* ~ *maken (met iets)* try to cut a dash (with sth.), show off (sth.)
het **sieraad** jewel; [mv] jewellery
sieren adorn: *dat siert hem* it is to his credit
sierlijk elegant, graceful
de **sierlijkheid** elegance, grace(fulness)
de **sierplant** ornamental plant
Sierra Leone Sierra Leone
de **Sierra Leoner** Sierra Leonean
Sierra Leoons Sierra Leonian
de **sierstrip** trim [op auto]
de **siësta** siesta: ~ *houden* have a siesta
de **sigaar** cigar: *een* ~ *opsteken* light a cigar ‖ *de* ~ *zijn* have had it; get the blame
het **sigarenbandje** cigar band
de **sigarenwinkel** cigar shop, tobacconist's
de **sigaret** cigarette: *een pakje* ~*ten* a packet cigarettes; [Am] a pack of cigarettes; *een* ~ *opsteken* (of: *uitmaken*) light (of: put out) cigarette
de **sigarettenautomaat** cigarette (vending) machine
het **signaal 1** signal, sign: *het* ~ *voor de aftocht geven* sound the retreat **2** [instrument] signal: *het* ~ *stond op rood* the signal was red
het **signalement** description: *hij beantwoordt niet aan het* ~ he doesn't fit the description
signaleren 1 see, spot: *hij was in een nachtclub gesignaleerd* he had been seen in a nightclub **2** [wijzen op] point out: *problemen* (of: *misstanden*) ~ point out problems (*of:* evils)

de **signalisatie** [Belg] traffic signs, road signs

de **signatuur 1** [ondertekening] signature **2** [karakter, aard] nature, character

signeren sign, autograph: *een door de auteur gesigneerd exemplaar* a signed (an autographed) copy

significant significant

sijpelen trickle, ooze, seep

de **sik** goatee

de **sikh** Sikh

de **sikkel** sickle

sikkeneurig peevish, grouchy

de **sikkepit** whit, bit

het/de **silhouet** silhouette

het **silicium** silicon

het/de **siliconenkit** silicone paste, fibre-glass paste

de **silo** silo

de **simkaart** SIM card

simpel simple: *~e kost* simple (of: modest) fare; *zo ~ ligt dat!* it's as simple as that!

de **simulant** simulator

simuleren simulate, sham

simultaan simultaneous: [sport] *~ spelen* give a simultaneous display

de **simultaanpartij** simultaneous game

simultaanschaken play simultaneous chess

de **sinaasappel** orange

de **sinaasappelkist** orange crate, orange box

het **sinaasappelsap** orange juice

de **sinas** orangeade, orange soda

¹sinds (vz) [voor tijdstip] since; [voor periode] for: *ik ben hier al ~ jaren niet meer geweest* I haven't been here for years; *ik heb hem ~ maandag niet meer gezien* I haven't seen him since Monday; *~ kort* recently; for a short time now

²sinds (vw) since; [onafgebroken] ever since: *~ ik Jan ken* since I met (of: have known) Jan

sindsdien since: *~ is er van hen niets meer vernomen* they have not been heard of (ever) since; *~ werkt hij niet meer* he hasn't worked since (then)

Singapore Singapore

de **¹Singaporees** Singaporean

²Singaporees (bn) Singaporean

de **singel 1** canal **2** [band, riem] webbing

de **singer-songwriter** singer-song writer

de **single** single

de **singlet** singlet; [Am] undershirt

sinister sinister: *~e plannen* sinister designs

de **sint 1** saint **2** [Sinterklaas] St Nicholas

de **sint-bernardshond** St Bernard (dog)

de **sintel** cinder: *gloeiende ~s* glowing embers

de **sintelbaan** cinder track

Sinterklaas *zie* Sint-Nicolaas

de **sinterklaasavond** St Nicholas' Eve

het **sinterklaasgedicht** St Nicholas' poem

de **sint-juttemis**: *wachten tot ~* wait till the cows come home

Sint-Nicolaas 1 St Nicholas **2** [feest] feast of St Nicholas

de **sinus** sine (of angle)

sip glum, crestfallen

Sire your Majesty, Sire

de **sirene** siren: *met loeiende ~* with wailing sirens

de **siroop** syrup: *vruchten op lichte* (of: *zware) ~* fruit in light (of: heavy) syrup

de **sisklank** sibilant

sissen 1 hiss: *een ~d geluid maken* make a hissing noise **2** [m.b.t. vocht, vet] sizzle: *het spek siste in de pan* the bacon was sizzling in the pan

de **sisser**: *met een ~ aflopen* blow over [iets dreigends]; fizzle out [tegenvallen]

de **sisyfusarbeid** Sisyphean task

de **site** site, website

de **situatie** situation, position: *een moeilijke ~* a difficult situation; *in de huidige ~* as things stand, in the present situation

situeren place, locate, set: *waar is de handeling van het verhaal gesitueerd?* where is the story set?, where does the action of the story take place?

de **sjaak**: [inf] *de ~ zijn* be the sucker, be muggins

de **sjaal** scarf: *een ~ omslaan* put on a scarf

de **sjabloon** stencil (plate); template [voor snijden, boren]; [fig] stereotype

de **sjacheraar** haggler, horse-trader

de **sjah** shah

de **sjalot** shallot

sjansen flirt, make eyes at s.o.: *~ met de buurman* flirt with the neighbour

de **sjasliek** shashlik

de **sjeik** sheik(h)

het **sjekkie** (hand-rolled) cigarette, roll-up: *een ~ draaien* roll a cigarette

de **sjerp** sash

sjezen 1 [mislukken] drop out **2** [scheuren] race, scream

de **sjiiet** Shiite

de **sjoege** [inf]: *hij gaf geen ~* he didn't react

de **sjoelbak** shovelboard

sjoelen play at shovelboard

sjoemelen [inf] cheat

sjofel shabby

sjokken trudge

de **sjonnie** greaser

sjorren lug, heave

sjotten [Belg] **1** [voetballen] play soccer **2** [schieten] shoot, kick

sjouwen lug, drag: *lopen ~* trudge; traipse

de **sjouwer** porter; [in haven] docker

het **¹skai** (zn) imitation leather

²skai (bn) imitation leather

het **skateboard** skateboard

skaten skateboard

de **skeeler** skeeler

skeeleren rollerblade

het **skelet** skeleton; [bouwk ook] frame
de **skelter** (go-)kart
skelteren go-kart: *het* ~ go-karting
de **sketch** sketch
de **ski** ski
het **skicentrum** ski resort
skiën ski: *gaan* ~ go skiing
de **skiër** skier
de **skiff** skiff
het **skigebied** skiing area (*of:* centre)
de **skileraar** ski instructor
de **skilift** ski lift
de **skipiste** ski run
de **skischans** ski jump
de **skischoen** ski boot
skispringen ski-jumping
de **skistok** ski stick; [Am] ski pole
de **sla** lettuce; [als koud gerecht] salad: *een krop* ~ a head of lettuce; *de* ~ *aanmaken* dress the salad
de **slaaf** slave
slaafs slavish, servile: *~e gehoorzaamheid* servile obedience
de **slaag**: [ook fig] *iem. (een pak)* ~ *geven* give s.o. a beating
slaags: ~ *raken met iem.* come to blows (*of:* grips) with s.o.
slaan 1 hit, strike; slap [met vlakke hand]; beat [een pak slaag geven]: *de klok slaat ieder kwartier* the clock strikes the quarters; *zich ergens doorheen* ~ pull through; *zijn hart ging sneller* ~ his heart beat faster; *een paal in de grond* ~ drive a stake into the ground; *met de vleugels* ~ flap one's wings; *met de deur* ~ slam the door; *iem. in elkaar* ~ beat s.o. up; *hij is er niet (bij) weg te* ~ wild horses couldn't drag him away **2** [m.b.t. spel] take, capture **3** (+ op) [betreffen] refer to: *waar slaat dat nu weer op?* what do you mean by that?; *dat slaat op mij* that is meant for (*of:* aimed at) me; *dat slaat nergens op* that makes no sense at all || *over de kop* ~ overturn; *een mantel om iem. heen* ~ wrap a coat round s.o.; *de armen om de hals van iem.* ~ fling one's arms around s.o.'s neck; *de benen over elkaar* ~ cross one's legs
de **slaap 1** sleep: *in* ~ *vallen* fall asleep **2** [neiging] sleepiness: ~ *hebben* be (*of:* feel) sleepy; ~ *krijgen* get sleepy **3** [aan het hoofd] temple
de **slaapbank** sofa bed
slaapdronken half asleep, drowsy
het **slaapgebrek** lack of sleep
de **slaapgelegenheid** sleeping accommodation, place to sleep
de **slaapkamer** bedroom
de **slaapkop 1** [slaperig persoon] sleepyhead **2** [sufferd] dope
het **slaapliedje** lullaby
het **slaapmiddel** sleeping pill
de **slaapmuts** nightcap

het **slaapmutsje** [borrel] nightcap
de **slaappil** sleeping pill
de **slaapplaats** place to sleep, bed
de **slaapstad** dormitory suburb; [satellietstad] dormitory town
de **slaapster**: *de Schone Slaapster* Sleeping Beauty
de **slaaptrein** sleeper, overnight train
slaapverwekkend sleep-inducing; [fig] soporific: *een* ~ *boek* a tedious book
de **slaapwandelaar** sleepwalker
slaapwandelen walk in one's sleep: *het* ~ sleepwalking
de **slaapzaal** dormitory, dorm
de **slaapzak** sleeping bag
het **slaatje** salad || *hij wil overal een* ~ *uit slaan* h[e] tries to cash in on everything
de **slab** bib: *een kind een* ~ *voordoen* put a child's bib on
de **slabak** salad bowl
slabakken [Belg] [slecht gaan] hang fire, do badly: *de* ~*de economie* the stagnating economy
de **slacht** slaughter(ing)
het **slachtafval** offal
de **slachtbank**: *naar de* ~ *geleid worden* be le[d] to the slaughter
slachten slaughter, butcher: *geslachte koe[i]en* slaughtered cows
het **slachthuis** slaughterhouse
de **slachting** slaughter(ing); [massamoord ook] massacre
het **slachtoffer** victim; [vnl. mv ook] casualty [in oorlog, bij ramp]: ~ *worden van* fall victi[m] (*of:* prey) to
de **slachtofferhulp** help (*of:* aid) to victims
de **slachtpartij** slaughter, massacre
het **slachtvee** stock (*of:* cattle) for slaughter-(ing), beef cattle
de **¹slag** (zn) **1** blow; [vuistslag ook] punch; [m[et] zweep ook] lash: *iem. een (zware)* ~ *toebren[-]gen* deal s.o. a heavy blow **2** [klap tegen e[en] bal] stroke; [golf ook] drive: *een* ~ *in de luch[t]* shot in the dark **3** [mil] battle: *in de* ~ *bij Nieuwpoort* at the Battle of Nieuwpoort; [Belg] *zich uit de* ~ *trekken* get out of a diffi[-]cult situation **4** [geluid] bang, bump **5** [gol[-]vende beweging] wave: *hij heeft een mooie[n] in zijn haar* he has a nice wave in his hair **6** [het slaan, keer] stroke; [muz: van pols, hart] beat: *(totaal) van* ~ *zijn* be (completely) thrown out **7** [handigheid] knack: *de* ~ *van iets te pakken krijgen* get the knack (*of:* han[-]g) of sth. **8** [kaartsp] trick: *iem. een* ~ *voor zijn* be one up on s.o. **9** [damspel] take, captur[e] **10** [zwemmen, roeien] stroke: [zwemmen] *vrije* ~ freestyle || *een* ~ *naar iets slaan* have [a] shot (*of:* stab) at sth.; *een goede* ~ *slaan* ma[ke] a good deal; *aan de* ~ *gaan* get to work; *hij was op* ~ *dood* he was killed instantly; *zond[er]* ~ *of stoot* [fig] without striking a blow, wit[-]

out any resistance

het **²slag** (zn) [aard, soort] sort, kind: *dat is niet voor ons ~ mensen* that's not for the likes of us; *iem. van jouw ~* s.o. like you

de **slagader** artery: *grote ~* aorta

de **slagboom** barrier

slagen 1 (+ in, met) [het er goed afbrengen] [met persoon als onderwerp] succeed (in); be successful (in): *ben je erin geslaagd?* did you pull it off, did you manage? **2** [met 'in' en ww; weten te] succeed in (-ing), manage (to): *ik slaagde er niet in de top te bereiken* I failed to make it to the top **3** (+ voor) [examen halen] pass; qualify (as, for) [m.b.t. bevoegdheid]: *hij is voor zijn Frans geslaagd* he has passed (his) French **4** [succes hebben] be successful: *de operatie is geslaagd* the operation was successful; *de tekening is goed geslaagd* the drawing has turned out well

de **slager** butcher

de **slagerij** butcher's (shop)

het **slaghout** bat

het **slaginstrument** percussion instrument

de **slagpen 1** [vogelveer] flight feather **2** [in vuurwapen] firing pin

de **slagregen** driving (*of:* torrential) rain

de **slagroom**: *aardbeien met ~* strawberries and whipped cream

het **slagschip** battleship

de **slagtand 1** tusk [olifant] **2** fang [wolf, hond]

slagvaardig decisive

het **slagveld** battlefield

het **slagwerk** [slaginstrumenten] percussion (section); [jazz] rhythm section

de **slagwerker** percussionist; drummer [alleen trommels]

de **slagzij** list [schip]; bank [vliegtuig]: *dat schip maakt zware ~* that ship is listing heavily

de **slagzin** slogan, catchphrase

de **slak 1** snail [met huisje]; slug [zonder huisje] **2** [afval van metalen, verbrande steenkool] slag, dross

slaken give, utter: *een kreet ~* give a cry, shriek; *een zucht ~* give (*of:* heave) a sigh

de **slakkengang** snail's pace

het **slakkenhuis 1** snail's shell **2** [med] cochlea

de **slalom** slalom

de **slamix** salad dressing

de **slang 1** snake: *giftige ~en* poisonous snakes **2** [buigzame buis] hose

de **slangenbeet** snakebite

het **slangengif** snake poison

de **slangenmens** [artiest] contortionist

slank slender; slim [mensen]: *aan de ~e lijn doen* be slimming (*of:* dieting)

de **slaolie** salad oil

slap 1 slack: [fig] *een ~pe tijd* a slack season; *het touw hangt ~* the rope is slack **2** [niet stijf] soft, limp **3** [m.b.t. het lichaam] weak, flabby: *~pe spieren* flabby muscles; *we lagen ~*

van het lachen we were in stitches **4** [inhoudloos] empty, feeble: *een ~ excuus* a lame (*of:* feeble) excuse; *~ geklets* empty talk, slip-slop

slapeloos sleepless

de **slapeloosheid** insomnia, sleeplessness: *aan ~ lijden* suffer from insomnia

slapen 1 sleep: *gaan ~* go to bed [naar bed]; go to sleep [inslapen]; *hij kon er niet van ~* it kept him awake; *slaap lekker* sleep well; *bij iem. blijven ~* spend the night at s.o.'s house (*of:* place); [in hetzelfde bed] spend the night with s.o.; *ik wil er een nachtje over ~* I'd like to sleep on it; *hij slaapt als een os (een roos)* he sleeps like a log **2** [geslachtsgemeenschap hebben] sleep (with) ‖ *mijn been slaapt* I've got pins and needles in my leg

slapend sleeping: *~e rijk worden* make money without any effort

slaperig sleepy; [soezerig ook] drowsy

de **slapjanus** wimp, weed

de **slappeling** weakling, softie

de **slapte** [m.b.t. handel] slackness

de **slasaus** salad dressing

de **slash** slash

de **slavenarbeid** slave labour

de **slavenhandel** slave trade

de **slavernij** slavery: *afschaffing van de ~* abolition of slavery

de **slavin** (female) slave

slecht 1 bad; poor [van kwaliteit]: *een ~ gebit* bad teeth; *~ betaald* badly (*of:* low) paid; *~er worden* [van kwaliteit e.d.] worsen, deteriorate; *~ ter been zijn* have difficulty (in) walking **2** [ongunstig] bad, unfavourable: *hij heeft het ~ getroffen* he has been unlucky; *het er ~ afbrengen* come off badly, be badly off **3** [in moreel, zedelijk opzicht] bad, wrong: *zich op het ~e pad begeven* go astray **4** [niet voorspoedig] bad, ill: *het loopt nog eens ~ met je af* you will come to no good

de **slechterik** baddie, bad guy, villain

slechtgehumeurd bad-tempered

slechtgemanierd bad-mannered, ill-mannered

slechthorend hard of hearing

slechts only, merely, just: *in ~ enkele gevallen* in only (*of:* just) a few cases

slechtziend visually handicapped: *~ zijn* have bad eyesight

de **sledehond** husky

de **slee** sledge; [Am] sled

sleeën sledge; [Am] sled; sleigh

de **sleep** tow: *iem. een ~(je) geven, iem. op ~ nemen* give s.o. a tow, take s.o. in tow

de **sleepboot** tug(boat)

de **sleepkabel** tow rope

het **sleepnet** trawl (net), dragnet

het **sleeptouw** tow rope: *iem. op ~ nemen* take s.o. in tow

de **sleepwagen** breakdown truck, breakdown van; [Am] tow truck

sleets worn

slenteren stroll, amble: *op straat ~* loaf about the streets

slepen 1 drag, haul: *iem. door een examen ~* pull s.o. through an exam; *iem. voor de rechter ~* take s.o. to court **2** [m.b.t. auto enz.] tow

slepend 1 dragging: *een ~e gang hebben* drag (*of:* shuffle) one's feet **2** [lang van duur] lingering, long-drawn-out

de **slet** slut

de **sleuf 1** slot; slit [langwerpig]: *de ~ van een spaarpot* the slot in a piggybank **2** [smalle groef] groove; trench [in grond]

de **sleur** rut, grind: *de alledaagse ~* the daily grind

sleuren drag, haul

de **sleutel 1** key **2** [fig] key, clue **3** [werktuig, gereedschap] spanner; [Am] wrench: *een Engelse ~* a monkey wrench **4** [muz] clef

het **sleutelbeen** collarbone, clavicle

de **sleutelbos** bunch of keys

sleutelen 1 work (on), repair **2** [fig] fiddle (with), tinker (with): *er moet nog wel wat aan de tekst gesleuteld worden* the text needs a certain amount of touching up

de **sleutelfiguur** key figure

het **sleutelgat** keyhole: *aan het ~ luisteren* listen (*of:* eavesdrop) at the keyhole; *door het ~ kijken* peep through the keyhole

de **sleutelhanger** keyring

de **sleutelpositie** key position

de **sleutelring** keyring

het **slib** silt; [bezinksel] sludge

de **sliding** sliding tackle

de **sliert 1** string, thread; wisp [haar]: *~en rook* wisps of smoke **2** [een heleboel] pack, bunch: *een hele ~* a whole bunch

het **slijk** mud, mire: *iem.* (*of:* *iemands naam*) *door het ~ sleuren* drag s.o. (*of:* s.o.'s name) through the mud/mire

het/de **slijm** mucus; phlegm [fluim]

de **slijmbal** toady, bootlicker

de **slijmbeurs** [med] bursa

slijmen butter up, soft-soap: *~ tegen iem.* butter s.o. up

slijmerig slimy

het **slijmvlies** mucous membrane

slijpen 1 sharpen **2** [effen maken, polijsten] grind, polish; [edelsteen ook] cut: *diamant ~* cut diamonds **3** [m.b.t. glaswerk] cut

de **slijpsteen** grindstone

de **slijtage** wear (and tear): *tekenen van ~ vertonen* show signs of wear; *aan ~ onderhevig zijn* be subject to wear

slijten 1 wear (out): *die jas is kaal gesleten* that coat is worn bare **2** wear away, wear off; [vermageren, verzwakken] waste (away) **3** [doorbrengen] spend, pass: *zijn leven in eenzaamheid ~* spend one's days in solitude

de **slijter** wine merchant; [Am] liquor dealer ||

ik ga naar de ~ I'm going to the wine shop

de **slijterij** wine shop; [Am] liquor store

slijtvast hard-wearing, wear-resistant

slikken 1 swallow; gulp (down) [haastig] **2** [accepteren] swallow, put up with: *je hebt het maar te ~* you just have to put up with it

slim clever, smart: *~me oogjes* shrewd eyes; *een ~me zet* a clever move; *iem. te ~ af zijn* be too clever for s.o.

de **slimheid** cleverness

de **slimmigheid** dodge, trick: *hij wist zich door een ~je eruit te redden* he weaseled his way out of it

de **slinger 1** festoon, streamer; garland [bloemen] **2** [zwaai] swing, sway **3** [van een klok] pendulum

de **slingerbeweging 1** swing **2** [van lichaam] swerve

¹**slingeren** (onov ww) **1** swing, sway: *~ op zijn benen* sway on one's legs **2** [zigzaggen] sway, lurch; yaw [schip] **3** [ordeloos neergelegd zijn] lie about (*of:* around): *laat je boeken niet altijd op mijn bureau ~!* don't always leave your books lying around on my desk! **4** [kronkelen] wind

²**slingeren** (ov ww) **1** [werpen] sling, fling: *bij de botsing werd de bestuurder uit de auto geslingerd* in the crash the driver was flung out of the car **2** [zwaaiende beweging doen maken] swing, sway

zich ³**slingeren** (wdk ww) wind; [om een voorwerp] wind (o.s.)

de **slingerplant** creeper, runner

slinken shrink: *de voorraad slinkt* the supply is dwindling

slinks cunning, devious: *op ~e wijze* by devious means

de **slip** skid: *in een ~ raken* go into a skid

het **slipgevaar** risk of skidding

het **slipje** (pair of) briefs (*of:* panties), (pair of) knickers

slippen slip; [van voertuig, fiets] skid

de **slipper** mule; slipper [pantoffel]

het **slippertje**: *een ~ maken* have a bit on the side

de **sliptong** slip, sole

slissen lisp

slobberen 1 bag, sag: *zijn jasje slobbert om zijn lijf* his baggy coat hangs around his body **2** [slurpen] slobber, slurp

de **slobbertrui** baggy sweater

de **sloddervos** slob

de **sloeber**: *een arme ~* a poor wretch (*of:* devil)

de **sloep** cutter: *de ~ strijken* lower the boat

de **sloerie** slut

de **slof 1** slipper, mule: *zij kan het op haar ~fen af* she can do it with her eyes shut (*of:* with one hand tied behind her back) **2** [pak met pakjes sigaretten] carton || *uit zijn ~ schieten* hit the roof

sloffen shuffle: *loop niet zo te ~!* don't shuffle (*of:* drag) your feet!

de **slogan** slogan

de **slok 1** drink; sip [klein]: *grote ~ken nemen* gulp **2** [een keer slikken] swallow, gulp ‖ *een ~ op hebben* have had one too many

de **slokdarm** gullet

de **slokop** glutton

de **slons** slattern, sloven, slut

slonzig slovenly, sloppy

de **sloof** (household) drudge

sloom listless, slow: *doe niet zo ~* [opschieten] come on, I haven't got all day

de ¹**sloop** (zn) **1** demolition **2** [bedrijf] demolition firm; scrapyard [m.b.t. auto's]: *rijp voor de ~* on its last legs, fit for the scrap heap

het/de ²**sloop** (zn) pillowcase: *lakens en slopen* bedlinen

de **sloopauto** scrap car, wreck

het **slooppand** building due for demolition

de **sloot** ditch; [sport] water jump

slootjespringen leap (over) ditches

het **slootwater** ditchwater; [fig] dishwater

het **slop** alley(way); [doodlopend] blind alley: *in het ~ raken* come to a dead end

slopen 1 demolish **2** [uit elkaar nemen] break up; scrap [schip, auto] **3** [verteren] undermine [gezondheid]: *~d werk* exhausting (*of:* back-breaking) work; *een ~de ziekte* a wasting disease

de **sloper** demolition contractor

de **sloperij** demolition firm (*of:* contractors) [m.b.t. gebouwen]; scrapyard [m.b.t. auto's]

de **sloppenwijk** slums, slum area

slordig careless; [onordelijk] untidy; [werk, kleding ook] sloppy: *wat zit je haar ~* how untidy your hair is; *~ schrijven* scribble

de **slordigheid** carelessness, sloppiness

het **slot 1** lock; fastening [van een armband]: *iem. achter ~ en grendel zetten* put s.o. behind bars; *achter ~ en grendel* under lock and key; *een deur op ~ doen* lock a door; *alles op ~ doen* lock up **2** [einde] end, conclusion: *ten ~te* finally, eventually, at last; *~ volgt* to be concluded **3** [kasteel] castle ‖ *per ~ van rekening* after all, on balance; all things considered

het **slotakkoord** [muz] final chord

de **slotenmaker** locksmith

de **slotfase** final stage

de **slotgracht** (castle) moat

de **slotkoers** closing price(s)

de **slotscène** final scene

de **slotsom** conclusion

het **slotwoord** closing word(s)

de **Sloveen** Slovene, Slovenian

het ¹**Sloveens** Slovene

²**Sloveens** (bn) Slovenian

sloven drudge

Slovenië Slovenia

de **Slowaak** Slovak

het ¹**Slowaaks** Slovak

²**Slowaaks** (bn) Slovak(ian)

Slowakije Slovakia

de **slow motion** slow motion

de **sluier** veil

sluik straight, lank

de **sluikreclame** clandestine advertising

sluikstorten [Belg] [clandestien afval storten] dump (illegally)

sluimeren slumber

sluipen 1 steal, sneak; stalk [bij de jacht]: *naar boven ~* steal (*of:* sneak) upstairs **2** [m.b.t. zaken] creep

de **sluipmoord** assassination

de **sluipmoordenaar** assassin ‖ *overgewicht is een ~* overweight is an unseen killer

de **sluiproute** short cut

de **sluipschutter** sniper

het **sluipverkeer** cut-through traffic

de **sluipweg** secret route

de **sluis** [voor schepen] lock; [voor uitwatering] sluice: *door een ~ varen* pass through a lock

de **sluiswachter** lock-keeper

¹**sluiten** (onov ww) balance: *de begroting ~d maken* balance the budget ‖ *over en ~* over and out

²**sluiten** (ov ww) **1** shut, close; [voorgoed] close down: *de grenzen ~* close the frontiers; *het raam ~* shut (*of:* close) the window; *de winkel (zaak) ~* **a)** [voorgoed] close (the shop) down; **b)** [ook 's avonds] shut up shop; *dinsdagmiddag zijn alle winkels gesloten* it is early closing day on Tuesday **2** [aangaan] conclude, enter into: *een verbond ~ (met)* enter into an alliance (with); *vrede ~* make peace; [na ruzie] make up (with s.o.) **3** [beëindigen] close, conclude

de **sluiting 1** shutting (off); closure [van debat, bedrijf]; conclusion [van vrede, debat]: *~ van de rekening* balancing of the account **2** [wat dient om te sluiten] fastening, fastener; [slot] lock; clasp [armband e.d.]: *de ~ van deze jurk zit op de rug* this dress does up at the back

de **sluitingsdatum** closing date

de **sluitingstijd** closing time: *na ~* after hours

de **sluitpost**: *als ~ op de begroting dienen* be considered unimportant, come at the bottom of the list

de **sluitspier** sphincter

het **sluitstuk** final piece

sluizen channel, transfer

de **slungel** beanpole

slungelig lanky

de **slurf** trunk

slurpen slurp

sluw sly, crafty, cunning: *de ~e vos* the sly (*of:* cunning) old fox

de **sluwheid** slyness, cunning

sm SM, S and M

de **smaad** defamation (of character), libel

de **smaak** taste; [m.b.t. voedsel ook] flavour:

een goede ~ hebben have good taste; *van goede* (*of: slechte*) *~ getuigen* be in good (*of:* bad) taste; *de ~ van iets te pakken hebben* have acquired a taste for; *in de ~ vallen bij ...* appeal to ..., find favour with ...; *over ~ valt niet te twisten* there is no accounting for taste(s)

het **smaakje** taste: *er zit een ~ aan dat vlees* that meat has a funny taste

de **smaakmaker 1** [toevoegsel] seasoning **2** [persoon] trendsetter

de **smaakpapil** taste bud

de **smaakstof** flavour(ing), seasoning

smaakvol tasteful; in good taste [alleen na werkwoord]: *~ gekleed zijn* be tastefully dressed

smachten 1 languish: *iem. ~de blikken toewerpen* look longingly at s.o. **2** (+ *naar*) long (for), yearn (for)

smadelijk humiliating; [honend] scornful

de **smak 1** fall: *een ~ maken* fall with a bang **2** [slag, klap] crash, smack: *met een ~ neerzetten* slam (*of:* slap) down **3** [grote menigte, hoeveelheid] heap, pile: *dat kost een ~ geld* that costs a load of money

smakelijk tasty, appetizing: *eet ~!* enjoy your meal

smakeloos tasteless; [alleen na ww] lacking in taste

smaken taste: *hoe smaakt het?* how does it taste?; *heeft het gesmaakt, meneer?* (*of: mevrouw?*) did you enjoy your meal, sir? (*of:* madam?); *naar iets ~* taste of sth.; [scherts] *dat smaakt naar meer* that's very moreish

smakken 1 smack one's lips: *smak niet zo!* don't make so much noise (when you're eating) **2** [vallen] crash: *tegen de grond ~* crash to the ground

smal narrow: *~le opening* small opening; *een ~ gezichtje* a pinched face; *de ~le weg* [fig] the straight and narrow (path)

het **smaldeel** squadron; [fig; deel] contingent

smalend scornful

het **smalspoor** narrow-gauge railway

de **¹smaragd** (zn) [edelsteen] emerald

het **²smaragd** (zn) [mineraal] emerald

de **smart 1** sorrow, grief, pain: *gedeelde ~ is halve ~* a sorrow shared is a sorrow halved **2** [verlangen] yearning, longing: *met ~ op iets (iem.) wachten* wait anxiously for sth. (s.o.)

het **smartboard** SMART board

smartelijk grievous, painful

het **smartengeld** damages [mv]; (financial, monetary) compensation

de **smartlap** tear-jerker

de **smash** (overhead) smash

smashen smash

smeden forge: *twee stukken ijzer aan elkaar ~* weld two pieces of iron (together); *uit één stuk gesmeed* forged in one piece || *plannen ~* make (*of:* lay) plans

de **smederij** forge

het **smeedijzer** wrought iron

de **smeekbede** plea (for), cry (for)

het/de **smeer** grease, oil; polish [voor schoenen]

smeerbaar spreadable

de **smeerboel** mess

het **smeergeld** bribe(s)

de **smeerkaas** cheese spread

de **smeerlap 1** skunk, bastard **2** [vunzig, ontuchtig persoon] pervert; dirty old man [oud]

het **smeermiddel** lubricant [ook fig]

de **smeerolie** lubricant

smeken implore, beg: *iem. om hulp ~* beg (for) s.o.'s help

smelten melt; [metalen ook] melt down: *a sneeuw smelt* the snow is melting (*of:* thawing); *deze reep chocolade smelt op de tong* th bar of chocolate melts in the mouth

de **smeltkroes** meltingpot [ook fig]

het **smeltpunt** melting point, point of fusion

smeren 1 grease, oil; lubricate [met olie] **2** [uitstrijken] smear: *crème op zijn huid ~* ru cream on one's skin **3** [van boter, vet voorzien] butter: *brood ~* butter bread, make sandwiches || *'m ~* clear off; make tracks

smerig dirty; [sterker] filthy: *een ~e streek (truc)* a dirty (*of:* shabby) trick

de **smering** lubrication

de **smeris** cop

de **smet** blemish, taint, stain

smetteloos [ook fig] spotless, immaculat ~ *wit* immaculate(ly) white

smeuïg 1 smooth, creamy **2** [smakelijk] vivid

smeulen smoulder

de **smid** smith

de **smiezen** [inf]: *iets in de ~ hebben* be on to sth., see the way the land lies; *iem. in de ~ hebben* have s.o. taped; [Am] be wise to s.o.

smijten throw, fling: *met de deuren ~* slan the doors; [fig] *iem. iets naar het hoofd ~* throw sth. in s.o.'s teeth

smikkelen tuck in

de **smiley** smiley

de **smoel 1** trap: *houd je ~!* shut your trap! **2** [grimas] face: *~en trekken* pull faces

het **smoelenboek** almanac, year book, web page with photos, staff pages

de **smoes** excuse: *een ~je bedenken* think up story (*of:* an excuse)

smoezelig grubby, dingy

smoezen 1 invent (*of:* cook up) excuses **2** [zacht praten] whisper

de **smog** smog

de **smoking** dinner jacket

de **smokkel** smuggling

de **smokkelaar** smuggler

de **smokkelarij** smuggling

smokkelen smuggle

de **smokkelwaar** contraband

de **¹smoor**: *(er) de ~ inhebben* be peeved, be

pissed off at sth.

²**smoor** (bn): ~ *op iem. zijn* have a crush on s.o.

smoorheet stifling

smoorverliefd smitten (with s.o.)

de **smoothie** smoothie

smoren 1 smother, choke **2** [gaar laten worden] braise

de **smos** [Belg]: *een broodje* ~ a salad roll

het **smout** [Belg] [reuzel] lard

de **sms 1** [techniek] short message service **2** [bericht] text message

de **sms-alert** text-message alert

sms'en text: *ik heb haar ge-sms't* I texted her, I sent her a text (message)

smullen feast (on): *dat wordt* ~! yum-yum!; *om van te* ~ finger-lickin' good

de **smulpaap** gourmet

de **smurf** smurf

de **smurrie** gunge; [modder, slijk] sludge

snaaien snitch, snatch

de **snaar** string, chord; [van trommel] snare: *een gevoelige* ~ *raken* touch a tender spot; *de snaren spannen* string; snare [trommel]

het **snaarinstrument** stringed instrument

de **snack** snack

de **snackbar** snack bar

snakken 1 gasp, pant: *naar adem* ~ gasp for breath **2** crave: ~ *naar aandacht* be craving (for) attention

snappen get: *snap je?* (you) see?; *ik snap 'm* I get it; *ik snap niet waar het om gaat* I don't see it; *ik snap er niets van* I don't get it, it beats me

de **snars**: *geen* ~ not a bit; *hij weet er geen* ~ *van* he doesn't know a thing about it; *ik begrijp er geen* ~ *van* I haven't got a clue

de **snater** [inf] trap: *hou je* ~! shut your trap (*of:* face)!

snateren honk

de **snauw** growl, snarl

snauwen snarl, growl, snap

snauwerig snappish; [korzelig] gruff

de **snavel** bill; [groot, krom] beak: *hou je* ~! shut up!

snedig witty

de **snee 1** slice: *een dun ~tje koek* a thin slice of cake **2** [snijwond] cut; [diepe wond] gash **3** [med] incision

de **sneer** gibe, taunt

de **sneeuw** snow: *een dik pak* ~ (a) thick (layer of) snow; *natte* ~ sleet; [Belg] *zwarte* ~ *zien* be destitute, live in poverty; *smeltende* ~ slush; *het verdwijnt als* ~ *voor de zon* it vanishes into thin air; *vastzitten in de* ~ be snow-bound

de **sneeuwbal** snowball

het **sneeuwbaleffect** domino theory, snowball

sneeuwblind snow-blind

de **sneeuwbril** (pair of) snow goggles

de **sneeuwbui** snow (shower)

sneeuwen snow: *het sneeuwt hard* (*of:* *licht*) it is snowing heavily (*of:* lightly)

de **sneeuwgrens** snowline

de **sneeuwjacht** blizzard

de **sneeuwketting** (snow) chain

het **sneeuwklokje** snowdrop

de **sneeuwman** snowman

de **sneeuwpop** snowman

sneeuwruimen clear snow, shovel (away) snow

de **sneeuwschoen** snowshoe

de **sneeuwschuiver 1** snow shovel **2** [auto] snowplough

de **sneeuwstorm** snowstorm

de **sneeuwval** snowfall

de **sneeuwvlok** snowflake

sneeuwvrij clear of snow: *de wegen* ~ *maken* clear the roads of snow

sneeuwwit [haar, bloesem] snowy; [kleur] niveous

Sneeuwwitje Snow White

snel 1 fast, rapid **2** quick, swift; [ook bw] fast [vaart]; speedy [genezing, vooruitgang]: *een* ~ *besluit* a quick decision; ~ *achteruitgaan* decline rapidly; ~ *van begrip zijn* be quick (on the uptake) || *iem. te* ~ *af zijn* steal a march on s.o., beat s.o. to the punch

de **snelbinder** carrier straps [mv]

de **snelheid** speed, pace, tempo; [licht, geluid ook] velocity: *bij hoge snelheden* at high speeds; *de maximum* ~ the speed limit [op weg]; *op volle* ~ (at) full speed; ~ *minderen* reduce speed, slow down

de **snelheidsbegrenzer** governor, speed limiting device

de **snelheidscontrole** speed(ing) check

de **snelheidsmaniak** speeder, speed merchant

de **snelkoker** pressure cooker

de **snelkookpan** pressure cooker

de **snelkoppeling** [comp] link

snelladen fast-charge, quick-charge

de **snellader** fast-charger, quick-charger

het **snelrecht** summary justice (*of:* proceedings)

de **sneltoets** hotkey

de **sneltrein** express (train), intercity (train)

de **sneltreinvaart** tearing rush (*of:* hurry): *hij kwam in een* ~ *de hoek om* he came tearing round the corner

het **snelverkeer** fast (*of:* through) traffic

snelwandelen [atl] race walking

de **snelweg** motorway; [Am] freeway || *elektronische* (*of:* *digitale*) ~ electronic (*of:* digital) highway

snerpen 1 bite, cut: *een ~de kou* cutting (*of:* piercing) cold **2** [van geluid] squeal, shriek

de **snert** pea soup

sneu unfortunate

sneuvelen 1 fall (in battle), be killed (in action): ~ in de strijd be killed in action **2** [kapotgaan] break, get smashed
snibbig snappy, snappish
de **snijbloem** cut flower
de **snijboon** [groente] French bean; [Am] string bean
de **snijbrander** oxyacetylene burner, cutting torch
¹**snijden** (ww) **1** cut, carve; [in plakken snijden] slice [bijv. ham, brood] **2** [verk] cut in (on s.o.)
²**snijden** (ov ww) **1** cut: uit hout een figuur ~ carve a figure out of wood **2** [m.b.t. lijnen] cross, intersect
snijdend cutting: een ~e wind a piercing (of: biting) wind
de **snijmachine** cutter, cutting machine; [vlees] slicer; [groente, afvalpapier] shredder
de **snijmais** green maize (fodder)
de **snijplank** breadboard; [van groente e.d.] chopping board; [vleesplank] carving board
het **snijpunt** crossing; [wisk ook] intersection
de **snijtand** incisor
de **snijwond** cut
de **snik** gasp: de laatste ~ geven breathe one's last; tot aan zijn laatste ~ to his dying day || niet goed ~ cracked, off one's rocker
snikheet sizzling (hot), scorching (hot)
snikken sob
de **snip** snipe
de **snipper** snip, shred; [het afgeknipte] clipping: in ~s scheuren tear (in)to shreds
de **snipperdag** day off
snipperen [versnipperen] shred, cut up (fine)
snipverkouden (all) stuffed up: ~ zijn have a streaming cold
de **snit**: het is naar de laatste ~ it's the latest thing (in fashion)
de **snob** snob
snoeien 1 trim; [m.b.t. takken] prune **2** [inkorten] cut back, prune: in een begroting ~ prune a budget
de **snoeischaar** pruning shears
de **snoek** pike
de **snoekbaars** pikeperch
de **snoep** sweets; [Am] candy
snoepen eat sweets; [Am] eat candy
de **snoeper** s.o. with a sweet tooth || een ouwe ~ an old goat, a dirty old man
het **snoepgoed** confectionery, sweets; [Am ook] candy
het **snoepje** [stukje snoep] sweet; [Am] candy
het **snoepreisje** facility trip; [Am] junket
de **snoepwinkel** sweetshop; [Am] candy store
het **snoer 1** string, rope: kralen aan een ~ rijgen string beads **2** [elektrische leiding] flex, lead; [Am] cord
de **snoes** sweetie, pet, poppet
de **snoeshaan** queer customer (of: fellow)

de **snoet 1** snout **2** face, mug: een aardig ~je ? pretty little face
snoeven swagger, brag
snoezig cute, sweet
de **snol** tart
snood: snode plannen hebben be scheming
de **snor 1** moustache: zijn ~ laten staan grow ? moustache **2** [van dieren] whiskers || dat zit wel ~ that's fine, all right, okay, Bob's your uncle!
de **snorfiets** moped
het **snorhaar 1** (hair of a) moustache **2** [m.b.t. dieren] whisker
de **snorkel** snorkel
snorkelen snorkel
snorren whirr, buzz, hum: een ~de kat a purring cat
de **snorscooter** (motor) scooter
het/de **snot** (nasal) mucus (of: discharge); [inf] snc
de **snotaap** brat, whippersnapper
de **snotneus 1** runny nose **2** [klein kind] (tiny tot, (little) kid **3** [kwajongen] brat
snotteren 1 [neus ophalen] sniff(le) **2** [huilen] blubber
snowboarden go snowboarding
snuffelen 1 sniff (at) **2** [m.b.t. personen] nose (about), pry (into): in laden ~ rummage in drawers
de **snufferd** hooter || ik gaf hem een klap op ze ~ I gave him one on the kisser
het **snufje 1** novelty; [technisch] newest devic (of: gadget): het nieuwste ~ the latest thing **2** [kleine hoeveelheid] dash: een ~ zout a pinch of salt
snugger bright, clever
de **snuisterij** bauble, trinket
de **snuit** snout: de ~ van een varken a pig's snout
snuiten blow (one's nose)
de **snuiter**: een rare ~ [inf] a strange guy, a weirdo
snuiven 1 sniff(le), snort: cocaïne ~ sniff cocaine; ~ als een paard snort like a horse **2** [ruiken, snuffelen] sniff (at)
snurken snore
so 1 afk van schriftelijke overhoring [Ned] quiz, written test **2** afk van secundair ond? wijs [Belg] secondary education
de **soa** afk van seksueel overdraagbare aandoening VD, venereal disease
de **soap** soap
de **soapie** soap star
de **soapster** soap star
sober austere, frugal: in ~e bewoordinge in plain words (of: language); hij leeft zeer he lives very austerely (of: frugally)
de **soberheid** austerity, frugality
¹**sociaal** (bn) social: hoog op de sociale lad? high up on the social scale; iemands sociale positie s.o.'s social position
²**sociaal** (bw) **1** socially **2** [gevoelig voor a

dermans nood] socially-minded: ~ *denkend* humanitarian, socially aware

de **sociaaldemocraat** social democrat
sociaaldemocratisch social democratic

het **socialisme** socialism

de **socialist** socialist
socialistisch socialist(ic)

de **sociëteit 1** association, club: *lid van een ~ worden* become a member of (*of:* join) an association **2** [gebouw] association (building), club(house) **3** [genootschap] society

de **sociologie** sociology
sociologisch sociological

de **socioloog** sociologist

de **soda 1** [natriumcarbonaat] (washing) soda **2** [sodawater] soda (water): *een whisky-soda* a whisky and soda

de **sodemieter**: *als de ~!* like crazy; *iem. op z'n ~ geven* beat the hell out of someone; *dat gaat je geen ~ aan* that's none of your bloody business; [vulg] that's none of your fucking business

¹**sodemieteren** (onov ww) [inf] [vallen] tumble

²**sodemieteren** (ov ww) [inf] [smijten] chuck

soebatten [inf] pester, implore: *na lang ~* after pestering (*of:* imploring) long enough

het **soelaas**: *dat biedt ~* that is a consolation

de **soenniet** Sunni

de **soep** soup; [helder] consommé: *een ~ laten trekken* make a stock (*of:* broth) ‖ *het is niet veel ~s* it's not up to much; *in de ~ lopen* come badly unstuck; *dat is linke ~* that's a risky business

het **soepballetje** meatball

het **soepbord** soup bowl
soepel 1 supple, pliable **2** [plooibaar] supple; flexible; [meegaand] (com)pliant: *een ~e regeling* a flexible arrangement **3** [lenig] supple: *~e bewegingen* supple (*of:* lithe) movements

de **soepelheid** suppleness, flexibility

de **soepgroente** vegetables for soup

de **soepkop** soup cup

de **soeplepel 1** [opscheplepel] soup ladle **2** [eetlepel] soup spoon

de **soepstengel** breadstick

het **soepzootje** mess, shambles

de **soesa** fuss, to-do, bother
soeverein sovereign

de **soevereiniteit** sovereignty
soezen doze, drowse
soezerig drowsy, dozy

de **sof** flop, washout

de **sofa** sofa, couch

het **sofinummer** ± National Insurance Number; [Am] ± Social Security Number

het **softbal** softball
softballen play softball

het **softijs** soft ice-cream, Mr. Softy

de **softporno** soft porn(ography)

de **software** software

de **soigneur** helper; [boksen] ± second

de **soja** (sweet) soy (sauce)

de **sojaboon** soya bean

de **sojaolie** soya bean oil

de **sojasaus** soy sauce

het **sojavlees** soya meat

de **sok** sock: *hij haalde het op zijn ~ken* he did it effortlessly ‖ *iem. van de ~ken rijden* bowl s.o. over, knock s.o. down

de **sokkel** pedestal

de **sol** [muz] so(h), sol, G

het **solarium** solarium

de **soldaat 1** (common) soldier, private: *de gewone soldaten* the ranks **2** [elke militair] soldier; [mv ook] troops: *de Onbekende Soldaat* the Unknown Soldier

het **soldaatje** toy soldier, tin soldier: *~ spelen* play (at) soldiers

het/de **soldeer** solder

de **soldeerbout** soldering iron

het **soldeersel** solder

de **solden** [Belg] sale
solderen solder

de **soldij** pay(ment)
solidair sympathetic: *~ zijn* show solidarity (with)

de **solidariteit** solidarity: *uit ~ met* in sympathy with
solide 1 solid; hard-wearing [schoenen enz.] **2** [degelijk] steady

de **solist** [musicus] soloist
solitair solitary
sollen (+ met) trifle with: *hij laat niet met zich ~* he won't be trifled with

de **sollicitant** applicant

de **sollicitatie** application

de **sollicitatiebrief** (letter of) application

het **sollicitatiegesprek** interview (for a position, job)
solliciteren apply (for)

het/de **solo** solo

de **solocarrière** solo career

het **soloconcert** solo concert

de **solutie** (rubber) solution

de **som** sum: *een ~ geld* a sum of money; *~men maken* do sums
Somalië Somalia

de **Somaliër** Somali
Somalisch Somali
somber 1 dejected, gloomy: *het ~ inzien* take a sombre (*of:* gloomy) view (of things) **2** [donker] gloomy; dark [ook kleur]: *~ weer* gloomy weather

de **somma** sum
sommeren summon(s), call (up)on
sommige some, certain: *~n* some (people)
soms 1 sometimes **2** [misschien] perhaps, by any chance: *heb je Jan ~ gezien?* have you seen John by any chance?; *dat is toch mijn*

zaak, of niet ~? that's my business, or am I mistaken?

de **sonar** sonar

de **sonate** sonata

de **sonde 1** [meetinstrument] probe **2** [med] catheter

de **sondevoeding** drip-feed

het **songfestival** song contest: *het Eurovisie ~* the Eurovision Song Contest

de **songtekst** lyric(s)

het **sonnet** sonnet

de **¹soort** (zn) [biol] species: *de menselijke ~* the human species

het/de **²soort** (zn) **1** sort, kind, type: *ik ken dat ~* I know the type; *in zijn ~* in its way, of its kind; *in alle ~en en maten* in all shapes and sizes **2** [ongeveer] sort (of), kind (of): *als een ~ vis* (rather) like some kind of a fish || *~ zoekt ~* like will to like; birds of a feather flock together

soortelijk specific

het **soortement** [inf] a sort of, a kind of

soortgelijk similar; of the same kind [alleen na werkwoord]

de **soos** club

het **sop** (soap)suds

het **sopje** (soap)suds: *zal ik de keuken nog een ~ geven?* shall I give the kitchen a(nother) wash?

soppen dunk

de **¹sopraan** (zn) [zangeres] soprano

de **²sopraan** (zn) [stem] soprano

de **sorbet** sorbet

sorry sorry

sorteren sort (out): *op maat ~* sort according to size

de **sortering** selection, range, assortment

SOS afk van *Save our Souls* SOS: *een ~(-signaal) uitzenden* broadcast an SOS (message)

de **soufflé** soufflé

souffleren prompt

de **souffleur** prompter

de **soul** soul (music)

de **sound** sound

de **soundbite** sound bite

de **soundcheck** soundcheck

de **soundtrack** soundtrack

het **souper** supper, dinner

de **souteneur** pimp

het **souterrain** basement

het **souvenir** souvenir

de **sovjet** soviet: *de Opperste Sovjet* the Supreme Soviet

de **Sovjet-Unie** Soviet Union

sowieso in any case, anyhow: *het wordt ~ laat op dat feest* that party will in any case go on until late

de **¹spa**ᴹᴱᴿᴷ (zn) mineral water

de **²spa** (zn) spade

de **spaak** spoke: *iem. een ~ in het wiel steken* put a spoke in s.o.'s wheel || *~ lopen* go

wrong

de **spaan 1** chip (of wood): *er bleef geen ~ van heel* there was nothing left of it **2** [keukengereedschap] skimmer

de **spaander** chip, splinter

de **spaanplaat** chipboard

Spaans [uit Spanje] Spanish || *zeg het eens op z'n ~* say it in Spanish

de **spaarbank** savings bank: *geld op de ~ hebben* have money in a savings bank (of: savings account)

het **spaarbankboekje** deposit book

de **spaarcenten** savings

de **spaarder** saver

het **spaargeld** savings

de **spaarlamp** low-energy light bulb

de **spaarpot 1** money box, piggy bank **2** [gespaard geld] savings, nest egg: *een ~je aanleggen* start saving for a rainy day; *zijn ~ aanspreken* draw on one's savings

de **spaarrekening** savings account

het **spaartegoed** savings balance

het **spaarvarken** piggy bank

spaarzaam 1 thrifty, economical: *hij is erg ~ met zijn lof* he's very sparing in (of: with) h praise; *~ zijn met zijn woorden* not waste words **2** [schaars] scanty, sparse: *de doodstra wordt ~ toegepast* the death penalty is seldom imposed

de **spaarzegel** trading stamp

de **spade** spade

de **spagaat** splits

de **spaghetti** spaghetti: *een sliert ~* a strand spaghetti

de **spalk** splint

spalken put in splints

de **spam** spam

het **spamfilter** spam filter

spammen spam

het **span** team; [m.b.t. personen] couple: *een paarden* a team of horses

het **spandoek** banner: *een ~ met zich meedra gen* carry a banner

de **spaniël** spaniel

de **Spanjaard** Spaniard

Spanje Spain

de **spankracht** [kracht die door trekking/dr werkt] tension; [m.b.t. spieren] muscle ton

spannen 1 [strak trekken] stretch, tighte **2** [vastmaken] harness || *het zal erom ~ wie wint* it will be a close match (of: race); *dat spant de kroon* that takes the cake

spannend exciting, thrilling: *een ~ ogenblik* a tense moment; *een ~ verhaal* an exci ing story

de **spanning 1** tension; [fig ook] suspense: *~ en sensatie* excitement and suspense; *de ~ stijgt* the tension mounts; *de ~ viel van haar* that was a load off her shoulders; *ze zaten ~ te wachten* they were waiting anxiously; *~ zitten* be in suspense **2** [elektriciteit] tension: *een ~ van 10.000 volt* a charge of 10,000 volts

de **spanningsboog** [techn] voltage curve: [fig] *een korte ~ hebben* have a short attention span

het **spanningsveld** [voornamelijk fig] area of tension

het **spant** rafter, truss

de **spanwijdte** wingspan [vliegtuig]; wingspread [vogel]

de **spar** spruce

de **sparappel** fir cone

¹**sparen** (ww) save (up): *voor een nieuwe auto ~* save up for a new car

²**sparen** (ov ww) 1 [zuinig zijn met] save, spare 2 [verzamelen] collect ‖ *spaar me de details* spare me the details, all right?

de **spareribs** spareribs

sparren work out; [vechtsporten] spar

de **sparringpartner** sparring-partner

spartelen flounder, thrash about: *het kleine kind spartelde in het water* the little child splashed about in the water

spastisch spastic

de **spat** 1 splash 2 [vlek] speck, spot

de **spatader** varicose vein

het **spatbord** mudguard; [Am] fender

de **spatel** spatula

de **spatie** space, spacing, interspace: *iets typen met een ~* type sth. with interspacing

de **spatiebalk** space bar

de **spatlap** mud flap

spatten splash, sp(l)atter: *vonken ~ in het rond* sparks flew all around; *er is verf op mijn kleren gespat* some paint has splashed on my clothes; *zij spatte (mij) met water in mijn gezicht* she spattered water in my face; *uit elkaar ~* burst

de **speaker** speaker

de **specerij** spice, seasoning

de **specht** woodpecker

¹**speciaal** (bn) special: *in dit speciale geval* in this particular case

²**speciaal** (bw) especially, particularly, specially: *ik doel ~ op hem* I mean him in particular; *~ gemaakt* specially made

de **speciaalzaak** specialist shop

de **special** special (issue): *een ~ over de Kinks* a special on the Kinks

de **specialisatie** specialization

zich **specialiseren** (+ in) specialize (in)

het **specialisme** specialism

de **specialist** specialist

specialistisch specialist(ic)

de **specialiteit** speciality

de **specie** cement, mortar

de **specificatie** specification: *~ van een nota vragen* request an itemized bill

specificeren specify, itemize

specifiek specific

het **specimen** specimen, exemplar

spectaculair spectacular

het **spectrum** spectrum

het/de **speculaas**: *gevulde ~* ± spiced cake filled with almond paste

de **speculaaspop** ± gingerbread man

de **speculant** speculator

de **speculatie** speculation

speculeren 1 (+ op) speculate (on) 2 [veronderstellen] speculate

de **speech** speech: *een ~ afsteken* deliver a speech

speechen give (*of:* make) a speech

de **speed** speed

de **speedboot** speedboat

het **speeksel** saliva

de **speelautomaat** slot machine

de **speelbal**: *het schip was een ~ van de golven* the ship was the waves' plaything

de **speeldoos** 1 [muziekdoos] music box 2 [speelgoeddoos] toybox

de **speelfilm** (feature) film

het **speelgoed** toy(s): *een stuk ~* a toy

de **speelhal** amusement arcade

de **speelhelft** half

de **speelkaart** playing card

de **speelkameraad** playfellow, playmate

het **speelkwartier** playtime; [voor oudere leerlingen] break

de **speelplaats** playground, play area: *op de ~* in the playground

de **speelruimte** 1 play, latitude: *~ hebben* have some play; *iem. ~ geven* leave s.o. a bit of elbow room 2 [voor kinderen] play area, room to play

speels 1 [dartel] playful; [vnl. dier] frisky 2 [luchtig] playful

de **speelsheid** playfulness

de **speeltafel** gaming table

het **speeltje** [inf] (little) toy

het **speeltoestel** playground (*of:* outdoor) equipment

de **speeltuin** playground

het **speelveld** (sports, playing) field

de **speen** 1 (rubber) teat; [Am] nipple 2 [tepel] teat

de **speer** spear; [werpspeer] javelin ‖ *als een ~* like a rocket

de **speerpunt** spearhead: *de ~en van een beleid* the spearheads of a policy

speerwerpen throw(ing) the javelin: *het ~ winnen* win the javelin (event)

het **spek** bacon; [m.b.t. mensen] fat

spekglad (very) slippery

spekken lard: *zijn verhaal met anekdotes ~* spice one's story with anecdotes

het **spekkie** ± marshmallow

de **speklap** thick slice of fatty bacon

het **spektakel** 1 spectacle, show: *het ~ is afgelopen* the show is over 2 [opschudding] uproar, fuss: *het was me een ~* it was a tremendous fuss het **spel 1** game; [kansspel] gambling **2** [partij, wedstrijd] game, match: [kaartsp] *een goed* (of: *sterk*) *~ in handen hebben* have a good hand; *doe je ook een ~letje mee?* do you want to join in? (of: play?); *het ~ meespelen* play the game, play along (with s.o.); *zijn ~ slim spelen* play one's cards well **3** [manier van spelen] play [ook toneel]: *hoog ~ spelen* play for high stakes, play high; *vals ~* cheating; *vuil* (of: *onsportief*) *~* foul play **4** [wijze van acteren] acting, performance ‖ *een ~ kaarten* a pack (of: deck) of cards; *buiten ~ blijven* stay (of: keep) out of it; *in het ~ zijn* be involved; [het onderwerp vormen] be in question, be at stake; *er is een vergissing in het ~* there is an error somewhere; *zijn leven* (of: *alles*) *op het ~ zetten* risk/stake one's life (of: everything); *vrij ~ hebben* have free play, have an open field

de **spelbreker** spoilsport
de **spelcomputer** games computer
de **speld** pin: *men kon er een ~ horen vallen* you could have heard a pin drop; *daar is geen ~ tussen te krijgen* there's no flaw in that argument
spelden pin
het **speldenkussen** pincushion
de **speldenprik** pin-prick: *~ken uitdelen* needle (s.o.), hit out
het **speldje 1** pin **2** pin, badge
¹**spelen** (onov ww) **1** be set (in), take place (in): *de film speelt in New York* the film is set in New York **2** play: *de wind speelde met haar haren* the wind played (of: was playing) with her hair
²**spelen** (ov ww) **1** play: *al ~d leren* learn through play; *vals ~* **a)** [spel] cheat; **b)** [muz] play out of tune; [sport] *voor ~* play up front **2** [toneelspelen] act, play **3** [bespelen] play: *piano ~* play the piano **4** [uitvoeren] play, perform **5** [van invloed zijn] be of importance, count: *dat speelt geen rol* that is of no account; *die kwestie speelt nog steeds* that is still an (important) issue
spelenderwijs without effort, with (the greatest of) ease
de **speleoloog** speleologist
de **speler** player; [gokker ook] gambler
de **spelfout** spelling mistake (of: error)
de **speling 1** play: *een ~ van de natuur* a freak of nature **2** [vrije beweging; speelruimte] play; [van touw] slack; [marge] margin
de **spelleider** instructor; [m.b.t. tv-programma] emcee
spellen spell: *hoe spelt hij zijn naam?* how does he spell his name?; *een woord verkeerd ~* misspell a word
het **spelletje** game
de **spelling** spelling
het **spelonk** cave, cavern
de **spelregel** rule of play (of: the game): *je*

moet je aan de ~s houden you must stick to the rules; *de ~s overtreden* break the rules
de **spelshow** game show
de **spelt** spelt
de **spelverdeler** [sport] playmaker
de **spencer** spencer
spenderen spend
het **sperma** sperm
de **spermabank** sperm bank
de **spertijd** curfew
het **spervuur** barrage, curtain fire: *een ~ van vragen* a barrage of questions
de **sperwer** sparrowhawk
de **sperzieboon** green bean
de **spetter 1** spatter **2** [knappe man] hunk
spetteren sp(l)atter; crackle [geluid]
de **speurder** detective, sleuth
speuren investigate, hunt: *naar iets ~ hunt* (of: search) for sth.
de **speurhond** tracker (dog), bloodhound
de **speurtocht** search
het **speurwerk** investigation, detective work
spichtig lanky, spindly: *een ~ meisje* a skinny girl
de **spie** pin; [wig] wedge
spieden *~d om zich heen kijken* look furtively around
de **spiegel** mirror: *vlakke* (of: *holle, bolle*) *~s* flat (of: concave, convex) mirrors; *in de ~ kijken* look at o.s. (in the mirror)
het **spiegelbeeld 1** reflection **2** [omgekeerde afbeelding] mirror image
het **spiegelei** fried egg
spiegelen reflect, mirror
spiegelglad as smooth as glass; icy [van wegen]; slippery [van wegen]
de **spiegeling** reflection
de **spiegelruit** plate-glass window
het **spiegelschrift** mirror writing
het **spiekbriefje** crib (sheet)
spieken copy, use a crib: *bij iem. ~* copy from s.o.
de **spier** muscle: *de ~en losmaken* loosen up the muscles, limber up, warm up; *hij vertro geen ~* (*van zijn gezicht*) he didn't bat an eye
de **spierbal** *zijn ~len gebruiken* flex one's muscle(s)
de **spierkracht** muscle (power), muscular strength
spiernaakt stark naked
de **spierpijn** sore muscles, aching muscles, muscular pain
het **spierweefsel** muscular tissue
spierwit (as) white as a sheet
de **spies** skewer
de **spijbelaar** truant
spijbelen play truant
de **spijker** nail: *de ~ op de kop slaan* hit the n on the head; *~s met koppen slaan* get dow to business
de **spijkerbroek** (pair of) jeans: *ik heb een*

nieuwe ~ I've got a new pair of jeans; *waar is mijn ~?* where are my jeans?

¹spijkeren (onov ww) [spijkers slaan] drive in nails

²spijkeren (ov ww) [met spijkers bevestigen] nail

spijkerhard (as) hard as a rock; [fig] (as) hard as nails: *~e journalisten* hard-boiled journalists

het **spijkerjasje** denim jacket, jeans jacket

het **spijkerschrift** cuneiform script

de **spijkerstof** denim

de **spijl** bar [van kooi, kinderbed enz.]; rail(ing) [van hek]

de **spijs** foods, victuals

de **spijskaart** menu

de **spijsvertering** digestion: *een slechte ~ hebben* suffer from indigestion

de **spijt** regret: *daar zul je geen ~ van hebben* you won't regret that; *geen ~ hebben* have no regrets; *daar zul je ~ van krijgen* you'll regret that; you'll be sorry; *tot mijn (grote) ~* (much) to my regret

spijten regret, be sorry: *het spijt me dat ik u stoor* I'm sorry to disturb you; *het spijt me u te moeten zeggen …* I'm sorry (to have) to tell you …

spijtig regrettable

de **spike** spikes

de **spikkel** fleck, speck

spiksplinternieuw spanking new, brand new

de **spil 1** pivot: *om een ~ draaien* pivot, swivel **2** [persoon] pivot, key figure; playmaker [voetbal]

de **spillebeen** spindleshanks

de **spin 1** spider: *nijdig als een ~* furious, absolutely wild **2** [snelbinder] spider **3** [tollende beweging, aswenteling] spin: *een bal veel ~ geven* give a ball a lot of spin

de **spinazie** spinach: *~ à la crème* creamed spinach

het **spinet** spinet

spinnen 1 spin: *garen ~* spin thread (*of:* yarn) **2** [van katten] purr

het **spinnenweb** cobweb, spider('s) web

het **spinnewiel** spinning wheel

het **spinrag** cobweb, spider('s) web: *zo fijn (of: zo dun, zo teer) als ~* as fine (*of:* thin, delicate) as gossamer

de **spion** spy

de **spionage** espionage, spying

spioneren spy

de **spiraal** spiral

t/de **spiraalmatras** spring mattress

het **spiraaltje** IUD, coil

de **spirit** spirit, guts

het **spiritisme** spiritualism

spiritueel spiritual

de **spiritus** methylated spirits, alcohol

het **¹spit** (zn) spit: *aan het ~ gebraden* broiled on the spit; *kip van 't ~* barbecued chicken

het/de **²spit** (zn) lumbago [in rug]

het/de **¹spits** (zn) **1** peak, point: *de ~ van een toren* the spire **2** [spitsuur] rush hour **3** [voorhoede] [sport] forward line **4** [speler] striker ‖ *de (het) ~ afbijten* open the batting; *iets op de ~ drijven* bring sth. to a head

²spits (bn, bw) pointed, sharp: *~ toelopen* taper (off), end in a point

de **spitsboog** [bouwk] pointed arch

spitsen prick [oren]

de **spitskool** pointed cabbage, hearted cabbage

de **spitsstrook** hard shoulder used as running lane during rush hour, hard shoulder running

de **spitstechnologie** [Belg] [zeer moderne technologie] state-of-the-art technology

het **spitsuur** rush hour: *buiten de spitsuren* outside the rush hour; *in het ~* during the rush hour

spitsvondig clever

spitten dig: *land ~* turn the soil over

de **spitzen** [dans] point shoes, ballet shoes

de **spleet** crack

het **spleetoog** slit-eye, slant-eye

splijten split

de **splijtstof** nuclear fuel, fissionable material

de **splijtzwam** divisive element

de **splinter** splinter

splinternieuw brand-new

de **splinterpartij** [pol] splinter group

het **split** slit; [in kleding ook] placket

de **spliterwt** split pea

de **splitpen** [amb] split pin

¹splitsen (ov ww) **1** divide, split **2** [chem] separate, split up

zich **²splitsen** (wdk ww) split (up), divide: *daar splitst de weg zich* the road forks there

de **splitsing 1** splitting (up), division **2** [m.b.t. weg e.d.] fork, branch(ing): *bij de ~ links afslaan* turn left at the fork

de **spoed** speed: *op ~ aandringen* stress the urgency of the matter; *met ~* with haste, urgently; *~!* [op brieven] urgent

de **spoedbehandeling** [med] emergency treatment

de **spoedcursus** intensive course, crash course

het **spoeddebat** emergency debate

spoedeisend urgent: [in ziekenhuis] *de afdeling ~e hulp* the accident and emergency department; [Am] the emergency room

spoeden [form] speed

het **spoedgeval** emergency (case), urgent matter

¹spoedig (bn) **1** near: *~e levering* prompt (*of:* swift) delivery **2** [met snelle voortgang] speedy, quick: *een ~ antwoord* a quick answer

²spoedig (bw) shortly, soon: *zo ~ mogelijk* as soon as possible de **spoel** 1 reel; [Am] spool; bobbin [op naai-machine] 2 [m.b.t. weven] shuttle

de **spoelbak** washbasin

¹**spoelen** (onov ww) [wegdrijven] wash: *naar zee* (of: *aan land*) ~ wash out to sea (of: ashore)

²**spoelen** (ww) rinse (out): *de mond* ~ rinse one's mouth (out)

de **spoeling** rinse [ook van mond, haar]; rinsing: *een* ~ *geven* rinse (out)

de **spoiler** spoiler

spoken 1 prowl (round, about): *nog laat door het huis* ~ prowl about in the house late at night 2 be haunted: *in dat bos spookt het* that forest is haunted

de **sponning** [amb] groove, rebate

de **spons** sponge

de **sponsor** sponsor

sponsoren sponsor

de **sponsoring** sponsoring

spontaan spontaneous

de **spontaniteit** spontaneity

het **spook** ghost; [hersenschim] phantom: *overal spoken zien* see ghosts everywhere

spookachtig ghostly

het **spookhuis** haunted house

de **spookrijder** ghostrider

de **spookverschijning** spectre, ghost

de ¹**spoor** (zn) spur: *een paard de sporen geven* spur a horse

het ²**spoor** (zn) 1 track, trail: *ik ben het* ~ *bijster (kwijt)* I've lost track of things; *op het goede* ~ *zijn* be on the right track (of: trail); *de politie heeft een* ~ *gevonden* the police have found a clue; *iem. op het* ~ *komen* track s.o. down, trace s.o.; *iem. op het* ~ *zijn* be on s.o.'s track 2 [geluidsspoor] track 3 [blijk van vroegere aanwezigheid] trace: *sporen van geweld(ple-ging)* marks of violence 4 [gebaande weg, rails] track, trail: *op een dood* ~ *komen (raken)* get into a blind alley; *uit het* ~ *raken* run off the rails

de **spoorbaan** railway

het **spoorboekje** (train, railway) timetable

de **spoorboom** level-crossing barrier

de **spoorbreedte** (railway) gauge

de **spoorbrug** railway bridge

de **spoorlijn** railway

spoorloos without a trace: *mijn bril is* ~ my glasses have vanished

spoorslags at full speed

de **spoorverbinding** (railway) connection

de **spoorvorming** [verk] 1 [proces] (road) rutting 2 [gevolg] ruts [mv]

de **spoorweg** railway (line)

de **spoorwegmaatschappij** railway (company)

het **spoorwegnet** rail(way) network

de **spoorwegovergang** level crossing: *be-waakte* ~ guarded level crossing

spoorzoeken tracking

sporadisch sporadic: *maar* ~ *voorkomen* b few and far between

de **spore** [plantk] spore, sporule

sporen travel by rail (of: train)

de **sporenplant** cryptogam

de **sport** 1 sport(s): *een* ~ *beoefenen* practise (of: play) a sport; *veel* (of: *weinig*) *aan* ~ *doe* go in for (of: not go in for) sports 2 [trede] rung: *de hoogste* ~ *bereiken* reach the highe rung (of the ladder)

de **sportartikelen** sports equipment

de **sportarts** sports doctor (of: physician)

de **sportclub** sports club

de **sportdag** sports day

de **sportdrank** sports drink, energy drink

sporten: *Jaap sport veel* Jaap does a lot of sport

de **sporter** sportsman

de **sportfiets** sports bicycle, racing bicycle

de **sporthal** sports hall (of: centre)

sportief 1 sports, sporty: *een* ~ *evenemen* a sports event; *een* ~ *jasje* a casual (of: sport jacket 2 [van sport houdend] sport(s)-lovin sporty 3 [eerlijk, fair] sportsmanlike: ~ *zijn* be sporting (of: a good sport) (about sth.); *iets* ~ *opvatten* take sth. well

de **sportiviteit** sportsmanship

de **sportkleding** sportswear

de **sportliefhebber** sports enthusiast

de **sportman** sportsman

het **sportpark** sports park

de **sportschoen** sport(s) shoe

de **sportschool** 1 [opleidingsinstituut] scho for martial arts 2 [fitnesscentrum] fitness centre; [inf] gym

de **sporttas** sports bag, kitbag

het **sportterrein** sports field, playing field

de **sportuitslagen** sports results

het **sportveld** sports field, playing field

de **sportvereniging** sports club

het **sportvliegtuig** private pleasure aircraft

de **sportvrouw** sportswoman

de **sportwagen** sport(s) car

de **sportzaal** fitness centre, gym

de **spot** 1 mockery: *de* ~ *drijven met* poke fu at, mock 2 [reclame-uitzending] (advertising) spot 3 [lamp] spot(light)

spotgoedkoop dirt cheap

het **spotlight** spotlight

de **spotprent** cartoon

de **spotprijs** bargain price, giveaway price

spotten 1 joke, jest 2 [belachelijk maker mock: *hij laat niet met zich* ~ he is not to be trifled with ‖ *daar moet je niet mee* ~ *that* no laughing matter

de **spotter** 1 [iem. die spot] mocker, scoffer 2 [iem. die observeert] [vliegtuigen e.d.] spotter, observer

de **spouwmuur** cavity wall

de **spraak** speech

het **spraakgebrek** speech defect

de **spraakherkenning** speech recognition

de **spraakles** speech training; [bij logopedist] speech therapy

spraakmakend talked-about, discussed

de **spraakverwarring** babel, confusion of tongues

spraakzaam talkative

de **sprake**: *er is geen ~ van* that is (absolutely) out of the question; *er is hier ~ van …* it is a matter (*of:* question) of …; *iets ter ~ brengen* bring sth. up; *ter ~ komen* come up; *geen ~ van!* certainly not! .

sprakeloos speechless: *iem. ~ doen staan* leave s.o. speechless

sprankelen sparkle

het **sprankje** spark: *er is nog een ~ hoop* there is still a glimmer of hope

de **spray** spray

sprayen spray

de **spreadsheet** spreadsheet

de **spreekbeurt** talk

de **spreekbuis** spokesman, spokesperson

de **spreekkamer** consulting room, surgery

het **spreekkoor** chant(ing): [bijv. in stadion] *spreekkoren aanheffen* break into chants

de **spreektaal** spoken language

het **spreekuur** office hours; [med] surgery (hours): *~ houden* have office hours, have surgery; *op het ~ komen* come during office hours

de **spreekvaardigheid** fluency, speaking ability

het **spreekverbod** ban on public speaking

het **spreekwoord** proverb, saying: *zoals het ~ zegt* as the saying goes

spreekwoordelijk proverbial

de **spreeuw** starling

de **sprei** (bed)spread

spreiden 1 spread (out): *het risico ~* spread the risk; *de vakanties ~* stagger holidays 2 [uit elkaar plaatsen] spread (out), space

de **spreiding** 1 spread(ing), dispersal 2 [verdeling over een periode, ruimte, personen] spacing; [reikwijdte] spread: *de ~ van de macht* the distribution of power

¹**spreken** (onov ww) speak, talk: *de feiten ~ voor zich* the facts speak for themselves; *het spreekt vanzelf* it goes without saying; [telec] *daar spreekt u mee!* speaking; [telec] *spreek ik met Jan?* is that Jan?

²**spreken** (ov ww) 1 [uitspreken] speak, tell: *een vreemde taal ~* speak a foreign language 2 [praten met] speak, talk to (*of:* with): *iem. niet te ~ krijgen* not be able to get in touch with s.o. || *niet te ~ zijn over iets* be unhappy (*of:* be not too pleased) about sth.

¹**sprekend** (bn) 1 speaking, talking: *een ~e film* a talking film; *een ~e papegaai* a talking parrot 2 [sterk uitkomend] strong, striking: *een ~e gelijkenis* a striking resemblance 3 [met veel uitdrukking] expressive

²**sprekend** (bw) [precies] exactly: *zij lijkt ~ op haar moeder* she looks exactly (*of:* just) like her mother; *dat portret lijkt ~ op Karin* that picture captures Karin perfectly

de **spreker** speaker

sprenkelen sprinkle

de **spreuk** maxim, saying: *oude ~* old saying

de **spriet** blade

het/de **springconcours** jumping competition

springen 1 jump, leap, spring; [op handen steunend] vault: *hoog* (of: *ver, omlaag*) *~* jump high (*of:* far, down); *over een sloot ~* leap a ditch; *staan te ~ om weg te komen* be dying to leave; *zitten te ~ om iets* be bursting (*of:* dying) for sth. 2 [ketel, kruitvat] burst; explode; [brug, rots, mijn] blast; [ballonnetje] pop: *mijn band is gesprongen* my tyre has burst; *een snaar is gesprongen* a string has snapped; *op ~ staan* **a)** [boos zijn] be about to explode; **b)** [nodig naar de wc moeten] be bursting || *op groen ~* change to green [verkeerslicht]

het **springkasteel** bouncy castle

de **springlading** explosive charge

springlevend alive (and kicking)

de **springplank** springboard

de **springstof** explosive

het **springtij** spring tide

het **springtouw** skipping rope

het **springuur** [Belg] free period

de **springveer** box spring

de **springvloed** spring tide

de **sprinkhaan** grasshopper; [Afrika en Azië] locust

de **sprinklerinstallatie** sprinkler system

de **sprint** sprint

sprinten sprint

de **sprinter** sprinter

de **sprits** (Dutch) short biscuit

sproeien spray, water; [sprenkelen] sprinkle; [irrigeren] irrigate

de **sproeier** sprinkler; jet [carburator]; spray nozzle [carburator]; [landb] irrigator

de **sproet** freckle: *~en in het gezicht hebben* have a freckled face

sprokkelen gather wood (*of:* kindling): *hout ~* gather wood

de **sprong** leap, jump; vault [met stok, handensteun]: *hij gaat met ~en vooruit* he's coming along by leaps and bounds

het **sprookje** fairy tale || *iem. ~s vertellen* lead s.o. up the garden path

sprookjesachtig fairy-tale; [fig] fairy-like: *de grachten waren ~ verlicht* the canals were romantically illuminated

de **sprot** sprat

de **spruit** 1 shoot 2 [kind] sprig, sprout

spruiten 1 [uitlopers krijgen] sprout 2 [voortkomen] result from

de **spruitjes** [groente] (Brussels) sprouts

de **spruw** thrush

spugen 1 spit **2** [braken] throw up: *de boel onder ~* be sick all over the place

spuien spout, unload: *kritiek ~* pour forth criticism

het **spuigat** scupper

de **spuit 1** syringe, squirt **2** [injectiespuit] needle; [injectie] shot

de **spuitbus** spray (can)

¹spuiten (onov ww) [naar buiten geperst worden] squirt, spurt; [gutsen] gush

²spuiten (ov ww) **1** squirt, spurt; erupt [geiser, vulkaan]: *lak op iets ~* spray lacquer on sth. **2** [spuitend lakken] spray(-paint) **3** [m.b.t. geneesmiddelen, drugs] inject: *hij spuit* he's a junkie; *iem. plat ~* knock s.o. out (with an injection)

de **spuiter** junkie

de **spuitgast** hoseman

het **spuitje 1** needle **2** [injectie] shot

het **spuitwater** seltzer, soda water

het **spul 1** gear, things; [kleren] togs; [persoonlijke spullen] belongings **2** [waar, goed] stuff, things

de **spurt** spurt: *er de ~ in zetten* step on it

spurten spurt, sprint

sputteren sputter, cough

het **spuug** spittle, spit

spuugzat: *iets ~ zijn* be sick and tired of sth.

spuwen 1 spit, spew **2** [braken] spew (up), throw up

de **spyware** spyware

het **squadron** squadron

het **squash** squash

de **squashbaan** squash court

squashen play squash

sr. afk van *senior* Sr.

Sri Lanka Sri Lanka

de **Sri Lankaan** Sri Lankan

Sri Lankaans Sri Lankan

sst (s)sh, hush

de **staaf** bar

de **staafmixer** hand blender

de **staak** stake, pole, post

het **staakt-het-vuren** cease-fire

het **staal 1** steel: *zo hard als ~* as hard as iron **2** [monster, voorbeeld] sample: *een (mooi) ~tje van zijn soort* humor a fine example of his sense of humour

de **staalborstel** wire brush

de **staalindustrie** steel industry

de **staalkaart** sampling

de **staalwol** steel wool

staan 1 stand: *gaan ~* stand up; *achter (of: naast) elkaar gaan ~* queue (of: line) up; *die gebeurtenis staat geheel op zichzelf* that is an isolated incident; *zich ~de houden* **a)** [lett] stay (of: remain) standing; **b)** [fig] not succumb, hold firm **2** [in een toestand, hoedanigheid zijn] stand, be: *hoe ~ de zaken?* how are things?; *er goed voor ~* look good; *zij ~ sterk* they are in a strong position; *buiten iets*

~ not be involved in sth.; *de snelheidsmeter stond op 80 km/uur* the speedometer showe⟨ 80 km/h; *zij staat derde in het algemeen klasse⟩ ment* she is third in the overall ranking **3** [m.b.t. kleren] look **4** [opgetekend, gedrukt zijn] say, be written: *er staat niet bij wanneer* it doesn't say when; *in de tekst staa⟩ daar niets over* the text doesn't say anything about it; *wat staat er op het programma?* what's on the programme? **5** [stilstaan] stand still: *blijven ~* stand still **6** [onaangeroerd zijn] leave, stand: *hij kon nauwelijks spreken, laat ~ zingen* he could barely speak let alone sing; *laat ~ dat ...* not to mention (that) ..., let alone (that) ...; *zijn baard laten groei en beard* **7** [eisen] insist (on) || *er staat hem wat te wachten* there is sth. in store fo⟨ him; *ergens van ~ (te) kijken* be flabbergaste⟨ *ze staat al een uur te wachten* she has been waiting (for) an hour

staand standing: *~e passagier* standing passenger || *iem. ~e houden* stop s.o.; *zich ~⟨ houden* keep going, carry on; *~e houden (dat)* maintain (that)

de **staanplaats** standing room; [open tribun⟨ terrace

de **staar** cataract, stare; [waas op het oog] fil⟨

de **staart 1** tail: *met de ~ kwispelen* wag its ta⟨ **2** [bos neerhangend haar] pigtail; [opgebonden haar] ponytail

het **staartbeen** tail-bone, coccyx

de **staartdeling** long division

de **staartster** comet

de **staartvin** tail fin

de **staat 1** state, condition, status: *burgerlijk ~* marital status; *in goede ~ verkeren* be in good condition; *in prima ~ van onderhoud* i⟨ an excellent state of repair **2** [mogelijkhei⟨ gelegenheid] condition: *tot alles in ~ zijn* be capable of anything **3** [rijk] state, country, nation, power; [het staatslichaam] the boc⟨ politic: *de ~ der Nederlanden* the kingdom the Netherlands **4** [bestuurscollege] counc⟨ board: *de Provinciale Staten* the Provincial Council **5** [opgave, overzicht] statement, r⟨ cord, report, survey || [fig] *in alle staten zijn* frenzied (of: agitated), be beside o.s.

de **staatkunde** politics, political science

staatkundig political

het **staatsbedrijf** state enterprise

het **staatsbelang** state (of: national) interes⟨

het **staatsbestel** system of government, po⟨

het **staatsbezoek** state visit

het **Staatsblad** law gazette

Staatsbosbeheer Forestry Commission

de **staatsburger** citizen; [in een koninkrijk ook] subject

het **staatsburgerschap** citizenship, nation⟨ ty

de **Staatscourant** Government Gazette

het **staatsexamen** state exam(ination), uni⟨

versity entrance examination

het **staatsgeheim** official secret, state secret

de **staatsgreep** coup (d'état)

het **staatshoofd** head of state

het **staatsieportret** official portrait

de **staatsinrichting** civics

de **staatslening** national loan

de **staatsloterij** state lottery, national lottery

de **staatsman** statesman

het **staatsrecht** constitutional law

de **staatsschuld** government debt

de **staatssecretaris** [in Nederland en België] State Secretary

stabiel stable; firm [ook handel]

de **stabilisatie** stabilization

stabiliseren stabilize, steady; [versterkingen] firm (up)

de **stabiliteit** stability; [evenwicht] balance; steadiness

het **stabiliteitspact** stability pact

de **stacaravan** caravan

staccato [muz] staccato

de **stad** [grote plaats] town; [grote, dichtbevolkte stad] city; [stedelijke gemeente] borough: ~ en land aflopen search high and low, look everywhere (for); de ~ uit zijn be out of town

het **stadhuis** town hall, city hall

het **stadion** stadium

het **stadium** stage, phase

het **stadsbestuur** town council, city council, municipality

de **stadsbus** local bus

het **stadsdeel** quarter, area, part of town; [wijk] district; ± borough

het **stadslicht** parking light

de **stadsmens** city dweller, townsman

de **stadsmuur** town wall, city wall

de **stadstaat** city-state

de **stadsvernieuwing** urban renewal

de **stadswijk** ward, district, area

de **staf 1** staff, (walking) stick; [toverstaf] wand **2** [leiding] staff; [Am; wetenschappelijk personeel] faculty **3** [mil] staff, corps

de **stafchef** chief of staff

de **stafhouder** [Belg] president of the Bar Council

de **stafkaart** topographic map, ordnance survey map

het **staflid** staff member

de **stage** work placement; [ond] teaching practice; [med] housemanship; [Am] intern(e)ship: ~ lopen do a work placement practice

de **stageplaats** trainee post

de **stagiair** student on work placement; [in school] student teacher

de **stagnatie** stagnation

stagneren stagnate, come to a standstill

de **sta-in-de-weg** obstacle

¹**staken** (onov ww) **1** [het werk neerleggen]

strike, go on strike: gaan ~ go (of: come out) on strike **2** [m.b.t. een stemming] tie

²**staken** (ov ww) cease, stop, discontinue; [tijdelijk] suspend: zijn pogingen ~ cease one's efforts; het verzet ~ cease resistance

de **staker** striker

de **staking** strike (action), walkout: in ~ zijn (of: gaan) be (of: come out) on strike

de **stakingsbreker** strike-breaker; [neg] scab

de **stakker** wretch, poor soul (of: creature, thing): een arme ~ a poor beggar

de **stal** stable [voor paarden]; cowshed [voor koeien]; sty [voor varkens]; fold [voor schapen]: iets van ~ halen dig sth. out (of: up) (again)

de **stalactiet** stalactite

de **stalagmiet** stalagmite

stalen steel, steely: met een ~ gezicht stony-faced

stalken stalk

de **stalker** stalker

de **stalking** stalking

de **stalknecht** stableman, stable hand, groom

stallen store, put up (of: away); garage [motorvoertuig]

het **stalletje** stall, stand, booth

de **stalling** garage [voor auto enz.]; shelter [voor fiets enz.]

de **stam 1** trunk, stem, stock **2** [geslacht] stock, clan **3** [volksstam] tribe, race

het **stamboek** pedigree; studbook [vnl. voor paarden]; herdbook [voor runderen, varkens, schapen]

het **stamboekvee** pedigree(d) cattle

de **stamboom** family tree, genealogical tree; [tekening] genealogy; pedigree

het **stamcafé** favourite pub; [Am] favorite bar; [Brits; inf] local; [Am; inf] hangout

de **stamcel** stem cell

stamelen stammer, stutter, sp(l)utter

de **stamgast** regular (customer)

het **stamhoofd** chieftain, tribal chief, headman

de **stamhouder** son and heir, family heir

de **staminee** [Belg] pub

stammen descend (from), stem (from); [dateren] date (back to, from)

de **stammenstrijd** (inter)tribal dispute, tribal war

¹**stampen** (onov ww) stamp: met zijn voet ~ stamp one's foot

²**stampen** (ov ww) [door stoten kleiner maken, mengen] pound, crush, pulverize: gestampte aardappelen mashed potatoes

de **stamper 1** stamp(er), pounder; masher [voor puree e.d.] **2** [plantk] pistil

de **stampij** hullabal(l)oo, hubbub, uproar: ~ maken raise hell, kick up a row (of: fuss)

de **stamppot** ± stew, hotchpotch; [met kool] mashed potatoes and cabbage

stampvoeten stamp one's feet

stampvol packed [van ruimtes]; full to the brim [van dozen, kisten e.d.]; full up [met eten]

de **stamtafel** table (reserved) for regulars

de **stamvader** ancestor, forefather

de **stand 1** posture, bearing: *een ~ aannemen* assume a position **2** [m.b.t. positie, meting] position: *de ~ van de dollar* the dollar rate; *de ~ van de zon* the position of the sun **3** [toestand, gesteldheid] state, condition: *de burgerlijke ~* the registry office **4** score: *de ~ is 2-1* the score is 2-1 **5** [rang] estate, class, station, order: *mensen van alle rangen en ~en* people from all walks of life **6** [het zijn] existence, being: *tot ~ brengen* bring about, achieve **7** [plaats op een tentoonstelling] stand

de ¹**standaard** (zn) **1** stand, standard **2** [exemplaar van eenheid van maat, gewicht] standard, prototype

²**standaard** (bn, bw) standard

de **standaardisatie** standardization

standaardiseren standardize: *het gestandaardiseerde type* the standard model

de **standaarduitvoering** standard type (*of:* model, design)

het **standaardwerk** standard work (*of:* book)

het **standbeeld** statue

stand-by standby

standhouden hold out, stand up

de **stand-in** stand-in

het **standje 1** position, posture **2** [berisping] rebuke

het **standlicht** [Belg] sidelight, parking light

de **standplaats** stand: *~ voor taxi's* taxi rank; [Am] taxi stand

het **standpunt** standpoint, point of view: *bij zijn ~ blijven* hold one's ground

standrechtelijk summary

het **standsverschil** class difference, social difference

de **stand-upcomedian** stand-up comedian

standvastig firm, perseverant, persistent

de **standwerker** hawker, (market, street) vendor

de **stang** stave, bar, rod; [van herenfiets] crossbar ‖ *iem. op ~ jagen* needle s.o.

de **stank** stench, bad (*of:* foul, nasty) smell

het **stanleymes** Stanley knife

stansen punch

stante pede on the spot, this minute

de **stap 1** step, footstep, pace, stride: *een ~ in de goede richting doen* take a step in the right direction; *~(je) voor ~(je)* inch by inch, little by little; *een ~(je) terug doen* take a step down (in pay) **2** [fig] step, move; [stadium] grade: *~pen ondernemen tegen* take steps against **3** [tred] step, tread ‖ *op ~ gaan* set out (*of:* off)

de **stapel 1** pile, heap, stack **2** [vee] stock ‖ *te hard van ~ lopen* go too fast

het **stapelbed** bunk beds

stapelen pile up, heap up, stack

stapelgek 1 crazy, (as) mad as a hatter, (raving) mad **2** [bezeten van liefde] mad, crazy

het **stapelhuis** [Belg] warehouse

de **stapelwolk** cumulus, woolpack

stappen 1 step, walk: *eruit ~* [opgeven] quit, get/step out; [zelfmoord plegen] do‹ in, catch the bus **2** [uitgaan] go out, go fo‹ drink

het **stappenplan** step-by-step plan

stapvoets at a walk; at walking pace [o‹ m.b.t. paarden]

star 1 frozen, stiff; glassy [blik] **2** [koppig vasthoudend] rigid, inflexible, uncompro‹ mising

staren 1 stare, gaze **2** [turen] peer: *zich blind ~ op iets* be fixated on sth.

de **start** start: [auto] *de koude ~* the cold sta‹ *een vliegende ~ maken* get off to (*of:* mak‹ flying start

de **startbaan** runway; airstrip [van klein vl‹ veld]

het **startblok** starting block

starten start, begin; [vliegtuig ook] take‹ off; [sport] be off

de **starter** starter

het **startgeld** entry fee

de **startkabel** jump lead; [Am] jumper cab‹

startklaar ready to start (*of:* go); [vliegt‹ ready for take-off

de **startmotor** starter, starting motor

de **startpagina**ᴹᴱᴿᴷ start page

het **startpunt** starting point

het **startschot** starting shot

het **startsein** starting signal: *iem. het ~ geve‹* give s.o. the green light

stateloos stateless

de **Staten** [Provinciale Staten] (Dutch) Prov‹ cial Council

de **Statenbijbel** (Dutch) Authorized Versi‹ (of the Bible)

de **Staten-Generaal** States General, Dutc‹ parliament

het **statief** tripod, stand

het **statiegeld** deposit: *geen ~* non-returna‹

statig 1 stately, grand: *een ~e dame* a queenly woman, a woman of regal bear‹ **2** [plechtig] solemn

het **station** (railway) station; [Am] depot

stationair stationary: *een motor ~ later‹ draaien* let an engine idle

de **stationcar** estate (car); [Am] station wa‹

stationeren station, post

de **stationschef** stationmaster

de **stationshal** station concourse

de **stationsrestauratie** station buffet

statisch static

de **statistiek** statistics

statistisch statistical

de **status 1** (social) status, standing **2** [plaats, positie] (legal) status
de **statusregel** [comp] status line
het **statussymbool** status symbol
statutair statutory
de **statuur** stature: *hij heeft onvoldoende ~ voor die functie* he has insufficient stature for this position; *iem. van zijn ~* s.o. of his stature
het **statuut** statute, regulation
staven substantiate, prove
de **steak** (beef)steak
het/de **steaming** [Belg] ± racketeering
stedelijk municipal, urban: *de ~e bevolking* the urban population
de **stedeling** town-dweller; [mv ook] townspeople
de **stedenbouwkunde** urban development
steeds 1 always, constantly: *iem. ~ aankijken* keep looking at s.o.; *~ weer* time after time, repeatedly **2** [voortdurend] increasingly, more and more: *~ groter* bigger and bigger; *~ slechter worden* go from bad to worse; *het regent nog ~* it is still raining
de **steeg** alley(way)
de **steek 1** stab; thrust [van zwaard enz.]; prick [van naald]; [wond] stab wound **2** [van een insect] sting; bite [van een mug] **3** [pijnscheut] shooting pain, stabbing pain; [lichter] twinge: *een ~ in de borst* a twinge in the chest **4** [m.b.t. handwerken] stitch: *een ~ laten vallen* **a)** [lett] drop a stitch; **b)** [fig] make a gaffe, make a mistake ‖ *iem. in de ~ laten* let s.o. down; *ik zie geen ~* I can't see a (blind) thing
steekhoudend convincing, valid
de **steekpartij** knifing
de **steekpenningen** bribe(s); [inf] kickback(s)
de **steekproef** random check, spot check, (random) sample survey
de **steeksleutel** (open-end, fork) spanner (*of:* wrench)
de **steekvlam** (jet, burst of) flame, flash
de **steekwagen** handtruck
het **steekwapen** stabbing weapon
de **steekwond** stab wound
de **steel 1** [m.b.t. planten] stalk, stem **2** [handvat] handle; stem [van wijnglas]
de **steelpan** saucepan
steels stealthy
de **¹steen** (zn) **1** [stuk steen] stone; [Am] rock; [groot] rock; [klein, rond] pebble **2** [als bouwmateriaal] stone; [baksteen] brick; [kinderhoofdje] cobble(stone): *ergens een ~tje toe bijdragen* do one's bit towards sth.; chip in with [bedrag] **3** [sport] man; [bij damspel ook] piece ‖ *de onderste ~ moet boven komen* we must get to the bottom of this
het/de **²steen** (zn) stone ‖ *~ en been klagen* complain bitterly
de **steenarend** golden eagle
de **steenbok** [geit] ibex, wild goat
de **Steenbok** [astrol] Capricorn
de **Steenbokskeerkring** tropic of Capricorn
steengrillen stone grill
de **steengroeve** (stone) quarry
het **steenkolenengels** broken English
de **steenkool** coal
steenkoud freezing (cold), ice-cold: *ik heb het ~* I am freezing
de **steenpuist** boil
steenrijk immensely rich
het **steenslag** [wwb] road-metal; [bij herstelwerkzaamheden] chippings
de **steentijd** Stone Age
het **steentje** small stone; [kiezelsteen] pebble: *een ~ bijdragen* do one's bit
de **steenweg** [Belg] (paved) road
de **steenworp**: *hij woont op een ~ afstand* he lives within a stone's throw
steevast invariable, regular
de **steiger 1** landing (stage, place) **2** [stelling] scaffold(ing)
steigeren rear (up)
steil steep; [zeer steil] precipitous: *een ~e afgrond* a sharp drop; *~ haar* straight hair; *ergens ~ van achterover slaan* be flabbergasted by sth.
steilen straighten, flat-iron
de **steiltang** flat-iron
de **stek 1** cutting, slip **2** [uitgekozen plekje] niche, den: *dat is zijn liefste ~* that is his favourite spot
stekeblind (as) blind as a bat
de **stekel** prickle, thorn; spine [van cactus enz.]
de **stekelbaars** stickleback
stekelig 1 prickly, spiny, bristly **2** [fig] sharp, cutting
het **stekelvarken** porcupine; [egel] hedgehog
¹steken (onov ww) **1** [vastzitten] stick: *ergens in blijven ~* get stuck (*of:* bogged) (down) in sth. **2** [gevoel van pijn veroorzaken] sting: *de zon steekt* there is a burning sun **3** [stekende beweging maken] thrust, stab ‖ *daar steekt iets achter* there is sth. behind it
²steken (ov ww) **1** stab: *alle banden waren lek gestoken* all the tyres had been punctured **2** [grieven] sting, cut **3** [m.b.t. dieren, planten] sting, prick **4** [in iets vastprikken] stick **5** [in een omhulsel bergen] put, place: *veel tijd in iets ~* spend a lot of time on sth.; *zijn geld in een zaak ~* put one's money in(to) an undertaking
stekend stinging, sharp
stekken slip, strike: *planten ~* take (*of:* strike) cuttings of plants
de **stekker** plug
de **stekkerdoos** multiple socket
het **stel 1** set: *ik neem drie ~ kleren mee* I'll take three sets of clothes with me **2** [tweetal personen] couple: *een pasgetrouwd ~* newlyweds **3** [aantal] couple, lot ‖ *het hoeft niet op*

~ *en sprong* there's no rush
stelen steal: *uit ~ gaan* go thieving; *dat kan me gestolen worden* I'd be well shot of it, I'd be better off without that

de **stellage** stand, stage, platform

stellen 1 put, set: *iem. iets beschikbaar ~* put sth. at s.o.'s disposal **2** set, adjust: *een machine ~* adjust (*of:* regulate) a machine **3** [veronderstellen] suppose: *stel het geval van een leraar die …* take the case of a teacher who … **4** [klaarspelen, redden] manage, (make) do: *we zullen het met minder moeten ~* we'll have to make do with less

het **stelletje 1** bunch: *een ~ ongeregeld* a disorderly bunch **2** [paartje] couple, pair

stellig definite, certain

de **stelling 1** [steiger] scaffold(ing) **2** [staand rek] rack **3** [beginsel] proposition **4** theorem, proposition: *de ~ van Pythagoras* the Pythagorean theorem ǁ ~ *nemen tegen* [fig] make a stand against, set one's face against

de **stellingname** position, stand

stelpen staunch, stem

de **stelplaats** [Belg] depot

de **stelregel** principle: *een goede ~* a good rule to go by

de **stelschroef** setscrew

het **stelsel** system

stelselmatig systematic

de **stelt** stilt ǁ *de boel op ~en zetten* raise hell

de **steltloper** grallatorial bird

de **stem 1** voice: *zijn ~ verliezen* lose one's voice; *met luide ~* out loud; *een ~ van binnen* an inner voice **2** [zangpartij] part, voice **3** [kiesstem] vote: *beiden behaalden een gelijk aantal ~men* it was a tie between the two; *de meeste ~men gelden* the majority decides; *de ~men staken* there is a tie; *de ~men tellen* count the votes; *zijn ~ uitbrengen* cast one's vote, vote

de **stemband** vocal cord

het **stembiljet** ballot (paper)

het **stembureau 1** polling station; [Am] polling place **2** [college van personen] polling committee

de **stembus** ballot box: *naar de ~ gaan* go to the polls

de **stemcomputer** voting computer

het **stemdistrict** constituency [voor 2e kamer]; borough [voor 2e kamer, gemeenteraad]; ward [gemeenteraad]

het **stemgeluid** voice

stemgerechtigd entitled to vote

stemhebbend voiced

het **stemhokje** (voting) booth

stemloos voiceless, unvoiced

stemmen 1 [kiezen] vote: *ik stem voor* (*of:* tegen) I vote in favour (*of:* against) **2** [muz] tune; tune up [orkest] ǁ *iem. gunstig ~* put s.o. in the right mood, get in s.o.'s good books

de **stemmer** tuner

stemmig sober, subdued

de **stemming 1** mood: *in een slechte* (of: *goede*) ~ *zijn* be in a bad (*of:* good) mood; *de ~ zit erin* there's a general mood of cheerfulness **2** [gezindheid] feeling: *er heerst een vijandige ~* feelings are hostile **3** [m.b.t. verkiezingen; voorstellen] vote: *een geheime ~* a secret ballot; *een voorstel in ~ brengen* put a proposal to the vote **4** [muz] tuning

de **stempel 1** seal **2** [afdruk] stamp; postmark [op post]

de **stempelautomaat** stamping machine

¹**stempelen** (onov ww) [Belg] be unemployed (*of:* on the dole)

²**stempelen** (ov ww) stamp; postmark [post]

het **stempelgeld** [Belg] unemployment benefit, the dole

het **stempelkussen** inkpad

de **stemplicht** compulsory voting

het **stemrecht** (right to) vote, voting right; [pol ook] franchise; suffrage

de **stemverheffing** raising of one's voice: *zij sprak met ~* she raised her voice as she spoke

de **stemvork** tuning fork

de **stemwijzer**ᴹᴱᴿᴷ voting aid

het/de **stencil** stencil, handout

stencilen duplicate, stencil

stenen stone; [van baksteen] brick

de **stengel 1** stalk, stem **2** [koekje] stick

de **stengun** sten gun

stenigen stone

de **stennis** [inf] commotion: ~ *maken* kick up a row

het/de **steno** stenography, shorthand

de **stenograaf** shorthand writer; [Am] stenographer

de **stenografie** stenography

de **step** scooter

de **steppe** steppe

de **ster** star: *een vallende ~* a shooting star; [fig] *hij speelt de ~ren van de hemel* his playing is out of this world

de **stereo** stereo(phony)

stereotiep stock, stereotypic(al): *een ~e uitdrukking* a cliché

de **stereotoren** music centre

het **stereotype** stereotype

het **sterfbed** deathbed: *op zijn ~ zal hij er nog berouw over hebben* he'll regret it to his dying day

sterfelijk mortal

het **sterfgeval** death

de **sterfte 1** [het sterven] death **2** [aantal sterfgevallen] mortality

het **sterftecijfer** mortality rate

steriel 1 sterile **2** [onvruchtbaar] sterile, infertile

de **sterilisatie** sterilization

steriliseren sterilize; [m.b.t. dieren] fix

de **steriliteit** sterility

¹sterk (bn) **1** strong, powerful, tough: ~*e thee* strong tea **2** [hevig] strong, sharp: *een ~e stijging* a sharp rise; *een ~e wind* a strong wind || *~er nog* indeed, more than that

²sterk (bw) **1** [zeer] strongly, greatly, highly: *een ~ vergrote foto* a much enlarged photograph; *iets ~ overdrijven* greatly exaggerate sth. **2** [goed] well || *zij staat (nogal) ~* [deugdelijke argumenten] she has a strong case; *dat lijkt me ~* I doubt it, I wouldn't count on it

de **sterkedrank** strong drink, liquor

sterken strengthen: *in zijn mening gesterkt worden* be confirmed in one's views

de **sterkte 1** strength, power, intensity; [m.b.t. geluid ook] volume; [m.b.t. geluid ook] loudness: *de ~ van een geluid* (of: *van het licht*) the intensity of a noise (of: the light); *op volle* (of: *halve*) *~* at full (of: half) strength **2** [kracht om smart, leed te dragen] fortitude, courage: *~ (gewenst)!* all the best!, good luck! **3** [m.b.t. uitwerking] strength, potency

de **stern** tern

het **sterrenbeeld** sign of the zodiac

de **sterrenhemel** starry sky

de **sterrenkijker** telescope

de **sterrenkunde** astronomy

de **sterrenkundige** astronomer

het **sterrenstelsel** stellar system

de **sterrenwacht** observatory

het **sterretje 1** sparkler **2** [tekentje] star, asterisk

de **sterveling** mortal: *er was geen ~ te bekennen* there wasn't a (living) soul in sight

sterven die: *~ aan een ziekte* die of an illness; *~ aan zijn verwondingen* die from one's injuries; *op ~ na dood zijn* be as good as dead

de **stethoscoop** stethoscope

de **steun 1** support, prop: *een ~tje in de rug* a bit of encouragement (of: support), a helping hand **2** [houvast] support, assistance: *dat zal een grote ~ voor ons zijn* that will be a great help to us **3** [materiële hulp] support, aid, assistance

de **steunbeer** buttress

¹steunen (onov ww) [leunen] lean (on), rest (on)

²steunen (ov ww) **1** support, prop (up): *een muur ~* support (of: prop up) a wall **2** [fig] support, back up: *iem. ergens in ~* back up s.o. in sth.

de **steunfraude** social security fraud

de **steunkous** support stocking

de **steunpilaar** pillar [ook fig]

het **steunpunt** (point of) support

de **steuntrekker** person on the dole; [Am] person on welfare (benefit)

de **steunzool** arch support

de **steur** sturgeon

de **steven** [scheepv] stem; [achter] stern

¹stevig (bn) **1** substantial, hearty **2** [fors] robust, hefty; [fig] stiff; [fig] heavy: *een ~e hoofdpijn* a splitting headache **3** [solide, degelijk] solid, strong, sturdy **4** [krachtig] tight, firm: *een ~ pak slaag* a good hiding **5** [flink, behoorlijk] substantial, considerable

²stevig (bw) **1** solidly, strongly: *die ladder staat niet ~* that ladder is a bit wobbly **2** [krachtig] tightly, firmly: *we moeten er ~ tegenaan gaan* we really need to get (of: buckle) down to it

de **stevigheid** sturdiness, strength, solidity

de **steward** steward; [vliegtuig ook] flight attendant

de **stewardess** stewardess, (air) hostess

stichtelijk [vroom] devotional, pious

stichten found, establish: *een gezin ~* start a family

de **stichter** founder

de **stichting** foundation, establishment

de **stick** stick

de **sticker** sticker

het **stickie** joint, stick

de **stiefbroer** stepbrother

de **stiefdochter** stepdaughter

het **stiefkind** stepchild

de **stiefmoeder** stepmother

de **stiefvader** stepfather

de **stiefzoon** stepson

de **stiefzuster** stepsister

¹stiekem (bn) **1** [geniepig] sneaky **2** [geheim] secret

²stiekem (bw) **1** [geniepig] in an underhand way, on the sly **2** [geheim] in secret: *iets ~ doen* do sth. on the sly; *~ weggaan* steal (of: sneak) away

de **stiekemerd** sneak, sly dog

de **stielman** [Belg] craftsman, skilled worker

de **stier** bull

de **Stier** [astrol] Taurus

het **stierengevecht** bullfight

de **stierenvechter** bullfighter

stierlijk: *ik verveel me ~* I'm bored stiff (of: to tears)

de **stift 1** [m.b.t. een vulpotlood, balpen] cartridge **2** [viltstift] felt-tip (pen)

de **stifttand** crowned tooth

het **stigma** stigma

stigmatiseren stigmatize

¹stijf (bn) **1** stiff, rigid: *~ van de kou* numb with cold **2** [houterig] stiff, wooden

²stijf (bw) **1** stiffly, rigidly: *zij hield het pak ~ vast* she held on to the package with all her might **2** [niet hartelijk] stiffly, formally

de **stijfheid** stiffness

stijfjes stiff, formal

de **stijfkop** stubborn person, pigheaded person

het/de **stijfsel** paste

de **stijgbeugel** stirrup

stijgen 1 rise; climb [vliegtuig]: *een ~de lijn* an upward trend **2** [toenemen] increase, rise: *de prijzen* (of: *lonen*) ~ prices (of: wages) are rising

de **stijging** rise, increase

de **stijl 1** style; [taalkunde ook] register: *ambtelijke* ~ officialese; *journalistieke* ~ journalese; *het onderwijs nieuwe* ~ the new style of education; *in de* ~ *van* after the fashion of **2** [paal] post ‖ *dat is geen* ~ that's no way to behave

het **stijldansen** ballroom dancing

de **stijlfiguur** figure of speech, trope

stijlloos 1 tasteless, lacking in style **2** [zonder manieren] ill-mannered

stijlvol stylish, fashionable

stik [inf] oh heck, oh damn; [verwensing] nuts (to you); get lost

stikdonker pitch-dark, pitch-black

stikken 1 suffocate, choke; [benauwd worden] be stifled: *in iets* ~ choke on sth.; ~ *van het lachen* be in stitches **2** (+ in) be bursting (with) [jaloezie, trots]; be up to one's ears (in) [werk e.d.] **3** [doodvallen] drop dead: *iem. laten* ~ leave s.o. in the lurch; [niet verschijnen] stand s.o. up **4** [naaien] stitch **5** [m.b.t. overvloedigheid] be full (of), swarm (with): *dit opstel stikt van de fouten* this essay is riddled with errors

de **stikstof** nitrogen

¹**stil** (bn) **1** quiet, silent **2** [bewegingloos] still, motionless **3** [bedaard] quiet, calm: *de* ~*le tijd* the slack season, the off season ‖ *Stille Nacht* Silent Night

²**stil** (bw) **1** [zonder (veel) geluid] quietly **2** [roerloos] still **3** [zonder ophef] quietly, calmly

de **stiletto** flick knife; [Am] switchblade

¹**stilhouden** (onov ww) [stoppen] stop, pull up

²**stilhouden** (ov ww) **1** keep quiet, hold still **2** [geheimhouden] keep quiet, hush up: *zij hielden hun huwelijk stil* they got married in secret

de **stille** plain-clothes policeman

stilleggen stop, shut down, close down

stillen satisfy

stilletjes 1 quietly **2** [stiekem] secretly, on the sly

het **stilleven** still life

stilliggen 1 lie still (of: quiet) **2** [niet functioneren] lie idle, be idle: *het werk ligt stil* work is at a standstill

stilstaan 1 stand still, pause, come to a standstill: *heb je er ooit bij stilgestaan dat ...* has it ever occurred to you that ... **2** [niet functioneren] stand still, stop, be at a standstill

de **stilstand 1** standstill, stagnation: *tot* ~ *brengen* bring to a standstill (of: halt) **2** [Belg] stop: *deze trein heeft* ~*en te Lokeren en te Gent* this train stops at Lokeren and Ghent

de **stilte 1** silence, quiet: *een minuut* ~ a minute's silence; *de* ~ *verbreken* break the silence **2** [heimelijkheid] quiet, privacy, secrecy

stilzetten (bring to a) stop

stilzitten sit still, stand still

het **stilzwijgen** silence

stilzwijgend tacit, understood: ~ *aannemen (veronderstellen) dat ...* take (it) for granted that ...; *een contract* ~ *verlengen* automatically renew a contract

de **stimulans** stimulus

stimuleren stimulate, encourage; boost [handel]

de **stimulus** stimulus, incentive

de **stinkbom** stink bomb

het **stinkdier** skunk

stinken stink, smell: *uit de mond* ~ have bad breath; [fig] *die zaak stinkt* there's sth. fishy about that, that business stinks ‖ [inf] *erin* ~ **a)** [betrapt worden] walk right into it (of: the trap); **b)** [erin trappen] fall for sth., rise to the bait, be fooled

stinkend stinking, smelly

de **stip 1** dot; speck [vlekje] **2** [sport] (penalty) spot (of: mark)

stippelen dot, speckle

de **stippellijn** dotted line

stipt exact, punctual; prompt [tijdig]; strict [m.b.t. navolging van regels]: ~ *om drie uur* three o'clock sharp; ~ *op tijd* right on time

de **stiptheid** accuracy; punctuality [steeds op tijd zijn]; promptness [tijdigheid]; strictness [m.b.t. navolging van regels]

de **stiptheidsactie** work-to-rule, go-slow; [Am] slow-down (strike)

stockeren [Belg] [opslaan] stock

stoeien play around: *met het idee* ~ toy with the idea (of)

de **stoel** chair; seat [zitplaats]: *een luie (gemakkelijke)* ~ an easy chair; *pak een* ~ take a seat; *de poten onder iemands* ~ *wegzagen* cut the ground from under s.o.'s feet; pull the rug from under s.o.

stoelen be based (on)

de **stoelendans** musical chairs

de **stoelgang** (bowel) movement, stool(s)

de **stoeltjeslift** chairlift

de **stoemp** [Belg] ± stew, hotchpotch

de **stoep 1** pavement; [Am] sidewalk **2** [steile opstap] (door)step: *onverwachts op de* ~ *staan bij iem.* turn up on s.o.'s doorstep

de **stoeprand** kerb; [Am] curb

de **stoeptegel** paving stone

stoer 1 sturdy, powerful(ly built) **2** [flink] tough

de **stoet** procession, parade

de **stoethaspel** clumsy person, bungler

de ¹**stof** (zn) **1** [materie] substance; matter [niet-telbaar] **2** [weefsel] material, cloth, fabric **3** [materiaal, onderwerp] (subject) matter, material: ~ *tot nadenken hebben* have food for thought

het ²**stof** (zn) dust: ~ *afnemen* dust; *in het ~ bijten* bite the dust; *iem. in het ~ doen bijten* make s.o. grovel, make s.o. eat dirt; *veel ~ doen opwaaien* kick up (*of:* raise) a dust, cause a great deal of controversy

de **stofdoek** duster, (dust)cloth

stoffelijk material

¹**stoffen** (bn) cloth, fabric

²**stoffen** (ww) dust

de **stoffer** brush: ~ *en blik* dustpan and brush

stofferen 1 [m.b.t. vloerbedekking, gordijnen] ± decorate; furnish with carpets and curtains

de **stoffering** soft furnishings; [Am] fabrics; cloth; upholstery [bekleding van stoelen]

stoffig dusty; [figuurlijk ook] mouldy

de **stofjas** dustcoat, duster

de **stofwisseling** metabolism

stofzuigen vacuum, hoover

de **stofzuiger** vacuum (cleaner), hoover

de **stok** stick; [wandelstok ook] cane: *zij kregen het aan de ~ over de prijs* they fell out over the price; [fig] *een ~ achter de deur* the big stick

het **stokbrood** baguette, French bread

stokdoof stone-deaf, (as) deaf as a post

¹**stoken** (onov ww) 1 [m.b.t. een vuur] heat 2 [opruien] make trouble

²**stoken** (ov ww) 1 stoke (up); [vuur ook] feed; [aansteken] light; [aansteken] kindle: *het vuur ~* stoke up the fire 2 [als brandstof gebruiken] burn 3 [aanwakkeren] stir up: *ruzie ~* stir up strife 4 [distilleren] distil

de **stoker** 1 fireman, stoker; [fig] firebrand; troublemaker 2 [distilleerder] distiller

het **stokje** stick; perch [voor vogel]: *ergens een ~ voor steken* put a stop to sth.; *van zijn ~ gaan* pass out, faint

stokken catch, halt: *de aanvoer van voedsel stokt* food supplies have broken down; *zijn adem stokte* his breath caught in his throat, his breath stopped short

stokoud ancient

het **stokpaardje** hobbyhorse: *iedereen heeft wel zijn ~* everyone has his fads and fancies

stokstijf (as) stiff as a rod; [onbeweeglijk] stock-still

de **stokvis** stockfish

de **stol** stollen

de **stola** stole

stollen solidify [kwik, lava enz.]; coagulate; congeal [door o.a. kou]; set [ei, gelei]; clot [bloed]

de **stolp** (bell-)glass

het **stolsel** coagulum; [bloed ook] clot

stom 1 [niet kunnende spreken] dumb, mute 2 [dom] stupid, dumb: *ik voelde me zo ~* I felt such a fool; *iets ~s doen* do sth. stupid

de **stoma** fistula; [dikke darm] colostomy

stomdronken dead drunk

¹**stomen** (onov ww) steam

²**stomen** (ov ww) [reinigen] dry-clean: *een pak laten ~* have a suit cleaned

de **stomerij** dry cleaner's

de **stomheid** dumbness, muteness; [van emotie] speechlessness: *met ~ geslagen zijn* be dumbfounded

stommelen stumble

de **stommeling** fool, idiot

het **stommetje**: ~ *spelen* keep one's mouth shut

de **stommiteit** stupidity: ~*en begaan* make stupid mistakes

de ¹**stomp** (zn) 1 stump, stub 2 [stoot] thump; [met vuist] punch

²**stomp** (bn) blunt: *een ~e neus* a snub nose

stompen thump; [vuistslag geven] punch

stompzinnig obtuse, dense, stupid: ~ *werk* monotonous (*of:* stupid) work

stomtoevallig accidentally, by a (mere) fluke

stomverbaasd astonished, amazed, flabbergasted

stomvervelend deadly dull, boring; [lastig] really annoying: ~ *werk moeten doen* have to do deadly boring work

stomweg simply, just

stoned high, stoned

de **stoof** footwarmer

de **stoofpeer** cooking pear

de **stoofschotel** stew, casserole

de **stookolie** fuel oil

de **stoom** steam: ~ *afblazen* let off steam

het **stoombad** steam bath, Turkish bath

de **stoomboot** steamboat, steamer

de **stoomcursus** crash course, intensive course

de **stoommachine** steam engine

het **stoomstrijkijzer** steam iron

de **stoomtrein** steam train

de **stoomwals** steamroller

de **stoornis** disturbance, disorder

de **stoorzender** jammer, jamming station

de **stoot** thrust; [vuistslag] punch; [met dolk] stab; [wind] gust: *een ~ onder de gordel* a blow below the belt

het **stootblok** buffer (stop)

het **stootje** thrust; [duw] push; [met elleboog] nudge: *wel tegen een ~ kunnen* stand rough handling (*of:* hard wear); [tegen kritiek kunnen] be thick-skinned

het **stootkussen** 1 [buffer] buffer, pad 2 [scheepv] buffer, fender

de ¹**stop** (zn) 1 [zekering] fuse: *alle ~pen sloegen bij hem door* he blew a fuse 2 [pauze] stop, break: *een sanitaire ~ maken* stop to go to the bathroom

²**stop** (tw) 1 [niet verder!] stop! 2 [genoeg] stop (it)

het **stopbord** stop sign

het **stopcontact** (plug-)socket, power point,

electric point, outlet
het **stoplicht** traffic light(s)
de **stopnaald** darning needle
de **stoppel** stubble, bristle
de **stoppelbaard** stubbly beard, stubble; [beginnend] five o'clock shadow
¹**stoppen** (onov ww) [halt houden] stop: *stop!* stop!
²**stoppen** (ov ww) **1** fill (up); [volstoppen, volproppen] stuff: *een gat ~* fill a hole **2** [iets in een ruimte bergen] put (in(to)): *iets in zijn mond ~* put sth. in(to) one's mouth **3** [tot stilstand brengen] stop: *de keeper kon de bal niet ~* the goalkeeper couldn't save the ball **4** [m.b.t. kleding e.d.] darn, mend
de **stopplaats** stop, stopping place
het **stopsein** stop sign, halt sign
de **stopstreep** halt line
de **stoptrein** slow train
het **stopverbod** stopping prohibition; [op bord] no stopping, clearway
de **stopverf** putty
de **stopwatch** stopwatch
het **stopwoord** stopgap
stopzetten stop, bring to a standstill (*of:* halt); discontinue [bootdienst, subsidie]; [tijdelijk, werkzaamheden ook] suspend
storen 1 disturb; [zich opdringen] intrude; [onderbreken] interrupt; [zich ergens mee bemoeien; radio] interfere: *de lijn is gestoord* there is a breakdown on the line; *stoor ik u?* am I in your way?; [bij binnenkomen] am I interrupting (you)?, am I intruding?; *niet ~!* do not disturb!; *iem. in zijn werk ~* disturb s.o. at his work **2** [geven om] take notice (of), mind: *zij stoorde er zich niet aan* she took no notice of it
storend interfering; [ergerlijk] annoying: *~e bijgeluiden* irritating background noise; *~e fouten* annoying errors; *ik vind het niet ~* it doesn't bother me
de **storing 1** disturbance; [treinverkeer, telefoon] interruption; [defect] trouble; [uitvallen] failure; [uitvallen] breakdown **2** [reclame] interference, static **3** [meteo] disturbance; [lage drukgebied] depression
de **storm** gale, storm: *een ~ in een glas water* a storm in a teacup; *het loopt ~* there is a real run on it
stormachtig 1 stormy, blustery **2** [onstuimig] stormy; [luidruchtig] tumultuous
stormen storm, rush: *naar voren ~* rush forward (*of:* ahead)
de **stormloop** rush, run
stormlopen: *het loopt storm* there's quite a rush, there's a run on it
de **stormram** battering-ram
de **stormvloed** storm tide, storm flood (*of:* surge)
de **stormvloedkering** storm surge barrier, flood barrier

het **stort** dump, tip
de **stortbak** cistern, tank
de **stortbui** downpour, cloudburst
¹**storten** (onov ww) fall, crash: *in elkaar ~* **a)** collapse, cave in [gebouw]; **b)** [geestelijk] collapse, crack up
²**storten** (ov ww) **1** throw, dump **2** [overmaken] pay, deposit: *het gestorte bedrag is …* the sum paid is …
zich ³**storten** (wdk ww) **1** [zich werpen] throw o.s.: *zich in de politiek ~* dive into politics **2** [~ op] [met hartstocht aanpakken] throw o.s. (into), dive (into), plunge (into)
de **storting** payment, deposit
de **stortkoker** (garbage) chute (*of:* shoot)
de **stortplaats** dump, dumping ground (*of:* site)
de **stortregen** downpour
stortregenen pour (with rain, down)
de **stortvloed** [ook fig] torrent, deluge, flood
¹**stoten** (ww) bump, knock, hit: *pas op, stoot je hoofd niet* mind your head; *op moeilijkheden ~* run into difficulties; *iem. van zijn voetstuk ~* knock s.o. off his pedestal
²**stoten** (ov ww) **1** [duwen] thrust, push: *ni~!* handle with care!; *een vaas van de kast ~* knock a vase off the sideboard **2** [biljart] play (*of:* shoot) (a ball)
zich ³**stoten** (wdk ww) [botsen] bump (o.s.): *we stootten ons aan de tafel* we bumped into the table
de **stotteraar** stutterer, stammerer
stotteren stutter, stammer
stout naughty: *~ zijn* misbehave
stoutmoedig bold, audacious
stouwen stow, cram
stoven stew, simmer
de **stoverij** [Belg] stew
de **straal 1** beam, ray **2** [stroom vloeistof, gas] jet; [straaltje] trickle **3** radius: *binnen een ~ van 10 kilometer* within a radius of 10 km ‖ *iem. ~ voorbijlopen* walk right past s.o.
de **straaljager** fighter jet
de **straalkachel** electric heater
het **straalvliegtuig** jet
de **straat** street: *een doodlopende ~* dead end street; *de volgende ~ rechts* the next turning to the right; *de ~ opbreken* dig up the street; *op ~ staan* [dakloos] be (out) on the street; *drie straten verderop* three streets away
straatarm penniless
de **straatbende** street gang
het **straatgevecht** street fight, riot
de **straathond** cur, mutt
het **straatje** alley, lane
de **straatjongen** street urchin
de **straatlantaarn** street lamp
de **straatlengte**: *met een ~ winnen* win by a mile
het **straatmeubilair** street furniture
de **straatmuzikant** busker

Straatsburg Strasbourg

de **straatsteen** paving brick

de **straattaal** bad language

de **straatventer** vendor

de **straatverlichting** street lighting

het **straatvuil** street refuse; [Am] street garbage

de **straatwaarde** street value

de **¹straf** (zn) punishment; [vnl. strafmaatregel, boete] penalty: *een zware* (of: *lichte*) *~ a* heavy (of: light) punishment; *een ~ ondergaan* pay the penalty; *zijn ~ ontlopen* get off scot-free; *voor ~* for punishment

²straf (bn, bw) stiff, severe: *~fe taal* hard words

strafbaar punishable: *een ~ feit* an offence, a punishable (of: penal) act; *dat is ~* that's an offence; *iets ~ stellen* attach a penalty to sth., make sth. punishable

de **strafbal** [sport] penalty (shot)

de **strafbank 1** dock: *op het ~je zitten* be in the dock **2** [sport] penalty box (of: bench)

het **strafblad** police record, record of convictions (of: offences)

de **strafcorner** penalty corner

de **strafexpeditie** punitive expedition

straffeloos unpunished

straffen punish, penalize

het **strafhof** criminal court

het **strafkamp** prison camp, penal colony

de **strafmaat** sentence, penalty

de **strafpleiter** criminal lawyer, advocate, counsellor

de **strafport** surcharge

het **strafproces** criminal action, criminal proceedings

het **strafpunt** penalty point: *een ~ geven* award a penalty point

het **strafrecht** criminal law, criminal justice

strafrechtelijk criminal: *iem. ~ vervolgen* prosecute s.o.

de **strafschop** penalty (kick), spot kick

het **strafschopgebied** penalty area, penalty box

de **strafvermindering** reduction of (one's) sentence, remission

de **strafvervolging** (criminal) prosecution, criminal proceedings: *tot ~ overgaan* prosecute, institute criminal proceedings

de **strafvordering** criminal proceedings: *wetboek van ~* Code of Criminal Procedure

het **strafwerk** lines, (school) punishment: *~ maken* do (of: write) lines; do impositions (of: an imposition)

de **strafworp** penalty throw; [basketbal] foul shot

de **strafzaak** criminal case, criminal trial

strak 1 tight; taut [touw, zeil]: *iem. ~ houden* keep s.o. on a tight rein; *~ trekken* stretch, pull tight **2** [onafgewend] fixed, set, intent: *~ voor zich uit kijken* sit staring (fixedly) **3** [geen gevoelens uitdrukkend] fixed, set; [streng] stern; [gespannen] tense

strakblauw clear blue, sheer blue, cloudless

straks later, soon, next: *~ meer hierover* I'll return to this later; *tot ~* so long, see you later (of: soon)

stralen 1 radiate, beam **2** [van geluk] shine, beam, radiate

stralend 1 radiant, brilliant; [sterker] dazzling **2** [van geluk] radiant, beaming **3** [met veel zonneschijn] glorious, splendid

de **straling** radiation

stram stiff, rigid

het **stramien** pattern

het **strand** beach, seaside

stranden 1 [aanspoelen] be cast (of: washed) ashore; [m.b.t. een schip] run aground (of: ashore); be stranded **2** [mislukken] fail: *een plan laten ~* wreck a project **3** [in een reis] be stranded

het **strandhuisje** beach cabin

de **strandjutter** beachcomber; [m.b.t. wrakken] wrecker

de **strandstoel** deck chair

de **strateeg** strategist

de **strategie** strategy

strategisch strategic

de **stratenmaker** paviour, road worker; [voor reparatie wegdek] road mender

de **stratosfeer** stratosphere

de **stream** [comp] stream

de **streber** careerist, (social) climber

de **streefdatum** target date

de **streek 1** trick; [van kind] prank; [dwaze] antic; [dwaze] caper: *een stomme ~ uithalen* do sth. silly **2** [landstreek] region, area: *in deze ~* in these parts (of: this part) of the country **3** [strijkende beweging] stroke || *van ~ zijn* **a)** [niet in zijn normale doen] be out of sorts; **b)** [nerveus] be upset, be in a dither; **c)** [van maag] be upset, be out of order

de **streekbus** regional (of: county, country) bus

de **streekroman** regional novel

het **streekvervoer** regional transport

de **streep 1** line, score; [teken] mark(ing): [fig] *daar hebben we een ~ onder gezet* that's a closed book (of: issue) now **2** [smalle strook] stripe, line; [breed] band; [breed] bar; [onregelmatig] streak [van licht, vuil]: *iem. over de ~ trekken* win s.o. over **3** [onderscheidingsteken] stripe, chevron

het **streepje** thin line, narrow line; [koppelteken] hyphen; [gedachtestreepje] dash; [schuin] slash || *een ~ voor hebben* be privileged, be in s.o.'s favour (of: good books)

de **streepjescode** bar code

¹strekken (onov ww) **1** extend, stretch, go **2** [genoeg zijn] last, go

²strekken (ov ww) stretch, unbend, extend,

straighten

de **strekking** import; [kennelijke bedoeling, betekenis] tenor; purport; [bedoeling] purpose; [bedoeling] intent; effect: *de ~ van het verhaal* the drift of the story

strelen caress, stroke, fondle

de **streling** caress

stremmen block, obstruct

de **stremming** 1 [opstopping] blocking: *~ van het verkeer* traffic jam, blocking of the traffic 2 [m.b.t. melk] coagulation

het **stremsel** coagulant

de **¹streng** (zn) 1 twist, twine, skein, hank 2 [m.b.t. een touw] strand

²streng (bn, bw) 1 severe, hard: *het vriest ~* there's a sharp frost 2 [strak, hard] severe, strict; stringent [bepaling, regel]; rigid [bepaling, regel]; [zeer] harsh: *~e eisen* stern demands; *een ~e onderwijzer* a stern (*of:* strict) teacher

strepen line, streak, stripe

de **stress** stress, strain

stressbestendig immune to stress

stressen work under stress

het **stretch** stretchy material (*of:* fabric), elastic

de **stretcher** stretcher

het **¹streven** (zn) 1 striving (for), pursuit (of); [poging] endeavour: *het ~ naar onafhankelijkheid* the pursuit of independence 2 [doel] ambition, aspiration, aim: *een nobel ~* a noble ambition

²streven (onov ww) strive (for, after), aspire (after, to), aim (at): *je doel voorbij ~* defeat your object

de **striem** slash, score; [met litteken] weal; [met litteken] welt

striemen slash, score

de **strijd** 1 fight, struggle; [slag] combat; [slag] battle: *de ~ aanbinden* engage (*of:* enter) into combat, join battle; *hevige (zware) ~* fierce battle (*of:* struggle, fighting), battle royal; *~ leveren* wage a fight, put up a fight (*of:* struggle); *de ~ om het bestaan* the struggle for life 2 [onenigheid] strife, dispute, controversy, conflict: *innerlijke ~* inner struggle (*of:* conflict); *in ~ met de wet* against the law

strijdbaar militant, warlike

de **strijdbijl** battle-axe; [van indianen] tomahawk: *de ~ begraven* bury the hatchet

strijden 1 struggle, fight, wage war (against, on); [slag leveren] battle 2 [m.b.t. wedstrijd] compete, contend

de **strijder** fighter; [krijgsman] warrior; combatant

strijdig 1 contrary (to), adverse (to), inconsistent (with) 2 [tegenstrijdig] conflicting; [onverenigbaar] incompatible (with)

de **strijdkrachten** (armed) forces (*of:* services)

de **strijdkreet** battle cry, war cry

strijdlustig pugnacious, combative; [voor een zaak] militant

het **strijdperk** arena

de **strijkbout** iron

¹strijken (onov ww) [gaan langs, over] brush, sweep ‖ *met de eer gaan ~* carry off palm (for), take the credit (for)

²strijken (ov ww) 1 smooth, spread, brush 2 [met hand] stroke, brush 3 [(textiel) glad maken] iron ‖ *de zeilen ~* lower (*of:* strike) the sails

het **strijkgoed** clothes that need to be ironed; [gestreken] ironed clothes

het **strijkijzer** iron, flat-iron

het **strijkinstrument** stringed instrument: *~en* [in orkest] the strings

het **strijkorkest** string orchestra

de **strijkplank** ironing board

de **strijkstok** bow ‖ *er blijft veel aan de ~ hangen* the rake-off is considerable

de **strik** 1 bow 2 [valstrik] snare, trap

het **strikje** bow tie

strikken 1 tie in a bow: *zijn das ~* knot a 2 [in een strik vangen] snare 3 [overhalen] trap (into)

strikt strict; stringent [regel]; rigorous: *~ vertrouwelijk* strictly confidential

de **strikvraag** catch question, trick question

de **string** 1 [slipje] thong 2 [comp] (character) string

stringent stringent

de **strip** 1 strip; [van papier ook] slip; band 2 [stripverhaal] comic strip, (strip) cartoon

het **stripboek** comic (book)

de **stripfiguur** comic(-strip) character

strippen strip

de **strippenkaart** ± bus and tram card

de **stripper** (male/female) stripper

de **striptease** striptease

de **striptekenaar** strip cartoonist

het **stripverhaal** comic (strip)

het **stro** straw [ook m.b.t. peulgewassen]

de **strobloem** strawflower, everlasting (flower)

het **strobreed**: *iem. geen ~ in de weg leggen* put the slightest obstacle in s.o.'s way

stroef 1 rough, uneven 2 [moeilijk bewegend] stiff, difficult, awkward; [hortend] jerky; [hortend] brusque; [bijna vast] tight 3 [niet vlot, toeschietelijk] stiff, staid; [or holpen] awkward; [stug] stern; [moeilijk in de omgang] difficult (to get on with); [gereserveerd] remote; [gereserveerd] reserved; [stug houdend] stand-offish

de **strofe** stanza, strophe

de **strohalm** (stalk of) straw: *zich aan een (laatste) ~ vastklampen* clutch at a straw (*of:* at straws)

de **strohoed** straw (hat)

stroken tally, agree, square: *dat strookt met elkaar* these things do not match; *dat strookt niet met mijn plannen* that does no

my plans

de **stroman** straw man, man of straw, puppet, figurehead

stromen 1 stream, pour, flow: *een snel ~de rivier* a fast-flowing river **2** [van grote massa's] pour, flock ‖ *~de regen* pouring rain

de **stroming 1** current, flow **2** [heersende denkwijze, werkwijze] movement, trend, tendency

strompelen stumble, totter, limp

de **stronk 1** stump, stub **2** [van een koolplant] stalk

de **stront** [inf] shit, dung, filth: *er is ~ aan de knikker* the shit has hit the fan, we're in the shit

het **strontje** sty(e)

het **strooibiljet** handbill, pamphlet, leaflet

¹**strooien** (bn) straw: *een ~ dak* a thatched roof, a thatch

²**strooien** (ww) scatter; strew [bloemen]; sow [zaad]; sprinkle [zout, peterselie, suiker]; dredge [suiker]: *zand (pekel) ~ bij gladheid* grit icy roads

het **strooizout** road salt

de **strook 1** strip; band [stof] **2** [reep papier] strip, slip; [etiket] label; [etiket] tag; [controlestrookje] stub; [controlestrookje] counterfoil

de **stroom 1** stream, flow; [stroming] current; [grote hoeveelheid] flood: *de zwemmer werd door de ~ meegesleurd* the swimmer was swept away by the current (*of:* tide) **2** [grote menigte, hoeveelheid] stream, flood: *een ~ goederen* a flow of goods; *er kwam een ~ van klachten binnen* complaints came pouring in **3** [hoeveelheid elektriciteit, spanning] (electric) power, (electric) current: *er staat ~ op die draad* that is a live wire; *onder ~ staan* be live (*of:* charged)

stroomafwaarts downstream, downriver

de **stroomdraad** live wire, contact wire, electric wire

stroomlijnen streamline [ook fig]

stroomopwaarts upstream, upriver

het **stroomschema** flow chart (*of:* sheet, diagram)

de **stroomsterkte 1** [elek] current intensity **2** [van water] force of the current

de **stroomstoot** (current) surge; [puls] pulse; transient

de **stroomstoring** electricity failure, power failure

het **stroomverbruik** electricity consumption, power consumption

de **stroomversnelling** [versnelling van de stroom] rapid [vnl. mv]: *in een ~ geraken* gain momentum, develop (*of:* move) rapidly [plannen]; be accelerated [ontwikkeling]

de **stroomvoorziening** electricity (*of:* power) supply

de **stroop** syrup; [suikerstroop] treacle: *~ (om*

iemands mond) smeren butter s.o. up, softsoap s.o.

de **strooptocht** (predatory) raid

de **stroopwafel** treacle waffle

de **strop 1** halter, (hangman's) rope; [met schuifknoop] noose; [om wild te vangen] snare; [om wild te vangen] trap **2** [pech] bad luck, tough luck; [m.b.t. transactie] raw deal; [fin] financial blow (*of:* setback); [fin] loss

de **stropdas** tie

stropen 1 [villen] skin **2** [jagen zonder vergunning] poach

de **stroper** poacher

stroperig 1 [als/met stroop] syrupy **2** [fig] smooth(-talking)

de **stroperij** poaching

de **strot** throat; [keel] gullet: *het komt me de ~ uit* I'm sick of it; *ik krijg het niet door mijn ~* I couldn't eat it to save my life; [ik wil het niet zeggen] the words stick in my throat

het **strottenhoofd** larynx

de **strubbelingen** difficulties; [ev] trouble; [onenigheid] frictions

structureel structural; [m.b.t. bouw ook] constructional

structureren structure, structuralize

de **structuur** structure, texture, fabric

de **structuurverf** cement paint

de **struif** (contents of an) egg

de **struik 1** bush, shrub **2** [krop, stronk] bunch; head [andijvie, bleekselderij]

het **struikelblok** stumbling block, obstacle

struikelen stumble (over), trip (over)

het **struikgewas** bushes, shrubs, brushwood

de **struikrover** highwayman, footpad

struinen forage (about/around)

struis robust

de **struisvogel** ostrich

de **struisvogelpolitiek** ostrich policy: *een ~ volgen* refuse to face facts, bury one's head in the sand

het **stucwerk** stucco(work)

de **stud** egghead

de **studeerkamer** study

de **student** student; [voor eerste graad] undergraduate; [na afstuderen] (post)graduate: *~ Turks* student of Turkish

de **studentenbeweging** student movement

het **studentencorps** ± student(s') union

het **studentenhuis** student(s') house

de **studentenstop** (student) quota

de **studententijd** college days, student days

de **studentenvereniging** ± student union

studentikoos typical of a student, student-like

studeren 1 study; [aan de universiteit] go to (*of:* be at) university/college: *Marijke studeert* Marijke is at university (*of:* college); *oude talen ~* read classics; *hij studeert nog* he is still studying (*of:* at college); *verder ~* continue one's studies; *~ voor een examen* study (*of:*

revise) for an exam **2** [in de muziek oefenen] practise (music): *piano* ~ practise the piano

de **studie** study: *met een* ~ *beginnen* take up a (course of) study

de **studieadviseur** supervisor; [Am] adviser

de **studiebegeleiding** tutoring, coaching

de **studiebeurs** grant

het **studieboek** textbook, manual

de **studiebol** bookworm, scholar

de **studiefinanciering** student grant(s)

de **studiegenoot** fellow student

de **studiegids** prospectus; [Am] catalog

het **studiehuis 1** space in secondary school for private study **2** educational reform stimulating private study

het **studiejaar** (school) year; [aan universiteit ook] university year, academic year

de **studiemeester** [Belg] ± supervisor

het **studieprogramma** course programme, study programme, syllabus

het/de **studiepunt** credit

de **studiereis** study tour (*of:* trip)

de **studierichting** subject, course(s), discipline, branch of study (*of:* studies)

de **studieschuld** student loan

de **studietoelage** scholarship, (study) grant

de **studiezaal** reading room

de **studio** studio

het **stuf** eraser

de **stuff** dope, stuff; [hasj ook] pot; [marihuana ook] grass; weed

stug 1 stiff, tough **2** [nors] surly, dour, stiff ‖ ~ *doorwerken* work (*of:* slog) away; *dat lijkt me* ~ that seems pretty stiff (*of:* tall, steep) to me

het **stuifmeel** pollen

de **stuifsneeuw** powder (*of:* drifting) snow

de **stuip** convulsion; [klein] twitch; [aanval] fit; spasm [vnl. mv]: *iem. de* ~*en op het lijf jagen* scare s.o. stiff, scare the (living) daylights out of s.o.

stuiptrekken convulse, be convulsed, become convulsed

de **stuiptrekking** convulsion, spasm; [klein] twitch

het **stuitbeen** tailbone, coccyx

stuiten 1 [aantreffen] encounter, happen upon, chance upon, stumble across **2** [geconfronteerd worden] meet with, run up against **3** [terugspringen] bounce, bound

stuitend revolting, shocking

de **stuiter** big marble, taw, bonce

stuiteren play at marbles

het **stuitje** tail bone

stuiven 1 blow, fly about, fly up **2** [met grote snelheid voortbewegen] dash, rush, whiz ‖ [Belg] *het zal er* ~ there'll be a proper dust-up

de **stuiver** five-cent piece

stuivertje-wisselen change (*of:* trade) places

het **¹stuk** (zn) **1** piece, part, fragment; [land] lot; length [stof, plank, koord]: *iets in* ~*ken snijden* cut sth. up (into pieces); *uit één* ~ *vervaardigd* made in (*of:* of) one piece **2** [één uit een verzameling] piece, item: *een* ~ *gereedschap* a piece of equipment, a tool; *per* ~ *verkopen* sell by the piece, sell singly; *twintig* ~*s vee* twenty head of cattle; *een* ~ *of tien appels* about ten apples, ten or so apples **3** [poststuk] (postal) article, (postal) item **4** [geschrift] piece, article **5** [document] document, paper **6** [kunstwerk] piece, picture **7** [toneelstuk] piece, play **8** [schaken, dammen] piece; [schaken ook] chessman; [dammen ook] draughtsman ‖ *iem. van zijn* ~ *brengen* unsettle (*of:* unnerve, disconcert) s.o.; *klein van* ~ small, of small stature, short; [Belg] *op het* ~ *van* … as far as … is concerned, as for …

²stuk (bn) **1** apart, to pieces **2** [defect] out of order, broken down, bust: *iets* ~ *maken* break (*of:* ruin) sth.

de **stukadoor** plasterer

stuken plaster

stukgaan break down, fail; [in stukken] break to pieces

het **stukgoed** [scheepv] general cargo; [via (spoor)weg] (load of) packed goods

het **stukje 1** small piece, little bit: ~ *bij beetje* bit by bit, inch by inch **2** [kort verhaal, opstel] short piece

het **stukloon**: *tegen* ~ *werken* work at piece rate, be paid by the piece

¹stuklopen (onov ww) [misgaan] go wrong, break down: *een stukgelopen huwelijk* a broken marriage

²stuklopen (ov ww) [stukmaken] wear out

stukmaken break (to pieces)

de **stukprijs** unit price

de **stulp 1** hovel, hut **2** [stolp] bell-glass

de **stumper** wretch

de **stunt** stunt, tour de force, feat

stuntelen bungle, flounder

stuntelig clumsy

stunten stunt

de **stuntman** stunt man

de **stuntprijs** incredibly (*of:* record) low price, price breakers [mv]

stuntvliegen stunt flying, aerobatics

het **stuntwerk** stuntwork

sturen 1 steer; [auto ook] drive; guide [paard, pen, iemands hand] **2** send; forward [goederen]; [verzenden] dispatch; address: *van school* ~ expel (from school)

de **stut** prop, stay, support

stutten prop (up), support

het **stuur** steering wheel; [auto] wheel; [scheepv] helm; [scheepvaart, luchtvaart] rudder; [luchtv] controls [mv]; [fiets] handlebars [mv]: *aan het* ~ *zitten* be at (*of:* behind the wheel; *de macht over het* ~ *verliezen* lose control (of one's car, bike)

de **stuurbekrachtiging** power steering

het **stuurboord** starboard

de **stuurgroep** steering committee

de **stuurhut** pilothouse, wheel house

de **stuurinrichting** steerage, steering-gear

de **stuurknuppel** control stick (*of:* lever), (joy) stick

stuurloos out of control, rudderless, adrift

de **stuurman 1** mate: *de beste stuurlui staan aan wal* the best coaches are in the sands **2** [sport] helmsman; [roeiboot] cox(swain)

stuurs surly, sullen

het **stuurslot** steering wheel lock

het **stuurwiel** (steering) wheel; [m.b.t. vliegtuig] control wheel; [scheepv] helm

de **stuw** dam, barrage, flood-control dam

de **stuwdam** dam, barrage, flood-control dam

stuwen 1 drive, push, force, propel, impel **2** [stouwen] stow, pack, load

de **stuwkracht** force, drive; [techn] thrust

het **stuwmeer** (storage) reservoir

de **stylist** [vormgever] stylist

de **subcultuur** subculture; [m.b.t. muziek of experimentele kunst] (the) underground

subiet immediately, at once

het **subject** subject

subjectief subjective, personal

de **subjectiviteit** subjectivity

subliem sublime, fantastic, super

het **submenu** [comp] submenu; [uitklapmenu] cascading menu

de **subsidie** subsidy; [onderwijs, ontwikkelingshulp] (financial) aid; grant; [regelmatige toelage] allowance: *een ~ geven voor* grant a subsidy for

subsidiëren subsidize, grant (an amount)

de **substantie** substance, matter

substantieel substantial

het **substantief** [taalk] noun

substitueren substitute

de **substitutie** substitution

de **¹substituut** [plaatsvervanger] substitute

het **²substituut** [vervangingsmiddel] substitute

subtiel subtle, sophisticated; [verfijnd] delicate

de **subtop** second rank

het **subtotaal** subtotal

subtropisch subtropical

subversief subversive

het **succes** success, luck: *een goedkoop ~je boeken* score a cheap success; *veel ~ toegewenst!* good luck!; *~ met je rijexamen!* good luck with your driving test!; *een groot ~ zijn* be a big success, be a hit

de **succesformule** formula for success

het **succesnummer** hit

de **successie** succession: *voor de vierde maal in ~* for the fourth time in succession (*of:* a row)

successierecht inheritance tax

successievelijk successively, one by one

succesvol successful

Sudan (the) Sudan

de **¹Sudanees** Sudanese

²Sudanees (bn) Sudanese

sudderen simmer

de **sudoku** sudoku

het/de **¹suède** (zn) suede

²suède (bn) suede

het **Suezkanaal** Suez Canal

suf drowsy, dozy; [door drugsgebruik] dopey; [vnl. door ziekte] groggy

suffen nod, (day)dream

de **sufferd** dope, fathead

suggereren suggest, imply

de **suggestie** suggestion; [voorstel] proposal: *een ~ doen* make a suggestion (*of:* proposal)

suggestief suggestive, insinuating

suïcidaal suicidal

de **suïcide** suicide: *~ plegen* commit suicide

de **suiker** sugar: *~ doen in* put sugar in

de **suikerbiet** sugar beet

de **suikerfabriek** sugar refinery

het **Suikerfeest** Sugar feast, Eid al-Fitr

het **suikerklontje** lump of sugar, sugar cube

de **suikeroom** rich uncle

de **suikerpatiënt** diabetic

de **suikerpot** sugar bowl

het **suikerriet** sugar cane

de **suikerspin** candy floss; [Am] cotton candy

de **suikertante** rich aunt

suikervrij sugarless, diabetic; low-sugar [dieet, voedsel]

het **suikerzakje** sugar bag

de **suikerziekte** diabetes

de **suite** suite (of rooms)

suizen rustle [bomen, papier]; sing [water, oren]; whisper [wind, bomen]

de **sukade** candied peel

de **sukkel** dope, idiot, twerp

de **sukkelaar** wretch, poor soul (*of:* beggar)

sukkelen be ailing, be sickly, suffer (from sth.): *hij sukkelt met zijn gezondheid* he is in bad health || *in slaap ~* doze off, drop off

het **sukkelgangetje** jog(trot), shambling gait

de **sul** softy, sucker

het **sulfaat** sulphat; [Am] sulfate

het **sulfiet** sulphite; [Am] sulfite

de **sulky** sulky

sullig 1 [goeiig] soft **2** [dom] dopey, silly

de **sultan** sultan

summier summary, brief

het **summum** the height (of)

super super, great, first class

de **superbenzine** 4 star petrol; [Am] high octane gas(oline)

de **superette** [Belg] small self-service shop

de **supergeleiding** superconductivity

de **superieur** superior

de **superioriteit** superiority

de **superlatief** superlative (degree)

de **supermacht** superpower

de **supermarkt** supermarket
de **supermens** superman, superwoman
supersonisch supersonic
de **supertanker** supertanker
de **supervisie** supervision
de **supervisor** supervisor
het **supplement** supplement
de **suppoost** attendant
de **supporter** supporter
de **suprematie** supremacy
surfen 1 be surfing (*of:* surfboarding);
[plankzeilen] windsurfing **2** [comp] surf
de **surfer** surfer; [plankzeiler] windsurfer
het **surfpak** surfer's wetsuit
de **surfplank** surfboard; [m.b.t. plankzeilen]
sailboard
Surinaams Surinamese; Surinam [voor
zelfstandig naamwoord]
Suriname Surinam
de **Surinamer** Surinamese
de **surprise** surprise (gift)
het **surrealisme** surrealism
surrealistisch surrealist(ic)
het **surrogaat** surrogate
de **surseance**: [jur] ~ *van betaling* moratorium, suspension of payment
de **surveillance** surveillance; supervision [ook
op examen]; duty [op school, bij politie]
de **surveillancewagen** patrol car
de **surveillant** supervisor, observer; invigila-
tor [op examen]
surveilleren supervise; invigilate [op exa-
men]; (be on) patrol [politieagent met auto]
de **survivaltocht** survival trip
de **sushi** sushi
sussen soothe; pacify [persoon]; ease [ge-
weten]; hush up [ruzie, politiek schandaal]
de **SUV** afk van *sports utility vehicle* SUV
s.v.p. afk van *s'il vous plaît* please
de **swastika** swastika
de **Swaziër** Swazi
Swaziland Swaziland
Swazisch Swazi
de **sweater** sweater, jersey
het **sweatshirt** sweatshirt
swingen swing
switchen switch; change (*of:* swop) over
de **syfilis** syphilis
de **syllabe** syllable
de **syllabus** syllabus
de **symbiose** symbiosis
de **symboliek** symbolism
symbolisch symbolic(al): *een ~ bedrag* a
nominal amount
symboliseren symbolize, represent
het **symbool** symbol
de **symfonie** symphony
het **symfonieorkest** symphony orchestra
de **symmetrie** symmetry
symmetrisch symmetrical
de **sympathie** sympathy, feeling: *zijn ~ betui-*

gen express one's sympathy
sympathiek sympathetic, likable, congenial: *ik vind hem erg ~* I like him very much;
staan tegenover iem. (iets) be sympathetic to-
(wards) s.o. (sth.)
sympathiseren sympathize (with)
het **symposium** symposium, conference
symptomatisch symptomatic
het **symptoom** symptom, sign: *een ~ zijn van*
be symptomatic (*of:* a symptom) of
de **symptoombestrijding** treatment of
(the) symptoms
de **synagoge** synagogue
de **synchronisatie** synchronization
synchroon synchronous, synchronic
syndicaal [Belg] (trade) union
het **syndicaat** syndicate
het **syndroom** syndrome
de **synode** synod
het **¹synoniem** (zn) synonym
²synoniem (bn) synonymous (with)
syntactisch syntactic(al)
de **syntaxis** syntax
de **synthese** synthesis
de **synthesizer** synthesizer
synthetisch synthetic, man-made
Syrië Syria
de **Syriër** Syrian
het **¹Syrisch** (zn) Syrian
²Syrisch (bn) Syrian
het **systeem** system; [methode ook] method:
daar zit geen ~ in there is no system (*of:*
method) in it; [voetb] *spelen volgens het 4-3-*
systeem play in the 4-3-3 line-up
de **systeembeheerder** system manager
de **systematiek** system
systematisch systematic; [volgens bepaa-
de methode] methodical: *een ~ overzicht* a
systematic survey; *~ te werk gaan* proceed
systematically (*of:* methodically)

t

de **t** t, T

taai tough, hardy: ~ *vlees* tough meat; *houd je* ~ **a)** take care (of yourself); **b)** [Am] hang in there; **c)** [kop op] chin up

et/de **taaitaai** gingerbread

de **taak** 1 task, job, duty; [verantwoordelijkheid] responsibility; [opdracht] assignment: *een zware* ~ *op zich nemen* undertake an arduous task; *het is niet mijn* ~ *dat te doen* it is not my place to do that; *iem. een* ~ *opgeven (opleggen)* set s.o. a task; *tot* ~ *hebben* have as one's duty; *niet voor zijn* ~ *berekend zijn* be unequal to one's task 2 [ond] assignment

de **taakbalk** taskbar
de **taakleerkracht** remedial teacher
de **taakleraar** [Belg] remedial teacher
de **taakomschrijving** job description
de **taakstraf** community service
het **taakuur** non-teaching period, free period
de **taakverdeling** division of tasks (*of:* labour)

de **taal** 1 language; [gesproken] speech; [vak op school] language skills: *vreemde talen* foreign languages; *zich een* ~ *eigen maken* master a language 2 [iemands woorden] language: *gore* ~ *uitslaan* use foul language || *de* ~ *van het lichaam* body language

de **taalbarrière** language barrier
de **taalbeheersing** 1 [taalvaardigheid] mastery of a language 2 [vakgebied] applied linguistics
de **taalcursus** language course
de **taalfout** language error
het **taalgebied**: *het Franse* ~ French-speaking regions
het **taalgebruik** (linguistic) usage, language
het **taalgevoel** linguistic feeling
de **taalgrens** language boundary
de **taalkunde** linguistics
taalkundig linguistic: ~ *ontleden* parse
het **taallab** [Belg] language laboratory
de **taalstrijd** linguistic conflict
de **taalvaardigheid** language proficiency; [als schoolvak] (Dutch) language skills
de **taalwetenschap** linguistics
de **taart** cake; [vruchten] pie; tart
het **taartje** a (piece of) cake; [vruchten] a tart (*of:* pie)
de **taartschep** cake-slice, cake-server
het **taartvorkje** cake-fork
de **tabak** tobacco
de **tabaksaccijns** tobacco duty (excise, tax)
de **tabaksplant** tobacco plant

het **tabblad** file tab [ook comp]
de **tabel** table
het/de **tabernakel** tabernacle
het/de **¹tablet** (zn) tablet; [chocolade ook] bar: *een ~je innemen tegen de hoofdpijn* take a pill for one's headache
de **²tablet** [Engels] [tablet-pc] tablet (computer)
de **tabloid** tabloid
het **tabloidformaat** tabloid size
het **¹taboe** (zn) taboo: *een* ~ *doorbreken* break a taboo
²taboe (bn) taboo: *iets* ~ *verklaren* pronounce sth. taboo
het **taboeret** tabouret
de **taboesfeer** taboo: *iets uit de* ~ *halen* stop sth. being taboo, legitimize sth.
de **tachograaf** 1 [snelheidsmeter] tachometer 2 [registratietoestel] tachograph
tachtig eighty: *mijn oma is* ~ *(jaar oud)* my grandmother is eighty (years old); *de jaren* ~ the eighties; *in de* ~ *zijn* be in one's eighties
tachtigjarig 1 [tachtig jaar oud] eighty-year-old: *een ~e* an eighty-year-old 2 [tachtig jaar durend] eighty years'
tachtigste eightieth
tackelen [sport] tackle
de **tackle** tackle
de **tact** tact: *iets met* ~ *regelen* use tact in dealing with sth.
de **tacticus** tactician
de **tactiek** tactics [mv]; strategy: *dat is niet de juiste* ~ *om zoiets te regelen* that is not the way to go about such a thing; *van* ~ *veranderen* change (*of:* alter) one's tactics
tactisch tactical; [handig] tactful: *iets* ~ *aanpakken* set about sth. tactically (*of:* shrewdly)
tactloos tactless: ~ *optreden* show no tact
tactvol tactful
de **Tadzjiek** Tajik
het **¹Tadzjieks** Tajiki
²Tadzjieks (bn) Tajiki
Tadzjikistan Tadzhikistan
het **taekwondo** [sport] taekwondo
de **tafel** table: *de ~s van vermenigvuldiging* the multiplication tables; *de* ~ *afruimen* (*of:* dekken) clear (*of:* lay) the table; *aan* ~ *gaan* sit down to dinner; *om de* ~ *gaan zitten* sit down at the table (and start talking); *iem. onder* ~ *drinken* drink s.o. under the table; *het ontbijt staat op* ~ breakfast is on the table (*of:* ready); *ter* ~ *komen* come up (for discussion); *van* ~ *gaan* leave the table
het **tafelkleed** tablecloth
het **tafellaken** table-cloth
de **tafelpoot** table-leg
het **tafeltennis** table tennis
tafeltennissen play table tennis
de **tafeltennisser** table-tennis player
het **tafelvoetbal** table football
de **tafelwijn** table wine

het **tafelzilver** silver cutlery, silverware

het **tafereel** tableau, scene

de **tag** tag
 taggen tag

de **tahoe** [cul] tofu

het **tai chi** tai chi, t'ai chi (ch'uan)

de **taiga** taiga

de **taille** waist: *een dunne ~ hebben* have a slender waist
 Taiwan Taiwan

de **¹Taiwanees** Taiwanese
 ²Taiwanees (bn) Taiwanese

de **tak** branch; [vertakking ook] fork; [onderdeel, afdeling ook] section: *een ~ van sport* a branch of sports; *de wandelende ~* the stick insect; [Am] the walking stick

het/de **takel** tackle: *in de ~s hangen* be in the sling
 takelen hoist: *een auto uit de sloot ~* hoist a car (up) out of the ditch

de **takelwagen** breakdown lorry; [Am] tow truck

het **takenpakket** job responsibilities (in a job) [mv]

het **takkewijf** [vulg] bitch

de **taks** regular (*of:* usual) amount, share

het **tal** number: *~ van voorbeelden* numbers of (*of:* numerous) examples
 talen care (about/for)

de **talenknobbel** linguistic talent, gift (*of:* feel) for languages

het **talenpracticum** language lab(oratory)

het **talent 1** talent; gift [kunstzinnig]; ability [bijv. voor studie, zaken]: *ze heeft ~* she is talented; *verborgen ~en* hidden talents **2** [persoon] talent(ed person): *aanstormend ~* raging talent, up-and-coming talent

de **talentenjacht** talent scouting
 ¹talentvol (bn) talented, gifted
 ²talentvol (bw) ably, with great talent

het **talenwonder** linguistic genius

de **talg 1** [huidsmeer] sebum **2** [dierlijk vet] tallow

de **talisman** talisman

de **talk 1** [magnesiumsilicaat] talc **2** [dierlijk vet] tallow

het/de **talkpoeder** talcum powder

de **talkshow** talk show
 talloos innumerable, countless
 talmen tarry, put off
 talrijk numerous, many

het **talud** incline, slope; bank [van weg, spoordijk]
 tam 1 tame, tamed; domestic [van huisdieren]: *een ~me vos* a tame fox; *~ maken* domesticate [kleine dieren]; tame [leeuwen e.d.] **2** [mak] tame, gentle: *een ~ paard* a gentle (*of:* tame) horse

de **tamboer** drummer

de **tamboerijn** tambourine
 tamelijk fairly, rather: *~ veel bezoekers* quite a lot of visitors

de **Tamil** Tamil

de **tampon** tampon

de **tamtam 1** tom-tom **2** [ophef] fanfare: *~ maken over iets* make a fuss about (*of:* a big thing) of sth.

de **tand 1** tooth: *er breekt een ~ door* he/she i cutting a tooth (*of:* teething); *een ~ laten vullen* (*of:* trekken) have a tooth filled (*of:* extracted); *zijn ~en laten zien* [dreigen] sho (*of:* bare) one's teeth; *zijn ~en poetsen* brus one's teeth; *iem. aan de ~ voelen* grill s.o.; *to de ~en gewapend zijn* be armed to the teeth; [fig] *de ~ des tijds* the ravages of time **2** [va werktuigen] tooth; [van vork, eg] prong; [aan tandwiel] cog: *de ~en van een kam* (*of:* hark, zaag) the teeth of a comb (*of:* rake, saw)

de **tandarts** dentist

de **tandartsassistente** dentist's assistant

het **tandbederf** caries, tooth decay, dental de cay
 tandeloos toothless

de **tandem** tandem

de **tandenborstel** toothbrush
 tandenknarsen gnash (*of:* grind) one's teeth

de **tandenstoker** toothpick

het **tandglazuur** (dental) enamel

de **tandheelkunde** dentistry
 tandheelkundig dental

de **tandpasta** toothpaste

de **tandplak** (dental) plaque

het **tandrad** gear (wheel)

de **tandradbaan** rack railway, cog railway

het/de **tandsteen** tartar

de **tandtechnicus** dental technician

het **tandvlees** gums [mv]

het **tandwiel** gearwheel, cogwheel; [van fiet chainwheel [voor]; sprocket wheel [achter]

de **tandzijde** dental floss
 tanen wane, fade

de **tang 1** tongs; [buigtang] (pair of) pliers; [nijptang] (pair of) pincers **2** [vrouw] shrev bitch

de **tangens** tangent

de **tango** tango
 tanig tawny

de **tank** tank: *een volle ~ benzine* a full (*of:* whole) tank of petrol; [Am] a full (*of:* who tank of gas; *de ~ volgooien* fill up (the tan

de **tankauto** tank lorry; [Am] tank truck
 tanken fill up (with): *ik heb 25 liter getank* put 25 litres in (the tank); *ik tank meestal su per* I usually take four star; [Am] I usually take super

de **tanker** tanker

het **tankstation** filling station

de **tankwagen** tank lorry; [Am] tank truck

het/de **tannine** tannin

de **tantaluskwelling** (sheer) torment

de **tante 1** aunt, auntie **2** woman, female: *e*

lastige ~, geen gemakkelijke ~ a fussy (*of:* difficult) lady/woman

Tanzania Tanzania

de **Tanzaniaan** Tanzanian

Tanzaniaans Tanzanian

de **tap 1** plug; [vnl. in fust] bung; [op fles] stopper; [in vat] tap **2** [kraan] tap; [in vat] spigot: *bier uit de ~* beer on tap (*of:* draught) **3** [tapkast] bar: *achter de ~ staan* serve at the bar

de **tapas** tapas

de **tapasbar** tapas bar

het **tapbier** draught beer; [Am] draft beer

tapdansen tap-dance

de **tapdanser** tap-dancer

de **tape** tape

de **tapenade** tapenade

de **taperecorder** tape recorder

het **tapijt** carpet; [klein] rug: *een vliegend ~* a magic carpet

de **tapijttegel** carpet tile (*of:* square)

de **tapir** tapir

de **tapkast** bar

de **tapkraan** tap

tappen 1 tap, draw (off); [schenken] serve: *hier wordt bier getapt* they sell beer here; *bier ~ tap* beer **2** [vertellen] crack: *moppen ~* crack (*of:* tell) jokes

taps tapering, conical; [bw] conically

de **taptoe** tattoo

de **tapvergunning** licence to sell spirits; [Am] liquor license

de **tarbot** turbot

het **tarief** tariff, rate; [openbaar vervoer] fare: *het gewone ~ betalen* pay the standard charge (*of:* rate); *vast ~* fixed (*of:* flat) rate; *tegen verlaagd ~* at a reduced tariff (*of:* rate); *het volle ~ berekenen* charge the full rate

de **tarra** tare (weight)

de **tartaar** steak tartare

de **Tartaar** Tartar

tarten defy, flout: *de dood ~* brave death; *het noodlot ~* tempt fate

de **tarwe** wheat

de **tarwebloem** wheat flour

het **tarwebrood** wheat bread

de **tas 1** bag; [school-] satchel; [akte-] (brief)case; [hand-] (hand)bag: *een plastic ~* a plastic bag **2** [Belg] cup

de **tasjesdief** bag snatcher, purse snatcher

Tasmanië Tasmania

de **tast 1** touch **2** [zoekende handbeweging] groping, feeling: *hij greep op de ~ naar de lamp* he groped (*of:* felt) for the lamp; *iets op de ~ vinden* find sth. by touch

tastbaar tangible

tasten 1 grope **2** [reiken] dip: *in zijn beurs ~* dip into one's purse

de **tastzin** touch; [gevoel als zintuig] feeling

de **tatoeage** tattoo

tatoeëren tattoo: *zich laten ~* have o.s. tattooed

de **taugé** bean sprouts

de **tautologie** tautology, tautologism

t.a.v. 1 afk van *ten aanzien van* with regard to **2** afk van *ter attentie van* attn., (for the) attention (of)

de **taxateur** appraiser; [van belastingen, verzekeringen] assessor

de **taxatie 1** assessment, appraisal: *een ~ verrichten* make an assessment **2** [raming, schatting] estimation **3** [waardebepaling] valuation

taxeren evaluate, value (at): *de schade ~* assess the damage

de **taxfreeshop** duty free (shop)

de **taxi** taxi, cab: *een ~ bestellen* call a cab

de **taxichauffeur** taxi driver

taxiën taxi

de **taxistandplaats** taxi rank; [Am] taxi stand

de **taxus** yew (tree)

de **tbc** *zie tb*

de **T-bonesteak** T-bonesteak

de **tbs:** *~ krijgen* be detained under a hospital order

t.b.v. 1 afk van *ten behoeve van* on behalf of **2** afk van *ten bate van* in favour of

¹**te** (bw) too: *te laat* too late; [van trein enz.] late, overdue; *dat is een beetje te* that's a bit much; *te veel om op te noemen* too much (*of:* many) to mention

²**te** (vz) **1** [voor het hele werkwoord] to: *dreigen te vertrekken* threaten to leave; *zij ligt te slapen* she is sleeping (*of:* asleep); *een dag om nooit te vergeten* a day never to be forgotten **2** [m.b.t. plaats] in: *te Parijs aankomen* arrive in Paris **3** [m.b.t. doel, bestemming] to, for: *te huur* to let ‖ *te voet* on foot

het **teakhout** teak

het **team** team: *een ~ samenstellen* put together a team; *samen een ~ vormen* team up together

de **teamgeest** team spirit

het **teamverband** team: *in ~ werken* work in (*of:* as) a team

de **techneut** boffin

de **technicus** engineer, technician

de **techniek 1** technique, skill: *over onvoldoende ~ beschikken* possess insufficient skills **2** [bewerkingen m.b.t. de industrie] engineering, technology

technisch technical, technological, engineering: *de ~e dienst* the technical department; *een ~e storing* a technical hitch; *een ~e term* a technical term; *hij is niet erg ~* he is not very technical(ly-minded); *een Lagere* (*of: Middelbare*) *Technische School* a junior (*of:* senior) secondary technical school; *een Hogere Technische School* (*of: Technische Universiteit*) a college (*of:* university) of technology

de **technologie** technology

technologisch technological

de **teckel** dachshund

de **teddybeer** teddy bear
teder tender
de **tederheid** tenderness
de **teef** bitch: *een loopse* ~ a bitch on (*of:* in) heat
de **teek** tick
de **teelaarde** humus, leaf mould
de **teelbal** testicle
de **teelt** 1 culture, cultivation, production: *de* ~ *van druiven* the cultivation of grapes 2 [geteeld gewas enz.] culture; [landb ook] crop; harvest: *eigen* ~ home-grown
de **teen** toe; [knoflook] clove: *de grote* (*of: kleine*) ~ the big (*of:* little) toe; *op zijn tenen lopen* [fig] push o.s. to the limit; *van top tot* ~ from head to foot; *gauw op zijn* ~*tjes getrapt zijn* be quick to take offence, be touchy
de **teenslipper** flip-flop
het **¹teer** (zn) tar
   ²teer (bn, bw) delicate: *een tere huid* a delicate skin
de **teerling**: [fig] *de* ~ *is geworpen* the die is cast
de **tegel** tile; [in stoep] paving stone: ~*s zetten* tile
   tegelijk at the same time (*of:* moment), also, as well: ~ *met* at the same time as; *hij is dokter en* ~ *apotheker* he is a doctor as well as a pharmacist
   tegelijkertijd at the same time (*of:* moment), simultaneously
het **tegelpad** tile, path; [grote tegels] flagstone path
de **tegelvloer** tiled floor
de **tegelwand** tiled wall
de **tegelzetter** tiler
   tegemoet: *iem.* ~ *gaan* (of: *komen, lopen*) go to meet s.o.; go (*of:* come, walk) towards s.o.; *aan iemands wensen* ~ *komen* meet s.o.'s wishes; *iem. een heel eind* ~ *komen* meet s.o. (more than) half way; *iets* ~ *zien* await (*of:* face) sth., look forward to sth.
   tegemoetkomen meet, come towards: *aan bezwaren* ~ meet (*of:* give in to) objections
   tegemoetkomend oncoming, approaching: ~ *verkeer* oncoming traffic
de **tegemoetkoming** [in kosten] subsidy, contribution: *een* ~ *in* a contribution towards, a grant for
het **¹tegen** (zn) con(tra), disadvantage: *alles heeft zijn voor en* ~ everything has its advantages and disadvantages; *de voors en* ~*s op een rij zetten* weigh the pros and cons; *de argumenten voor en* ~ the arguments for and against
   ²tegen (bw) against: *zijn stem* ~ *uitbrengen* vote against (*of:* no); *ergens iets (op)* ~ *hebben* mind sth., have sth. against sth.; *be opposed to sth., object to sth.; iedereen was* ~ everybody was against it; *hij was fel* ~ he was dead set against it

³tegen (vz) 1 against: ~ *de stroom in* agains the current 2 [gekeerd naar] (up) to, agains *iets* ~ *iem. zeggen* say sth. to s.o. 3 [ten opzichte van] against, to, with: *vriendelijk* (*of: lomp*) ~ *iem. zijn* be friendly towards (*of:* ru to) s.o.; *daar kun je niets op* ~ *hebben* you cannot object to that; *zij heeft iets* ~ *hem* sh has a grudge against him; *daar is toch niets* ~*?* nothing wrong with that, is there?; *hij ka niet* ~ *vliegen* flying doesn't agree with him *ergens niet* ~ *kunnen* not be able to stand (« take) sth.; *er is niets* ~ *te doen* it can't be helped; *zich* ~ *brand verzekeren* take out fir insurance 4 [in strijd met] against, counter to; in contravention of [de wet]: *dat is* ~ *de wet* that is illegal (*of:* against the law) 5 [kort vóór] towards, by, come: ~ *elf uur* t wards eleven (o'clock), just before eleven o'clock; by eleven; *een man van* ~ *de zestig* man getting (*of:* going) on for sixty 6 [in aanraking met] (up) against 7 [in ruil voor against, for, at: ~ *elke prijs* whatever the co *een lening* ~ *7,5 % rente* a loan at 7.5 % interest 8 [vergeleken met] to, (as) against: [weddenschap, kansrekening] *tien* ~ *één* te to one
   tegenaan (up) against: *er flink* ~ *gaan* go hard at it; *ergens (toevallig)* ~ *lopen* hit (*of:* chance) upon sth., run into sth.
de **tegenaanval** counter-attack: *in de* ~ *gaa* counter-attack, strike (*of:* hit) back
het **tegenargument** counter-argument
het **tegenbericht** notice (*of:* message) to th contrary: *zonder* ~ *reken ik op uw komst* if don't hear otherwise, I'll be expecting you
het **tegenbod** counter-offer
het **tegendeel** opposite: *het bewijs van het* ~ *veren* provide proof (*of:* evidence) to the contrary
het **tegendoelpunt** goal against one('s tea *twee* ~*en krijgen* concede two goals; *een* ~ *maken* score in reply
   tegendraads contrary, awkward
het **tegeneffect** 1 counter-effect 2 [baleffe backspin
   tegengaan combat, fight
het **tegengas**: ~ *geven* resist, put up a fight
   tegengesteld opposite: *in* ~*e richting* ir the opposite direction
het **tegengestelde** opposite
het **tegengif** antidote
de **tegenhanger** counterpart
   tegenhouden 1 stop: *ik laat me door nie mand* ~ I won't be stopped by anyone 2 [v hinderen] prevent, stop
   tegenin opposed to, against: *ergens* ~ *g* oppose sth.
de **tegenkandidaat** opponent, rival (cand date)
   tegenkomen 1 meet: *iem. op straat* ~ *me* (*of:* bump) into s.o. on the street 2 [aantr

fen] stumble across (of: upon); [van personen ook] run across

het **tegenlicht** backlight(ing)

de **tegenligger** [auto] oncoming vehicle, approaching vehicle

de **tegenmaatregel** countermeasure

tegennatuurlijk unnatural, abnormal

het **tegenoffensief** counter-offensive

tegenop up: er ~ zien om … not look forward to … || daar kan ik niet ~ that's too much for me; niemand kon tegen hem op nobody could match (of: beat) him

tegenover 1 across, facing, opposite: ~ elkaar zitten sit opposite (of: facing) each other; de huizen hier ~ the houses across from here (of: opposite) 2 [in tegenstelling met] against, as opposed to: daar staat ~ dat je … on the other hand you … 3 [ten opzichte van] towards; [in tegenwoordigheid van] before: hoe sta je ~ die kwestie? how do you feel about that matter? || staat er nog iets ~? what's in it (for me)?

tegenovergesteld opposite; [van uitwerking] reverse

tegenoverstellen provide (of: offer) (sth.) in exchange [beloning, vergoeding]; [ter vergelijking] set (sth.) against: ergens een financiële vergoeding ~ offer compensation for sth.

de **tegenpartij** opposition; [vijand] (the) other side: een speler van de ~ a player from the opposing team

de **tegenpool** opposite

de **tegenprestatie** sth. done in return (of: exchange): een ~ leveren do sth. in return

de **tegenslag** setback, reverse: ~ hebben (of: ondervinden) meet with (of: experience) adversity

tegenspartelen 1 [zich verzetten] struggle 2 [protesteren] grumble (at, over, about), protest

het **tegenspel** defence; [reactie op aanval] response: ~ bieden offer resistance

de **tegenspeler** co-star

de **tegenspoed** adversity, misfortune

de **tegenspraak** 1 [protest] objection, protest, argument: geen ~ duldend peremptory, pontifical 2 contradiction: dat is in flagrante ~ met that is in flagrant contradiction to (of: with)

tegenspreken 1 object, protest, argue (with); [brutaal] answer back, talk back 2 [ontkennen] deny, contradict: dat gerucht is door niemand tegengesproken nobody disputed (of: refuted) the rumour; zichzelf ~ contradict o.s.

tegensputteren protest, grumble

tegenstaan: dat eten staat hem tegen he can't stomach that food; zijn manieren staan me tegen I can't stand his manners

de **tegenstand** opposition; [weerstand] resis-

tance: ~ bieden (aan) offer resistance (to)

de **tegenstander** opponent: ~ van iets zijn be opposed to sth.

de **tegenstelling** contrast: in ~ met (of: tot) in contrast with (of: to), contrary to

tegenstemmen vote against

de **tegenstrever** opponent

tegenstribbelen struggle (against), resist

tegenstrijdig contradictory, conflicting

de **tegenstrijdigheid** contradiction, inconsistency

tegenvallen disappoint: dat valt mij van je tegen you disappoint me

de **tegenvaller** disappointment: een financiële ~ a financial setback

de **tegenvoeter** antipode

het **tegenvoorstel** counter-proposal

tegenwerken work against (one, s.o.), cross, oppose

de **tegenwerking** opposition

tegenwerpen object, argue

de **tegenwerping** objection

het **tegenwicht** counterbalance

de **tegenwind** headwind; [fig] opposition: wij hadden ~ we had the wind against us

[1]**tegenwoordig** (bn) present, current: de ~e tijd the present (tense)

[2]**tegenwoordig** (bw) [nu] now(adays), these days: de jeugd van ~ today's youth

de **tegenwoordigheid** presence: ~ van geest presence of mind

de **tegenzet** countermove, response

de **tegenzin** dislike; [sterker] aversion: hij doet alles met ~ he does everything reluctantly

tegenzitten be against, go against

het **tegoed** balance

de **tegoedbon** credit note

het **tehuis** home; [voor daklozen] hostel; shelter: ~ voor ouden van dagen old people's home

de **teil** (wash)tub; [afwasteil] washing-up bowl

het/de **teint** complexion

teisteren ravage; [razen] sweep: door de oorlog geteisterd war-stricken

tekeergaan rant (and rave), storm, carry on (about sth.): tegen iem. ~ rant and rave at s.o.

het **teken** 1 sign; [aanwijzing ook] indication: het is een veeg ~ it promises no good; een ~ van leven a sign of life 2 [aanduiding] sign; symbol [ook wiskunde]; [van tevoren vastgesteld] signal: een ~ geven om te beginnen (of: vertrekken) give a signal to start (of: leave); het is een ~ aan de wand the writing is on the wall 3 [symbool] mark || [fig] het congres staat in het ~ van … the theme of the conference will be …

de **tekenaar** artist; [techniek meestal] draughtsman

de **tekendoos** set (of: box) of drawing instruments

tekenen 1 draw; [fig] portray; [met woorden] depict: *figuurtjes ~ doodle*; *met potlood* (of: *houtskool, krijt*) ~ draw in pencil (of: charcoal, crayon) **2** [een handtekening zetten] sign: *hij tekende voor vier jaar* he signed on for four years

tekenend characteristic (of), typical (of)

de **tekenfilm** (animated) cartoon

de **tekening 1** drawing; [bouwk ook] design; plan: *een ~ op schaal* a scale drawing **2** [patroon] pattern; marking [huid, bladeren]

de **tekenles** drawing lesson

het **tekenpapier** drawing-paper

het **tekenpotlood** drawing pencil

de **tekentafel** drawing table (of: stand)

het **tekort 1** deficit, shortfall **2** [hoeveelheid die ontbreekt] shortage, deficiency: *een ~ aan vitamines* a vitamin deficiency

tekortdoen: *iem. ~* wrong s.o.; *de waarheid ~* not be quite truthful, squeeze the truth

tekortkomen run short (of): *hij komt drie euro tekort* he's three euros short; *we komen handen tekort* we're short-handed (of: short of staff, short-staffed); *niets ~* lack for nothing, not go short; *zij kwam ogen en oren tekort* ± her eyes were popping out of her head, ± she didn't know where to start

de **tekortkoming** shortcoming, failing

tekortschieten not come up to the mark, not be up to scratch: *woorden schieten tekort om ...* there are no words to (describe, express, say ...)

de **tekst 1** text; [theat; mv] lines **2** [lied, schlager] words, lyrics

de **tekstballon** balloon

het **tekstbestand** [comp] text file

de **tekstschrijver** scriptwriter [films]; copywriter [reclameteksten]; songwriter [liedjes]

de **tekstverklaring** close reading

de **tekstverwerker** word processor

de **tekstverwerking** word processing

de **tel 1** count: *ik ben de ~ kwijt* I've lost count **2** moment, second: *in twee ~len ben ik klaar* I'll be ready in two ticks (of: a jiffy) **3** [aanzien] account: *weinig in ~ zijn* not count for much ‖ *op zijn ~len passen* watch one's step, mind one's p's and q's; [Belg] *van geen ~ zijn* be of little (of: no) account

telbaar countable: *~ naamwoord* count(able) noun

telebankieren computerized banking

de **telecommunicatie** telecommunication

de **telefax 1** [faxpost] (tele)fax **2** [faxtoestel] (tele)fax (machine)

telefoneren telephone, phone, call: *hij zit te ~* he's on the phone; *met iem. ~* telephone s.o.

de **telefonie 1** [techniek] telephony **2** [telefoonwezen] telephone system

telefonisch by telephone: *ben je ~ bereikbaar?* can you be reached by phone?; *we hebben ~ contact met elkaar gehad* we have talked to each other on the phone

de **telefonist** telephonist, (switchboard) operator

de **telefoon 1** telephone, phone: *draagbare (draadloze) ~* cellular (tele)phone, cellphone, mobile phone; *de ~ gaat* the phone is ringing; *blijft u even aan de ~?* would you hold on for a moment please?; *per ~* by telephone **2** [hoorn] receiver: *de ~ neerleggen* put down the receiver (of: phone); *de ~ opnemen* answer the phone **3** [oproep, gesprek] (telephone) call: *er is ~ voor u* there's a (phone) call for you

de **telefoonaansluiting** (telephone) connection

de **telefoonbeantwoorder** answering machine

het **telefoonboek** (telephone) directory, phone book

de **telefooncel** telephone box (of: booth)

de **telefooncentrale** (telephone) exchange; switchboard [in bedrijf]

het **telefoongesprek 1** telephone conversation **2** [verbinding] phone call

de **telefoongids** (telephone) directory, phone book

de **telefoonkaart** phonecard

de **telefoonlijn** telephone line

het **telefoonnummer** (phone) number: *geheim ~* ex-directory number

de **telefoonrekening** telephone bill

de **telefoonseks** telephone sex

de **telefoontik** (telephone) unit

het **telefoontoestel** telephone

de **telegraaf** telegraph

telegraferen telegraph: *hij telegrafeerde naar Parijs* he telegraphed (of: cabled) Paris

de **telegrafie** telegraphy

het **telegram** telegram: *iem. een ~ sturen* telegraph (of: cable) s.o.; *per ~* by telegram (of: cable)

de **telegramstijl** telegram style

de **telelens** telephoto lens

de **telemarketeer** telemarketer

de **telemarketing** telemarketing

telen grow, cultivate

het **teleonthaal** [Belg] [telefonische hulpdienst] helpline

de **telepathie** telepathy

telepathisch telepathic

de **teler** grower

de **telescoop** telescope

teleshoppen teleshopping

de **teletekst** teletext

teleurstellen disappoint, let down, be disappointing: *zich teleurgesteld voelen* feel disappointed; *stel mij niet teleur* don't let me down; *teleurgesteld zijn over iets (iem.)* be disappointed with sth. (in s.o.)

teleurstellend disappointing
de **teleurstelling** disappointment
televergaderen teleconferencing
de **televisie** television; [toestel ook] television set: *(naar de)* ~ *kijken* watch television
de **televisiefilm** TV film
de **televisiekijker** (television) viewer
de **televisieomroep** television company
het **televisieprogramma** television programme
de **televisieserie** television series
het **televisietoestel** television set, TV set
de **televisie-uitzending** television broadcast *(of:* programme)
de **televisiezender 1** television channel; [Am] television station **2** [zendmast] television transmitter *(of:* mast)
het **telewerken** teleworking
de **telex** telex: *per* ~ by telex
de **telg** descendant
de **telganger** ambler
telkens 1 every time, in each case: ~ *en* ~ *weer,* ~ *maar weer* again and again, time and (time) again **2** [herhaaldelijk] repeatedly
¹**tellen** (onov ww) **1** count: *tot tien* ~ count (up) to ten **2** [van belang zijn] count, matter: *het enige dat telt bij hem* the only thing that matters to him
²**tellen** (ov ww) **1** [het aantal bepalen] count: *wel (goed) geteld zijn er dertig* there are thirty all told **2** number, have; [bestaan uit] consist of: *het huis telde 20 kamers* the house had 20 rooms
de **teller 1** [wisk] numerator: *de* ~ *en de noemer* the numerator and the denominator **2** [toestel, tikker] counter, meter
de **telling** count(ing): *de* ~ *bijhouden* keep count *(of:* score)
het **telraam** abacus
het **telwoord** numeral
temeer all the more
temmen 1 tame, domesticate: *zijn driften (of: hartstochten)* ~ control one's urges *(of:* passions) **2** [africhten] tame; break [paarden]
de **temmer** tamer
de **tempel** temple
het **temperament 1** temperament, disposition **2** [vurigheid] spirit
de **temperatuur** temperature: *iemands* ~ *opnemen* take s.o.'s temperature; *op* ~ *moeten komen* have to warm up
de **temperatuurstijging** rise *(of:* increase) in temperature
temperen temper, mitigate
het **tempo 1** tempo, pace: *het jachtige* ~ *van het moderne leven* the feverish pace of modern life; *het* ~ *aangeven* set the pace; *het* ~ *opvoeren* increase the pace **2** [muz] tempo, time **3** [vaart] speed: ~ *maken* make good time

temporiseren stall, play for time
ten at, in, to, on: ~ *huize van* at the house/ home of, at …'s place; ~ *westen van* (to the) west of; ~ *tweede* secondly, in the second place
de **tendens** tendency, trend
tendentieus tendentious, biased
tenderen tend (towards/to)
teneinde so that, in order to
tenenkrommend cringe-making
de **teneur** tenor
de **tengel** [hand] paw
tenger slight, delicate: ~ *gebouwd* slightly built
tenietdoen annul, nullify, undo
tenietgaan perish
de **tenlastelegging** [jur] charge, indictment
tenminste at least: *ik doe het liever niet,* ~ *niet dadelijk* I'd rather not, at least not right away; *dat is* ~ *iets* that is sth. at any rate
het **tennis** tennis
de **tennisarm** tennis elbow
de **tennisbaan** tennis court: *verharde* ~ hard court
de **tennisbal** tennis ball
de **tennishal** indoor tennis court(s)
het/de **tennisracket** tennis racket
tennissen play tennis
de **tennisser** tennis player
de **tenor** tenor
tenslotte [immers] after all: ~ *is zij nog maar een kind* after all she's only a child
de **tent 1** tent; [kraam] stand: *een* ~ *opslaan (of: opzetten, afbreken)* pitch *(of:* put up, take down) a tent; *iem. uit zijn* ~ *lokken* draw s.o. out **2** [openbaar lokaal] place, joint ‖ *ze braken de* ~ *bijna af* you could hardly keep them in their seats
de **tentakel** tentacle
het **tentamen** exam: ~ *doen* take an exam
het **tentenkamp** (en)camp(ment), campsite
de **tentharing** tent peg
tentoonspreiden display; [opscheppen] show (off)
tentoonstellen exhibit, display: *tentoongestelde voorwerpen* exhibits, articles on display
de **tentoonstelling** exhibition, show, display
de **tentstok** tent pole
het **tentzeil** canvas
het/de **tenue** dress, uniform
de **tenuitvoerlegging** execution
tenzij unless, except(ing)
de **tepel** nipple [van mens]; teat [van mens, dier]
ter at, to, in, on: ~ *plaatse* on the spot, locally
de **teraardebestelling** [form] burial, funeral
terdege thoroughly, properly
¹**terecht** (bn) [juist] correct, appropriate
²**terecht** (bw) **1** [teruggevonden] found

(again): *haar horloge is* ~ her watch has been found **2** [met recht] rightly: *hij is voor zijn examen gezakt, en* ~ he failed his examination and rightly so

terechtbrengen: *niet veel* ~ *van iets* not make much of sth., not have much success with sth.

terechtkomen 1 fall, land, end up (in, on, at): *lelijk* ~ have (*of:* take) a nasty fall **2** [goed worden] turn out all right: *wat is er van hem terechtgekomen?* what has happened to him?

terechtkunnen 1 go into, enter **2** [geholpen kunnen worden] (get) help (from): *daarmee kun je overal terecht* that will do (*of:* be acceptable) everywhere

terechtstaan stand trial, be tried: ~ *wegens diefstal* be tried for theft

terechtstellen execute, put to death

de **terechtstelling** execution

terechtwijzen reprimand, reprove, put s.o. in one's place

de **terechtwijzing** reprimand

teren [leven van] live (on, off)

tergen provoke (deliberately), badger, bait: *iem. zo* ~ *dat hij iets doet* provoke s.o. into (doing) sth.

tergend provocative: ~ *langzaam* exasperatingly slow

de **tering** consumption, tuberculosis

terloops casual, passing

de **term** term, expression: *in bedekte ~en iets meedelen* speak about sth. in guarded terms

de **termiet** termite, white ant

de **termijn 1** term, period: *op korte* (*of:* *op lange*) ~ in the short (*of:* long) term; *op kortst mogelijke* ~ as soon as possible **2** [vooraf vastgesteld tijdstip] deadline: *een* ~ *vaststellen* set a deadline **3** [deel van een schuld] instalment

de **termijnmarkt** forward market, futures market: *de* ~ *voor goud* the forward market in gold, gold futures

terminaal terminal, final: *terminale zorg* terminal care

de **terminal** terminal

de **terminologie** terminology, jargon

de **terminus** [Belg] terminus

ternauwernood hardly, scarcely, barely

terneergeslagen depressed, downcast: *een* ~ *indruk maken* [ook] seem down

de **terp** mound, terp

de **terpentijn** turpentine

het **¹terracotta** terra cotta

²terracotta (bn) terracotta

het **terrarium** terrarium

het **terras 1** pavement café; [Am] sidewalk café; outdoor café: *op een ~je zitten* sit in an outdoor café **2** [als wandel-, zitplaats] terrace, patio **3** [plat dak] terrace, sunroof

het **terrein 1** ground(s), territory; terrain [ook militair]: *de voetbalclub speelde op eigen* ~ the football team played on home turf; *eigen* ~ (*of:* *privéterrein*) private property; *het ~ verkennen* **a)** [lett] explore the area; **b)** [fig] scout (out) the territory; ~ *winnen* gain ground **2** [fig] field, ground: *zich op bekend* ~ *bevinden* be on familiar ground; *zich op gevaarlijk* ~ *begeven* be on slippery ground, be on thin ice; *onderzoek doen op een bepaald* ~ do research in a particular area (*of:* field)

de **terreinwagen** all-terrain vehicle

de **terreinwinst** territorial gain: ~ *boeken* gain ground

de **terreur** terror

het **terreuralarm** terror alert, terror alarm

de **terriër** terrier

de **terrine** tureen

territoriaal territorial

het **territorium** territory

terroriseren terrorize

het **terrorisme** terrorism

de **terrorist** terrorist

terroristisch terrorist(ic): *een ~e aanslag* terrorist attack

terstond 1 at once, immediately **2** [zo meteen] presently, shortly

tertiair tertiary: ~ *onderwijs* higher education

de **terts** [muz] tierce, third

terug 1 back: *hij wil zijn fiets* ~ he wants his bike back; *ik ben zo* ~ I'll be back in a minute; *heb je* ~ *van 20 euro?* do you have change for 20 euros?; *wij moeten* ~ we have to go back; *heen en* ~ back and forth; ~ *naar af* back to square one; ~ *uit het buitenland* back from abroad; ~ *van weg geweest* **a)** be back again; **b)** [fig] have made a comeback **2** [Belg] again || *daar heeft hij niet van* ~ that's too much for him

terugbellen call back

terugbetalen pay back, refund

de **terugbetaling** repayment, reimbursement

de **terugblik** review, retrospect(ive)

terugblikken look back

terugbrengen 1 bring back, take back, return: *een geleend boek* ~ return a borrowed book **2** [in de oorspronkelijke toestand] restore: *iets in de oorspronkelijke staat* ~ restore sth. to its original state **3** [m.b.t. omvang] reduce, cut back: *de werkloosheid* (*of:* *inflatie*) ~ reduce unemployment (*of:* inflation)

terugdeinzen shrink, recoil: *voor niets* ~ stop at nothing

terugdenken think back to: *met plezier aan iets* ~ remember sth. with pleasure

terugdoen 1 [weer steken (in)] put back **2** [als antwoord] return, do in return: *doe hem de groeten terug* return the compliments to him

terugdraaien reverse, change, undo: *een maatregel* ~ reverse a measure

terugfluiten call back
teruggaan go back, return: ~ *in de geschiedenis* (of: *tijd*) go back in history (of: *time*); *naar huis* ~ go back home
de **teruggang** decline, decrease: *economische* ~ economic recession
de **teruggave** restoration, return, restitution: ~ *van de belasting* income tax refund
teruggetrokken retired, withdrawn: *een* ~ *leven leiden* lead a retired (of: *secluded*) life
teruggeven 1 give back, return: *ik zal je het boek morgen* ~ I'll return the book (to you) tomorrow **2** [het teveel terugbetalen] give (back), refund: *hij kon niet* ~ *van vijftig euro* he couldn't change a fifty-euro note
terughoudend reserved, reticent
de **terugkeer** return, comeback, recurrence
terugkeren return, come back, go back; recur [steeds opnieuw]: *naar huis* ~ return home; *een jaarlijks* ~*d festival* a recurring yearly festival
terugkijken look back (on, upon)
terugkomen return, come back; recur: *ze kan elk moment* ~ she may be back (at) any moment; *weer* ~ *bij het begin* come full circle; *daar kom ik nog op terug* I'll come back to that; *op een beslissing* ~ reconsider a decision; *hij is er van teruggekomen* he changed his mind
de **terugkomst** return: *bij zijn* ~ on his return
terugkoppelen give feedback (information) (to); [voorleggen] submit (to)
terugkrabbelen back out; go back on [belofte]; cop out, opt out
terugkrijgen 1 get back, recover, regain: *zijn goederen* ~ get one's goods (of: *things*) back **2** [als antwoord, reactie krijgen] get in return: *te weinig (wissel)geld* ~ be short-changed
terugleggen put back
de **terugloop** fall(ing-off), decrease
teruglopen 1 walk back; flow back [vloeistoffen] **2** [achteruitgaan] drop, fall, decline: *de dollar liep nog verder terug* the dollar suffered a further setback
terugnemen take back; [intrekken ook] retract: [fig] *gas* ~ ease up (of: *off*), take things easy; *zijn woorden* ~ retract (of: *take back*) one's words
de **terugreis** return trip
terugrijden drive back; [fiets, paard] ride back
terugroepen call back, recall; call off [honden]: *de acteurs werden tot driemaal toe teruggeroepen* the actors had three curtain calls
terugschakelen change down, shift down
terugschrijven write back
terugschrikken 1 recoil; shy [ook paard] **2** [fig; bang zijn] recoil, baulk: ~ *van de hoge bouwkosten* baulk at the high construction

costs; *nergens voor* ~ be afraid of nothing
[1]**terugslaan** (onov ww) **1** hit back **2** [met kracht] backfire: *de motor slaat terug* the engine backfires **3** [zich terug bewegen] blow back, move back
[2]**terugslaan** (ov ww) hit back, strike back
de **terugslag 1** recoil(ing); backfire [motor]: *het geweer had een ontzettende* ~ the gun had a terrible kick (of: *recoil*) **2** [negatieve reactie] reaction, backlash: *een* ~ *krijgen* be set back, experience a backlash
terugspelen play back
terugspoelen rewind
terugsturen send back, return
de **terugtocht** journey back, journey home
de **terugtraprem** hub brake, back-pedalling brake
terugtreden withdraw (from)
[1]**terugtrekken** (ov ww) **1** withdraw: *troepen* ~ withdraw (of: *pull back*) troops **2** [naar de plaats van herkomst] draw back, pull back
zich [2]**terugtrekken** (wdk ww) **1** [naar een rustige plaats] retire, retreat: *zich* ~ *op het platteland* retreat to the country **2** [niet meer deelnemen, terugtreden] withdraw (from): *zich voor een examen* ~ withdraw from an exam
de **terugval** reversion, relapse; [hand] spin [in prijs, waarde]
terugvallen (+ op) fall back on
terugverlangen recall longingly: *naar huis* ~ long to go back home
terugvinden [weer vinden] find again, recover
terugvragen ask back
de **terugwedstrijd** [Belg] return match
de **terugweg** way back: *op de* ~ *gaan we bij oma langs* on the way back we shall drop in on grandma
terugwerken be retrospective, be retroactive: *met* ~*de kracht* retrospectively
terugzetten put back, set back, replace: *de wijzers* ~ put (of: *move*) back the hands; *de teller* ~ *op nul* reset the counter (to zero)
terugzien see again
terwijl 1 while: ~ *hij omkeek, ontsnapte de dief* while he looked round, the thief escaped **2** [hoewel] whereas, while: *hij werkt over,* ~ *zijn vrouw vandaag jarig is* he is working overtime even though his wife has her birthday today
terzijde aside: ~ *leggen* put aside; *iem.* ~ *staan* assist s.o., stand by s.o.
de **test** test: *een schriftelijke* ~ a written test
het **testament 1** will: *een* ~ *maken* (of: *herroepen*) make (of: *revoke*) a will **2** [gedeelte van de Bijbel] Testament
testamentair testamentary
het **testbeeld** test card
de **testcase** test (case), experiment
testen test

de **testikel** testicle
het **testosteron** testosterone
de **testpiloot** test pilot
de **tetanus** tetanus
de **teug** draught; [Am] draft; pull: *met volle ~en van iets genieten* enjoy sth. thoroughly (*of:* to the full)
de **teugel** rein [vaak mv]: *de ~s in handen nemen* take (up) the reins, assume control
  teut 1 dawdler **2** bore
  teuten 1 [treuzelen] dilly-dally, dawdle **2** [kletsen] drivel, chatter
het **teveel** surplus
  tevens 1 [daarbij] also, besides, as well as **2** [tegelijkertijd] at the same time: *hij was voorzitter en ~ penningmeester* he was chairman and treasurer at the same time
  tevergeefs in vain, vainly
  tevoorschijn: *tevoorschijn komen* appear; come out [sterren]; *tevoorschijn brengen* produce; *zijn zakdoek tevoorschijn halen* take out one's handkerchief
  tevoren before, previously: *van ~* before(hand), in advance
  tevreden satisfied, contented
de **tevredenheid** satisfaction: *werk naar ~ verrichten* work satisfactorily; *tot volle ~ van* to the complete satisfaction of
  tevredenstellen satisfy
  tevree satisfied, happy
de **tewaterlating** launching
  teweegbrengen bring about; bring on [ziekte enz.]; produce [verandering, onrust enz.]
  tewerkstellen employ; hire
het/de **textiel** textile
de **textielindustrie** textile industry
  tezamen together
de **tgv** [trein] High Speed Train
  t.g.v. 1 [ten gevolge van] as a result of, resulting from **2** [ter gelegenheid van] on the occasion of
het **Thai** Thai
  Thailand Thailand
de **Thailander** Thai
  Thais Thai
  thans at present, now
het **theater 1** theatre; [bioscoop] cinema; [bioscoop; Am] movie theater **2** [artistieke productie] dramatic arts, performing arts, (the) stage
de **theatervoorstelling** theatre performance
  theatraal theatrical
de **thee** tea: *een kopje ~* a cup of tea; *slappe ~* weak tea; *~ drinken* drink (*of:* have) tea; *~ inschenken* pour out tea; *~ zetten* make tea
de **theedoek** tea towel
  theedrinken have tea
het **theelepeltje** teaspoon; [hoeveelheid ook] teaspoonful

het **theelichtje** [elektrisch] hot plate (for tea); [waxinelichtje] tea-warmer
de **Theems** Thames
de **theemuts** (tea-)cosy
de **theepauze** tea break
de **theepot** teapot
het **theeservies** tea service
het **theewater** tea-water: *~ opzetten* put the kettle on (for tea)
het **theezakje** tea bag
het **theezeefje** tea strainer
het **thema** theme, subject (matter): *een ~ aansnijden* broach a subject
het **themapark** theme park
de **thematiek** theme(s)
  thematisch thematic
de **theologie** theology, divinity
  theologisch theological
de **theoloog** theologian
de **theoreticus** theoretician, theorist
  ¹theoretisch (bn) theoretic(al)
  ²theoretisch (bw) theoretically, in theory
de **theorie** theory, hypothesis: *~ en praktijk* theory and practice; *in ~ is dat mogelijk* theoretically (speaking) that's possible
de **therapeut** therapist
  therapeutisch therapeutic(al)
de **therapie 1** therapy **2** [psychotherapie] (psycho)therapy: *in ~ zijn* be having (*of:* undergoing) therapy
de **thermiek** [meteo] thermals, up-currents [mv]
de **thermometer** thermometer: *de ~ daalt* (*of: stijgt*) the thermometer is falling (*of:* rising); *de ~ stond op twintig graden Celsius* the thermometer read (*of:* stood at) twenty degrees centigrade
de **thermosfles** ᴹᴱᴿᴷ thermos (flask)
de **thermoskan** ᴹᴱᴿᴷ thermos (jug)
de **thermostaat** thermostat
de **these** thesis
de **thesis** [Belg] dissertation, thesis
  thomas: *een ongelovige ~* a doubting Thomas
de **Thora** Torah
de **thriller** thriller
het **¹thuis** (zn) home, hearth: *hij heeft geen ~* has no home; *mijn ~* my home; *bericht van ~ krijgen* receive news from home
  ²thuis (bw) **1** home: *de artikelen worden k... teloos ~ bezorgd* the articles are delivered free; *wel ~!* safe journey! **2** [in huis] at hom... *verzorging ~* home nursing; *doe maar of je bent* make yourself at home; *zich ergens ~ gaan voelen* settle down (*of:* in); [sport] *sp... len we zondag ~?* are we playing at home ... Sunday?; *iem. (bij zich) ~ uitnodigen* ask s.c... round (*of:* to one's house); *zich ergens ~ vo... len* feel at home (*of:* ease) somewhere; *hij was niet ~* he wasn't in (*of:* at home), he w... out; *bij ons ~* at our place, at home, back

home; *bij jou* ~ (over) at your place ǁ [fig] *samen uit, samen* ~ we stick together, we're in this together
thuisbankieren home banking
thuisbezorgen deliver (to the house, door)
de **thuisbioscoop** home cinema
thuisblijven stay at home, stay in
thuisbrengen 1 bring home, see home; [naar zijn eigen huis brengen] take home: *de man werd ziek thuisgebracht* the man was brought home sick **2** [weten te plaatsen] place: *iets (iem.) niet thuis kunnen brengen* not be able to place sth. (s.o.)
de **thuisclub** home team
het **thuisfront** home front
de **thuishaven** home port, port of register (*of:* registry); home base, haven
thuishoren 1 belong, go: *dat speelgoed hoort hier niet thuis* those toys don't belong here; *waar hoort dat thuis?* where does that go? **2** [afkomstig zijn van] be from, come from: *waar* (*of: in welke haven*) *hoort dat schip thuis?* what is that ship's home port? (*of:* port of registry?)
thuishouden keep at home ǁ *hou je handen thuis!* keep (*of:* lay) off me!, (keep your) hands off (me)!
thuiskomen come home, come back, get back: *je moet* ~ you're wanted at home; *ik kom vanavond niet thuis* I won't be in tonight
de **thuiskomst** homecoming, return: *behouden* ~ safe return
het **thuisland** homeland
thuisloos homeless
de **thuismarkt** domestic market
de **thuisreis** homeward journey: *hij is op de* ~ he is bound for home
de **thuisverpleging** home nursing, home care
de **thuiswedstrijd** home game (*of:* match)
het **thuiswerk** outwork; [huisindustrie, nijverheid] cottage industry: ~ *doen* take in outwork
de **thuiswerker** outworker
de **thuiszorg** home care
de **ti** [muz] te, ti
de **TIA** afk van *transient ischaemic attack* TIA
Tibet Tibet
de **Tibetaan** Tibetan
Tibetaans Tibetan
de **tic 1** trick, quirk: *zij heeft een* ~ *om alles te bewaren* she's got a quirk of hoarding things **2** [zenuwtrekking] tic, jerk **3** [scheutje sterkedrank] ± shot: *een tonic met een* ~ a tonic with a shot (of gin), a gin and tonic
het **ticket** ticket
de **tiebreak** tie break(er)
tien ten; [in datum] tenth: *zij is* ~ *jaar* she is ten years old (*of:* of age); *een man of* ~ about ten people; ~ *tegen één dat ...* ten to one

that ... ǁ *een* ~ *voor Engels* top marks for English; an A+ for English
tiende tenth, tithe: *een* ~ *gedeelte, een* ~ *a* tenth (part), a tithe
tienduizend ten thousand ǁ *enige ~en* some tens of thousands
de **tiener** teenager
tienjarig decennial, ten-year
de **tienkamp** decathlon
tiens [Belg] well, well
het **tiental** ten: *na enkele ~len jaren* after a few decades
tientallig decimal, denary
het **tientje** ten euros; [briefje] ten-euro note
het **tienvoud** tenfold
tieren rage
de **tiet** [inf] boob, knocker
tig umpteen; [heel veel] zillions: *ik heb het al* ~ *keer gezegd* I've already said it umpteen times
het **tij** tide: *het is hoog* (*of: laag*) ~ it's high (*of:* low) tide, the tide is in (*of:* out); [fig] *het* ~ *proberen te keren* try to stem (*of:* turn) the tide
de **tijd 1** time: *in de helft van de* ~ in half the time; *in een jaar* ~ (with)in a year; *na bepaalde* ~ after some (*of:* a) time, eventually; *een hele* ~ *geleden* a long time ago; *een* ~ *lang* for a while (*of:* time), *vrije* ~ spare (*of:* free) time, time off, leisure (time); *het duurde een ~je voor ze eraan gewend was* it took a while before (*of:* until) she got used to it; *ik geef je vijf seconden de* ~ I'm giving you five seconds; *heb je even ~?* have you got a moment? (*of:* a sec?); ~ *genoeg hebben* have plenty of time; have time enough; ~ *kosten* take time; *de* ~ *nemen voor iets* take one's time over sth.; ~ *opnemen* record the time; *dat was me nog eens een ~!* those were the days!; ~ *winnen* gain time; [bij gevaar ook] play for time; *uw* ~ *is om* your time is up; *binnen de kortst mogelijke* ~ in (next to) no time; *het heeft in ~en niet zo geregend* it hasn't rained like this for ages; *sinds enige* ~ for some time (past); *de* ~ *zal het leren* time will tell; *de* ~ *van aankomst* the time of arrival; *vorig jaar om dezelfde* ~ (at) the same time last year; *het is* ~ it's time; [tijd om te stoppen] time's up; *zijn* ~ *uitzitten* serve (*of:* do) one's time; *eindelijk! het werd* ~ at last! it was about time (too)!; *het wordt* ~ *dat ...* it is (high) time that ...; *morgen om deze* ~ (about, around) this time tomorrow; *op vaste ~en at set* (*of:* fixed) times; *de brandweer kwam net op* ~ the fire brigade arrived just in time; *stipt op* ~ punctual; on the dot; *op* ~ *naar bed gaan* go to bed in good time; *te zijner* ~ in due course, when appropriate; *tegen die* ~ by that time, by then; *van* ~ *tot* ~ from time to time; *van die* ~ *af* from that time (on, onwards), ever since, since then; *veel* ~ *in beslag nemen* take up a lot of time; ~ *te kort*

komen run out (*of:* run short) of time **2** [tijd-vak] time(s), period, age: *de laatste* ~ lately, recently; *hij heeft een moeilijke* ~ *gehad* he has been through (*of:* had) a hard time; *de goede oude* ~ the good old days; *zijn (beste)* ~ *gehad hebben* be past one's best (*of:* prime); *de* ~*en zijn veranderd* times have changed; *in deze* ~ *van het jaar* at this time of (the) year; *met zijn* ~ *meegaan* keep up with (*of:* move with) the times; *dat was voor mijn* ~ that was before my time; *dat was voor die* ~ *heel ongebruikelijk* in (*of:* for) those days it was most unusual; *je moet de eerste* ~ *nog rustig aandoen* to begin with (*of:* at first) you must take it easy; *een* ~*je* a while **3** [seizoen] season, time **4** [taalk] tense: *de tegenwoordige* (of: *verleden*) ~ the present (*of:* past) tense; *toekomende* ~ future tense

de **tijdbom** time bomb

¹**tijdelijk** (bn) temporary, provisional, interim: ~ *personeel* temporary staff

²**tijdelijk** (bw) [voor enige tijd] temporarily

tijdens during

het **tijdgebrek** lack of time

de **tijdgeest** spirit of the age (*of:* times)

de **tijdgenoot** contemporary

¹**tijdig** (bn) timely: ~*e hulp is veel waard* timely help is of great value

²**tijdig** (bw) [op tijd] in time [om iets te doen, voorkomen]; on time [volgens een bepaald tijdschema]

de **tijding** news

tijdlang while; for a while

tijdloos timeless, ageless

de **tijdnood** lack (*of:* shortage) of time: *in* ~ *zitten* be pressed for time

het **tijdpad** time schedule

het **tijdperk** period, age, era: *het* ~ *van de computer* the age of the computer; *het stenen* ~ the Stone Age

tijdrekken time wasting; [milder] playing for time

de **tijdrit** time trial

tijdrovend time-consuming: *dit is zeer* ~ this takes up a lot of time

het **tijdsbestek** (period of) time: *binnen een* ~ *van* within (the period of)

het **tijdschema** schedule, timetable: *we lopen achter op het* ~ we're (running) behind schedule

het **tijdschrift** periodical, journal; [mode enz.] magazine

de **tijdsdruk** pressure of time

de **tijdslimiet** time limit, deadline: *de* ~ *overschrijden* exceed (*of:* go over) the time limit

het **tijdstip** (point of, in) time; [ogenblik ook] moment

het **tijdsverschil** time difference

het **tijdvak** period

het **tijdverdrijf** pastime

de **tijdverspilling** waste of time

de **tijdwinst** gain in time: *enige* ~ *boeken* ga some time

de **tijdzone** time-zone

de **tijger** tiger

de **tijm** thyme

de **tik** tap; [van hand] slap; [van klok] tick: *ier een* ~ *om de oren* (of: *op de vingers*) *geven* gi s.o. a cuff on the ear (*of:* a rap on the knuc les)

de **tikfout** typing error (*of:* mistake)

het **tikje 1** touch, clip: *de bal een* ~ *geven* clip the ball **2** [kleine hoeveelheid] touch, shac *zich een* ~ *beter voelen* feel slightly better

het **tikkeltje** touch, shade

¹**tikken** (onov ww) [licht geluid geven] tap [mechanisch] tick: *de wekker tikte niet mee* the alarmclock had stopped ticking; *tegen het raam* ~ tap at (*of:* on) the window

²**tikken** (ov ww) **1** tap: *de maat* ~ tap (out' the beat **2** [typen] type: *een brief* ~ type a letter

het **tikkertje** tag: ~ *spelen* play tag

til: *er zijn grote veranderingen op* ~ there ar big changes on the way

de **tilapia** tilapia

¹**tillen** (onov ww) lift (a weight): *ergens nie (zo) zwaar aan* ~ not feel strongly about

²**tillen** (ov ww) [opheffen] lift, raise: *iem. i de hoogte* ~ lift s.o. up (in the air)

de **tillift** hoist, lift

de **tilt**: *op* ~ *slaan* hit the roof

het **timbre** [muz] timbre

timen time

de **time-out** time-out

timide timid, shy

de **timing** timing

¹**timmeren** (onov ww) hammer: *goed ku nen* ~ be good at carpentry; *de hele boel in kaar* ~ smash the whole place up

²**timmeren** (ov ww) [iets van hout maker build, put together: *een boekenkast* ~ bui bookcase

de **timmerman** carpenter

het **timmerwerk** carpentry, woodwork

het **tin** tin

tingelen tinkle, jingle: *op de piano* ~ tink away at the piano

tinnen tin, pewter: ~ *soldaatjes* tin soldi

de **tint** tint, hue: *iets een feestelijk* ~*je geven* give sth. a festive touch; *Mary had een fris* (of: *gelige*) ~ Mary had a fresh (*of:* sallow complexion; *warme* ~*en* warm tones

tintelen tingle

de **tinteling** tingle, tingling

tinten tint, tinge

de **tip 1** tip; [(zak)doek, sluier enz.] corner: ~*je van de sluier oplichten* lift (a raise) (a ner of) the veil **2** [inlichting] tip, lead, clu [vnl. politie] tip-off: *iem. een* ~ *geven* tip off, give s.o. a tip-off

het **tipgeld** tip-off money

de **tipgever** [m.b.t. politie] (police) informer; [m.b.t. gokkers, speculanten] tipster

de **tippel** toddle, walk: *een hele ~* quite a walk

de **tippelaarster** streetwalker

tippelen [m.b.t. de prostitutie] be on (*of:* walk) the streets, solicit

de **tippelzone** streetwalkers' district

tippen 1 [een inlichting geven] tip (s.o.) off; [Am; aan politie ook] finger **2** [als vermoedelijke winnaar aanwijzen] tip (as) **3** tip, touch lightly, finger lightly: *aan iets (iem.) niet kunnen ~* have nothing on sth. (s.o.)

tipsy tipsy

tiptop tip-top, A 1: *~ in orde* in apple-pie order, in tip-top (*of:* A 1) condition

de **tirade** tirade

de **tiran** tyrant

de **tirannie** tyranny

tiranniek tyrannical

tiranniseren tyrannize (over)

de **Tiroler** Tyrolean

het **tissue** paper handkerchief

de **titel 1** title; [van hoofdstuk, artikel ook] heading **2** [rang] title; [universitaire graad] (university) degree: *een ~ behalen* get a degree; win a title; *de ~ veroveren* (*of: verdedigen*) win (*of:* defend) the title

de **titelhouder** title-holder

de **titelpagina** title-page, title

de **titelrol** title role

de **titelsong** title track

de **titelverdediger** titleholder, defender

de **titularis** [Belg] class teacher

tja well

de **tjalk** Dutch sailing vessel

de **tjaptjoi** chop suey

tjilpen chirp [vogels]; tweet [jonge vogels]

tjirpen chirp, chirrup; [krekels ook] chirr

tjokvol chock-a-block, chock-full: *de zaal was ~* the hall was jam-packed (*of:* chock-a-block)

tjonge dear me

de **tl-buis** strip light, neon light (*of:* tube, lamp)

t.n.v. [ten name van] in the name of

de **toa** afk van *technisch onderwijsassistent* school laboratory assistant

de **toast** (piece, slice of) toast

de **tobbe** (wash)tub

tobben 1 worry, fret **2** [sukkelen] struggle: *opa tobt met zijn been* grandpa is troubled by his leg

toch 1 nevertheless, still, yet, all the same: [na een verbod] *ik doe het (lekker) ~* I'll do it anyway; *maar ~* (but) still, even so **2** [eigenlijk] rather, actually **3** [inderdaad] indeed **4** [nu eenmaal] anyway, anyhow: *het wordt ~ niks* it won't work anyway; *nu je hier ~ bent* since you're here ‖ *dat kunnen ze ~ niet menen?* surely they can't be serious?; *we hebben*

het ~ al zo moeilijk it's difficult enough for us as it is

de **tocht 1** draught; [windje] breeze: *op de ~ zitten* sit in a draught; *~ voelen* feel a draught **2** [reis] journey, trip: *een ~ maken met de auto* go for a drive in the car

tochten be draughty

tochtig [m.b.t. ruimte] draughty; [winderig] breezy

het **tochtje** trip, ride, drive

de **tochtstrip** draught excluder, weather strip(ping)

¹**toe** (bw) **1** to(wards) **2** too, as well: *dat doet er niet(s) ~* that doesn't matter **3** [m.b.t. een bedoeling] to, for: *aan iets ~ komen* get round to sth. **4** [dicht] shut, closed ‖ *er slecht aan ~ zijn* be in a bad way; *tot nu ~* so far, up to now; *dat was nog tot daaraan ~* there's no great harm in that, that doesn't matter so much

²**toe** (tw) **1** [vooruit] come on **2** [alstublieft] please, do **3** [och kom] come on, go on **4** [kom kom] there now

het ¹**toebehoren** (zn) accessories; attachments [bijv. van stofzuiger]

²**toebehoren** (onov ww) belong to

toebereiden prepare

toebrengen deal, inflict, give: *iem. een wond ~* inflict a wound on s.o.

toedekken cover up; [in bed stoppen] tuck in, tuck up: *iem. warm ~* tuck s.o. in nice and warm

toedichten attribute (to)

toedienen administer, apply: *medicijnen ~* administer medicine

het ¹**toedoen** (zn) agency, doing: *dit is allemaal door jouw ~ gebeurd* this is all your doing

²**toedoen** (ov ww) add: *wat doet het er toe?* what does it matter?, what difference does it make?; *wat jij vindt, doet er niet toe* your opinion is of no consequence

de **toedracht** facts, circumstances: *de ware ~ van de zaak* what actually happened

toedragen bear

zich **toe-eigenen** appropriate

de **toef** [bosje, pluk] tuft: *een ~ slagroom* a blob of cream

toegaan happen, go on: *het gaat er daar ruig aan toe* there are wild goings-on there

de **toegang 1** entrance, entry, access: *iem. de ~ ontzeggen* refuse s.o. admittance (*of:* access), bar s.o.; *verboden ~* no admittance **2** [mogelijkheid, verlof] access; [toelating] admittance; [toegang(sgeld)] admission: *bewijs van ~* ticket (of admission); *~ hebben tot een vergadering* be admitted to a meeting; *zich ~ verschaffen* gain access (to)

het **toegangsbewijs** (admission) ticket, pass

de **toegangscode** access code

de **toegangsprijs** entrance fee, price of admission

de **toegangsweg** access (road), approach
toegankelijk accessible, approachable: *moeilijk* (of: *gemakkelijk*) ~ difficult (*of:* easy) of access; ~ *voor het publiek* open to the public

de **toegankelijkheid** accessibility, approachability
toegedaan dedicated
toegeeflijk indulgent, lenient: ~ *zijn tegenover een kind* indulge a child

de **toegeeflijkheid** indulgence, lenience
toegepast applied
¹**toegeven** (onov ww) **1** [geen weerstand bieden aan] yield, give in; [bezwijken] give way: *onder druk* ~ submit under pressure **2** [erkennen] admit, own: *hij wou maar niet* ~ he wouldn't own up
²**toegeven** (ov ww) **1** indulge, humour; [al te veel toegeven] pamper; spoil, allow (for), take into account: *over en weer wat* ~ give and take **2** [als juist erkennen] admit, grant: *zijn nederlaag* ~ admit defeat **3** [extra geven] throw in, add: *op de koop* ~ include in the bargain
toegewijd devoted, dedicated: *een ~e verpleegster* a dedicated nurse

de **toegift** encore: *een* ~ *geven* do an encore

de **toehoorder** listener
toejuichen 1 cheer; [applaudisseren voor] clap; [applaudisseren voor] applaud **2** [goedkeuren] applaud: *een besluit* ~ welcome a decision
toejuiching 1 [applaus] applause **2** [instemming] acclaim
toekennen 1 ascribe to, attribute to **2** [toewijzen] award, grant: *macht* ~ *aan* assign authority to

de **toekenning** award, grant
toekeren turn to
toekijken 1 look on, watch **2** [niet meedoen] sit by (and watch)
toekomen 1 belong to, be due: *iem. de eer geven die hem toekomt* do s.o. justice **2** [bereiken, naderen] approach: *daar ben ik nog niet aan toegekomen* I haven't got round to that yet
toekomend future

de **toekomst** future: *in de nabije* (of: *verre*) ~ in the near (of: distant) future; *de* ~ *voorspellen* tell fortunes; *de* ~ *lacht hem toe* the future looks rosy for him
toekomstig future, coming || *zijn ~e echtgenote* his bride-to-be; *de ~e eigenaar* the prospective owner

de **toekomstmuziek**: *dat is nog* ~ that's still in the future
toelaatbaar permissible, permitted
toelachen smile at || *het geluk lacht ons toe* fortune smiles on us

de **toelage** allowance; [(studie)beurs] grant
toelaten 1 permit, allow: *als het weer het*
toelaat weather permitting **2** [binnenlaten] admit, receive: *zij werd niet in Nederland toegelaten* she was refused entry to the Netherlands

het **toelatingsexamen** entrance exam(ination)
toeleggen add (to)

het **toeleveringsbedrijf** supplier, supply company
toelichten explain, throw light on, clarify: *zijn standpunt* ~ explain one's point of view; *als ik dat even mag* ~ if I may go into that briefly

de **toelichting** explanation, clarification: *dat vereist enige* ~ that requires some explanation

de **toeloop** onrush, rush; [van menigte] flood
toelopen taper (off), come (of: run) to a point
toeluisteren listen (to): *aandachtig* ~ listen carefully

het **toemaatje** [Belg] extra, bonus
¹**toen** (bw) **1** [vroeger] then, in those days, at the (of: that) time: *er stond hier* ~ *een kerk* there used to be a church here **2** [daarna] then, next: *en* ~? (and) then what?, what happened next?
²**toen** (vw) when, as: ~ *hij binnenkwam* when he came in

de **toenaam** surname: *iem. met naam en* ~ *noemen* mention s.o. by name

de **toenadering** [vaak mv] advance; approach

de **toename** increase, growth: *een* ~ *van het verbruik* an increase in consumption

de **toendra** tundra
toenemen increase, grow; [in omvang] expand: *in ~de mate* increasingly, to an increasing extent; *in kracht* ~ grow (of: increase) in strength
toenmalig then: *de ~e koning* the king at the (of: that) time
toentertijd then, at the time
toepasselijk appropriate, suitable
toepassen 1 use, employ **2** [in praktijk brengen] apply, adopt; [wet ook] enforce: *een methode* ~ use a method; *in de praktijk* ~ use in (actual) practice

de **toepassing 1** use, employment: *niet van* ~ (n.v.t.) not applicable (n/a); *van* ~ *zijn op* apply to **2** [het in praktijk brengen] application: *in* ~ *brengen* put into practice

de **toer 1** trip, tour; [met auto, (motor)fiets, paard] ride; [met auto ook] drive **2** [draai] revolution: *op volle ~en draaien* go at full speed, be in top gear; *hij is een beetje over zij ~en* he's in a bit of a state **3** [lastig werk] job, business || *op de lollige* ~ *gaan* act the clown

de **toerbeurt** turn: *bij* ~ in rotation, by turns; *we doen dat bij* ~ we take turns at it
toereikend sufficient; [voldoende] adequate

toerekeningsvatbaar accountable, responsible

toeren go for a ride; [met auto] go for a drive

het **toerental** rpm (afk van *revolutions per minute*)

de **toerenteller** revolution counter

de **toerfiets** touring bicycle, sports bicycle

het **toerisme** tourism

de **toerist** tourist

de **toeristenbelasting** tourist tax

het **toeristenseizoen** tourist season

toeristisch tourist: *een ~e trekpleister* a tourist attraction

het **toernooi** tournament

toerusten equip; [bevoorraden] furnish: *een leger ~* equip an army; *toegerust met* equipped (*of:* fitted) (out) with

toeschietelijk accommodating, obliging

toeschieten rush forward

de **toeschouwer 1** spectator; [televisie] viewer; [mv ook] audience: *veel ~s trekken* draw a large audience **2** [iem. die niet meedoet] onlooker, bystander

toeschrijven 1 blame, attribute: *een ongeluk ~ aan het slechte weer* blame an accident on the weather **2** [toekennen] attribute, ascribe: *dit schilderij schrijft men toe aan Vermeer* this painting is attributed to Vermeer

toeslaan 1 hit home, strike home **2** [zijn kans benutten] strike: *inbreker slaat opnieuw toe!* burglar strikes again!

de **toeslag 1** surcharge **2** [extra inkomen] bonus: *een ~ voor vuil werk* a bonus for dirty work

toespelen pass (to); [onopvallend toespelen] slip (to)

de **toespeling** allusion, reference: *~en maken* drop hints, make insinuations

de **toespijs 1** dessert, sweet, pudding **2** side dish

toespitsen intensify

de **toespraak** speech; [officiële] address: *een ~ houden* make a speech

toespreken speak to, address

toestaan allow, permit: *uitstel* (of: *een verzoek*) *~* grant a respite (*of:* a request)

de **toestand** state, condition, situation: *de ~ van de patiënt is kritiek* the patient is in a critical condition; *de ~ in de wereld* the state of world affairs

toesteken extend, put out, hold out: *de helpende hand ~* extend (*of:* lend) a helping hand

het **toestel 1** apparatus, appliance; [radio, tv] set: *vraag om ~ 212* ask for extension 212 **2** [vliegtuig] plane

het **toestelnummer** extension (number)

toestemmen agree (to), consent (to): *erin ~ dat…* agree that …, agree to (…ing)

de **toestemming** agreement, consent, approval (of); [vergunning] permission: *zijn ~ geven* (of: *verlenen, weigeren*) *aan iem.* give (*of:* grant, refuse) permission to s.o.

toestoppen slip

toestromen stream to(wards), flow (*of:* flock, crowd) towards

toesturen send; remit [geld]

de **toet** face

toetakelen 1 beat (up), knock about: *hij is lelijk toegetakeld* he has been badly beaten (up) **2** [op vreemde wijze kleden, versieren] rig out

toetasten take, seize; [m.b.t. eten] help o.s.

de **toeter 1** tooter **2** [claxon] horn

[1]**toeteren** (onov ww) hoot, honk

[2]**toeteren** (ov ww) [schetteren] bellow

het **toetje** [m.b.t. eten] dessert: *als ~ is er fruit* there is fruit for dessert

toetreden join

de **toetreding** joining, entry (into)

de **toets 1** test, check: *een schriftelijke ~* a written test, a test paper **2** [m.b.t. instrumenten] key: *een ~ aanslaan* strike a key

toetsen test, check: *iets aan de praktijk ~* test sth. out in practice

het **toetsenbord** keyboard; [machine ook] console

het **toeval** coincidence, accident, chance: *door een ongelukkig ~* by mischance; *stom ~* by sheer accident; [stom geluk] (by) a (mere) fluke; *niets aan het ~ overlaten* leave nothing to chance

toevallen fall to; [winsten e.d.] accrue to

[1]**toevallig** (bn) accidental: *een ~e ontmoeting* a chance meeting; *een ~e voorbijganger* a passer-by

[2]**toevallig** (bw) [bij toeval] by (any) chance: *elkaar ~ treffen* meet by chance

de **toevalligheid** coincidence

de **toevalstreffer** chance hit, stroke of luck

toeven [form] stay: *het is daar goed ~* it is a nice place to stay

de **toeverlaat** support: *hij was hun steun en ~* he was their help and stay

toevertrouwen 1 entrust: *dat is hem wel toevertrouwd* leave that to him, trust him for that **2** [in vertrouwen meedelen] confide (to): *iets aan het papier ~* commit sth. to paper

de **toevloed** flow

de **toevlucht** refuge, shelter: *dit middel was zijn laatste ~* this (expedient) was his last resort; *~ zoeken bij* take refuge with

het **toevluchtsoord** (port, house, haven of) refuge

toevoegen add: *suiker naar smaak ~* add sugar to taste

de **toevoeging** addition; additive [o.a. in voedsel]

de **toevoer** supply

toewensen wish: *iem. veel geluk ~* wish s.o.

all the best (of: every happiness)

de **toewijding** devotion

toewijzen assign, grant: *het kind werd aan de vader toegewezen* the father was awarded (of: granted, given) custody of the child; *een prijs ~* award a prize

toezeggen promise

de **toezegging** promise: *~en doen* make promises

toezenden send (to)

het **toezicht** supervision: *~ houden op* supervise, oversee; look after [kinderen]; *onder ~ staan van* be supervised by

de **toezichthouder** supervisor

toezien 1 look on, watch: *machteloos ~* stand by helplessly **2** [oppassen] see, take care: *hij moest er op ~ dat alles goed ging* he had to see to it that everything went all right

toezwaaien wave to

tof 1 decent, O.K.: *een ~fe meid* a decent girl, an O.K. girl **2** [fijn] great

de **toffee** toffee

de **tofoe** tofu

de **toga** gown, robe: *een advocaat in ~* a robed lawyer

Togo Togo

de **¹Togolees** Togolese

²Togolees (bn) Togolese

het **toilet** toilet, lavatory: *een openbaar ~* a public convenience; [Am] a restroom; *naar het ~ gaan* go to the toilet

het **toiletartikel** toiletry; [mv ook] toilet requisites (of: things)

de **toiletjuffrouw** lavatory attendant

het **toiletpapier** toilet paper (of: tissue)

de **toiletrol** toilet paper

de **toilettafel** dressing table

de **toilettas** toilet bag

de **toiletverfrisser** toilet freshener, lavatory freshener

tokkelen strum

het **tokkelinstrument** plucked instrument

de **toko** general shop; [Indonesische specialiteiten] Indonesian shop: [fig] *alleen oog hebben voor je eigen ~* only be interested in one's own patch

de **tol 1** top: *mijn hoofd draait als een ~* my head is spinning **2** [tolgeld] toll: *ergens ~ voor moeten betalen* [fig] have to pay the price for sth.; *~ heffen* levy (of: take) (a) toll (on)

tolerant tolerant

de **tolerantie** tolerance

tolereren tolerate, put up with

de **tolk** interpreter

tolken interpret

tollen 1 play with (of: spin) a top **2** [snel ronddraaien] spin, whirl: *zij stond te ~ van de slaap* she was reeling with sleep

de **tolweg** toll road; [Amerikaanse snelweg] turnpike

de **tomaat** tomato

de **tomatenketchup** (tomato) ketchup

de **tomatenpuree** tomato purée

het **tomatensap** tomato juice

de **tomatensoep** tomato soup

de **tombe** tomb

tomeloos unbridled, uncontrolled

de **tompoes** vanilla slice

de **tomtom** sat nav, GPS

de **ton 1** cask, barrel **2** [100.000 euro] a hundred thousand euros **3** [gewichtsmaat] (metric) ton

de **tondeuse** (pair of) clippers, trimmers; [voor schapen] shears

het **toneel 1** stage: *op het ~ verschijnen* enter the stage, appear on the stage; *iets ten tonele voeren* stage sth., put sth. on the scene **2** [terreel] scene, spectacle **3** [spel] theatre

het **toneelgezelschap** theatrical company, theatre company

de **toneelkijker** (pair of) (opera) glasses

de **toneelschool** drama school

de **toneelschrijver** playwright

het **toneelspel 1** play **2** [aanstellerij] play-acting

toneelspelen 1 act, play **2** [zich aanstellen] play-act, dramatize: *wat kun jij ~!* what play-actor you are!

de **toneelspeler 1** actor, player **2** [aanstelle] play-actor

het **toneelstuk** play: *een ~ opvoeren* perform play

de **toneelvereniging** drama club

de **toneelvoorstelling** theatrical performance

tonen show; [tentoonstellen] display

de **toner** toner

de **tong 1** tongue: *met dubbele (dikke) ~ spreken* speak thickly, speak with a thick tongu *de ~en kwamen los* the tongues were loosened, tongues were wagging; *zijn ~ uitsteken tegen iem.* put out one's tongue at s.o. *het ligt vóór op mijn ~* it's on the tip of my tongue **2** [vis] sole

de **tongval** accent

de **tongzoen** French kiss

tongzoenen French kiss

de **tonic** tonic

de **tonijn** tunny(fish), tuna (fish)

de **tonnage** tonnage: *bruto ~* gross tonnage

de **tonsil** [med] tonsil

de **toog 1** [priesterkleed] cassock, soutane **2** [tapkast] bar **3** [toonbank] counter

de **tooi** decoration(s), ornament(s); plumage [vogel]

tooien adorn

de **toom** bridle, reins: *in ~ houden* (keep in) check, keep under control

de **toon 1** tone; [muz; fig ook] note: *een hal ~* a semitone, a half step; *de ~ aangeven* **a)** give the key; **b)** [fig] lead (of: set) the to **c)** [in mode] set the fashion; *een ~tje lager*

zingen change one's tune; *uit de ~ vallen* not be in keeping, not be incongruous; [m.b.t. persoon] be the odd man out; [fig] *de juiste ~ aanslaan* strike the right note **2** [geluid van een stem, instrument] tone (colour); timbre
toonaangevend authoritative, leading
de **toonaard**: *in alle ~en* in every possible way
toonbaar presentable
de **toonbank** counter: *illegale cd's onder de ~ verkopen* sell bootleg CDs under the counter; [fig] *over de ~ vliegen* sell like hot cakes
het **toonbeeld** model, paragon, example
de **toonder** bearer: *een cheque aan ~* a cheque (payable) to bearer
de **toonhoogte** pitch: *de juiste ~ hebben* be at the right pitch
de **toonladder** scale: *~s spelen* play (*of:* practise) scales
toonloos toneless, flat
de **toonsoort** [muz] key
de **toonzaal** showroom
de **toorn** wrath, anger
de **toorts** torch
de **toost** toast: *een ~ (op iem.) uitbrengen* propose a toast (to s.o.)
toosten toast: *~ op* drink (a toast) to
de **top 1** top, tip; [van berg ook] peak: *aan (op) de ~ staan* be at the top; *van ~ tot teen* from head to foot **2** [hoogtepunt] top, peak, height ‖ *~ tien* top ten; [Belg] *hoge ~pen scheren* be successful
de **topaas** topaz
de **topambtenaar** key official
de **topconditie** (tip-)top condition (*of:* form)
de **topconferentie** summit (conference, meeting); [gesprekken] summit talks, top-level talks
de **topdrukte** rush hour
de **topfunctie** top position, leading position
de **topfunctionaris** key official
de **tophit** smash hit
het **topje 1** tip: *het ~ van de ijsberg* the tip of the iceberg **2** [truitje] top
de **topklasse** top class
topless topless
de **topman** senior man (*of:* executive), top-ranking official, senior official: *~ in het bedrijfsleven* captain of industry
de **topografie** topography
het **topoverleg** top-level talks, summit talks
toppen top, head
de **topper 1** [hoogtepunt] top **2** [boek, nummer] (smash) hit **3** [wedstrijd] top match **4** [gewaardeerd persoon] ace **5** [topfiguur] leading figure
de **topprestatie** top performance, record performance: *een ~ leveren* turn in a top performance
het **toppunt 1** height, top: *dat is het ~!* that's the limit!, that beats everything! **2** [bovenste punt] top, highest point; [berg ook] sum-

mit
de **topscorer** top scorer
de **topsnelheid** top speed: *op ~ rijden* drive at top speed
de **topspin** topspin
de **topsport** top-class sport
de **topvorm** top(-notch) form
topzwaar top-heavy
de **tor** beetle
de **toreador** toreador
de **toren 1** tower; [spitse kerktoren] steeple; [torenspits] spire: *in een ivoren ~ zitten* live in an ivory tower **2** [schaakstuk] rook, castle
de **torenflat** high-rise flat(s); [Am] high-rise apartment(s)
torenhoog towering; [hemelhoog] sky-high
de **torenspits** steeple, spire
de **torenvalk** kestrel, windhover
de **tornado** tornado
tornen unsew, unstitch: *er valt aan deze beslissing niet te ~* there's no going back on this decision
torpederen torpedo
de **torpedo** torpedo
torsen bear, suffer
de **torsie** torsion
de **torso** torso
de **tortelduif** turtle-dove
tossen toss (up, for)
de **tosti** toasted ham and cheese sandwich
het **tostiapparaat** (sandwich) toaster
tot 1 (up) to, as far as: *de trein rijdt ~ Amsterdam* the train goes as far as Amsterdam; *~ hoever, ~ waar?* how far?; *~ bladzijde drie* up to page three **2** [m.b.t. een punt in de tijd] to, until: *van dag ~ dag* from day to day; *~ zaterdag!* see you on Saturday!; *~ de volgende keer* until (the) next time; *~ nog (nu) toe* so far; *~ en met 31 december* up to and including 31 December; *van 3 ~ 12 uur* from 3 to (*of:* till) 12 o'clock; *van maandag ~ en met zaterdag* from Monday to Saturday; [Am ook] Monday through Saturday **3** [tegen] at: *~ elke prijs* at any price ‖ *iem. ~ president kiezen* elect s.o. president
totaal total, complete: *een totale ommekeer (ommezwaai)* an about-turn, an about-face; *totale uitverkoop* clearance sale; *iets ~ anders* sth. completely different; *het is €33,- ~* it's 33 euro in all; *in ~* in all (*of:* total)
het **totaalbedrag** total (sum, amount)
totalitair totalitarian
de **totaliteit** totality
total loss: *een auto ~ rijden* smash (up) a car, wreck a car
totdat until
de **totempaal** totem pole
de **toto** [paardenrennen] tote; [voetb] (football) pools: *in de ~ geld winnen* win money on the pools

de **totstandkoming** coming about, realization

toucheren 1 [in ontvangst nemen] receive **2** [sport] hit

het/de **touchscreen** touch screen

de **toupet** toupee

de **tour 1** [uitstapje] outing, trip **2** [rondgang] tour

de **touringcar** (motor) coach; [Am] bus

de **tournee** tour: *op ~ zijn* be on tour

het/de **tourniquet** turnstile; [draaideur] revolving door(s)

de **touroperator** tour operator

het **touw** rope, (piece of) string: *ik kan er geen ~ aan vastknopen* I can't make head or tail of it; *iets met een ~ vastbinden (dichtbinden)* tie sth. (up) || *in ~ zijn* be busy, be hard at it; *iets op ~ zetten* set sth. on foot, start sth.

de **touwladder** rope ladder

het **touwtje** (piece of) string: *de ~s in handen hebben* be pulling the strings, be running the show

touwtjespringen skipping

touwtrekken tug-of-war

t.o.v. afk van *ten opzichte van* with respect to, with regard to

de **tovenaar** magician, sorcerer, wizard

de **toverdrank** magic potion

¹**toveren** (onov ww) work magic; [goochelen] do conjuring tricks

²**toveren** (ov ww) conjure (up): *iets tevoorschijn ~* conjure up sth.

de **toverheks** sorceress, magician

de **toverij** magic, sorcery

de **toverslag**: *als bij ~* like magic

de **toverspreuk** (magic) spell, (magic) charm

de **toverstaf** magic wand

toxisch toxic, poisonous

traag slow: *hij is nogal ~ van begrip* he isn't very quick in the uptake; *~ op gang komen* get off to a slow start

de **traagheid** slowness: *de ~ van geest* slowness (of mind)

de **traan** tear; [een enkele] teardrop: *in tranen uitbarsten* burst into tears, burst out crying; *tranen met tuiten huilen* cry buckets, cry one's eyes out

het **traangas** tear-gas

de **traanklier** tear gland

het **tracé** (planned) route

traceren trace

trachten attempt, try

de **tractor** tractor

de **traditie** tradition: *een ~ in ere houden* uphold a tradition

traditiegetrouw traditional; [na ww] true to tradition

traditioneel traditional

de **tragedie** tragedy

de **tragiek** tragedy

tragikomisch tragicomic

tragisch tragic: *het ~e is* the tragedy of it ...

de **trailer** trailer

¹**trainen** (onov ww) train; work out [voor conditie]: *(weer) gaan ~* go into training (again)

²**trainen** (ov ww) train: *een elftal ~* train (o coach) a team; *zijn geheugen ~* train one's memory; *zich ~ in iets* train for sth.

de **trainer** trainer, coach

traineren delay: *hij probeert de zaak allee maar te ~* he's just dragging his feet

de **training** training, practice; workout: *een zware ~* a heavy workout

het **trainingspak** tracksuit, jogging suit

het **traject** route, stretch; [stuk spoorlijn] section

het **traktaat 1** [verdrag] treaty **2** [verhandeling] tract

de **traktatie** treat

trakteren treat: *~ op gebakjes* treat s.o. t cake; *ik trakteer* this is my treat

de **tralie** bar: *achter de ~s zitten* be behind b

de **tram** tram: *met de ~ gaan* take the (of: go by) tram

de **tramhalte** tramstop

het **trammelant** [inf] trouble

de **trampoline** trampoline

trampolinespringen trampolining

de **trance** trance: *iem. in ~ brengen* send s.o. into a trance

tranen run, water: *~de ogen* running (of watering) eyes

de **transactie** transaction, deal

trans-Atlantisch transatlantic

het/de **transfer** transfer

het **transferium** ± Park and Ride

de **transfermarkt** transfer market

de **transfersom** transfer fee

de **transformatie** transformation

de **transformator** transformer

transformeren transform in(to)

de **transfusie** transfusion

de **transistor** transistor

de **transistorradio** transistor (radio)

de **transit** transit

transitief transitive

het/de **transito** transit

de **transmissie** transmission

het ¹**transparant** (zn) transparency, overhea sheet

²**transparant** (bn) transparent

de **transpiratie** perspiration

transpireren perspire

de **transplantatie** transplant(ation)

transplanteren transplant

het **transport** transport; [voornamelijk Am] transportation: *tijdens het ~* in (of: durin transit

de **transportband** conveyer (belt)

het **transportbedrijf** transport company,

haulier
¹transporteren (ww) [doordraaien] wind (the film) (on)
²transporteren (ov ww) transport
de **transporteur** carrier
de **transportkosten** transport costs (of: charges)
de **transportonderneming** zie transportbedrijf
de **transseksualiteit** transsexualism
de **¹transseksueel** (zn) transsexual
²transseksueel (bn) transsexual
de **trant** 1 style, manner: in dezelfde ~ (all) in the same key 2 [soort] kind: iets in die ~ sth. of the kind (of: sort)
de **trap** 1 (flight of) stairs; (flight of) steps [van steen]: een steile ~ steep stairs; de ~ afgaan go down(stairs); de ~ opgaan go upstairs; boven (of: onder, beneden) aan de ~ at the head (of: at the foot, at the bottom) of the stairs 2 [schop] kick: vrije ~ free kick; iem. een ~ nageven [fig] hit s.o. when he is down 3 [trede] step 4 [taalk] degree: de ~pen van vergelijking the degrees of comparison; overtreffende ~ superlative; vergrotende ~ comparative
de **trapeze** trapeze
het **trapezium** trapezium; [Am] trapezoid
de **trapgevel** (crow-)stepped gable
de **trapleuning** (stair) handrail; banister [met spijlen]
traploos stepless
de **traploper** stair carpet
trappelen stamp: ~de paarden stamping (and pawing) horses; ~ van ongeduld strain at the leash; be dying (to do sth., go somewhere)
de **trappelzak** infant's sleeping bag
¹trappen (onov ww) step, stamp: ergens in ~ fall for sth., rise to the bait, buy sth.
²trappen (ww) [schoppen] kick, boot: tegen een bal ~ kick a ball; eruit getrapt zijn have got the boot (of: sack) [ontslagen]; have been kicked out [klas] || lol ~ horse about (of: around), lark about (of: around)
het **trappenhuis** (stair)well
de **trapper** pedal: op de ~s gaan staan throw one's weight on the pedals
de **trappist** Trappist
het **trappistenbier** Trappist beer
het **trapportaal** landing
trapsgewijs gradual, step-by-step
het **trapveldje** grassplot
'de **trauma** trauma
de **traumahelikopter** trauma helicopter
het **traumateam** medical emergency team
traumatisch traumatic
de **travestie** transvestism
de **travestiet** transvestite
de **trawler** trawler
de **trechter** funnel

de **tred** step, pace: gelijke ~ houden met keep pace with
de **trede** step; rung [van ladder]
treden [gaan] step: in bijzonderheden ~ go into detail(s); in contact ~ met iem. contact s.o.; in het huwelijk ~ (met) get married (to s.o.); naar buiten ~ met iets come out, make sth. public
de **tredmolen** treadmill
de **tree** zie trede
de **treeplank** footboard
treffen 1 [raken] hit: getroffen door de bliksem struck by lightning 2 [aantreffen] meet: niemand thuis ~ find nobody (at) home 3 [m.b.t. iets onaangenaams] hit, strike: getroffen worden door meet with [ongeluk, ramp]; be stricken by [ziekte, epidemie] 4 [tot stand brengen] make: voorbereidingen ~ make preparations || je treft het (goed) you're lucky (of: in luck); zij hebben het met elkaar getroffen they are happy with one another, they get on like a house on fire
treffend striking; [raak] apt: een ~e gelijkenis a striking similarity
de **treffer** hit; [doelpunt] goal
het **trefpunt** meeting place; crossroads [van culturen]
het **trefwoord** headword; [in register ook] reference
trefzeker accurate
de **trein** train: per ~ reizen go by train; iem. van de ~ halen meet s.o. at the station || dat loopt als een ~ it's going like a bomb, there's no stopping it
de **treinbestuurder** train driver
de **treinconducteur** guard; [Am] conductor
het **treinkaartje** train ticket
het **treinongeluk** train accident
de **treinramp** train disaster
de **treinreis** train journey
de **treinreiziger** rail(way) passenger
het **treinstel** train unit
het **treinverkeer** train traffic, rail traffic
de **treiteraar** tormentor
treiteren torment
de **trek** 1 pull 2 [met een pen] stroke 3 [gelaatstrek] feature, line 4 [kenmerkende eigenschap] (characteristic) feature, trait: dat is een akelig ~je van haar that is a nasty trait of hers 5 [eetlust, begeerte] [vnl. eetlust] appetite: ~ hebben feel (of: be) hungry; heeft u ~ in een kopje koffie? do you feel like a cup of coffee, would you care for a cup of coffee? 6 [populariteit] popularity: in ~ zijn be popular, be in demand 7 [van vogels, volkeren] migration || een ~ aan een sigaar doen take a puff at a cigar; niet aan zijn ~ken komen come into one's own
de **trekhaak** drawbar; [aan auto enz.] tow bar
de **trekharmonica** accordion; [kleiner, voor op de schoot] concertina

¹**trekken** (onov ww) **1** pull: *aan een sigaar ~* puff at (*of*: draw) a cigar **2** go, move; [reizen] travel; migrate [nomadenstammen, vogels enz.]: *in een huis ~* move into a house **3** [spierbewegingen maken] stretch: *met zijn been ~* walk with a stiff leg ‖ *deze planken zijn krom getrokken* these planks are warped; *thee laten ~* brew tea

²**trekken** (ov ww) **1** draw; [tandarts enz.] extract; pull (out) **2** [aantrekken] draw, attract: *publiek* (of: *kopers*) ~ draw an audience (*of*: customers); *volle zalen ~* play to (*of*: draw) full houses **3** pull: *iem. aan zijn haar ~* pull s.o.'s hair; *iem. aan zijn mouw ~* pull (at) s.o.'s sleeve **4** [slepen] pull, draw, tow: *de aandacht ~* attract attention **5** [eruit halen, afleiden] draw; [wisk] extract [wortel]: *een conclusie ~* draw a conclusion ‖ *gezichten ~* make (*of*: pull) (silly) faces

de **trekker** **1** [iem. op trektocht] hiker **2** [m.b.t. een vuurwapen] trigger: *de ~ overhalen* pull the trigger **3** [m.b.t. een vrachtwagen] truck, lorry; *~ met oplegger* truck and trailer **4** tractor

de **trekking** draw
de **trekkracht** tractive power, pulling power
de **trekpleister** draw, attraction: *een toeristische ~* a tourist attraction
de **trekschuit** tow barge
de **trektocht** hike, hiking tour
de **trekvogel** migratory bird, bird of passage
het **trema** diaeresis
de **trend** trend
de **trendbreuk** deviation from a trend
 trendgevoelig subject to trends
de **trendsetter** trendsetter
 trendy trendy: *~ zijn* be (really) in, be the in-thing
 treuren **1** sorrow, mourn, grieve: *~ om een verlies* mourn a loss **2** [bedrukt zijn] be sorrowful, be mournful
 treurig sad, tragic, unhappy: *een ~ gezicht* a sorry (*of*: gloomy) sight; [gelaat] a sad (*of*: dejected) face
de **treurigheid** sorrow, sadness
de **treurmars** funeral march
het **treurspel** tragedy
de **treurwilg** weeping willow
 treuzelen dawdle: *~ met zijn werk* dawdle over one's work
de **triangel** triangle
de **triatlon** triathlon
het **tribunaal** tribunal
de **tribune** stand [vaak mv]; [voor publiek bij vergadering] gallery
het **tricot** tricot
 triest **1** sad **2** [droevig stemmend] melancholy, depressing, dreary
het **triktrak** backgammon
het **triljard** a thousand quadrillions; [Am] octillion

het **triljoen** trillion; [Am] quintillion
 trillen vibrate; [huizen enz. ook] tremble; shake: *met ~de stem* in a trembling voice
de **trilling** **1** vibration; tremor [aardbeving] **2** [siddering, beving] trembling, shaking
de **trilogie** trilogy
de **trimbaan** keep-fit trail
het **trimester** trimester; term [school]: *midde in het ~* (in) mid-term
¹**trimmen** (onov ww) do keep-fit (exercise [buiten] jog; [binnen] work out
²**trimmen** (ov ww) [haar bijknippen] trim
de **trimmer** jogger
het **trimpak** tracksuit
de **trimschoen** training shoe, jogging shoe
het **trio** trio
de **triomf** triumph
 triomfantelijk triumphant
 triomferen triumph
de **triomftocht** triumphal procession
de **trip** **1** trip **2** [m.b.t. drugs] (acid) trip
het **triplex** plywood
 triplo: *in ~* in triplicate
 trippelen trip, patter
 trippen trip (out): *hij tript op hardrockmuz* he gets off on hard rock (music)
de **trits**: *een hele ~* a battery (of); [Am] a bur (of)
 triviaal trivial
 troebel turbid, cloudy: *in ~ water vissen* f in troubled waters
de **troef** trumps, trump (card): *welke kleur is* what suit is trumps?; *zijn laatste ~ uitspeler* play one's trump card
de **troep** **1** troop; pack [wolven] **2** [rommel] mess: *gooi de hele ~ maar weg* just get rid the whole lot; *~ maken* make a mess **3** [m troop: [fig] *voor de ~en uit lopen* jump the gun, chafe at the bit **4** [gezelschap] comp
de **troepenmacht** (military) force
het **troeteldier** cuddly toy, soft toy
het **troetelkind** darling, pet; spoiled child
de **troetelnaam** pet name
 troeven [kaartsp] trump, play trumps
de **trofee** trophy
de **troffel** trowel
de **trog** trough
 Trojaans Trojan
 Troje Troy
de **trojka** troika, triumvirate
de **trol** troll
de **trolleybus** trolleybus
de **trom** drum
de **trombone** trombone
de **trombonist** trombonist
de **trombose** thrombosis
de **trommel** **1** drum: *de ~ slaan* beat the d **2** [blikken doos] box
 trommelen drum: *op de tafel ~* drum (o the table ‖ *een groep mensen bij elkaar ~* d up a group of people

de **trommelrem** drum brake

het **trommelvlies** eardrum, tympanum

de **trompet** trumpet

trompetten trumpet

de **trompettist** trumpet player

de **tronie** mug

de **troon** throne: *de ~ beklimmen (bestijgen)* come to (*of:* ascend) the throne; *afstand doen van de ~* abdicate (*of:* renounce) the throne; *iem. van de ~ stoten* dethrone s.o.

de **troonopvolger** heir (to the throne)

de **troonrede** Queen's speech, King's speech

de **troonsafstand** abdication (of the throne)

de **troonsbestijging** accession (to the throne)

de **troost** comfort, consolation: *een bakje ~* **a)** [Ned] a cup of coffee; **b)** [in Engeland] a cuppa; *een schrale ~* cold (*of:* scant) comfort/ consolation; *~ putten uit de gedachte* find comfort in the idea

troosteloos disconsolate [vnl. van mensen]; cheerless: *een ~ landschap* a dreary (*of:* desolate) landscape/scene

troosten comfort, console: *zij was niet te ~* she was beyond (all) consolation

de **troostprijs** consolation prize

de **tropen** tropics

het **tropenrooster** work schedule suited to a tropical climate

tropisch tropical: *het is hier ~ (warm)* it is sweltering here

de **tros 1** cluster; bunch [druiven, bananen] **2** [touw, kabel] hawser: *de ~sen losgooien* cast off, unmoor

de **trostomaat** vine tomato

de **¹trots** (zn) pride, glory: *ze is de ~ van haar ouders* she is her parents' pride and joy; *met gepaste ~* with justifiable pride

²trots (bn, bw) proud

trotseren 1 defy [weer enz.]; brave: *de blik(ken) ~ (van)* outface, outstare **2** [bestand zijn tegen] stand up (to)

het **trottoir** pavement; [Am] sidewalk

de **troubadour** troubadour

de **¹trouw** (zn) fidelity, loyalty, faith(fulness); allegiance [aan land, partij]: *te goeder ~ zijn* be bona fide, be in good faith; *te kwader ~* mala fide, in bad faith

²trouw (bn, bw) faithful: *~e onderdanen* loyal subjects; *elkaar ~ blijven* be (*of:* remain) faithful/true to each other

het **trouwboekje** ± marriage certificate

de **trouwdag** wedding day

trouweloos perfidious, disloyal

¹trouwen (onov ww) get married: *ik ben er niet mee getrouwd* I'm not wedded (*of:* tied) to it; *ze trouwde met een arts* she married a doctor; *voor de wet ~* get married in a registry office

²trouwen (ov ww) marry

trouwens 1 mind you: *ik vind haar ~ wel heel aardig* mind you, I do think she's very nice; *hij komt niet; ik ~ ook niet* he isn't coming; neither am I for that matter **2** [tussen haakjes] by the way: *~, was Jan er ook?* by the way, was Jan there as well?

de **trouwerij** wedding

de **trouwjurk** wedding dress

de **trouwpartij 1** wedding (party) **2** [plechtigheid] wedding ceremony, marriage ceremony

de **trouwplannen**: *~ hebben* be going (*of:* planning) to get married

de **trouwring** wedding ring

de **truc** trick: *een ~ met kaarten* a card trick; [inf] *dat is de ~* that's the secret

de **trucage** trickery

de **truck** articulated lorry; [Am] trailer truck; [open] truck

de **trucker** [inf] lorry-driver; [Am] trucker

de **truffel** truffle

de **trui 1** jumper; [dik] sweater **2** [shirt] jersey, shirt: *de gele ~* the yellow jersey

de **trukendoos** box of tricks

de **trust** trust, cartel

de **trut** cow: *stomme ~!* silly cow!

truttig frumpy

de **try-out** public rehearsal; [Am] tryout

de **tsaar** tsar, czar

het **T-shirt** T-shirt, tee shirt

Tsjaad Chad

de **Tsjadiër** Chadian

Tsjadisch Chadian

de **Tsjech** Czech

Tsjechië Czech Republic

het **¹Tsjechisch** Czech

²Tsjechisch (bn) Czech

Tsjecho-Slowakije [gesch] Czechoslovakia

de **Tsjetsjeen** Chechen

het **¹Tsjetsjeens** Chechen

²Tsjetsjeens (bn) Chechen

Tsjetsjenië Chech(e)nia

het **tso** [Belg; ond] secondary technical education

de **tsunami** tsunami

de **tuba** tuba

de **tube** tube

de **tuberculose** tuberculosis

de **tucht** discipline: *de ~ handhaven* maintain (*of:* keep) discipline

het **tuchtcollege** disciplinary tribunal

het **tuchtrecht** disciplinary rules

de **tuchtschool** youth custody centre

tuffen [geluid] chug; [rijden] drive

de **tuibrug** rope bridge, cable bridge

het **tuig 1** [m.b.t. trekdieren] harness **2** [slecht volk] riff-raff: *langharig werkschuw ~* longhaired workshy layabouts **3** [om te vissen] tackle

tuigen harness [trekpaard]; tackle (up) [rijpaard]; bridle [alleen hoofdstel] het **tuigje** safety harness

de **tuimelaar** [speelgoed] tumbler, wobbly clown, wobbly man

tuimelen tumble, topple

de **tuimeling** tumble, fall

het **tuimelraam** pivot(al) window

de **tuin** garden || *iem. om de ~ leiden* lead s.o. up the garden path

de **tuinbank** garden bench

de **tuinboon** broad bean

de **tuinbouw** horticulture, market gardening

het **tuinbouwbedrijf** market garden

de **tuinbouwschool** horticultural school (*of:* college)

de **tuinbroek** dungarees, overalls

het **tuincentrum** garden centre

de **tuinder** market gardener

tuinen [inf]: *erin ~* fall for it

het **tuinfeest** garden party

het **tuingereedschap** garden(ing) tools

het **tuinhuisje** garden house

de **tuinier** gardener

tuinieren garden

de **tuinkabouter** garden gnome

de **tuinkers** (garden) cress

de **tuinman** gardener

de **tuinslang** (garden) hose

de **tuinstoel** garden chair

de **tuit 1** spout **2** [spits toelopend einde] nozzle

¹**tuiten** (onov ww) [suizen] tingle, ring: *mijn oren ~* my ears are ringing

²**tuiten** (ov ww) purse: *de lippen ~* purse one's lips

tuk keen (on): *daar ben ik ~ op* I'm keen on (*of:* mad about) that || *ik had je lekker ~ gisteren, hè?* I really had you fooled yesterday, didn't I?; *iem. ~ hebben* pull s.o.'s leg

het **tukje** nap: *een ~ doen* take a nap

tukken nap, doze

de **tulband** turban

de **tulp** tulip

de **tulpenbol** tulip bulb

de **tulpvakantie** half-term holiday, spring holiday

de **tumor** tumour: *kwaadaardige* (*of: goedaardige*) *~* malignant (*of:* benign) tumour

het **tumult** tumult, uproar

tumultueus tumultuous

de **tune** tune

de **tuner** tuner

Tunesië Tunisia

de **Tunesiër** Tunisian

Tunesisch Tunisian

de **tunnel** tunnel

de **tunnelvisie** tunnel vision

de **turbine** turbine

de **turbo 1** [krachtversterker] turbo((super)-charger) **2** [auto] turbo(-car) || *turbostofzuiger* high-powered vacuum cleaner

turbulent turbulent; [verloop] tempestu-

ous

de **turbulentie** turbulence

tureluurs mad, whacky, crazy: *het is om ~ (van) te worden* it's enough to drive anybo mad (*of:* up the wall)

turen peer, gaze, stare: *in de verte ~* gaze into the distance

de **turf 1** [brandstof] peat **2** [vijf streepjes al rekenhulp] tally **3** [dik boek] tome

het/de **turfmolm** peat dust

Turijn Turin

de **Turk** Turk

Turkije Turkey

de **Turkmeen** Turkmen

Turkmeens Turkoman, Turkman

Turkmenistan Turkmenistan

de ¹**turkoois** (zn) [edelsteen] turquoise

het ²**turkoois** (zn) [mineraal] turquoise

Turks Turkish: *~ bad* Turkish bath

turnen practise gymnastics, perform gym nastics

de **turner** gymnast

turquoise turquoise

turven tally

tussen 1 between: *~ de middag* at lunch time; *dat blijft ~ ons (tweeën)* that's betwee you and me **2** [te midden van] among: *he huis stond ~ de bomen in* the house stood among(st) the trees; *~ vier muren* within f walls || *iem. er (mooi) ~ nemen* have s.o. on take s.o. in; *als er niets ~ komt, dan … unle* sth. unforeseen should occur

tussenbeide between, in: *~ komen* inte rupt, butt in [met woorden]; step in, inter vene [handelend]; intercede [bemiddelen

de **tussendeur** communicating door, divid door

tussendoor 1 through; [twee dingen] b tween them **2** [tussentijds] between time *proberen ~ wat te slapen* try to snatch som sleep

het **tussendoortje** snack

de **tussenhandel** distributive trade(s)

de **tussenhandelaar** middleman

tussenin in between, between the two the middle

de **tussenkomst 1** intervention **2** [bemidde ling] mediation

de **tussenlanding** stop(over)

tussenliggend intervening [tijd, gebie

de **tussenmuur** [tussen vertrekken] partit [tussen huizen] dividing wall

de **tussenpaus** [fig] transitory figure

de **tussenpersoon** go-between, intermed ary: *als ~ fungeren* act as an intermediary

de **tussenpoos**: *met korte tussenpozen* at s intervals; *met tussenpozen* every so often

de **tussenruimte** space: *met gelijke ~ pla sen* space evenly

de **tussenstand** ± score (so far); [ruststand half-time score de **tussenstop** stop(over)

de **tussentijd** interim: *in de ~* in the meantime, meanwhile

tussentijds interim: *~e verkiezingen* by-elections

tussenuit out (from between two things) || *er ~ knijpen* do a bunk, cut and run

het **tussenuur 1** free hour **2** [vrij lesuur] free period

tussenvoegen insert

de **tussenwand** partition

de **tussenweg** middle course

de **tussenwoning** terraced house, town house

de **tut** frump

tutoyeren be on first-name terms

de **tutu** tutu

de **tv** TV, television: *tv kijken* watch TV; *wat komt er vanavond op (de) tv?* what's on (TV) tonight?

de **tv-serie** TV series

t.w. afk van *te weten* namely; [form] viz

twaalf twelve; [data] twelfth: *~ dozijn* gross; *om ~ uur 's nachts* at midnight; *om ~ uur 's middags* at (twelve) noon || *de grote wijzer staat al bijna op de ~* the big hand is nearly on the twelve

twaalfde twelfth

het **twaalftal** dozen, twelve

het **twaalfuurtje** midday snack, lunch

twee two; [in data] second: *~ keer per week* twice a week; *een stuk of ~* a couple of; *~ weken* a fortnight, two weeks; *in ~ delen* divide in two; *halve* [etenswaren, geld]; *zij waren met hun ~ën* there were two of them || *hij eet en drinkt voor ~* he eats and drinks (enough) for two; *~ aan ~* in twos

de **tweebaansweg 1** two-lane road **2** [met gescheiden rijbanen] dual carriageway; [Am] divided highway

het **tweed** tweed

tweedaags two-day

de **¹tweede** (zn) half: *anderhalf is gelijk aan drie ~n* one and a half is the same as three halves

²tweede (rangtelw) second: *de ~ Kamer* the Lower House (of: Chamber); *~ keus* second rate, seconds; *als ~ eindigen* **a)** finish second; **b)** be runner-up [in wedstrijd]; **c)** [fig] come off second best; *ten ~* in the second place

tweedegraads second-degree: *tweedegraadsbevoegdheid* lower secondary school teaching qualification; *tweedegraadsverbranding* second-degree burn

tweedehands second-hand

tweedejaars second-year

het **Tweede Kamerlid** member of the Lower House

het **tweedekansonderwijs** secondary education for adults

tweedelig two-piece: *een ~ badpak* a two-piece (bathing-suit)

de **tweedelijnszorg** secondary health care

de **tweedeling** split: *sociale ~* social divide

tweederangs second-class

de **tweedracht** discord

tweeduizend two thousand

twee-eiig fraternal

het **tweegevecht** man-to-man fight, duel

tweehandig ambidext(e)rous

tweehonderd two hundred

tweehoog on the second floor; [Am] on the third floor

tweejarig 1 two-year(-old) **2** [twee jaar durend; om de twee jaar] biennial

de **tweekamerwoning** two-room flat

de **tweekamp** [reeks wedstrijden] twosome

de **tweekwartsmaat** two-four time

tweeledig double, twofold

de **tweeling 1** twins: *eeneiige* (of: *twee-eiige*) *~en* identical (of: fraternal) twins **2** [één kind van een tweeling] twin

de **tweelingbroer** twin brother

de **Tweelingen** [astrol] Gemini, Twins

de **tweelingzus** twin sister

tweemaal twice: *zich wel ~ bedenken* think twice

tweemaandelijks 1 bimonthly: *een ~ tijdschrift* a bimonthly **2** [twee maanden durend] two-month

tweemotorig twin-engined

de **twee-onder-een-kapwoning** semi-detached house; [Am] (one side of a) duplex

het **tweepersoonsbed** double bed

de **tweepersoonskamer** double(-bedded) room [met één tweepersoonsbed]; twin-bedded room [met twee bedden]

tweeslachtig bisexual

de **tweespalt** discord

de **tweesprong** fork, crossroads

tweestemmig in two voices; [muziekstuk] two part

de **tweestrijd** internal conflict: *in ~ staan* be torn between (two things)

de **tweet** [comm] tweet

het **tweetal** pair, couple

tweetalig bilingual

tweetallig binary

tweeten [comm] tweet

tweetjes: *wij ~* we two; *zij waren met hun ~* there were two of them

de **tweeverdiener** two-earner; [mv] two-earner family, double-income family

het **tweevoud 1** double, duplicate: *in ~* in duplicate **2** [door twee deelbaar getal] binary, double (of a number)

tweevoudig double, twofold

de **tweewieler** two-wheeler

tweezijdig two-sided

de **tweezitsbank** two-person settee, two-seater settee

de **twijfel** doubt: *het voordeel van de ~* the benefit of the doubt; *boven (alle) ~ verheven* *zijn* be beyond all doubt; *iets in ~ trekken* cast doubt on sth., question sth.; *zonder ~* no doubt, doubtless, undoubtedly

de **twijfelaar** doubter; sceptic

twijfelachtig 1 doubtful **2** [dubieus] dubious: *de ~e eer hebben om ...* have the dubious honour of (doing sth.)

twijfelen doubt: *daar valt niet aan te ~* that is beyond (all) doubt

het **twijfelgeval** dubious case, doubtful case

de **twijg** twig

twinkelen twinkle

de **twinkeling** twinkling

twintig twenty; [data] twentieth: *de jaren ~* the Twenties, the 1920s; *zij was in de ~* she was in her twenties; *er waren er in de ~* there were twenty odd

de **twintiger** person in his (*of:* her) twenties

twintigste twentieth: *een shilling was een ~ pond* a shilling was a twentieth of a pound

de **twist** quarrel: *een ~ bijleggen* settle a quarrel (*of:* dispute)

de **twistappel** apple of discord

twisten 1 dispute: *daarover wordt nog getwist* that is still a moot point (*of:* in dispute); *over deze vraag valt te ~* this is a debatable (*of:* an arguable) question **2** [ruzie hebben] quarrel: *de ~de partijen* the contending parties

twitteren [comm] twitter

de **tycoon** tycoon

de **tyfoon** typhoon

de **tyfus** typhoid

het/de **type** type, character: *een onguur ~* a shady customer; *hij is mijn ~ niet* he's not my type

de **typefout** typing error, typo

de **typemachine** typewriter

typen type: *een getypte brief* a typed (*of:* typewritten) letter; *blind ~* touch-type

typeren typify, characterize: *dat typeert haar* that is typical of her

typerend typical (of)

typisch 1 typical: *dat is ~ mijn vader* that's typical of my father; *~ Amerikaans* typically American; *het ~e van de zaak* the curious part of the matter **2** [eigenaardig] peculiar

de **typist** typist

typografisch typographic(al)

t.z.t. afk van *te zijner tijd* in due time, in due course

u

u you: *als ik u was* if I were you ‖ [fig] *een machine waar je u tegen zegt* an impressive (*of:* awesome) machine

de **ufo** afk van *unidentified flying object* UFO

Uganda Uganda

de **Ugandees** Ugandan

de **ui** onion

de **uiensoep** onion soup

de **uier** udder

de **uil** owl

de **uilenbal 1** (owl's) pellet **2** [sufferd] dimwit, nincompoop

het **uilskuiken** [fig] ninny, nitwit

¹**uit** (bn) **1** [elders, niet thuis] out, away: *de bal is ~* the ball is out; *die vlek gaat er niet ~* that stain won't come out **2** [afgelopen] over: *de school gaat ~* school is over; *school is out* [einde van het schooljaar]; *het is ~ tussen hen* it is finished between them; *het is ~ met de pret* the game (*of:* party) is over now **3** [niet brandend] (gone) out: *de lamp is ~* the light is out (*of:* off) **4** [bedacht op, zoekend naar] out, after: *op iets ~ zijn* be out for (*of:* after) sth. ‖ *dit boek is pas ~* this book has just been published

²**uit** (bw) out: *hij liep de kamer ~* he walked out of the room; *Ajax speelt volgende week ~* Ajax are playing away next week ‖ *moet je ook die kant ~?* are you going that way, too?; *voor zich ~ zitten kijken* sit staring into space; *ik zou er graag eens ~ willen* I would like to get away sometime; *de aankoop heb je er na een jaar ~* the purchase will save its cost in a year

³**uit** (vz) **1** out (of), from: *~ het raam kijken* look out of the window; *een speler ~ het veld sturen* order a player off (the field) **2** [verwijderd van] off: *2 km ~ de kust* 2 kilometres off the coast **3** [afkomstig van, door middel van] (out) of: *iets ~ ervaring kennen* know sth. from experience; *~ zichzelf* of itself [ding]; of one's own accord [persoon] **4** [vanwege] out of, from: *~ bewondering* out of (*of:* in) admiration; *zij trouwden ~ liefde* they married for love

uitademen breathe out, exhale

uitbaggeren dredge

uitbalanceren balance

uitbannen banish; [uit school e.d.] ban

uitbarsten 1 burst out: *in lachen ~* burst out laughing; *in tranen ~* burst into tears **2** [m.b.t. vulkaan] erupt

de **uitbarsting 1** outburst; eruption [vulkaan] **2** [het uitbarsten] bursting out: *tot een ~ ko-*

men come to a head

uitbaten [Belg] run

de **uitbater** manager

uitbeelden portray, represent: *een verhaal ~* act out a story

de **uitbeelding** portrayal, representation

uitbesteden 1 board out: *de kinderen een week ~* board the children out for a week **2** [aan anderen overdoen] farm out, contract (out)

uitbetalen pay (out); [cheque ook] cash

de **uitbetaling** payment

uitbijten 1 bite (out) **2** [van een bijtende stof] eat away: *dat zuur bijt uit* that acid is corrosive

¹**uitblazen** (onov ww) [op adem komen] take a breather, catch one's breath

²**uitblazen** (ov ww) **1** blow (out); [uitademen] breathe out: *de laatste adem ~* breathe one's last **2** [doven] blow out

uitblijven 1 stay away; [van huis] stay out **2** [niet gebeuren] fail to occur (*of:* appear, materialize): *de gevolgen bleven niet uit* the consequences (soon) became apparent

uitblinken excel: *~ in* excel in

de **uitblinker** brilliant person (*of:* student): *in sport was hij geen ~* he did not shine in sports

uitbloeien leave off flowering: *de rozen zijn uitgebloeid* the roses have finished flowering

de **uitbouw** extension, addition

uitbouwen 1 build out; [huis ook] add on to **2** [verder ontwikkelen] develop, expand

de **uitbraak** break, jailbreak

uitbraken vomit

¹**uitbranden** (onov ww) **1** burn up **2** [door vuur verwoest worden] be burnt down (*of:* out)

²**uitbranden** (ov ww) [door vuur verwoesten] burn down, burn out

de **uitbrander** dressing down, telling-off

¹**uitbreiden** (ov ww) extend, expand: *zijn kennis ~* extend one's knowledge

zich ²**uitbreiden** (wdk ww) [groeien] extend, expand; spread [ziekte, gewoonte, brand enz.]

de **uitbreiding 1** extension, expansion **2** [gedeelte waarmee uitgebreid is] extension, addition; [stadswijk] development

uitbreken break out: *er is brand* (*of:* *een epidemie*) *uitgebroken* a fire (*of:* an epidemic) has broken out; *een muur ~* knock down (a part of) a wall

uitbrengen 1 bring out, say: *een toost ~* propose a toast to s.o.; *hij kon geen woord ~* he couldn't bring out (*of:* utter) a word, the words stuck in his throat **2** [kenbaar maken] make, give: *verslag ~ van een vergadering* give an account of a meeting **3** [op de markt brengen] bring out; [plaat, film ook] release; [publiceren] publish: *een nieuw merk auto ~* put a new make of car on the market

uitbroeden hatch (out): *eieren ~* hatch (out) eggs; *hij zit een idee uit te broeden* he is brooding over an idea
uitbuiten exploit, use: *een gelegenheid ~* make the most of an opportunity
de **uitbuiter** exploiter
de **uitbuiting** exploitation
uitbundig exuberant
uitchecken check out
uitdagen challenge: *tot een duel ~* challenge s.o. to a duel
uitdagend defiant: *~ gekleed gaan* dress provocatively
de **uitdager** challenger
de **uitdaging** challenge, provocation
uitdelen distribute, hand out
uitdenken invent, devise, think up
uitdeuken beat out (a dent, dents)
uitdiepen 1 [dieper maken] deepen **2** [onderzoeken] explore (*of:* study) in depth
uitdijen expand, swell, grow
uitdoen 1 take off, remove: *zijn kleren ~* take off one's clothes **2** [doven] turn off, switch off
uitdokteren work out, figure out
uitdossen dress up, deck out
uitdoven extinguish; [sigaret ook] stub out
de **uitdraai** print-out
uitdraaien 1 [uitdoen] turn off, switch off; [licht ook] turn out, put out **2** [comp] print out
uitdragen propagate, spread
uitdrijven drive out, expel; [kwade geest ook] exorcize
uitdrogen dry out; dry up [rivier, vijver]
uitdrukkelijk express, distinct: *iets ~ verbieden* expressly forbid sth.
uitdrukken 1 express, put: *zijn gedachten ~* express (*of:* convey, voice) one's thoughts; *om het eenvoudig uit te drukken* in plain terms, to put it plainly (*of:* simply) **2** [doven] stub out, put out ‖ *de waarde van iets in geld ~* express the value of sth. in terms of money
de **uitdrukking 1** expression, idiom; [benaming] term: *een vaste ~* a fixed expression **2** [m.b.t. het gezicht] expression, look: *een verwilderde ~ in zijn ogen* a wild (*of:* haggard) look in his eyes ‖ *~ geven aan* express, voice
uitdunnen thin (out), deplete: *het deelnemersveld is flink uitgedund* the number of participants has thinned out
uiteendrijven scatter, disperse
uiteenlopen vary, differ, diverge: *de meningen liepen zeer uiteen* opinions were sharply (*of:* much) divided; *sterk ~* vary (*of:* differ) widely
uiteenlopend various, varied
uiteenvallen fall apart, collapse; [gezin] break up
uiteenzetten explain, set out

de **uiteenzetting** explanation, account: *een houden over een kwestie* give an account of sth.
het **uiteinde 1** extremity, tip, (far) end **2** [afloop] end, close; [jaareinde] end of the year *iem. een zalig ~ wensen* wish s.o. a happy New Year
¹uiteindelijk (bn, bw) final, ultimate, last: *de ~e beslissing* the final decision
²uiteindelijk (bw) [ten slotte] finally, eventually, in the end: *~ belandde ik in Rome* eventually I ended (*of:* landed) up in Rome
uiten utter, express, speak
uit-en-ter-na 1 [telkens] endlessly **2** [grondig] down to the finest detail, thoroughly
uitentreuren over and over again, continually
uiteraard of course; [van nature] natural
het **¹uiterlijk** (zn) **1** appearance, looks: *hij heeft zijn ~ niet mee* his looks are against him; *mensen op hun ~ beoordelen* judge people by their looks **2** [schijn] (outward) appearance, show: *dat is alleen maar voor het ~* that's just for appearance's sake (*of:* for show)
²uiterlijk (bn) outward, external: *op de ~e schijn afgaan* judge by appearances
³uiterlijk (bw) **1** [naar buiten toe] outwardly, from the outside, externally: *~ scheen hij kalm* outwardly he seemed calm enough **2** [op zijn laatst] at the (very) latest, not later than: *~ (op) 1 november* not later than November 1; *tot ~ 10 juli* until July 10 at the latest
uitermate extremely
¹uiterst (bn) **1** far(thest), extreme, utmost: *het ~e puntje* the (extreme) tip, the far end; *rechts* (the) far right **2** [hoogst] greatest, utmost: *zijn ~e best doen om te helpen* do one's level best to help, bend over backwards to help **3** [laatst] final, last: *een ~e poging* a last-ditch effort
²uiterst (bw) extremely, most
het **uiterste 1** extreme, utmost, limit: *tot ~n vervallen* go to extremes; *van het ene ~ in het andere (vervallen)* go from one extreme to the other **2** [m.b.t. een rangorde, intensiteit] most, extreme, last: *bereid zijn tot het ~ te gaan* be prepared to go to any length **3** [einde] extremity, end
de **uiterwaard** (river) foreland, water meadow
uitfluiten hiss (at), give (s.o.) the bird: *uitgefloten worden* receive catcalls; get the bird
uitfoeteren storm at; [Am] bawl out
uitgaan 1 go out, leave: *het huis (de deur) uitgaan* leave the house; *een avondje ~* have a night out; *met een meisje ~* go out with a girl, take a girl out, date a girl **2** [verlaten worden] over, be out; break up [vergadering, school] go out: *de school* (*of:* *de bioscoop*) *gaat uit* school (*of:* the film) is over **3** (+ van) [als u...

gangspunt nemen] start (from), depart (from), take for granted, assume: *men is ervan uitgegaan dat ...* it has been assumed (of: taken) for granted) that ... ‖ *die vlekken gaan er niet uit* these spots won't come out

uitgaand outgoing, outward; [schepen, verkeer ook] outbound; outward bound: *~e brieven* (of: *post*) outgoing letters (of: post)

de **uitgaansavond** (regular) night out

de **uitgaansgelegenheid** place of entertainment

het **uitgaansleven** nightlife: *een bruisend ~* a bustling nightlife

het **uitgaansverbod** curfew

de **uitgang** exit, way out

de **uitgangspositie** point of departure: *zich in een goede* (of: *slechte*) *~ bevinden om ...* be in a good (of: bad) position for sth.

het **uitgangspunt** point of departure, starting point

de **uitgave 1** outlay; [mv] spending; expenditure, costs: *de ~n voor defensie* defence expenditure **2** [druk] edition; issue [van tijdschrift] **3** [publicatie] publication, production

het **uitgavenpatroon** pattern of spending

uitgeblust washed out: *een ~e indruk maken* look washed out

uitgebreid [veelomvattend] extensive, comprehensive; detailed [onderzoek]

uitgehongerd famished, starving

uitgekiend sophisticated, cunning

uitgekookt sly, shrewd

uitgelaten elated, exuberant

het **uitgeleide** send-off, escort

uitgelezen exquisite; [wijn] superior; [gezelschap] select

uitgemaakt established, settled

uitgemergeld emaciated, gaunt

uitgeprocedeerd exhausted of all legal procedures

uitgeput 1 exhausted, worn out: *~ van pijn* exhausted with pain **2** [leeg] empty; flat [batterij] **3** [op] exhausted, at an end: *onze voorraden zijn ~* our supplies have run out (of: are exhausted)

uitgerekend precisely, of all (people, things), very: *~ jij!* you of all people!; *~ vandaag* today of all days

uitgeslapen wide awake, rested

uitgesloten out of the question, impossible

uitgesproken marked, clear(-cut): *een ~ voorkeur* a marked preference; *met de ~ bedoeling (om) te ...* with the explicit aim to ...; *~ lelijk* undeniably ugly

uitgestorven 1 deserted, desolate **2** [niet meer bestaand] extinct

uitgestrekt vast, extensive

uitgeteld exhausted, deadbeat; [sport] (counted) out: *~ op de bank liggen* lie on the

couch, dead to the world; *ze is in september ~* she is due in September

uitgeven 1 spend, pay: *geld aan boeken* (of: *als water*) *~* spend money on books (of: like water) **2** [in omloop brengen] issue, emit: *vals geld ~* pass counterfeit money **3** [in druk] publish **4** [laten doorgaan voor] pass off (as): *zich voor iem. anders ~* impersonate s.o., pose as s.o. else

de **uitgever** publisher

de **uitgeverij** publishing house (of: company), publisher('s)

uitgewerkt elaborate, detailed

uitgewoond run-down, dilapidated

¹**uitgezonderd** (vz) except for, apart from: *niemand ~* with no exceptions, bar none

²**uitgezonderd** (vw) except(ing), apart from, but, except for the fact that: *iedereen ging mee, ~ hij* everyone came (along), except for him, everybody but him came (along)

de **uitgifte** issue, distribution

uitgillen scream (out), shriek (out): *hij gilde het uit van de pijn* he screamed with pain

uitglijden 1 slip, slide **2** [glijdend vallen] slip (and fall): *~ over een bananenschil* slip on a banana peel

de **uitglijder** blunder, slip(-up)

uitgraven 1 dig up, excavate **2** [gravend dieper maken] dig out: *een sloot ~* deepen (of: dig out) a ditch

uitgroeien grow (into), develop (into)

de **uithaal** hard shot, sizzler

uithakken 1 chop (of: cut, hack) away **2** [een beeld enz.] cut out

¹**uithalen** (onov ww) [een arm, been uitstrekken] (take a) swing: *~ in de richting van de bal* take a swing (of: swipe) at the ball

²**uithalen** (ov ww) **1** take out, pull out, remove; unpick, undo [breiwerk]; extract [bijv. tand] **2** [leeghalen] empty, clear out, clean out; draw [gevogelte]: *~ take de eieren uit een vogelnest ~* take the eggs from a bird's nest **3** [uitvoeren] play, do: *een grap met iem. ~* play a joke on s.o.; *wat heb je nu weer uitgehaald!* what have you been up to now! **4** [resultaat hebben] be of use, help: *het haalt niets uit* it is no use (of: all in vain)

het **uithangbord** sign(board): *mijn arm is geen ~* I can't hold this forever

¹**uithangen** (onov ww) **1** hang out **2** [zich bevinden] be, hang out

²**uithangen** (ov ww) **1** [naar buiten hangen] hang out, put out **2** [zich voordoen als] play, act

uitheems exotic, foreign

de **uithoek** remote corner, outpost: *tot in de verste ~en van het land* to the farthest corners of the country; *in een ~ wonen* live in the back of beyond

uithollen 1 scoop out, hollow out **2** erode: *de democratie ~* undermine (of: erode) democracy

uithongeren starve (out): *de vijand ~* starve the enemy out (*of:* into submission)

uithoren interrogate, question

uithouden 1 stand, endure: *hij kon het niet langer ~* he could not take (*of:* stand) it any longer **2** [volhouden] stick (it) out: *het ergens lang ~* stay (*of:* stick it out) somewhere for a long time

het **uithoudingsvermogen** staying power, endurance: *geen ~ hebben* lack stamina

uithuilen cry to one's heart's content

uithuwelijken marry off, give in marriage

de **uiting** utterance, expression, word(s): *~ geven aan zijn gevoelens* express (*of:* vent, air) one's feelings; *tot ~ komen in* manifest (*of:* reveal) itself in

het **uitje 1** outing, (pleasure) trip, excursion **2** [zilverui] cocktail onion

uitjoelen *zie uitjouwen*

uitjouwen boo, hoot at, jeer at

uitkafferen [inf] give (s.o.) a bawling, bite (s.o.'s) head off

uitkammen comb (out), search

uitkauwen chew (up)

uitkeren pay (out), remit

de **uitkering** payment, remittance; [sociaal] benefit; allowance, pension: *recht hebben op een ~* be entitled to benefit; *een maandelijkse ~* a monthly allowance; *van een ~ leven* live on social security; be on the dole

de **uitkeringstrekker** social security recipient, benefit claimant

uitkienen [inf] figure out

uitkiezen choose, select: *je hebt het maar voor het ~* (you can) take your pick

de **uitkijk** lookout, watch: *op de ~ staan* be on the watch (*of:* lookout) (for), keep watch (for)

uitkijken 1 watch out, look out, be careful: *~ met oversteken* take care crossing the street **2** [uitzicht hebben] overlook, look out on: *dit raam kijkt uit op de zee* this window overlooks the sea **3** [voortdurend kijken] look out (for), watch (for): *naar een andere baan ~* watch (*of:* look) out for a new job **4** [verlangend wachten] look forward (to): *naar de vakantie ~* look forward to the holidays **5** [kijken tot je er genoeg van hebt] tire (of sth.): *gauw uitgekeken zijn op iets* quickly tire (*of:* get tired) of sth.

de **uitkijkpost** lookout [ook persoon]; observation post [voor de vijand]

de **uitkijktoren** watchtower

uitklapbaar folding, collapsible: *deze stoel is ~ tot een bed* this chair converts into a bed

uitklappen fold (out)

uitklaren clear (through customs)

uitkleden undress, strip (off): *zich ~* undress, strip (off)

uitkloppen beat (out), shake (out): *een*

kleed ~ beat a carpet

uitknijpen squeeze (out, dry): *een puistje* squeeze out a pimple

uitknippen cut, clip: *prentjes ~* cut out pictures

uitkomen 1 end up, arrive at: *op de hoofdweg ~* join (onto) the main road **2** [toegang geven tot] lead (to), give out (into, on to): *de deur komt uit op de straat* this door opens (out) on to the street **3** [planten] come out, sprout **4** [uit het ei] hatch (out) **5** [bekend worden] be revealed (*of:* disclosed): *het kwam uit* it was revealed, it transpired **6** (+ voor) admit: *voor zijn mening durven ~ stand* up for one's opinion; *eerlijk ~ voor* admit openly, be honest about **7** [kloppen] prove to be true (*of:* correct), come true; [berekening] come out, work out; be right: *die som komt niet uit* that sum doesn't add up; *mijn voorspelling kwam uit* my prediction proved correct (*of:* came true) **8** [sport] play; [kaartsp] lead: *met klaveren* (*of:* *troef*) *~* lead clubs (*of:* trumps) **9** [verschijnen] appear, be published: *een nieuw tijdschrift laten ~* publish a new magazine **10** [tot slot, resultaat hebben] turn out, work out: *bedrogen ~* be deceived; *dat komt (me) goed uit* that suits me fine, that's very timely (*of:* convenient) **11** [waarneembaar zijn] show up, stand out, come out, be apparent: *iets goed laten ~* show sth. to advantage; *tegen de lichte achtergrond komen de kleuren goed uit* the colours show up (*of:* stand out) well against the light background

de **uitkomst** (final, net) result, outcome

uitkopen buy out

uitkotsen [inf] throw up, spew up

uitkramen: *onzin ~* talk nonsense

uitkrijgen 1 get off, get out of: *zijn laarzen niet ~* not be able to get one's boots off **2** [ten einde lezen] finish, get to the end of

de **uitlaat** exhaust (pipe); [Am] muffler [van auto]; funnel

de **uitlaatgassen** exhaust fumes

de **uitlaatklep 1** outlet valve [vloeistof]; exhaust valve, escape valve [gas] **2** [fig] outlet

de **uitlaatpijp** [auto] exhaust pipe

uitlachen laugh at, deride, scoff (at), ridicule: *iem. in zijn gezicht ~* laugh in s.o.'s face

uitladen unload; discharge [schip]

uitlaten show out (*of:* to the door), see out (*of:* to the door), let out; discharge [ook gevangene]: *een bezoeker ~* show a visitor out (*of:* to the door); *de hond ~* take the dog out (for a walk)

de **uitlating** utterance, statement, comment

de **uitleg** explanation, account: *haar ~ van wat er gebeurd was* her account of what had happened

uitleggen explain, interpret: *dromen ~* interpret dreams; *verkeerd ~* misinterpret, misconstrue

uitlekken 1 drain; drip dry [wasgoed]: *groente laten ~* drain vegetables **2** [bekend worden] get out, leak out: *het plan is uitgelekt* the plan has got (*of:* leaked) out

uitlenen lend (out), loan

zich **uitleven** live it up, let o.s. go

uitleveren extradite [naar ander land]; hand over: *iem. aan de politie ~* hand s.o. over (*of:* turn s.o. in) to the police

de **uitlevering** extradition

uitlezen 1 read to the end, read through, finish (reading) **2** [comp] read out

uitlijnen 1 [m.b.t. auto's] align **2** [techn] align, line up

uitloggen [comp] log off, log out

uitlokken provoke, elicit, stimulate: *een discussie ~* provoke a discussion; *hij lokt het zelf uit* he is asking for it (*of:* trouble)

de **uitloop** extension: *een ~ tot vier jaar* an extension to four years

uitlopen 1 run out (of), walk out (of), leave: *de straat ~* walk down the street **2** [planten, knoppen] sprout, shoot, come out **3** [leiden tot] result in, end in: *dat loopt op niets* (*of: een mislukking*) *uit* that will come to nothing (*of:* end in failure); *die ruzie liep uit op een gevecht* the quarrel ended in a fight **4** [een voorsprong nemen] draw ahead (of): *hij is al 20 seconden uitgelopen* he's already in the lead by 20 seconds **5** [meer tijd in beslag nemen] overrun its (*of:* one's) time: *de receptie liep uit* the reception went on longer than expected **6** [uitvloeien] run: *uitgelopen oogschaduw* smeared (*of:* smudged) eyeshadow; *de verf is uitgelopen* the paint has run

de **uitloper** [van plant] runner, stolon; [van bergketen] foothill; [meteo] tail end

uitloten 1 eliminate by lottery **2** [door loting trekken] draw, select

uitloven offer, put up: *een beloning ~* offer (*of:* put up) a reward

uitmaken 1 break off [relatie]; [beëindigen ook] finish; terminate: *het ~* [m.b.t. paar] break (*of:* split) up **2** [vormen] constitute, make up: *deel ~ van* be (a) part of; *een belangrijk deel van de kosten ~* form (*of:* represent) a large part of the cost **3** [van belang zijn] matter, be of importance: *het maakt mij niet(s) uit* it is all the same to me, I don't care; *wat maakt dat uit?* what does that matter?; *weinig ~* make little difference **4** [beslissen] determine, establish; [ontcijferen] make out: *dat maakt hij toch niet uit* that's not for him to decide; *dat maak ik zelf nog wel uit* I'll be the judge of that **5** (+ voor) [noemen] call, brand: *iem. voor dief ~* call s.o. a thief

uitmelken bleed dry (*of:* white), strip bare: *een onderwerp ~* flog a subject to death

uitmesten 1 clean out, muck out: *een stal ~* muck out a stable **2** [ontdoen van rommel]

clean up, tidy up: *een kast ~* tidy up (*of:* clear out) a cupboard

uitmeten 1 measure (out) **2** [fig] make much of, enlarge

uitmonden 1 flow (out), discharge, run into **2** [uitlopen op] lead to, end in: *het gesprek mondde uit in een enorme ruzie* the conversation ended in a fierce quarrel

uitmoorden massacre, butcher

uitmunten stand out, excel

uitmuntend excellent, first-rate

uitnodigen invite, ask: *iem. op een feestje ~* invite (*of:* ask) s.o. to a party

de **uitnodiging** invitation: *een ~ voor de lunch* an invitation to lunch

uitoefenen 1 practise, pursue, be engaged in **2** [laten gelden] exert; exercise [gezag]; wield [macht]: *kritiek ~ op* criticize, censure

de **uitoefening** exercise; [macht ook] exertion; practice [beroep, kunst]: *in de ~ van zijn ambt* in the performance (*of:* discharge, exercise) of his duties

uitpakken unwrap, unpack

uitpersen squeeze [citroen]; crush [druiven, olijven]

uitpluizen unravel [geheimen]; sift (out, through) [feiten]: *iets helemaal ~* get to the bottom of sth.

¹**uitpraten** (onov ww) finish (talking), have one's say: *iem. laten ~* let s.o. finish, hear s.o. out

²**uitpraten** (ov ww) [tot een oplossing brengen] talk out (*of:* over), have out: *we moeten het ~* we'll have to talk this out (*of:* over)

uitprinten print (out)

uitproberen try (out), test

uitpuilen bulge (out), protrude: *~de ogen* bulging (*of:* protruding) eyes

uitputten 1 exhaust, finish (up): *de voorraad raakt uitgeput* the supply is running out **2** [afmatten] exhaust, wear out

de **uitputting** exhaustion, fatigue: *de ~ van de olievoorraden* the exhaustion of oil supplies

uitrangeren sidetrack, shunt

uitrazen let (*of:* blow) off steam; blow out [storm]: *de kinderen laten ~* let the children have their fling

uitreiken distribute, give out; present [prijs, medaille enz.]: *diploma's ~* present diplomas; *iem. een onderscheiding ~* confer a distinction on s.o.

de **uitreiking** distribution; presentation [prijs, medaille enz.]

het **uitreisvisum** exit visa

uitrekenen calculate, compute ‖ *zij is begin maart uitgerekend* the baby is due at the beginning of March

¹**uitrekken** (onov ww) [langer worden] stretch: *de trui is in de was uitgerekt* the sweater has stretched in the wash

²**uitrekken** (ov ww) stretch (out); elongate

[langer]: *een elastiek* ~ stretch out a rubber band; *zich* ~ stretch o.s. (out)
uitrichten do, accomplish: *dat zal niet veel* ~ that won't help much
uitrijden drive to the end (of) [auto, bus enz.]; ride to the end (of) [fiets, paard] || *mest* ~ spread manure (of: fertilizer)

de **uitrit** exit: ~ *vrijhouden s.v.p.* please keep (the) exit clear
uitroeien [verdelgen] exterminate, wipe out

de **uitroeiing** extermination

de **uitroep** exclamation, cry
uitroepen 1 exclaim, shout, cry (out), call (out) **2** [afkondigen] call, declare: *een staking* ~ call a strike; *hij werd tot winnaar uitgeroepen* he was declared (of: voted) the winner

het **uitroepteken** exclamation mark
uitroken smoke out: *vossen* ~ smoke out foxes
uitrollen unroll: *de tuinslang* ~ unreel the garden hose

¹**uitrukken** (onov ww) turn out: *de brandweer rukte uit* the fire brigade turned out

²**uitrukken** (ov ww) tear out, pull out: *planten* ~ root up (of: uproot) plants

¹**uitrusten** (onov ww) rest

²**uitrusten** (ov ww) [voorzien van] equip, fit out: [techn] *uitgerust met 16 kleppen* fitted with 16 valves

de **uitrusting** equipment, kit, outfit, gear: *zijn intellectuele* ~ his intellectual baggage; *ze waren voorzien van de modernste* ~ they were fitted out with the latest equipment
uitschakelen 1 switch off: *de motor* ~ cut (of: stop) the engine **2** [fig] eliminate; [sport ook] knock out: *door ziekte uitgeschakeld zijn* be out of circulation through ill health
uitscheiden [inf] (+ met) [ophouden] stop (-ing), cease (to, -ing): *ik schei uit met werken als ik zestig word* I'll stop working when I turn sixty; *schei uit!* cut it out!; knock it off!
uitschelden abuse, call names: *iem.* ~ *voor dief* call s.o. a thief

¹**uitscheuren** (onov ww) [scheurend kapotgaan] tear: *het knoopsgat is uitgescheurd* the buttonhole is torn

²**uitscheuren** (ov ww) tear out
uitschieten shoot out, dart out: *het mes schoot uit* the knife slipped

de **uitschieter** peak, highlight
uitschijnen: [Belg] *iets laten* ~ let it be understood, hint at sth.

het **uitschot 1** refuse **2** [tuig] scum, dregs
uitschreeuwen cry out: *het* ~ *van pijn* cry out (of: yell, bellow) with pain
uitschrijven 1 write out, copy out: *aantekeningen* ~ write out notes **2** [uitvaardigen] call [vergadering, verkiezing]; hold; organize [wedstrijd] **3** [invullen, ondertekenen] write

out [cheque]: *een recept* ~ write out a prescription; *rekeningen* ~ make out accounts; *iem. als lid* ~ strike s.o.'s name off the membership list
uitschudden shake (out)
uitschuifbaar extending
uitschuiven 1 slide out, pull out **2** [door uit elkaar te schuiven vergroten] extend: *e tafel* ~ extend (of: pull out) a table

¹**uitslaan** (onov ww) [bedekt worden met aanslag] grow mouldy, become mouldy; sweat [muren] || *een* ~*de brand* a blaze

²**uitslaan** (ov ww) **1** beat out, strike out: *h stof* ~ beat (of: shake) out the dust **2** [zuiveren] shake out, beat out: *een stofdoek* ~ shake out a duster **3** [uiten] utter, talk: *on* ~ talk rot

de **uitslag 1** [m.b.t. huid] rash; [vocht] damp: *daar krijg ik* ~ *van* that brings out (of: gives me) a rash **2** [resultaat] result, outcome: *d van de verkiezingen* (of: *van het examen*) t results of the elections (of: examination)
uitslapen have a good lie-in, sleep late: *goed uitgeslapen zijn* [fig] be pretty astute (shrewd); *tot 10 uur* ~ stay in bed until 10 o'clock
uitsloven slave away, work o.s. to death

de **uitslover** eager beaver, show-off
uitsluiten 1 shut out, lock out: *zij wordt v verdere deelname uitgesloten* she has been qualified **2** [onmogelijk maken] exclude, rule out: *die mogelijkheid kunnen we niet* that is a possibility we can't rule out (of: i nore); *dat is uitgesloten* that is out of the question
uitsluitend only; exclusively [alleen bijwoord]: ~ *volwassenen* adults only

de **uitsluiting 1** exclusion; [sport] disqualif cation **2** [uit-, afzondering] exception: *me van* exclusive of, to the exclusion of

het **uitsluitsel** definite answer

de **uitsmijter 1** [persoon] bouncer **2** [gere fried bacon and eggs served on slices of bread **3** [slotnummer] final number of a show
uitsnijden cut (out); carve (out) [hout]: *laag uitgesneden japon* a low-cut (of: lownecked) dress

de **uitspanning** café, pub

het **uitspansel** firmament, welkin
uitsparen 1 save (on), economize (on): *tig euro* ~ save thirty euros **2** [openlaten] leave blank (of: open): *openingen* ~ leav spaces

de **uitsparing** cutaway; [inkeping] notch

de **uitspatting** splurge; [fin] extravagance *zich overgeven aan* ~*en* indulge in excesse
uitspelen 1 finish, play out **2** [in het sp werpen] play, lead: *mensen tegen elkaar* play people off against one another
uitsplitsen itemize, break down

uitvaartcentrum

uitspoelen rinse (out), wash (out)
uitspoken be (*of:* get) up to
de **uitspraak 1** pronunciation, accent: *de ~ van het Chinees* the pronunciation of Chinese **2** [oordeel] pronouncement, judgement **3** [jur] judg(e)ment, sentence; verdict [m.b.t. jury]: *~ doen* pass judg(e)ment, pass (*of:* pronounce) sentence
uitspreiden spread (out), stretch (out)
uitspreken 1 pronounce; articulate [duidelijk uitspreken]: *hoe moet je dit woord ~?* how do you pronounce this word? **2** [uiten] say, express: *iem. laten ~* let s.o. have his say, hear s.o. out **3** [bekendmaken] declare, pronounce: *een vonnis ~* pronounce judgement
uitspringen [opvallen] stand out
uitspugen spit out
¹**uitstaan** (onov ww) stand (*of:* stick, jut) out, protrude
²**uitstaan** (ov ww) stand, endure, bear: *hitte* (*of: lawaai*) *niet kunnen ~* not be able to endure the heat (*of:* noise); *iem. niet kunnen ~* hate s.o.'s guts ‖ *ik heb nog veel geld ~* I have a lot of money out (at interest)
uitstallen display, expose (for sale); [fig] show off
het **uitstalraam** [Belg] [etalage] shop window, display window
het **uitstapje** trip, outing, excursion: *een ~ maken* take (*of:* make) a trip, go on an outing
uitstappen get off (*of:* down), step out, get out
het **uitsteeksel** projection, protuberance
het **uitstek**: *bij ~* pre-eminently
¹**uitsteken** (onov ww) **1** stick out, jut out, project, protrude **2** [reiken, komen] stand out: *de toren steekt boven de huizen uit* the tower rises (high) above the houses; *boven alle anderen ~* tower above all the others
²**uitsteken** (ov ww) **1** [naar buiten steken] hold out, put out **2** [uitstrekken] reach out, stretch out: *zijn hand naar iem. ~* extend one's hand to s.o.
uitstekend excellent, first-rate: *van ~e kwaliteit* of high quality
het **uitstel** delay, postponement, deferment: *~ van betaling* postponement (*of:* extension) of payment; *zonder ~* without delay ‖ [Belg; jur] *met ~* suspended; *van ~ komt afstel* tomorrow never comes; one of these days is none of these days
uitstellen put off, postpone, defer: *voor onbepaalde tijd ~* postpone indefinitely
uitsterven die (out); [geslacht, diersoort enz. ook] become extinct: *het dorp was uitgestorven* the village was deserted
uitstijgen surpass
uitstippelen outline, map out, trace out; work out [plan, beleid]: *een route ~* map out a route
de **uitstoot** discharge, emissions

uitstorten 1 pour out (*of:* forth), empty (out): *zijn hart ~ bij iem.* pour out (*of:* unburden, open) one's heart (to s.o.) **2** [uiten] pour out: *zijn woede ~ over iem.* vent one's rage upon s.o.
uitstoten 1 expel, cast out: *iem. ~ uit de groep* expel (*of:* banish) s.o. from the group **2** [spreken] emit, utter: *onverstaanbare klanken ~* emit (*of:* utter) unintelligible sounds **3** [naar buiten stoten] eject; emit [rook, gassen enz.]
¹**uitstralen** (onov ww) [(als) stralen uitgaan van] radiate, emanate
²**uitstralen** (ov ww) [ook fig] radiate, give off, exude: *zelfvertrouwen ~* radiate (*of:* exude, ooze) self-confidence
de **uitstraling** radiation, emission; [fig] aura: *een enorme ~ hebben* ± possess charisma, have a certain magic
¹**uitstrekken** (ov ww) **1** stretch (out), reach (out), extend: *met uitgestrekte armen* with outstretched arms **2** [doen reiken] extend
zich ²**uitstrekken** (wdk ww) extend, stretch (out): *zich ~ over* extend over
uitstrijken spread, smear
het **uitstrijkje** (cervical) smear, swab
uitstrooien scatter, spread
de **uitstroom** (out)flow
de **uitstulping** bulge
uitsturen send out; [sport] send off (the field): *iem. op iets ~* send s.o. for sth.
uittekenen draw, trace out: *ik kan die plaats wel ~* I know every detail of that place
uittesten test (out), try (out), put to the test
uittikken type out
de **uittocht** exodus, trek
de **uittrap** goal kick
uittrappen 1 kick (the ball) into play, take a goal kick **2** [uit het speelveld trappen] put out of play (*of:* into touch, over the line) **3** [uitdoen] kick off
uittreden resign (from): *vervroegd ~* [met pensioen] retire early, take early retirement
de **uittreding 1** resignation, retirement **2** [m.b.t. priesterschap] leaving
¹**uittrekken** (onov ww) [naar buiten trekken] go out, march out: *erop ~ om* set out to
²**uittrekken** (ov ww) **1** take off; [(hand)-schoenen, sokken ook] pull off: *zijn kleren ~* take off one's clothes; undress **2** [bestemmen] put aside, set aside, reserve: *een bedrag voor iets ~* put (*of:* set) aside a sum (of money) for sth.
het **uittreksel** excerpt, extract
uittypen type out
uitvaardigen issue, put out; [wet, decreet ook] make
de **uitvaart** funeral (service), burial (service)
het **uitvaartcentrum** funeral parlour, mortuary

de **uitvaartdienst** funeral service, burial service

de **uitval 1** [van woede enz.] outburst, explosion **2** [van haar] (hair) loss
uitvallen 1 burst out, explode, blow up **2** [van haar] fall (of: drop, come) out: *zijn haren vallen uit* he is losing his hair **3** [wegvallen] drop out, fall out; [verbinding] break down: *de stroom is uitgevallen* there's a power failure **4** [aflopen] turn out, work out: *we weten niet hoe de stemming zal ~* we don't know how (of: which way) the vote will go

de **uitvaller** person who drops out, casualty

de **uitvalsbasis** operating base

de **uitvalsweg** main traffic road (out of a town)
uitvaren sail, put (out) to sea, leave port
uitvechten fight out: *iets met iem. ~ fight* (of: have) sth. out with s.o.
uitvegen 1 sweep out, clean out **2** [wissen] wipe out; [wrijven] erase: *een woord op het schoolbord ~* wipe (of: rub) out a word on the blackboard
uitvergroten enlarge, magnify, blow up

de **uitvergroting** enlargement, blow-up
uitverkocht 1 sold out: *onze kousen zijn ~* we have run out of stockings **2** [vol] sold out, booked out, fully booked: *voor een ~e zaal spelen* play to a full house

de **uitverkoop** (clearance, bargain) sale
uitverkoren chosen; [form] elect
uitvinden 1 invent **2** [te weten komen] find out, discover

de **uitvinder** inventor

de **uitvinding** invention; [ding] gadget: *een ~ doen* invent sth.
uitvissen dig (of: fish, ferret) out
uitvlakken [inf] wipe out: [fig] *dat moet je niet ~* that's not to be sneezed at

het **uitvloeisel** consequence

de **uitvlucht** excuse, pretext: *~en zoeken* make excuses; [ook] dodge (of: evade) the question
uitvoegen [via uitvoegstrook] exit

de **uitvoegstrook** deceleration lane

de **uitvoer 1** export: *de in- en ~ van goederen* the import and export of goods **2** [wat uitgevoerd wordt] exports **3** [uitvoering] execution: *een opdracht ten ~ brengen* carry out an instruction (of: order)
uitvoerbaar feasible, workable, practicable

de **uitvoerder** works foreman
uitvoeren 1 export **2** [doen] do: *hij voert niets uit* he doesn't do a stroke (of work) **3** [volbrengen] perform, carry out: *plannen ~* carry out (of: execute) plans
uitvoerend executive: *~ personeel* staff carrying out the work
uitvoerig comprehensive, full; [gedetailleerd] elaborate; detailed: *iets ~ beschrijven* (of: *bespreken*) describe (of: discuss) sth. at great/some length

de **uitvoering 1** carrying out, performance: *werk in ~* road works (ahead), men at work; work in progress **2** [het spelen] performance; [muziekstuk ook] execution **3** [wijze van bewerking] design, construction; [m.b.t. kwaliteit van het werk] workmanship: *wij hebben dit model in twee ~en* we have two versions of this model

de **uitvoerrechten** export duty
uitvouwen unfold, fold out, spread out
uitvreten be up to: *wat heeft hij nou weer uitgevreten?* what has he been up to now?

de **uitvreter** sponger, parasite
uitwaaien 1 blow out, be blown out **2** [een frisse neus halen] get a breath of (fresh) air

het/de **uitwas** excrescence, morbid growth; [mv] excesses
uitwasemen 1 evaporate **2** [damp afgeven] steam; [van huid] perspire
uitwassen 1 wash (out); swab (out) [een wond] **2** [doen verdwijnen] wash out (of: away)

de **uitwedstrijd** away match (of: game)

de **uitweg** way out; [oplossing, ook] answer: *hij zag geen andere ~ meer dan onder te duik* he had no choice but to go into hiding
uitweiden expatiate (on), hold forth
uitwendig external, outward, exterior: *€ geneesmiddel voor ~ gebruik* a medicine for external use

[1]**uitwerken** (onov ww) wear off; [geen kracht meer hebben] have spent one's forc *de verdoving is uitgewerkt* (the effect of) th anaesthetic has worn off
[2]**uitwerken** (ov ww) **1** work out, elabora* *zijn aantekeningen ~* work up one's notes; *een idee ~* develop an idea; *uitgewerkte pla nen* detailed plans **2** [helemaal berekenen work out, compute: *sommen ~* work out sums

de **uitwerking 1** effect, result: *de beoogde hebben* have the desired (of: intended) effect, be effective; *de medicijnen hadden gee ~* the medicines had no effect (of: didn't work) **2** [bewerking] working out, elabor* tion **3** [berekening] working out, comput* tion

de **uitwerpselen** excrement; [van dieren o droppings
uitwijken get out of the way (of); [plaa* maken] make way (for): *rechts ~* swerve t* the right; *men liet het luchtverkeer naar Oo* *ende ~* air traffic was diverted to Ostend
uitwijzen 1 show, reveal: *de tijd zal het ~* time will tell **2** [m.b.t. vreemdelingen] de port; expel

de **uitwijzing** [m.b.t. vreemdelingen] depo tation; expulsion

uitwisselbaar interchangeable, exchangeable

uitwisselen exchange; [inf] swap: *ervaringen* ~ compare notes

de **uitwisseling** exchange, swap

uitwissen wipe out, erase; [voornamelijk fig] efface: *een opname* ~ wipe (*of:* erase) a recording; *sporen* ~ cover up one's tracks

uitwonend (living) away from home: *een ~e dochter* one daughter living away from home

de **uitworp** throw(-out)

uitwrijven 1 rub; [schoenen enz.] polish (up): *zijn ogen* ~ rub one's eyes **2** [uitspreiden] spread, rub over

uitwringen wring out

¹**uitzaaien** (ov ww) [landb] sow, disseminate

zich ²**uitzaaien** (wdk ww) [med] metastasize; [niet technisch] spread: *de kanker had zich uitgezaaid* the cancer had spread (*of:* formed secondaries)

de **uitzaaiing** [med] spread, dissemination

uitzakken sag, give way: *een uitgezakt lichaam* a sagging body

het **uitzendbureau** (temporary) employment agency, temp(ing) agency: *voor een* ~ *werken* temp, do temping

uitzenden broadcast, transmit: *de tv zendt de wedstrijd uit* the match will be televised (*of:* be broadcast)

de **uitzending** broadcast, transmission: *een rechtstreekse* ~ a direct (*of:* live) broadcast; *u bent nu in de* ~ you're on the air now

de **uitzendkracht** temporary worker (*of:* employee), temp

het **uitzendwerk** work as a temp(orary)

t/de **uitzet** outfit; [van bruid] trousseau

uitzetten 1 throw out, put out, expel; [uit land] deport: *ongewenste vreemdelingen* ~ deport (*of:* expel) undesirable aliens **2** [uitschakelen] switch off, turn off: *het gas* ~ turn the gas off **3** [m.b.t. omvang] expand, enlarge; [langer maken] extend

de **uitzetting** ejection, expulsion; [uit land ook] deportation; [uit huis] eviction

het **uitzicht 1** view, prospect, panorama: *vrij* ~ unobstructed view; *met* ~ *op* with a view of, overlooking, looking (out) onto **2** [vooruitzicht] prospect, outlook: ~ *geven op promotie* hold out prospects (*of:* the prospect) of promotion

uitzichtloos hopeless, dead-end

uitzieken fully recover

uitzien [tot uitzicht hebben] face, front, look out on: *een kamer die op zee uitziet* a room with a view of the sea, a room facing the sea

uitzingen hold out, manage

uitzinnig delirious, wild: *een ~e menigte* a frenzied (*of:* hysterical) crowd

uitzitten sit out, stay until the end of: *zijn tijd* ~ sit out (*of:* wait out) one's time

uitzoeken 1 select, choose, pick out **2** [sorteren] sort (out) **3** [uitpuzzelen] sort out, figure out

uitzonderen except, exclude

de **uitzondering** exception: *een* ~ *maken voor* make an exception for; *een* ~ *op de regel* an exception to the rule; *met* ~ *van* with the exception of, excepting, save

uitzonderlijk exceptional, unique

uitzuigen 1 [uitbuiten] squeeze dry, bleed dry, exploit **2** [met stofzuiger] vacuum (out)

de **uitzuiger** bloodsucker, extortionist

uitzwaaien send off, wave goodbye to

uitzwermen swarm out, swarm off

uitzweten sweat out

de **uk** toddler, kiddy

ultiem ultimate, last-minute

het **ultimatum** ultimatum: *een* ~ *stellen* give (s.o.) an ultimatum

ultralinks extreme left

ultramodern ultramodern

ultrarechts extreme right

ultraviolet ultraviolet

de **umlaut** umlaut (mark)

unaniem unanimous: ~ *aangenomen* adopted unanimously

undercover undercover

de **underdog** underdog

het **understatement** understatement

de ¹**uni** [inf] [universiteit] uni

²**uni** (bn) [effen] unicolour(ed)

het **unicum**: *dit is een* ~ this is unique, this is a unique event

de **unie** union, association: *Europese Unie* European Union

de **unief** [Belg] [verkorting van universiteit] university

uniek unique

het **uniform** uniform: *een* ~ *dragen* wear a uniform

uniformeren make uniform

uniseks unisex

de **unit** unit

universeel universal: *de universele rechten van de mens* the universal rights of man

universitair university: *iem. met een ~e opleiding* s.o. with a university education

de **universiteit** university: *hoogleraar aan de* ~ *van Oxford* professor at Oxford University; *naar de* ~ *gaan* go to the university; [Am ook] go to college

het **universum** universe

unzippen [comp] unzip, decompress, unpack

de **update** update

updaten update

de **upgrade** upgrade

upgraden upgrade

uploaden upload

het **uppie** [inf]: *in z'n* ~ on (*of:* by) one's lone-

some
up-to-date up-to-date

het **uranium** uranium: *verrijkt* ~ enriched uranium

het/de **urban** urban music

urenlang interminable, endless: *er werd ~ vergaderd* the meeting went on for hours

urgent urgent

de **urgentie** urgency

de **urgentieverklaring** certificate of urgency (*of:* need)

de **urine** urine

urineren urinate

het **urinoir** urinal

de **URL** afk van *uniform resource locator* URL

de **urn** urn

de **urologie** urology

de **uroloog** urologist

Uruguay Uruguay

de **Uruguayaan** Uruguayan

Uruguayaans Uruguayan

de **USA** afk van *United States of America* USA

de **usance** custom, common practice

de **USB-stick** USB flash drive, USB stick

de **user** [comp] user

de **utiliteitsbouw** commercial and industrial building

de **utopie** utopia, utopian dream

utopisch utopian

het **uur 1** hour: *lange uren maken* put in (*of:* work) long hours; *verloren ~(tje)* spare time (*of:* hour); *het duurde uren* it went on for hours, it took hours; *over een* ~ in an hour; *€25 per ~ verdienen* earn 25 euros an hour; *100 kilometer per* ~ 100 kilometres per (*of:* an) hour; *per ~ betaald worden* be paid by the hour; *kun je hier binnen twee ~ zijn?* can you be here within two hours?; *het is een ~ rijden* it is an hour's drive; *een ~ in de wind stinken* stink to high heaven **2** [lesuur] hour, period, lesson: *we hebben het derde ~ wiskunde* we have mathematics for the third lesson **3** [punt op een wijzerplaat] o'clock: *op het hele* ~ on the hour; *op het halve* ~ on the half hour; *hij kwam tegen drie* ~ he came around three o'clock; *om ongeveer acht* ~ round about eight (o'clock); *om negen ~ precies* at nine o'clock sharp **4** [ogenblik] hour, moment: *het ~ van de waarheid is aangebroken* the moment of truth is upon us; *zijn laatste ~ heeft geslagen* his final hour has come; his number is up

het **uurloon** hourly wage, hourly pay: *zij werkt op* ~ she is paid by the hour

het **uurtarief** hourly rate

het **uurtje** hour: *in de kleine ~s thuiskomen* come home in the small hours

het **uurwerk** [klok] clock, timepiece

de **uurwijzer** hour hand

uw your: *het uwe* yours

uwerzijds on your part

uzelf yourself, yourselves

V

de **v** v, V

vaag vague, faint, dim: *ik heb zo'n ~ vermoeden dat …* I have a hunch (*of:* a sneaking suspicion) that …

de **vaagheid** vagueness

vaak often, frequently: *dat gebeurt niet ~* that doesn't happen very often; *steeds vaker* more and more (frequently)

vaal faded

de **vaan** flag, standard

het **vaandel** banner, flag

de **vaandrig** reserve officer candidate

het **vaantje** (small) flag, pennant

het **vaarbewijs** navigation licence

vaardig skilful, proficient

de **vaardigheid** skill, skilfulness; [m.b.t. vreemde talen] proficiency: *sociale vaardigheden* social skills; *~ in het schrijven* writing skill

de **vaargeul** channel, waterway

de **vaarroute** sea lane

de **vaars** heifer

de **vaart 1** speed; [ook fig] pace: *in volle ~* at full speed (*of:* tilt); *de ~ erin houden* keep up the pace; *het zal zo'n ~ niet lopen* it won't come to that (*of:* get that bad); *~ minderen* reduce speed, slow down; *ergens ~ achter zetten* hurry (*of:* speed) things up, get a move on **2** [het varen] navigation, (sea) trade: *de wilde ~* tramp shipping

de **vaartijd** sailing time

het **vaartuig** vessel, craft

het **vaarwater** water(s): *in rustig ~* in smooth water(s)

de **vaarweg** waterway

het **vaarwel** farewell: *iem. ~ zeggen* bid s.o. farewell

de **vaas** vase

de **vaat** washing-up, dishes

de **vaatdoek** dishcloth

de **vaatwasmachine** dishwasher

de **vaatwasser** dishwasher

vacant vacant, free, open: *een ~e betrekking* a vacancy, an opening

de **vacature** vacancy, opening: *voorzien in een ~* fill a vacancy

de **vacaturebank** job vacancy department

het **vaccin** vaccine

de **vaccinatie** vaccination

vaccineren vaccinate

de **vacht 1** [van een schaap] fleece; [van andere dieren] fur; coat **2** [geprepareerde schapenhuid] sheepskin **3** [pels] fur, pelt: *de ~ van*

een beer a bearskin

het **vacuüm** vacuum

vacuümverpakt vacuum-packed, vacuum-sealed

de **vader** father: *~tje en moedertje spelen* play house; *het Onze Vader* the Lord's Prayer; *natuurlijke* (*of: wettelijke*) *~* natural (*of:* legal) father; *hij zou haar ~ wel kunnen zijn* he is old enough to be her father; *van ~ op zoon* from father to son; *zo ~, zo zoon* like father, like son

Vaderdag Father's Day

het **vaderland** (native) country: *voor het ~ sterven* die for one's country; *een tweede ~* a second home

vaderlands national, native: *de ~e geschiedenis* national history

de **vaderlandsliefde** patriotism, love of (one's) country

¹**vaderlijk** (bn) **1** paternal **2** [als (van) een vader] fatherly

²**vaderlijk** (bw) in a fatherly way, like a father

het **vaderschap** paternity, fatherhood

de **vaderskant** father's side, paternal side: *familie van ~* paternal relatives, relatives on one's father's side

vadsig (fat and) lazy

de **vagebond** vagabond, tramp

vagelijk vaguely, faintly

het **vagevuur** purgatory

de **vagina** vagina

vaginaal vaginal

het **vak 1** section, square, space; box [formulier, puzzel] **2** [deel van een kast, doos] compartment; [postvak] pigeon-hole; shelf [winkel, bibliotheek]: *de ~ken bijvullen* fill the shelves **3** [beroep] trade; [hoger] profession: *een ~ leren* learn a trade; *een ~ uitoefenen* practise a trade, be in a trade (*of:* business); *zijn ~ verstaan* understand one's business, know what one is about **4** [op school enz.] subject; [vnl. m.b.t. hoger onderwijs] course: *exacte ~ken* (exact) sciences; science and maths

de **vakantie** holiday(s); [voornamelijk Am] vacation: *een week ~* a week's holiday; *de grote ~* the summer holidays; *prettige ~!* have a nice holiday!; *een geheel verzorgde ~* a package tour; *~ hebben* have a holiday; *~ nemen* take a holiday; *met ~ gaan* go on holiday

het **vakantieadres** holiday address

de **vakantiedag** (day of one's) holiday

de **vakantieganger** holidaymaker

het **vakantiegeld** holiday pay

het **vakantiehuis** holiday cottage

de **vakantiespreiding** staggering of holidays; [Am] staggering of vacation

de **vakantietijd** holiday period (*of:* season)

de **vakantietoeslag** holiday pay

het **vakantiewerk** holiday job, summer job

vakbekwaam skilled

de **vakbekwaamheid** (professional) skill

de **vakbeurs** trade fair

de **vakbeweging** trade unions

het **vakblad** trade journal

de **vakbond** (trade) union

de **vakbondsleider** (trade) union leader

de **vakcentrale** trade union federation

het **vakdiploma** (professional) diploma

het **vakgebied** field (of study)

de **vakgroep** ± department

de **vakidioot** narrow-minded specialist, …
freak

het **vakjargon** (technical) jargon

het **vakje 1** compartment **2** [van formulier,
puzzel] box **3** [van bureau, geheugen] pigeon-hole

de **vakkennis** professional knowledge, expert
knowledge; [praktisch] know-how

het **vakkenpakket** chosen set of course options

de **vakkenvuller** stock clerk, grocery clerk

[1]**vakkundig** (bn) skilled, competent

[2]**vakkundig** (bw) competently, with great
skill: *het is ~ gerepareerd* it has been expertly
done

de **vakliteratuur** professional literature

de **vakman** expert, professional; [arbeider]
skilled worker

het **vakmanschap** skill; [vaardigheid] crafts-
manship: *het ontbreekt hem aan ~* he lacks
skill

de **vaktaal** jargon

de **vakterm** technical term

de **vakvereniging** (trade) union

het **vakwerk** craftmanship, workmanship: *~ afleveren* produce excellent work

de **val 1** fall (off, from); [misstap] trip: *een vrije
~ maken* skydive; *hij maakte een lelijke ~* he
had a nasty fall; *ten ~ komen* fall (down),
have a fall; *iem. ten ~ brengen* bring s.o.
down **2** [ondergang] (down)fall, collapse: *de
regering ten ~ brengen* overthrow (*of:* bring
down) the government **3** [om dieren te van-
gen] trap; [strik] snare: *een ~ opzetten* set
(*of:* lay) a trap **4** [hinderlaag] trap, frame-up:
in de ~ lopen walk (*of:* fall) into a trap; [erin
lopen] rise to (*of:* swallow) the bait

de **valavond** [Belg] dusk, twilight

Valentijnsdag St Valentine's Day

de **valhelm** (crash) helmet

valide 1 [tot werken in staat] able-bodied
2 [geldig] valid

het **valies** (suit)case

het **valium**MERK Valium

de **valk** falcon

de **valkuil** pitfall, trap

de **vallei** valley

vallen 1 fall, drop: *er valt sneeuw* (*of:* hagel)
it is snowing (*of:* hailing); *uit elkaar ~* fall
apart, drop to bits; *zijn blik laten ~ op* let
one's eye fall on **2** [omvallen] fall (over);

[struikelen] trip (up): *iem. doen ~* make s.o.
fall; [doen struikelen] trip s.o. up; *zij kwam
lelijk te ~* she had a bad fall; *met ~ en opstaan*
by trial and error; *van de trap ~* fall (*of:* tumble) down the stairs **3** [m.b.t. bevoegdheid
enz.] come, fall: *dat valt buiten zijn bevoegdheid* that falls outside his jurisdiction **4** [ver-
loren gaan] drop: *iem. laten ~* drop (*of:* ditch
s.o.; *hij liet de aanklacht ~* he dropped the
charge **5** [zich aangetrokken voelen tot] go
(for), take (to): *zij valt op donkere mannen* she
goes for dark men ‖ *Kerstmis valt op een
woensdag* Christmas (Day) is on a Wednesday; *het ~ van de avond* nightfall; *er vielen
doden* (*of:* gewonden) there were fatalities
(*of:* casualties); *er viel een stilte* there was a
hush, silence fell; *met haar valt niet te praten*
there is no talking to her; *er valt wel iets voor
te zeggen om …* there is sth. to be said for …

het **valluik** trapdoor

de **valpartij** spill, fall

de **valreep** gangway, gangplank ‖ *op de ~*
right at the end, at the final (*of:* last) moment

[1]**vals** (bn) **1** false, fake, phoney; [voor zn]
pseudo- **2** [foutief] wrong, false: *een ~ spoor*
a false trail **3** [muz] flat [te laag]; sharp [te
hoog]; false **4** [gemeen] mean, vicious: *een
beest* a vicious animal **5** [vervalst] forged,
fake, false, counterfeit: *een ~e Vermeer* a
forged (*of:* fake) Vermeer **6** [kunst-, na-
maak-] false, artificial; [voor zn] mock; [voor
zn] imitation: *~ haar* false hair

[2]**vals** (bw) falsely: *~ spelen* play out of tune,
cheat (at cards); *~ zingen* sing out of tune,
sing off key

het **valscherm** parachute

valselijk falsely, wrongly

de **valsemunter** counterfeiter, forger

de **valsheid 1** spuriousness: *overtuigd van de ~
van het schilderij* convinced that the painting
is a fake **2** [het vervalsen] forgery, fraud,
counterfeiting: *~ in geschrifte* forgery

de **valstrik** snare, trap: *iem. in een ~ lokken* lead
(*of:* lure) s.o. into a trap

de **valuta** currency

de **valutahandel** (foreign) exchange dealing
[mv]

de **vampier** vampire

[1]**van** (bw) of, from: *je kunt er wel een paar ~
nemen* you can have some (of those)

[2]**van** (vz) **1** [m.b.t. plaats, oorsprong] from:
hij is ~ Amsterdam he's from Amsterdam; *~
dorp tot dorp* from one village to another;
een bord eten eat from (*of:* off) a plate
2 [vanaf, sinds] from: *~ de vroege morgen t
de late avond* from (the) early morning till
late at night; *~ tevoren* beforehand, in advance; *~ toen af* from then on, from that day
(*of:* time) (on) **3** [om bezit of relatie aan te
geven] of: *het hoofd ~ de school* the head-

(master) of the school; *de trein ~ 9.30 uur* the 9.30 train; *een foto ~ mijn vader* **a)** [eigendom] a picture of my father's; **b)** [hem voorstellend] a picture of my father; *~ wie is dit boek? het is ~ mij* whose book is this? it's mine **4** [gemaakt, bestaande uit] (made, out) of: *een tafel ~ hout* a wooden table **5** [m.b.t. maker, auteur] by, of: *dat was niet slim ~ Jan* that was not such a clever move of Jan's; *het volgende nummer is ~ Van Morrison* the next number is by Van Morrison; *een plaat ~ de Stones* a Stones record, a record by the Stones ‖ *drie ~ de vier* three out of four; *een jas met ~ die koperen knopen* a coat with those brass buttons; *~ dat geld kon hij een auto kopen* he was able to buy a car with that money; *daar niet ~* that's not the point; *ik geloof ~ niet* I don't think so; *ik verzeker u ~ wel* I assure you I do; *het lijkt ~ wel* it seems (*of:* looks) like it

vanaf 1 from, as from; [Am] as of; beginning; since [punt in het verleden]: *~ de 16e eeuw* from the 16th century onward(s); *~ vandaag* as from today; [Am] as of today **2** [m.b.t. een volgorde] from, over: *prijzen ~ …* prices (range) from …

vanavond tonight, this evening

vanbinnen (on the) inside

vanboven 1 on the top, on the upper surface, above **2** [van een hoger punt] from above

vanbuiten 1 from the outside **2** [aan de buitenzijde] on the outside **3** [uit het hoofd] by heart: *iets ~ kennen* (*of: leren*) know (*of:* learn) sth. by heart

vandaag today; *~ de dag* nowadays, these days, currently; *tot op de dag van ~* to this very day, to date; *~ is het maandag* today is Monday; *~ over een week* a week from today, in a week's time, a week from now; *de krant van ~* today's paper; *liever ~ dan morgen* the sooner the better ‖ *~ of morgen* one of these days, soon

de **vandaal** vandal

vandaan 1 away, from: *we moeten hier ~!* let's go away! **2** [uit] out of, from: *waar heb je die oude klok ~?* where did you pick up (*of:* get) that old clock?; *waar kom (ben) jij ~?* where are you from?, where do you come from? ‖ *hij woont overal ver ~* he lives miles from anywhere

vandaar therefore, that's why

het **vandalisme** vandalism

vandoor off, away: *ik moet er weer ~* I have to be off; *hij is er met het geld ~* he has run off with the money

vaneen separated, split up

vangen 1 catch; [gevangennemen ook] capture; [in een val] (en)trap: *een dief ~* catch a thief **2** [opvangen] catch [blik, wind] **3** [verdienen] make: *twintig piek per uur ~*

make five quid an hour; [Am] make ten bucks an hour

het **vangnet 1** (trap-)net **2** [om mensen op te vangen] safety net

de **vangrail** crash barrier

de **vangst** catch, capture; [buit] haul: *de politie deed een goede ~* the police made a good catch (*of:* haul)

de **vanille** vanilla

het **vanille-ijs** vanilla ice cream

vanjewelste: *een succes ~* a howling success; *een klap ~* a huge (*of:* tremendous) blow

vanmiddag this afternoon

vanmorgen this morning; [later in de dag gezegd; ook] in the morning: *~ vroeg* early this morning

vannacht tonight; [de afgelopen nacht] last night: *je kunt ~ blijven slapen, als je wil* you can stay the night, if you like; *hij kwam ~ om twee uur thuis* he came home at two o'clock in the morning

vanouds: *het was weer als ~* it was just like old times again

vanuit 1 from; [door iets heen] out of: *ik keek ~ mijn raam naar beneden* I looked down from (*of:* out of) my window **2** [uitgaande van] starting from

vanwaar 1 from where **2** [om welke reden] why: *~ die haast?* what's the hurry?

vanwege because of, owing to, due to, on account of

vanzelf 1 by o.s., of o.s., of one's own accord **2** [automatisch] as a matter of course, automatically: *alles ging (liep) als ~* everything went smoothly; *dat spreekt ~* that goes without saying

[1]**vanzelfsprekend** (bn) obvious, natural, self-evident

[2]**vanzelfsprekend** (bw) obviously, naturally, of course: *als ~ aannemen* take sth. for granted

de [1]**varen** (zn) fern

[2]**varen** (onov ww) sail: *het schip vaart 10 knopen* the ship sails at 10 knots; *hij wil gaan ~* he wants to go to sea (*of:* be a sailor); *alle voorzichtigheid laten ~* throw (*of:* fling) all caution to the wind(s)

de **varia** [ev] miscellany

variabel variable, flexible: *~e werktijden* flexible working hours

de **variabele** variable

de **variant** variant, variation: *een ~ op* a variant of, a variation on

de **variatie** variation, change: *voor de ~* for a change

variëren vary, differ: *sterk ~de prijzen* widely differing prices

het **variété** variety, music hall

de **variëteit** variety, diversity

het **varken** pig; [gecastreerd] hog; [als scheld-

woord ook] swine: *zo lui als een* ~ bone idle
(*of:* lazy)

de **varkensfokkerij** pig farm

de **varkenshaas** pork tenderloin (*of:* steak)

de **varkenspest** swine fever

de **varkensstal** pigsty; [modern] pig house

het **varkensvlees** pork

het **varkensvoer** pigfeed, pigfood; [vloeibaar]
(pig)swill

de **vaseline** vaseline

¹vast (bn) **1** fixed, immovable: *~e vloerbedekking* wall-to-wall carpet(ing) **2** [niet van
plaats, richting veranderend] fixed, stationary: ~ *raken* get stuck (*of:* caught, jammed);
~e datum fixed date; *~e inkomsten* a fixed
(*of:* regular) income; *~e kosten* fixed (*of:*
standing) charges; *een ~e prijs* a fixed (*of:*
set) price; *een ~e telefoon* a landline (telephone), a fixed line telephone **3** [niet weife-
lend] firm, steady: *met ~e hand* with a steady
(*of:* sure) hand; *~e overtuiging* firm conviction **4** [permanent] permanent; regular
[werk]; steady [vriend(in)]: ~ *adres* fixed address; *een ~e betrekking* a permanent position; *~e klanten* regular costumers; [inf] regulars **5** [compact] solid: ~ *voedsel* solid food
6 [stevig] firm: *~e vorm geven* shape **7** [goed
bevestigd] tight, firm **8** [m.b.t. gewoonten,
afspraken] established, standing: *een ~ gebruik* a (set) custom; *een ~e regel* a fixed (*of:*
set) rule

²vast (bw) **1** fixedly, firmly **2** [stellig] certainly, for certain (*of:* sure): *hij is het ~ vergeten*
he must have forgotten (it); ~ *en zeker* definitely, certainly **3** [alvast] for the time being,
for the present: *begin maar ~ met eten* go
ahead and eat (*of:* start eating)

vastberaden resolute, firm, determined

vastbesloten determined

zich **vastbijten** [fig] cling to: *zich in een onderwerp ~* get (*of:* sink) one's teeth into a subject

vastbinden tie (up, down), bind (up), fasten: *zijn armen werden vastgebonden* his arms
were tied (*of:* bound) (up)

het **vasteland 1** continent **2** [de vaste wal]
mainland; [vasteland van Europa] Continent

de **¹vasten** (zn) fast(ing)

²vasten (onov ww) fast

Vastenavond Shrove Tuesday

de **vastentijd 1** Lent **2** fast, time of fasting

het **vastgoed** real estate (*of:* property)

vastgrijpen grasp, clasp

de **vastheid 1** firmness **2** [stabiliteit] fixity
3 [onveranderlijkheid] invariability **4** [com-
pactheid] solidity **5** [vnl. van vloeistoffen]
consistency

vasthouden hold (fast); [stevig vasthou-
den] grip; [in arrest] detain: *iemands hand ~*
hold s.o.'s hand; *hou je vast!* brace yourself
(for the shock)!

vasthoudend tenacious; [niet aflatend]

persistent; [volhardend] persevering

zich **vastklampen** cling, clutch, hang on

vastklemmen clip (on), tighten: *de deur
zat vastgeklemd* the door was jammed

vastleggen 1 tie up: *zich niet ~ op iets, zich
nergens op ~* refuse to commit o.s., leave
one's options open; [zich vrijblijvend opstel-
len] be non-committal **2** set down, record:
iets schriftelijk ~ put sth. down in writing

vastliggen be tied up, be fixed: *die voorwaarden liggen vast in het contract* those conditions have been laid down in the contract

vastlijmen glue (together), stick (together)

vastlopen 1 jam, get jammed [verkeer,
machine, motor]: *het schip is vastgelopen* the
ship has run aground **2** [fig] get stuck, be
bogged down: *de onderhandelingen zijn
vastgelopen* negotiations have reached a
deadlock

vastmaken fasten; tie up [boot, veter,
pakje]; do up, button up [jas]; [stevig] secure

vastpakken grip, grasp; [vastgrijpen] grab

vastpinnen pin down, peg down

vastplakken stick together, glue together

vastroesten rust

vastspijkeren nail (down); tack [met
duimspijkertjes]

vaststaan 1 [geheel zeker zijn] be certain:
het staat nu vast, dat it is now definite (*of:*
certain) that; *de datum stond nog niet vast* the
date was still uncertain (yet) **2** [onverander-
lijk zijn] be fixed: *zijn besluit staat vast* his
mind is made up

vaststaand certain; final [beslissing]: *een
feit* an established (*of:* a recognized) fact

vaststellen 1 fix, determine, settle, arrange: *een datum ~* settle on (*of:* fix) a date;
een prijs ~ fix a price **2** [voorschrijven, bepa-
len] decide (on), specify; lay down [wetten]:
op vastgestelde tijden at stated times (*of:* intervals) **3** [constateren] find, conclude
4 [zich zekerheid verschaffen over] determine, establish: *de doodsoorzaak ~* establish
(*of:* determine) the cause of death; *de scha-
~* assess the damage

de **vaststelling 1** [afspraak] arrangement
2 [constatering] conclusion **3** [besluit] decree, assessment

vastvriezen freeze (in)

vastzetten 1 fix, fasten; [goed vast doen
staan] secure **2** tie up, lock up, settle (on):
zijn spaargeld voor vijf jaar ~ tie up one's savings for five years

vastzitten 1 be stuck; [van deur enz. ook]
be jammed: ~ *in de file* be stuck in a tailback
2 [vastgehecht zijn] be stuck (*of:* fixed): *da
zit heel wat aan vast* there is (a lot) more to
(than meets the eye) **3** [in gevangenschap]
be locked up, be behind bars: *hij heeft een
jaar vastgezeten* he has been inside for a ye

4 [in moeilijkheden] be in a fix **5** [gebonden zijn aan] be tied (down) (to), be committed (to): *hij heeft het beloofd; nu zit hij eraan vast* he made that promise, he can't get out of it now

de **¹vat** (zn) hold, grip; [handgreep] handle: *geen ~ op iem. hebben* have no hold over s.o.

het **²vat** (zn) [ton] barrel [ook als maat, vnl. van aardolie]; [fust] cask; [van ijzer] drum: *een ~ petroleum* an oil drum; *bier van het ~* draught beer

vatbaar 1 susceptible to, liable to: *hij is zeer ~ voor kou* he is very prone to catching colds **2** [ontvankelijk] amenable (to), open to: *hij is niet voor rede ~* he's impervious (*of:* not open) to reason

het **Vaticaan** Vatican

Vaticaanstad Vatican City

vatten catch

de **vazal** vassal

v.Chr. afk van *voor Christus* BC

vechten 1 fight; [bestrijden] combat: *wij moesten ~ om in de trein te komen* we had to fight our way into the train **2** [zich weren voor, tegen] fight (for, against): *tegen de slaap ~* fight off sleep

de **vechter** fighter, combatant

de **vechtersbaas** hooligan, hoodlum

de **vechtlust** fight, fighting spirit

de **vechtpartij** fight, brawl

de **vechtsport** combat sport

de **vector** vector

de **¹vedergewicht** (zn) [bokser] featherweight

het **²vedergewicht** (zn) featherweight

vederlicht feathery

de **vedette** star, celebrity

het **vee** cattle: *een stuk ~* a head of cattle

de **veearts** veterinary (surgeon); [Am] veterinarian; vet

de **¹veeg** (zn) **1** wipe; [lik] lick **2** [vlek, streep] streak; [vlek] smudge: *er zit een zwarte ~ op je gezicht* there's a black smudge on your face

²veeg (bn) **1** fatal **2** [onheilspellend] ominous, fateful: *een ~ teken* a bad sign (*of:* omen)

de **veehandel** cattle trade

de **veehouder** cattle breeder, cattle farmer; [Am] rancher

de **veehouderij** cattle farm; [Am] cattle ranch

de **veejay** veejay, VJ

¹veel (onb vnw) much, many, a lot, lots: *~ geluk!* good luck!; *weet ik ~* how should I know?; *~ te ~* far too much (*of:* many); *één keer te ~* (just) once too often

²veel (bw) much, a lot: *hij was kwaad, maar zij was nog ~ kwader* he was angry, but she was even more so; *ze lijken ~ op elkaar* they are very much alike

³veel (telw) many, a lot ‖ *het zijn er ~* there's a lot of them

veelal 1 [gewoonlijk] usually **2** [grotendeels] mostly

veelbelovend promising: *~ zijn* show great promise

veelbetekenend meaning(ful): *iem. ~ aankijken* give s.o. a meaning look

veelbewogen eventful; [tijden] hectic, turbulent; [leven, loopbaan] chequered

veeleer [form] rather

veeleisend demanding, particular (about)

de **veelheid** multitude

de **veelhoek** polygon

veelomvattend comprehensive, extensive

de **veelpleger** multiple offender

veelsoortig multifarious, varied

veelstemmig polyphonic

het **veelvoud** multiple: *zijn salaris bedraagt een ~ van het hare* his salary is many times larger than hers

de **veelvraat** glutton

veelvuldig frequently, often

veelzeggend telling, revealing: *dat is ~* [ook] that is saying a lot

veelzijdig many-sided, versatile: *haar ~e belangstelling* her varied interests; *een ~e geest* a versatile mind

de **veemarkt** cattle market

het **veen** peat

de **veenbes** cranberry

de **¹veer** (zn) **1** feather **2** [draad] spring

het **²veer** (zn) ferry

de **veerboot** ferry(boat)

de **veerdienst** ferry (service, line)

de **veerkracht** elasticity, resilience

veerkrachtig elastic, springy, resilient

de **veerman** ferryman

de **veerpont** ferry(boat)

veertien fourteen: *vandaag over ~ dagen* in a fortnight('s time), two weeks from today; *~ dagen* fourteen days; a fortnight; *het zijn er ~* there are fourteen (of them)

veertiende fourteenth

veertig forty: *in de jaren ~* in the forties; *hij loopt tegen de ~* he is pushing forty; *~ plus* more than 40 % fat

de **veertiger** man of forty: *hij is een goede ~* he is somewhere in his forties

veertigjarig 1 forty years', fortieth: *~e bruiloft* fortieth wedding anniversary **2** [veertig jaar oud] forty-year-old

veertigste fortieth

veertigurig forty-hour: *de ~e werkweek* the forty-hour week

de **veestal** cowshed

de **veestapel** (live)stock

de **veeteelt** stock breeding, cattle breeding

het **veevervoer** transport of livestock (*of:* cattle)

het **veevoer** feed

de **veewagen** [spoorwegen] cattle truck; [wegverkeer] cattle lorry

de **vegaburger** veggie burger

vegen 1 sweep, brush: *de schoorsteen* ~ sweep the chimney **2** [afvegen, schoonmaken] wipe: *voeten* ~ *a.u.b.* wipe your feet please

de **veger** (sweeping) brush: ~ *en blik* dustpan and brush

de **vegetariër** vegetarian

vegetarisch vegetarian: *ik eet altijd* ~ I'm a vegetarian

de **vegetatie** vegetation

vegeteren vegetate

het **vehikel** vehicle

veilen sell by auction: *antiek* (of: *huizen*) ~ auction antiques (of: houses)

veilig safe, secure; [m.b.t. signaal] (all-)clear: ~ *verkeer* ± road safety; *iets* ~ *opbergen* put sth. in a safe place; ~ *thuiskomen* return home safe(ly); ~ *en wel* safe and sound

de **veiligheid** safety, security: *de openbare* ~ public security; *iets in* ~ *brengen* bring sth. to (a place of) safety

de **veiligheidsagent** security officer

de **veiligheidsbril** safety goggles, protective goggles

de **veiligheidsdienst** security forces [leger, politie]: *binnenlandse* ~ (counter)intelligence

het **veiligheidsglas** safety (of: shatterproof) glass

de **veiligheidsgordel** safety belt; [autogordel ook] seat belt

veiligheidshalve for reasons of safety (of: security)

de **veiligheidsmaatregel** security measure

de **Veiligheidsraad** Security Council

het **veiligheidsslot** safety lock

de **veiligheidsspeld** safety pin

veiligstellen safeguard, secure: *zijn toekomst* ~ provide for the future

de **veiling** auction

het **veilinghuis** auctioneering firm

de **veilingmeester** auctioneer

de **veilingsite** auction site

veinzen pretend, feign

het **vel 1** skin: *het is om uit je* ~ *te springen* it is enough to drive you up the wall; ~ *over been zijn* be all skin and bone; *lekker in zijn* ~ *zitten* feel good **2** [blad papier] sheet

het **veld** field; [open land] open country (of: fields); [sport ook] pitch; [schaakbord] square: *in geen* ~*en of wegen was er iem. te zien* there was no sign of anyone anywhere; *een speler uit het* ~ *sturen* send a player off (the field) ‖ *uit het* ~ *geslagen zijn* be confused, be taken aback

het **veldbed** camp bed

het **veldboeket** bouquet of wild flowers

de **veldfles** water bottle

de **veldheer** general

het **veldhospitaal** field hospital

de **veldloop** cross-country (race)

de **veldmaarschalk** Field Marshal; [Am] General of the Army

de **veldmuis** field vole, field mouse

veldrijden [sport] cyclo-cross (racing)

de **veldsla** lamb's lettuce

de **veldslag** (pitched) battle

de **veldspeler** fielder

de **veldtocht** campaign

het **veldwerk** fieldwork: *het* ~ *verrichten* do the donkey work, do the spadework

de **veldwerker** field worker

velen stand, bear

velerlei many, multifarious: *op* ~ *gebied* in many fields; ~ *oorzaken* a variety of causes

de **velg** rim

vellen cut down, fell: *bomen* ~ cut down trees

de **velo** [Belg] bike

het/de **velours** velour(s)

het **ven** pool; [droog] hollow

de **vendetta** vendetta, blood feud

Venetië Venice

de **Venezolaan** Venezuelan

Venezolaans Venezuelan

Venezuela Venezuela

het **venijn** [gif] poison, venom: *het* ~ *zit in de staart* the sting is in the tail

venijnig vicious; venomous [kritiek]: ~*e blikken* malicious looks

de **venkel** fennel

de **vennoot** partner

de **vennootschap 1** partnership, firm; [Am ook] company **2** [overeenkomst op handelsgebied] trading partnership: *besloten* ~ private limited company; *naamloze* ~ public limited company

de **vennootschapsbelasting** corporation tax

het **venster** window

de **vensterbank** windowsill

de **vensterenveloppe** window envelope

het **vensterglas** window glass; [ruit ook] window-pane

de **vent 1** fellow, guy, bloke: *een leuke* ~ [aantrekkelijke] a dishy bloke (of: guy) **2** [jochie] son(ny), lad(die)

venten hawk, peddle

de **venter** street trader, hawker, pedlar

het **ventiel** valve

de **ventilatie** ventilation

de **ventilator** fan, ventilator

¹ventileren (onov ww) air

²ventileren (ov ww) [de lucht verversen in] uiten] ventilate, air

de **ventweg** service road

¹ver (bn) distant, far; [voor zn] far-off; [na ww] far off; a long way: ~*re landen* distant (of: far-off) countries; *de* ~*re toekomst* the distant future; *in een* ~ *verleden* in some distant (of: remote) past; *een* ~*re reis* a long journey

²**ver** (bw) **1** [vnl. in ontkennende en vragende zinnen] far; [in bevestigende zinnen] a long way: *hij sprong zeven meter* ~ he jumped a distance of seven metres; ~ *gevorderd zijn* be well advanced; *het zou te* ~ *voeren om … it* would be going too far to …; ~ *vooruitzien* look well (*of:* way) ahead; *hoe* ~ *is het nog?* how much further is it?; *hoe* ~ *ben je met je huiswerk?* how far have you got with your homework?; *dat gaat te* ~! that is the limit!; ~ *weg* a long way off, far away; *het is zo* ~! here we go, this is it; *ben je zo* ~? (are you) ready?; *van* ~ *komen* come a long way, come from distant parts; ~ *te zoeken zijn* be miles away; [fig] not be about (*of:* around) **2** [in hoge mate] (by) far, way: ~ *heen zijn* be far gone; *zijn tijd* ~ *vooruit zijn* be way ahead of one's time

veraangenamen sweeten, make more pleasant

verachtelijk despicable

verachten despise, scorn

de **verachting** contempt

de **verademing** relief

veraf far away, far off, a long way away (*of:* off)

verafgelegen [voor zn] far-away; [na ww] far away; remote

verafgoden idolize

verafschuwen loathe, detest

de **veranda** veranda

¹**veranderen** (onov ww) **1** [anders worden] change: *de tijden* ~ times are changing **2** [wisselen (van)] change, switch: *van huisarts* ~ change one's doctor; *van onderwerp* ~ change the subject

²**veranderen** (ov ww) **1** alter, change: *een jurkje* ~ alter a dress; *dat verandert de zaak* that changes things; *daar is niets meer aan te* ~ nothing can be done about that **2** [in het genoemde overbrengen] change, turn (into): *Jezus veranderde water in wijn* Jesus turned water into wine

de **verandering 1** change; [afwisseling] variation: ~ *van omgeving* change of scene(ry); *voor de* ~ for a change **2** [wijziging] alteration: *een* ~ *aanbrengen in* make an alteration (*of:* a change) to

veranderlijk changeable, variable; [weer ook] unsettled; [wispelturig] fickle

verankeren anchor; [fig] embed

verantwoord 1 safe; [verstandig] sensible **2** [weloverwogen] well-considered, sound: ~*e voeding* a well-balanced (*of:* sensible) diet

verantwoordelijk responsible: *de* ~*e minister* the minister responsible; *iem. voor iets* ~ *stellen* hold s.o. responsible for sth.

de **verantwoordelijkheid** responsibility: *de* ~ *voor iets op zich nemen* take (*of:* assume) responsibility for sth.; *de* ~ *voor een aanslag opeisen* claim responsibility for an attack

¹**verantwoorden** (ov ww) justify, account for: *ik kan dit niet tegenover mijzelf* ~ I cannot square this with my conscience

zich ²**verantwoorden** (wdk ww) [rekenschap afleggen] justify, answer (to s.o. for sth.)

de **verantwoording 1** account: ~ *afleggen* render account; *aan iem.* ~ *verschuldigd zijn* be accountable (*of:* answerable) to s.o.; *iem. ter* ~ *roepen* call s.o. to account **2** [verantwoordelijkheid] responsibility: *op jouw* ~ you take the responsibility

¹**verarmen** (onov ww) [arm worden] become impoverished, be reduced to poverty

²**verarmen** (ov ww) [arm maken] impoverish ‖ *verarmd uranium* depleted uranium

verassen incinerate, cremate

het ¹**verbaal** (zn) [proces-verbaal] booking, ticket

²**verbaal** (bn) verbal

verbaasd surprised, astonished, amazed: ~ *zijn over iets* be surprised (*of:* amazed) at sth.

verbaliseren book

het **verband 1** bandage: *een* ~ *aanleggen* put on a bandage **2** [samenhang, betrekking] connection; [zinsverband] context; relation(ship): *in landelijk* (*of: Europees*) ~ at a national (*of:* European) level; *in ruimer* ~ in a wider context; ~ *houden met iets* be connected with sth.; *dit houdt* ~ *met het feit dat* this has to do with the fact that; *de woorden uit hun* ~ *rukken* take words out of context

de **verbanddoos** first-aid kit, first-aid box

verbannen banish, exile: ~ *zijn* be banished, be under a ban

de **verbanning** banishment, exile

verbasteren corrupt

¹**verbazen** (ov ww) amaze, surprise, astonish: *dat verbaast me niets* that doesn't surprise me in the least

zich ²**verbazen** (wdk ww) be surprised (*of:* amazed) (at)

de **verbazing** surprise, amazement, astonishment: *wie schetst mijn* ~ imagine my surprise; *dat wekte* ~ that came as a surprise; *tot mijn* ~ *hoorde ik …* I was surprised to hear …

verbazingwekkend astonishing, surprising; [sterker] amazing

¹**verbeelden** (ov ww) [uitbeelden] represent, be meant (*of:* supposed) to be: *dat moet een badkamer* ~! that is supposed to be a bathroom!

zich ²**verbeelden** (wdk ww) imagine, fancy: *dat verbeeld je je maar* you are just imagining it (*of:* things); *hij verbeeldt zich heel wat* he has a high opinion of himself; *verbeeld je maar niets!* don't go getting ideas (into your head)!

de **verbeelding 1** imagination: *dat spreekt tot de* ~ that appeals to one's imagination **2** [verwaandheid] conceit(edness), vanity: ~ *hebben* be conceited, think a lot of o.s.

verbergen hide, conceal: *zij hield iets voor hem verborgen* she was holding sth. back from him

verbeten grim, dogged

¹**verbeteren** (onov ww) [beter worden] improve, get better: *verbeterde werkomstandigheden* improved working conditions

²**verbeteren** (ov ww) **1** improve: *zijn Engels ~ improve (of: brush up) one's English* **2** [corrigeren] correct **3** [overtreffen] beat, improve on: *een record ~* break a record

de **verbetering 1** improvement: *het is een hele ~ vergeleken met ...* it's a great improvement on ... **2** [correctie] correction; [van fouten ook] rectification; [van huiswerk, examens] marking

verbeurdverklaren seize, confiscate

verbieden forbid; ban [film, boek]; suppress [publicatie]: *verboden toegang* no admittance; *verboden in te rijden* no entry (of: access); *verboden te roken* no smoking; *verboden voor onbevoegden* no unauthorized entry; [op terrein] no trespassing

verbijsterd bewildered, amazed, baffled

verbijsteren bewilder, amaze

de **verbijstering** bewilderment, amazement

zich **verbijten** be (almost) bursting; [op zijn lippen bijten] bite one's lips

verbinden 1 join (together), connect (to, with): *~ met* join to, link up to (of: with) **2** [in samenhang brengen] connect, link **3** [omzwachtelen] bandage **4** [door een overeenkomst, band koppelen aan] connect, attach, join (up): *er zijn geen kosten aan verbonden* there are no expenses involved **5** [m.b.t. telefoonverbinding] connect (with), put through (to): *ik ben verkeerd verbonden* I have got a wrong number; *kunt u mij met de heer Jefferson ~?* could you put me through to Mr Jefferson?

de **verbinding 1** connection, link: *een ~ tot stand brengen* establish (of: make) a connection **2** [mogelijkheid tot verkeer] connection: *een directe ~* a direct connection; [trein ook] a through train; *de ~en met de stad zijn uitstekend* [het vervoer] connections with the city are excellent **3** [m.b.t. telefoon] connection: *geen ~ kunnen krijgen* not be able to get through; *de ~ werd verbroken* the connection was broken, we (of: they) were cut off

de **verbintenis 1** [verplichting] obligation, commitment **2** [dienstcontract] agreement, contract **3** [persoonlijke band] association; [verhouding] relationship

verbitterd bitter (at, by), embittered (at, by)

de **verbittering** bitterness

verbleken 1 (turn, go) pale, turn white, go white **2** [m.b.t. kleuren, vervagen] fade

verblijden: *iem. met iets ~* make s.o. happy with sth.

het **verblijf 1** stay **2** [onderkomen] residence; [tijdelijk ook] accommodation: *de verblijven voor de bemanning* (of: *het personeel*) the crew's (of: servants') quarters

de **verblijfkosten** accommodation expenses, living expenses

de **verblijfplaats** (place of) residence, address: *iem. zonder vaste woon- of ~* s.o. with no permanent home or address

de **verblijfsstatus** asylum status

de **verblijfsvergunning** residence permit

verblijven 1 stay: *hij verbleef enkele maanden in Japan* he stayed in Japan for several months **2** [onderdak hebben, wonen] live

verblinden dazzle, blind: *een ~de schoonheid* a dazzling (of: stunning) beauty

verbloemen disguise, gloss over, cover up

verbluffend staggering, astounding: *~ snel handelen* act amazingly (of: incredibly) quickly

verbluft staggered, stunned: *~ staan kijke* be dumbfounded

het **verbod** ban, prohibition; [m.b.t. handel ook] embargo: *een ~ uitvaardigen* impose (of: declare) a ban

verboden forbidden, banned, prohibited: *tot ~ gebied verklaren* declare (of: put) out of bounds; *~ wapenbezit* illegal possession of arms

het **verbodsbord** prohibition sign

verbolgen enraged (by, at)

het **verbond 1** treaty, pact: *een ~ sluiten* (of: *aangaan*) *met* make (of: enter) into a treaty with **2** [vereniging] union

verbonden 1 committed, bound **2** [verenigd] allied, joined (together) **3** [met verband omzwachteld] bandaged, dressed **4** [gebonden] joined (to), united (with); bound (to), wedded (to) [bijv. aan beroep] *zich met iem. ~ voelen* feel a bond with s.o. *verkeerd ~* wrong number

verborgen hidden, concealed

verbouwen 1 cultivate, grow **2** [m.b.t. gebouwen] carry out alterations, renovate

verbouwereerd dumbfounded, flabbergasted

de **verbouwing** alteration, renovation: *gesloten wegens ~* closed for repairs (of: alterations)

¹**verbranden** (onov ww) **1** [opbranden] burn down, burn up: *hij is bij dat ongeluk levend verbrand* he was burnt alive in that accident **2** [aanbranden] burn; scorch [oppervlakte]: *het vlees staat te ~* the meat is burning

²**verbranden** (ov ww) **1** burn (down), incinerate **2** [verwonden] burn; scald [hete vloeistof]: *zijn gezicht is door de zon verbrand* his face is sunburnt

de **verbranding 1** burning, incineration

2 [verwonding, beschadiging] burn; scald [door vloeistof]

de **verbrandingsmotor** (internal-)combustion engine

verbrassen squander, dissipate

¹**verbreden** (ov ww) broaden, widen

zich ²**verbreden** (wdk ww) [breder worden] broaden (out): *de weg verbreedt zich daar* the road broadens (out) there

verbreiden spread

verbreken 1 break (up): *een zegel* ~ break a seal 2 [afbreken] break (off), sever: *een relatie* ~ break off a relationship

verbrijzelen shatter, crush

verbroederen fraternize (with)

verbrokkelen crumble

verbruien: *hij heeft het bij mij verbruid* I wash my hands of him now

het **verbruik** consumption

verbruiken consume, use up

de **verbruiker** consumer, user

de **verbruikzaal** dining area

verbuigen bend, twist

de **verbuiging** [taalk] declension

¹**verdacht** (bn) 1 suspected: *iem.* ~ *maken* cast a slur on s.o., smear s.o. 2 [verdenking wekkend] suspicious, questionable: *een* ~ *zaakje* a questionable (*of:* shady) business

²**verdacht** (bw) suspiciously: *dat lijkt* ~ *veel op …* that looks suspiciously like …

de **verdachte** suspect

de **verdachtenbank** dock, witness box; [Am] witness stand

de **verdachtmaking** imputation; [toespeling] insinuation; slur

verdagen adjourn: *een zitting* ~ adjourn a session

de **verdaging** postponement; [m.b.t. iets wat al begonnen is] adjournment

verdampen evaporate, vaporize

de **verdamping** evaporation, vaporization

verdedigbaar 1 [houdbaar] defensible 2 [te rechtvaardigen] defensible, justifiable

verdedigen 1 defend: *een ~de houding aannemen* be on the defensive 2 [pleiten voor] defend, support: *zijn belangen* ~ stand up for (*of:* defend) one's interests; *zich* ~ defend (*of:* justify) o.s.

de **verdediger** 1 defender, advocate 2 [advocaat] counsel (for the defence) 3 [sport] defender, back: *centrale* ~ central defender; *vrije* ~ libero

de **verdediging** 1 defence: [sport] *in de* ~ *gaan* go on the defensive; [fig] *in de* ~ *schieten* be on the defensive 2 [advocaat] counsel (for the defence), defence

verdeeld divided: *hierover zijn de meningen* ~ opinions are divided on this (problem, issue, question)

de **verdeeldheid** discord, dissension: *er heerst* ~ *binnen de partij* the party is divided (*of:*

split); ~ *zaaien* spread discord

de **verdeelsleutel** key, ratio, formula

de **verdeelstekker** adapter

verdekt concealed, hidden: *zich* ~ *opstellen* conceal o.s., take cover

¹**verdelen** (ov ww) 1 divide, split (up) 2 [afmeten] divide (up), distribute: *de buit* ~ divide the loot 3 [evenwichtig spreiden] spread: *de taken* ~ allocate (*of:* share) (out) the tasks

zich ²**verdelen** (wdk ww) [splitsen] divide, split (up): *de rivier verdeelt zich hier in twee takken* the river divides (*of:* forks) here

verdelgen eradicate

het **verdelgingsmiddel** [tegen dieren] pesticide; [tegen insecten] insecticide; [tegen onkruid] weedkiller

de **verdeling** 1 division 2 [uitdeling] distribution

verdenken suspect (of): *zij wordt ervan verdacht, dat …* she is under the suspicion of …; *iem. van diefstal* ~ suspect s.o. of theft

de **verdenking** suspicion: *onder* ~ *staan* be suspected (*of:* under suspicion); *iem. in hechtenis nemen op* ~ *van moord* arrest s.o. on suspicion of murder

¹**verder** (bn) 1 (the) rest of 2 [nader] further, subsequent

²**verder** (bw) 1 farther, further: *twee regels* ~ two lines (further) down; *hoe ging het* ~? how did it go on?; ~ *lezen* go on (*of:* continue) reading, read on 2 [bovendien] further, furthermore, in addition, moreover: ~ *verklaarde zij …* she went on (*of:* proceeded) to say … 3 [overigens] for the rest, apart from that: *is er* ~ *nog iets?* anything else?

het **verderf** ruin, destruction: *iem. in het* ~ *storten* ruin s.o., bring ruin upon s.o.

verderfelijk pernicious: ~*e invloeden* baneful influences

verderop further on, farther on: *zij woont vier huizen* ~ she lives four houses (further) down; ~ *in de straat* down (*of:* up) the street

verderven deprave, corrupt

verdichten condense

de **verdichting** 1 [nat, chem] condensation 2 [fig] condensing

het **verdichtsel** fabrication, invention

¹**verdiend** (bn) deserved: *volkomen* ~ richly deserved; *dat is zijn* ~*e loon* it serves him right, he had it coming to him

²**verdiend** (bw) deservedly: *de thuisclub won* ~ *met 3-1* the home team won deservedly by 3 to 1

¹**verdienen** (onov ww) 1 [m.b.t. salaris] earn, make money: *zij verdient uitstekend* she is very well paid 2 [salaris opleveren] pay: *dat baantje verdient slecht* that job does not pay well

²**verdienen** (ov ww) 1 earn, make, be paid: *een goed salaris* ~ earn a good salary; *zuur*

verdiend hard-earned, hard-won **2** [waard zijn] deserve, merit: *dat voorbeeld verdient geen navolging* that example ought not to be followed

de **verdienste 1** wages, pay, earnings; [winst] profit: *zonder ~n zijn* be out of a job, earn no money **2** [verdienstelijkheid] merit: *een man van ~* a man of (great) merit

verdienstelijk deserving, (praise)worthy: *zich ~ maken* make o.s. useful

¹verdiepen (ov ww) deepen, broaden: *zijn kennis ~* gain more in-depth knowledge

zich **²verdiepen** (wdk ww) (+ in) go (deeply) into, be absorbed in: *verdiept zijn in* be engrossed (*of:* absorbed) in

de **verdieping** floor, storey: *een huis met zes ~en* a six-storeyed house; *op de tweede ~* on the second floor; [Am] on the third floor

de **verdikking** thickening, bulge

verdisconteren discount

verdoen waste (away), fritter (away), squander: *ik zit hier mijn tijd te ~* I am wasting my time here

verdoezelen blur, disguise: *de ware toedracht ~ fudge (of:* disguise) the real facts

verdonkeremanen embezzle [geld]; suppress

verdoofd stunned, stupefied, numb

verdord shrivelled; [verwelkt] withered; parched: *~e bladeren* withered leaves

verdorie [inf] darned

verdorren shrivel (up), parch; [verwelken] wither (up); [verwelken] wilt

verdorven depraved, perverted: *een ~ mens* a wicked person, a pervert

verdoven stun, stupefy; benumb [door kou; geest]: *~de middelen* drugs, narcotic(s); *de patiënt wordt plaatselijk verdoofd* the patient receives a local anaesthetic

de **verdoving 1** anaesthesia, anaesthetic **2** [gevoelloosheid] stupor

verdraagzaam tolerant: *~ jegens elkaar zijn* be tolerant of each other

de **verdraagzaamheid** tolerance

verdraaid 1 [vervelend] darn(ed) **2** [vals voorgesteld] distorted, twisted

verdraaien 1 turn **2** [verkeerd weergeven] distort; [woorden ook] twist: *de waarheid ~* distort the truth **3** [opzettelijk anders voordoen] disguise: *zijn stem ~* disguise (*of:* mask) one's voice

de **verdraaiing** distortion, twist

het **verdrag** treaty, agreement: *een ~ sluiten* enter into (*of:* make) a treaty

verdragen 1 bear, endure, stand: *hij kan de gedachte niet ~, dat ...* he cannot bear (*of:* stand) the idea that ... **2** [velen, uithouden] bear, stand, put up with, take: *ik kan veel ~, maar nu is 't genoeg* I can stand (*of:* take) a lot, but enough is enough

het **verdriet** grief (*of:* distress) (at, over), sorrow (at): *iem. ~ doen (aandoen)* distress s.o., give s.o. pain (*of:* sorrow); *~ hebben* be in distress; grieve

verdrietig sad, grieved: *~ maken* sadden

verdrievoudigen triple, treble: *de winst is verdrievoudigd* profit has tripled

verdrijven drive away, chase away, dispel: *de pijn ~* dispel the pain

¹verdringen (ov ww) **1** push away (*of:* aside) **2** [naar de achtergrond verdrijven] shut out; [psych ook] repress [onbewust]; suppress [bewust]

zich **²verdringen** (wdk ww) [elkaar van de plaats dringen] crowd (round): *de menigte verdrong zich voor de etalage* people crowded round the shop window

¹verdrinken (onov ww) drown: *~ in het huiswerk* be swamped by homework

²verdrinken (ov ww) [door alcoholgebruik] drink away [geld, bezit]; drown [zorgen, verdriet enz.]

de **verdrinkingsdood** death by drowning

verdrogen 1 dry out, dry up, dehydrate: *dat brood is helemaal verdroogd* that loaf (of bread) has completely dried out **2** [door droogte tenietgaan] shrivel (up), wither (away, up)

verdrukken oppress, repress

de **verdrukking**: *in de ~ raken (komen)* get into hot water (*of:* a scrape)

verdubbelen double: *met verdubbelde energie* with redoubled energy

verduidelijken explain, make (more) clear, clarify

de **verduidelijking** explanation: *ter ~* by way of illustration

verduisteren 1 darken, dim: *de zon ~* blot out the sun **2** [achteroverdrukken] embezzle

de **verduistering 1** darkening **2** eclipse **3** [m.b.t. goed, geld] embezzlement

verdunnen 1 thin; [vloeistof ook] dilute: *melk met water ~* dilute milk with water **2** [m.b.t. omvang] thin (out)

de **verdunning** thinning, dilution

verduren bear, endure, suffer: *heel wat moeten ~* have to put up with a great deal, *het zwaar te ~ hebben* **a)** [in moeilijkheden] have a hard (*of:* rough) time of it; **b)** [ontberen] suffer great hardship(s)

verduurzamen preserve, cure

verdwaald lost; [van dieren ook] stray: *~e kogel* a stray bullet; *~ raken* lose one's way

verdwaasd foolish; [verdoofd] groggy: *~ voor zich uit staren* stare vacantly into space

verdwalen lose one's way, get lost, go astray

verdwijnen disappear; [vlug, geheimzinnig] vanish: *een verdwenen boek* a missing (*of:* lost) book; *mijn kiespijn is verdwenen* my toothache has worn off (*of:* disappeared);

geleidelijk ~ fade out (*of:* away), melt away; *spoorloos* ~ vanish without (leaving) a trace

de **verdwijning** disappearance

de **verdwijntruc** disappearing act, vanishing trick

veredelen ennoble, elevate, refine

de **veredeling** refinement; [techn ook] improvement; upgrading

vereenvoudigen simplify: *de vereenvoudigde spelling* simplified spelling

de **vereenvoudiging** simplification; reduction [breuk]

vereenzamen grow lonely, become lonely

vereenzelvigen identify: *zij vereenzelvigde zich met Julia Roberts* she identified (herself) with Julia Roberts

de **vereerder** worshipper, admirer

vereeuwigen immortalize

vereffenen settle, square; smooth out [verschillen]: *iets* (of: *een rekening) met iem. te* ~ *hebben* have to settle an account

de **vereffening** settlement, payment

vereisen require, demand: *ervaring vereist* experience required; *de vereiste zorg aan iets besteden* give the necessary care (of: attention) to sth.

et/de **vereiste** requirement: *aan de ~n voldoen* meet (of: fulfil) the requirements; *dat is een eerste* ~ that is a prerequisite (of: a must)

¹**veren** (bn) feather: *een* ~ *pen* a quill (pen)

²**veren** (onov ww) **1** be springy: *het veert niet meer* it has lost its spring (of: bounce) **2** [als door een veer] spring: *overeind* ~ spring to one's feet

verend springy, elastic: *een* ~ *matras* a springy (of: bouncy) mattress

verenigbaar compatible (with), consistent (with)

verenigd united, allied

de **Verenigde Arabische Emiraten** United Arab Emirates

de **Verenigde Staten** United States (of America)

het **Verenigd Koninkrijk** United Kingdom

verenigen [samenvoegen] unite (with), combine, join (to, with): *zich* ~ *in een organisatie* form an organisation; *het nuttige met het aangename* ~ mix (of: combine) business with pleasure

de **vereniging** club, association, society: *een* ~ *oprichten* found an association

vereren worship, adore

¹**verergeren** (onov ww) [erger worden] worsen, become worse, grow worse, deteriorate: *de toestand verergert* the situation is deteriorating (of: growing worse)

²**verergeren** (ov ww) worsen, make worse, aggravate

de **verering** **1** worship, veneration **2** [rel] devotion, cult: *de* ~ *van Maria* the devotion to Maria, the Maria cult

de **verf** paint; [voor stoffen, haar] dye: *pas op voor de* ~*!* (watch out,) fresh (of: wet) paint!; *het huis zit nog goed in de* ~ the paintwork (on the house) is still good || *niet uit de* ~ *komen* not live up to its promise, not come into its own

de **verfbom** paint bomb

de **verfdoos** paint box, (box of) paints

verfijnen refine: *zijn techniek* ~ refine (of: polish (up)) one's technique

de **verfijning** refinement, sophistication

verfilmen film, turn (of: make) into a film: *een roman* ~ film a novel, adapt a novel for the screen

de **verfilming** film version, screen version

de **verfkwast** paintbrush

de **verflaag** coat (of: layer) of paint: *bovenste* ~ topcoat

verflauwen fade

verfoeien detest, loathe

verfomfaaid dishevelled, tousled

verfraaien embellish (with)

de **verfraaiing** embellishment

verfrissen refresh, freshen up: *zich* ~ freshen up, refresh (o.s.)

verfrissend refreshing, invigorating

de **verfrissing** refreshment: *enige ~en gebruiken* take (of: have) some refreshments

de **verfroller** paint roller

verfrommelen crumple (up), rumple (up)

de **verfspuit** paint spray(er), spray gun

de **verfstof** paint; [voor stoffen, haar] dye (base); [grondstof] pigment

de **verfverdunner** thinner

vergaan 1 fare: *vergane glorie* lost (of: faded) glory **2** [ophouden] perish, pass away: *horen en zien vergaat je erbij* the noise is enough to waken the dead **3** [verteren] perish, decay, rot **4** [ten onder gaan] perish; [fig] be consumed with; [scheepvaart ook] be wrecked (of: lost); [scheepvaart ook] founder: *ik verga van de kou* I am freezing to death; ~ *van de honger* be starving to death; ~ *van de dorst* be dying of thirst || *ik weet niet hoe het hem is* ~ I don't know what has become of him

vergaand far-reaching, drastic

de **vergaarbak** reservoir

vergaderen meet, assemble: *hij heeft al de hele ochtend vergaderd* he has been in conference all morning; *de raad vergaderde twee uur lang* the council sat for two hours

de **vergadering** meeting, assembly: *het verslag van een* ~ the minutes of a meeting; *gewone (algemene)* ~ general meeting (of: assembly); *een* ~ *bijwonen* (of: *houden*) attend (of: hold) a meeting; *de* ~ *sluiten* close (of: conclude) the meeting; *een* ~ *leiden* chair a meeting

de **vergaderzaal** meeting hall, assembly room, conference room

vergallen embitter, spoil

vergankelijk transitory, transient; fleeting [leven, schoonheid, roem enz.]

zich **vergapen** gaze at, gape at: *zich ~ aan een motor* gape (in admiration) at a motorbike

vergaren gather

vergassen 1 gas **2** [in gas omzetten] gasify

de **vergassing 1** [m.b.t. stoffen] gasification **2** [m.b.t. mensen] gassing

¹**vergeefs** (bn) [vruchteloos] vain, futile; [na ww ook] in vain: *een ~e reis* a futile (of: useless) journey; *~e pogingen* vain (of: futile, useless) attempts

²**vergeefs** (bw) in vain: *~ zoeken* look in vain

vergeetachtig forgetful

het **vergeetboek**: *in het ~ raken* be(come) forgotten, sink into oblivion

het **vergeet-mij-nietje** forget-me-not

vergelden repay; [belonen] reward; [wraak nemen] take revenge on: *kwaad met kwaad ~* pay back (of: repay) evil with evil

de **vergelding** repayment; [beloning] reward; [uit wraak] revenge; [oog om oog] retaliation: *ter ~ werden krijgsgevangenen doodgeschoten* prisoners of war were shot in retaliation (of: reprisal)

de **vergeldingsmaatregel** reprisal

vergelen yellow, go yellow, turn yellow

het **vergelijk** agreement; [ook jur] settlement

vergelijkbaar comparable: *meel en vergelijkbare producten* flour and similar products; *~ zijn met* be comparable with

vergelijken compare; [nadruk op onderlinge verschillen] compare with sth.; [nadruk op overeenkomst] compare to sth.: *vergelijk artikel 12, tweede lid* see (of: cf.) article 12, subsection two; *niet te ~ zijn* be (of: bear) no comparison with, not be comparable to; *vergeleken met vroeger is er veel veranderd* compared with (of: by contrast with) the past a lot has changed

de **vergelijking 1** comparison; [overeenkomsten] analogy: *de trappen van ~* the degrees of comparison; *in ~ met* in (of: by) comparison with; *ter ~* by way of comparison, for comparison **2** [wisk] equation

vergemakkelijken simplify, facilitate: *dat dient om het leven te ~* that serves to make life easier

vergen demand, require; [belasten] tax: *het uiterste ~ van iem.* strain (of: try) s.o. to the limit

de **vergetelheid** oblivion: *in de ~ geraken* be(come) forgotten, fall into oblivion

¹**vergeten** (bn) forgotten; [onopgemerkt] neglected: *~ schrijvers* forgotten (of: obscure) writers

²**vergeten** (ov ww) **1** forget, slip one's mind: *alles is ~ en vergeven* everything is forgiven and forgotten, (there are) no hard feelings; *dat ben ik glad ~* clean forgot(ten); *dat kun je*

wel ~ you can kiss that goodbye! **2** [verzuimen te doen, noemen] forget, overlook; [la ten liggen] leave behind: *ze waren ~ zijn naam op de lijst te zetten* they had forgotten to put his name on the list; *niet te ~* not forgetting (of: omitting) **3** [van zich afzetten] forget, put out of one's mind: *zijn zorgen ~* forget one's worries; *vergeet het maar!* forget it!, no way!

vergeven 1 forgive: *ik kan mezelf nooit ~, dat ik … I* can never forgive myself for (...ing **2** [doordrenkt zijn van] poison: *het huis is ~ van de stank* the house is pervaded by the stench; *~ van de luizen* lice-ridden, crawling with lice **3** [uitdelen] give (away): *zij heeft zes vrijkaartjes te ~* she has six free tickets to give away

vergevensgezind forgiving

de **vergeving** forgiveness; [ook jur] pardon; [door priester] absolution: *iem. om ~ vragen voor iets* ask s.o.'s forgiveness for sth.

vergevorderd (far) advanced

zich **vergewissen** ascertain, make certain, make sure

vergezellen accompany; [volgelingen] attend (on): *iem. op (de) reis ~* accompany s.o. on a journey

het **vergezicht** [panorama] (panoramic, wide view, vista

vergezocht far-fetched

het/de **vergiet** colander; [vloeistoffen] strainer: *z lek als een ~* leak like a sieve

vergieten shed

het **vergif** [gif] poison; [m.b.t. dieren] venom: *dodelijk ~* lethal (of: deadly) poison

de **vergiffenis** forgiveness; [ook jur] pardon [door priester] absolution

vergiftig poisonous; [m.b.t. dieren] venomous

vergiftigen poison

de **vergiftiging** poisoning: *hij stierf door ~ h* died of poisoning

zich **vergissen** be mistaken (of: wrong), make mistake: *zich lelijk ~* be greatly mistaken; *ve gis je niet* make no mistake; *als ik mij niet ve gis* if I'm not wrong (of: mistaken); *zich in c persoon ~* mistake s.o.; *zich in iem. ~* be mistaken (of: wrong) about s.o.; *als hij dat den vergist hij zich* if he thinks that he'll have to think again; *~ is menselijk* to err is human

de **vergissing** mistake, error: *iets per ~ doen* do sth. by mistake (of: inadvertently); *een ~ maken* (of: begaan) make (of: commit) a mistake (of: an error)

vergoeden 1 make good, compensate f refund: *onkosten ~* pay expenses; *iem. de schade ~* compensate (of: pay) s.o. for the damage **2** [als compensatie dienen voor] compensate, make up (for): *dat vergoedt ve* that makes up for a lot

de **vergoeding 1** compensation, reimburse

ment: ~ *eisen* claim damages; *een ~ vragen voor* charge for **2** [bedrag] allowance, fee; expenses [voor gemaakte onkosten, bewezen diensten]: *tegen een geringe ~* for a small fee

vergoelijken smooth over

vergokken gamble away

vergooien throw away, waste: *zijn leven ~* throw (*of:* fritter) away one's life

vergrendelen bolt, (double) lock

het **vergrijp** offence: *een licht ~* a minor offence

zich **vergrijpen** assault; [schenden] violate: *zich aan iem. ~* assault s.o.

vergrijzen age, get old: *Nederland vergrijst* the population of the Netherlands is ageing

de **vergrijzing** ageing

vergroeien grow crooked; [m.b.t. mensen ook] grow deformed, become deformed

het **vergrootglas** magnifying glass

vergroten 1 increase: *de kansen* (of: *risico's*) *~* increase the chances (*of:* risks) **2** [groter maken] enlarge: *de kamer ~* extend (*of:* enlarge) the room **3** [groter weergeven] magnify, enlarge; [zeer sterk vergroten van foto's; ook fig] blow up

de **vergroting 1** increase: *~ van de omzet* increase in the turnover **2** [het groter maken, worden] enlargement [ook van foto]

vergruizen pulverize, crush

verguizen abuse

verguld 1 gilded, gilt, gold-plated **2** [gevleid] pleased, flattered: *Laurette was er vreselijk mee ~* Laurette was absolutely delighted with it

vergulden gild, gold-plate

de **vergunning 1** [toestemming] permission **2** [officiële machtiging] permit; [m.b.t. drank, vuurwapens, vervoer] licence: *een restaurant met volledige ~* a fully licensed restaurant; *een ~ verlenen* (of: *intrekken*) grant (*of:* suspend) a licence

het **verhaal** story: *de kern van het ~* the point of the story; *om een lang ~ kort te maken* to cut a long story short; *sterke verhalen* tall stories; *zijn ~ doen* tell (*of:* relate) one's story; *~tjes vertellen* tell tales ‖ *het is weer het bekende ~* it's the same old story; *iem. op ~ laten komen* let s.o. get one's breath back

verhalen recover, recoup: *de schade op iem. ~* recover the damage from s.o.

verhandelen trade (in), sell

de **verhandeling** [Belg] [scriptie] (mini-)dissertation

zich **verhangen** hang o.s.

verhapstukken [inf] settle; do, finish (off)

verhard 1 hard; [m.b.t. grond] paved: *~e wegen* metalled roads; [Am] paved roads **2** [fig] hardened, callous

[1]**verharden** (onov ww) harden: *in het kwaad ~* become set in evil ways

[2]**verharden** (ov ww) [hardmaken] harden; [m.b.t. grond] metal; pave: *een tuinpad ~* pave a garden path

de **verharding** hardening; [m.b.t. grond] metalling [materiaal ook]; paving: *een ~ van standpunten* a hardening of points of view

verharen moult; [pels, kleed] shed (hair): *de kat is aan het ~* the cat is moulting

verheerlijken idolize, glamourize

[1]**verheffen** (ov ww) **1** raise, lift **2** [fig] raise, elevate; [m.b.t. smaak, moraliteit] uplift; lift up: *iets tot regel ~* make sth. the rule

zich [2]**verheffen** (wdk ww) rise: *zich hoog ~ boven de stad* rise (*of:* tower) above the city

verheffend elevating: *een weinig ~ schouwspel* an unedifying spectacle

[1]**verhelderen** (onov ww) clear (up)

[2]**verhelderen** (ov ww) [verduidelijken] clarify: *een ~d antwoord* an illuminating answer

verhelen conceal, hide

verhelpen put right, remedy

het **verhemelte** palate, roof of the mouth: *een gespleten ~* a cleft palate

verheugd glad, pleased: *zich bijzonder ~ tonen (over iets)* take great pleasure in sth.

zich **verheugen** be glad, be pleased (*of:* happy): *zich ~ op* look forward to

verheugend joyful: *~ nieuws* good news

verheven elevated; [fig] above (to), superior (to): *boven iedere verdenking ~* above (*of:* beyond) all suspicion

verhevigen intensify

verhinderen prevent: *iemands plannen ~* obstruct (*of:* foil) s.o.'s plans; *dat zal mij niet ~ om tegen dit voorstel te stemmen* that won't prevent me from voting against this proposal; *verhinderd zijn* be unable to come (*of:* attend)

de **verhindering** absence, inability to come: *bij ~* in case of absence

verhit 1 hot; [m.b.t. gezicht] flushed **2** heated: *~te discussies* heated discussions

verhitten 1 heat **2** inflame, stir up: *dat verhitte de gemoederen* that made feelings run high

de **verhitting** heating(-up)

verhoeden prevent, forbid: *God verhoede dat je ziek wordt* God forbid that you should be ill

verhogen 1 raise: *een dijk ~* raise a dike **2** [vermeerderen] increase: *de prijzen ~* raise (*of:* increase) prices

de **verhoging 1** raising **2** [verhoogde plaats] elevation, platform; [m.b.t. grond] rise: *de spreker stond op een ~* the speaker stood on a (raised) platform **3** [bedrag] increase, rise **4** [hogere lichaamstemperatuur] temperature, fever: *ik had wat ~* I had a slight temperature

[1]**verhongeren** (onov ww) **1** starve (to death), die of starvation **2** [erge honger lij-

den] starve, go hungry

²**verhongeren** (ov ww) [uithongeren] starve (to death): *de kinderen waren half verhongerd* the children were famished (*of:* half starved)

het **verhoor** interrogation, examination

verhoren 1 interrogate, question; cross-examine [zeer streng]: *getuigen ~* hear witnesses 2 [toestaan, vervullen] hear, answer; grant [wens]: *een gebed ~* answer (*of:* hear) a prayer

zich **verhouden** be as, be in the proportion of: *60 verhoudt zich tot 12 als 5 tot 1* 60 is to 12 as 5 to 1

de **verhouding** 1 relation(ship), proportion: *in ~ tot* in proportion to; *naar ~ is dat duur* that is comparatively expensive 2 [liefdesbetrekking] affair, relationship 3 [mv; afmetingen] proportions: *gevoel voor ~en bezitten* have a sense of proportion

verhoudingsgewijs comparatively, relatively

het **verhuisbericht** change of address card

de **verhuiswagen** removal van

verhuizen move (house), relocate || *iem. ~* move s.o.

de **verhuizer** remover

de **verhuizing** move, moving

verhullen veil, conceal (from): *niets ~de foto's* revealing photos

verhuren let [huis]; [Am] rent; lease out [land, huis op contract]

de **verhuur** letting; [Am] rental

het **verhuurbedrijf** leasing company, hire company (*of:* firm); [vnl. USA ook] rental company (*of:* agency)

de **verhuurder** letter; [Am] renter; landlord; landlady [land, huis e.d.]

verifiëren verify, examine, audit, prove

verijdelen frustrate, defeat: *een aanslag ~* foil an attempt on s.o.'s life

de **vering** springs; [auto] suspension

verjaard time-barred, superannuated

de **verjaardag** birthday: *vandaag is het mijn ~* today is my birthday

het **verjaardagscadeau** birthday present

het **verjaardagsfeest** birthday party

de **verjaardagskalender** birthday calendar

verjagen drive away, chase away

verjaren become prescribed, become (statute-)barred, become out-of-date

de **verjaring** prescription [van recht]; limitation [van vordering]

de **verjaringstermijn** period of limitation

verjongen rejuvenate, make young

de **verjonging** rejuvenation

de **verjongingskuur** rejuvenation cure: *een ~ ondergaan hebben* [fig] have undergone rejuvenation, be revitalized

verkapt veiled, disguised; [na zn] in disguise

verkassen move (house)

verkavelen parcel out, (sub)divide

de **verkaveling** allotment, subdivision

het **verkeer** 1 traffic: *handel en ~ trade* (*of:* traffic) and commerce; *druk ~* heavy traffic; *veilig ~* road safety; *het overige ~ in gevaar brengen* be a danger to other road-users 2 [omgang] association: *in het maatschappelijk ~* in society; *in het dagelijks ~* in everyday life 3 [het gaan en komen] movement: *er bestaat vrij ~ tussen die twee landen* there is freedom of movement between the two countries

verkeerd 1 wrong: *een verdediger op het ~e been zetten* wrong-foot a defender; *een ~e diagnose* a faulty diagnosis; *de ~e dingen zeggen* say the wrong things; *het eten kwam in mijn ~e keelgat* the food went down the wrong way; *op een ~ spoor zitten* be on the wrong track; *iets ~ aanpakken* go about sth the wrong way; *hij doet alles ~* he can't do a thing right; *pardon, u loopt ~* pardon me, but you're going the wrong way (*of:* in the wrong direction); *het liep ~ met hem af* he came to grief (*of:* to a bad end); *iets ~ spellen* (*of: uitspreken, vertalen*) misspell (*of:* mispronounce, mistranslate) sth.; *~ verbonden zijn* we have dialled a wrong number; *we zitten ~* we must be wrong; *hij had iets ~s gegeten* sth. he had eaten had upset him; *je hebt de ~e voor* you've mistaken your man 2 [omgekeerd] wrong; [binnenste buiten] inside out *zijn handen staan ~* he's all thumbs; *~ om* th other way round; [onderste boven] upside down

de **verkeersagent** traffic policeman (*of:* policewoman)

het **verkeersbord** road sign, traffic sign

de **verkeersbrigadier** lollipop man (*of:* lady)

de **verkeerschaos** traffic chaos

de **verkeersdrempel** speed ramp

de **verkeersleider** air-traffic controller

de **verkeersleiding** traffic department; [luchtv] air-traffic control, ground control

het **verkeerslicht** traffic lights: *het ~ sprong groen* the traffic lights changed to green

het **verkeersongeval** road accident, traffic accident

de **verkeersopstopping** traffic jam

de **verkeersovertreding** traffic offence

het **verkeersplein** roundabout; [Am] rotary (intersection)

de **verkeerspolitie** traffic police

de **verkeersregel** traffic rule

het **verkeersslachtoffer** road casualty, road victim: *het aantal ~s* [ook] the toll on the road(s)

de **verkeerstoren** control tower

de **verkeersveiligheid** road safety, traffic safety

de **verkeersvlieger** airline pilot

de **verkeerswisselaar** [Belg] [klaverblad] cloverleaf junction

verkennen explore, scout (out); [mil] reconnoitre: *de boel* ~ explore the place; *de markt* ~ feel out the market

de **verkenner 1** scout **2** [padvinder] (Boy) Scout, Girl Scout

de **verkenning** exploration, scout(ing)

verkeren [zich bewegen (in)] be (in): *in de hoogste kringen* ~ move in the best circles

de **verkering** courtship: *vaste* ~ *hebben* go steady; ~ *krijgen met iem.* start going out with s.o.

verketteren execrate, decry, denounce

verkiesbaar eligible (for election): *zich* ~ *stellen als president* run for president; *zich* ~ *stellen* stand for office

verkieslijk preferable

verkiezen prefer (to): *lopen boven fietsen* ~ prefer walking to cycling

de **verkiezing** election: *algemene* ~*en* general elections; *tussentijdse* ~*en* ± by-elections; ~*en uitschrijven* call (for) an election

de **verkiezingscampagne** election campaign

het **verkiezingsdebat** election debate

het **verkiezingsprogramma** (electoral) platform: *iets als punt in het* ~ *opnemen* make sth. a plank in one's platform

de **verkiezingsstrijd** electoral struggle

de **verkiezingsuitslag** election result: *de* ~ *bekendmaken* declare the poll

¹**verkijken** (ov ww) [verloren, voorbij laten gaan] give away, let go by: *die kans is verkeken* that chance has gone by

zich ²**verkijken** (wdk ww) make a mistake, be mistaken: *ik heb me op hem verkeken* I have been mistaken in him

verkikkerd nuts (on, about), gone (on)

verklaarbaar explicable, explainable; [begrijpelijk] understandable: *om verklaarbare redenen* for obvious reasons

verklappen give away, let out: *een geheim* ~ tell a secret

¹**verklaren** (ov ww) **1** explain, elucidate: *iemands gedrag* ~ account for s.o.'s conduct **2** [plechtig] declare; [officieel] certify: *iem. krankzinnig* ~ certify s.o. insane; *iets ongeldig* ~ declare sth. invalid; *een huis onbewoonbaar* ~ condemn a house

zich ²**verklaren** (wdk ww) explain o.s.: *verklaar je nader* explain yourself

de **verklaring 1** explanation: *dat behoeft geen nadere* ~ that needs no further explanation **2** [mededeling] statement; [vnl. onder ede] testimony: *een beëdigde* ~ a sworn statement; *een* ~ *afleggen* make a statement

zich **verkleden 1** change (one's clothes): *ik ga me* ~ I'm going to change (my clothes); *zich* ~ *voor het eten* dress for dinner **2** [vermommen] dress up

verkleinen 1 reduce, make smaller: *op verkleinde schaal* on a reduced scale **2** [verminderen] reduce, diminish, lessen

de **verkleining** reduction

het **verkleinwoord** diminutive

verkleumd numb (with cold)

verkleumen grow numb: *we staan hier te* ~ we are freezing in (*of:* out) here

verkleuren discolour, lose colour; [verbleken] fade: *deze trui verkleurt niet* this sweater will keep its colour

de **verkleuring** fading; [verandering van kleur] discoloration

verklikken give away; squeal on [iem.]: *iets* ~ blab sth., spill the beans

de **verklikker** telltale, tattler; [politiespion] informer; grass

verklooien fuck up

verknallen blow, spoil: *je hebt het mooi verknald* you've made a hash of it

zich **verkneukelen** exult (about), gloat (over)

verknippen 1 [door knippen verdelen] cut up **2** [knippend bederven] spoil in cutting

verknipt hung-up, kooky, nutty: *een* ~*e figuur* a weirdo, a nut(case)

verknocht devoted (to), attached (to)

verknoeien botch (up), spoil, mess up: *de boel lelijk* ~ make a fine mess of things

verkoelend cooling, refreshing

de **verkoeling** cooling

de **verkoeverkamer** [in ziekenhuis] recovery room

de **verkokering** compartmentalization

verkommeren sink into poverty, pine away

verkondigen proclaim, put forward

de **verkondiging** proclamation; [prediken] preaching

de **verkoop** sale(s): ~ *bij opbod* (sale by) auction; *iets in de* ~ *brengen* put sth. up for sale (*of:* on the market)

verkoopbaar saleable, marketable

de **verkoopcijfers** sales figures

de **verkoopleider** sales manager

het **verkooppraatje** sales pitch

de **verkoopprijs** selling price

het **verkooppunt** (sales) outlet, point of sale

de **verkoopster** saleswoman; [in winkel ook] shop assistant

de **verkoopvoorwaarden** terms and conditions of sale

verkopen 1 sell: *nee* ~ give (s.o.) no for an answer; *met winst* (*of: verlies*) ~ sell at a profit (*of:* loss); *éénmaal! andermaal! verkocht!* going! going! gone! **2** [toedienen] give: *iem. een dreun* ~ clobber s.o.

de **verkoper** salesman; [in winkel ook] shop assistant

de **verkoping** (public) sale, auction: *bij openbare* ~ by auction

verkorten shorten, abridge, condense;

[van duur] reduce
verkouden: ~ *worden* catch (a) cold; ~ *zijn* have a cold
de **verkoudheid** (common) cold: *een ~ opdoen* catch (a) cold
verkrachten rape, (sexually) assault
de **verkrachter** rapist
de **verkrachting** rape
verkrampen go tense, tense up
verkrampt contorted; [fig] constrained
¹**verkreukelen** (onov ww) crumple: *een verkreukeld pak* a creased suit
²**verkreukelen** (ov ww) [door kreuken bederven] rumple (up), crumple (up): *papier ~* crumple up paper
verkrijgbaar available: *het formulier is ~ bij de administratie* the form can be obtained from the administration; *zonder recept ~* over-the-counter
verkrijgen 1 receive, get **2** [bemachtigen] obtain, come by, secure: *een betere positie ~* secure a better position; *moeilijk te ~* hard to come by
verkroppen: *iets niet kunnen ~* be unable to take sth.
verkrotten decay, become run-down: *verkrotte huizen* slummy (*of:* dilapidated) houses
verkruimelen crumble
verkwanselen bargain away, fritter away, squander
verkwikken refresh
verkwikkend refreshing, invigorating, stimulating
verkwisten waste; [geld ook] squander
verkwistend prodigal; [verspillend] wasteful
de **verkwister** squanderer, waster
de **verkwisting** waste(fulness), squandering: *het is pure ~* it's an utter waste
verlagen lower; [verminderen ook] reduce: *(met) 30 % ~* lower (*of:* reduce) by 30 % ‖ *zich ~ tot* stoop to, lower o.s. to
de **verlaging** lowering; [vermindering ook] reduction
¹**verlammen** (onov ww) become paralysed (*of:* numb)
²**verlammen** (ov ww) [lam maken] paralyse: *de schrik verlamde mij* I was paralysed with fear
verlammend paralysing
de **verlamming** paralysis
het ¹**verlangen** (zn) longing, desire; [sterk verlangen] craving: *aan iemands ~ voldoen* comply with s.o.'s wish
²**verlangen** (onov ww) (+ naar) [vervuld zijn van een begeerte] long (for), crave: *ik verlang ernaar je te zien* I long to see you; [sterker] I'm dying to see you
³**verlangen** (ov ww) [begeren] want, wish for; [eisen] demand: *wat kun je nog meer ~*

what more can you ask for?; *dat kunt u niet van mij ~* you can't expect me to do that
het **verlanglijstje** list of gifts wanted
¹**verlaten** (bn) **1** deserted: *een ~ huis* an abandoned house **2** [eenzaam, afgelegen] desolate, lonely **3** [achtergelaten] abandoned
²**verlaten** (ov ww) **1** leave: *het land ~* leave the country; *de school ~* leave school **2** [in de steek laten] abandon, leave: *vrouw en kinderen ~* leave (*of:* abandon) one's wife and children
de **verlatenheid** desolation, abandonment: *een gevoel van ~* a feeling of desolation
het ¹**verleden** (zn) past: *het ~ laten rusten* let bygones be bygones; *teruggaan in het ~* go back in time
²**verleden** (bn) past: *het ~ deelwoord* the past (*of:* perfect) participle; *de ~ tijd* the past tense; *voltooid ~ tijd* past perfect (*of:* pluperfect) (tense); *~ week* last week
verlegen 1 shy: *~ zijn tegenover meisjes* be shy with girls **2** (+ om) in need of, at a loss for, pressed for: *ik zit niet om werk ~* I have no work cut out as it is
de **verlegenheid 1** shyness **2** [moeilijke omstandigheid] embarrassment, trouble: *iem. ~ brengen* embarrass s.o.
verleggen move, shift; [grenzen] push back
verleidelijk tempting, inviting, seductive: *een ~ aanbod* a tempting offer
verleiden 1 tempt, invite, entice: *iem. ertoe ~ om iets te doen* tempt s.o. into doing sth. **2** [m.b.t. geslachtsgemeenschap] seduce
de **verleider** seducer, tempter
de **verleiding** temptation; [het verleiden] seduction: *de ~ niet kunnen weerstaan* be unable to resist (the) temptation; *in de ~ komen om* feel (*of:* be) tempted to
de **verleidster** seducer, temptress
verlenen grant, confer: *iem. onderdak ~* take s.o. in; harbour s.o. [misdadiger]; *voorrang ~* give way (*of:* priority); [verk] give right of way; [Am] yield
het **verlengde** extension: *in elkaars ~ liggen* be in line
verlengen 1 extend, lengthen **2** [langer laten duren] extend, prolong: *een (huur)contract ~* renew a lease; *zijn verblijf ~* prolong one's stay; *verlengd worden* [wedstrijd] go into extra (*of:* injury) time; [Am] go (into) overtime
de **verlenging 1** extension; [sport] extra time; injury time; [Am] overtime **2** [het verlengen] lengthening, extension
het **verlengsnoer** extension lead
het **verlengstuk** extension (piece): [fig] *het zijn van* be a continuation of
verlept withered, wilted
verleren forget (how to); [opzettelijk] un

learn: *je bent het schaken blijkbaar een beetje verleerd* your chess seems a bit rusty; *om het niet (helemaal) te ~* just to keep one's hand in

verlevendigen revive; enliven [voordracht, lessen enz.]

verlicht 1 lit (up), lighted, illuminated: *helder ~* well-lit, brightly lit **2** [van een last bevrijd] relieved, lightened: *met ~ gemoed* with (a) light heart

verlichten 1 light, illuminate **2** [minder zwaar maken] relieve, lighten: *dat verlicht de pijn* that relieves (of: eases) the pain

de **verlichting 1** light(ing), illumination **2** [het minder zwaar maken] lightening: *~ van straf* mitigation of punishment

verliefd in love (with), amorous, loving: *zwaar ~ zijn* be madly (of: deeply) in love || *hij keek haar ~ aan* he gave her a fond (of: loving) look

de **verliefdheid** being in love, love

het **verlies** loss: *~ lijden* suffer a loss; [fin] make a loss; *met ~ verkopen* sell at a loss; *met ~ draaien* make a loss (of: losses); *niet tegen (zijn) ~ kunnen* be a bad loser

verliesgevend loss-making

de **verliespost** loss-making activity

verliezen 1 lose: *zijn bladeren ~* defoliate; *de macht ~* fall from power; *terrein ~* lose ground **2** [laten voorbijgaan] lose, miss: *er is geen tijd te ~* there is no time to lose (of: to be lost)

de **verliezer** loser

verlinken tell on, grass on

verloederen degenerate

de **verloedering** corruption

het **verlof 1** leave, permission: *~ krijgen om …* obtain permission to … **2** [verloftijd] leave (of absence); [mil ook] furlough: *buitengewoon ~* special leave; *met ~ zijn* be on leave

verlokkelijk tempting

de **verlokking** temptation

verloochenen renounce

verloofd engaged (to)

de **verloofde** fiancé; [vrouwelijk] fiancée

het **verloop 1** course, passage: *na ~ van tijd* in time, after some time **2** [ontwikkeling, afloop] course, progress, development: *voor een vlot ~ van de besprekingen* for smooth progress in the talks **3** [m.b.t. personeel, klantenkring] turnover, wastage: *natuurlijk ~* natural wastage

de **verloopstekker** adapter

verlopen 1 (e)lapse, go by, pass **2** [vervallen] expire: *mijn rijbewijs is ~* my driving licence has expired **3** [zijn beloop nemen] go (off): *vlot ~* go smoothly **4** [minder bezocht, beoefend worden] drop off, fall off, go down(hill)

verloren lost: *~ moeite* wasted effort; *een ~ ogenblik* an odd moment; *voor een ~ zaak vechten* fight a losing battle

de **verloskamer** delivery room

de **verloskunde** obstetrics

verloskundig obstetric

de **verloskundige** [vroedvrouw] midwife; [specialist] obstetrician

verlossen 1 deliver (from), release (from), save (from): *een dier uit zijn lijden ~* put an animal out of its misery **2** [m.b.t. een bevalling] deliver (of)

de **verlosser** saviour, rescuer: *de Verlosser* our Saviour, the Redeemer

de **verlossing** deliverance, release

verloten raffle (off)

zich **verloven** get engaged (to)

de **verloving** engagement: *zijn ~ verbreken* break off one's (of: the) engagement

verluiden: *naar verluidt* it is reported that, it is understood that, allegedly

verlummelen fritter away

het **vermaak** amusement, enjoyment, pleasure: *onschuldig ~* good clean fun

vermaard renowned (for), celebrated (for), famous (for)

vermageren lose weight, become thin(ner), get thin(ner); [als kuur] slim: *sterk vermagerd* emaciated, wasted

de **vermageringskuur** slimming diet: *een ~ ondergaan* be (of: go) on a (slimming, reducing) diet

vermakelijk amusing

vermaken 1 amuse, entertain: *zich ~* enjoy (of: amuse) o.s., have fun **2** [bij testament] bequeath, make over

vermalen grind

vermanen admonish, warn

de **vermaning** admonition

zich **vermannen** screw up one's courage, take heart

vermeend supposed, alleged

vermeerderen increase, enlarge, grow: *~ met 25 %* increase by 25 per cent

vermelden 1 mention **2** [aangeven] state, give

vermeldenswaard worth mentioning, worthy of mention

de **vermelding** mention, statement: *eervolle ~* honourable mention; *onder ~ van …* giving (of: stating, mentioning) …

vermengen mix; blend [thee, koffie, tabak]

de **vermenging** mix(ture), mixing, blend(ing)

¹**vermenigvuldigen** (ov ww) **1** duplicate **2** [wisk] multiply: *vermenigvuldig dat getal met 8* multiply that number by 8

zich ²**vermenigvuldigen** (wdk ww) [talrijker worden] multiply, increase; reproduce

de **vermenigvuldiging** multiplication: *tafel van ~* multiplication table

de **vermicelli** vermicelli

vermijden avoid: *angstvallig ~* shun, fight shy of

verminderd diminished, reduced: ~ toere-keningsvatbaar not fully accountable for one's actions

verminderen decrease, reduce: de uitga-ven ~ cut (back on) expenses

de **vermindering** decrease, reduction: ~ van straf reduction of (a) sentence

verminken mutilate

de **verminking** mutilation

vermissen miss: iem. (iets) als vermist opge-ven report s.o., missing, report sth. lost

de **vermissing** loss; absence [ook persoon]

de **vermiste** missing person

vermits [Belg] [omdat, daar, aangezien] since, as, because

vermoedelijk supposed: de ~e dader the suspect; de ~e oorzaak the probable cause

het **¹vermoeden** (zn) **1** conjecture, surmise **2** [gedachte] suspicion: ik had er geen flauw ~ van I didn't have the slightest suspicion (of: the faintest idea); ik had al zo'n ~, ik had er al een ~ van I had my suspicions (all along)

²vermoeden (ov ww) suspect, suppose: dit heb ik nooit kunnen ~ this is the last thing I expected

vermoeid tired (with), weary (of): dodelijk ~ dead tired, completely worn-out

de **vermoeidheid** tiredness; [grote vermoeid-heid] weariness; fatigue: ~ van de ogen eye strain

vermoeien tire (out), weary, fatigue; [uit-putten] exhaust

vermoeiend tiring; [vervelend ook] weari-some; [vervelend ook] tiresome

het **vermogen 1** fortune; [bezit] property; [fin] capital **2** [capaciteit] power, capacity **3** [macht, kracht] power, ability: naar mijn beste ~ to the best of my ability

vermogend rich, wealthy: ~e mensen peo-ple of substance

de **vermogensaanwas** capital gain

de **vermogensbelasting** wealth tax

vermolmd mouldered, decayed, rotten

vermommen disguise, dress up: vermomd als disguised as

de **vermomming** disguise

vermoorden murder; assassinate [voor-aanstaande personen]: [Belg] zwijgen als ver-moord be silent as the grave

vermorzelen crush, smash up

de **vermout** vermouth

vermurwen mollify

vernauwen narrow (down), constrict, con-tract ‖ zich ~ narrow

de **vernauwing** narrowing, constriction: ~ van de bloedvaten stricture (of: stenosis) of the blood vessels

vernederen humble; [krenkend behande-len] humiliate

vernederend humiliating; degrading [straf enz.]

de **vernedering** humiliation: een ~ onderga suffer a humiliation (of: an indignity)

vernederlandsen become Dutch, turn Dutch

vernemen learn, be told (of: informed) (c

verneuken [vulg] [belazeren] shaft, screw con: laat je niet ~ don't let them fuck you about (of: shit on you); je wordt verneukt wa je bij staat [slang] it's a rip-off (of: con)

vernielen destroy, wreck

de **vernieling** destruction, devastation: ~en aanrichten go on the rampage; zij ligt hele-maal in de ~ she's a complete wreck

de **vernielzucht** destructiveness, vandalism

vernietigen destroy, ruin; [totaal wegva-gen] annihilate: iemands verwachtingen ~ dash s.o.'s expectations

vernietigend destructive, devastating: e ~ oordeel a scathing judgment

de **vernietiging** destruction; [totaal wegva-gen] annihilation

vernieuwen 1 renew, modernize; reno-vate [gebouw] **2** [vervangen] renew, resto

de **vernieuwer 1** renewer; [van gebouw en renovator **2** [iem. met nieuwe ideeën] inn vator

de **vernieuwing 1** renewal, modernization renovation [gebouw]; rebuilding **2** [aange brachte aanpassing] modernization, renov tion; reform [onderwijs]: allerlei ~en aan-brengen carry out all sorts of renovations [huis]

het/de **vernis** varnish

vernissen varnish

vernoemen name after, call after

het **vernuft** ingenuity, genius

vernuftig ingenious, witty

veronachtzamen neglect

veronderstellen suppose, assume: ik ve onderstel van wel I suppose so

de **veronderstelling** assumption, supposi-tion: in de ~ verkeren dat … be under the i pression that …

verongelijkt aggrieved, wronged

verongelukken 1 have an accident; be lost, be killed [mensen bij vliegramp, schi breuk] **2** [m.b.t. schepen, vliegtuigen] (ha a) crash; be wrecked, be lost [schip]: het vliegtuig verongelukte the plane crashed

verontreinigen pollute, contaminate

de **verontreiniging** pollution, contamina-tion: de ~ van het milieu environmental p lution

verontrust alarmed, worried, concerne

verontrusten alarm, worry: zich ~ over be disturbed (of: worried) about sth., worry about sth.

verontrustend alarming, worrying, dis turbing

¹verontschuldigen (ov ww) excuse, pa don: iem. ~ excuse s.o.

zich ²**verontschuldigen** (wdk ww) [excuses aanbieden] apologize, excuse: *zich laten ~* [form; bij vergadering] beg to be excused; *zich vanwege ziekte ~* excuse o.s. on account of illness

de **verontschuldiging 1** excuse, apology: *~en aanbieden* apologize, offer one's apologies **2** [rechtvaardiging] excuse, defence: *hij voerde als ~ aan dat* he offered the excuse that

verontwaardigd indignant (about, at)

de **verontwaardiging** indignation, outrage: *tot grote ~ van* to the great indignation of

de **veroordeelde** condemned man (*of:* woman), convict

veroordelen 1 condemn; [jur] sentence; [schuldig bevinden] find guilty: *~ tot de betaling van de kosten* order (s.o.) to pay costs **2** [afkeuren] condemn; denounce [iem., gedrag]

de **veroordeling 1** [jur] conviction; [vonnis] sentence: *voorwaardelijke ~* suspended sentence **2** [afkeuring] condemnation; [openlijk] denunciation

veroorloven permit, allow; afford [m.b.t. aanschaf]: *zo'n dure auto kunnen wij ons niet ~* we can't afford such an expensive car

veroorzaken cause, bring about: *schade ~* cause damage

verorberen consume

verordenen 1 [wettelijk bepalen] decree **2** [bevelen] order

de **verordening** regulation(s), ordinance, statute

verouderd old-fashioned, (out)dated

verouderen become obsolete (*of:* antiquated), date, go out of date

de **veroudering** obsolescence, getting (*of:* becoming) out of date

de **veroveraar** conqueror: *Willem de Veroveraar* William the Conqueror

veroveren conquer, capture, win: *de eerste plaats ~ in de wedstrijd* take the lead

de **verovering** conquest, capture

verpachten lease (out): *verpachte grond* land on lease

verpakken pack (up), package: *een cadeau in papier ~* wrap a present in paper

de **verpakking** packing, wrapping, paper

et **verpakkingsmateriaal** packing material

verpatsen flog

verpauperen impoverish, go down in the world), be reduced to poverty: *een verpauperde stad* a run-down town

e **verpaupering** deterioration, impoverishment

verpesten poison, contaminate, spoil: *de sfeer ~* spoil the atmosphere

et **verpinken**: [Belg] *zonder (te) ~* without batting an eyelid

¹**verplaatsen** (ov ww) move; shift [dingen,

gewicht]: *zijn activiteiten ~* shift one's activities

zich ²**verplaatsen** (wdk ww) **1** move, shift, change places **2** [zich inleven] project o.s., put o.s. in s.o. else's shoes: *zich in iemands positie ~* imagine o.s. in s.o. else's position

de **verplaatsingskosten** [Belg; voorrijkosten] call out charge

verplanten transplant

het **verpleeghuis** nursing home, convalescent home

de **verpleeghulp** nurse's aide, nursing auxiliary, medical orderly

de **verpleegkundige** nurse: *gediplomeerd ~* trained (*of:* qualified) nurse

de **verpleegster** nurse

verplegen nurse, care for: *~d personeel* nursing staff

de **verpleger** (male) nurse

de **verpleging** nursing, care: *zij gaat in de ~* she is going into nursing

verpletteren 1 crush, smash **2** [fig] shatter: *dit bericht verpletterde haar* the news shattered her

verpletterend crushing: *een ~e nederlaag* a crushing defeat

verplicht 1 compelled, obliged: *zich ~ voelen om* feel compelled to **2** [voorgeschreven] compulsory, obligatory: *~e lectuur* required reading (matter); *~ verzekerd zijn* be compulsorily insured; *iets ~ stellen* make sth. compulsory

verplichten oblige, compel: *de wet verplicht ons daartoe* the law obliges us to do that

de **verplichting** obligation, commitment; liability [wettelijk, financieel]: *financiële ~en* financial liabilities (*of:* obligations); *sociale ~en* social duties; *~en aangaan* enter into obligations (*of:* a contract); *zijn ~en nakomen* fulfil one's obligations

verpoten transplant

verprutsen bungle, botch

verpulveren pulverize; [overgankelijk ook] crush

het **verraad** treason, treachery, betrayal: *~ plegen* commit treason

verraden 1 betray, commit treason: *iem. aan de politie ~* squeak (*of:* rat) on s.o. **2** [verklappen] betray: *een geheim ~* betray (*of:* let out) a secret; *niets ~, hoor!* don't breathe a word!

de **verrader** traitor, betrayer; squealer [aan politie]

verraderlijk treacherous

verrassen (take by) surprise: *door noodweer verrast* caught in a thunderstorm; *onaangenaam verrast zijn* be startled, be taken aback

de **verrassing 1** surprise; [onaangenaam] shock: *voor iem. een ~ in petto hebben* have a surprise in store for s.o.; *het was voor ons geen*

~ meer it didn't come as a surprise to us
2 [verwondering] surprise, amazement: tot
mijn ~ bemerkte ik … I was surprised to see
that …

verrast surprised; [verwonderd] amazed: ~
keek hij op he looked up in surprise

verregaand far-reaching, outrageous; radical [ideeën, veranderingen]: in ~e staat van
ontbinding in an advanced state of decomposition

verregenen spoil by rain; [uitgesteld] rain
off; [heel nat worden] drench

verrek gosh, (good) gracious

verrekenen settle, deduct, adjust; [uitbetalen] pay out: iets met iets ~ balance sth.
with sth.

de **verrekening** settlement

de **verrekijker** binoculars; telescope [één lens]

¹**verrekken** (onov ww) [inf] [sterven] die,
kick the bucket: ~ van de honger starve; ~ van
de pijn be groaning with pain; ~ van de kou
perish with cold

²**verrekken** (ov ww) strain; pull [spier];
twist, wrench; [verstuiken] sprain: een pees ~
stretch a tendon; zich ~ strain o.s.

verrekt [ontwricht] strained

verreweg (by) far, much; easily [met overtreffende trap]: dat is ~ het beste that's easily
(of: much) the best; hij is ~ de sterkste he's far
and away the strongest

verrichten perform; conduct [onderzoek,
zaken]; carry out [onderzoek, zaken, reparatie]: wonderen ~ work wonders, perform
miracles

de **verrichting 1** [uitvoering] performance
2 [werkzaamheid] action; [medisch, zakelijk]
operation

verrijden 1 move; [duwend] wheel; drive
[besturen] **2** [rijden om] compete in, compete for: een kampioenschap ~ organize (of:
hold) a championship; een wedstrijd laten ~
run off a race

verrijken enrich: zijn kennis ~ improve
one's knowledge; zich ~ ten koste van een ander get rich at the expense of s.o. else; verrijkt
voedsel fortified food

de **verrijking** enrichment

verrijzen (a)rise; spring up [gebouw]; [heel
snel] shoot up

de **verrijzenis** resurrection

zich **verroeren** move: je kunt je hier nauwelijks ~
you can hardly move in here; verroer je niet
don't move

verroest rusty

verroesten rust, get rusty: verroest ijzer
rusty iron

verrot rotten; bad [appel, tand]; putrid,
wretched: iem. ~ slaan knock the living daylights out of s.o.; door en door ~ rotten to
the core

verrotten rot, decay: doen ~ rot (down)

[composthoop]; decay [tanden]

de **verrotting** rot(ting), decay: dit hout is te◻
~ bestand this wood is treated for rot

verruilen (ex)change, swap

verruimen widen, broaden; liberalize
[maatregel]: zijn blik ~ widen (of: broader
one's outlook; mogelijkheden ~ create m◻
possibilities

de **verruiming** widening, broadening; libe◻
ization [m.b.t. maatregel]

verrukkelijk delightful, gorgeous; delicious [m.b.t. voedsel]

de **verrukking** delight

verrukt delighted, overjoyed

verruwen coarsen; [persoon, taal] beco◻
vulgar; [op moreel gebied] become bruta◻
ized

de **verruwing** coarsening, vulgarization

het ¹**vers** (zn) **1** verse: Lucas 6, ~ 10 St Luke,
chapter 6, verse 10 **2** [couplet] verse, star◻
[twee regels] couplet: dat is ~ twee that's◻
other story **3** [gedicht] verse, poem; [rijm◻
rhyme

²**vers** (bn, bw) fresh, new: ~ bloed fresh (◻
young, new) blood; ~e eieren new-laid e◻
~e sneeuw fresh (of: new-fallen) snow; ~◻
blijven keep fresh (of: good); ~ van de pe◻
hot from the press

verschaald: ~ bier stale (of: flat) beer

verschaffen provide (with), supply (wi◻
het leger verschafte hem een complete uitr◻
ting the army issued him with a complet◻

verschalken outwit, (out)fox: de keep◻
outmanoeuvre the keeper

zich **verschansen** entrench o.s., barricade ◻
take cover: zich in zijn kamer ~ barricade ◻
in one's room

het **verscheiden** [form] departure

verscheidene several, various

de **verscheidenheid** variety, diversity; [v◻
zameling ook] assortment; range: een gr◻
~ aan gerechten a wide variety of dishes

verschepen ship (off, out)

de **verscheping** shipping

verscherpen tighten (up): het toezicht◻
tighten up control

verscheuren 1 tear (up); shred [in kle◻
stukjes]; rip (up) [met kracht] **2** [met de ◻
den vaneenrijten] maul, tear to pieces (◻
apart)

het **verschiet**: dat ligt nog in het ~ that's is s◻
store

verschieten fade: de gordijnen zijn ver◻
schoten the curtains are (of: have) faded
kleur ~ **a)** [rood worden] blush, go red;
b) [m.b.t. een school] rapidly become m◻
cultural

verschijnen 1 appear, surface; emerg◻
iets] **2** [komen opdagen] appear, turn u◻
3 [boeken, cd's] appear, come out, be p◻
lished

de **verschijning 1** appearance; publication [m.b.t. boeken] **2** [persoon] figure, presence: *een indrukwekkende ~* an imposing presence

het **verschijnsel** phenomenon; symptom [van ziekte, problemen]; sign: *een eigenaardig ~* a strange phenomenon

het **verschil 1** difference, dissimilarity, distinction: *~ van mening* a difference of opinion; *een groot ~ maken* make all the difference; *~ maken tussen* draw a distinction between, differentiate between; *~ maken* make a difference; *met dit ~, dat …* with one difference, namely that …; *een ~ van dag en nacht* a world of difference **2** [uitkomst van een aftrekking] difference, remainder: *het ~ delen* split the difference

verschillen differ (from), be different (from); vary [ook mening]: *van mening ~ met iem.* disagree with s.o., differ with s.o.; *smaken ~* tastes differ; everyone to his taste

verschillend 1 different (from), various: *wij denken daar ~ over* we don't see eye to eye on that **2** several, various, different: *bij ~e gelegenheden* on various occasions

verscholen hidden; secluded [plekje]: *het huis lag ~ achter de bomen* the house was tucked away behind the trees

verschonen change: *de baby ~* change the baby's nappy; *de bedden ~* put clean sheets on the beds; *zich ~* put on clean clothes

de **verschoning** change of underwear

de **verschoppeling** outcast

verschralen decrease

¹**verschrikkelijk** (bn) terrible; devastating [ramp, nieuws]; excruciating [pijn, lawaai]: *een ~e hongersnood* a devastating famine; *~e sneeuwman* Abominable Snowman, yeti; *een ~ kabaal* an infernal racket

²**verschrikkelijk** (bw) [in hoge mate] terribly, awfully; terrifically [m.b.t. iets positiefs]: *Sander maakte een ~ mooi doelpunt* Sander scored a terrific goal

de **verschrikking** terror, horror: *de ~en van de oorlog* the horrors of war

verschroeien scorch; singe [stof]; sear: *de tactiek van de verschroeide aarde* scorched earth policy

verschrompelen shrivel (up); atrophy [orgaan]: *een verschrompeld gezicht* a wizened face

ich **verschuilen** hide (o.s.), lurk: *zich in een hoek ~* hide (o.s.) in a corner

verschuiven 1 move, shift; [opzij] shove aside **2** [opschorten] postpone

de **verschuiving 1** shift **2** [opschorting] postponement

verschuldigd due; indebted [ook m.b.t. hulp, diensten enz.]: *het ~e geld* the money due; *iem. iets ~ zijn* be indebted to s.o., owe s.o. sth.

de **versheid** freshness

het/de **vershoudfolie** cling film

de **versie** version

de **versierder** womanizer, ladykiller

versieren 1 decorate: *de kerstboom ~* trim the Christmas tree; *straten ~* decorate the streets **2** [verleiden] pick up, get off with

de **versiering** decoration

de **versiertoer** [inf] *op de ~ gaan* try to pick up s.o., try to make s.o.

versimpelen (over)simplify

versjacheren squander

versjouwen drag away

verslaafd addicted (to), hooked (on): *~ raken aan drugs* contract the drug habit; *aan de drank* (of: *het spel*) *~ zijn* be addicted to drink (of: gambling)

de **verslaafde** alcoholic; [m.b.t. drugs] (drug) addict; [m.b.t. heroïne] junkie

verslaan defeat; beat [sport]: *iem. ~ met schaken* defeat s.o. at chess

het **verslag** report; commentary [op radio, tv]: *een direct ~ van de wedstrijd* a live commentary on the match; *~ uitbrengen* report on, give an account of

verslagen 1 defeated, beaten **2** [terneergeslagen] dismayed

de **verslagenheid** dismay (at), consternation (at)

de **verslaggever** reporter; commentator [op radio, tv]

de **verslaggeving** (press) coverage

zich **verslapen** oversleep: *hij had zich drie uur ~* he overslept and was three hours late

verslappen slacken; flag [aandacht]; wane [aandacht]: *de pols verslapt* the pulse is getting weaker

verslavend addictive

de **verslaving** addiction, (drug-)dependence

verslechteren get worse, worsen, deteriorate

verslepen drag (off, away); tow (away) [met sleepboot, takelwagen enz.]

versleten 1 worn(-out), shabby: *tot op de draad ~* threadbare **2** [afgeleefd] worn-out; burnt-out [mens, dier]: *een ~ paard* an old nag

de **versleuteling** [comp] encryption

verslijten wear out: *hij had al drie echtgenotes versleten* he had already got through three wives

zich **verslikken 1** choke: *pas op, hij verslikt zich* watch out, it has gone down the wrong way; *zich in een graat ~* choke on a bone **2** [onderschatten] underrate, underestimate

verslinden devour; eat up [winst, afstanden]; eat [geld]: *die auto verslindt benzine* that car drinks petrol; *een boek ~* devour a book

verslingerd: *zij is ~ aan slagroomgebakjes* she is mad about cream cakes

versloffen: *de boel laten* ~ let things go
verslonzen degrade
versmaden: *dat is niet te* ~ that's not to be sneezed at (*of:* despised)
¹versmallen (ww) narrow
zich **²versmallen** (wdk ww) narrow, become narrow(er): *ginds versmalt de weg zich* the road gets narrow(er) there
versmelten blend, merge
de **versnapering** snack, titbit
zich **versnellen** quicken, accelerate, speed up
de **versnelling 1** acceleration; increase (in) [tempo] **2** [mechanisme] gear: *in de eerste* ~ *zetten* put into first gear; *in een hogere* ~ *schakelen* change up; move into gear; *een auto met automatische* ~ a car with automatic transmission; *een fiets met tien* ~*en* a ten-speed bike
de **versnellingsbak** gearbox
versnijden 1 [in stukken snijden] cut up **2** [aanmengen] adulterate
versnipperen 1 cut up (into pieces) **2** [in te veel delen verdelen] fragment; fritter away [tijd, energie]
versoberen economize, cut down (on expenses)
versoepelen relax; [wet ook] liberalize
verspelen forfeit, lose: *een kans* ~ throw away a chance; *zijn rechten* ~ forfeit one's rights
versperren block; [opzettelijk] barricade: *iem. de weg* ~ bar s.o.'s way; *de weg* ~ block the road
de **versperring** barrier, barricade
verspillen waste; [tijd ook] fritter away
de **verspilling 1** wasting: ~ *van energie* wasting energy **2** waste: *wat een* ~*!* what a waste!
versplinteren smash; [hout ook] splinter: *die plank is versplinterd* that plank has splintered
verspreid scattered: *een over het hele land* ~*e organisatie* a nationwide organization; *haar speelgoed lag* ~ *over de vloer* the floor was strewn with her toys; *wijd* ~ widespread; widely (*of:* commonly) held [opvatting]
¹verspreiden (ov ww) **1** spread, disperse, distribute; circulate [geschriften, informatie]: *een kwalijke geur* ~ give off a ghastly smell; *licht* ~ shed light; *warmte* ~ give off heat **2** [uiteen doen gaan] disperse
zich **²verspreiden** (wdk ww) spread (out): *de menigte verspreidde zich* the crowd dispersed
de **verspreiding** spread, distribution
zich **verspreken** make a slip (*of:* mistake)
de **verspreking** slip of the tongue, mistake
¹verspringen (onov ww) do the long jump: *zij sprong zes meter ver* she jumped six metres
²verspringen (onov ww) **1** jump **2** [niet in één lijn liggen] stagger: ~*de naden* staggered seams

de **verspringer** long jumper; [Am] broad-jumper
de **versregel** line (of poetry)
verst furthest, farthest: *het* ~*e punt* the fa thest point; *dat is in de* ~*e verte niet mijn bedoeling* that's the last thing I intended
verstaan 1 [horen] (be able to) hear: *hela verstond ik zijn naam niet* unfortunately I didn't catch his name; *ik versta geen woord* can't hear a word that is being said; *hij kon zichzelf nauwelijks* ~ he could hardly hear himself speak **2** [begrijpen] understand: *he ik goed* ~ *dat …* did I hear you right …; *te* ~ *geven* give (s.o.) to understand (that) **3** [als betekenis hechten aan] understand, mean: *wat versta jij daaronder?* what do you unde stand by that? **4** [goed kennen] know: *zijn vak* ~ know one's trade
verstaanbaar 1 audible **2** [begrijpelijk] understandable: *zich* ~ *maken* make o.s. u derstood
het **verstand 1** (power of) reason, (powers o comprehension; [hersenen] brain(s): *gezor* ~ common sense; *een goed* ~ *hebben* have good head on one's shoulders; *iem. iets aa het* ~ *brengen* drive sth. home to s.o.; *bij zij (volle)* ~ in full possession of one's faculties **2** [kennis] knowledge, understanding: ~ *hebben van* know about, understand, be a good judge of; *daar heb ik geen* ~ *van* I dor know the first thing about that
¹verstandelijk (bn) intellectual: ~*e verme gens* intellect, intellectual powers
²verstandelijk (bw) rationally
de **verstandhouding** understanding; [contacten, betrekkingen] relations: *een blik va* ~ an understanding look; *een goede* ~ *heb ben met* be on good terms with
verstandig sensible: *iets* ~ *aanpakken ge* about sth. in a sensible way
het **verstandshuwelijk 1** [huwelijk] marria of convenience **2** [verbond] alliance of co venience
de **verstandskies** wisdom tooth
de **verstandsverbijstering** madness: *han len in een vlaag van* ~ act in a fit of madne (*of:* insanity)
verstarren become rigid, freeze: *verstar tradities* fossilized traditions
verstedelijken urbanize
de **verstedelijking** urbanization
versteend petrified; [ook fig] fossilized
het **verstek** default (of appearance): ~ *later gaan* be absent, fail to appear
de **verstekeling** stowaway
verstelbaar adjustable
versteld stunned: *iem.* ~ *doen staan* ast ish s.o.; ~ *staan (van iets)* be dumbfounde
verstellen 1 adjust **2** [repareren] mend repair
versterken 1 strengthen; intensify [lich

vertillen

gevoelens]: *geluid* ~ amplify sound **2** [tegen aanvallen] fortify

de **versterker** amplifier

de **versterking** strengthening, reinforcement; amplification [geluid]: *het leger kreeg* ~ the army was reinforced

versterven 1 [ascetisch leven] mortify o.s. **2** [geleidelijk sterven] starve

verstevigen strengthen, consolidate; [stutten] prop up: *zijn positie* ~ consolidate one's position

verstijven stiffen: ~ *van kou* grow numb with cold; ~ *van schrik* be petrified with fear

verstikken smother, choke

verstikkend suffocating: *~e hitte* stifling heat

de **verstikking** suffocation

¹**verstoken** (bn) deprived (of)

²**verstoken** (ov ww) spend on heating

verstokt hardened, confirmed: *een ~e vrijgezel* a confirmed bachelor

verstomd: ~ *doen staan* strike dumb, astound; ~ *staan* be dumbfounded (*of:* flabbergasted)

verstommen become silent: *het lawaai verstomde* the noise died down

verstoord annoyed, upset

verstoppen hide: *zijn geld* ~ hide (*of:* stash) away one's money

het **verstoppertje** hide-and-seek: ~ *spelen* play (at) hide-and-seek

de **verstopping 1** [het verstopt zijn] blockage **2** [obstipatie] constipation

verstopt blocked (up): *mijn neus is* ~ my nose is all stuffed up; *het riool is* ~ the sewer is clogged

verstoren disturb: *het evenwicht* ~ upset the balance; *de stilte* ~ break the silence

de **verstoring** disruption: ~ *van de openbare orde* disorderly conduct

verstoten cast off, cast out: *een kind* ~ disown a child

verstrekken supply with, provide with; [uitdelen] distribute: *de bank zal hem een lening* ~ the bank will grant him a loan

verstrekkend far-reaching

de **verstrekking** supply, provision

verstrijken go by; [voorbijgaan] elapse; [aflopen] expire: *de termijn verstrijkt op 1 juli* the term expires on the 1st of July

verstrikken entangle: *in iets verstrikt raken* get entangled in sth.

verstrooid absent-minded

de **verstrooidheid** absent-mindedness: *uit* ~ *iets doen* do sth. from absent-mindedness

verstrooien scatter, spread: *de as van een overledene* ~ scatter a deceased person's ashes

de **verstrooiing 1** [afleiding] entertainment, diversion **2** [verspreiding] scattering, dispersion

verstuiken sprain

de **verstuiver** spray, atomizer

versturen send (off): *iets naar iem.* ~ send sth. to s.o.; *per post* ~ mail

versuft dizzy, dazed; stunned [door schok]

de **versukkeling**: *in de* ~ *raken* be ailing, fall into a decline

versus versus

het **vertaalbureau** translation agency

de **vertaalslag** applying an idea, rule, etc. from one situation to another

zich **vertakken** [zich uitsplitsen] branch (off)

de **vertakking 1** [splitsing] branching (off) **2** [onderafdeling] ramification, branch

vertalen translate; interpret [door tolk]: *vrij* ~ give a free translation; *uit het Engels in het Frans* ~ translate from English into French

de **vertaler** translator: *beëdigd* ~ sworn translator

de **vertaling** translation: *een* ~ *maken* do a translation

de **verte** distance: *in de verste* ~ *niet* not remotely; *het lijkt er in de* ~ *op* there is a slight resemblance; *uit de* ~ from a distance

vertederen soften, move: *zij keek het kind vertederd aan* she gave the child a tender look

de **vertedering 1** endearment, softening **2** [gemoedsstemming] tenderness

verteerbaar digestible; [fig ook] palatable; acceptable: *licht* ~ *voedsel* light food

vertegenwoordigen represent

de **vertegenwoordiger 1** representative **2** [agent] (sales) representative

de **vertegenwoordiging 1** representation **2** [personen] delegation

vertekend distorted

vertekenen distort

vertellen tell: *een mop* ~ crack a joke; *moet je mij* ~! you're telling me!; *dat wordt verteld* so they say; *zal ik je eens wat* ~? you know what?; [dreigend] *let me tell you sth.*; *wat vertel je me nou?* I can't believe it!; *je kunt me nog meer* ~ tell me another (one); *iets verder* ~ *aan anderen* pass sth. on to others; *vertel het maar niet verder* this is just between us

de **verteller** narrator

de **vertelling** story, tale

¹**verteren** (onov ww) [vergaan] be consumed (*of:* eaten away): *dat laken verteert door het vocht* that sheet is mouldering away with the damp; *door verdriet verteerd worden* be eaten up (*of:* eat one's heart out) with grief

²**verteren** (ov ww) digest: *niet te* ~ indigestible

verticaal vertical: *in verticale stand* in (an) upright position

het **vertier** entertainment, diversion

vertikken refuse (flatly)

zich **vertillen** strain o.s. (in) lifting: [fig] *zich aan*

iets ~ bite off more than one can chew
vertimmeren alter, renovate
vertoeven sojourn, stay
vertolken 1 [tot uitdrukking brengen] express, voice **2** [kunst] play, interpret
de **vertolker** [kunst] interpreter, performer; [van ideeën/gevoelens] exponent, mouthpiece: *een ~ van het levenslied* a performer of the popular ballad
de **vertolking** interpretation
¹vertonen (ov ww) **1** show: *geen gelijkenis ~ met* bear no resemblance to; *tekenen ~ van* show signs of **2** [een voorstelling geven] show, present: *kunsten ~* do tricks
zich **²vertonen** (wdk ww) [zich laten zien] show one's face, turn up: *je kunt je zo niet ~ in het openbaar* you're not fit to be seen in public (like this); *ik durf me daar niet meer te ~* I'm afraid to show my face there now
de **vertoning 1** show(ing), presentation **2** [wat vertoond wordt] show, production: *het was een grappige ~* it was a curious spectacle
het **vertoon** showing, producing: *met veel ~ with great ostentation*, with a lot of showing off; *op ~ van een identiteitsbewijs* on presentation of an ID
vertragen slow down; [trein] be delayed: *een vertraagde filmopname* a slow-motion film scene
de **vertraging** delay: ~ *ondervinden* be delayed
vertrappen tread on, trample underfoot
het **vertrek 1** departure; sailing [boot]: *bij zijn ~* on his departure; *op het punt van ~ staan* be about to leave **2** [kamer] room
de **vertrekhal** departure hall
¹vertrekken (onov ww) leave: *wij ~ morgen naar Londen* we are off to (*of:* leave for) London tomorrow
²vertrekken (ov ww) pull, distort: *zonder een spier te ~* without batting an eyelid; *een van angst vertrokken gezicht* a face contorted (*of:* distorted, twisted) with fear
het **vertrekpunt** start(ing point); point of departure [ook fig]
het **vertreksein** departure signal, green light
de **vertrektijd** time of departure
¹vertroebelen (onov ww) [troebel worden] become clouded
²vertroebelen (ov ww) cloud; obscure [ook fig]: *dat vertroebelt de zaak* that confuses (*of:* obscures) the issue
vertroetelen pamper
vertrouwd 1 reliable, trustworthy: *een ~ persoon* a trusted person **2** [op de hoogte] familiar (with): *zich ~ maken met die technieken* familiarize o.s. with those techniques
de **vertrouwdheid** familiarity
vertrouwelijk intimate, confidential: ~ *met iem. omgaan* be close to s.o.; ~ *met elkaar*

praten have a heart-to-heart talk; *een ~e mededeling* a confidential communication
de **vertrouwelijkheid** confidentiality
de **vertrouweling** confidant(e)
het **¹vertrouwen** (zn) confidence, trust: *op goed ~* on trust; *ik heb er weinig ~ in* I'm not very optimistic; ~ *hebben in de toekomst* have faith in the future; ~ *wekken* inspire confidence; *vol ~ zijn* be confident; *iem. in ~ neme* take s.o. into one's confidence; *goed van ~ zijn* be (too) trusting
²vertrouwen (ww) trust: *hij is niet te ~* he i not to be trusted; *ik vertrouw erop dat ... I* trust that ...; *op God ~* trust in God; *iem. vo geen cent ~* not trust s.o. an inch
de **vertrouwensarts** doctor at an advice ce tre
de **vertrouwenskwestie** matter of confidence || [pol] *de ~ stellen* ask for a vote of confidence
de **vertrouwenspersoon** confidential advi sor
vertrouwenwekkend inspiring confidence
vertwijfeld despairing: ~ *raken* (be drive to) despair
de **vertwijfeling** despair, desperation
veruit by far: ~ *de beste zijn* by far and aw the best
vervaardigen make: *met de hand vervaar digd* made by hand; *deze tafel is van hout ve vaardigd* this table is made of wood
de **vervaardiging** manufacture, constructio
vervaarlijk tremendous
¹vervagen (onov ww) become faint (*of:* blurred); [licht ook] dim; [zwakker worden fade (away)
²vervagen (ov ww) [vaag maken] blur, di *de tijd heeft die herinneringen vervaagd* tim has dimmed those memories
het **verval 1** decline: *het ~ van de goede zeder* the deterioration of morals; *dit gebouw is flink in ~ geraakt* this building has fallen int disrepair **2** [m.b.t. waterspiegel] fall
de **vervaldatum** expiry date
¹vervallen (bn) **1** [niet onderhouden] dila idated **2** [armoedig] bedraggled
²vervallen (onov ww) **1** [bouwvallig worden] fall into disrepair **2** [raken tot] lapse: *oude fouten ~* relapse into old errors; *tot a moede ~* be reduced to poverty **3** [niet me gelden] expire: *400 arbeidsplaatsen komer ~* 400 jobs are to go (*of:* disappear); *die me gelijkheid vervalt* that possibility is no long open; *de vergadering vervalt* the meeting b been cancelled
vervalsen 1 forge, counterfeit **2** [met bc opzet veranderen] tamper (with): *een che que ~* forge a cheque
de **vervalser** forger, counterfeiter
de **vervalsing** forgery, counterfeit

vervangen replace, take the place of, substitute: *niet te* ~ irreplaceable

de **vervanger** replacement, substitute: *de* ~ *van de minister* the substitute minister

de **vervanging** replacement, substitution

het **vervangingsinkomen** [Belg] payment, remittance

de **verve** verve: *met veel* ~ with a great deal of verve, with animation

verveeld bored, weary: [Belg] ~ *zitten met iets* not know what to do about sth.; ~ *toekijken* watch indifferently

verveelvoudigen multiply

¹**vervelen** (ww) bore, annoy: *tot* ~*s toe* ad nauseam, over and over again

zich ²**vervelen** (wdk ww) [niet weten wat te doen] be(come) bored: *ik verveel me dood* I am bored stiff

vervelend 1 boring **2** [onaangenaam] annoying: *een* ~ *karwei* a chore; *wat een* ~*e vent* what a tiresome fellow; *doe nu niet zo* ~ don't be such a nuisance; *wat* ~*!* what a nuisance!

de **verveling** boredom: *louter uit* ~ out of pure boredom

vervellen peel

verven 1 paint **2** [stoffen, haar] dye

verversen 1 [weer vers maken] refresh **2** [door nieuwe vervangen] change, freshen

de **verversing** replacement

¹**vervlaamsen** (onov ww) [Vlaams worden] become Flemish

²**vervlaamsen** (ov ww) [Vlaams maken] make Flemish

vervliegen 1 [m.b.t. tijd] fly **2** [m.b.t. vluchtige stoffen] evaporate

vervloeken curse: *hij zal die dag* ~*!* he will rue the day!

vervoegen [taalk] inflect || *zich* ~ *bij* apply at

de **vervoeging** [taalk] conjugation

het **vervoer** transport, transportation: *met het openbaar* ~ by public transport; *tijdens het* ~ *beschadigde goederen* goods damaged in transit

het **vervoerbedrijf** [goederen] haulier; haulage firm; [personen] passenger transport company: *het gemeentelijk* ~ public transport

de **vervoerder** transporter, carry

vervoeren transport

de **vervoering**: *in* ~ *raken* be transported, be carried away (by)

het **vervoermiddel** (means of) transport: *openbare* ~*en* public service vehicles

het **vervoersbedrijf** [goederen] haulier; haulage firm; [personen] passenger transport company

het **vervolg 1** future **2** [supplement] continuation (of), sequel (to) **3** [het vervolgen] continuation: ~ *op blz. 10* continued on page 10

vervolgen 1 continue: *wordt vervolgd* to be continued **2** [achtervolgen] pursue; persecute [vanwege opvattingen, ras] **3** [jur] sue [civiele zaken]; prosecute [strafzaken]: *iem. gerechtelijk* ~ take legal action against s.o.

vervolgens then: ~ *zei hij ...* he went on to say ...

de **vervolging 1** [het vervolgd worden] persecution **2** [jur] legal action (*of:* proceedings), prosecution: *tot* ~ *overgaan* (decide to) prosecute

het **vervolgonderwijs** secondary education

de **vervolgopleiding** continuation course; [Am] continuing education (course); advanced training

het **vervolgverhaal** serial (story)

vervolmaken (make) perfect

vervormen 1 [m.b.t. vorm] transform; [misvormen] deform; disfigure **2** [m.b.t. klank] distort: *geluid vervormd weergeven* distort a sound

de **vervorming** transformation; [misvorming] disfiguring; deforming

¹**vervreemden** (onov ww) [vreemd worden aan] become estranged (*of:* alienated): *van zijn werk vervreemd raken* lose touch with one's work; *van elkaar* ~ drift apart

²**vervreemden** (ov ww) alienate, estrange: *zich* ~ *van* alienate o.s. from

de **vervreemding** alienation, estrangement

vervroegen advance, (move) forward: *vervroegde uittreding* early retirement

vervuilen pollute, make filthy, contaminate

de **vervuiler** polluter, contaminator: *de* ~ *betaalt* the polluter pays

de **vervuiling** pollution, contamination: *de* ~ *van het milieu* environmental pollution

vervullen 1 fill: *dat vervult ons met zorg* that fills us with concern; *van iets vervuld zijn* be full of sth. **2** [voldoen aan] fulfil; perform [taak]: *tijdens het* ~ *van zijn plicht* in the discharge of his duty **3** [verwezenlijken] fulfil, realize: *iemands wensen* ~ comply with s.o.'s wishes

de **vervulling** fulfilment; discharge [van plichten]; realization [van dromen]: *een droom ging in* ~ a dream came true

verwaaid windblown

verwaand conceited, stuck-up

de **verwaandheid** conceit(edness), arrogance: *naast zijn schoenen lopen van* ~ be too big for one's boots

verwaardigen condescend

verwaarloosbaar negligible

verwaarloosd neglected

verwaarlozen neglect

de **verwaarlozing** neglect; negligence [toestand]

verwachten 1 expect: *daar moet je ook niet alles van* ~ don't set your hopes too high;

lang verwacht long-awaited; *dat had ik wel verwacht* that was just what I had expected **2** [m.b.t. zwangerschap] expect, be expecting: *ze verwacht een baby* she is expecting (a baby), she is in the family way

de **verwachting 1** anticipation: *in ~ zijn* be expecting, be an expectant mother **2** [wat je verwacht] expectation; outlook [van weer]: *de ~en waren hoog gespannen* expectations ran high; *het overtrof haar stoutste ~en* it surpassed her wildest expectations; *~en wekken* arouse (one's) hopes; *beneden de ~en blijven* fall short of expectations, disappoint; *aan de ~ beantwoorden* come up to one's expectations

de **¹verwant** (zn) relative, relation

²verwant (bn) **1** [m.b.t. personen] related (to) **2** [m.b.t. karakter, opvattingen] kindred: *daar voel ik me niet mee ~* I feel no affinity for (*of:* with) that

de **verwantschap** relationship, affinity, connection

verward 1 confused; (en)tangled [draad enz.] **2** [onduidelijk] confused, muddled, incoherent

verwarmen warm, heat: *de kamer was niet verwarmd* the room was unheated; *een glas hete melk zal je wat ~* a glass of hot milk will warm you up

de **verwarming** heating (system): *centrale ~ aanleggen* put in central heating; *de ~ hoger* (*of: lager) zetten* turn the heat up (*of:* down)

de **verwarmingsinstallatie** heating system

de **verwarmingsketel** (central heating) boiler

verwarren 1 tangle (up), confuse: *~d werken* lead to confusion **2** (+ met) confuse, mistake: *u verwart hem met zijn broer* you mistake him for his brother; *niet te ~ met* not to be confused with

de **verwarring** entanglement, confusion; muddle: *er ontstond enige ~ over zijn identiteit* some confusion arose concerning (*of:* as to) his identity; *~ stichten* cause confusion; *in ~ raken* become confused

verwateren become diluted (*of:* watered down), peter out: *de vriendschap tussen hen is verwaterd* their friendship has cooled off

verwedden bet: *ik wil er alles om ~ dat …* I'll bet you anything that …

het **verweer** defence

verweerd weather-beaten

het **verweerschrift** (written) defence; [jurook] pleading

verwekken beget, father: *kinderen ~ beget* (*of:* father) children

de **verwekker** begetter, father: *de ~ van het kind* the child's natural father

verwelken 1 wilt, wither **2** [fig] fade: *~de schoonheid* fading beauty

verwelkomen welcome, greet; [(be)groeten] salute: *iem. hartelijk ~* give s.o. a hearty welcome

verwend 1 spoilt, pampered: *zij is een ~ kreng* she is a spoilt brat **2** discriminating: *een ~ publiek* a discriminating public (*of:* audience)

verwennen spoil, indulge: *zichzelf ~* indulge (*of:* pamper) o.s.

verwensen curse

de **verwensing** curse

¹verweren (onov ww) weather; erode [rotsen]; become weather-beaten

zich **²verweren** (wdk ww) [zich verdedigen] defend o.s.; [fysiek] put up a fight: *voor hij zich kon ~* before he could defend himself

verwerkelijken realize: *een droom (of: wens) ~* make a dream (*of:* wish) come true

verwerken 1 process, handle, convert: *zijn maag kon het niet ~* his stomach couldn't digest it; *huisvuil tot compost ~* convert household waste into compost **2** [bij het bewerken opnemen] incorporate: *de nieuwste gegevens zijn erin verwerkt* the latest data are incorporated (in it) **3** [psychisch] cope with: *ze heeft haar verdriet nooit echt goed verwerkt* she has never really come to terms with her sorrow **4** [aankunnen, opnemen] absorb, cope with: *stadscentra kunnen zoveel verkeer niet ~* city centres cannot absorb so much traffic

de **verwerking** processing, handling, assimilation, incorporation: *bij de ~ van deze gegevens* in processing (*of:* handling) these data

verwerpelijk reprehensible, objectionable

verwerpen reject, vote down, turn down

verwerven obtain, acquire; achieve [roem]

de **verwerving** acquisition, obtaining

verweven (inter)weave: *hun belangen zijn nauw ~* their interests are closely knit; *met elkaar ~ zijn* be interwoven

verwezenlijken realize; fulfil [hoop, wens]; achieve [doel]: *plannen (of: voornemens) ~* realize one's plans (*of:* intentions)

de **verwezenlijking** realization, fulfilment

verwijderd remote, distant: *(steeds verder) van elkaar ~ raken* drift (further and further) apart; *een kilometer van het dorp ~* a kilometre out of the village

verwijderen remove: *iem. uit zijn huis ~* evict s.o.; *iem. van het veld ~* send s.o. off (the field)

de **verwijdering 1** removal: *~ van school* expulsion from school **2** [verkoeling] estrangement: *er ontstond een ~ tussen hen* they drifted apart

verwijfd effeminate, sissy

het **verwijsbriefje** (doctor's) referral (letter)

het **verwijt** reproach, blame: *elkaar ~en maken* blame one another; *iem. ~en maken* reproach s.o.

verwijten reproach, blame: *iem. iets ~* reproach s.o. with sth., blame s.o. for sth.

verwijtend reproachful: *iem. ~ aankijken* look at s.o. reproachfully

verwijzen refer: *een patiënt naar een specialist ~* refer a patient to a specialist

de **verwijzing** reference; [briefje voor specialist] referral

verwikkelen involve, implicate, mix up

de **verwikkeling** complication

verwilderd 1 wild, neglected: *een ~e boomgaard* a neglected (*of:* an overgrown) orchard **2** [uit fatsoen gebracht] wild, unkempt, dishevelled **3** [woest] wild, mad: *er ~ uitzien* look wild (*of:* haggard)

verwisselbaar exchangeable, convertible: *onderling ~* interchangeable

verwisselen 1 (ex)change, swap **2** [verwarren] mistake, confuse: *ik had u met uw broer verwisseld* I had mistaken you for your brother

de **verwisseling** (ex)change, interchange, swap

verwittigen inform, advise, notify

verwoed passionate, ardent, impassioned: *~e pogingen doen* make frantic efforts

verwoest destroyed, devastated, ravaged

verwoesten destroy, devastate, lay waste

verwoestend devastating, destructive

de **verwoestijning** desertification

de **verwoesting** devastation; [mv ook] ravages; [vernieling] destruction

verwonden [met opzet] wound; [zonder opzet] injure

verwonderd surprised; [sterker] amazed; astonished

verwonderen amaze, astonish

de **verwondering** surprise; [sterker] amazement; astonishment: *het hoeft geen ~ te wekken dat ...* it comes as no surprise that ...

verwonderlijk surprising

de **verwonding** injury; [moedwillig] wounding; wound: *~en oplopen* sustain injuries, be injured

verwoorden put (in(to)) words, express

verworden degenerate, deteriorate

de **verworvenheid** attainment, achievement

verwringen twist; [voornamelijk fig] distort; contort [lichaam]: *een van pijn verwrongen gezicht* a face contorted with pain

verzachten [minder hard] soften; [minder zwaar] ease: *pijn ~* relieve (*of:* alleviate) pain

verzachtend mitigating, extenuating

verzadigd 1 [na maaltijd] satisfied, full (up) **2** [vol] saturated: *een ~e arbeidsmarkt* a saturated labour market

verzadigen saturate

de **verzadiging** satisfaction, saturation

et **verzadigingspunt** saturation point

verzaken 1 [nalaten] fail: *zijn plicht ~* neglect one's duty, fail in one's duty **2** [kaartsp] revoke: *ze heeft verzaakt!* she revoked!

verzakken subside; [bezinken] settle; sink; [doorzakken] sag: *de grond verzakt* the ground has subsided (*of:* is subsiding)

de **verzakking** subsidence, collapse

de **verzamelaar** collector

de **verzamel-cd** compilation CD

¹**verzamelen** (ww) [bijeenbrengen, komen] gather (together), assemble; meet [met opzet]: *zich ~* gather, assemble; [losser] congregate; *we verzamelden (ons) op het plein* we assembled (*of:* met) in the square

²**verzamelen** (ov ww) **1** collect; [samenbrengen, oogsten] gather; [samenstellen] compile; *krachten ~* summon up (one's) strength; *de verzamelde werken van ...* the collected works of ... **2** [uit liefhebberij] collect, save

de **verzameling 1** collection; [samenkomst] gathering; assembly; [samenstelling] compilation: *een bonte ~ aanhangers* a motley collection of followers; *een ~ aanleggen* build up (*of:* put together) a collection **2** [wisk] set

de **verzamelnaam** collective term, generic term, umbrella term

de **verzamelplaats** meeting place (*of:* point) [mensen]; assembly point

de **verzamelstaat** summary (list, table)

de **verzamelwoede** mania for collecting things

verzanden get bogged down

verzegelen seal, put (*of:* set) a seal on: *een woning ~* put a house under seal

de **verzegeling** sealing, seal: *een ~ aanbrengen* (*of:* verbreken) affix (*of:* break) a seal

verzeild *hoe kom jij hier ~?* what brings you here?; *in moeilijkheden ~ raken* run into (*of:* hit) trouble, run into difficulties

de **verzekeraar** insurer; [bij levensverzekering ook] assurer

verzekerd 1 assured (of), confident (of): *succes ~!* success guaranteed!; *u kunt ervan ~ zijn dat* you may rest assured that **2** [m.b.t. verzekeringen] insured: *het ~e bedrag* the sum insured

de **verzekerde** policyholder; [verzekeringen ook] insured party, assured party

verzekeren 1 ensure, assure [personen]: *iem. van iets ~* assure s.o. of sth. **2** [bevestigen, garanderen] guarantee, assure **3** [m.b.t. verzekeringen] insure; [vnl. levensverzekering] assure: *zich ~ (tegen)* insure o.s. (against)

de **verzekering 1** assurance, guarantee: *ik kan u de ~ geven, dat ...* I can give you an assurance that ... **2** [assurantie] insurance; [vnl. levensverzekering] assurance: *sociale ~* national insurance, social security; *een ~ aangaan (afsluiten)* take out insurance (*of:* an insurance policy) **3** [verzekeringsmaatschappij] insurance company, assurance company

de **verzekeringsagent** insurance agent

de **verzekeringsmaatschappij** insurance

company, assurance company
de **verzekeringspolis** insurance policy
de **verzekeringspremie** insurance premium
de **verzekeringsvoorwaarden** policy conditions
verzelfstandigen make independent; [van overheidsbedrijf] privatize
verzenden send, mail, dispatch; [goederen] ship: *per schip ~* ship
de **verzender** sender, shipper, consignor
de **verzending** dispatch, mailing, shipping, forwarding
de **verzendkosten** shipping (*of:* mailing, postage) costs
verzengen scorch: *een ~de hitte* a blistering heat
het **verzet** resistance: *in ~ komen (tegen)* offer resistance (to)
het **verzetje** diversion, distraction: *hij heeft een ~ nodig* he needs a bit of variety (*of:* a break)
de **verzetsbeweging** resistance (movement), underground
de **verzetsstrijder** resistance fighter, member of the resistance (*of:* underground)
[1] **verzetten** (ov ww) move (around), shift: *een vergadering ~* put off (*of:* reschedule) a meeting; *heel wat werk ~* be able to take on (*of:* do, shift) a lot of work
zich [2] **verzetten** (wdk ww) [tegenstand bieden] resist, offer resistance (*of:* opposition)
verzieken spoil, ruin: *de sfeer ~* spoil the atmosphere
verziend long-sighted
de **verziendheid** long-sightedness
de **verzilting** salinization, salinity
verzilveren 1 (plate with) silver, silver-plate: *verzilverde lepels* plate(d) spoons **2** [innen] cash, convert into (*of:* redeem for) cash
verzinken sink (down, away), submerge: *in gedachten verzonken zijn* be lost (*of:* deep) in thought
verzinnen invent, think/make (*of:* dream, cook) up, devise: *een smoesje ~* think up (*of:* cook up) an excuse
het **verzinsel** fabrication, invention, figment of one's imagination
het **verzoek 1** request, appeal, petition: *dringend ~* urgent request, entreaty; *aan een ~ voldoen* comply with a request; *op ~ van mijn broer* at my brother's request **2** [verzoekschrift] petition, appeal: *een ~ indienen* petition, appeal, make a petition (*of:* an appeal)
verzoeken request; petition [per verzoekschrift]; ask, beg: *mag ik om stilte ~* silence please, may I have a moment's silence
de **verzoeking** temptation
het **verzoeknummer** request
het **verzoekschrift** petition, appeal
verzoenen reconcile, appease: *zich met iem. ~* become reconciled with s.o.
verzoenend conciliatory, expiatory

de **verzoening** reconciliation
verzorgd well cared-for, carefully kept (tended): *een goed ~ gazon* a well-tended lawn; *er ~ uitzien* be well dressed (*of:* groomed)
verzorgen look after, (at)tend to, care ⬥ *tot in de puntjes verzorgd* taken care of do⬥ to the last detail
de **verzorgende** care giver, carer
de **verzorger** attendant, caretaker: *ouders, voogden of ~s* parents or guardians
de **verzorging** care, maintenance, nursing *medische ~* medical care
de **verzorgingsflat** warden-assisted flat; [Am] retirement home with nursing care
de **verzorgingsstaat** welfare state
het **verzorgingstehuis** home; [bejaardent huis] home for the elderly; old people's home, rest home
verzot crazy (about), mad (about, for): *i.⬥ ben ~ op kersen* [ook] I love cherries, I ado⬥ cherries
verzuchten sigh
het **verzuim** omission; non-attendance [we⬥ blijven]; absence: *~ wegens ziekte* absenc⬥ due to illness
verzuimen be absent, fail to attend: *ee⬥ ~* cut (*of:* skip) (a) class
verzuipen 1 drown, be drowned **2** [mo⬥ be flooded
verzuren sour, turn sour, go sour; [mel⬥ ook] go off; [chem] acidify: *verzuurde gro⬥ acid soil
verzwakken weaken, grow weak; enfe⬥ ble [persoon, economie]; [aantasten] imp⬥
verzwaren make heavier; [fig ook] increase; [sterker maken] strengthen: *de di_⬥ ~* strengthen the dykes; *exameneisen ~* make an examination stiffer
verzwarend aggravating
verzwelgen devour; [door golven] eng⬥
verzwijgen keep silent about; [niet me⬥ delen] withhold; suppress; [niet opgever⬥ conceal: *iets voor iem. ~* keep (*of:* concea⬥ sth. from s.o.; *een schandaal ~* hush up a⬥ scandal
verzwikken sprain, twist: *zijn enkel ~⬥ sprain one's ankle
het **vest** waistcoat, vest; [gebreid] cardigan⬥ *pak met ~* a three-piece suit
de **vestiaire** cloakroom
de **vestibule** hall(way), entrance hall, vest⬥ bule
[1] **vestigen** (ov ww) direct, focus: *ik heb r⬥ hoop op jou gevestigd* I'm putting (all) m⬥ hopes in you
zich [2] **vestigen** (wdk ww) settle: *zich ergens ⬥ tablish o.s., settle somewhere
de **vestiging** branch, office; [verkooppun⬥ outlet
de **vestigingsplaats** place of business, r⬥

tered office, seat; [persoon] place of residence

de **vesting** fortress, fort, stronghold

het **vestingwerk** fortification

de **vestzak** waistcoat pocket, watch pocket: [fig] *dat is vestzak-broekzak* that's just a shifting of funds

het **¹vet** (zn) fat; [vloeibaar] oil; [smeer] grease; [druipvet] dripping; [varkensvet] lard: *iets in het ~ zetten* grease sth.

²vet (bn, bw) **1** fat; [melk ook] rich; creamy **2** [met veel vet] fatty, greasy, rich **3** [winstgevend] fat; plum(my) [baantje]: *een ~te buit* rich spoils **4** [met vet verontreinigd] greasy, oily: *een ~te huid* a greasy (*of*: an oily) skin **5** [dik door veel inkt] bold: *~te letters* bold (*of*: heavy) type, boldface; *~ gedrukt* in bold (*of*: heavy) type ‖ *~ saai* really boring, mega boring

vetarm low-fat

de **vete** feud, vendetta

de **veter** lace: *zijn ~s vastmaken (strikken)* do up (*of*: tie) one's shoelaces; *je ~ zit los!* your shoelace is undone!

de **veteraan** veteran

de **veteranenziekte** Legionnaire's disease

de **¹veterinair** veterinary surgeon

²veterinair (bn) veterinary

het **vetgehalte** fat content, percentage of fat

de **vetkuif** greased quiff

vetmesten fatten (up), feed up

het **veto** veto: *het recht van ~ hebben* have the right (*of*: power) of veto; *zijn ~ over iets uitspreken* veto sth., exercise one's veto against sth.

het **vetoogje** drop of fat, fat globule

het **vetorecht** veto

de **vetplant** succulent

de **vetpot**: *dat is geen ~* you won't exactly make a fortune

de **vetrol** roll of fat; [scherts] spare tyre

vettig 1 fatty; [vet bevattend] greasy: *een ~e glans* an oily sheen **2** [met vet bedekt] greasy; [haar, huid ook] oily

de **vetvlek** grease stain, greasy spot (*of*: mark): *vol ~ken* grease-stained

vetvrij 1 greaseproof: *~ papier* greaseproof paper **2** [geen vet (meer) bevattend] fat-free, non-fat

de **vetzak** fatso, fatty

de **vetzucht** fatty degeneration, (morbid) obesity

het **vetzuur** fatty acid

het **veulen** foal; [hengstveulen] colt; [merrieveulen] filly

de **vezel** fibre; [van weefsel ook] thread; filament [vnl. in plant of dier]

vezelrijk high-fibre

vgl. afk van *vergelijk* cf., cp.

de **V-hals** V-neck

via [over, langs] via, by way of, by, through; [door middel van] by means of: *~ de snelweg komen* take the motorway; [Am] take the expressway; *ik hoorde ~ mijn zuster, dat … I* heard from (*of*: through) my sister that …; *iets ~ ~ horen* learn (*of*: hear) of sth. in a roundabout way, hear sth. on the grapevine

het **viaduct** viaduct, flyover, crossover; [Am] overpass

de **viagra** viagra

de **vibrafoon** vibraphone, vibes

de **vibratie** vibration

de **vibrator** vibrator

vibreren vibrate

de **vicaris** vicar

de **vicepremier** vice-premier

de **vicepresident** vice-president; [van bedrijf ook] vice-chairman

vice versa vice versa

de **vicevoorzitter** vice-chairman, deputy chairman

vicieus vicious

victoriaans Victorian

de **victorie** victory: *~ kraaien* shout victory

de **video** video (tape, recorder): *iets op ~ zetten* record sth. on video

de **videoband** videotape

de **videobewaking** closed circuit TV

de **videocamera** video camera

de **videocassette** video cassette

de **videoclip** videoclip

de **videofilm** video (film, recording)

de **videojockey** videojockey

de **videorecorder** video (recorder), VCR, video cassette recorder

het **videospel** video game

de **videotheek** video shop

vief lively, energetic

vier four; [in data] fourth: *~ mei* the fourth of May; *een gesprek onder ~ ogen* a private conversation, a tête-à-tête; *zo zeker als tweemaal twee ~ is* as sure as I'm standing here; *half ~* half past three; *ze waren met z'n ~en* there were four of them; *hij kreeg een ~ voor wiskunde* he got four out of ten for maths

de **vierbaansweg** [snelweg] four-lane motorway; [niet-snelweg] dual carriageway; [Am] divided highway

vierde fourth: *de ~ klas* the fourth form; [Am] the fourth grade; *ten ~* fourthly, in the fourth place; *het is vandaag de ~* today is the fourth; *drie ~* three fourths, three-quarters; *als ~ eindigen* come in fourth

vierdelig four-part; four-piece [suite, servies enz.]

vieren 1 celebrate; observe [feestdag, zondag]; [herdenken] commemorate: *dat gaan we ~* this calls for a celebration **2** [laten schieten] pay out, slacken: *een touw (laten) ~* pay out a rope

de **vierhoek** quadrangle, rectangle, square

de **viering** celebration; observance [m.b.t.

feestdag, zondag]; [herdenking] commemoration; [rel] service: *ter ~ van* in celebration
of
vierjarig four-year-old; [vier jaren durend]
four-year(s'); [vierjaarlijks] four-yearly

het **¹vierkant** (zn) square; [figuur, opstelling
ook] quadrangle

²vierkant (bn) square: *de kamer meet drie
meter in het ~* the room is three metres
square, the room is three by three (metres) ||
iem. ~ uitlachen laugh at s.o. outright

de **vierkwartsmaat** four-four time, quadruple time, common time (*of:* measure)

de **vierling** quadruplets, quads

viermaal four times

het **vierspan** four-in-hand

de **viersprong** crossroads

het **viertal** (set of) four; [mensen ook] four-
some

het **vieruurtje** [Belg] tea break, mid-afternoon
snack

de **viervoeter** quadruped, four-footed animal

het **viervoud** quadruple

de **vierwielaandrijving** four-wheel drive

vies 1 dirty, filthy **2** [onsmakelijk] nasty,
foul: *een ~ drankje* a nasty (*of:* vile) mixture ||
bij een ~ zaakje betrokken zijn be involved in
dirty (*of:* funny) business; *ergens niet ~ van
zijn* not be averse to sth.; *die film viel ~ tegen*
that film was a real let-down

de **viespeuk** pig: *een oude ~* a dirty old man

Vietnam Vietnam

de **Vietnamees** Vietnamese

de **viewer** viewer

de **viezerik** pig, slob, dirty sod

de **viezigheid** dirt, grime

het **vignet 1** device, logo, emblem **2** [op auto]
sticker

de **vijand** enemy: *dat zou je je ergste ~ nog niet
toewensen* you wouldn't wish that on your
worst enemy; *gezworen ~en* sworn (*of:* mortal) enemies

vijandelijk enemy, hostile

de **vijandelijkheid** hostility, act of war

vijandig hostile, inimical: *een ~e daad* a
hostile act; *iem. ~ gezind zijn* be hostile towards s.o.

de **vijandigheid** hostility, animosity, enmity

de **vijandschap** enmity, hostility, animosity:
in ~ leven be at odds (with)

vijf five; [in data] fifth: *~ juni* the fifth of
June; *om de ~ minuten* every five minutes;
het is over vijven it is past (*of:* gone) five; *een
stuk of ~* about five, five or so, five-odd; *een
briefje van ~* a five-pound note

vijfde fifth: *auto met ~ deur* hatchback; *ten
~ fifthly*, in the fifth place; *als ~ eindigen*
come in fifth

de **vijfenzestigpluskaart** senior citizen's
ticket (*of:* pass)

de **vijfenzestigplusser** senior citizen, pen-

sioner

de **vijfhoek** pentagon

het **vijfjarenplan** five-year plan

vijfjarig five-year-old; [vijf jaren durend]
five-year(s'); [vijfjaarlijks] five-yearly

de **vijfling** quintuplets, quins: *zij kreeg een ~*
she had quintuplets (*of:* quins)

het **vijftal** (set of) five: *een ~ jaren* (about) five
years, five (or so) years; *een vrolijk ~* a merr
fivesome

vijftien fifteen; [in data] fifteenth: *~ maa*
the fifteenth of March; *rugnummer ~* num
ber fifteen; *een man of ~* about fifteen peo
ple, fifteen or so people

vijftig fifty: *de jaren ~* the fifties; *hij is in c
~* he is in his fifties; *tegen de ~ lopen* be get
ting on for (*of:* be pushing) fifty

de **vijftiger** s.o. in his fifties

de **vijg** [vrucht(boom)] fig (tree) || [Belg] *dat z
~en na Pasen* that is (*of:* comes) too late to l
of use

het **vijgenblad** fig leaf

de **vijgenboom** fig (tree)

de **vijl** file

vijlen file

de **vijs** [Belg] screw

de **vijver** pond

de **vijzel 1** [krik] jack **2** Archimedean screw

de **Viking** Viking

de **villa** villa: *halve ~* semi-detached house

de **villawijk** (exclusive) residential area

villen skin, flay

het **vilt** felt

vilten felt

het **viltje** beer mat

de **viltstift** felt-tip (pen)

de **vin 1** fin; [van zeehond] flipper: *geen ~ ve
roeren* not raise (*of:* lift) a finger, not mov
muscle **2** [uitsteeksel, onderdeel] fin;
[schoep] vane

vinden 1 find, discover, come across; [oli
ook] strike: *dat boek is nergens te ~* that bc
is nowhere to be found; *ergens voor te ~ z*
be (very) ready to do sth., be game for sth
iem. (iets) toevallig ~ happen (*of:* chance)
upon s.o. (sth.) **2** [bedenken, uitdenken]
find, think of **3** [achten, oordelen] think,
find: *ik vind het vandaag koud* I think it's (o
find it) cold today; *ik zou het prettig ~ als .*
I'd appreciate it if ...; *hoe vind je dat?* what
you think of that?; *zou je het erg ~ als ...?*
would you mind if ...?; *ik vind het goed th
fine by me, it suits me fine; *vind je ook nie*
don't you agree?; *daar vind ik niets aan* it
doesn't do a thing for me || *het met iem. k*
nen ~ get on (*of:* along) with s.o.; *zich erg
in kunnen ~* agree with sth.; *zij hebben elk
gevonden* **a)** [zijn het eens] they have com
terms (over it); **b)** [ze vormen een paar] t
have found each other

de **vinder** finder, discoverer

de **vinding** idea, invention
vindingrijk ingenious, inventive: *een ~e geest* a fertile (*of:* creative) mind
de **vindingrijkheid** ingenuity, inventiveness, resourcefulness
de **vindplaats** place where sth. is found, site, location
de **vinger** finger: *groene ~s hebben* have green fingers; [Am] have a green thumb; *lange ~s hebben* have sticky fingers; *met een natte ~* roughly, approximately [m.b.t. een schatting]; *als men hem een ~ geeft, neemt hij de hele hand* give him an inch and he'll take a mile; *hij heeft zich in de ~s gesneden* [fig] he got (his fingers) burned; *de ~ opsteken* put up (*of:* raise) one's hand; *iets door de ~s zien* turn a blind eye to sth., overlook sth.; *iets in de ~s hebben* be a natural at sth.; *een ~ in de pap hebben* have a finger in the pie; *met de ~s knippen* snap one's fingers; *hij had haar nog met geen ~ aangeraakt* he hadn't put (*of:* laid) a finger on her; *op de ~s van één hand te tellen zijn* be few and far between; *iem. op de ~s tikken* rap s.o. over the knuckles; *iem. op zijn ~s kijken* breathe down s.o.'s neck; *dat had je op je ~s kunnen natellen* that was to be expected
de **vingerafdruk** fingerprint: *~ken nemen (van)* fingerprint s.o., take s.o.'s fingerprints
de **vingerhoed** thimble
de **vingertop** fingertip
de **vingerverf** finger paint
vingervlug [pej] sticky-fingered
de **vingerwijzing** hint, clue
de **vingerzetting** fingering
de **vink** 1 [vogel] finch; [soortnaam] chaffinch 2 [tekentje] check (mark), tick
vinnig sharp, caustic
het **vinyl** vinyl
violet violet
de **violist** violinist
de **viool** violin, fiddle: *(op de) ~ spelen* play the violin (*of:* fiddle); *eerste ~* first violin; *hij speelt de eerste ~* he is (*of:* plays) first fiddle
het **vioolconcert** violin concerto
de **vioolsleutel** G clef, violin clef
het **viooltje** violet: *Kaaps ~* African violet
de **vip** VIP
viraal viral
viriel virile
de **viroloog** virologist
virtueel virtual, potential: *een ~ winkelcentrum* a virtual shopping centre
virtuoos virtuoso
de **virtuositeit** virtuosity
virulent [med] virulent
het **virus** virus
de **virusinfectie** virus infection, viral infection
de **virusscanner** virus scanner
de **virusziekte** viral disease
de **vis** fish: *een mand ~* a basket of fish; [collec-

tief] *er zit hier veel ~* the fishing's good here; *zo gezond als een ~* fit as a fiddle; *zich voelen als een ~ in het water* feel like a fish in water; *zich voelen als een ~ op het droge* feel like a fish out of water
de **Vis** Pisces, Piscean
de **visagist** cosmetician, beauty specialist, beautician
de **visakte** fishing licence
de **visboer** fishmonger
viseren 1 [beogen] aim at, have in view 2 [Belg; bekritiseren] criticise
de **visgraat** fish bone
de **vishandel** fish trade; [winkel] fish shop; [winkel; Am] fish dealer
de **visie** view, outlook, point of view: *een man met ~* a man of vision
het **visioen** vision: *een ~ hebben* see (*of:* have) a vision
de ¹**visionair** visionary
²**visionair** (bn) visionary
de **visitatie** 1 [douane-inspectie] search 2 [onderzoek] visitation
de **visite** 1 visit; call [kort]: *bij iem. op ~ gaan* pay s.o. a visit, call on s.o., visit 2 [personen op bezoek] visitors, guests, company
het **visitekaartje** visiting card; (business) card [van zakenman]: *zijn ~ achterlaten* make one's mark, establish one's presence
visiteren examine, inspect; [fouilleren] search
de **viskom** fishbowl
de **vismarkt** fish market
het **visnet** fish net, fishing net
de **visschotel** fish dish
vissen 1 fish; [sport ook] angle: *op haring ~* fish for herring; *parels ~* dive (*of:* fish) for pearls 2 [dreggen] drag, dredge || *naar een complimentje ~* fish (*of:* angle) for a compliment
de **Vissen** Pisces
de **visser** fisherman; [hengelaar ook] angler
de **visserij** fishing, fisheries, fishery
de **vissersboot** fishing boat
de **vissersvloot** fishing fleet
de **vissoep** fish soup
de **visstand** fish stock
de **visstick** fish finger
visualiseren visualize
visueel visual: *~ gehandicapt* visually handicapped
het **visum** visa: *een ~ aanvragen* apply for a visa
de **visumplicht** visa requirement
de **visvangst** fishing, catching of fish: *van de ~ leven* fish for one's living
de **visvergunning** fishing licence (*of:* permit)
de **visvijver** fishpond
het **viswater** fishing ground(s)
het **viswijf** [bel] fishwife
de **viswinkel** fish shop, fishmonger's (shop); [Am] fish dealer

vitaal vital: *hij is nog erg ~ voor zijn leeftijd* he's still very active for his age

de **vitaliteit** vitality, vigour

de **vitamine** vitamin: *rijk aan ~* rich in vitamins, vitamin-rich

het **vitaminegebrek** lack (*of:* deficiency) of vitamins, vitamin deficiency

het/de **vitrage** net curtain

de **vitrine 1** (glass, display) case, showcase **2** [etalage] shop window, show window

vitten find fault, carp

de **vivisectie** vivisection

het **vizier 1** sight: *iem. in het ~ krijgen* spot s.o., catch sight of s.o. **2** [van een helm] visor

de **vj** VJ, veejay

de **vla 1** ± custard **2** [vlaai] flan; [Am] (open-faced) pie

de **vlaag 1** [windstoot] gust, squall **2** [aanval] fit, flurry: *in een ~ van verstandsverbijstering* in a frenzy, in a fit of insanity; *bij vlagen* in fits and starts, in spurts (*of:* bursts)

de **vlaai** flan; [Am] (open-faced) pie

het **¹Vlaams** (zn) Flemish

²Vlaams (bn) Flemish ‖ *~e gaai* jay

de **Vlaamse** Flemish woman

Vlaanderen Flanders

de **vlag** flag; [van schip ook] colours; [voornamelijk scheepv, mil] ensign: *met ~ en wimpel slagen* pass with (*of:* come through with) flying colours; *de Britse ~* the Union Jack

vlaggen put out the flag

de **vlaggenmast** flagpole, flagstaff

het **vlaggenschip** flagship

de **vlaggenstok** flagpole, flagstaff

het **¹vlak** (zn) **1** [platte kant] surface, face; [diamant] facet: *het voorste* (of: *achterste*) *~* the front (*of:* rear) face **2** [niveau, gebied] sphere, area, field: *op het menselijke ~* in the human sphere

²vlak (bn) **1** [platte kant] flat, level, even: *iets ~ strijken* level off sth., level sth. out **2** [ondiep] flat, shallow

³vlak (bw) **1** [zonder helling] flat **2** [recht] right, immediately, directly: *~ tegenover elkaar* right (*of:* straight) opposite each other **3** [zonder tussenruimte] close: *~ achter je* right (*of:* just) behind you; *~ bij de school* close to the school, right by the school; *het is ~ bij* it's no distance at all; *het is hier ~ in de buurt* it's just round the corner; [Am] it's just around the corner; *het ligt ~ voor je neus* it is staring you in the face, it's right under your nose

vlakaf [Belg] [onomwonden] plainly, bluntly

vlakbij nearby: *ik woon hier ~* I live nearby (*of:* close by)

de **vlakgom** rubber, eraser

de **vlakte** plain: *een golvende ~* a rolling plain; *zich op de ~ houden* not commit o.s., leave (*of:* keep) one's options open; *na twee klap-*

pen ging hij tegen de ~ a couple of blows laid him flat

de **vlaktemaat** surface measurement

de **vlam 1** flame: *~ vatten* catch fire; burst into flames; *in ~men opgaan* go up in flames; *de ~ sloeg in de pan* **a)** [lett] the pan caught fire; **b)** [fig] the fat was in the fire **2** [geliefde] flame: *een oude ~* an old flame

de **Vlaming** Fleming

vlammen flame

vlammend fiery, burning: *een ~ protest* a burning protest

de **vlammenwerper** flame-thrower

de **vlammenzee** sea of flame(s)

de **vlamverdeler** stove mat

het **vlas** flax

vlassen [met 'op'] be eager for

de **vlecht** braid, plait, tress: *een valse ~* a switch, a tress of false hair

vlechten braid, plait, twine

het **vlechtwerk** plaiting

de **vleermuis** bat

het **vlees 1** flesh; [voedsel] meat: *dat is noch vis* that is neither fish, flesh, nor good red herring; *in eigen ~ snijden* queer one's own pitch; *mijn eigen ~ en bloed* my own flesh and blood **2** [m.b.t. vruchten, paddenstoelen] flesh, pulp

de **vleesboom** myoma, fibroid

vleesetend carnivorous

de **vleeseter** meat-eater; [vnl. m.b.t. dieren] carnivore

vleesgeworden the incarnation of

het **vleesmes** carving knife

de **vleesschotel** meat course (*of:* dish)

de **vleestomaat** beefsteak tomato

de **vleesvork** carving fork

de **vleeswaren** meat products, meats: *fijne ~* (assorted) sliced cold meat; cold cuts

de **vleeswond** flesh wound

de **vleet**: *hij heeft boeken bij de ~* he has got lots of books

de **vlegel** brat, lout

vleien flatter, butter up: *ik voelde me gevleid door haar antwoord* I was (*of:* felt) flattered her answer

vleiend flattering, coaxing

de **vleierij** flattery: *met ~ kom je nergens* flattery will get you nowhere

de **vlek 1** spot, mark, stain; [huidvlek] blemish blotch [door ziekte, koorts]: *die ~ gaat er de was wel uit* that spot will come out in the wash **2** [fig] blot, blemish ‖ *blinde ~ (in het oog)* blind spot (in the eye); [fig] *een blinde ~ voor iets hebben* have a blind spot for sth.

vlekkeloos spotless, immaculate

vlekken spot, stain

de **vlerk** boor, lout

de **vleugel 1** wing: *zijn ~s uitslaan* [ook fig] spread (*of:* stretch) one's wings; [sport] *op de ~s spelen* play up and down the wings

2 [piano] grand piano

vleugellam broken-winged: *iem. ~ maken* paralyze s.o., render s.o. powerless

de **vleugelmoer** wing nut, butterfly nut

de **vleugelspeler** [sport] (left, right) winger

het **vleugje** breath, touch: *een ~ ironie* a tinge of irony; *een ~ romantiek* a romantic touch

vlezig 1 fleshy **2** [met veel vruchtvlees] plump

de **vlieg** fly: *twee ~en in één klap (slaan)* kill two birds with one stone; *hij doet geen ~ kwaad* he wouldn't harm (*of:* hurt) a fly

de **vliegangst** fear of flying

de **vliegbasis** airbase

het **vliegbrevet** pilot's licence, flying licence: *zijn ~ halen* qualify as a pilot, get one's wings

het **vliegdekschip** (aircraft) carrier

vliegen fly; [snel voorbijgaan ook] race: *de dagen ~ (om)* the days are simply flying; *hij ziet ze ~* he has got bats in the belfry; *eruit ~* get sacked; *met KLM ~* fly KLM ǁ *erin ~* [zich laten beetnemen] fall for sth.

de **vliegenier** airman, aviator

de **vliegenmepper** (fly) swatter

¹**vliegensvlug** (bn) lightning

²**vliegensvlug** (bw) as quick as lightning, like lightning (*of:* a shot)

de **vliegenzwam** fly agaric

de **vlieger** kite: *een ~ oplaten* fly a kite

vliegeren fly kites (*of:* a kite)

het **vlieggewicht** [sport] flyweight

de **vlieghoogte** altitude

de **vlieginstructeur** flying instructor

de **vliegmaatschappij** airline

de **vliegramp** plane crash

het/de **vliegticket** airline ticket

het **vliegtuig** aeroplane; [Am] airplane; aircraft, plane: *~jes vouwen* make paper aeroplanes (*of:* airplanes); *met het ~ reizen* fly, travel by air (*of:* plane)

de **vliegtuigkaper** (aircraft) hijacker

de **vliegtuigkaping** (aircraft) hijack(ing)

het **vliegveld** airport

het **vliegverbod** [van piloot, vliegtuig] grounding; [boven bepaald gebied] flight restriction

het **vliegwiel** fly(wheel), driving wheel

de **vlier** elder(berry)

de **vliering** attic, loft

het **vlies** film; skin [op melk, om vruchten]

vlijen lay down, nestle

vlijmscherp razor-sharp

de **vlijt** diligence, application

vlijtig diligent, industrious

de **vlinder** butterfly: *~s in mijn buik* butterflies in my stomach

de **vlinderdas** bow tie

de **vlinderslag** butterfly stroke

de **vlo** flea: *onder de vlooien zitten* be flea-ridden

de **vloed** (high) tide, flood (tide), rising tide:

het is nu ~ the tide is in; *bij ~* at high tide; *een ~ van klachten* a flood (*of:* deluge) of complaints

de **vloedgolf 1** [van de vloed] groundswell **2** [door natuurramp] tidal wave

de **vloedlijn** high-water line

het **vloei** tissue paper: *een pakje shag met ~* (a packet of) rolling tobacco and cigarette papers

vloeibaar liquid, fluid: *~ voedsel* liquid food

vloeien 1 flow, stream: *in de kas ~* flow in **2** [m.b.t. papier] blot, smudge

vloeiend flowing, liquid: *~e kleuren* blending colours; *een ~e lijn* a flowing line; *hij spreekt ~ Engels* he speaks English fluently

het **vloeipapier 1** blotting paper **2** [dun papier] tissue paper; [voor sigaretten] cigarette paper

de **vloeistof** liquid, fluid

het **vloeitje** cigarette paper

de **vloek** curse: *er ligt een ~ op dat huis* a curse rests on that house; *een ~ uitspreken (over iem., iets)* curse s.o. (sth.)

vloeken curse, swear (at): *op iets ~* curse (*of:* swear) at sth.

de **vloer** floor: *planken ~* planking; strip flooring; *met iem. de ~ aanvegen* mop (*of:* wipe) the floor with s.o.; *ik dacht dat ik door de ~ ging* I didn't know where to put myself; *veel mensen over de ~ hebben* have a lot of visitors; *hij komt daar over de ~* he is a regular visitor there

de **vloerbedekking** floor covering: *vaste ~* wall-to-wall carpet(ting)

vloeren floor

het **vloerkleed** carpet; [klein] rug

de **vloermat** floor mat

de **vloertegel** (paving) tile (*of:* stone): *~s leggen* pave, lay (paving) tiles

de **vloerverwarming** underfloor heating

de **vlok 1** flock; [haar ook] tuft: *~ken stof* whirls of dust **2** flake: *~ken op brood* bread with chocolate flakes

de **vlonder 1** (wooden) platform, planking **2** pallet

vlooien groom

de **vlooienband** flea collar

de **vlooienmarkt** flea market

de **vloot** fleet

het **vlos** floss (silk)

het ¹**vlot** (zn) raft: *op een ~ de rivier oversteken* raft across the river

²**vlot** (bn, bw) **1** facile [pen]; fluent; smooth [stijl]: *een ~te pen* a ready pen; *~ spreken* speak fluently **2** [zonder oponthoud] smooth; ready [antwoord]; prompt [betaling]: *een zaak ~ afwikkelen* settle a matter promptly; *het ging heel ~* it went off without a hitch; *~ van begrip zijn* be quick-witted **3** [gemakkelijk in de omgang] sociable, easy

to talk to: *hij is wat ~ter geworden* he has loosened up a little **4** [niet stijf] easy, comfortable: *hij kleedt zich heel ~* he is a sharp dresser **5** [drijvend] afloat

vlotjes smoothly, easily; [vlug] promptly: *alles ~ laten verlopen* have things run smoothly

vlotten go smoothly: *het werk wil niet ~* we are not making any progress (*of:* headway)

de **vlucht** flight, escape: *wij wensen u een aangename ~* we wish you a pleasant flight; *iem. de ~ beletten* prevent s.o. from escaping; *op de ~ slaan* flee, run (for it); *iem. op de ~ jagen (drijven)* put s.o. to flight; *voor de politie op de ~ zijn* be on the run from the police

de **vluchteling** fugitive; [pol] refugee

het **vluchtelingenkamp** refugee camp

vluchten flee, escape, run away: *uit het land ~* flee (from) the country; *een bos in ~* take refuge in the woods

het **vluchtgedrag** flight

de **vluchtheuvel** traffic island

het **vluchthuis** [Belg] refuge (*of:* shelter) for battered women

vluchtig 1 [kort] brief; [neg] cursory; [vlug] quick: *~e kennismaking* casual acquaintance; *iets ~ doorlezen* glance over (*of:* through) sth., skim through sth. **2** [van alcohol enz.] volatile

de **vluchtleider** flight controller

de **vluchtleiding** flight (*of:* mission) control (team), ground control

het **vluchtmisdrijf** [Belg] offence of failing to stop

de **vluchtpoging** attempted escape

de **vluchtrecorder** flight recorder, black box

de **vluchtstrook** hard shoulder; [Am] shoulder

de **vluchtweg** escape route

vlug 1 fast, quick: *~ lopen* run fast; *~ ter been zijn* be quick on one's feet; *iem. te ~ af zijn* be too quick for s.o. **2** [vrij snel] quick; [vnl. van bewegingen] nimble; agile **3** [spoedig] quick, fast, prompt: *hij was ~ klaar* he was soon ready; *iets ~ doornemen* (*of:* bekijken) glance over (*of:* through) sth.; *~ iets eten* have a quick snack **4** [alert] quick, sharp: *hij behoort niet tot de ~sten* he's none too quick; *hij was er al ~ bij* he was quick at everything; *~ in rekenen* quick at sums

het **vmbo** afk van *voorbereidend middelbaar beroepsonderwijs* lower vocational professional education

het **vmbo-b** [Ned; ond] pre-vocational secondary education (block or day release)

het **vmbo-g** [Ned; ond] pre-vocational secondary education (combined programme)

het **vmbo-k** [Ned; ond] pre-vocational secondary education (middle management vocational programme)

het **vmbo-t** [Ned; ond] pre-vocational second-

ary education (theoretical programme)

de **VN** afk van *Verenigde Naties* UN

de **VN-vredesmacht** UN peace-keeping force

het **vo** afk van *voortgezet onderwijs* secondary education

vocaal vocal

het **vocabulaire** vocabulary

het **vocht 1** liquid; [techn, med ook] fluid: *~ afscheiden* discharge fluid; [klier enz.] secrete fluid **2** [vochtigheid] moisture, damp(ness): *de hoeveelheid ~ in de lucht* the humidity in the air

vochtig damp, moist: *een ~ klimaat* a damp climate; *de lucht is ~* the air is damp; *zijn ogen werden ~* his eyes became moist

de **vochtigheid 1** moistness, dampness **2** [gehalte aan vocht] moisture; [lucht vnl.] humidity

het/de **vod 1** rag: *een ~je papier* a scrap of paper **2** [prul] trash, rubbish: *dit is een ~* this is trash || *iem. achter de ~den zitten* keep s.o. (hard) at it

¹**voeden** (onov ww) [voedzaam zijn] be nourishing (*of:* nutritious)

²**voeden** (ov ww) feed: *die vogels ~ zich met insecten* (of: *met zaden*) these birds feed on insects (*of:* seeds); *zij voedt haar kind zelf* she breast-feeds her baby

het **voeder** fodder, feed

voederen feed

de **voeding 1** feeding, nutrition: *kunstmatige ~* artificial (*of:* forced) feeding **2** [voedsel] food; [voor dieren] feed: *eenzijdige ~* an unbalanced diet; *gezonde* (of: *natuurlijke*) *~* health (*of:* natural) food **3** [techn] power supply

de **voedingsbodem** breeding ground

de **voedingsindustrie** food industry

het **voedingsmiddel** food; [vaak mv] foodstuff: *gezonde ~en* healthy (*of:* wholesome) foods

de **voedingsstof** nutrient

de **voedingsvezels** nutritional fibre

de **voedingswaarde** nutritional value

het **voedsel** food: *plantaardig ~* vegetable food; *~ tot zich nemen* take food (*of:* nourishment)

de **voedselbank** food bank

de **voedselhulp** food aid

de **voedselketen** food chain

het **voedselpakket** food parcel

de **voedselvergiftiging** food poisoning

voedzaam nutritious, nourishing

de **voeg** joint; [naad] seam: *de ~en van een muur dichtmaken (aanstrijken)* point (the brickwork of) a wall; *uit zijn ~en barsten* come apart at the seams

de **voege**: [Belg] *in ~ treden* take effect, come into force

voegen 1 join (up): *hierbij voeg ik een biljet van €100,-* I enclose a 100-euro note; *zich b* *iem.* ~ join s.o. **2** [toevoegen] add: *stukken bij een dossier* ~ add documents to a file **3** [met specie] point

het **voegwoord** conjunction

voelbaar tangible, perceptible: *het ijzer wordt* ~ *warmer* the iron is getting perceptibly hotter

¹**voelen** (onov ww) **1** feel: *het voelt hard* (of: *ruw, zacht*) it feels hard (of: rough, soft) **2** [genegenheid kennen] be fond (of), like: *iets gaan* ~ *voor iem.* grow fond of s.o. **3** [aantrekkelijk achten] feel (like), like the idea (of): *veel voor de verpleging* ~ like the idea of nursing; *ik voel wel iets voor dat plan* I rather like that plan; *ik voel er niet veel voor (om) te komen* I don't feel like coming

²**voelen** (ov ww) **1** feel: *leven* ~ feel the baby move; *dat voel ik!* that hurts!; *zijn invloed doen* ~ make one's influence felt; *als je niet wil luisteren, moet je maar* ~ (you'd better) do it or else!; *voel je (hem)?* get it? **2** [op de tast] feel (for, after): *laat mij eens* ~ let me (have a) feel

zich ³**voelen** (wdk ww) feel: *zich lekker* ~ feel fine, feel on top of the world

de **voeling** touch, contact: ~ *houden met* maintain contact with, keep in touch with

de **voelspriet** feeler, antenna

het **voer** feed; [ook fig] food: ~ *geven* feed; ~ *voor psychologen* a fit subject for a psychologist

de **voerbak** (feeding) trough, manger

¹**voeren** (ww) lead, guide: *dat zou (mij, ons) te ver* ~ that would be getting too far off the subject; *de reis voert naar Rome* the trip goes to Rome

²**voeren** (ov ww) **1** [van voering voorzien] line **2** [eten geven] feed || *een harde politiek* ~ pursue a tough policy; *een proces* ~ go to court (over); *iem. dronken* ~ get (of: make) s.o. drunk

de **voering** lining

de **voertaal** language of instruction [onderwijs]; [op congres enz.] official language

het **voertuig** vehicle

de **voet 1** foot: *op blote* ~*en* barefoot; *iem. op staande* ~ *ontslaan* dismiss s.o. on the spot; *iem. op vrije* ~*en stellen* set s.o. free; [Belg] *met iemands* ~*en spelen* make a fool of s.o.; [Belg] *ergens zijn* ~*en aan vegen* drag one's feet; *de* ~*en vegen* wipe one's feet; *dat heeft heel wat* ~*en in de aarde* that'll take some doing; *onder de* ~ *gelopen worden* be overrun; *iem. op de* ~ *volgen* follow in s.o.'s footsteps; *de gebeurtenissen* (of: *de ontwikkelingen*) *op de* ~ *volgen* keep a close track of events (of: developments); *te* ~ *gaan* walk, go on foot; *zich uit de* ~*en maken* take to one's heels; *iem. voor de* ~*en lopen* hamper s.o., get in s.o.'s way (of: under s.o.'s feet); *geen* ~ *aan de grond krijgen* have no success; ~ *bij stuk hou-*

den stick to one's guns **2** [onderste gedeelte] foot, base: *de* ~ *van een glas* the stem (of: base) of a glass **3** [grondslag] footing; terms [mv]: *zij staan op goede* (of: *vertrouwelijke*) ~ *met elkaar* they are on good (of: familiar) terms (with each other); *op* ~ *van oorlog leven* be on a war footing || [fig] *dat is hem ten* ~*en uit* that's (so) typical of him, that's him all over

de **voetafdruk** footmark, footprint: *ecologische* ~ ecological footprint

het **voetbad** footbath

de ¹**voetbal** (zn) [bal] football

het ²**voetbal** (zn) [sport] football: *Amerikaans* ~ American football; *betaald* ~ professional football

de **voetbalbond** football association

de **voetbalclub** football club

de **voetbalcompetitie** football competition

het **voetbalelftal** football team: *het* ~ *van Ajax* the Ajax team

de **voetbalfan** football fan

de **voetbalknie** cartilage trouble

voetballen play football

de **voetballer** football player

het **voetbalpasje** football identity card

de **voetbalschoen** football boot

het **voetbalstadion** football stadium, soccer stadium

de **voetbalsupporter** football supporter

de **voetbaluitslagen** football results

het **voetbalvandalisme** football hooliganism

het **voetbalveld** football pitch

de **voetbalwedstrijd** football match

het **voeteneind** foot

de **voetfout** foot-fault

de **voetganger** pedestrian

de **voetgangersbrug** footbridge, pedestrian bridge

het **voetgangersgebied** pedestrian precinct (of: area)

de **voetgangersoversteekplaats** pedestrian crossing, zebra crossing

het **voetje** (little, small) foot: ~ *voor* ~ inch by inch

het **voetlicht** footlights [mv]: *iets voor het* ~ *brengen* bring sth. out into the open

de **voetnoot 1** footnote **2** [kanttekening] note in the margin, critical remark (of: comment)

het **voetpad** footpath

de **voetreis** walking-trip, walking-tour, hike

het **voetspoor** footprint; [mv ook] track; trail

de **voetstap** (foot)step

voetstoots without further ado, just like that

het **voetstuk** base; [hoog] pedestal: *iem. op een* ~ *plaatsen* put (of: place) s.o. on a pedestal; [fig] *iem. van zijn* ~ *stoten* knock s.o. off his pedestal

de **voettocht** walking tour, hiking tour

het **voetvolk** foot soldiers [mv]; infantry
de **voetzoeker** jumping jack; ± firecracker
de **voetzool** sole (of the, one's foot)
de **vogel 1** bird: [Belg] *een ~ voor de kat zijn* be irretrievably lost; *de ~ is gevlogen* the bird has flown **2** [persoon] customer, character: *het is een rare ~* he's an odd character; *Joe is een vroege ~* Joe's an early bird
de **vogelgriep** bird flu, avian influenza
het **vogelhuis** aviary; [vogelkastje] nesting box
de **vogelkooi** birdcage
het **vogelnest** bird's nest: *~en uithalen* go (bird-)nesting
de **vogelpest** bird flu, avian influenza, fowl pest
de **vogelpik** [Belg] darts
de **vogelspin** bird spider
de **vogeltrek** bird migration
de **vogelverschrikker** scarecrow
de **vogelvlucht** bird's-eye view: *iets in ~ behandelen* sketch sth. briefly; *iets in ~ tekenen* draw a bird's-eye view of sth.
vogelvrij outlawed
de **voicemail** [telec] voice mail
vol 1 full (of), filled (with): *~ nieuwe ideeën* full of new ideas; *een huis ~ mensen* a house full of people; *met ~le mond praten* talk with one's mouth full; *iets ~ maken* (of: *gieten, stoppen*) fill sth. up; *helemaal ~* full up, packed; *~ van iets zijn* be full of sth.; *een ~ gezicht* a full (of: chubby) face; *zij is een ~le nicht van me* she's my first cousin **2** [over de hele oppervlakte bedekt] full (of), covered (with, in): *de tafel ligt ~ boeken* the table is covered with books; *de kranten staan er ~ van* the papers are full of it **3** [waaraan niets ontbreekt] complete, whole: *een ~le dagtaak* a full day's work; [fig ook] a full-time job; *het kostte hem acht ~le maanden* it took him a good (of: all of) eight months; *in het ~ste vertrouwen* in complete confidence; *een ~le week de tijd hebben* have a full (of: whole) week || *iem. voor ~ aanzien* take s.o. seriously
volautomatisch fully automatic
de **¹volbloed** (zn) thoroughbred: *Arabische ~* Arab (thoroughbred)
²volbloed (bn) **1** full-blood(ed) [bijv. socialist]; [dieren ook] pedigree: *~ rundvee* pedigree cattle **2** [m.b.t. paarden] thoroughbred
volbrengen complete, accomplish
voldaan 1 satisfied, content(ed): *een ~ gevoel* a sense of satisfaction; *~ zijn over iets* be satisfied (of: content) with sth. **2** [betaald] paid: *voor ~ tekenen* receipt, sign for receipt
¹voldoen (onov ww) (+ aan) satisfy; meet [voorwaarde]; carry out [plichten]; comply with [wet, regels]: *aan de behoeften van de markt ~* meet the needs of the market; *niet ~ aan* fall short of
²voldoen (ov ww) pay, settle: *een rekening* (of: *de kosten*) *~* pay a bill (of: the costs)

de **¹voldoende** (zn) pass (mark); [net voldoen de] a bare pass: *een ~ halen voor wiskunde* pass (one's) maths
²voldoende (bn) sufficient, satisfactory: *é blik op hem is ~ om ...* one look at him is enough to ...; *jouw examen was net ~* you only just scraped through your exam; *het is niet ~ om van te leven* it is not enough to liv on; *ruimschoots ~* ample, more than enou[
³voldoende (bw) sufficiently, enough: *he je je ~ voorbereid?* have you done enough preparation?
de **voldoening** satisfaction
voldongen: *voor een ~ feit geplaatst word* be presented with a fait accompli
voldragen full-term
volgeboekt fully booked, booked up
de **volgeling** follower; [godsdienst ook] dis[ple
¹volgen (onov ww) **1** [later komen] follow [in reeks] be next: *nadere instructies ~ furth* instructions will follow; *hier ~ de namen va de winnaars* the names of the winners are [follows; *op elkaar ~* follow one another; *al volgt* as follows **2** [voortvloeien] follow (o[*daaruit volgt dat ...* it follows that ...
²volgen (ov ww) **1** follow: *een spoor* (of: [*weg*) *~* follow a trail (of: the road) **2** [m.b. lessen, cursus] follow, attend **3** [handelen naar] follow; pursue [koers, beleid]: *zijn ha ~* follow the dictates of one's heart || *ik ka niet ~* I don't follow you
volgend following, next: *de ~e keer nex* time (round); *wie is de ~e?* who's next?; *he gaat om het ~e* the problem is (of: the fact are) as follows
volgens according to; [in overeenstem ming met, ook] in accordance with: *~ mijn horloge is het drie uur* it's three o'clock by watch; *~ mij ...* I think ..., in my opinion .[
het **volgnummer** serial number
volgooien fill (up): *de tank ~* fill (up) th[tank, fill her up
de **volgorde** order; [m.b.t. nummers] sequence: *in de juiste ~ leggen* put in the rig[order; *in willekeurige ~* at random; *niet o[out of order, not in order
volgroeid full(y)-grown
de **volgwagen 1** [in stoet] car in a (funera[wedding) procession **2** [in wedstrijd] (off cial) following car
volgzaam docile, obedient
volharden persevere, persist
de **volharding** perseverance, persistence
¹volhouden (onov ww) [doorgaan] pers[vere, keep on: *we zijn ermee begonnen, nu moeten we ~* now we've started we must it through; *~!* keep it up!, keep going!
²volhouden (ov ww) **1** carry on, keep u[*tempo is niet vol te houden* we can't keep this pace **2** [blijven beweren] maintain, i[

sist: *zijn onschuld ~* insist on one's innocence; *iets hardnekkig ~* stubbornly maintain sth.

de **volhouder** stayer

de **volière** aviary; [in dierentuin ook] birdhouse

het **volk 1** people, nation, race **2** [lagere sociale klasse] people, populace, folk: *een man uit het ~* a working(-class) man; *het gewone ~* the common people **3** [menigte] people: *het circus trekt altijd veel ~* the circus always draws a crowd

de **Volkenbond** [gesch] League of Nations

de **volkenkunde** cultural anthropology

de **volkenmoord** genocide

het **volkenrecht** international law

¹**volkomen** (bn) complete, total

²**volkomen** (bw) completely: *dat is ~ juist* that's perfectly true

het **volkorenbrood** wholemeal bread; [Am] whole-wheat bread

de **volksbuurt** working-class area (*of:* district)

de **volksdans** folk dance

het **volksdansen** folk dancing

de **volksgezondheid** public health, national health

de **volksheld** popular hero, national hero

de **volkshuisvesting 1** public housing **2** [dienst] (public) housing department

het **volkslied 1** national anthem **2** [traditioneel lied] folk song

de **volksmenner** [pej] demagogue, agitator

de **volksmond**: *in de ~* in popular speech (*of:* parlance); *in de ~ heet dit* this is popularly called

de **volksmuziek** folk music

de **volkspartij** people's party

de **volksraadpleging** referendum, plebiscite

de **volksrepubliek** people's republic: *de ~ China* the People's Republic of China

de **volksstam** crowd, horde

de **volkstaal** vernacular, everyday language

de **volkstelling** census: *er werd een ~ gehouden* a census was taken

de **volkstuin** allotment (garden)

de **volksuniversiteit** ± adult education centre

de **volksverhuizing 1** migrations of a nation **2** [grootscheepse verplaatsing] (mass) migration

de **volksverlakkerij** deception (of the public)

het **volksvermaak** popular amusement (*of:* entertainment)

de **volksvertegenwoordiger** representative (of the people), member of parliament, MP; [Am] Congressman

de **volksvertegenwoordiging** house (*of:* chamber) of representatives, parliament

de **volksverzekering** national insurance, social insurance

de **volksvijand** public enemy, enemy of the people: *roken is ~ nummer één* smoking is public enemy number one

de **volkswoede** popular fury (*of:* anger)

volledig 1 full, complete: *~e betaling* payment in full; *het schip is ~ uitgebrand* the ship was completely burnt out; *ik lees u de titel ~ voor* I'll read you the title in full **2** [m.b.t. tijd, ruimte] full, full-time: *~e (dienst)betrekking* full-time job

de **volledigheid** completeness

volledigheidshalve for the sake of completeness

volleerd fully-qualified

de **vollemaan** full moon: *het is ~* there is a full moon; *bij ~* when the moon is full, at full moon

volleren [sport] volley

de ¹**volleybal** (zn) [bal] volleyball

het ²**volleybal** (zn) [sport] volleyball

volleyballen play volleyball

vollopen fill up, be filled: *de zaal begon vol te lopen* the hall was getting crowded; *het bad laten ~* run the bath

¹**volmaakt** (bn) perfect, consummate

²**volmaakt** (bw) perfectly: *ik ben ~ gezond* I am in perfect health

de **volmacht 1** power (of attorney), mandate, authority **2** [schriftelijk bewijs] warrant, authorization

volmondig wholehearted, frank: *~ iets bekennen* (*of:* toegeven) confess (*of:* admit) sth. frankly; *een ~ ja* a straightforward (*of:* heartfelt) 'yes'

volop in abundance, plenty, a lot of: *~ ruimte* ample room; *het is ~ zomer* it is the height of summer; *er was ~ te eten* there was food in abundance

het **volpension** full board

volproppen cram; [eten] stuff: *volgepropte trams* overcrowded (*of:* jam-packed) trams; *zich ~* stuff o.s.

volslagen complete, utter: *een ~ onbekende* a total stranger; *~ belachelijk* utterly ridiculous

volslank plump; [positief] well-rounded

volstaan 1 [voldoende zijn] be enough, be sufficient, do: *dat volstaat* that will do **2** [zich beperken tot] limit o.s. (to)

volstoppen stuff (full), fill to the brim (*of:* top)

volstrekt total, complete: *ik ben het ~ niet met hem eens* I disagree entirely with him

de **volt** volt

het/de **voltage** voltage

voltallig complete, full, entire: *het ~e bestuur* the entire committee; *de ~e vergadering* the plenary assembly (*of:* meeting)

voltijds full-time

voltooid complete, finished: *een ~ deelwoord* a past (*of:* perfect) participle; *de ~ tegenwoordige* (of: *verleden*) *tijd* the perfect (*of:* pluperfect)

voltooien complete, finish

de **voltooiing** completion

de **voltreffer** direct hit

voltrekken execute [vonnis, besluit]; cele-brate; perform [huwelijk]

de **voltrekking** celebration; performing [hu-welijk]

voluit in full

het **volume** volume, loudness

de **volumeknop** volume control (of: knob)

volumineus voluminous

volvet full-cream

volwaardig full; able(-bodied) [arbeids-kracht]: *een ~ lid* a full member

[1]**volwassen** (bn) adult, grown-up; mature [mensen]; full-grown; ripe [dieren, planten]: *~ gedrag* mature (of: adult) behaviour; *ik ben een ~ vrouw!* I'm a grown woman!; *toen zij ~ werd* on reaching womanhood; *~ worden* grow to maturity, grow up

[2]**volwassen** (bw) in an adult (of: a mature) way: *zich ~ gedragen* behave like an adult

de **volwassene** adult, grown-up

het **volwassenenonderwijs** adult education

de **volwassenheid** adulthood, maturity

de **volzin** sentence

de **vondeling** abandoned child: *een kind te ~ leggen* abandon a child

de **vondst** invention, discovery: *een ~ doen* make a (real) find; *een gelukkige ~* a lucky strike

de **vonk** spark || *de ~ sloeg over* the audience caught on

vonken spark(le), shoot sparks

het **vonnis** judgement; [in strafzaken] sen-tence; [schuldig of onschuldig] verdict: *een ~ vellen (uitspreken) over* pass (of: pronounce, give) judgement on

vonnissen sentence, convict; pass judge-ment (of: sentence) (on)

de **voodoo** voodoo

de **voogd** guardian: *toeziend ~* co-guardian, joint guardian; *~ zijn over iem.* be s.o.'s guardian

de **voogdij** guardianship: *onder ~ staan* (of: *plaatsen*) be (of: place) under guardianship

de **voogdijminister** [Belg] minister in charge

de **voogdijraad** guardianship board

de [1]**voor** (zn) 1 [ploegsnede] furrow 2 [rimpel] wrinkle, furrow

het [2]**voor** (zn) pro, advantage: *~ en tegen van een voorstel* the pros and cons of a proposition

[3]**voor** (bw) 1 in (the) front: *een kind met een slab ~* a child wearing a bib; *de auto staat ~* the car is at the door; *hij is ~ in de dertig* he is in his early thirties; *~ in het boek* near the be-ginning of the book 2 [m.b.t. een volgorde; meer dan] ahead, in the lead: *vier punten ~* four points ahead; *zij zijn ons ~ geweest* they got (t)here before (of: ahead of) us 3 [m.b.t. een gezindheid] for, in favour: *ik ben er niet ~*

I'm not in favour of that

[4]**voor** (vz) 1 for: *zij is een goede moeder ~ ha kinderen* she is a good mother to her chil-dren; *dat is net iets ~ hem* **a)** [passend] that just the thing for him; **b)** [te verwachten] that is just like him; *dat is niets ~ mij* that is not my kind of thing (of: my cup of tea) 2 [niet achter] before, in front of: *de dage die ~ ons liggen* the days (that lie) ahead o us 3 [in tegenwoordigheid van] before, fo 4 [vroeger dan] before, ahead of: *~ zonda* before Sunday; *tien ~ zeven* ten to seven 5 [de plaats van] for, instead of: *ik zal ~ mijn zoon betalen* I'll pay for my son 6 [ten voo dele, behoeve van] for, in favour of: *ik ber FC Utrecht* I'm a supporter of FC Utrecht || *w zijn het ~ mensen?* what sort of people are they?

[5]**voor** (vw) before: *~ hij vertrok, was ik al we* was already gone before he left

vooraan in (the) front: *~ lopen* walk at t front; *iets ~ zetten* put sth. (up) in front

vooraanstaand prominent, leading

vooraf beforehand, in advance: *een verk ring ~* an explanation in advance; *je moet goed bedenken wat je gaat doen* you need think ahead about what you're going to

voorafgaan precede, go before, go in front (of): *de weken ~de aan het feest* the weeks preceding the celebration

voorafgaand preceding, foregoing: *~e toestemming* prior permission

het **voorafje** appetizer, hors d'oeuvre

vooral especially, particularly: *dat moet j doen* do that (of: go ahead) by all means; *~ vroeg naar bed* be sure to go to bed earl maak haar ~ niet wakker* don't wake her u *whatever you do; *vergeet het ~ niet* whate you do, don't forget it; *~ omdat* especially because

vooraleer [form] afore, before

vooralsnog as yet, for the time being

het **voorarrest** remand, custody, detention *~ zitten* be on remand, be in custody; *in ~ houden worden* be taken into custody

de **vooravond** eve

de **voorbaat** *bij ~ dank* thank (of: thankin you in advance; *bij ~ kansloos zijn* not star chance from the very start

de **voorbank** front seats

voorbarig premature: *~ spreken* (of: *ar woorden*) speak (of: answer) too soon

voorbedacht [jur] *met ~en rade* intent ally; [jur] with premeditation

het **voorbeeld** example, model; instance: *afschrikwekkend ~* a warning; *een ~ stell* make an example of s.o.; *iemands ~ volge* follow s.o.'s lead (of: example); *tot ~ dier* serve as an example (of: a model) for

de **voorbeeldfunctie** exemplary functior *een ~ vervullen* serve as an example to ot

voorbeeldig exemplary, model: *een ~ gedrag* exemplary conduct

het **voorbehoedmiddel** contraceptive

het **voorbehoud** restriction, reservation; condition: *iets onder ~ beloven* make a conditional promise; *zonder ~* without reservations

het **voorbehouden** reserve

voorbereiden prepare, get ready: *zich ~ op een examen* prepare for an exam; *op alles voorbereid zijn* be ready for anything

voorbereidend preparatory: *~ wetenschappelijk onderwijs* pre-university education; *~e werkzaamheden* groundwork

de **voorbereiding** preparation: *~en treffen* make preparations

de **voorbeschouwing** preview

de **voorbespreking** preliminary talk

voorbestemmen predestine, predetermine: *voorbestemd zijn om te …* predestined (*of:* fated) to …

¹**voorbij** (bn) past; [na ww] over: *die tijd is ~* those days are gone; *~e tijden* bygone times

²**voorbij** (bw) **1** past, by: *wacht tot de trein ~ is* wait until the train has passed **2** [verder dan] beyond, past: *hij is die leeftijd allang ~* he is way past that age; *je bent er al ~* you have already passed it

³**voorbij** (vz) [verder dan] beyond, past: *we zijn al ~ Amsterdam* we've already passed Amsterdam; *hij ging ~ het huis* he went past the house

voorbijgaan pass by, go by: *de jaren gingen voorbij* the years passed by; *de kans voorbij laten gaan* pass up a chance; *er gaat praktisch geen week voorbij of …* hardly a week goes by when (*of:* that) … || *in het ~* incidentally, by the way, in passing

voorbijgaand transitory, passing: *van ~e aard* of a temporary nature

de **voorbijganger** passer-by

voorbijkomen come past, come by, pass (by)

voorbijrijden drive past; [op fiets, paard] ride past

voorbijschieten whizz by || *zijn doel ~* overshoot the mark

voorbijtrekken pass: *hij zag zijn leven aan zijn oog ~* he saw his life pass before his eyes

voorbijvliegen fly (by): *de weken vlogen voorbij* the weeks just flew (by)

de **voorbode** forerunner, herald; [fig; voorteken] omen: *de zwaluwen zijn de ~n van de lente* the swallows are the heralds of spring

voordat 1 [m.b.t. tijdstip] before; [met ontkenning] until: *alles was gemakkelijker ~ hij kwam* things were easier before he came; *~ ik je brief kreeg, wist ik er niets van* I knew nothing about it until I got your letter **2** [alvorens] before (that)

het **voordeel 1** advantage, benefit: *Agassi staat op ~* advantage Agassi; *zijn ~ met iets doen* take advantage of sth.; *~ hebben bij* profit (*of:* benefit) from; *hij is in zijn ~ veranderd* he has changed for the better; *3-0 in het ~ van Nederland* 3-0 for the Dutch side (*of:* team); *iem. het ~ van de twijfel gunnen* give s.o. the benefit of the doubt **2** [gunstige eigenschap, omstandigheid] advantage, plus point: *de voor- en nadelen* the advantages and disadvantages; *een ~ behalen* gain an advantage

de **voordeelregel** advantage rule

voordelig 1 profitable, lucrative: *~ kopen* get a bargain **2** [zuinig, goedkoop] economical, inexpensive: *~er zijn* be cheaper; *~ in het gebruik* be economical in use, go a long way

de **voordeur** front door

¹**voordoen** (ov ww) show, demonstrate

zich ²**voordoen** (wdk ww) act, appear, pose: *zich flink ~* put on a bold front; *zich ~ als politieagent* pose as a policeman

de **voordracht** lecture: *een ~ houden over* read a paper on, give a lecture on

voordragen 1 recite [gedicht] **2** [als kandidaat voorstellen] nominate, recommend

voordringen push forward (*of:* past, ahead), jump the queue

de **voorfilm** short

voorgaan 1 go ahead (*of:* before), lead (the way): *dames gaan voor* ladies first; *iem. laten ~* let s.o. go first; *gaat u voor!* after you!, lead the way **2** [prioriteit hebben] take precedence, come first: *het belangrijkste moet ~* the most important has to come first

voorgaand preceding, former, last, previous: *op de ~e bladzijde* on the preceding page

de **voorganger** predecessor

het **voorgebergte** promontory, headland

voorgekookt pre-cooked, parboiled: *~e aardappelen* pre-cooked potatoes; *~e rijst* parboiled rice

voorgeleiden bring in

voorgenomen intended, proposed: *de ~ maatregelen* the proposed measures

het **voorgerecht** first course, starter

de **voorgeschiedenis** [m.b.t. zaken] previous history; [m.b.t. personen] ancestry; past history

voorgeschreven prescribed, required

de **voorgevel** face

voorgeven pretend

het **voorgevoel** premonition; foreboding [van iets slechts]: *een angstig ~* an anxious foreboding; *ergens een ~ van hebben* have a premonition about sth.

voorgoed for good, once and for all: *dat is nu ~ voorbij* that is over and done with now

de **voorgrond** foreground: *op de ~ treden, zich op de ~ plaatsen* come into prominence; *iets op de ~ plaatsen* place sth. in the forefront; *hij dringt zich altijd op de ~* he always pushes himself forward

de **voorhamer** sledge(hammer)

de **voorhand**: op ~ beforehand, in advance

voorhanden on hand, in stock: niet meer ~ unavailable

voorhebben 1 have on, wear: een schort ~ have on (of: wear) an apron **2** [tegenover zich hebben] have in front of: de verkeerde ~ have got the wrong one (in mind) || het goed met iem. ~ mean well by a person, wish a person well

voorheen formerly, in the past

de **voorheffing** advance tax payment

de **voorhoede** forward line, forwards

de **voorhoedespeler** forward

het **voorhoofd** forehead

de **voorhoofdsholteontsteking** sinusitis

voorhouden represent, confront: iem. zijn slechte gedrag ~ confront s.o. with his bad conduct

de **voorhuid** foreskin

voorin in (the) front [in bus, trein]; at the beginning [in boek]

vooringenomen biased, prejudiced

het **voorjaar** spring, springtime

de **voorjaarsmoeheid** springtime fatigue

de **voorjaarsvakantie** spring holidays; [Am] spring vacation

de **voorkamer** front room

de **voorkant** front: de ~ van een auto the front of a car

voorkauwen repeat over and over

de **voorkennis** foreknowledge; [m.b.t. misbruik] inside knowledge: ~ hebben van have prior knowledge of; [fin] handel met ~ insider trading (of: dealing)

de **voorkeur** preference: mijn ~ gaat uit naar I (would) prefer; de ~ geven aan give preference to; bij ~ preferably

de **voorkeursbehandeling** preferential treatment

de **voorkeurstem** preference vote

het **¹voorkomen** (zn) **1** appearance, bearing: nu krijgt de zaak een geheel ander ~ things are now looking a lot different **2** [het aangetroffen worden] occurrence, incidence: het regelmatig ~ van ongeregeldheden the recurrence of disturbances

²voorkomen (onov ww) **1** occur, happen **2** [aangetroffen worden] occur, be found: die planten komen overal voor those plants grow everywhere **3** [voor het gerecht verschijnen] appear: hij moet ~ he has to appear in court **4** [toeschijnen] seem, appear: dat komt mij bekend voor that rings a bell, that sounds familiar

³voorkomen (ov ww) prevent: om misverstanden te ~ to prevent (any) misunderstandings; we moeten ~ dat hij hier weggaat we must prevent him from leaving; ~ is beter dan genezen prevention is better than cure

voorkomend occurring: dagelijks ~e zake everyday events, recurrent matters; een ve ~ probleem a common problem; zelden ~ u usual, rare

de **voorkoming** prevention: ter ~ van ongelukken to prevent accidents

voorlaatst last but one

het **voorland** future: dat is ook haar ~ that's a in store for her

voorlaten allow to go first, give precedence to

voorleggen present: iem. een plan ~ present s.o. with a plan; een zaak aan de rechte bring a case before the court

de **voorletter** initial (letter): wat zijn uw ~s? what are your initials?

voorlezen read aloud, read out loud: ier een brief (of: de krant) ~ read aloud a lette (of: the newspaper) to s.o.; kinderen houde van ~ children like to be read to; ~ uit een boek read aloud from a book

voorlichten 1 inform: zich goed laten ~ seek good advice; we zijn verkeerd voorgeli we were misinformed **2** [seksuele voorlich ting geven] tell (s.o.) the facts of life

de **voorlichter** press officer, information of cer

de **voorlichting** information: de afdeling ~ [van een bedrijf] public relations department; seksuele ~ sex education; goede ~ g ven give good advice

de **voorlichtingsdienst** (public) informati service

de **voorliefde** predilection, preference, for ness

voorliegen lie to

voorlopen 1 [voorop lopen] walk (of: g in front **2** [te snel lopen] be fast: de klok loopt vijf minuten voor the clock is five minu fast

de **voorloper** precursor, forerunner

¹voorlopig (bn) temporary, provisional: ~e aanstelling a temporary appointment; verslag interim report

²voorlopig (bw) for the time being: hij za het ~ accepteren he will accept it provisio ally; ~ niet not for the time being; ~ voor maand for a month to begin with

voormalig former

de **voorman** foreman

de **voormiddag 1** morning **2** [begin van d middag] early afternoon

de **voorn** roach

de **¹voornaam** (zn) first name: iem. bij zijn ~ noemen call s.o. by his first name

²voornaam (bn, bw) **1** distinguished, pre minent: een ~ voorkomen a dignified (of: distinguished) appearance **2** [belangrijk] main, important: de ~ste dagbladen the leading dailies; de ~ste feiten the main fa

het **voornaamwoord** pronoun: aanwijzer

demonstrative pronoun; *bezittelijk ~* possessive pronoun; *betrekkelijk ~* relative pronoun; *persoonlijk ~* personal pronoun
voornamelijk mainly, chiefly

het **¹voornemen** (zn) intention; [nieuwjaar ook] resolution: *zij is vol goede ~s* she is full of good intentions; *het vaste ~ iets te bereiken* the determination to achieve sth.

zich **²voornemen** (wdk ww) resolve: *hij had het zich heilig voorgenomen* he had firmly resolved to do so; *zij bereikte wat ze zich voorgenomen had* she achieved what she had set out (*of:* planned) to do
voornoemd above-mentioned

de **vooronderstelling** presupposition

het **vooronderzoek** preliminary investigation: *gerechtelijk ~* hearing

het **vooroordeel** prejudice: *een ~ hebben over* be prejudiced against; *zonder vooroordelen* unbiased, unprejudiced
vooroorlogs pre-war
voorop in front, in the lead, first: *het nummer staat ~ het bankbiljet* the number is on the front of the banknote; *~ staat, dat …* the main thing is that …
vooropgaan lead (the way)

de **vooropleiding** (preliminary, preparatory) training
vooroplopen 1 walk (*of:* run) in front **2** [het voorbeeld geven] lead (the way): *~ in de modewereld* be a trendsetter in the fashion world
vooropstaan: *wat vooropstaat, is …* the main thing is that …
vooropstellen 1 assume: *laten we dit ~: …* let's get one thing straight right away: …; *ik stel voorop dat hij altijd eerlijk is geweest* to begin with, I maintain that he has always been honest **2** [als belangrijkste beschouwen] put first (and foremost): *de volksgezondheid ~* put public health first (and foremost)

de **voorouders** ancestors, forefathers
voorover headfirst, face down: *met het gezicht ~ liggen* lie face down(ward); *~ tuimelen* tumble headfirst (*of:* forward)

de **voorpagina** front page: *de ~'s halen* make the front pages

de **voorpoot** foreleg, forepaw

de **voorpret** pleasurable anticipation

het **voorproefje** (fore)taste

het **voorprogramma** [theat] curtain-raiser; supporting programme; [bioscoop] shorts: *een concert van Doe Maar met Frans Bauer in het ~* a Doe Maar concert with Frans Bauer as supporting act

de **voorraad 1** stock, supply: *de ~ goud* the gold reserve(s); *de ~ opnemen* take stock; *zolang de ~ strekt* as long as (*of:* while) supplies/stocks last; *niet meer in ~ zijn* not be in stock anymore; *uit ~ leverbaar* available from stock **2** [levensmiddelen, provisie] supplies,

stock(s): *~ inslaan voor de winter* lay in supplies for the winter; *we zijn door onze ~ heen* we have gone through our supplies

de **voorraadkast** store cupboard; [Am] supply closet
voorradig in stock (*of:* store), on hand: *in alle kleuren ~* available in all colours

de **voorrang** right of way, priority: *~ hebben op* have (the) right of way over; *verkeer van rechts heeft ~* traffic from the right has (the) right of way; *geen ~ verlenen* fail to yield, fail to give (right of) way; *~ verlenen aan verkeer van rechts* give way (*of:* yield) to the right; *(de) ~ hebben (boven)* have (*of:* take) priority (over); *met ~ behandelen* give preferential treatment

de **voorrangsweg** major road

het **voorrecht** privilege: *ik had het ~ hem te verwelkomen* I had the honour (*of:* privilege) of welcoming him
voorrekenen figure out, work out
voorrijden drive up to the front (*of:* entrance, door)

de **voorrijkosten** call-out charge

de **voorronde** qualifying round, preliminary round

de **voorruit** windscreen; [Am] windshield
voorschieten advance, lend: *ik zal het even ~* I'll lend you the money

de **voorschoot** apron, pinafore

het **voorschot** advance, loan
voorschotelen dish up, serve up

het **voorschrift 1** prescription, order: *op ~ van de dokter* on doctor's orders **2** [regels] regulation, rule: *aan de ~en voldoen* satisfy (*of:* meet) the requirements; *volgens ~* as prescribed (*of:* directed)
voorschrijven prescribe: *rust ~* prescribe rest; *op de voorgeschreven tijd* at the appointed time

het **voorseizoen** pre-season

de **voorselectie** pre-selection
voorsorteren get in lane: *rechts ~* get in the right-hand lane

het **voorspel 1** prelude, prologue: *het ~ van de oorlog* the prelude to the war **2** [inleiding tot liefdesspel] foreplay
voorspelbaar predictable
voorspelen play
voorspellen 1 predict, forecast: *iem. een gouden toekomst ~* predict a rosy future for s.o.; *ik heb het u wel voorspeld* I told you so **2** [beloven] promise: *dat voorspelt niet veel goeds* that doesn't bode well

de **voorspelling 1** prophecy **2** [prognose] prediction: *de ~en voor morgen* the (weather) forecast for tomorrow
voorspiegelen delude (with images of …)

de **voorspoed** prosperity: *in voor- en tegenspoed* for better or for worse; *voor- en tegenspoed* ups and downs

voorspoedig successful, prosperous: *alles verliep ~* it all went off well

de **voorspraak** intercession

de **voorsprong** (head) start, lead: *hij won met grote ~* he won by a large margin; *iem. een ~ geven* give s.o. a head start; *een ~ hebben op iem.* have the jump (*of:* lead) on s.o.

voorst first, front: *op de ~e bank zitten* be (*of:* sit) in the front row

voorstaan stand (*of:* be) in front: *de auto staat voor* the car is (out) at the front

de **voorstad** suburb

de **voorstander** supporter, advocate: *ik ben er een groot ~ van* I'm all for it

het **voorstel** proposal, suggestion: *iem. een ~ doen* make s.o. a proposal (*of:* proposition)

voorstelbaar imaginable, conceivable

¹**voorstellen** (ov ww) **1** introduce: *zich ~ aan* introduce o.s. to **2** [opperen] suggest, propose **3** [de rol spelen van] represent, play **4** [een beeld geven van] represent, depict: *het schilderij stelt een huis voor* the painting depicts a house || *dat stelt niets voor* that doesn't amount to anything

zich ²**voorstellen** (wdk ww) imagine, conceive: *ik kan mij zijn gezicht niet meer ~* I can't recall his face; *dat kan ik me best ~* I can imagine (that); *stel je voor!* just imagine!

de **voorstelling 1** show(ing), performance: *doorlopende ~* non-stop (*of:* continuous) performance **2** [afbeelding] representation, depiction **3** [denkbeeld] impression, idea: *dat is een verkeerde ~ van zaken* that is a misrepresentation; *zich een ~ van iets maken* picture sth., form an idea of sth.

het **voorstellingsvermogen** (power(s) of) imagination

voorstemmen vote for

de **voorsteven** stem, prow

de **voorstopper** centre back

voort on(wards), forward

voortaan from now on

de **voortand** front tooth

het **voortbestaan** continued existence (*of:* life), survival

¹**voortbewegen** (ov ww) drive, move on (*of:* forward): *het karretje werd door stroom voortbewogen* the buggy was driven by electricity

zich ²**voortbewegen** (wdk ww) [voortgaan] move on (*of:* forward)

voortborduren embroider, elaborate: *op een thema ~* elaborate (*of:* embroider) on a theme

voortbrengen produce, create, bring forth: *kinderen ~* produce children

het **voortbrengsel** product

voortduren continue, go on, wear on

voortdurend constant, continual; [onafgebroken] continuous: *een ~e dreiging* a constant threat (*of:* menace); *haar naam*

duikt ~ op in de krant her name keeps cropping up in the (news)papers

het **voorteken** omen, sign

de **voortent** front bell (end), (front) extension [voor caravan] awning

voortgaan continue

de **voortgang** progress

voortgezet continued, further: *~ onderwijs* secondary education

voortijdig premature, untimely: *de les werd ~ afgebroken* the lesson was cut short; *~ klaar zijn* be finished ahead of time

voortkomen (+ uit) stem (from), flow (from): *de daaruit ~de misstanden* the resulting (*of:* consequent) abuses

voortleven live on: *zij leeft voort in onze herinnering* she lives on in our memory

voortmaken hurry up, make haste

het **voortouw**: *het ~ nemen* take the lead

zich **voortplanten 1** reproduce, multiply **2** [zich verbreiden] propagate, be transmitted: *geluid plant zich voort in golven* sound is transmitted (*of:* travels) in waves

de **voortplanting** reproduction, multiplication, breeding: *geslachtelijke ~* sexual reproduction

het **voortplantingsorgaan** reproductive organ

voortreffelijk excellent, superb: *hij danst ~* he dances superbly (*of:* exquisitely)

voortrekken favour, give preference to: *een boven de ander ~* favour one person above another

de **voortrekker 1** pioneer **2** Venture Scout; [Am] Explorer

voorts furthermore, moreover, besides

zich **voortslepen** drag on, linger: *een zich al ja renlang ~de kwestie* a lingering question

de **voortuin** front garden; [Am] front yard

voortvarend energetic, dynamic

voortvloeien result (from), arise (from)

voortvluchtig fugitive: *hij is ~* he is on th run

voortzetten continue, carry on (*of:* forward): *de kennismaking ~* pursue the acquaintance; *iemands werk ~* carry on s.o.'s work

¹**vooruit** (bw) **1** ahead, further: *hiermee ka ik weer een tijdje ~* this will keep me going f a while **2** [van tevoren] before(hand), in ad vance: *zijn tijd ~ zijn* be ahead of one's time *ver ~* well in advance

²**vooruit** (tw) get going, let's go, come on, go on: *~! aan je werk* come on, time for wo

vooruitbetalen prepay, pay in advance

de **vooruitblik** preview, look ahead: *een ~ c het volgende seizoen* a preview of (*of:* look ahead at) the coming season

vooruitdenken think ahead

vooruitgaan progress, improve: *zijn ge zondheid gaat vooruit* his health is improvir er financieel op ~ be better off (financially); profit (financially)

de **vooruitgang** progress; [verbetering ook] improvement

vooruitkijken look ahead

vooruitkomen get on (of: ahead), get somewhere, make headway: moeizaam ~ progress with difficulty

vooruitlopen anticipate, be ahead (of): ~d op in advance of; op de gebeurtenissen ~ anticipate events

vooruitstrevend progressive

het **vooruitzicht** prospect, outlook: goede ~en hebben have good prospects; iem. iets in het ~ stellen hold out the prospect of sth. to s.o.

vooruitzien look ahead (of: forward): regeren is ~ foresight is the essence of government

vooruitziend far-sighted; [met visie] visionary

de **voorvader** ancestor, forefather

het **voorval** incident, event

voorvallen occur, happen

de **voorvechter** champion, advocate

de **voorverkiezing** preliminary election; [Am; m.b.t. het presidentschap] primary (election)

de **voorverkoop** advance booking (of: sale(s)): de kaarten in de ~ zijn goedkoper the tickets are cheaper if you buy them in advance

voorverpakt pre-packed

voorverwarmen preheat

het **voorvoegsel** prefix

voorwaar indeed, truly

de **voorwaarde 1** condition, provision: onder ~ dat ... provided that ..., on condition that ...; onder geen enkele ~ on no account, under no circumstances; iets als ~ stellen state (of: stipulate) sth. as a condition **2** [hand] condition; [mv ook] terms: wat zijn uw ~n? what are your terms?

voorwaardelijk conditional, provisional: ~e invrijheidstelling (release on) parole; hij is ~ overgegaan he has been put in the next class on probation; [Am] he has been put in the next grade on probation; ~ veroordelen give a suspended sentence; [met proeftijd] put on probation

¹**voorwaarts** (bn, bw) forward(s), onward(s): een stap ~ a step forward(s)

²**voorwaarts** (tw) forward: ~ mars! forward march!

de **voorwas** pre-wash

de **voorwedstrijd** preliminary competition (of: game)

voorwenden pretend, feign

het **voorwendsel** pretext, pretence: onder valse ~s under false pretences; onder ~ van under the pretext of

et **voorwerk** preliminary work

het **voorwerp** object: het lijdend ~ the direct

object; meewerkend ~ indirect object; gevonden ~en lost property

het **voorwiel** front wheel

de **voorwielaandrijving** front-wheel drive

het **voorwoord** foreword, preface

voorzeggen prompt: het antwoord ~ whisper the answer; niet ~! no prompting!

de **voorzet** cross, centre; [door het midden] ball into the area: een goede ~ geven cross the ball well, send in a good cross

het **voorzetsel** preposition

voorzetten 1 put (of: place) in front (of) **2** [voor laten lopen] put forward, set forward; [klok ook] put ahead **3** [een voorzet geven] [vanaf de zijkant] cross; [door het midden] hit the ball into the area

voorzichtig 1 careful, cautious: ~! breekbaar! fragile! handle with care!; wees ~! be careful!; iem. het nieuws ~ vertellen break the news gently to s.o.; ~ te werk gaan proceed cautiously (of: with caution) **2** [omzichtig] cautious; [tactvol] discreet: ~ naar iets informeren make discreet inquiries (about sth.)

de **voorzichtigheid** precaution, care

voorzichtigheidshalve as a precaution

¹**voorzien** (bn) provided: wij zijn al ~ we have been taken care of (of: seen to); het gebouw is ~ van videobewaking the buildiing is equipped with CCTV; de deur is ~ van een slot the door is fitted with a lock

²**voorzien** (ov ww) **1** foresee, anticipate: dat was te ~ that was to be expected **2** (+ in) [zorgen] provide (for), see to: in een behoefte ~ fill a need; in zijn onderhoud kunnen ~ be able to support o.s. (of: to provide for o.s.) **3** (+ van) [verschaffen] provide (with), equip (with): het huis is ~ van centrale verwarming the house has central heating

de **voorzienigheid** providence: Gods ~ divine providence

de **voorziening** provision, service: sociale ~en social services; sanitaire ~en sanitary facilities; ~en treffen make arrangements

de **voorzijde** front (side)

voorzitten chair

de **voorzitter** chairman: mijnheer (of: mevrouw) de ~ Mr Chairman, Madam Chairman (of: Chairwoman); ~ zijn chair a (of: the) meeting

het **voorzitterschap** chairmanship

de **voorzorg** precaution: uit ~ iets doen do sth. as a precaution(ary measure)

de **voorzorgsmaatregel** precaution, precautionary measure: ~en nemen (treffen) tegen take precautions against

voos 1 dried-out **2** hollow **3** rotten

¹**vorderen** (onov ww) (make) progress, move forward, make headway: naarmate de dag vorderde as the day progressed (of: wore on)

²**vorderen** (ov ww) **1** demand, claim: het te ~

bedrag is … the amount due is …; *geld ~ van iem.* demand money from s.o. **2** [opeisen] requisition

de **vordering 1** progress, headway: *~en maken* (make) progress, make headway **2** [eis] demand, claim: *een ~ instellen tegen iem.* put in (*of:* submit) a claim against s.o.; *~ op iem.* claim against s.o.

voren: *kom wat naar ~* come closer (*of:* up here) a bit; *naar ~ komen* **a)** come forward; **b)** [fig] come up, come to the fore; *van ~* from (*of:* on) the front (side); *van ~ af aan* from the beginning

vorig 1 last, previous: *de ~e avond* the night before, the previous night; *in het ~e hoofdstuk* in the preceding (*of:* last) chapter; *de ~e keer* (the) last time **2** [vroeger] earlier, former: *haar ~e man* her former husband

de **vork** fork

de **vorkheftruck** forklift (truck)

de **vorm 1** form, shape, outline: *naar ~ en inhoud* in form and content; *de lijdende ~ van een werkwoord* the passive voice (*of:* form) of a verb **2** [mal] mould, form **3** (proper) form; [fysiek] shape; [fysiek] build: *in goede ~ zijn* be in good shape (*of:* condition)

vormelijk 1 [volgens de vorm] formal **2** [formalistisch] formalistic

vormen 1 shape, form, mould **2** [doen ontstaan] form, make (up), build (up): *die delen ~ een geheel* those parts make up a whole; *zich een oordeel ~* form an opinion

vormend formative: *algemeen ~ onderwijs* general (*of:* non-vocational) education

de **vormfout** technicality

vormgeven design

de **vormgever** designer, stylist

de **vormgeving** design, style, styling: *een heel eigen ~* a very personal (*of:* individual) style

de **vorming 1** formation **2** [geestelijke ontwikkeling] education, training

het **vormsel** [sacrament] confirmation

de **vorst 1** frost, freeze: *vier graden ~* four degrees below freezing; *strenge ~* hard (*of:* sharp) frost; *we krijgen ~* there's (a) frost coming; *bij ~* in frosty weather, in case of frost **2** [koning] sovereign, monarch: *iem. als een ~ onthalen* entertain s.o. like a prince

vorstelijk princely, royal, regal, lordly: *een ~ salaris* a princely salary; *iem. ~ belonen* reward s.o. generously

het **vorstendom** principality, princedom

het **vorstenhuis** dynasty, royal house

de **vorstin** queen, princess, sovereign's wife, ruler's wife

de **vorstschade** frost damage

het **vorstverlet** hold-ups due to frost

vorstvrij frost-free

de **vos** fox: *een troep ~sen* a pack of foxes; *een sluwe ~* a sly old fox; *een ~ verliest wel zijn haren, maar niet zijn streken* the leopard cannot

change his spots

de **vossenjacht 1** [spel] treasure hunt **2** [jac op een vos] fox hunt: *op ~ gaan (zijn)* go fox hunting, ride to (*of:* follow) the hounds

de **vouw** crease, fold: *een scherpe ~* a sharp crease; *zo gaat je broek uit de ~* that will tak the crease out of your trousers

vouwbaar foldable

de **vouwcaravan** folding caravan; [Am] folding trailer

de **vouwdeur** folding door

vouwen fold: *de handen ~* fold one's han (in prayer); *naar binnen ~* fold in(wards); tu in [zoom]

de **vouwfiets** folding bike, collapsible bike

de **voyeur** voyeur, peeping Tom

de **vraag 1** question; [verzoek] request: *een pijnlijke ~ stellen* ask an embarrassing (*of:* delicate) question; *de ~ brandde mij op de* pen the question was on the tip of my tongue; *vragen stellen* (of: *beantwoorden)* ask (*of:* answer) questions; [internet] *veelg stelde vragen* FAQ (afk van *frequently aske questions*) **2** [behoefte] demand, call: *~ er aanbod* supply and demand; *niet aan de ~ kunnen voldoen* be unable to meet the de mand; *er is veel ~ naar tulpen* there's great demand (*of:* call) for tulips **3** [opgave] que tion, problem, assignment **4** [vraagstuk] question, issue, problem, topic: *dat is zeer ~ that is highly debatable (*of:* questionabl het is nog de ~, of …* it remains to be seen whether …

de **vraagbaak 1** [persoon] oracle **2** [boekwerk] handbook, encyclopedia **3** [online] FAQ (afk van *frequently asked questions*)

het **vraaggesprek** interview

de **vraagprijs** asking price

het **vraagstuk** problem, question

het **vraagteken** question mark; [fig ook] my tery: *de toekomst is een groot ~* the future one big question mark

de **vraatzucht** gluttony

vraatzuchtig gluttonous, greedy

de **vracht 1** freight(age), cargo; [wagen, tre load: *~ innemen* take in cargo (*of:* freight(age)) **2** [last] load, burden, weight: *ond de ~ bezwijken* succumb under the burden **3** [hoeveelheid] load, shipment **4** [groot aantal] (cart)load, ton(s)

de **vrachtbrief** waybill; [schip, trein, vliegt consignment note; [bij bestelling] deliver note, forwarding note

het **vrachtschip** freighter, cargo ship

het **vrachtverkeer** [vrachtvervoer] cargo trade, goods transport(ation); [verkeer v vrachtauto's] lorry traffic; [verkeer van vrachtauto's; Am] truck traffic

het **vrachtvervoer** goods carriage, cargo transport(ation)

het **vrachtvliegtuig** cargo plane (*of:* aircra

de **vrachtwagen** lorry; [Am] truck; [gesloten] van

de **vrachtwagenchauffeur** lorry driver; [Am] truck driver; [Am] trucker

¹**vragen** (onov ww) **1** [informeren] ask (after, about), inquire (after, about): *daar wordt niet naar gevraagd* that's beside the point; *naar de bekende weg ~* ask what one already knows (*of:* for the sake of asking) **2** [het onvermijdelijk maken] ask (for), call (for): *erom ~* ask for it; *dat is om moeilijkheden ~* that's asking for trouble

²**vragen** (ww) **1** ask (for): *een politieagent de weg ~* ask a policeman for (*of:* to show one) the way; *zou ik u iets mogen ~?* would you mind if I asked you a question?, can I ask you sth.?; *~ hoe laat het is* ask (for) the time **2** [verzoeken] ask, demand, request: *de rekening ~* ask (*of:* call) for the bill

³**vragen** (ov ww) **1** [uitnodigen] ask, invite **2** [verlangen] ask, request: *hoeveel vraagt hij voor zijn huis?* how much does he want for his house?; *gevraagd: typiste* wanted: typist; *je vraagt te veel van jezelf* you're asking (*of:* demanding) too much of yourself; *veel aandacht ~* demand a great deal of attention

¹**vragend** (bn) interrogative: *een ~ voornaamwoord* an interrogative (pronoun)

²**vragend** (bn, bw) questioning

de **vragenlijst** list of questions; [formulier] questionnaire; inquiry form

de **vragensteller** questioner, inquirer, interviewer

de **vrede 1** peace: *~ sluiten met* conclude the peace with; *~ stichten* make peace **2** [toestand van rust] peace, quiet(ude): *~ met iets hebben* be resigned (*of:* reconciled) to sth.; accept sth.

vredelievend peaceful, peace-loving

de **vrederechter** [Belg] justice of the peace

de **vredesactivist** peace activist

het **vredesakkoord** peace agreement (*of:* treaty)

de **vredesbeweging** peace movement

de **vredesconferentie** peace conference

de **vredesduif** dove of peace

de **vredesmacht** peacekeeping force

vredesnaam: *hoe is het in ~ mogelijk?* how on earth is that possible?, for crying out loud, how is that possible?

de **vredesonderhandelingen** peace negotiations (*of:* talks)

de **vredesoperatie** peace operation

et **Vredespaleis** Peace Palace

de **vredespijp** pipe of peace: *de ~ roken* smoke the pipe of peace, keep the (*of:* make) peace

et **vredesproces** peace process

de **vredestichter** peacemaker

de **vredestijd** peacetime

et **vredesverdrag** peace treaty

vredig peaceful, quiet

vreedzaam peaceful, non-violent

¹**vreemd** (bn) **1** strange, odd, unfamiliar, unusual: *een ~e gewoonte* an odd (*of:* a strange) habit; *het ~e is, dat …* the odd (*of:* strange, funny) thing is that … **2** [van elders gekomen] foreign, strange, imported: *zij is hier ~* she is a stranger here **3** [uitheems] foreign, exotic: *~ geld* foreign currency; *~e talen* foreign languages **4** [niet van eigen familie] strange, outside: *~ gaan* have an (extramarital) affair

²**vreemd** (bw) [ongewoon] strangely, oddly, unusually: *~ doen* behave in an unusual way; *~ genoeg* strangely enough, strange to say

de **vreemde 1** foreigner, stranger **2** [geen familielid] stranger, outsider: *dat hebben ze van geen ~* it's obvious who they got that from (*of:* where they learnt that)

de **vreemdeling** foreigner, stranger: *ongewenste ~en* undesirable aliens; *hij is een ~ in zijn eigen land* he is a stranger in his own country

het **vreemdelingenbeleid** immigration policy

de **vreemdelingendienst** aliens (registration) office

de **vreemdelingenhaat** xenophobia

het **vreemdelingenlegioen** foreign legion

vreemdgaan cheat, sleep around, have extramarital relations

vreemdsoortig peculiar, strange, odd

de **vrees** fear, fright: *hij greep haar vast uit ~ dat hij zou vallen* he grabbed hold of her for fear he should fall

de **vreetpartij** blow-out

de **vreetzak** glutton, pig

de **vrek** miser, skinflint, Scrooge

vrekkig miserly, stingy

¹**vreselijk** (bn, bw) **1** terrible, awful: *~e honger hebben* have a ravenous appetite; *we hebben ~ gelachen* we nearly died (of) laughing **2** [afschrikwekkend] terrifying, horrible: *een ~e moord* a shocking (*of:* horrible) murder

²**vreselijk** (bw) terribly, awfully, frightfully: *~ gezellig* awfully nice

het ¹**vreten** (zn) **1** fodder [voor vee e.d.]; food [voor huisdieren, wilde dieren]; forage [voor paarden, koeien e.d.]; [van afval] slops **2** [eten] grub, nosh

²**vreten** (onov ww) [knagen] eat (away), gnaw (at), prey (on): *het schuldbesef vrat aan haar* the sense of guilt gnawed at her (heart)

³**vreten** (ov ww) **1** [m.b.t. personen, eten] feed: *dat is niet te ~!* that's not fit for pigs! **2** [gulzig eten] stuff (*of:* cram, gorge) (o.s.): *zich te barsten ~* stuff o.s. to the gullet (*of:* sick) **3** [m.b.t. dieren] feed, eat **4** [verslinden] eat (up), devour: *kilometers ~* burn up the road; *dat toestel vréét stroom* this apparatus

simply eats up electricity

de **vreugde** joy, delight, pleasure: *tot mijn ~ hoor ik* I am delighted to hear

de **vreugdekreet** cry (*of:* shout) of joy
vreugdeloos joyless, cheerless
vreugdevol joyful

het **vreugdevuur** bonfire
vrezen fear, dread, be afraid (of, that): *ik vrees het ergste* I fear the worst; *God ~* fear God; *ik vrees van niet* (*of: wel*) I'm afraid not (*of:* so); *ik vrees dat hij niet komt* I'm afraid he won't come (*of:* show up)

de **vriend 1** friend: *~en en vriendinnen!* friends!; *dikke ~en zijn* be (very) close friends; *even goede ~en* no hard feelings, no offence; *van je ~en moet je het maar hebben* with friends like that who needs enemies **2** [geliefde] (boy)friend: *ze heeft een ~(je)* she has a boyfriend ‖ *iem. te ~ houden* remain on good terms with s.o.
vriendelijk 1 friendly, kind, amiable: *~ lachen* give a friendly smile; *zou u zo ~ willen zijn om ...* would you be kind enough (*of:* so kind) as to ...; *dat is erg ~ van u* that's very (*of:* most) kind of you **2** [aangenaam] pleasant

de **vriendelijkheid** friendliness, kindness, amiability

de **vriendendienst** friendly turn, kind turn, act of friendship

de **vriendenkring** circle of friends

het **vriendenprijsje** give-away: *voor een ~* for next to nothing

de **vriendin 1** (girl)friend, (lady) friend: *zij zijn dikke ~nen* they're the best of friends **2** [geliefde] girl(friend): *een vaste ~ hebben* have a steady girl(friend), go steady

de **vriendjespolitiek** favouritism, nepotism

de **vriendschap** friendship: *~ sluiten* make (*of:* become) friends, strike up a friendship; *uit ~ iets doen* do sth. out of friendship
vriendschappelijk friendly, amicable; in a friendly way: *~e wedstrijd* friendly match; *~ met elkaar omgaan* be on friendly terms
vriesdrogen freeze-dry, lyophilize

de **vrieskist** (chest-type) freezer, deep-freeze

de **vrieskou** frost

het **vriespunt** freezing (point): *temperaturen boven* (*of: onder, rond*) *het ~* temperatures above (*of:* below, about) freezing (point)

het **vriesvak** freezing compartment, freezer

het **vriesweer** freezing weather, frosty weather
vriezen freeze: *het vriest vijf graden* it's five (degrees) below freezing; *het vriest dat het kraakt* there's a sharp frost in the air

de **vriezer** freezer, deep-freeze

¹**vrij** (bn) **1** free, open, unrestricted: *~e handel* free trade; [zwemmen] *de ~e slag* freestyle; *een ~ uitzicht hebben* have a clear (*of:* an open) view; *de weg is ~* the road is clear; *weer op ~e voeten zijn* be outside again

2 [gratis] free, complimentary **3** [nog beschikbaar] free, vacant: *die wc is ~* that lavatory is free (*of:* vacant, unoccupied); *de handen ~ hebben* have a free hand, have one' hands free; *een stoel ~ houden* reserve a se

²**vrij** (bw) [tamelijk] quite, fairly, rather, pretty: *het komt ~ vaak voor* it occurs quite (*of:* fairly) often
vrijaf off: *een halve dag ~* a half-holiday, half a day off; *~ nemen* take a holiday (*of.* some time off)
vrijblijvend without (*of:* free of) obligations

de **vrijbrief** [fig] licence

de **vrijbuiter** freebooter

de **vrijdag** Friday: *Goede Vrijdag* Good Frida
¹**vrijdags** (bn) Friday
²**vrijdags** (bw) [op vrijdag] on Fridays

de **vrijdenker** freethinker
vrijelijk freely, without restraint

de **vrijemarkteconomie** free marker ecomy
vrijen 1 neck, pet: *die twee zitten lekker t* those two are having a nice cuddle **2** [geslachtsgemeenschap hebben] make love, to bed: *veilig ~* have safe sex

de **vrijer** boyfriend, lover, sweetheart, (you man

de **vrijetijdsbesteding** leisure activities, r reation

de **vrijetijdskleding** casual clothes (*of:* we

het **vrijgeleide** (letter of) safe-conduct, safe guard, pass(port), permit
¹**vrijgeven** (onov ww) give time off, give holiday
²**vrijgeven** (ov ww) [vrijlaten, het gebrui toestaan] release: *de handel ~* decontrol trade; *iets voor publicatie ~* release sth. for publication
vrijgevig generous, free with, liberal w

de **vrijgevigheid** generosity, liberality

de **vrijgezel** bachelor, single: *een verstokte* confirmed bachelor

de **vrijgezellenavond 1** [mannen] stag-night; [vrouwen] hen-party **2** [voor allee staanden georganiseerde avond] singles night

de **vrijhandel** free trade

de **vrijhaven** free port

de **vrijheid** [het vrij zijn] freedom, liberty: *is hier ~, blijheid* it's Liberty Hall here; *~ v godsdienst* (*of: meningsuiting*) freedom religion (*of:* speech); *persoonlijke ~ perso* freedom (*of:* liberty); *kinderen veel ~ geve* give (*of:* allow) children a lot of freedom *iem. in ~ stellen* set s.o. free (*of:* at liberty, free/release s.o.

het **vrijheidsbeeld**: *het Vrijheidsbeeld* the S ue of Liberty

de **vrijheidsberoving** deprivation of libe (*of:* freedom) de **vrijheidsstraf** imprisonment, detention

de **vrijheidsstrijder** freedom fighter

vrijhouden 1 keep (free), reserve; [m.b.t. dag, tijd, geld ook] set aside: *een plaats ~* keep a place (*of:* seat) free; *de weg ~* keep the road open (*of:* clear) **2** [betalen voor iem.] pay (for), stand (s.o. sth.)

het **vrijkaartje** free ticket

vrijkomen 1 come out; be set free, be released [uit gevangenis] **2** [loskomen] be released [ook chemie]; be set free **3** [beschikbaar komen] become free (*of:* available): *zodra er een plaats vrijkomt* as soon as there is a vacancy (*of:* place)

vrijlaten 1 release, set free (*of:* at liberty); [m.b.t. slaven ook] liberate; [m.b.t. slaven ook] emancipate **2** [openlaten] leave free (*of:* vacant); leave clear [m.b.t. open ruimte]: *deze ruimte ~ s.v.p.* please leave this space clear

de **vrijlating** release

vrijmaken reserve, keep (free): *tijd ~* make time (for)

de **vrijmarkt** unregulated street market

de **vrijmetselaar** freemason, Mason

de **vrijmetselarij** Freemasonry, Masonry

vrijmoedig frank, outspoken

de **vrijplaats** refuge

vrijpleiten clear (of), exonerate (from)

vrijpostig impertinent, impudent, saucy

de **vrijspraak** acquittal

vrijspreken acquit (from), clear: *vrijgesproken worden van een beschuldiging* be cleared of (*of:* be acquitted on) a charge

vrijstaan be free (to), be allowed (to), be permitted (to), be at liberty (to)

vrijstaand apart, free; detached [huis]: *een ~ huis* a detached house

vrijstellen exempt [van belasting, dienst enz.]; excuse [van lessen]; release [van een plicht]: *vrijgesteld van militaire dienst* exempt from military service

de **vrijstelling** exemption, release, freedom: *~ verlenen van* exempt from; *een ~ hebben voor wiskunde* be exempted from the maths exam

de **vrijster** spinster: *een oude ~* an old maid

vrijuit freely: *u kunt ~ spreken* you can speak freely || *~ gaan* **a)** [schuldeloos zijn] not be to blame; **b)** [ongestraft blijven] get off (*of:* go) scot-free, go clear/free

vrijwaren (safe)guard (against): *gevrijwaard tegen* protected from; *gevrijwaard blijven van blessures* remain free from injury

vrijwel nearly, almost, practically: *dat is ~ hetzelfde* that's nearly (*of:* almost) the same; *~ niets* hardly anything, next to nothing; *~ tegelijk aankomen* arrive almost simultaneously (*of:* at the same time); *het komt ~ op hetzelfde neer* it boils down to pretty well the same thing

vrijwillig voluntary; [uit vrijwilligers bestaand, ook] volunteer; of one's own free will, of one's own volition: *~ iets op zich nemen* volunteer to do sth., take on sth. voluntarily

de **vrijwilliger** volunteer: *er hebben zich nog geen ~s gemeld* so far nobody has volunteered

het **vrijwilligerswerk** voluntary work, volunteer work

vrijzinnig 1 [vooruitstrevend] liberal **2** [Belg; ongelovig] unbelieving

de **vroedvrouw** midwife

vroeg 1 early: *van ~ tot laat* from dawn till dusk (*of:* dark); *je moet er ~ bij zijn* you've got to get in quickly; *hij toonde al ~ tekentalent* he showed artistic talent at an early age; *volgende week is ~ genoeg* next week is soon enough; *niet ~er dan ...* not before ..., ... at the earliest; *het is nog ~* **a)** [m.b.t. dag] the day is still young; **b)** [m.b.t. avond] the night is still young; *'s morgens ~* early in the morning **2** [eerder dan verwacht] early; [m.b.t. mensen ook] young; [vnl. m.b.t. geboorte en dood] premature: *een te ~ geboren kind* a premature baby

¹**vroeger** (bn) [voormalig] previous, former: *zijn ~e verloofde* his former (*of:* ex-fiancée)

²**vroeger** (bw) formerly, before, previously: *~ heb ik ook wel gerookt* I used to smoke; *~ stond hier een kerk* there used to be a church here; *het Londen van ~* London as it used to be (*of:* once was)

het **vroegpensioen** early retirement

vroegrijp precocious; forward [kind, meisje]; early-ripening [vrucht]: *~e kinderen* precocious (*of:* forward) children

de **vroegte**: *in alle ~* at (the) crack of dawn, bright and early

vroegtijdig early, premature

vrolijk cheerful, merry: *~ behang* cheerful (*of:* bright) wallpaper; *het was er een ~e boel* they were a merry crowd; *een ~e frans* quite a lad, a happy-go-lucky fellow; *~ worden* get (a bit, rather) merry; *een ~ leventje leiden* lead a merry life

vroom pious, devout

de **vrouw 1** woman: *een alleenstaande ~* a single (*of:* an unattached) woman; *achter de ~en aanzitten* chase (after) women, womanize; *de werkende ~* working women; career women; *een ~ achter het stuur* a woman driver; *Vrouw Holle* Mother Carey **2** [echtgenote] wife: *man en ~* husband (*of:* man) and wife; *hoe gaat het met je ~?* how's your wife?; *een dochter van zijn eerste ~* a daughter by his first wife **3** [speelkaart] queen **4** [bazin] mistress, lady: *de ~ des huizes* lady (*of:* mistress) of the house

vrouwelijk 1 female; [m.b.t. beroep ook] woman: *een ~e arts* a woman doctor; *de ~e*

hoofdrol the leading lady role (*of:* part)
2 [passend en kenmerkend] feminine, woman-ly: *~e charme* feminine charm; *de ~e intuï-tie* woman's intuition

de **vrouwenarts** gynaecologist
de **vrouwenbesnijdenis** female genital mutilation (afk *FGM*)
de **vrouwenbeweging** feminist movement, women's (rights) movement
het **vrouwenblad** women's magazine
de **vrouwengek** ladies' man, womanizer
de **vrouwenhandel** trade (*of:* traffic) in women; [blanke vrouwen] white slave trade
de **vrouwenjager** womanizer, ladykiller
de **vrouwenstem** female voice, woman's voice
vrouwonvriendelijk disadvantageous to women
het **vrouwtje 1** woman; [m.b.t. echtgenote] wife(y): *een oud ~* a little old woman, a granny; *hij kijkt te veel naar de ~s* he's too keen on women (*of:* the ladies) **2** [bazin] mistress **3** [vrouwelijk dier] female
vrouwvriendelijk women-friendly
de **vrucht 1** fruit: *~en op sap* fruit in syrup; *verboden ~en* forbidden fruit **2** [ongeboren jong, kind] foetus, embryo: *een onvoldragen ~* a foetus that has not been carried to term **3** [fig] fruit(s), reward(s): *zijn werk heeft weinig ~en afgeworpen* he has little to show for his work; *~en afwerpen* bear fruit; *de ~en van iets plukken* reap the fruit(s) (*of:* rewards) of sth.
vruchtbaar 1 fruitful, productive **2** [groeizaam] fertile [ook m.b.t. voortplanting]; fruitful: *de vruchtbare periode van de vrouw* a woman's fertile period; *een vruchtbare bodem vinden* find fertile soil
de **vruchtbaarheid** fertility, fruitfulness
het **vruchtbeginsel** ovary
vruchteloos fruitless, futile
de **vruchtenpers** fruit press
het **vruchtensap** fruit juice
de **vruchtentaart** fruit tart
het **vruchtgebruik** [jur] usufruct
het **vruchtvlees** flesh (of a, the fruit), (fruit) pulp
het **vruchtwater** amniotic fluid, water(s)
de **vruchtwateronderzoek** amniocentesis
de **VS** afk van *Verenigde Staten* US, USA
de **V-snaar** V-belt
het **vso** [Belg; ond] comprehensive school system
het **V-teken** V-sign
vuig foul; mean, low: *~e laster* foul slander
het ¹**vuil** (zn) **1** refuse, rubbish; [Am voornamelijk] garbage: *iem. behandelen als een stuk ~* treat s.o. like dirt; *~ storten* tip (*of:* dump, shoot) rubbish; *verboden ~ te storten* dumping prohibited, no tipping (*of:* dumping) **2** [viezigheid] dirt, filth

²**vuil** (bn, bw) **1** dirty, filthy; [vervuild ook] polluted: *de ~e kopjes* the dirty (*of:* used) cups; *een ~e rivier* a dirty (*of:* polluted) rive **2** [oneerlijk, onaangenaam] dirty, foul: *ierr een ~e streek leveren* play a dirty (*of:* nasty trick) on s.o.; *~e viezerik* (of: *leugenaar*) dir (*of:* filthy) swine/liar **3** [nijdig] dirty, nasty: *iem. ~ aankijken* give s.o. a dirty (*of:* filthy, nasty) look
de **vuilak** [inf] [gemenerik] pig, rotter, nasty piece of work, skunk
de **vuiligheid** dirt, filth
vuilmaken make dirty, dirty, soil
het **vuilnis** refuse, rubbish; [Am voornamelijk] garbage
de **vuilnisauto** dustcart; [Am] garbage truck trash truck
de **vuilnisbak** dustbin, rubbish bin; [Am] ga bage can, trash can
het **vuilnisbakkenras** mongrel
de **vuilnisbelt** rubbish dump
de **vuilnishoop** rubbish dump; [Am] garbag heap
de **vuilniskoker** rubbish chute
de **vuilnisman** binman; [Am voornamelijk] garbage collector
de **vuilniszak** rubbish bag, refuse bag
de **vuilophaaldienst** refuse collection
de **vuilstortplaats** rubbish dump
het **vuiltje** smut, speck of dirt (*of:* dust, grit): *een ~ in het oog hebben* have sth. (*of:* a sm in one's eye ‖ *er is geen ~ aan de lucht* ever thing is absolutely fine; [Am] everything is peachy keen
de **vuilverbranding** (waste, refuse, garbag incinerator
de **vuilverwerking** waste processing
de **vuist** fist: *met gebalde ~en* with clenched fists; *een ~ maken* take a stand (*of:* hard lir *met de ~ op tafel slaan* bang one's fist on t table; take a hard line; *op de ~ gaan* come blows; *uit het ~je eten* eat with one's finge *voor de ~ (weg)* off the cuff, ad lib
de **vuistregel** rule of thumb
de **vuistslag** punch
vulgair vulgar, common; rude [taal, gedrag]
de **vulkaan** volcano
de **vulkaanuitbarsting** volcanic eruption
vulkanisch volcanic: *~e stenen* volcanic rocks
vullen 1 fill (up); [met lucht] inflate: *het eten vult ontzettend* the meal is very filling **2** [opvullen] fill (up); stuff [meubels, kusse e.d.]; pad [kleding]: *een gat ~* fill (up) a h *een kip met gehakt ~* stuff a chicken with mince
de **vulling 1** filling [ook van gebit]; stuffing [van meubels, gerechten] **2** [verwisselbar patroon] cartridge, refill
de **vulpen** fountain pen

het **vulpotlood** propelling pencil; [Am] refillable lead pencil

vunzig dirty, filthy

¹**vuren** (bn) pine, deal

²**vuren** (onov ww) fire: *staakt het ~* cease fire

het **vurenhout** pine(wood), deal

vurenhouten pine, deal

vurig 1 fiery, (red-)hot: *~e kolen* coals of fire **2** [hartstochtelijk] fiery, ardent, fervent; devout [vnl. m.b.t. geloof]; burning [verlangen]: *~e paarden* fiery (*of:* high-spirited) horses; *een ~ voorstander van iets* a strong (*of:* fervent) supporter of sth.; *daarmee was zijn ~ste wens vervuld* it fulfilled his most ardent wish

de **VUT** afk van *vervroegde uittreding* early retirement: *in de ~ gaan* retire early, take early retirement

de **VUT-regeling** ± early-retirement scheme

het **vuur 1** fire: *voor iem. door het ~ gaan* go through fire (and water) for s.o.; *het huis staat in ~ en vlam* the house is in flames; *ik zou er mijn hand voor in het ~ durven steken* I'd stake my life on it; *in ~ en vlam zetten* set ablaze (*of:* on fire); *met ~ spelen* play with fire; *een ~ aansteken* light a fire; *iem. het ~ na aan de schenen leggen* make it (*of:* things) hot for s.o.; *een ~ uitdoven* put out (*of:* extinguish) a fire; *een pan op het ~ zetten* put a pan on the stove; *iem. zwaar onder ~ nemen* let fly at s.o.; *tussen twee vuren zitten* get caught in the middle (*of:* in the firing line) **2** [enthousiasme] fire, ardour, fervour: *in het ~ van zijn betoog* in the heat of his argument || *eigen ~* friendly fire

de **vuurbal** fireball, ball of fire

de **vuurdoop** baptism of fire

het **vuurgevecht** gunfight

de **vuurhaard** seat of the fire

Vuurland Tierra del Fuego

de **vuurlinie** firing line, line of fire

het **vuurpeloton** firing squad

de **vuurpijl** rocket

de **vuurproef** trial by fire; [fig] ordeal; acid test: *de ~ doorstaan* stand the test; *de ~ ondergaan* undergo a severe ordeal

vuurrood crimson, scarlet: *~ aanlopen* turn crimson (*of:* scarlet)

vuurspuwend erupting [vulkaan]; fire-breathing; fire-spitting [draak]

de **vuurspuwer** ± fire-eater

de **vuursteen** flint

het **vuurtje 1** (small) fire: *het nieuws ging als een lopend ~ door de stad* the news spread through the town like wildfire **2** [voor een sigaret enz.] light: *iem. een ~ geven* give s.o. a light

de **vuurtoren** lighthouse

vuurvast fireproof, flame-resistant, heat-resistant: *een ~ schaaltje* an ovenproof (*of:* a heat-resistant) dish

het **vuurvliegje** firefly

het **vuurwapen** firearm, gun; [meestal mv] arm

het **vuurwerk 1** [materiaal] firework **2** [gelegenheid] (display of) fireworks

de **vuurzee** blaze, sea of fire (*of:* flame(s))

de **VVV**ᴹᴱᴿᴷ afk van *Vereniging voor Vreemdelingenverkeer* Tourist Information Office

v.w.b. afk van *voor wat betreft* as far as … is concerned

het **vwo** afk van *voorbereidend wetenschappelijk onderwijs* pre-university education

W

de **w** w, W
de **WA** afk van *wettelijke aansprakelijkheid*
third-party liability
de **waadvogel** wader
de **waaghals** daredevil
de **waagschaal**: *zijn leven in de ~ stellen* take
one's life in one's (own) hands
het **waagstuk** risky enterprise
waaien 1 blow; [van wind] be blown: *er
woei een harde storm* a storm was blowing
2 [wapperen] wave, fly ‖ *laat maar* – let it rip
de **waaier** fan
waaiervormig fan-shaped
de **waakhond** watchdog
waaks watchful
de **waakvlam** pilot light (*of:* flame)
waakzaam watchful
de **waakzaamheid** watchfulness
de **Waal** [persoon] Walloon
het **¹Waals** (zn) Walloon
²Waals (bn) Walloon
de **waan** delusion: *iem. in de ~ laten* not spoil
s.o.'s illusions
de **waanzin** madness: *dat is je reinste ~* that is
pure nonsense (*of:* sheer madness)
waanzinnig mad: *~ populair zijn* be wildly
popular
de **waanzinnige** madman, maniac; [vrouwe-
lijk] madwoman
de **¹waar** (zn) goods, ware(s): *iem. ~ voor zijn geld
geven* give value for money
²waar (bn) **1** true, real, actual: *de ware oorzaak* the real (*of:* actual) cause; *'t is toch niet
~!* you don't say!, not really!; *het is te mooi
om ~ te zijn* it's too good to be true; *echt ~?* is
that really true?, really?; *eerlijk ~!* honest!
2 [echt] true; [voor zn] actual; real: *een ~ genot* a regular (*of:* real) treat; *hij is de ware (jakob)* he's Mr Right **3** [juist] true, correct ‖ *dat
is ~ ook* ... that reminds me ..., by the way ...
³waar (bw) **1** where [plaats]; what: *~ gaat het
nu eigenlijk om?* what is it really all about?
2 [betrekkelijk] where [alleen m.b.t. plaats];
that; which [met voorzetsel]: *de boodschap ~
hij niet aan gedacht had* the message (that,
which) he hadn't remembered; *het dorp ~ hij
geboren is* the village where (*of:* in which) he
was born **3** wherever; [overal] everywhere;
[onverschillig waar] anywhere: *meer welvaart
dan ~ ook* more prosperity than anywhere
else **4** really, actually: *dat is ~ gebeurd* it
really (*of:* actually) happened
waaraan 1 what ... to: *~ ligt dit?* what is

the reason for it?; *~ heb ik dit te danken?* wh
do I owe this to?, to what do I owe this?
2 [betrekkelijk] what (*of:* which) ... to/of:
huis ~ ik dacht the house (which) I was thir
ing of **3** [onbepaald] whatever ... to (*of:* o
~ je ook denkt whatever you're thinking o
(*of:* about)
waarachter 1 behind which **2** [vragend]
behind what (*of:* which)
waarachtig truly, really
waarbij at (*of:* by, near) ... which: *een or
geluk ~ veel gewonden vielen* an accident ir
which many people were injured
de **waarborg** guarantee; [onderpand] secur
waarborgen guarantee
de **waarborgsom** deposit; [jur] bail
de **¹waard** (zn) landlord
²waard (bn) worth, worthy (of sth., s.o.):
ten zien wat je ~ bent show s.o. what you'r
made of; *hij is haar niet ~* he's not worthy c
her; *na een dag werken ben ik 's avonds nie
(meer) ~* after a day's work I'm no good fo
anything; *veel ~ zijn* be worth a lot
de **waarde 1** value: *ter ~ van ...* at (the valu
of), worth ...; *voorwerpen van ~* objects of
value, valuables; *iem. in zijn ~ laten* accept
as he is; *iem. niet op zijn juiste ~ schatten* ur
derestimate s.o.; *(zeer) veel ~ aan iets hech
value sth. highly; *weinig ~ aan iets hechter
attach little value to sth.; *van ~ zijn, ~ heb
be valuable, be of value **2** [getal, bedrag
een meter aanwijst] value, reading: *in ~ c
len* depreciate, decrease (*of:* diminish) in v
ue; *de gemiddelde ~n van de zomertemper
turen* the average summer temperature ‖
[fig] *een vaste ~* a stalwart friend/suppor
de **waardebon** voucher, coupon; [cadeaub
gift voucher (*of:* coupon)
waardeloos worthless: *dat is ~* that's us
less (*of:* hopeless)
het **waardeoordeel** value judg(e)ment
waarderen appreciate, value: *hij weet e
goed glas wijn wel te ~* he likes (*of:* apprec
ates) a good glass of wine
waarderend appreciative: *zich (zeer) ~ c
iem. uitlaten* speak (very) highly of s.o.
de **waardering** appreciation, esteem: *~ or
dervinden (van)* win the esteem (*of:* rega
(of); *als blijk van ~* as a tribute of one's ap
preciation (*of:* esteem)
waardevast [m.b.t. munt] stable (in va
[m.b.t. investeringen] index-linked; [m.b.
inkomen] inflation-proof
waardevol valuable, useful: *~le voorw
pen* valuables, objects of value
waardig dignified, worthy
de **waardigheid** dignity, worth: *iets bene
zijn ~ achten* think sth. beneath one's dig
(*of:* beneath one)
de **waardin** landlady
waardoor 1 (as a result of) what, how:

ben je van gedachten veranderd? what made you change your mind?; ik weet ~ het komt I know how it happened, I know what caused it **2** [betrekkelijk] through which, by which, (which, that) ... through (of: by); [met zin als antecedent] (as a result of) which: de buis ~ het gas stroomt the tube through which the gas flows; het begon te regenen, ~ de weg nog gladder werd it started to rain, which made the road even more slippery

¹waargebeurd (bn) true

²waargebeurd (bn): een waargebeurd verhaal a true story

waarheen 1 where, where ... to: ~ zullen wij vandaag gaan? where shall we go today? **2** [betrekkelijk] where, to which, (which, that) ... to: de plaats ~ ze me stuurden the place to which they directed me **3** [onbepaald] wherever: ~ u ook gaat wherever you (may) go

de **waarheid** truth, fact: de ~ achterhalen get at (of: find out) the truth; om (u) de ~ te zeggen to be honest (with you), to tell (you) the truth; de ~ ligt in het midden the truth lies (somewhere) in between; een ~ als een koe a truism; ver bezijden de ~ zijn be far removed from the truth; de naakte ~ the naked truth

waarheidsgetrouw truthful, true

waarin 1 where, in what: ~ schuilt de fout? where's the mistake? **2** [betrekkelijk] in which, where, (which, that) ... in: de tijd ~ wij leven the age (that, which) we live in **3** [onbepaald] wherever, in whatever: ~ de fout ook gemaakt is wherever the mistake was made

waarlangs 1 what ... past (of: along) **2** [betrekkelijk] past which, along which, (which, that) ... past (of: along): de weg ~ hij gaat the way he is going, the road along which he is going **3** [onbepaald] past whatever, along whatever: ~ zij ook kwamen whatever way they came along

waarlijk truly, really

¹waarmaken (ov ww) **1** [bewijzen] prove **2** [realiseren] fulfil: de gewekte verwachtingen (niet) ~ (fail to) live up to expectations

ich **²waarmaken** (wdk ww) prove o.s.

waarmee 1 what ... with (of: by): ~ sloeg hij je? what did he hit you with? **2** [betrekkelijk] with which, by which; [met zin als antecedent] which; (which) ... with (of: by): de boot ~ ik vertrek the boat on which I leave **3** [onbepaald] (with, by) whatever: ~ hij ook dreigde, zij werd niet bang whatever he threatened her with she didn't get scared

het **waarmerk** stamp

waarmerken stamp: een gewaarmerkt afschrift a certified (of: an authenticated) copy

waarna after which: ~ Paul als spreker optrad after which Paul spoke (of: took the floor)

waarnaar 1 what ... at (of: of, for): ~ smaakt dat? what does it taste of? **2** [plaats, richting] to which; after (of: for, according to) which, (which, that) ... to (of: after, for): het hoofdstuk ~ ze verwees the chapter (that, which) she referred to **3** [onbepaald] whatever ... to (of: at, for), wherever: ~ ik hier ook zoek, ik vind nooit wat whatever I look for here, I never find anything

waarnaast 1 what ... next to (of: beside) **2** [betrekkelijk] (which, that) ... next to (of: beside) **3** [onbepaald] whatever ... next to (of: beside): ~ je dit schilderij ook hangt whatever you hang this picture next to

waarneembaar perceptible: niet ~ imperceptible

¹waarnemen (ww) [als vervanger] replace (temporarily), fill in, take over (temporarily), act: de zaken voor iem. ~ fill in for (of: replace) s.o.

²waarnemen (ov ww) [observeren] observe, perceive

waarnemend temporary, acting

de **waarnemer 1** [iem. die observeert] observer **2** [iem. die tijdelijk een betrekking vervult] representative, deputy, substitute

de **waarneming 1** observation, perception **2** [het vervangen] substitution

waarom 1 why, what ... for: ~ denk je dat? why do you (of: what makes you) think so?; ~ in vredesnaam? why on earth?, why for goodness' sake? **2** [betrekkelijk] why, (which, that) ... for: de reden ~ hij het deed the reason (why, that) he did it **3** [onbepaald] for whatever, whatever ... for: ~ hij het ook doet, hij moet ermee ophouden! whatever he does it for, he has to stop it!

waaromheen 1 what ... (a)round **2** [betrekkelijk] (a)round which: het huis ~ een tuin lag the house which was surrounded by a garden

waaronder 1 what ... under (of: among), among what **2** [plaats] under which; among which [informeel]: de boom ~ wij zaten the tree under which we were sitting; hij had een schat aan boeken, ~ heel zeldzame he had a wealth of books, including some very rare ones **3** [onbepaald] under whatever, whatever ... under: ~ hij ook keek, hij vond het niet whatever he looked under, he couldn't find it

waarop 1 what ... on (of: for), where **2** [betrekkelijk] (which, that) ... on/in (of: by, to): de dag ~ hij aankwam the day (on which) he arrived; de manier ~ beviel me niet I didn't like the way (in which) it was done; op het tijdstip ~ at the time that **3** [onbepaald] whatever ... on: ~ je nu ook staat, ik wil dat je naar beneden komt whatever you are standing on now, I want you to get down

waarover 1 what ... over (of: about,

across): ~ *gaat het?* what is it about? **2** [betrekkelijk] (which, that) ... over (*of:* about, across): *de auto ~ ik met je vader gesproken heb* the car of (*of:* about) which I've spoken with your dad **3** [onbepaald] whatever ... about: ~ *de discussie dan ook gaat, ...* whatever the discussion is about, ...

waarschijnlijk probable, likely: *dat lijkt mij heel ~* that seems quite likely to me; ~ *niet* I suppose not; *meer dan ~* more than likely

de **waarschijnlijkheid** probability, likelihood, odds: *naar alle ~* in all probability (*of:* likelihood)

waarschuwen 1 warn, alert: *ik heb je gewaarschuwd* I gave you fair warning, I told you so **2** [op de hoogte brengen] warn, notify: *een dokter laten ~* call a doctor **3** [dreigen] warn, caution: *ik waarschuw je voor de laatste maal* I'm telling you for the last time; *wees gewaarschuwd* you've been warned

de **waarschuwing** warning; caution [ook sport]; [m.b.t. betaling] reminder; [opschrift] notice: [sport] *een officiële ~ krijgen* be booked (*of:* cautioned); *Waarschuwing! Zeer brandbaar!* Caution! Highly flammable!

het **waarschuwingsbord** warning sign

waartegen 1 what ... against (*of:* to): ~ *helpt dit middel?* what is this medicine for? **2** [betrekkelijk] which to which, (which, that) ... against (*of:* to): *de muur ~ een ladder staat* the wall against which a ladder is standing; *een raad ~ niets in te brengen valt* a piece of advice to which no objections can be made **3** [onbepaald] whatever ... against (*of:* to)

waartoe 1 what ... for (*of:* to), why **2** [betrekkelijk] (which, that) ... for (*of:* to) **3** [onbepaald] whatever ... for (*of:* to): ~ *dit ook moge leiden* whatever this may lead to

waartussen 1 what ... between (*of:* among, from): ~ *moeten wij kiezen?* **a)** [uit twee] what are we (supposed) to choose between; **b)** [uit drie of meer] what are the alternatives? **2** [betrekkelijk] between (*of:* among, from) which, (which, that) ... between (*of:* among, from) **3** [onbepaald] whatever ... between (*of:* among, from)

waaruit 1 from what: ~ *bestaat de opdracht?* what does the assignment consist of? **2** [betrekkelijk] from which: *het boek ~ u ons net voorlas* the book from which you read to us just now

waarvan 1 what ... from (*of:* of): ~ *maakt hij dat?* what does he make that of? (*of:* from?); of (*of:* from) what does he make that? **2** [betrekkelijk] (which, that) ... from; of whom [m.b.t. personen]; whose: *100 studenten, ~ ongeveer de helft chemici* 100 students, of whom about half are chemists; *op grond ~* on the basis of which; *dat is een onderwerp ~ hij veel verstand heeft* that is a sub-

ject he knows a lot about **3** [onbepaald] whatever ... from

waarvandaan 1 where ... from **2** [betrekkelijk] (which, that) ... from **3** [onbepaald] wherever ... from: ~ *je ook belt, draai altijd eerst een 0* wherever you call from, always dial an 0 first

waarvoor 1 [voor wat?] what ... for (*of:* about): ~ *dient dat?* what's that for? **2** [waarom?] what ... for: ~ *doe je dat?* wh are you doing that for? **3** [betrekkelijk] (which, that) ... for: *een gevaar ~ ik u gewa schuwd heb* a danger I warned you about **4** [onbepaald] whatever ... for: ~ *hij het oc doet, het is in elk geval niet het geld* whateve he does it for, it's not the money, that's fo sure

waarzeggen tell fortunes, divine the future

de **waarzegger** fortune-teller; [met bol] cry tal-gazer

de **waarzegster** fortune-teller

het **waas** haze; [fig] air; aura, film: *een ~ van heimzinnigheid* a shroud of secrecy; *een ~ voor de ogen krijgen* get a mist (*of:* haze) b fore one's eyes

de **wacht 1** watchman **2** watch; [van dief] lookout: *(de) ~ houden* be on (*of:* stand) guard; [Belg] *van ~ zijn* be on night (*of:* weekend) duty, be on call **3** [personen] watch, guard ‖ *iets in de ~ slepen* carry off sth., pocket (*of:* bag) sth.

wachten 1 wait, stay: *op de bus ~ wait f* the bus **2** [afwachten] wait, await: *iem. la ~* keep s.o. waiting; *waar wacht je nog op?* what are you waiting for?; *op zijn beurt ~* await one's turn; [telec] *er zijn nog drie ~de voor u* hold the line, there are three caller before you; *je moet er niet te lang mee ~ do* put it off too long **3** [in het vooruitzicht staan] wait, await (s.o.), be in store for (s. *er wachtte hem een onaangename verrassin* there was an unpleasant surprise in store him; *er staan ons moeilijke tijden te ~* diffic times lie ahead of us

de **wachter** guard(sman), watchman

het **wachtgeld** reduced pay

de **wachtkamer** waiting room

de **wachtlijst** waiting list

wachtlopen be on patrol, be on (guard duty

de **wachtpost** watch (*of:* sentry, guard) po

de **wachtstand** suspension mode, suspenc mode

de **wachttijd** wait, waiting period

het **wachtwoord** password

het **wad** (mud) flat(s), shallow(s) ‖ *de Wadde* the (Dutch) Wadden

waden wade

waf woof

de **wafel** waffle; [knapperig] wafer

het **wafelijzer** waffle iron

de **waffel** [inf] trap, gob

de **¹wagen** (zn) **1** wagon; [door paard, hand getrokken] cart; [bestelauto] van; [poppen-, kinderwagen] pram **2** [auto] car: *met de ~ komen* come by car

²wagen (ov ww) **1** risk: *het erop ~ chance (of: risk) it; wie niet waagt, die niet wint* nothing ventured, nothing gained **2** [durven te ondernemen] venture, dare: *zijn kans ~ try one's luck; waag het eens!* just you dare! || *aan elkaar gewaagd zijn* be well (of: evenly) matched

het **wagenpark** fleet (of cars, vans, taxis, buses)

wagenwijd wide open

wagenziek carsick

waggelen totter, stagger; [van eend, dikke mensen] waddle; [van klein kind] toddle

de **wagon** (railway) carriage; coach [voor reizigers]; [voor vracht] wagon; [voor vracht, gesloten] van

de **wagonlading** wagonload

het **wak** hole: *hij zakte in een ~ en verdronk* he fell through the thin ice and (was) drowned

de **wake** watch; wake [bij dode]

waken 1 watch, keep watch, stay awake: *bij een zieke ~* sit up with a sick person **2** [het oog houden op] watch, guard

wakker awake: *daar lig ik niet van ~* I'm not going to lose any sleep over it; *~ schrikken* wake up with a start; *iem. ~ schudden* shake s.o. awake

de **wal 1** bank, embankment; [m.b.t. vesting, meestal mv] wall **2** [kade] quay(side), waterside: *aan de ~* on shore; *van ~ steken* push off, go ahead, proceed; *iem. van de ~ in de sloot helpen* bring s.o. from bad to worse **3** [het vasteland] shore: *aan ~ brengen* land, bring (sth., s.o.) ashore **4** [verdikking] bag [onder ogen] || *van twee ~letjes eten* butter one's bread on both sides, play a double game

walgelijk disgusting, revolting: *een ~e stank* a nauseating stench

walgen be nauseated, be disgusted, be revolted: *ik walg ervan* it turns my stomach

de **walging** disgust, revulsion, nausea

het **Walhalla** Valhalla

de **walkietalkie** walkie-talkie

de **walkman**ᴹᴱᴿᴷ walkman

Wallonië the Walloon provinces in Belgium

de **walm** (thick, dense) smoke

walmen smoke

de **walnoot** walnut

de **walrus** walrus

de **wals 1** roller **2** [machine] steamroller, roadroller; [voor metalen, plastic, leer] (rolling) mill **3** [dans] waltz

¹walsen (onov ww) waltz

²walsen (ov ww) [met een wals] roll, steamroller; roll [metaal, plastics, leer]

de **walvis** whale

het **wanbedrijf** [Belg] criminal offence

het **wanbegrip** fallacy, misconception, wrong idea, false idea

het **wanbeheer** mismanagement

het **wanbeleid** mismanagement

de **wanbetaler** defaulter

de **wanbetaling** default, non-payment

de **wand** wall; face [van rots]; side [van schip, doos, vat enz.]; skin [van vliegtuig enz.]: *een buis met dikke ~en* a thick-walled tube

de **wandaad** outrage, misdeed

de **wandel** walk

de **wandelaar** walker; hiker [grote afstanden]

wandelen walk; [lang, vnl. buiten] ramble; [trekken] hike: *met de kinderen gaan ~* take the children for a walk

wandelend walking

de **wandelgang**: *ik hoorde het in de ~en* I just picked up some gossip

de **wandeling** walk; [uitstapje] ramble; [sport] hike

het **wandelpad** footpath

de **wandelstok** walking stick

de **wandeltocht** walking tour

de **wandelwagen** buggy, pushchair; [Am] stroller

het **wandkleed** tapestry, wall hanging(s)

de **wandluis** bedbug

het **wandmeubel** wall unit

het **wandrek** [mv] wall bars

de **wang** cheek: *bolle ~en* round (of: chubby) cheeks

het **wangedrag** misbehaviour, bad conduct

de **wanhoop** despair, desperation: *de ~ nabij zijn* be on the verge of despair

de **wanhoopsdaad** act of despair, desperate act

wanhopen despair

wanhopig desperate, despondent, despairing: *iem. ~ maken* drive s.o. to despair; *zich ergens ~ aan vastklampen* hang on to sth. like grim death

wankel shaky, unstable: *~ evenwicht* shaky balance; *~e stoelen* rickety chairs

wankelen stagger, wobble

wankelmoedig unstable, irresolute, wavering

de **wanklank** dissonance

¹wanneer (bw) when: *~ dan ook* whenever

²wanneer (vw) **1** [als] when: *~ de zon ondergaat, wordt het koeler* when the sun sets it gets cooler **2** [indien] if: *hij zou beter opschieten, ~ hij meer zijn best deed* he would make more progress if he worked harder **3** [telkens als] whenever, if: *(altijd) ~ ik oesters eet, word ik ziek* whenever I eat oysters I get ill

de **wanorde** disorder, disarray: *de keuken was in de grootste ~* the kitchen was in a colossal mess

wanordelijk disorderly

de **wanprestatie** failure

de **wansmaak** bad taste

wanstaltig misshapen, deformed

de **¹want** (zn) mitt(en)

²want (vw) because, as, for

wanten: *hij weet van ~* he knows the ropes (*of*: what's what)

de **wantoestand** disgraceful state of affairs

het **¹wantrouwen** (zn) distrust, suspicion

²wantrouwen (ov ww) distrust, mistrust

wantrouwend suspicious (of), distrustful

wantrouwig suspicious: *~ van aard* have a suspicious nature

de **wanverhouding** disproportion, imbalance

de **WAO** afk van *Wet op de Arbeidsongeschiktheidsverzekering* disability insurance act

de **WAO'er** recipient of disablement insurance benefits

het **wapen 1** weapon; [mv vaak] arms: *de ~s neerleggen* lay down arms **2** [familieteken] (coat of) arms: *een leeuw in zijn ~ voeren* bear a lion in one's coat of arms

het **wapenbezit** possession of firearms (*of*: weapons)

wapenen arm; armour [glas]; reinforce [beton]

het **wapenfeit 1** feat of arms **2** [prestatie] feat, exploit

de **wapenkunde** heraldry

de **wapenstilstand 1** armistice; [vnl. tijdelijk] suspension of arms (*of*: hostilities); ceasefire **2** [fig] truce

de **wapenstok** ± baton

het **wapentuig** armaments [mv]

de **wapenvergunning** firearms licence, gun licence

de **wapenwedloop** arms race

wapperen blow, fly, stream; [van zeilen, vlag] flap; flutter: *laten ~* fly, blow, stream, wave || *de handjes laten ~* get busy, buckle down

de **war** tangle, muddle, confusion: *in de ~ zijn* be confused; *iem. in de ~ brengen* confuse s.o.; *plannen in de ~ sturen* upset s.o.'s plans; *iets in de ~ schoppen* make havoc of (*of*: foul up) sth.

de **warboel** muddle, mess; tangle [van draden, haar]

warempel [inf] truly, really

de **waren** goods, commodities

het **warenhuis** (department) store

het **warhoofd** scatterbrain

¹warm (bn) **1** warm, hot: *het ~ hebben* be warm (*of*: hot); *het begon (lekker) ~ te worden in de kamer* the room was warming up; *iets ~s* sth. warm (*of*: hot) (to eat, drink) **2** enthusiastically: *~ lopen voor iets* feel enthusiasm for sth. **3** warmly, pleasantly **4** [hartelijk, vurig] warm, warm-hearted, ardent: *een ~ voor-*

stander van iets zijn be an ardent (*of*: a fervent) supporter of sth. **5** [geestdriftig] warmed up, enthusiastic **6** [aangenaam] warm, pleasant || *je bent ~!* you are (gettin warm! (*of*: hot!); *niet ~ of koud van iets wor den* blow neither hot nor cold, be quite in different to sth.

²warm (bw) warmly: *iem. iets ~ aanbevele* recommend sth. warmly to s.o.

warmbloedig [dierk] warm-blooded

warmdraaien warm up

warmen warm (up), heat (up)

de **warming-up** warm-up (exercise)

warmlopen 1 have warmed to, feel (great) enthusiasm for (s.o., sth.): *hij loopt r erg warm voor het plan* he has not really warmed to the plan **2** [sport] warm up, lin ber up

warmpjes warmly || [fig] *er ~ bij zitten b* comfortably off, be well off

de **warmte** warmth, heat: *~ (af)geven* give (*of*: emit) heat

de **warmtebron** source of heat

het **warmtefront** [meteo] warm front

de **warmwaterkraan** hot(-water) tap

warrig knotty, tangled; [fig] confused; muddled

wars averse (to)

Warschau Warsaw

de **wartaal** gibberish, nonsense: *(er) ~ uitsla* talk double Dutch (*of*: gibberish)

de **warwinkel** mess, muddle

de **¹was** (zn) wash, washing; [wasgoed ook] laundry; linen: *de fijne ~* the fine (*of*: delicate) fabrics; *de vuile ~ buiten hangen* was one's dirty linen in public; *iets in de ~ doer* put sth. in the wash

het/de **²was** (zn) [vettige stof] wax: *meubels in de zetten* wax furniture || *goed in de slappe ~ ten* have plenty of dough

de **wasautomaat** (automatic) washing ma chine

wasbaar washable

de **wasbak** washbasin, sink

de **wasbeer** racoon

de **wasbenzine** benzine

de **wasdroger** (tumble-)dryer

de **wasem** steam, vapour

wasemen steam

het **wasgoed** wash, laundry, linen

het **washandje** face cloth; [Am] wash rag

de **wasknijper** clothes-peg

het **waskrijt** grease pencil

de **waslijn** clothes line

de **waslijst** shopping list, catalogue

de **wasmachine** (automatic) washing machine

de **wasmand** (dirty) clothes basket

het **wasmiddel** detergent

het/de **waspoeder** washing-powder, soap pow der

het **wasrek** drying rack

¹wassen (bn) wax: *een ~ beeld* a wax figure

²wassen (onov ww) **1** [groeien] grow **2** [stijgen] rise || *bij ~de maan* while the moon is waxing

³wassen (ov ww) **1** wash; [wassen en strijken ook] launder; clean [ramen]: *waar kan ik hier mijn handen ~?* where can I wash my hands?; *zich ~* **a)** wash, have a wash; **b)** [in bad ook] have (of: take) a bath; **c)** [vnl. dieren, met name kat] wash o.s.; *iets op de hand ~* wash sth. by hand **2** [de was doen] wash, do the wash(ing)

het **wassenbeeldenmuseum** waxworks

de **wasserette** launderette

de **wasserij** laundry

de **wasstraat** (automatic) car wash

de **wastafel** washbasin

de **wasverzachter** fabric softener

¹wat (onb vnw) **1** sth.; [om het even wat] anything; [met 'ook'] whatever: *ze heeft wel ~* she has got a certain sth.; *wil je ~ drinken?* would you like sth. to drink?; *zie jij ~?* do (of: can) you see anything?; *het is altijd ~ met hem* there is always sth. up with him **2** some, a bit (of); a little [met ev]; a few [met mv]: *geef me ~ suiker* (of: *geld*) give me some sugar (of: money); *geef mij ook ~* let me have some too; *~ meer* a bit (of: little) more; *~ minder* a bit (of: little) less || *heel ~ boeken* quite a few books; a whole lot of books; *dat scheelt nogal ~* that makes quite a (bit of a) difference; *~ kun jij mooi tekenen* how well you draw!; *~ een onzin* what (absolute) nonsense; *~! komt hij niet?* what! isn't he coming?

²wat (vr vnw) what; [bij beperkte keuze] which; [verbazing uitdrukkend] whatever: *~ bedoel je daar nou mee?* just what do you mean by that?; [sterker] just what is that supposed to mean?; *wát ga je doen?* you are going to do what?; *~ heb je 't liefste, koffie of thee?* which do you prefer, coffee or tea?; *~ zeg je?* (I beg you) pardon?; *~ is het voor iem.?* what's he (of: she) like?

³wat (betr vnw) that; [na iets, dat(gene)] which: *geef hem ~ hij nodig heeft* give him what he needs; *alles ~ je zegt, klopt* everything you say is true; *en ~ nog belangrijker is* and what's (even) more (important); *doe nou maar ~ ik zeg* just do as I say; *je kunt doen en laten ~ je wilt* you can do what (of: as you) please || *ze zag eruit als een verpleegster, ~ ze ook was* she looked like a nurse, which in fact she was (too)

⁴wat (bw) **1** somewhat, rather; [een beetje] a little, a bit: *hij is ~ traag* he is a little slow, he is on the slow side **2** [zeer, erg] very, extremely: *hij is er ~ blij mee* (of: *trots op*) he is extremely pleased with it (of: proud of it) **3** [m.b.t. verbazing] isn't it (of: that, he) …, …, aren't they (of: those) …: *~ mooi hè, die*

bloemen aren't they beautiful, those flowers; *~ lief van je!* how nice of you!; [iron] *~ ben je weer vriendelijk* I see you're your usual friendly self again; *~ ze niet verzinnen tegenwoordig* the things they come up with these days; *~ wil je nog meer?* what more do (of: can) you want?; *~ zal hij blij zijn!* how happy (of: pleased) he will be!

het **water 1** water: *de bloemen ~ geven* water the flowers; *bij laag ~* at low water (of: tide); *stromend ~* running water; *een schip te ~ laten* launch a ship; *iets boven ~ halen* [fig] unearth (of: dig up) sth. **2** [vaarwater] water; [waterweg] waterway

waterafstotend water-repellent; [waterdicht] waterproof

de **waterafvoer** drainage (of water); [rioolwaterverwerking] sewage disposal

het **waterballet** [scherts] wet affair

het **waterbed** waterbed

de **waterbouwkunde** hydraulic engineering: *weg- en ~* civil engineering

waterbouwkundig hydraulic

de **waterbron** spring

de **waterdamp** (water) vapour

waterdicht waterproof [kleding(stuk)]; watertight [schoeisel, ruimte]: *een ~ alibi* watertight alibi

waterdoorlatend porous

de **waterdruppel** drop of water

wateren urinate

de **waterfiets** pedalo, pedal boat

de **watergolf 1** wave **2** [in het haar] set

watergolven set: *zijn haar laten ~* have one's hair set

het **waterhoen** moorhen

het **waterhoofd** hydrocephalus

de **waterhoogte** water level

de **waterhuishouding 1** [van bodem] soil hydrology **2** [beleid] water management

waterig 1 watery; slushy [sneeuw]: *~e soep* thin soup **2** [krachteloos] watery; [fig] wishy-washy: *een ~ zonnetje* a watery sun

het **waterijsje** ice lolly; [Am] popsicle

het **waterkanon** water cannon

de **waterkans** [Belg] remote chance

de **waterkant** waterside, waterfront: *aan de ~* on the waterfront

de **waterkering** dam, dike

de **waterkers** (water)cress

de **waterkoker** electric kettle

waterkoud clammy

de **waterkracht** hydropower

de **waterlanders** waterworks

de **waterleiding 1** water pipe (of: supply): *een huis op de ~ aansluiten* to connect a house to the water main(s) **2** waterworks, water pipes: *een bevroren ~* a frozen water pipe

het **waterleidingbedrijf** waterworks

de **waterlelie** water lily

de **waterloop** watercourse

de **Waterman** [astrol] Aquarius
de **watermeloen** watermelon
het **watermerk** watermark
de **watermeter** water meter
de **watermolen** watermill
de **waterontharder** water softener
de **wateroverlast** flooding
de ¹**waterpas** (zn) spirit level; [Am] level
  ²**waterpas** (bn) level
het **waterpeil** water level
de **waterpijp** [om te roken] water pipe, hookah
het **waterpistool** water pistol
de **waterplant** water plant
de **waterpokken** [med] chickenpox
de **waterpolitie** river police; [havens] harbour police
het **waterpolo** water polo
de **waterpomp** water pump
de **waterpomptang** adjustable-joint pliers; [groot] (adjustable) pipe wrench
de **waterput** well
het **waterrad** water wheel
  waterrijk watery, full of water
de **waterschade** water damage
het **waterschap 1** [bestuurseenheid] district water board **2** [gebied] water board district
de **waterscheiding** watershed [ook fig]
de **waterscooter** aquascooter
de **waterski** water-ski
  waterskiën [sport] water-skiing
de **waterslang** hose(pipe)
de **watersnood** flood(ing)
de **watersnoodramp** flood (disaster)
de **waterspiegel** [oppervlakte] water surface; [hoogte] water level
de **watersport** water sport, aquatic sport
de **waterstaat** zie minister
de **waterstand** water level: bij hoge (of: lage) ~ at high (of: low) water
de **waterstof** hydrogen
de **waterstofbom** hydrogen bomb, fusion bomb, H-bomb
het **waterstofperoxide** hydrogen peroxide
de **waterstraal** jet of water
  watertanden: deze chocolaatjes doen mij ~ these chocolates make my mouth water
de **watertoren** water tower
  watertrappelen tread water
de **waterval** waterfall; fall [vnl. mv]: de Niagara ~len Niagara Falls
de **waterverf** watercolour
het **watervliegtuig** seaplane, water plane
de **watervogel** waterbird
de **watervrees** hydrophobia: ~ hebben be hydrophobic
de **waterweg** waterway
het **waterwingebied** water-collection area
de **waterzuivering** water treatment
het **watje 1** wad of cotton wool; [Am] wad of absorbent cotton **2** [doetje] wally

de **watt** watt
de **watten** cotton wadding, cotton wool; [Am] absorbent cotton: een prop (dot) ~ a plug (of wad) of cottonwool; iem. in de ~ leggen pan per (of: mollycoddle) s.o.
het **wattenstaafje** cotton bud; [Am] cotton swab
  wauwelen chatter; jabber [onzin]; drone (on) [vervelend]
de **WA-verzekering** third-party insurance
de **wax** wax
  waxen wax
het **waxinelichtje** tealight
  wazig 1 hazy; blurred [beeld]: alles ~ zien see everything (as if) through a haze (of: in blur) **2** [suf] muzzy, drowsy: met een ~e blik de ogen with a dazed look in the eyes
de **wc 1** afk van watercloset WC, toilet, lavatory: ik moet naar de wc I have to go to the to let **2** [closetpot] toilet(bowl)
de **wc-bril** toilet seat
het **wc-papier** toilet paper
  we we, us: laten we gaan (of: ophouden) let's go (of: stop)
het **web** web
de **webbrowser** web browser
de **webcam** webcam
de **weblink** weblink
het/de **weblog** weblog
de **webmaster** web master
de **webpagina** web page
de **webserver** web server
de **website** website
de **webwinkel** web shop, web store
  wecken can, preserve
de **weckfles** preserving jar
de **wedde** pay, salary
  wedden bet (on): met iem. ~ om een tient dat bet s.o. ten euros that; denk jij dat Ron vandaag komt? - ik wed van wel you think R will come today? - I bet he will
de **weddenschap** bet: een ~ verliezen lose bet
de **weddeschaal** [Belg] salary scale
de **wederdienst** favour in return
de **wedergeboorte** rebirth
de **wederhelft** consort; [scherts] other half
de **wederhoor** [jur]: hoor en ~ toepassen list to both sides, listen to the other side
  wederkerend reflexive
  wederkerig mutual, reciprocal
  wederom (once) again, once more
de **wederopbouw** reconstruction, rebuild
de **wederopstanding** resurrection
  wederrechtelijk unlawful, illegal
  ¹**wederzijds** (bn) [m.b.t. ieder van beide] mutual, reciprocal: de liefde was ~ their lo was mutual
  ²**wederzijds** (bw) mutually
de **wedijver** competition, rivalry
  wedijveren strive (for)

de **wedloop** race

de **wedren** race

de **wedstrijd** match, competition, game: *een ~ bijwonen* attend a match; *een ~ fluiten* referee a match; *met nog drie ~en te spelen* with three games (still) to go

de **weduwe** widow: *groene ~* housebound wife

het **weduwepensioen** widows' benefit (*of:* pension)

de **weduwnaar** widower

de **¹wee** (zn) labour pain, contraction: *de ~ën zijn begonnen* labour has started

²wee (bn) sickly

³wee (tw) woe: *o ~ als je het nog eens doet* woe betide you if you do it again

de **weeffout** flaw, weaving fault

het **weefgetouw** loom

het **weefsel** 1 fabric, textile; [wijze van weven] weave 2 [biol] tissue, web

de **weegbree** plantain

de **weegbrug** weighbridge

de **weegschaal** (pair of) scales, balance: *twee weegschalen* two pairs of scales, two balances

de **Weegschaal** [astrol] Libra

de **¹week** (zn) week: *een ~ rust* a week's rest; *volgende ~ dinsdag* next Tuesday; *een ~ weggaan* go away for a week; *door de ~* on weekdays; *over een ~* in a week from now; *dinsdag over een ~* Tuesday week, a week from Tuesday; *morgen over twee weken* two weeks from tomorrow; *vandaag een ~ geleden* a week ago today

de **²week** (zn) [het weken] soak: *de was is in de ~ zetten* put the laundry in (to) soak

³week (bn) 1 soft: *~ worden* soften; *een ~ gestel* a weak constitution 2 [teerhartig] weak, soft-hearted

het **weekblad** weekly, (news) magazine

het **weekdier** mollusc

het **weekeinde** weekend: *in het ~* at the weekend; [Am] on the weekend

de **weekenddienst** weekend duty

de **weekendtas** holdall; [Am] carryall

weekhartig tenderhearted, softhearted

weeklagen lament

het **weekoverzicht** [tv] review of the week

de **weelde** luxury, over-abundance, wealth

weelderig luxuriant; lush [plantengroei]; sumptuous [maaltijd]

de **weemoed** melancholy, sadness

weemoedig melancholic, sad

Weens Viennese

het **¹weer** (zn) 1 weather: *mooi ~ spelen (tegen iem.)* put on a show of friendliness; *~ of geen ~* come rain or shine 2 [aantasting] weathering: *het ~ zit in het tentdoek* the tent is weather-stained || *hij is altijd in de ~* he is always on the go

²weer (bw) 1 again: *morgen komt er ~ een dag* tomorrow is another day; *het komt wel ~ goed* it will all turn out all right; *nu ik ~* now it's my turn; *wat moest hij nu ~?* what did he want now?; *wat nu ~?* now what? 2 [terug] back: *heen en ~ gaan* (of: *reizen*) go (of: travel) back and forth; *heen en ~ lopen* pace up and down || *zo moeilijk is het nou ook ~ niet* it's not all that hard

weerbaar able-bodied: *~ zijn* have spirit

weerbarstig stubborn, unruly

het **weerbericht** weather forecast (*of:* report)

de **weerga**: *zonder ~* unparalleled

weergalmen echo, resound: *de straten weergalmden van het gejuich* the streets resounded with the cheers

weergaloos unequalled, unparalleled

de **weergave** reproduction; [van gebeurtenis] account

weergeven 1 reproduce, render, represent; recite [gedicht]; convey [betekenis, gevoel] 2 [reproduceren] reproduce, repeat, report: *dit onderzoek geeft de feiten juist weer* this study presents the facts accurately 3 [weerspiegelen] reflect

de **weergod** weather god

de **weerhaak** barb, beard

de **weerhaan** weathercock, weathervane

weerhouden 1 hold back, restrain: *iem. ervan ~ om iets te doen* stop (of: keep) s.o. from doing sth. 2 [Belg] retain, keep: *de beslissing is ~* the decision is upheld

de **weerkaart** weather chart, weather map

weerkaatsen reflect [licht, beeld]; reverberate; (re-)echo [geluid]: *de muur weerkaatst het geluid* the wall echoes the sound; *het geluid weerkaatst tegen de muur* the sound reflects off (of: from) the wall

de **weerklank** echo: *geen ~ vinden* find no response

weerklinken 1 resound, ring out: *een schot weerklonk* a shot rang out 2 [weergalm geven] resound, reverberate

de **weerkunde** meteorology

weerkundig meteorological

de **weerkundige** meteorologist, weather expert

weerlegbaar refutable

weerleggen refute

de **weerlegging** refutation

het/de **weerlicht** (heat, sheet) lightning

weerlichten lighten

weerloos defenceless

de **weerman** weatherman

de **weeromstuit**: *van de ~* on the rebound; *ik moest van de ~ ook lachen* I had to laugh too

het **weeroverzicht** weather survey: *en nu het ~* and now for a look at the weather

het **weerpraatje** (the) weather in brief, weather report

de **weerschijn** reflection

de **weersgesteldheid** weather situation: *bij elke ~* in all weathers

de **weerskanten**: *aan ~ van de tafel* (of: *het raam*) on both sides of the table (*of:* window); *van* (of: *aan*) *~ from* (*of:* on) both sides
de **weerslag** repercussion: *zijn ~ hebben op* have repercussions on
de **weersomstandigheden** weather conditions
weerspannig recalcitrant, rebellious, refractory
weerspiegelen reflect
de **weerspiegeling** reflection: *een getrouwe ~ van iets* a true reflection (*of:* mirror) of sth.
weerstaan resist, stand up to
de **weerstand 1** resistance, opposition: *~ bieden* offer resistance **2** [aversie] aversion
het **weerstandsvermogen** resistance
het **weerstation** weather station
de **weersverwachting** weather forecast
de **weerwil**: *in ~ van* despite, in spite of, notwithstanding
de **weerwolf** werewolf
het **weerwoord** answer, reply
het **¹weerzien** (zn) reunion; [na korte tijd] meeting: *tot ~s* goodbye, until the next time
²weerzien (ov ww) meet again, see again
de **weerzin** disgust, reluctance, aversion, distaste: *iets met ~ doen* do sth. with great reluctance
weerzinwekkend disgusting, revolting
de **wees** orphan
het **weesgegroetje** Hail Mary: *tien ~s bidden* say ten Hail Marys
het **weeshuis** orphanage
het **weeskind** orphan (child)
de **weet**: *iets aan de ~ komen* find out sth.; *ergens geen ~ van hebben* have no knowledge of sth., be unaware of sth.
de **weetal** know(-it)-all; [Am-Eng ook] wise guy
weetgierig inquisitive
het **weetje**: *allerlei ~s* all kinds of trivia
de **¹weg** (zn) **1** road, way, track: *zich een ~ banen* work (*of:* edge) one's way through; *(iem.) in de ~ staan* stand in s.o.'s (*of:* the) way; *(voor) iem. uit de ~ gaan* keep (*of:* get) out of s.o.'s way, avoid s.o.; *een misverstand uit de ~ helpen* clear up a misunderstanding; *een kortere ~ nemen* take a short cut; *op de goede* (of: *verkeerde*) *~ zijn* be on the right (*of:* wrong) track; *op ~ gaan* set off (on a trip), set out (for), go; *iem. op ~ helpen* set s.o. up **2** [middel, manier] way, channel, means: *de ~ van de minste weerstand* the line (*of:* road) of least resistance **3** [afstand] way, journey: *nog een lange ~ voor zich hebben* have a long way to go || *zijns weegs gaan* go one's way
²weg (bw) **1** gone: *een mooie pen is nooit ~* a nice pen always comes in useful; *~ wezen!* (let's) get away from here!; (let's) get out of here!; *~ met ...* away (*of:* down) with ... **2** [verrukt] crazy **3** [verwijderd] away || *ze*

heeft veel ~ van haar zus she takes after her sister, she is very like her sister
de **wegbereider** pioneer
wegblazen blow away, blow off
wegblijven stay away
wegbranden: *die man is niet weg te brand* there's no getting rid of that man
wegbrengen 1 take (away), deliver **2** [vergezellen] see (off)
wegcijferen ignore: *zichzelf ~* efface o.s
de **wegcode** [Belg] traffic regulations; ± Hig way Code
het **wegdek** road (surface)
wegdenken think away: *de computer is r meer uit onze maatschappij weg te denken i* impossible to imagine life today without t computer
wegdoen 1 dispose of, part with, get rid **2** [opbergen] put away
wegdragen carry away, carry off
wegdrijven float away, drift away
wegduiken duck (away); [in water] dive away
wegduwen push away, push aside
wegen weigh: *zwaarder ~ dan* outweigh zich laten ~ have o.s. weighed, be weighed
de **wegenbelasting** road tax
de **wegenbouw** road building (*of:* constru tion)
de **wegenkaart** road map
het **wegennet** road network (*of:* system)
wegens because of, on account of, due *terechtstaan ~ ...* be tried on a charge of
de **wegenwacht** [persoon] [Groot-Brittann (AA) patrolman; [USA] AAA attendant
de **Wegenwacht** road-service; ± AA-patrol RAC-patrol; [Am] AAA road service
weggaan 1 go away, leave: *Joe is bij zijn vrouw weggegaan* Joe has left his wife; *~ z der te betalen* leave without paying; *ga we* go away!, get lost!; [verbaasd] get away!; you're kidding! **2** [verdwijnen] go away: *pijn gaat al weg* the pain is already gettin less
de **weggebruiker** road user
weggeven give away
het **weggevertje** giveaway; [eenvoudige vraag] dead giveaway
wegglijden slip (away): *de auto gleed w in de modder* the car slipped in the mud
weggooien throw away, throw out, dis card: *dat is weggegooid geld* that is money down the drain
de **weggooiverpakking** disposable cont er (*of:* packaging, package)
weghalen remove [ook stelen]; take av *alle huisraad werd uit het huis weggehaald* house was stripped (bare)
de **weghelft** side of the road
wegjagen chase away: *klanten ~ door c hoge prijzen* frighten customers off by hig

prices

wegkijken frown away: *hij werd weggeke-ken* they stared at him coldly until he left

wegkomen get away: *de meeste favorieten zijn goed weggekomen bij de start* the favourites got (off to) a good start; *slecht (of: goed) ~ bij iets* come off badly (*of:* well) with sth.; *ik maakte dat ik wegkwam* I got out of there

wegkruipen crawl away, creep away

wegkwijnen pine away, waste away

weglaten leave out, omit

wegleggen 1 put aside, put away **2** [sparen] lay aside, set aside, save

de **wegligging** road-holding

weglopen 1 walk away, walk off: *dat loopt niet weg* that can wait; *~ voor een hond* run away from a dog **2** [niet terugkomen, deserteren] run away, walk out; run off [met een andere man, vrouw]: *een weggelopen kind* a runaway (child) **3** [wegvloeien] run off, run out

wegmaken lose

de **wegmarkering** road marking

wegmoffelen quickly hide; [verdoezelen] cover up

wegnemen remove, take away; dispel [angst, argwaan] || *dat neemt niet weg, dat ik hem aardig vind* all the same I like him; *dat neemt niet weg, dat het geld verdwenen is* that doesn't alter the fact that the money has disappeared

de **wegomlegging** diversion; [Am] detour

wegpesten harass (*of:* pester) (s.o.) until he leaves

wegpinken: *een traantje ~* wipe away a tear

de **wegpiraat** road hog

wegpoetsen [fouten, feiten] gloss over

wegpromoveren kick upstairs

wegraken 1 faint **2** get lost

wegrennen run off (*of:* away)

het **wegrestaurant** transport cafe, wayside restaurant

wegrijden drive off (*of:* away); [fiets, paard] ride off (*of:* away): *de auto reed met grote vaart weg* the car drove off at high speed

wegroepen call off (*of:* away)

wegschoppen kick away

wegslaan knock off (*of:* away): *de golven hebben een stuk van de duinen weggeslagen* the waves have washed away part of the dunes; [fig] *zij is er niet (van) weg te slaan* she can hardly be dragged away (from it)

wegslepen tow away [auto, boot]; drag away [iets zwaars]

wegslikken swallow (down): *ik moest even iets ~* I had to swallow hard

wegsluipen sneak away, sneak off

wegsmelten melt away

[1]**wegspoelen** (onov ww) [door het water meegevoerd worden] be washed (*of:* carried, swept) away

[2]**wegspoelen** (ov ww) **1** wash away, carry away; [in de wc] flush down **2** [door spoelen] wash down

wegstemmen vote out (of office), vote down

wegsterven die away (*of:* down), fade away

wegstoppen hide away, stash away: *weggestopt zitten* be hidden (*of:* tucked) away

wegstrepen cross off, cross out, delete

wegsturen send away

wegtrappen kick away

wegtrekken draw off, move away, withdraw: *mijn hoofdpijn trekt weg* my headache is going (*of:* disappearing) || *met een wit weggetrokken gezicht* white-faced

wegvagen wipe out, sweep away

wegvallen 1 be omitted (*of:* dropped): *er is een regel* (*of: letter*) *weggevallen* a line (*of:* letter) has been left out **2** [van radiozender enz.] fall away

wegvegen wipe (*of:* sweep, brush) away

het **wegverkeer** road traffic

de **wegversmalling** narrowing of the road; [op verkeersbord] road narrows

de **wegversperring** roadblock

het **wegvervoer** road transport

wegvliegen 1 fly away (*of:* off, out) **2** [snel verkocht worden] sell like hot cakes

wegvoeren carry away, carry off

wegwaaien be blown away, fly away, fly off

wegwerken get rid of; [verorberen] polish off; put away [eten, drank]; smoothe away [oneffenheden]: *iets op een foto ~* block out sth. on a photo

de **wegwerker** roadmender; [Am] road worker

het **wegwerpartikel** disposable article; [mv ook] disposables

de **wegwerpbeker** disposable cup

wegwerpen throw away, throw out

de **wegwerpmaatschappij** consumer society

de **wegwerpverpakking** disposable container

wegwezen clear off, clear out, push off, buzz off, scram: *jongens, ~!* let's get out of here!; *hé, jij daar, ~!* buzz off!, scram!

wegwijs familiar, informed

de **wegwijzer** signpost

wegzakken sink

wegzetten set aside, put aside, put away (*of:* aside): *ik kon mijn auto nergens ~* I couldn't find anywhere to park

wegzinken sink, go under, subside

de **wei** *zie* weide

de **weide 1** meadow; [grasland] pasture; grasslands **2** [speelweide] playground, play-

ing field
weiden graze, pasture
weids grand
de **weifelaar** waverer
weifelen waver, hesitate, be undecided: *na enig ~ koos ik het groene jasje* after some hesitation I opted for the green jacket
de **weigeraar** refuser
weigerachtig [onwillig] unwilling, reluctant; [niet meewerkend] uncooperative
¹**weigeren** (onov ww) fail [remmen]; [vastzitten] jam; be jammed: *de motor weigert* the engine won't start
²**weigeren** (ov ww) refuse, reject; turn down [aanbod, kandidaat]: *een visum ~* withhold a visa; *iem. iets ~* deny s.o. sth.
de **weigering** refusal; [afwijzing] denial
het **weiland** pasture (land), grazing (land), meadow
¹**weinig** (onb vnw) little, not much, not a lot: *~ Engels kennen* not know much English; *~ of (tot) geen geld* little or no money; *er ~ van weten* not know a lot about it; *dat is veel te ~* that's insufficient (*of:* quite inadequate); *twintig pond te ~ hebben* be twenty pounds short
²**weinig** (bw) **1** little: *~ bekende feiten* little-known facts; *er ~ om geven* care little about it; *dat scheelt maar ~* it's a close thing **2** [m.b.t. tijd] hardly ever: *~ thuis zijn* not be in often
³**weinig** (telw) few, not many: *slechts ~ huizen staan leeg* there are only a few unoccupied houses; *~ of (tot) geen mensen* few if any people
¹**wekelijks** (bn) weekly: *onze ~e vergadering* our weekly meeting
²**wekelijks** (bw) **1** [eens per week] weekly, once a week, every week: *~ samenkomen* meet once a week **2** [per week] a week, per week: *hij verdient ~ 500 euro* he earns 500 euros a week
weken soak
¹**wekenlang** (bn, bw) lasting several weeks
²**wekenlang** (bw) for weeks (on end)
wekken 1 wake (up); call [op afspraak]: *tot leven ~* bring into being **2** [opwekken] awaken, arouse, stir, excite; create [indruk]: *iemands belangstelling ~* arouse (*of:* excite) s.o.'s interest; *vertrouwen ~* inspire confidence
de **wekker** alarm (clock): *de ~ op zes uur zetten* set the alarm for six (o'clock)
de **wekkerradio** radio alarm (clock), clock radio
het ¹**wel** (zn) welfare, well-being: *zijn ~ en wee* his fortunes
²**wel** (bw) **1** well: *en (dat) nog ~ op zondag* and on a Sunday, too! **2** [nogal] rather, quite: *het was ~ aardig* it was all right; *'hoe is het ermee?' 'het gaat ~'* 'how are you?' 'all

right'; *ik mag dat ~* I quite like that; *het kan ~ mee door* it'll do **3** [vermoedelijk] probab het zal ~ lukken* it'll work out (all right); *dat ~ niet* I suppose not; *je zult ~ denken what w you think?*; *hij zal het ~ niet geweest zijn* I do think it was him; *dat kan ~ (zijn)* that may b (so); *hij zal nu ~ in bed liggen* he'll be in bed now **4** [met ev] as much as; [met mv] as ma as; [met aantal] as often as: *dat kost ~ 100 euro* it'll cost as much as 100 euro; *wat moe dat ~ niet kosten* I hate to think (of) what th costs **5** [minstens] at least, just as: *dat is ~ z makkelijk* it would be a lot easier that way; *het lijkt me ~ zo verstandig* it seems sensible me **6** [helemaal] completely, all: *we zijn ge zond en ~ aangekomen* we arrived safe and sound ‖ *och, ik mag hem ~* oh, I think he's a right; *dat dacht ik ~* I thought as much; *wa zullen de mensen er ~ van zeggen?* what'll people say?; *heeft hij het ~ gedaan?* did he really do it?; *hij komt ~* he will come (all right); *kom jij? misschien ~!* will you come might!; *het is wél waar* but it is true; *'ik doe het niet', 'je doet het ~!'* 'I won't do it', 'oh y you will!'; *jij wil niet? ik ~!* you don't want well I do!; *liever ~ dan niet* as soon as not; *r tes! wélles!* **a)** 'tisn't! 'tis!; **b)** [Am] it isn't, it so! (*of:* too!); **c)** [afhankelijk van ww in vo afgaande zin] didn't! did!; *~ eens* once in while; [vragend] ever; *dat komt ~ eens voo happens at times; *heb je ~ eens Japans gege ten?* have you ever eaten Japanese food?; *dát ~* granted, agreed; *hij wou ~* he was a for it
³**wel** (tw) well, why: *~? wat zeg je daarvan?* well? what do you say to that? ‖ *~ allema tig!* well I'll be damned!; *~ nee!* of course not!
het **welbehagen** pleasure: *een gevoel van ~* sense of well-being
welbekend well-known, famous; [vertrouwd] familiar
welbeschouwd all things considered, a in all
welbespraakt eloquent
welbesteed well-spent
het **welbevinden** well-being
welbewust deliberate, well-considered
de **weldaad** benefaction, charity
weldadig benevolent
weldenkend right-minded, right-think
de **weldoener** benefactor
weldra presently
weleens once in a while, sometimes: *wil luisteren!* will you just listen (to me)!
het **weleer** olden days (*of:* times)
welgemanierd well-mannered
welgemeend well-meaning, well-mear
welgesteld well-to-do, well-off
welgeteld all-in-all, all told
welgevallen: *zich iets laten ~* put up wi

sth., submit to

welgezind well-disposed (towards)

welig luxuriant, abundant

welingelicht well-informed

weliswaar it's true, to be sure: *ik heb het ~ beloofd, maar ik kan het nu niet doen* I did promise (, it's true), but I cannot do it now

welja yes of course: *~, lach er maar om* go on, laugh; [iron] *~, spot er maar mee* that's right, make fun of it

¹welk (onb vnw) [vaak met: ook] whatever, any (… what(so)ever); [iets uit een beperkt aantal] whichever; any: *~e kleur je ook (maar) wilt, om het even ~e kleur je wilt* take any colour whatsoever; *om ~e reden ook* for any reason whatsoever; *~e van de twee je ook kiest* whichever of the two you choose; *(geef me er maar een,) het geeft niet ~e* any (of them) will do; [van 2] either (of them) will do

²welk (vr vnw) which, what; [zelfstandig] which one: *om ~e reden?, met ~e bedoeling?* what for?; *~e van die twee is van jou?* which of those two is yours?

³welk (betr vnw) **1** [personen] who; whom; [zaken, dieren] which: *de man ~e u gezien hebt, is hier* the man (whom) you saw is here **2** [bijvoeglijk] which: *wij verkopen koffie en thee, ~e artikelen veel aftrek vinden* we sell coffee and tea, (articles) which are much in demand; *… vanuit ~e overtuiging hij ertoe overging om … …* from which conviction he proceeded to …

welkom welcome: *je bent altijd ~* you're always welcome; *iem. hartelijk ~ heten* give s.o. a hearty (*of:* cordial) welcome ‖ *~ thuis* welcome home

¹wellen (onov ww) [opborrelen] well (up)

²wellen (ov ww) **1** [bijna laten koken] simmer **2** [laten opzwellen in water] steep

welles yes, it is (*of:* does): *nietes! ~!* it isn't! it is!

welletjes quite enough: *'t is zo ~* that will do

wellicht perhaps, possibly

welluidend melodious

de **wellust** voluptuousness, sensuality

wellustig sensual, voluptuous

welnee of course not, certainly not

het **welnemen**: *met uw ~* by your leave

welnu well then: *~, laat eens horen* well then, tell me (your story)

welopgevoed well-bred: *~e kinderen* well brought up children

weloverwogen 1 (well-)considered: *in ~ woorden* in measured words **2** [doelbewust] deliberate: *iets ~ doen* do sth. deliberately

de **welp 1** cub **2** [padvinder] Cub Scout

het **welslagen** success

welsprekend eloquent

de **welsprekendheid** eloquence

de **welstand 1** good health **2** well-being

de **¹weltergewicht** [bokser] welterweight

het **²weltergewicht** [gewichtsklasse] welterweight

welterusten goodnight, sleep well

welteverstaan that is, if you get my meaning

de **welvaart** prosperity

de **welvaartsmaatschappij** affluent society

de **welvaartsstaat** welfare state

welvarend thriving; [m.b.t. personen ook] well-to-do

welverdiend well-deserved [lof]; well-earned [salaris, rust]; just

de **welving** curve, curvature

welwillend kind, sympathetic; favourable [kijk]: *~ staan tegenover iets* be favourably disposed towards sth.

de **welwillendheid** benevolence, kindness: *dankzij de ~ van* by (*of:* through) the courtesy of

het **welzijn** welfare, well-being

het **welzijnswerk** welfare work, social work

de **welzijnswerker** social worker

wemelen teem (with), swarm (with): *zijn opstel wemelt van de fouten* his essay is full of mistakes

wendbaar manoeuvrable

¹wenden (ov ww) turn (about): *hoe je het ook wendt of keert* whichever way you look at it

zich **²wenden** (wdk ww) (+ tot) turn (to), apply (to)

de **wending** turn: *het verhaal een andere ~ geven* give the story a twist

wenen weep

Wenen Vienna

de **wenk** sign, wink, nod

de **wenkbrauw** (eye)brow: *de ~en fronsen* frown; *de ~en optrekken* raise one's eyebrows

het **wenkbrauwpotlood** eyebrow pencil

wenken beckon, signal, motion

wennen 1 get (*of:* become) used (to), get (*of:* become) accustomed (to): *dat zal wel ~* you'll get used to it **2** [aarden] adjust, settle in (*of:* down)

de **wens 1** wish, desire: *zijn laatste ~* his dying wish; *mijn ~ is vervuld* my wish has come true; *het gaat naar ~* it is going as we hoped it would; *is alles naar ~?* is everything to your liking? **2** [wat je iem. toewenst] wish, greeting: *de beste ~en voor het nieuwe jaar* best wishes for the new year ‖ *de ~ is de vader van de gedachte* the wish is father to the thought

de **wensdroom** fantasy, pipe dream

wenselijk desirable; [raadzaam] advisable: *ik vind het ~ dat …* I find it advisable to …

wensen wish, desire: *dat laat aan duidelijkheid niets te ~ over* that is perfectly clear; *nog veel te ~ overlaten* leave a lot to be desired; *ik wens met rust gelaten te worden* I want to be left alone; *iem. goede morgen* (of: *een prettige vakantie*) ~ wish s.o. good morning (*of*: a nice holiday)

de **wenskaart** greetings card

wentelen roll, turn (round), revolve

de **wenteltrap** spiral staircase, winding stairs (*of*: staircase)

de **wereld** world, earth: *zij komen uit alle delen van de* ~ they come from the four corners (*of*: from every corner) of the world; *aan het andere eind van de* ~ on the other side of the world; *wat is de* ~ *toch klein!* isn't it a small world!; *de* ~ *staat op zijn kop* it's a mad (*of*: topsy-turvy) world; *een kind ter* ~ *brengen (helpen)* bring a child into the world; *de rijkste man ter* ~ the richest man in the world; *er ging een* ~ *voor hem open* a new world opened up for him; *de derde* ~ the Third World; *dat is de omgekeerde* ~ that's putting things on their heads

de **Wereldbank** World Bank
het **wereldbeeld** world-view
de **wereldbeker** [sport] World Cup
wereldberoemd world-famous
de **wereldbol** (terrestrial) globe
de **wereldburger** cosmopolitan, world citizen
het **werelddeel** continent
Werelddierendag World Animal Day
het **werelderfgoed** world heritage
de **wereldhaven** international (sea)port
de **wereldkaart** map of the world
de **wereldkampioen** world champion
het **wereldkampioenschap** world championship; [Am] world's championship
wereldkundig public: *iets* ~ *maken* make sth. public
de **wereldleider** world leader
wereldlijk worldly, secular
de **wereldmacht** world power
het **Wereldnatuurfonds** World Wildlife Fund
de **wereldomroep** world service
de **wereldoorlog** world war: *de Tweede Wereldoorlog* the second World War, World War II
de **wereldpremière** world première
het **wereldrecord** world record
de **wereldreis** journey around the world, world tour
de **wereldreiziger** globe-trotter
werelds worldly, secular
wereldschokkend earth-shaking
de **wereldstad** metropolis
de **wereldtentoonstelling** world fair
de **wereldtitel** world title
de **wereldvrede** world peace
wereldvreemd unworldly; [onrealistisch] other-worldly
wereldwijd worldwide
de **wereldwinkel** third-world (aid) shop
het **wereldwonder**: *de zeven ~en* the Seven Wonders of the World

de **wereldzee** ocean
weren avert, prevent, keep out
de **werf 1** shipyard; dockyard [ook marine-werf]: *een schip van de* ~ *laten lopen* launch ship **2** [opslagplaats] yard **3** [Belg] (buildin site
het **werk** work, job, task: *het verzamelde* ~ *van W.F. Hermans* W.F. Hermans' (collected) works; *ze houden hier niet van half* ~ they don't do things by halves here; *dat is een he ~ it's quite a job; *het is onbegonnen* ~ it's a hopeless task; *aangenomen* ~ contract wo (vast)* ~ *hebben* have a regular job; *aan het gaan* set to work; *aan het* ~ *houden* keep g ing; *iedereen aan het* ~! everybody to their work!; *iem. aan het* ~ *zetten* put (*of*: set) s.c to work; *er is* ~ *aan de winkel* there is work be done; ~ *in uitvoering* roadworks; *ieder gi op zijn eigen manier te* ~ everyone set abou in their own way; *het vuile* ~ *opknappen* do the dirty work || *ze wilden er geen* ~ *van ma ken* they didn't want to take the matter in hand; *alles in het* ~ *stellen* make every effor to; *een goed begin is het halve* ~ well begu half done; the first blow is half the battle; *vele handen maken licht* ~ many hands mak light work
werkbaar workable, feasible
de **werkbalk** [comp] tool bar
de **werkbank** bench; (work)bench [voor ho bewerken e.d.]
de **werkbespreking** ± discussion of progre
het **werkbezoek** working visit
het **werkcollege** seminar, tutorial
de **werkdag** working day, workday, weekd
de **werkdruk** pressure of work
werkelijk real; [waar] true
de **werkelijkheid** reality: *de alledaagse* ~ everyday reality; ~ *worden* come true; *in* actually; *dat is in strijd met de* ~ that conflic with the facts
werkeloos idle: ~ *toezien* stand by and c nothing, stand by and watch; *zie werkloo* **werken 1** work; [techn ook] operate: *de tijd werkt in ons voordeel* time is on our sid *iem. hard laten* ~ work s.o. hard; *hard* ~ *we* hard; *aan iets* ~ work at (*of*: on) sth.; ~ *op land* work the soil (*of*: land) **2** [van appara ten] work, function: *dit apparaat werkt hee eenvoudig* this apparatus is simple to ope ate; *zo werkt dat niet* that's not the way it works **3** [uitwerking hebben] work, take fect: *de pillen begonnen te* ~ the pills beg to take effect || *zich kapot* ~ work one's fi gers to the bone; *een ongewenst persoon e ~ get rid of an unwanted person; *zich om hoog* ~ work one's way up (*of*: to the top) *zich in de nesten* ~ get into trouble (*of*: a scrape), tie o.s. up
werkend working; [als werknemer ook] employed: *snel ~e medicijnen* fast-acting

medicines
de **werker** worker
de **werkervaring** work experience
het **werkgeheugen** [comp] main memory
de **werkgelegenheid** employment
de **werkgever** employer
de **werkgeversorganisatie** employers' organization (of: federation)
de **werkgroep** study group, working party
de **werking 1** working, action, functioning: *buiten* ~ out of order; *in* ~ *stellen* put into action; [techn] activate; *de wet treedt 1 januari in* ~ the law will come into force (of: effect) on January 1st **2** [uitwerking] effect(s)
het **werkje** [patroon] pattern
de **werkkamer** study
het **werkkamp 1** [werkweek] project week **2** [strafkamp] (hard) labour camp
de **werkkleding** workclothes, working clothes
het **werkklimaat** work climate, work atmosphere
de **werkkracht** worker, employee
de **werkkring** post, job; [werkomgeving] working environment
werkloos unemployed, out of work (of: a job)
de **werkloosheid** unemployment
het **werkloosheidscijfer** unemployment figure
de **werkloosheidsuitkering** unemployment benefit; [Am] unemployment compensation
de **werkloze** unemployed person
de **werklust** zest for work, willingness to work
de **werkmaatschappij** subsidiary (company)
de **werknemer** employee
de **werknemersorganisatie** (trade) union
de **werkonderbreking** (work) stoppage, walkout
het **werkpaard** workhorse
de **werkplaats** workshop, workplace: *sociale* ~ sheltered workshop
de **werkplek** workplace; [comp] workstation
het **werkstation** [comp] workstation
de **werkster 1** (woman, female) worker **2** [schoonmaakster] cleaning lady
de **werkstraf** community service
de **werkstudent** student working his way through college with a (part-time) job
het **werkstuk 1** piece of work **2** [ond] paper, project
de **werktafel** work table, desk
het **werkterrein** working space, work area
de **werktijd** working hours; [op kantoor] office hours: *na* ~ after hours
het **werktuig** tool [ook fig]; piece of equipment, machine
de **werktuigbouwkunde** mechanical engineering
werktuiglijk mechanical, automatic

het **werkuur** working hour, hour of work
de **werkvergunning** work permit
de **werkverschaffing** (unemployment) relief work(s); [fig] work for the sake of it
de **werkvloer** shop floor
de **werkweek 1** (working) week **2** [m.b.t. school] study week, project week: *op* ~ *zijn* have a study week (of: project week)
de **werkwijze** method (of working); procedure [van personen, commissies]; (manufacturing) process [bij fabricage]; routine: *dit is de normale* ~ this is (the) standard (operating) procedure
de **werkwillige** non-striker
het **werkwoord** verb: *onregelmatig* ~ irregular verb; *sterke* (of: *zwakke*) ~*en* strong (of: weak) verbs
werkzaam 1 working, active; [in dienst] employed; engaged **2** [actief] active, industrious: *hij blijft als adviseur* ~ he will continue to act as (an) adviser
de **werkzaamheden** activities; [verplichtingen, taken] duties; operations [m.b.t. bedrijf]; proceedings, business: ~ *aan de metro* work on the underground
de **werkzoekende** job-seeker, person in search of employment
werpen [baren] have puppies (of: kittens): *onze hond heeft (drie jongen) geworpen* our dog has had (three) pups
de **werper** pitcher
de **werphengel** casting rod
de **wervel** vertebra
wervelend sparkling: *een* ~*e show* a spectacular show
de **wervelkolom** vertebral column, spinal column, spine, backbone
de **wervelstorm** cyclone, tornado, hurricane
de **wervelwind** whirlwind, tornado: *als een* ~ like a whirlwind
werven 1 recruit **2** [Belg] appoint
wervend attractive, compelling: *een* ~*e tekst* an attractive text
de **werving** recruitment; [soldaten ook] enlistment; [inschrijving] enrolment: ~ *en selectie* recruitment and selection
de **wesp** wasp
het **wespennest** wasps' nest
de **wespentaille** wasp waist
west 1 west(erly), westward; [bw ook] to the west **2** [uit het westen] west(erly); [bw ook] from the west
de **West-Duitser** [gesch] West German
West-Duitsland [gesch] West Germany
westelijk west, westerly, western, westward: ~ *van* (to the) west of; *de* ~*e Jordaanoever* the West Bank
het **westen** west: *het* ~ *van Nederland* the west(ern part) of the Netherlands; *het wilde* ~ the (Wild) West, the Frontier ‖ *buiten* ~ *raken* pass out; *iem. buiten* ~ *slaan* knock s.o.

out (cold); *buiten ~ zijn* [bewusteloos] be out (cold)

de **westenwind** west(erly) wind

de **westerlengte** longitude west: *op 15° ~* at 15° longitude west

de **westerling** Westerner; [m.b.t. een land] westerner

de **western** western

¹**westers** (bn) [(als) in het westen] western

²**westers** (bw) in a western fashion (*of:* manner)

West-Europa Western Europe

West-Europees West(ern) European

West-Indië (the) West Indies

de **westkust** west coast

de **wet 1** law, statute: *een ongeschreven ~* an unwritten rule; *de ~ naleven* (*of: overtreden*) abide by (*of:* break) the law; *de ~ schrijft voor dat …* the law prescribes that …; *de ~ toepassen* enforce the law; *volgens de ~ is het een misdaad* it's a crime before the law; *volgens de Engelse ~* under English law; *bij de ~ bepaald* regulated by law; *in strijd met de ~* unlawful; against the law; *voor de ~ trouwen* marry at a registry office; *de ~ van Archimedes* Archimedes' principle **2** [gezaghebbende gewoonte] law, rule: *iem. de ~ voorschrijven* lay down the law to s.o.

het **wetboek** code, lawbook

het ¹**weten** (zn) knowledge: *buiten mijn ~* without my knowledge; *naar mijn beste ~* to the best of my knowledge

²**weten** (ov ww) know, manage: *dat weet zelfs een kind!* even a fool knows that!; *ik had het kunnen ~* I might have known; *ik zal het u laten ~* I'll let you know; *~ te ontkomen* manage to escape; *ik zou weleens willen ~ waarom hij dat zei* I'd like to know why he said that; *daar weet ik alles van* I know all about it; *ik weet het!* I've got it!; *voor je het weet, ben je er* you're there before you know it; *ze hebben het geweten* they found out (to their cost); *hij wou er niets van ~* he wouldn't hear of it; *nu weet ik nóg niets!* I'm no wiser than I was (before)!; *je weet wie het zegt* look who is talking; *je moet het zelf (maar) ~* it's your decision; *je zou beter moeten ~* you should know better (than that); *hij wist niet hoe gauw hij weg moest komen* he couldn't get away fast enough; *als dat geen zwendel is dan weet ik het niet (meer)* if that isn't a fraud I don't know what is; *ik zou niet ~ waarom (niet)* I don't see why (not); *weet je wel, je weet wel* you know; *iets zeker ~* be sure about sth.; *voor zover ik weet* as far as I know; *iets te ~ komen* find out sth.; *als je dat maar weet!* keep it in mind!; *niet dat ik weet* not that I know; *weet je nog?* (do you) remember?; *weet ik veel!* search me! ‖ *ik wist niet wat ik zag!* I couldn't believe my eyes!; *je weet ('t) maar nooit* you never know

de **wetenschap 1** [het weten] knowledge **2** [studie] learning; [exacte vakken] science [letteren, filosofie] scholarship; learning

wetenschappelijk scholarly; [exact] scientific: *voorbereidend ~ onderwijs* pre-universi education; *~ personeel* academic staff; [Am faculty

de **wetenschapper** scholar; [exacte vakken] scientist; academic

wetenswaardig interesting; [leerzaam] informative

de **wetenswaardigheid** piece of information

wetgevend legislative

de **wetgever** legislator

de **wetgeving** legislation

de **wethouder** alderman, (city, town) counc lor: *de ~ van volkshuisvesting* the alderman for housing

wetmatig systematic

het **wetsartikel** section of a (*of:* the) law

de **wetsbepaling** statutory provision, legal provision

de **wetsdokter** [Belg] police physician

het **wetsontwerp** bill: *een ~ aannemen* pass (*of:* adopt) a bill

de **wetsovertreding** violation of a (*of:* the law

het **wetsvoorstel** bill

de **wetswijziging** amendment: *een ~ invoe ren* amend the law, make a statutory chan

de **wetswinkel** law centre

wettelijk legal, statutory: *~e aansprake-lijkheid* legal liability; *wettelijke-aansprak lijkheidsverzekering* third-party insurance

wetteloos lawless

wetten whet

wettig legal; [erkend, rechtmatig] legitimate; valid: *de ~e eigenaar* the rightful ov er

wettigen legalize

weven weave

de **wever** weaver

de **wezel** weasel: *zo bang als een ~* as timid a hare

het ¹**wezen** (zn) **1** being, creature: *geen leven te bespeuren* not a living soul in sight **2** [es sentie] being, nature; [substantie] essence [substantie] substance: *haar hele ~ kwam e tegen in opstand* her whole soul rose again it

²**wezen** (ww) be: *dat zal wel waar ~!* I bet! *kan ~, maar ik mag hem niet* be that as it m I don't like him; *wij zijn daar ~ kijken* we've been there to have a look; *laten we wel ~* (let's) be fair (*of:* honest) (now); *een studie er ~ mag* a substantial study; *weg ~!* off w you!

wezenlijk essential: *van ~ belang* essent of vital importance; *een ~ verschil* a substa tial difference

wezenloos vacant: *zich ~ schrijven* write o.s. silly; *zich ~ schrikken* be scared out of one's wits

de **whiplash** whiplash (injury)

de **whirlpool** whirlpool, jacuzzi

de **whisky** whisky: *Amerikaanse whiskey* bourbon; *Ierse whiskey* Irish whiskey; *Schotse ~* Scotch (whisky); *~ puur* a straight (*of:* neat) whisky

de **whisky-soda** whisky and soda

de **whizzkid** whizzkid

de **wichelroede** divining rod, dowsing rod

het **wicht** child

wie 1 [vragend] who; [wiens] whose; [bij keuze uit twee of meer] which: *van ~ is dit boek?* whose book is this?; *~ heb je gezien?* who have you seen?; *met ~ (spreek ik)?* who is this? (*of:* that?); *~ van jullie?* which of you?; *~ er ook komt, zeg maar dat ik niet thuis ben* whoever comes, tell them I'm out **2** who; [wiens] whose: *de man ~ns dood door ieder betreurd wordt* the man whose death is generally mourned; *het meisje (aan) ~ ik het boek gaf* the girl to whom I gave the book **3** [welke persoon dan ook] whoever: *~ anders dan Jan?* who (else) but John?; *~ dan ook* anybody, anyone, whoever || *~ niet akkoord gaat … anyone who disagrees …*

wiebelen 1 [onvast staan] wobble **2** [schommelen, wippen] rock: *ze zat te ~ op haar stoel* she was wiggling about on her chair

wieden weed

wiedes [inf]: *dat is nogal ~* don't I know it, I should think so

de **wiedeweerga**: *als de ~* like greased lightning; [bevel] on the double

de **wieg** cradle: *van de ~ tot het graf verzorgd* looked after from the cradle to the grave || [fig] *in de ~ gelegd zijn voor …* be cut out (*of:* shaped) for, be fitted (*of:* born) by nature to

wiegen rock

de **wiegendood** cot death; [Am] crib death; [med] SIDS (afk van *sudden infant death syndrome*)

de **wiek 1** [van molen] sail, vane **2** [vleugel] wing

het **wiel** wheel: *het ~ weer uitvinden* re-invent the wheel; *iem. in de ~en rijden* put a spoke in s.o.'s wheel || [fig] *het vijfde ~ aan de wagen zijn* be the odd man out

de **wielbasis** wheelbase

de **wieldop** hubcap

de **wielerbaan** bicycle track, cycling track

de **wielerploeg** (bi)cycling team

de **wielersport** (bi)cycling

de **wielklem** wheel clamp

wielrennen (bi)cycle racing

de **wielrenner** (racing) cyclist, bicyclist, cycler

het **wieltje** (little) wheel; [zwenkwieltje] castor: *dat loopt op ~s* that's running smoothly

de **wienerschnitzel** Wiener schnitzel

wiens whose

het **wier 1** alga **2** [zeegras] seaweed

de **wierook** incense: *~ branden* burn incense

de **wiet** weed, grass

de **wig** wedge

de **wigwam** wigwam

wij we: *(beter) dan ~* (better) than we are; *~ allemaal* all of us, we all

wijd 1 wide: *een ~e blik* a broad view; *met ~ open ogen* wide-eyed **2** [ruim] wide, loose: *~er maken* let out, enlarge [kleren] **3** [van oppervlak] wide, broad: *de ~e zee* the open sea

wijdbeens with legs wide apart

wijden 1 devote: *zijn aandacht aan iets ~* devote o.s. to sth. **2** [rel] consecrate; [een priester] ordain: *gewijde muziek* sacred music

de **wijding** consecration

wijdlopig verbose; [inf] windy, long-winded: *een ~ verhaal* a long-winded story

de **wijdte** breadth, distance: *de ~ tussen de banken* the space between the benches

wijdverbreid widespread

wijdverspreid widespread; [neg ook] rife; rampant

wijdvertakt many-branched, ramified

het **wijf** bitch: *een oud ~* an old bag; *stom ~!* stupid bitch (*of:* cow)!; *een lekker ~* a bit of all right, a looker, a cracker

het **wijfje** female

het **wij-gevoel** (feeling of) solidarity, team spirit

de **wijk** district, area: *de deftige ~en* the fashionable areas

de **wijkagent** policeman on the beat, local bobby

het **wijkcentrum** community centre

wijken give in (to), give way (to), yield (to): *hij weet van geen ~* he sticks to his guns; *het gevaar is geweken* the danger is over

het **wijkgebouw 1** [wijkcentrum] community centre **2** [van een kruisvereniging] local branch

de **wijkverpleegkundige** district nurse

wijlen late, deceased: *~ de heer Smit* the late Mr Smit

de **wijn** wine: *oude ~ in nieuwe zakken* old wine in new bottles

de **wijnazijn** wine vinegar

de **wijnboer** winegrower

de **wijnbouw** winegrowing, viniculture

de **wijnfles** wine bottle

de **wijngaard** vineyard

het **wijnglas** wineglass; [groot] rummer

de **wijnhandelaar** wine merchant

het **wijnjaar** wine-year

de **wijnkaart** wine list

de **wijnkelder** (wine) cellar

de **wijnkenner** connoisseur of wine

de **wijnkoeler** wine cooler

de **wijnoogst** vintage, grape harvest

de **wijnrank** (branch of a) vine

de **wijnstok** (grape)vine

de **wijnstreek** wine(-growing) region

de **wijnvlek** birthmark

de **¹wijs** (zn) **1** way, manner: *bij wijze van spreken* so to speak, as it were; *bij wijze van uitzondering* as an exception **2** [melodie] tune: *hij kan geen ~ houden* he sings (of: plays) out of tune; *van de ~ raken* get in a muddle; *iem. van de ~ brengen* put s.o. out (of: off) his stroke; *hij liet zich niet van de ~ brengen* he kept a level head (of: his cool) ‖ *onbepaalde ~ infinitive*

²wijs (bn, bw) wise: *ben je niet (goed) ~?* are you mad? (of: crazy?); *ik werd er niet wijzer van* I was none the wiser for it; *ik kan er niet ~ uit worden* I can't make head or tail of it

de **wijsbegeerte** philosophy

wijselijk wisely, sensibly: *hij hield ~ zijn mond* wisely, he kept silent

de **wijsgeer** philosopher

wijsgerig philosophic(al)

de **wijsheid** wisdom; [uitspraak] piece of wisdom: *hij meent de ~ in pacht te hebben* he thinks he knows it all; [iron] *waar heb je die ~ vandaan?* my, aren't you (of: we) clever?

de **wijsheidstand** [Belg] wisdom tooth

het **wijsje** tune

wijsmaken fool, kid: *laat je niks ~!* don't buy that nonsense!; *maak dat je grootje (of: de kat) wijs* tell that to the marines!, tell me another one!

de **wijsneus** know(-it)-all

de **wijsvinger** forefinger

wijten blame (s.o. for sth.)

de **wijting** whiting

het **wijwater** holy water

de **wijze 1** manner, way **2** wise man (of: woman); [geleerde] learned man (of: woman)

¹wijzen (onov ww) **1** point: *naar een punt ~* point to a spot; [fig] *met de vinger naar iem. ~* point the finger at s.o.; *er moet op worden gewezen dat …* it should be pointed out that … **2** [aanduiden] indicate: *alles wijst erop dat …* everything seems to indicate that …

²wijzen (ov ww) show, point out: *de weg ~* lead (of: show) the way

zich **³wijzen** (wdk ww) show: *dat wijst zich vanzelf* that is self-evident

de **wijzer** indicator; [van klok] hand; pointer: *met de ~s van de klok mee* clockwise; *de grote* (of: *de kleine*) *~* the minute (of: hour) hand

de **wijzerplaat** dial

wijzigen alter, change

de **wijziging** alteration, change: *~en aanbrengen in* make changes in

de **wikkel** wrapper

wikkelen wind; [inpakken] wrap (up); enfold

wikken weigh (up): *na lang ~ en wegen af-*

ter much deliberation, after mature consid eration

de **wil** will; [wens] wish: *geen eigen ~ hebben* have no mind of one's own; *met een beetje goeie ~ gaat het best* with a little good will it'll all work out; *een sterke ~ hebben* be strong-willed; *zijn ~ is wet* his word is law; *tegen ~ en dank* willy-nilly, reluctantly; *ter ~le van* for the sake of

het **¹wild** (zn) **1** game: *~, vis en gevogelte* fish, flesh and fowl **2** [wilde staat] wild: *in het ~ leven* (of: *groeien*) live (of: grow) (in the) wi

²wild (bn, bw) wild: *~e dieren* wild animals, *enthousiast zijn over iets* go overboard abo sth.; *in het ~e (weg)* at random

de **wilde** savage

de **wildebras** (young) tearaway

de **wildernis** wilderness

de **wildgroei** proliferation

wildkamperen camp wild

het **wildpark** wildlife park; [voor de jacht] game park (of: reserve)

wildplassen urinate in public

de **wildstand** wildlife population

het **wildviaduct** wildlife viaduct

wildvreemd completely strange, utterly strange: *een ~ iem.* a perfect stranger

wildwatervaren white-water rafting

de **wildwestfilm** western

het **wildwesttafereel**: *het was een ~* it was bedlam, it was like sth. out of a Western

de **wilg** willow (tree)

wilgen willow

het **wilgenhout** willow (wood)

de **willekeur 1** will; [vrijheid van handelen] discretion: *naar ~* at will, at one's (own) di cretion **2** [onrechtvaardige, grillige hande wijze] arbitrariness, unfairness; [grillig] ca priciousness

willekeurig 1 arbitrary; [toevallig, op goed geluk] random; [lukraak] indiscriminate: *neem een ~e steen* take any stone (y like) **2** [eigenmachtig] arbitrary, highhanded; [grillig] capricious

¹willen (ww) want, wish, desire: *het is (ma een kwestie van ~* it's (only) a matter of w ik wil wel een pilsje I wouldn't mind a beer; *je wat pinda's?* would you like some peanuts?; *ik wil het niet hebben* [verbod] I wor have (of: allow) it; *niet ~ luisteren* refuse t listen; *ik wil niets meer met hem te maken hebben* I've done with him; *ik wil wel toeg ven dat …* I'm willing to admit that …; *ik v net vertrekken toen …* I was just about (of going) to leave when …; *dat had ik best ee zien!* I would have liked to have seen it!; *wat wil je?* what else can you expect?; *wat je nog meer?* what more do you want?; *wi dat ik het raam openzet?* shall I open the w dow (for you)?; *ik wou dat ik een fiets had* wish I had a bike; *of je wilt of niet* whether want to or not; *we moesten wel glimlachen, of we wilden of niet* we could not help but smile (*of:* help smiling); *dat ding wil niet* the thing won't (*of:* refuses to) go; *de motor wil niet starten* the engine won't start || *men wil er niet aan* people are not buying (it), nobody is interested

²**willen** (hww) [m.b.t. een gebod, verzoek] will, would: *wil je me de melk even (aan)geven?* could (*of:* would) you pass me the milk, please?; *wil je me even helpen?* would you mind helping me?

willens: ~ *en wetens* knowingly

willoos unresisting: ~ *liet de jongen zich meevoeren* the boy went along without a struggle

de **wilsbeschikking** will, testament

de **wilskracht** will-power, will, backbone

de **wilsverklaring** [Am] living will

de **wimpel** pennon, pennant

de **wimper** (eye)lash

de **wind** wind; [bries] breeze; [harde wind] gale: *bestand zijn tegen weer en ~* be wind and weatherproof; *geen zuchtje ~* not a breath of wind, dead calm; *een harde* (*of: krachtige*) ~ a high (*of:* strong) wind; *de ~ gaat liggen* the wind is dropping; *de ~ van voren krijgen* get lectured at; *kijken uit welke hoek de ~ waait* see which way the wind blows; *de ~ mee hebben* **a)** have the wind behind one; **b)** [fig] have everything going for one; [fig] *een waarschuwing in de ~ slaan* disregard a warning; *tegen de ~ in* against the wind, into the teeth of the wind; *het gaat hem voor de ~* he is doing well, he is flying high || *~en laten* break wind

de **windbuil** windbag, gasbag

de **windbuks** air rifle, airgun

het **windei**: *dat zal hem geen ~eren leggen* he'll do well out of it

winden wind, twist, entwine; [een sjaal] wrap

de **windenergie** wind energy

winderig 1 windy, blowy; [niet sterk] breezy; [sterk] stormy; [van een streek] windswept **2** [winden latend] windy, flatulent

de **windhaan** weathercock

de **windhond** greyhound; [kleine] whippet

de **windhoos** whirlwind

het **windjack** windcheater; [Am] windbreaker

het **windjak** windcheater

de **windkracht** wind-force: *wind met ~ 7* force 7 wind(s)

de **windmolen** windmill: *tegen ~s vechten* tilt at windmills, fight windmills

het **windmolenpark** wind park (*of:* farm)

de **windowdressing** window dressing

de **windrichting** wind direction; [mv ook] points of the compass

de **windroos** compass card

het **windscherm** windbreak

de **windsnelheid** wind speed

de **windsterkte** wind-force

windstil calm, windless, still

de **windstoot** gust (of wind); [met regen] squall

de **windstreek** quarter, point of the compass

windsurfen go windsurfing

de **windsurfer** windsurfer

de **windtunnel** wind tunnel

de **windvaan** (wind)vane

de **windvlaag** gust (of wind); [plotseling en hevig] blast; [met regen] squall

de **windwijzer** weathercock, weathervane

de **windzak** [verk] windsock, air sock

de **wingerd** (grape)vine

het **wingewest** conquered land, colony

de **winkel** shop, store: *een ~ in modeartikelen* a boutique, a fashion store; *~s kijken* go window-shopping

de **winkelbediende** shop-assistant, counter-assistant, salesman, saleswoman

het **winkelcentrum** shopping centre (*of:* precinct)

de **winkeldief** shoplifter

de **winkeldiefstal** shoplifting

winkelen shop, go shopping, do some (*of:* the) shopping

de **winkelgalerij** (shopping-)arcade

de **winkelhaak 1** [in kleding] three-cornered tear, right-angled tear **2** [gereedschap] (carpenter's) square

de **winkelier** shopkeeper, retailer, tradesman

de **winkeljuffrouw** saleswoman, salesgirl

de **winkelketen** chain of shops (*of:* stores), store chain

het **winkelpersoneel** shopworkers, shop staff (*of:* personnel)

de **winkelprijs** retail price, shop price; [Am] store price

de **winkelstraat** shopping street

de **winkelwagen** (shopping) trolley; [Am] pushcart

de **winnaar** winner, victor; [mv: van team ook] winning team

¹**winnen** (ww) win: *het ~de doelpunt* the winning goal; *je kan niet altijd ~* you can't win them all; *~ bij het kaarten* win at cards; *~ met 7-2* win 7-2, win by 7 goals (*of:* points) to 2; *(het) ~ van iem.* beat s.o., have the better of s.o.

²**winnen** (ov ww) **1** [door inspanning verkrijgen] win, gain; [erts] mine; [erts] extract: *zout uit zeewater ~* obtain salt from sea water **2** [tot voordeel verkrijgen] win, gain; [steun] enlist; secure: *iem. voor zich ~* win s.o. over

de **winning** winning, extraction; [herwinning] reclamation

de **winst 1** profit; [vaak mv, rendement] return; [van bedrijf, ook] earning(s); [mv; speel-, gokwinst] winning: *netto ~* net returns (*of:* gain, profit); *~ behalen* (*of: ople-*

veren) gain (*of:* make, yield) a profit; *tel uit je ~* it can't go wrong; *op ~ spelen* play to win **2** [voordeel] gain, benefit, advantage: *een ~ van drie zetels in de Kamer behalen* gain three seats in Parliament

het **winstbejag** pursuit of profit: *iets uit ~ doen* do sth. for money (*of:* profit)

de **winstdeling** profit-sharing, participation

de **winst-en-verliesrekening** profit-and-loss account

winstgevend profitable, lucrative; [belonend] remunerative; [fig] fruitful; [rendabel] economic

de **winstmarge** profit margin, margin of profit

het **winstoogmerk** profit motive: *instelling zonder ~* non-profit institution

het **winstpunt** point (scored)

de **winstuitkering** (payment of a) dividend

de **winter** winter: *hartje ~* the dead (*of:* depths) of winter; *we hebben nog niet veel ~ gehad* we haven't had much wintry weather (*of:* much of a winter) yet; *'s ~s* in (the) winter, in (the) wintertime

de **winteravond** winter evening

de **winterdag** winter('s) day

de **winterdepressie** seasonal affective disorder, SAD

de **winterhanden** chilblained hands

de **winterjas** winter coat

het **winterkoninkje** wren

de **wintermaanden** winter months

de **winterpeen** winter carrot

winters wintery: *zich ~ aankleden* dress for winter

de **winterslaap** hibernation, winter sleep: *een ~ houden* hibernate

de **winterspelen** winter Olympics

de **wintersport** winter sports: *met ~ gaan* go skiing, go on a winter sports holiday

de **wintertijd** wintertime, winter season

het **winterweer** winter weather, wintry weather

de **win-winsituatie** win-win situation

de **wip 1** seesaw: *op de ~ zitten* have one's job on the line **2** [sprong] skip, hop: *in een ~* in a flash (*of:* jiffy, trice), in no time; *met een ~ was hij bij de deur* he was at the door in one bound **3** [vulg] lay, screw

de **wipneus** turned-up nose, snub nose

¹wippen (onov ww) **1** hop, bound; [huppelen] skip **2** [zich snel bewegen] whip, pop: *er even tussenuit ~* nip (*of:* pop) out for a while; *zij zat met haar stoel te ~ van ongeduld* she sat tilting her chair with impatience **3** [op een wip] play on a seesaw

²wippen (ov ww) [verwijderen] topple, overthrow, unseat

de **wirwar** criss-cross, jumble, tangle; snarl [draden, struiken]; maze [straten]: *een ~ van steegjes* a rabbit warren

wis certain, sure: *iem. van een ~se dood redden* save s.o. from certain death; *~ en waarachtig* upon my word

de **wisent** wisent, European bison

de **wiskunde** mathematics; [inf] maths; [Am] math

de **wiskundeknobbel** gift (*of:* head) for mathematics

de **wiskundeleraar** mathematics teacher

wiskundig mathematic(al)

wispelturig inconstant, fickle, capricious

de **¹wissel** (zn) **1** [wisselspeler] substitute, sub: *een ~ inzetten* put in a substitute **2** [verandering] change, switch

het/de **²wissel** (zn) [spoorw] points, switch: *een ~ overhalen* (*of:* verzetten) change (*of:* shift) the points

de **wisselautomaat** (automatic) money changer, change machine

de **wisselbeker** challenge cup

de **wisselbouw** rotation of crops

¹wisselen (onov ww) [afwisselen] change, vary

²wisselen (ww) **1** change, exchange: *van plaats ~* change places **2** [fin] change, give change: *kunt u ~?* can you change this? **3** [uitwisselen] exchange; bandy [woorden, complimenten]: *van gedachten ~ over* exchange views (*of:* ideas) about

het **wisselgeld** [kleingeld] change, (small, loose) change: *te weinig ~ terugkrijgen* be short-changed

het **wisselgesprek** call waiting

de **wisseling 1** change, exchange **2** [verandering] change, changing, turn(ing)

het **wisselkantoor** exchange office

de **wisselkoers** exchange-rate, rate of exchange

de **wisseloplossing** [Belg] alternative solution

de **wisselslag** (individual) medley

de **wisselspeler** substitute, reserve; sub

de **wisselstroom** alternating current, AC

het **wisselstuk** [Belg] (spare) part

de **wisseltruc** fast-change trick

wisselvallig changeable, unstable; [onzeker] tain [bestaan]; precarious [bestaan]

de **wisselwerking** interaction, interplay

wissen 1 wipe **2** [video, audio] erase; [comp] delete

de **wisser** wiper

het **wissewasje** trifle

het **wit 1** white **2** [verkocht beneden de vastgestelde prijs] cut-price

het **witbrood** white bread

het **witgoed** ± white goods

witheet: *~ van woede* boiling (over) with anger, fuming with anger

witjes pale, white: *~ om de neus zien* look white about the gills

de **witkalk** whitewash, whit(en)ing

het **witlof** chicory
de **witregel** extra space (between the lines)
de **Wit-Rus** White Russian, Belorussian
Wit-Rusland White Russia, Belorussia
het [1]**Wit-Russisch** Belarusian
[2]**Wit-Russisch** (bn) Belarusian
het **witsel** whitewash, whit(en)ing
de **witteboordencriminaliteit** white-collar crime
de **wittebroodsweken** honeymoon
de **wittekool** white cabbage
witten whitewash
de **witvis** catfish
witwassen launder [zwart geld]
het **WK** afk van *wereldkampioenschap* World Championship
de **wodka** vodka
de **woede** 1 rage, fury, anger: *buiten zichzelf van* ~ *zijn* be beside o.s. with rage (*of:* anger) 2 [manie] mania
de **woedeaanval** tantrum, fit (of anger)
woeden rage, rave
woedend furious, infuriated
de **woede-uitbarsting** outburst of anger
woef bow-wow, woof
de **woeker** usury
de **woekeraar** usurer; [zwarthandelaar] profiteer
woekeren 1 practise usury; [m.b.t. zwarte handel] profiteer 2 [het uiterste voordeel trekken van] make the most (of): *met de ruimte* ~ use (*of:* utilize) every inch of space 3 [groeien ten koste van iets anders] [onkruid] grow rank (*of:* rampant)
de **woekering** uncontrolled growth; [planten] rampant growth
de **woekerprijs** usurious price, exorbitant price
[1]**woelen** (onov ww) 1 toss about: *zij lag maar te* ~ she was tossing and turning 2 [zich druk door elkaar bewegen] churn (about, around)
[2]**woelen** (ov ww) 1 [grond] turn up (the soil) 2 [wroeten] grub (up), root (out): *de varkens* ~ *de wortels bloot* the pigs are grubbing up the roots
woelig restless: *~e tijden* turbulent times
de **woensdag** Wednesday: *'s ~s* Wednesday; [iedere woensdag] on Wednesdays
[1]**woensdags** (bn) Wednesday
[2]**woensdags** (bw) [op woensdag] on Wednesdays
de **woerd** drake
woest 1 savage, wild: *een* ~ *voorkomen hebben* have a fierce countenance 2 [ruw] rude, rough 3 furious, infuriated: *in een ~e bui* in a fit of rage 4 [m.b.t. land] [braak] waste; [onbewoond] desolate
de **woesteling** brute
de **woestenij** wilderness, waste(land)
de **woestijn** desert
de **wok** wok

wokken stir fry
de **wol** wool: *zuiver* ~ 100 % (*of:* pure) wool
de **wolf** wolf
het **wolfraam** tungsten
de **wolk** cloud ‖ *een* ~ *van een baby* a bouncing baby; [fig] *in de ~en zijn (over iets)* be over the moon about sth., tread (*of:* walk) on air
de **wolkbreuk** cloudburst
wolkeloos cloudless, unclouded: *een wolkeloze hemel* a clear sky
het **wolkendek** blanket (*of:* layer) of clouds
de **wolkenkrabber** skyscraper
het **wolkenveld** mass of cloud(s)
het **wolkje** cloudlet, little cloud, small cloud: *er is geen* ~ *aan de lucht* there isn't a cloud in the sky
wollen woollen, wool
wollig woolly: ~ *taalgebruik* woolly language
de **wolvin** she-wolf
de **wond** wound; [in ongeluk enz.] injury: *een gapende* ~ a gaping wound, a gash; *Joris had een ~je aan zijn vinger* Joris had a cut (*of:* scratch) on his finger
het **wonder** 1 wonder, miracle: *het is een* ~ *dat …* it is a miracle that …; *geen* ~ no (*of:* small) wonder, not surprising 2 [wonderbaarlijke zaak, persoon] wonder, marvel: *de ~en van de natuur* the wonders (*of:* marvels) of nature ‖ ~ *boven* ~ by amazing good fortune
wonderbaarlijk miraculous; [vreemd] strange; curious
het **wonderkind** (child) prodigy
wonderlijk strange, surprising
het **wondermiddel** panacea; [geneesmiddel] miracle drug
de **wonderolie** castor oil
wonderschoon wonderful, exceptionally beautiful
wonderwel wonderfully well: *hij voelde zich er* ~ *thuis* he felt wonderfully at home
wonen live: *op zichzelf gaan* ~ set up house, go and live on one's own
de **woning** house; [thuis] home: *iem. uit zijn* ~ *zetten* evict s.o.
de **woningbouw** house-building, house-construction: *sociale* ~ council housing; [Am] public housing
de **woningbouwvereniging** housing association (*of:* corporation)
de **woninginrichting** home furnishing(s)
de **woningmarkt** housing market
de **woningnood** housing shortage
woonachtig: *hij is* ~ *in Leiden* he is a resident of Leiden
het. **woonblok** block
de **woonboot** houseboat
het **woonerf** residential area (with restrictions to slow down traffic)
de **woongroep** commune
het **woonhuis** (private) house; [thuis] home

de **woonkamer** living room
de **woonkeuken** open kitchen, kitchen-dining room
de **woonomgeving** environment
de **woonplaats** (place of) residence, address; [op formulieren] city; [op formulieren] town
de **woonruimte** (housing, living) accommodation
de **woonst** [Belg] 1 house 2 [woonplaats] (place of) residence
de **woonwagen** caravan; [Am] (house) trailer
de **woonwagenbewoner** caravan dweller; [Am] trailer park resident
het **woonwagenkamp** caravan camp; [Am] trailer camp
het **woon-werkverkeer** commuter traffic
de **woonwijk** residential area; [vnl. sociale woningbouw] housing estate; [wijk van een stad] district; quarter
het **woon-zorgcomplex** sheltered accommodation
het **woord** word: *in ~ en beeld* in pictures and text; *met andere ~en* in other words; *geen goed ~ voor iets over hebben* not have a good word to say about sth.; *het hoogste ~ voeren* do most of the talking; *hij moet altijd het laatste ~ hebben* he always has to have the last word; *iem. aan zijn ~ houden* keep (*of:* hold) s.o. to his promise; *het ~ geven aan* give the floor to; *zijn ~ geven* give one's word; *het ~ tot iem. richten* address (*of:* speak to) s.o.; *iem. aan het ~ laten* allow s.o. to finish (speaking); *in één ~* in a word, in sum (*of:* short); *op zijn ~en letten* be careful about what one says; *iem. te ~ staan* speak to (*of:* see) s.o.; *niet uit zijn ~en kunnen komen* not be able to express o.s., fumble for words; *met twee ~en spreken* ± be polite; *te gek voor ~en* too crazy (*of:* ridiculous, absurd) for words
woordblind dyslexic
de **woordblindheid** dyslexia
de **woordbreuk** breaking of one's word (*of:* promise)
woordelijk word for word; [letterlijk] literal(ly)
het **woordenboek** dictionary: *een ~ raadplegen* consult a dictionary; refer to a dictionary
de **woordenlijst** list of words; vocabulary [vnl. in studieboeken]
de **woordenschat** 1 lexicon 2 [van een persoon] vocabulary
de **woordenstrijd** (verbal) dispute
de **woordenwisseling** 1 exchange of words, discussion 2 [twistgesprek] argument
het **woordgebruik** use of words
het **woordje** word: *een goed ~ doen voor iem.* put in (*of:* say) a (good) word for s.o.; *een hartig ~ met iem. spreken* give s.o. a (good) talking-to; *ook een ~ meespreken* say one's piece
de **woordkeus** choice of words, wording

de **woordsoort** part of speech
de **woordspeling** pun, play on words
de **woordvoerder** 1 speaker 2 [namens anderen] spokesman
¹**worden** (onov ww) [gaan kosten] will be, come to, amount to: *dat wordt dan €2,00 pe vel* that will be 2.00 euro per sheet
²**worden** (hww) [met lijdende vorm] be: *e werd gedanst* there was dancing; *de bus wordt om zes uur gelicht* the post will be co lected at six o'clock
³**worden** (koppelww) 1 be, get: *het wordt laat* (*of:* kouder) it is getting late (*of:* colde *hij wordt morgen vijftig* he'll be fifty tomor row 2 become: *dat wordt niets* it won't wo it'll come to nothing; *wat is er van hem ge- worden?* whatever became of him?
de **wording** genesis, origin: *een stad in ~* a town in the making
de **workaholic** workaholic
de **work-out** work-out
de **workshop** workshop
de **worm** worm
de **worp** throw(ing); [sport ook] shot
de **worst** sausage: *dat zal mij ~ wezen* I could care less
de **worstelaar** wrestler
worstelen struggle; wrestle [sport]: *zich door een lijvig rapport heen ~* struggle (*of:* plough) (one's way) through a bulky repo
de **worsteling** struggle, wrestle
het **worstenbroodje** ± sausage roll
de **wortel** root; [groente] carrot: *3 is de ~ va* 3 is the square root of 9; *~ schieten* take r **wortelen** be rooted, root: [fig] *een diepç worteld wantrouwen* a deep distrust, an in stinctive distrust
het **wortelkanaal** root canal
het **wortelteken** radical sign
het **worteltje** carrot
het **worteltrekken** extraction of the root(s
het **woud** forest
de **woudloper** trapper
would-be would-be
de **wraak** revenge, vengeance: *~ nemen op iem.* take revenge on s.o.
de **wraakactie** act of revenge (*of:* vengear retaliation)
wraakzuchtig (re)vengeful, vindictive
het **wrak** wreck: *zich een ~ voelen* feel a wre **wraken** 1 [afkeuren] object to: *de gewr te passage* the passage objected to 2 [jur] challenge
het **wrakhout** (pieces of) wreckage; [aange spoeld ook] driftwood
het **wrakstuk** piece of wreckage; [mv ook] wreckage
wrang 1 sour, acid 2 [onaangenaam] un pleasant, nasty; wry [glimlach]
de **wrap** wrap
de **wrat** wart

wreed cruel
de **wreedheid** cruelty
de **wreef** instep
   wreken revenge; [vergelding] avenge: *zich voor iets op iem.* ~ revenge o.s. on s.o. for sth.
de **wreker** avenger, revenger
de **wrevel** resentment; [sterker] rancour
   wrevelig 1 peevish, tetchy, grumpy
   2 [prikkelbaar] resentful
   wriemelen fiddle (with)
   wrijven 1 rub: *neuzen tegen elkaar* ~ rub noses; [iron] *wrijf het er maar in* go on, rub it in **2** [poetsen] polish: *de meubels* ~ polish the furniture
de **wrijving** friction
   wrikken lever, prize
   ¹wringen (onov ww) [knellen] pinch
   ²wringen (ww) **1** wring: *zich in allerlei bochten* ~ wriggle; squirm **2** [door draaien verplaatsen] wring; press [kaas]
de **wringer** wringer, mangle
de **wroeging** remorse
   ¹wroeten (onov ww) root, rout: *in iemands verleden* ~ pry into s.o.'s past
   ²wroeten (ov ww) burrow, root (up): *de grond ondersteboven* ~ root up the earth
de **wrok** resentment, grudge; [sterker] rancour
de **wrong** roll, wreath; [krans] chignon; bun
   wuft frivolous
   wuiven wave
   wulps voluptuous
   wurgen strangle
de **wurgslang** constrictor (snake)
de **¹wurm** (zn) worm
het **²wurm** (zn) mite: *het* ~ *kan nog niet praten* the poor mite can't talk yet
   wurmen squeeze, worm
de **WW** afk van *Werkloosheidswet* Unemployment Insurance Act: *in de WW lopen (zitten)* be on unemployment (benefit), be on the dole
de **WW-uitkering** unemployment benefit(s)

X

de **x** x, X
het **x-aantal** n: *een ~ kamers* n rooms
de **xantippe** Xanthippe
de **x-as** x-axis
de **X-benen** knock knees: *~ hebben* be knock-
kneed, have knock knees
het **X-chromosoom** X chromosome
de **xenofobie** xenophobia
de **xtc** xtc
de **xylofoon** xylophone

y

de **y** y, Y
het **yang** yang
de **y-as** y-axis
het **Y-chromosoom** Y chromosome
de **yen** yen
   yes: *reken maar van ~!* you bet!
de **yeti** yeti
het **yin** yin
de **yoga** yoga
de **yoghurt** yogurt
de **ypsilon** upsilon

Z

de **z z, Z**

het **zaad 1** seed **2** [sperma] sperm, semen

de **zaadbal** testicle

de **zaadcel** germ cell; [dier, mens] sperm cell

zaaddodend spermicidal

de **zaadlozing** seminal discharge, ejaculation

de **zaag** saw

het **zaagblad 1** saw (blade) **2** [plantk] saw-wort

de **zaagmachine** saw

het **zaagsel** sawdust

zaaien sow: *onrust ~ create unrest; interessante banen zijn dun gezaaid* interesting jobs are few and far between

de **zaaier** sower

het **zaaigoed** sowing seed

de **zaak 1** thing; [voorwerp] object **2** [aangelegenheid] matter, affair, business: *de normale gang van zaken* the normal course of events; *zich met zijn eigen zaken bemoeien* mind one's own business; *dat is jouw ~* that is your concern; *de ~ in kwestie* the matter in hand **3** [transactie] business, deal: *goede zaken doen (met iem.)* do good business (with s.o.); *er worden goede zaken gedaan in ...* trade is good in ...; *zaken zijn zaken* business is business; *hij is hier voor zaken* he is here on business **4** [bedrijf] business; [winkel] shop: *op kosten van de ~* on the house; *een ~ hebben* run a business; *een auto van de ~* a company car **5** [wat gebeurd is] case, things: *weten hoe de zaken ervoor staan* know how things stand, know what the score is **6** [onderwerp] point, issue: *dat doet hier niet(s) ter zake* that is irrelevant, that is beside the point; *kennis van zaken hebben* know one's facts; be well-informed (on the matter) **7** [gerechtszaak] case, lawsuit: *Maria's ~ komt vanmiddag voor* Maria's case comes up this afternoon **8** affair: *Binnenlandse Zaken* Home (of: Internal) Affairs; *Buitenlandse Zaken* Foreign Affairs **9** [belang] cause

de **zaakgelastigde** agent

het **zaakje** little matter/business (of: affair, thing); [transactie] small deal; [karwei] job: *ik vertrouw het ~ niet* I don't trust the set-up

de **zaakvoerder** [Belg] manager

de **zaakwaarnemer** (business) minder

de **zaal 1** room; [zeer groot] hall **2** [sportzaal; ziekenhuiszaal] hall; ward [van een ziekenhuis]; auditorium [van een schouwburg] **3** [gebouw voor bijeenkomsten, uitvoeringen] hall, house: *een stampvolle ~* a crowded (of: packed) hall, a full house; *de ~ lag plat* brought the house down

de **zaalhuur** hall rent

de **zaalsport** indoor sport

het **zaalvoetbal** indoor football

zacht 1 soft; [glad] smooth: *een ~e landing* a smooth landing; *~e sector* social sector **2** [m.b.t. het weer] mild **3** [niet grof] kind, gentle: *op zijn ~st gezegd* to put it mildly **4** [niet luid] quiet, soft: *met ~e stem* in a quiet voice

zachtaardig good-natured, gentle

zachtgekookt soft-boiled

de **zachtheid** softness

zachtjes softly; [stil] quietly; [bedaard] gently: *~ doen* be quiet; *~ rijden* drive slow; *~ aan!* easy does it!, take it easy!; *~!* hush!, quiet!

zachtjesaan: *we moeten zo ~ vertrekken* we must be going soon

zachtmoedig mild(-mannered)

zachtzinnig 1 [van karakter] good-natured, mild(-mannered) **2** [niet ruw] gentl kind(ly); [teder] tender

het **zadel** saddle

zadelen saddle (up)

de **zadelpijn** saddle-soreness: *~ hebben* be saddlesore

zagen 1 saw (up) **2** [vormen] saw, cut: *planken (of: figuren) ~* saw into planks (o shapes)

de **zagerij** sawmill

de **zak 1** bag; [groot] sack: *een ~ patat* a bag (of: packet) of chips; [fig] *iem. de ~ geven* give s.o. the sack, sack s.o.; [fig] *in ~ en as ten* be in sackcloth and ashes **2** [van kledin stuk] pocket: *geld op ~ hebben* have some money in one's pockets (of: on one) **3** [be plaats voor geld] purse: *uit eigen ~ betaler* pay out of one's own purse; *een duit in het doen* put in one's pennyworth; [Am] put i one's two cents **4** [inf; scheldwoord] bore jerk; [sterker] bastard

de **zakagenda** pocket diary; [Am] (small) agenda

het **zakboekje** (pocket) notebook

het **zakcentje** pocket money

de **zakdoek** handkerchief

zakelijk 1 business(like), commercial **2** [niet persoonlijk] business(like), objecti **3** [bondig, nuchter] compact, concise: *eer stijl van schrijven* a terse style of writing **4** [praktisch] practical, real(istic); down-to earth

de **zakelijkheid** professionalism

het **zakencentrum** business centre

het **zakendoen** business

het **zakenkabinet** government which is no supported by a parliamentary majority

het **zakenleven** business (life), commerce

de **zakenman** businessman: *een gewiekst ~*

shrewd (*of:* an astute) businessman
de **zakenreis** business trip
de **zakenrelatie** business relation
de **zakenvriend** business associate
de **zakenvrouw** businesswoman
de **zakenwereld** business world
het **zakformaat** pocket size
het **zakgeld** pocket money, spending money, allowance
zakken 1 fall, drop; [zinken] sink: *in elkaar ~* collapse **2** [lager van niveau] fall (off), drop, come down, go down; [verzakken] sink: *de hoofdpijn is gezakt* the headache has eased; *het water is gezakt* the water has gone down (*of:* subsided) **3** [niet slagen] fail, go down
zakkenrollen pick pockets
de **zakkenroller** pickpocket: *pas op voor ~s!* beware of pickpockets!
de **zakkenvuller** [inf] profiteer
de **zaklamp** (pocket) torch; [Am] flashlight
de **zaklantaarn** (pocket) torch, flashlight
zaklopen (run a) sack race
het **zakmes** pocket knife
het **zakwoordenboek** pocket dictionary
het **zalencentrum** function rooms
de **zalf** ointment, salve: *met ~ insmeren* rub ointment (*of:* salve) on
zalig gorgeous, glorious, divine
zaligmakend: *dat is ook niet ~* that won't bring universal happiness either
de **zaligverklaring** [r-k] beatification
de **zalm** salmon
de **zalmforel** salmon trout
zalmkleurig salmon, salmon-coloured
zalven put (*of:* rub) ointment on
zalvend unctuous, suave
de **zalving** anointment (with)
Zambia Zambia
de **Zambiaan** Zambian
Zambiaans Zambian
het **zand** sand: *~ erover* let's forget it, let bygones be bygones
de **zandafgraving** sandpit
de **zandbak** sandbox
de **zandbank** sandbank
zanderig sandy
de **zandgrond** sandy soil
het **zandkasteel** sandcastle
de **zandkorrel** grain of sand
de **zandloper** hourglass; [m.b.t. eieren koken] egg-timer
het **zandpad** sandy path
/de **zandsteen** sandstone
de **zandstorm** sandstorm
zandstralen sandblast
het **zandstrand** sandy beach
de **zandverstuiving** sand drift, drifting sand
de **zandvlakte** sand flat, sand(y) plain
de **zandweg** sand track (*of:* road), dirt track
de **zandzak** sandbag
de **zang** song, singing; warbling [van vogels]

de **zanger** singer; [vnl. jazz en pop] vocalist
zangerig melodious; [m.b.t. intonatie] sing-song
het **zangkoor** choir
de **zangleraar** singing teacher
de **zangvereniging** choir, choral society
de **zangvogel** songbird
zaniken nag; [klagen] moan; whine
zappen zap
¹**zat** (bn) **1** [voor zn] drunken; [na ww] drunk **2** [moe, beu] fed up: *'t ~ zijn* be fed up (with it)
²**zat** (bw) [in overvloed] [voor zn] plenty; [na zn] to spare: *zij hebben geld ~* they have plenty (*of:* oodles) of money; *tijd ~* time to spare, plenty of time
de **zaterdag** Saturday
¹**zaterdags** (bn) Saturday
²**zaterdags** (bw) [op zaterdag] on Saturdays
de **zatlap** boozer
ze 1 she, her: *ze komt zo* she is just coming **2** [mv] they, them: *roep ze eens* just call them; *daar moesten ze eens iets aan doen* they ought to do sth. about that
de **zebra** zebra
het **zebrapad** pedestrian crossing, zebra crossing
de **zede 1** custom; [gebruik] usage: *~n en gewoonten* customs and traditions **2** [mv; ethische norm] morals, manners ‖ *een meisje van lichte ~n* a girl of easy virtue
zedelijk moral
zedeloos immoral, corrupt
het **zedendelict** sexual offence
de **zedenleer** [Belg; ond] ethics
het **zedenmisdrijf** sexual offence
de **zedenpolitie** vice squad
de **zedenpreek** sermon
de **zedenzaak** vice case
zedig modest
de **zee** sea: *een ~ van tijd* oceans (*of:* heaps) of time; *aan ~* by the sea, on the coast; *met iem. in ~ gaan* join in with s.o., throw in one's lot with s.o.
de **zeearend** white-tailed eagle
de **zeearm** arm of the sea, inlet
het **zeebanket** seafood
de **zeebenen**: *~ hebben* have got one's sea legs, be a good sailor
de **zeebeving** seaquake
de **zeebodem** ocean floor, seabed, bottom of the sea
de **zeebonk** sea dog
de **zeeduivel** angler, anglerfish
de **zee-egel** sea urchin
de **zee-engte** [vnl mv] strait
de **zeef** sieve; [vloeistoffen] strainer: *zo lek als een ~ zijn* leak like a sieve
de **zeefdruk** silk-screen (print)
het **zeegat** tidal inlet (*of:* outlet)
het **zeegezicht** seascape

de **zeehaven** harbour, seaport
de **zeeheld** sea hero
de **zeehond** seal
het **zeeklimaat** maritime climate, oceanic climate
de **zeekoe** sea cow
de **zeekreeft** lobster
Zeeland Zeeland
de **zeeleeuw** sea lion
de **zeelieden** seamen, sailors
de **zeelucht** sea air
het **¹zeem** (zn) shammy, chamois
het/de **²zeem** (zn) shammy, chamois
de **zeemacht** navy; [mv] naval forces
de **zeeman** sailor
de **zeemeermin** mermaid
de **zeemeeuw** (sea)gull
de **zeemijl** nautical mile
het **zeemleer** chamois (of: shammy) leather, washleather
zeemleren chamois, shammy
de **zeemogendheid** maritime power, naval power
het **zeeniveau** sea level
de **zeeolifant** elephant seal, sea elephant
de **zeep 1** soap **2** [schuim] (soap)suds ‖ *iem. om ~ brengen* kill s.o.; do s.o. in
het **zeepaardje** sea horse
het **zeepbakje** soap dish
de **zeepbel** (soap) bubble
de **zeepkist** soapbox
het/de **zeeppoeder** washing powder, detergent
het **zeepsop** (soap)suds
het **¹zeer** (zn) pain, ache, sore: *dat doet ~* that hurts
²zeer (bn) sore, painful, aching: *een ~ hoofd* an aching head
³zeer (bw) [in hoge mate] very, extremely, greatly: *~ tot mijn verbazing* (very) much to my amazement
de **zeereis** (sea) voyage; [overtocht] passage
de **zeerob** seal
de **zeerover** pirate
het **zeeschip** seagoing vessel, ocean-going vessel
de **zeeslag** sea battle, naval battle; [spel] battleships
de **zeespiegel** sea level
de **zeestraat** [vaak mv] strait
Zeeuws Zeeland [voor zelfstandig naamwoord]
Zeeuws-Vlaanderen Zeeland Flanders
de **zeevaart** seagoing; [als branche] shipping
de **zeevaartschool** nautical college
zeevarend maritime, seagoing
de **zeevis** saltwater fish, sea fish
zeewaardig seaworthy
het **zeewater** seawater, salt water
de **zeewering** seawall
het **zeewier** seaweed
de **zeewind** sea breeze, sea wind

zeeziek seasick
het **zeezout** sea salt
de **zege** victory, triumph; [voornamelijk sport] win
de **¹zegel** (zn) [op brieven] stamp
het **²zegel** (zn) [zegelafdruk] seal: *zijn ~ ergens* *drukken, zijn ~ hechten aan iets* set one's se on sth.; give one's blessing to sth.
de **zegelring** signet ring
de **zegen 1** blessing; [kerk ook] benediction: [iron] *mijn ~ heb je (voor wat het waard is)* you've got my blessing(, for what it's worth **2** [iets heilzaams] blessing, boon: *dat is een* *voor de mensheid* that is a blessing (of: boo to mankind
zegenen bless
zegerijk victorious, triumphant
de **zegetocht** triumphal march, victory marc
zegevieren triumph
zeggen 1 say, tell: *wat wil je daarmee ~?* what are you trying to say?, what are you driving at?; *wat ik ~ wou* by the way; *wat ze u?* (I beg your) pardon?, sorry?; *wie zal het* who can say? (of: tell?); [in winkel] *zegt u h maar* yes, please?; *zeg dat wel* you can say that again; *men zegt dat hij heel rijk is* he is said (of: reputed) to be very rich; *wat zeg j me daarvan!* how about that!, well I never *dat is toch zo, zeg nou zelf* it is true, admit i *hoe zal ik het ~?* how shall I put it?; *nou je h zegt* now (that) you mention it; *zo gezegd, gedaan* no sooner said than done; *zonder i te ~* without (saying) a word; *zeg maar 'To* call me 'Tom'; *niets te ~ hebben* have no au thority; have no say **2** [betekenen] say, mean: *dat wil ~ that means*, i.e.; that is (to say) **3** [bewijzen] say, prove **4** [schriftelijk] say, state ‖ *laten we ~ dat ...* let's say that .
de **zeggenschap** say, voice: *~ over iets krijge* get control (of: authority) over sth.
de **zeggingskracht** power of expression, e quence
het **zegje**: *ieder wil zijn ~ doen* everyone want to have their say
de **zegsman** informant, authority
de **zegswijze** phrase, saying
de **zeik** [inf] piss
zeiken [inf] **1** [plassen] piss **2** [zeuren] go on, harp (of: carry) on
de **zeikerd** [inf] bugger
zeikerig [inf] fretful, whiny
zeiknat [inf] sopping (wet)
het **zeil 1** sail: *alle ~en bijzetten* employ full s pull out all the stops; *onder ~ gaan* **a)** set s **b)** [fig] doze off **2** [vloerbedekking] floor covering **3** canvas, sailcloth; [dekzeil] tarpaulin
de **zeilboot** sailing boat
het/de **zeildoek** canvas
zeilen sail
de **zeiler** yachtsman, yachtswoman, sailor

het **zeiljacht** yacht
de **zeilplank** [sport] sailboard
het **zeilschip** sailing ship
de **zeilsport** sailing
de **zeiltocht** sailing trip, sailing voyage
de **zeilwedstrijd** sailing match; [reeks] regatta
de **zeis** scythe
zeker 1 safe: *(op)* ~ *spelen* play safe; *hij heeft het ~e voor het onzekere genomen* he did it to be on the safe side **2** [overtuigd, betrouwbaar] sure, certain: *iets ~ weten* know sth. for sure; *om ~ te zijn* to be sure; *vast en ~!*, [Belg] *zeker en vast!* definitely; ~ *weten!* to be sure!, sure is *(of:* are)…! **3** [waarschijnlijk] [bw] probably: *je wou haar ~ verrassen* I suppose you wanted to surprise her; *je hebt het ~ al af* you must have finished it by now **4** [minstens] [bw] at least: ~ *dertig gewonden* at least thirty (people) injured || ~ *niet* certainly not; *op ~e dag* one day; *een ~e meneer Pietersen* a (certain) Mr Pietersen
de **zekerheid 1** safety; [bewaring] safe keeping: *iem. een gevoel van ~ geven* give s.o. a sense of security; *voor alle ~* for safety's sake, to make quite sure **2** [stelligheid] certainty; [overtuiging] confidence || *sociale ~* social security
de **zekering** (safety) fuse: *de ~en zijn doorgeslagen* the fuses have blown
zelden rarely, seldom: ~ *of nooit* rarely if ever
zeldzaam rare
de **zeldzaamheid** rarity
zelf self, myself, yourself, himself, herself, itself, ourselves, yourselves, themselves, oneself: ~ *een zaak beginnen* start one's own business; ~ *gebakken brood* home-made bread; *ik kook ~* I do my own cooking; *al zeg ik het ~* although I say it myself; *het huis ~ is onbeschadigd* the house itself is undamaged
de **zelfbediening** self-service
het **zelfbedieningsrestaurant** self-service restaurant
het **zelfbedrog** self-deception
het **zelfbeeld** self-image
de **zelfbeheersing** self-control: *zijn ~ verliezen* lose control of o.s.
het **zelfbeklag** self-pity
de **zelfbeschikking** self-determination
het **zelfbestuur** self-government
de **zelfbevrediging** masturbation
zelfbewust self-confident, self-assured
het **zelfbewustzijn** self-awareness
zelfde similar, very (same): *in deze ~ kamer* in this very room
de **zelfdiscipline** self-discipline
de **zelfdoding** suicide
zelfgenoegzaam conceited
zelfingenomen conceited
de **zelfkant**: *aan de ~ van de maatschappij leven* live on the fringe(s) *(of:* border(s)) of society
de **zelfkennis** self-knowledge
de **zelfkritiek** self-criticism
het **zelfmedelijden** self-pity
de **zelfmoord** suicide: ~ *plegen* commit suicide
de **zelfmoordaanslag** suicide attack
de **zelfmoordterrorist** suicide bomber *(of:* terrorist)
de **zelfontplooiing** self-development; [zelfverwerkelijking] self-realization
de **zelfontspanner** self-timer
de **zelfoverschatting** overestimation of o.s.: *aan ~ lijden* overestimate o.s.
het **zelfportret** self-portrait
het **zelfrespect** self-respect
zelfrijzend self-raising
zelfs even: ~ *zijn vrienden vertrouwde hij niet* he did not even trust his friends; ~ *in dat geval* even then so
de **zelfspot** self-mockery
zelfstandig independent; [in eigen zaak] self-employed: *een kleine ~e* a self-employed person
de **zelfstandigheid** independence
de **zelfstudie** private study, home study
de **zelfverdediging** self-defence: *uit ~ handelen* act in self-defence
de **zelfverloochening** self-denial
het **zelfvertrouwen** (self-)confidence
het **zelfverwijt** self-reproach
zelfverzekerd (self-)assured
zelfvoldaan self-satisfied
de **zelfwerkzaamheid** self-activation; [m.b.t. leerlingen] self-motivation; independence
zelfzuchtig selfish
de **zemel 1** [vlies van graankorrel] bran [geen mv] **2** [persoon] twaddler
de **zemelen** bran [geen mv]
zemen leather
het **zenboeddhisme** Zen (Buddhism)
de **zendamateur** (radio) ham, amateur radio operator; [MC'er] CB-er
de **zendeling** missionary
¹**zenden** (onov ww) broadcast, transmit
²**zenden** (ov ww) [sturen] send: *iem. om de dokter ~* send for the doctor
de **zender 1** broadcasting station, transmitting station **2** [persoon] sender **3** [zendapparaat] emitter, transmitter
de **zendgemachtigde** broadcasting licence-holder
de **zending** supply; [per post] parcel; [per post] package
het **zendingswerk** missionary work
de **zendinstallatie** transmitting station *(of:* equipment)
de **zendmast** (radio, TV) mast; [heel hoog] radio tower, TV tower
de **zendpiraat** radio pirate
het **zendstation** [radio, tv] broadcasting sta-

tion, transmitting station

de **zendtijd** broadcast(ing) time

de **zenuw** nerve; [mv] nerves: *stalen ~en* nerves of steel; *de ~en hebben* have the jitters; *ze was óp van de ~en* she was a nervous wreck; *op iemands ~en werken* get (*of:* grate) on s.o.'s nerves

de **zenuwaandoening** nervous disorder

zenuwachtig nervous: *~ zijn voor het examen* be jittery before the exam

de **zenuwachtigheid** nervousness

de **zenuwbehandeling** root treatment, root-canal therapy

de **zenuwcel** neuron

het **zenuwgas** nerve gas

het **zenuwgestel** nervous system

de **zenuwinzinking** nervous breakdown

de **zenuwlijder** neurotic

de **zenuwontsteking** neuritis

zenuwslopend nerve-racking

het **zenuwstelsel** nervous system

het **zenuwtrekje** (nervous) tic

de **zenuwziekte** nervous disease

de **zeperd** [inf] fizzle, flop: *een ~ halen* fall flat (on one's face)

de **zeppelin** Zeppelin

de **zerk** tombstone

de **zero tolerance** zero tolerance

zes six; [in data] sixth: *hoofdstuk ~* chapter six; *iets in ~sen delen* divide sth. into six (parts); *wij zijn met z'n ~sen* there are six of us; *met ~ tegelijk* in sixes; *~ min* barely a six; *voor dat proefwerk kreeg hij een ~* he got six for that test; *een ~je* six (out of ten), a mere pass mark

zesde sixth

de **zeshoek** hexagon

de **zesjescultuur** culture of mediocrity

het **zestal** six

zestien sixteen; [in data] sixteenth

zestiende sixteenth

zestig sixty: *in de jaren ~* in the sixties; *voor in de ~ zijn* be just over sixty; *hij loopt tegen de ~* he is close on sixty; he is pushing sixty

de **zestiger** sixty-year-old, sexagenarian

de **zet** 1 move: *een ~ doen* make a move; *jij bent aan ~* (it's) your move 2 [duw] push: *geef me eens een ~je* give me a boost, will you

de **zetbaas** manager

de **zetel** seat; [Belg] armchair

zetelen be established, have one's seat; reside

de **zetfout** misprint

het **zetmeel** starch

de **zetpil** suppository

zetten 1 set, put; [een zet doen] move: *enkele stappen ~* take a few steps; *iem. eruit ~* eject, evict s.o.; throw s.o. out; *een apparaat in elkaar ~* fit together, assemble a machine; [plannetje] contrive, think up 2 [koffie, thee] make ‖ *zet de muziek harder* (of: *zachter*) turn

up (*of:* down) the music; *zich ergens toe ~* p one's mind to sth.

de **zetter** compositor

de **zeug** sow

zeulen lug, drag

de **zeur** bore, nag

zeuren nag, harp; whine: *wil je niet zo aa mijn kop ~* stop badgering me; *iem. aan he hoofd ~ (om, over)* nag s.o. (into, about)

¹**zeven** (ov ww) sieve, sift; strain [vloeistof]

²**zeven** (hoofdtelw) seven; [in data] seven *morgen wordt ze ~* tomorrow she'll be sev ‖ *een ~ voor Nederlands* (a) seven for Dutch

zevende seventh

zeventien seventeen; [in data] seventeenth

zeventiende seventeenth

zeventig seventy

de **zever** drivel

zeveren 1 slobber, slaver 2 [kwijlen] driv

z.g.a.n. afk van *zogoed als nieuw* as goo as new, virtually new

zgn. afk van *zogenaamd* so-called

zich 1 [3e persoon] himself, herself, itsel oneself, themselves; [na voorzetsel] him-(self); her(self), it(self), one(self), them-(selves): *geld bij ~ hebben* have money on one; *iem. bij ~ hebben* have s.o. with one 2 yourself, yourselves: *vergist u ~ niet?* are you mistaken?

het **zicht** 1 sight, view: *iem. het ~ belemmere* block s.o.'s view; *het einde is in ~* the end i sight (*of:* view); *uit het ~ verdwijnen* disapp from view 2 [inzicht] insight

zichtbaar visible: *~ opgelucht* visibly relieved; *niet ~ met het blote oog* not visible the naked eye

de **zichtrekening** [Belg] current account

zichzelf himself, herself, itself, oneself, themselves, self: *niet ~ zijn* not be oneself *~ wonen* live on one's own; *tot ~ komen* c to oneself; *uit ~ of* one's own accord; *voo beginnen* start a business of one's own

ziedend seething, furious, livid

ziek ill, sick: *~ van iemands gezeur worde* get sick of s.o.'s moaning; *~ worden* fall i (*of:* sick); *zich ~ melden* report sick

het **ziekbed** 1 [bed] sickbed: *aan het ~ gekli terd zijn* be confined to one's (sick)bed 2 [ziekte] illness: *na een kort ~* after a sh illness

de **zieke** patient, sick person

ziekelijk 1 sickly 2 [onnatuurlijk] morb sick

de **ziekenauto** ambulance

het **ziekenbezoek** visit to a (*of:* the) patier

de **ziekenboeg** sickbay

de **ziekenbroeder** male nurse

het **ziekenfonds** ± (Dutch) National Health Service: *ik zit in het ~* I'm covered by the I tional Health Service

het **ziekenhuis** hospital
de **ziekenhuisopname** hospitalization
de **ziekenverpleger** nurse
de **ziekenwagen** ambulance
de **ziekte 1** illness, sickness **2** [een vorm van ziekte] disease, illness: *de ~ van Weil* Weil's disease; *een ernstige ~* a serious disease (*of:* illness); *een ~ oplopen* develop a disease (*of:* an illness)
het **ziektebeeld** syndrome
de **ziektekiem** germ (of a, the disease)
de **ziektekosten** medical expenses
de **ziektekostenverzekering** medical insurance, health insurance
het **ziekteverlof** sick leave
het **ziekteverloop** course of a disease
de **ziekteverwekker** pathogen
het **ziekteverzuim** absence through illness; [zonder goede reden] absenteeism
de **ziektewet** (Dutch) Health Law: *in de ~ lopen* be on sickness benefit (*of:* sick pay); [Am] be (out) on sick leave
de **ziel** soul: *zijn ~ en zaligheid voor iets over hebben* sell one's soul for sth.; *zijn ~ ergens in leggen* put one's heart and soul into sth.; *hoe meer ~en, hoe meer vreugd* the more the merrier
het **zielenheil** salvation (of one's soul)
de **zielenpiet** poor soul
zielig 1 pitiful, pathetic: *ik vind hem echt ~* I think he's really pathetic; *wat ~!* how sad! **2** [bekrompen] petty
zielloos 1 [dood] lifeless, inanimate **2** [zonder bezieling] soulless
zielsbedroefd broken-hearted, heart-broken
zielsgelukkig ecstatic, blissfully happy
zielsveel deeply, dearly: *~ van iem. houden* love s.o. (with) heart and soul
zieltogend moribund
¹zien (onov ww) **1** see: *ik zie het al voor me* I can just see it **2** [kijken, er uitzien] look: *Bernard zag zo bleek als een doek* Bernard was (*of:* looked) as white as a sheet **3** [uitzicht geven] look (out)
²zien (ov ww) **1** [waarnemen, overwegen] see: [fig] *iem. niet kunnen ~* not be able to stand (the sight of) s.o.; *zich ergens laten ~* show one's face somewhere; *waar zie je dat aan?* how can you tell?; *ik zie aan je gezicht dat je liegt* I can tell by the look on your face that you are lying; *tot ~s* goodbye; *het niet meer ~ zitten* have had enough (of it); not be able to see one's way out (of a situation); *zie je, ziet u?* you see?; see? **2** [proberen] see (to it): *je moet maar ~ hoe je het doet* you'll just have to manage || *dat ~ we dán wel weer* we'll cross that bridge when we come to it
zienderogen visibly
de **ziener** seer
de **zienswijze** view

de **zier** the least bit
ziezo there (we, you are)
de **zigeuner** Gypsy
zigzag zigzag
zigzaggen zigzag
de **¹zij** (zn) side: *~ aan ~* side by side
het **²zij** (zn) [zijde] silk
³zij (pers vnw) **1** she [ev] **2** they [mv]
het **zijaanzicht** side-view
de **zijde 1** side: *op zijn andere ~ gaan liggen* turn over; *van vaders ~* from one's father's side **2** [spinsel van de zijderups] silk
zijdeachtig silky
zijdelings indirect
zijden silk
de **zijderups** silkworm
de **zijdeur** side door
zijig silky
de **zijinstromer 1** [leerkracht zonder onderwijsbevoegdheid] lateral entry teacher **2** [Belg; iem. die later nieuwe studie begint] s.o. receiving further education
de **zijkamer** room at (*of:* to) the side
de **zijkant** side
de **zijlijn 1** [afsplitsing] branch (line) **2** sideline; [m.b.t. voetbal, rugby e.d. ook] touchline
het **¹zijn** (zn) being, existence
²zijn (onov ww) be: *er ~ mensen die …* there are people who …; *wat is er?* what's the matter?; what is it?; *we ~ er* here we are; *dat ~ mijn ouders* those are my parents; *dát is nog eens lopen* (now) that's what I call walking; *die beker is van tin* that cup is made of pewter; *als ik jou was, zou ik …* if I were you, I would …; *er was eens een koning …* once (upon a time) there was a king … || *hij is voetballen* he is (out) playing football; *als het ware* as it were, so to speak
³zijn (hww) **1** have: *er waren gunstige berichten binnengekomen* favourable reports had come in **2** be: *hij is ontslagen* he has been fired
⁴zijn (bez vnw) his, its, one's: *vader ~ hoed* father's hat; *dit is ~ huis* this is his house; *ieder het ~e geven* give every man his due
het **zijpad** side path
de **zijrivier** tributary
het/de **zijspan** [van motorfiets] sidecar
de **zijspiegel** wing mirror
het **zijspoor** siding: *iem. op een ~ brengen (zetten)* put s.o. on the sidelines; sideline s.o.
de **zijstraat** side street: *ik noem maar een ~* just to give an example
de **zijtak 1** side branch **2** [aftakking] branch
zijwaarts sideward, sideways
de **zijweg** side road
de **zijwind** side wind, crosswind
zilt [form] salt(y); [m.b.t. zee ook] briny
het **zilver** silver
het/de **zilverdraad 1** [tot draad getrokken] silver

wire 2 [met zilver omwonden] silver thread
zilveren 1 silver **2** [zilverkleurig] silver(y)
zilverkleurig silver(y)(-coloured)
de **zilvermeeuw** herring gull
het **zilverpapier** silver paper, silver foil
de **zilversmid** silversmith
de **zilverspar** silver fir
het **zilveruitje** pearl onion, cocktail onion
de **Zimbabwaan** Zimbabwean
Zimbabwaans Zimbabwean
Zimbabwe Zimbabwe
de **zin 1** [taalk] sentence **2** [mv; verstand] senses: *bij ~nen komen* come to; come to one's
senses **3** [wil, mening] mind: *zijn eigen ~
doen* do as one pleases; *zijn ~nen op iets zetten* set one's heart on sth. **4** [lust, wens] liking: *ergens (geen) ~ in hebben* (not) feel like
sth.; *het naar de ~ hebben* find sth. to one's
liking; *~ of geen ~* whether you like it or not
5 [betekenis] sense, meaning: *in de letterlijke ~ van het woord* in the literal sense of the
word **6** [nut] sense, point ‖ *kwaad in de ~
hebben* be up to no good
zindelijk toilet-trained; [dier] clean; [housetrained
zingen sing: *zuiver (of: vals) ~ sing* in (*of:*
out) of tune
de **zingeving** giving meaning (to)
het **zink** zinc
¹zinken (bn) [van zink] zinc
²zinken (onov ww) sink: *diep gezonken zijn*
have fallen low
de **zinkput** cesspit, cesspool
zinloos 1 meaningless **2** [nutteloos] useless, futile: *het is ~ om …* there's no sense (*of:*
point) (in) …(-ing)
de **zinloosheid 1** meaninglessness **2** [nutteloosheid] uselessness
het **zinnebeeld** symbol
zinnelijk sensual
zinnen: *dat zinde haar helemaal niet* she did
not like that at all; *op wraak ~ be* intent (*of:*
bent) on revenge
zinnenprikkelend titillating
zinnig sensible: *het is moeilijk daar iets ~s
over te zeggen* it's hard to say anything
meaningful about that
de **zinsbegoocheling** illusion
de **zinsbouw** sentence structure
het **zinsdeel** part (of a, the sentence); [vragend] tag
de **zinsnede** phrase
de **zinsontleding** [taalk] parsing (down to
the level of the clause)
zinspelen allude (to), hint (at)
de **zinspeling** allusion (to), hint
het **zinsverband** context
het **zintuig** sense
zintuiglijk sensual, sensory
zinvol significant; [redelijk] advisable; a
good idea

het **zionisme** Zionism
het **zipbestand** zip file
zippen [comp] zip, pack, compress
de **zit** sit
het **zitbad** hip bath
de **zitbank** [canapé] sofa, settee
de **zithoek** sitting area
het **zitje 1** sit(-down); [concreet] seat [op fiet
e.d.] **2** [tafeltje met stoelen] table and ch
de **zitkamer** living room
de **zitplaats** seat
de **zit-slaapkamer** bedsitting-room; [Am]
one-room apartment, studio apartment
zitten 1 sit: *blijf ~* **a)** stay sitting (down);
b) [form] remain seated; [ond] *~ blijven* re
peat a year; *gaan ~* **a)** sit down; **b)** [form]
take a seat; *zit je goed? (lekker?)* are you
comfortable?; *aan de koffie ~* be having c
fee; *waar zit hij toch?* where can he be?; *e
naast ~* be wrong, be out; be off (target);
~ nog midden in de examens we are still in
middle of the exams; *zonder benzine ~* be
of petrol; *(bijna) zonder geld ~* have run sh
of money **2** [een functie bekleden] be: *o
een kantoor ~* be (*of:* work) in an office
3 [m.b.t. kleding] fit: *goed ~* be a good fi
4 [bezig zijn met] be (… -ing), sit (… -ing)
~ te eten we are having dinner (*of:* lunch
zijn eentje ~ zingen sit singing to o.s. ‖ *met
blijven* be left (*of:* stuck) with sth.; *laat
maar ~* [geen dank] that's all right; (let's)
get it; *hij heeft zijn vrouw laten ~* he has le
his wife (in the lurch); *met iets ~* be at a l
(what to do) about sth.; *hoe zit het (dan) r
…?* what about … (then)?; [sport] *de bal
it's a goal!, it has (gone) in!, it's in the ba
of the net!; *het blijft niet ~* it won't stay p
hoe zit dat in elkaar? how does it (all) fit t
gether?; how does that work?; *daar zit w
you (may) have sth. there; there's sth. in t
onder de modder ~ be covered with mud;
zit er (dik) in there's a good chance (of th
(happening)); *eruit halen wat erin zit* make
most (out) of sth.; *dat zit wel goed (snor)
will be all right; *alles zit hem mee* (*of: teg
everything is going his way (*of:* against h
hij zit overal aan he cannot leave anythin
alone; *achter de meisjes aan ~* chase
((around) after) girls; *mijn taak zit er weer
that's my job out of the way
de **zittenblijver** repeater, pupil who stay
down a class
zittend 1 sitting, seated **2** [waarbij je v
zit] sedentary **3** [in functie zijnd] incumb
de **zitting 1** seat **2** [vergadering] session,
meeting
het **zitvlak** seat, bottom
het **zitvlees**: *geen ~ hebben* not be able to
still
¹zo (bw) **1** so, like this (*of:* that), this way
that way: *zó doe je dat!* that's the way y

it!; *zó is het!* that's the way it is!; *als dat zo is … * if that's the case …; *zo zijn er niet veel* there aren't many like that; *zo iets geks heb ik nog nooit gezien* I've never seen anything so crazy; *zij heeft er toch zo een hekel aan* she really hates it; *een jaar of zo* a year or so **2** [m.b.t. maat, graad] as, so: *het is allemaal niet zo eenvoudig* it's not as simple as it seems (*of:* as all that); *half zo lang* (*of: groot*) half as long (*of:* big); *hij is niet zo oud als ik* he is not as old as I am; *zo goed als ie kon* as well as he could; *zo maar* just like that; [zonder toestemming te vragen] without so much as a by-your-leave; *zo nu en dan* every now and then **3** [zo meteen] right away: *ik ben zo te-rug* I'll be back right away; *zo juist* just now ‖ *het was maar zo zo* it was just so-so

²zo (vw) if: *zo ja, waarom; zo nee, waarom niet* if so, why; if not, why not; *je zult je huiswerk maken, zo niet, dan krijg je een aantekening* you must do your homework, otherwise you'll get a bad mark

³zo (tw) well, so: *goed zo, Jan!* well done, John!; *o zo!* so there; *zo, dat is dat* well (then), that's that; *mijn vrouw heeft een nieuwe computer aangeschaft! zo!* my wife has bought herself a new computer. Really?

het **zoab** porous asphalt

zoal: *wat heeft hij ~ meegebracht?* what (kind of things) did he bring with him?

zoals 1 like: *~ gewoonlijk* as usual **2** as: *~ je wilt* as (*of:* whatever) you like

¹zodanig (aanw vnw) such: *als ~* as such

²zodanig (bw) so (much)

zodat so (that), (so as) to: *ik zal het eens te-kenen, ~ je kunt zien wat ik bedoel* I'll draw it so (that) you can see what I mean

de **zode** turf: *dat zet geen ~n aan de dijk* that's no use, that won't get us anywhere

zodoende (in) this, (in) that way; [daarom] that's why, that's the reason

zodra as soon as: *~ ik geld heb, betaal ik u* I'll pay you as soon as I have the money; *~ hij opdaagt* the moment he shows up

zoek missing, gone: *~ raken* get lost ‖ *op ~ gaan (zijn) naar iets* look for sth.; *op ~ naar het geluk* in pursuit of happiness; *dan eind is ~* then there is no way out, then it's hopeless

de **zoekactie** search (operation)

zoeken 1 look for, search for: *we moeten een uitweg ~* we've got to find a way out; *zoek je iets?* have you lost sth.?; *hij wordt ge-zocht (wegens diefstal)* he is wanted (for theft) **2** [trachten te verkrijgen, uit zijn op] look for, search for, be after: *jij hebt hier niets te ~* you have no business (being) here; *zoiets had ik achter haar niet gezocht* I hadn't expected that of her

het **zoeklicht** searchlight, spotlight

de **zoekmachine** [comp] search engine

zoekmaken 1 mislay, lose **2** [nutteloos be-

steden] waste (on)

het **zoekplaatje** ± (picture) puzzle

zoekraken get mislaid, be misplaced

de **zoektocht** search (for), quest (for)

de **Zoeloe** Zulu

zoemen buzz

de **zoemer** buzzer

de **zoemtoon** buzz; [voortdurend] hum; [tele-foon enz.] tone; [telefoon enz.] signal

de **zoen** kiss

zoenen kiss

zoet 1 sweet: *lekker ~* nice and sweet **2** [braaf] sweet, good: *iem. ~ houden* keep s.o. happy (*of:* quiet)

de **zoetekauw** sugar lover, s.o. with a sweet tooth

zoeten sweeten

het **zoethoudertje** sop

het **zoethout** liquorice

zoetig sweetish

de **zoetigheid** sweet(s)

het **zoetje** sweetener

zoetsappig namby-pamby, sugary

de **zoetstof** sweetener

het **¹zoetzuur** (zn) (sweet) pickles

²zoetzuur (bn) **1** slightly sour (*of:* sharp) **2** [ingemaakt] pickled; [saus] sweet-and-sour

zoeven whizz (past)

zo-even *zie zojuist*

zogeheten so-called

zogen breastfeed

zogenaamd so-called, would-be: *ze was ~ verhinderd* sth. supposedly came up (to pre-vent her from coming)

zogezegd as it were, so to speak: *het is ~ een kwajongen* he's what you'd call a young brat

zoiets: *~ heb ik nog nooit gezien* I have never seen anything like it; *er is ook nog ~ als* there is such a thing as

zojuist just (now)

¹zolang (bw) meanwhile, meantime

²zolang (vw) as long as: *(voor) ~ het duurt* [iron] as long as it lasts

de **zolder** attic, loft

de **zoldering** *zie zolder*

de **zolderkamer** attic room, room in the loft

de **zoldertrap** attic stairs (*of:* ladder)

zomaar just (like that), without (any) warn-ing: *~ ineens* suddenly; *waarom doe je dat? ~* why do you do that? just for the fun of it

de **zombie** zombie

de **zomer** summer: *van (in) de ~* in the summer

de **zomeravond** summer('s) evening

de **zomerdag** summer('s) day

zomers summery

de **zomerspelen** summer games, Summer Olympics

de **zomertijd** summer(time); [tijdregeling] summer time

de **zomervakantie** summer holiday

de **zon** sun: *de ~ gaat op* (of: *gaat onder*) the sun is rising (of: setting); *er is niets nieuws onder de ~* there is nothing new under the sun; *af en toe ~* sunny periods

zo'n 1 such (a): *in ~ geval zou ik niet gaan* I wouldn't go if that were the case **2** such (a): *ik heb ~ slaap* I am so sleepy **3** [soortgelijk] just like **4** [zo ongeveer] about **5** [willekeurig] one of those ‖ *~ beetje* more or less; *ik vind haar ~ meid* I think she's a terrific girl

de **zonaanbidder** sun-worshipper
de **zondaar** sinner
de **zondag** Sunday
¹**zondags** (bn) Sunday
²**zondags** (bw) on Sundays
het **zondagskind** Sunday's child
de **zondagsrust** Sunday('s) rest
de **zondagsschool** [prot] Sunday school
de **zonde 1** sin **2** [jammer] shame: *het zou ~ van je tijd zijn* it would be a waste of time
de **zondebok** scapegoat, whipping boy
zonder without ‖ *~ meer* just like that; of course; without delay
de **zonderling** strange character, odd character
de **zondeval** fall
zondig sinful
zondigen sin
de **zondvloed** Flood
de **zone** zone; [vnl. m.b.t. gewassen] belt
het **zonenummer** [Belg] area code
zonet [inf] just (now): *hij is ~ thuisgekomen* he('s) just got home (now)
de **zonkracht** sunpower
het **zonlicht** sunlight
zonnebaden sunbathe
de **zonnebank** sunbed, solarium
de **zonnebloem** sunflower
de **zonnebrand** sunburn
de **zonnebrandolie** sun(tan) oil
de **zonnebril** sunglasses
de **zonnecel** solar cell
de **zonnecollector** solar collector
de **zonne-energie** solar energy
de **zonnehemel** sunbed
zonneklaar obvious
de **zonneklep** (sun) visor
zonnen sunbathe
het **zonnepaneel** solar panel
het **zonnescherm** [voor een venster] (sun)-blind; parasol
de **zonneschijn** sunshine
de **zonneslag** sunstroke
de **zonnesteek** sunstroke: *een ~ krijgen* get sunstroke
het **zonnestelsel** solar system
de **zonnestraal** ray of sun(shine)
het **zonnetje 1** little sun; [fig] little sunshine: [fig] *ze is het ~ in huis* she is our little sunshine **2** [zonneschijn] sun(shine): *iem. in het ~ zetten* [iem. prijzen] make s.o. the centre of attention

de **zonnewijzer** sundial
zonnig sunny: *een ~e toekomst* a bright ture
de **zonsondergang** sunset
de **zonsopgang** sunrise
de **zonsverduistering** eclipse of the sun
de **zonwering** awning, sunblind; [jaloezie] (venetian) blind
de **zoo** zoo
het **zoogdier** mammal
de **zooi 1** mess **2** [hoeveelheid] heap, load
de **zool 1** sole **2** [inlegstuk] insole
de **zoölogie** zoology
zoölogisch zoological
de **zoom 1** hem **2** [buitenrand] edge
de **zoomlens** zoom lens
de **zoon** son: *Angelo is de jongste ~* Angelo the youngest (of: younger) son; *de oudst* **a)** the oldest son; **b)** [van 2] the elder son **c)** [van 3 of meer] the eldest son
het **zootje 1** [hoeveelheid] heap, load: *het ~* the whole lot; *een ~ ongeregeld* a mixe bag; [personen ook] a motley crew **2** [ro meltje] mess
de **zorg 1** care, concern: *iets met ~ behande* handle sth. carefully **2** [voorwerp van] o gerustheid] concern, worry: *geen ~en hel ben* have no worries; *dat is een (hele) ~ mi* that's (quite) a relief; *zich ~en maken ove* worry about; *'t zal mij een ~ wezen, mij ee* couldn't care less
zorgelijk worrisome, alarming
zorgeloos carefree
de **zorgeloosheid** [het zonder zorgen zij* freedom from care (of: worry)
zorgen 1 see to, take care of; [verschaf provide; [verschaffen] supply: *voor het e* see to the food; *daar moet jij voor ~* that' your job **2** [verzorging geven] care for, l* after, take care of **3** [opletten] see (to), t care (to)
het **zorgkind** problem child; source of c* cern
de **zorgplicht** duty to provide for
de **zorgsector** social service sector
de **zorgtoeslag** health care allowance
het **zorgverlof** care leave
de **zorgverzekeraar** health insurer, heal* insurance company
de **zorgverzekering** health insurance, m* cal insurance
zorgvuldig careful, meticulous, painst ing: *een ~ onderzoek* a careful (of: thoro examination
de **zorgvuldigheid** care, carefulness, pre sion
zorgwekkend worrisome, alarming
zorgzaam careful, considerate: *een ~ * vader* a caring father
de ¹**zot** (zn) fool, idiot

²**zot** (bn, bw) crazy, idiotic; [mal] silly

het ¹**zout** (zn) (common) salt

²**zout** (bn) 1 salty 2 [gezouten] salted

zoutarm low-salt

zouteloos insipid, flat, dull

zouten salt

het **zoutje** salt(y) biscuit, cocktail biscuit: *Japanse ~s* Japanese rice crackers, senbei

zoutloos salt-free

de **zoutzak** salt-bag: *hij zakte als een ~ in elkaar* he collapsed (like a burst balloon)

het **zoutzuur** hydrochloric acid

zoveel 1 as much, as many: *net ~* just as much (*of:* many); *dat is tweemaal ~* that's twice as much (*of:* many) 2 [onbepaald] so, that much (*of:* many): *om de ~ dagen* every so many days; *niet zóveel* not (as much as) that

zoveelste such-and-such; [geïrriteerd] umpteenth

¹**zover** (bw) so far, this far, that far: *ben je ~?* (are you) ready?; *het is ~* the time has come, here we go!

²**zover** (vw) as far as: *voor ~ ik weet niet* not to my knowledge, not that I know of; [fig] *in ~re* insofar, insomuch

zowaar actually

zowat almost: *ze zijn ~ even groot* they're about the same height

zowel both, as well as: *~ de mannen als de vrouwen* both the men and the women; the men as well as the women

z.o.z. afk van *zie ommezijde* p.t.o., please turn over

zozeer so much (so): *dat niet ~* not that so much, not so much that; *~ dat ...* so much so that ...

zozo so-so

z.s.m. afk van *zo spoedig mogelijk* asap, as soon as possible

de **zucht** 1 [verlangen] desire, longing, craving 2 [diepe uitademing] sigh: *een diepe ~ slaken* heave a deep sigh; *een ~ van verlichting slaken* breathe (*of:* heave) a sigh of relief

zuchten sigh

zuid south, south(ern); [m.b.t. wind ook] southerly

Zuid-Afrika South Africa

de **Zuid-Afrikaan** South African

het ¹**Zuid-Afrikaans** Afrikaans

²**Zuid-Afrikaans** (bn) 1 [van/m.b.t. het land] South African 2 [van/m.b.t. de taal] Afrikaans

Zuid-Amerika South America

de **Zuid-Amerikaan** South American

Zuid-Amerikaans South American

¹**zuidelijk** (bn) 1 southern 2 [naar, uit het zuiden] south(ern); [wind ook] southerly

²**zuidelijk** (bw) (to the) south, southerly, southwards

het **zuiden** south: *ten ~ (van)* (to the) south (of)

de **zuidenwind** south (*of:* southern, southerly) wind

de **zuiderbreedte** southern latitude: *op 4° ~* at a latitude of 4° South

de **zuiderburen** neighbours to the south

de **zuiderkeerkring** tropic of Capricorn

Zuid-Europa Southern Europe

Zuid-Europees Southern European

Zuid-Holland South Holland

Zuid-Hollands South Holland

Zuid-Korea South Korea

de **Zuid-Koreaan** South Korean

Zuid-Koreaans South Korean

de **zuidkust** south(ern) coast

¹**zuidoost** (bn) south-east(ern); [wind ook] south-easterly

²**zuidoost** (bw) south-east(wards), to the south-east

Zuidoost-Azië South-East Asia

¹**zuidoostelijk** (bn) south-east(ern); [wind ook] south-easterly

²**zuidoostelijk** (bw) (to the) south-east, south-easterly

het **zuidoosten** south-east; [streek] South-East

de **zuidpool** South Pole

de **Zuidpool** [gebied rond de zuidpool] Antarctic

de **zuidpoolcirkel** Antarctic Circle

het **zuidpoolgebied** Antarctic, South Pole

Zuid-Sudan South Sudan

de ¹**Zuid-Sudanees** South Sudanese

²**Zuid-Sudanees** (bn) South Sudanese

de **zuidvrucht** subtropical fruit

¹**zuidwaarts** (bn) southward, southerly

²**zuidwaarts** (bw) south(wards)

¹**zuidwest** (bn) [uit het zuidwesten] south-west(ern); [wind ook] south-westerly

²**zuidwest** (bw) south-west(wards), to the south-west

¹**zuidwestelijk** (bn) [uit, in het zuidwesten] south-west(ern); [wind ook] south-westerly

²**zuidwestelijk** (bw) (to the) south-west, south-westerly, south-westwards

het **zuidwesten** south-west; [streek] South-West

de **zuidwester** 1 southwester 2 [hoed] sou'wester

de **zuigeling** infant, baby

¹**zuigen** (onov ww) [sabbelen] suck (on, away at)

²**zuigen** (ww) 1 suck; [van baby] nurse 2 [stofzuigen] vacuum, hoover

de **zuiger** piston

de **zuigfles** feeding bottle

de **zuiging** suction

de **zuigkracht** 1 suction (power, force) 2 [aantrekkingskracht] attraction

de **zuignap** sucker

het/de **zuigtablet** lozenge

de **zuil** pillar, column, pile

zuinig 1 economical, frugal, thrifty; [karig]

sparing: ~ op iets zijn be careful about sth.
2 [voordelig] economical; [vaak in samst] efficient: een motor ~ afstellen tune (up) an engine to run efficiently

de **zuinigheid** economy, frugality, thrift-(iness)

¹**zuipen** (onov ww) [m.b.t. te veel alcohol] booze || zich zat ~ get sloshed (of: plastered)

²**zuipen** (ov ww) drink: die auto zuipt benzine that car just eats up petrol

de **zuiplap** boozer, drunk(ard)

de **zuippartij** drinking bout (of: spree)

het/de **zuivel** dairy produce, dairy products

de **zuivelfabriek** dairy factory, creamery

het **zuivelproduct** dairy product

¹**zuiver** (bn) **1** pure: van ~ leer genuine leather **2** [helder] clear, clean, pure **3** correct, true, accurate: een ~ schot an accurate shot

²**zuiver** (bw) **1** purely **2** [muz] in tune

zuiveren clean, purify; [onzuiverheden] clear; [wond] cleanse: de lucht ~ clear the air; zich ~ van een verdenking clear o.s. of a suspicion

de **zuiverheid** purity; [correctheid] soundness; [nauwkeurigheid] accuracy

de **zuivering** purification

de **zuiveringsinstallatie** purification plant; [voor afvalwater] sewage-treatment plant

¹**zulk** (aanw vnw) such: ~e zijn er ook that kind also exists

²**zulk** (bw) such: het zijn ~e lieve mensen they're such nice people

zullen 1 [1e persoon mv] shall; will; [voorwaardelijk] should; would: maar het zou nog erger worden but worse was yet to come; dat zul je nu altijd zien! isn't that (just) typical!; wat zou dat? so what?, what's that to you? **2** will, would, be going (of: about) to: zou je denken? do you think (so)?; als ik het kon, zou ik het doen I would (do it) if I could; hij zou fraude gepleegd hebben he is said to have committed fraud; dat zal vorig jaar geweest zijn that would be (of: must have been) last year; wie zal het zeggen? who's to say?, who can say?; zou hij ziek zijn? can he be ill? (of: sick?); dat zal wel I bet it is; I suppose it will; I dare say

de **zult** brawn; [Am] headcheese

de **zuring** sorrel

de ¹**zus** (zn) sister; [inf] sis

²**zus** (bw) so: mijnheer ~ of zo Mr so-and-so, Mr something-or-other

het **zusje** sister, sis; [jonger] little sister

de **zuster 1** sister **2** [verpleegster] nurse

de **zusterstad** twin town

het ¹**zuur** (zn) **1** acid **2** [in het zuur gelegd] ± pickles; pickled vegetables (of: onions) [enz.] **3** [m.b.t. maagsap] heartburn, acidity (of the stomach)

²**zuur** (bn, bw) **1** sour: de melk is ~ the milk

has turned sour **2** [chem] acid

de **zuurkool** sauerkraut

de **zuurpruim** sourpuss, crab (apple)

de **zuurstof** oxygen

het **zuurstofmasker** oxygen mask

de **zuurstok** stick of rock

het **zuurtje** acid drop

zuurverdiend hard-earned

de **zwaai** swing, sweep; [slingering] sway; wave [met arm]

de **zwaaideur** swing-door

zwaaien swing, sway; [wuiven] wave; flourish; brandish [wapen]; wield [scepter] met zijn armen ~ wave one's arms || er zal v ~ there'll be the devil to pay

het **zwaailicht** flashing light

de **zwaan** swan

het **zwaantje** [Belg] motorcycle policeman

¹**zwaar** (bn, bw) **1** heavy, rough; full-bod [wijn]; strong [wijn]: dat is tien kilo ~ that weighs ten kilos; ~der worden of (of: gain) weight; twee pond te ~ two pounds overweight (of: too heavy) **2** [moeizaam] difficult, hard: zware ademhaling hard breathing, wheezing; een zware bevalling difficult delivery; een ~ examen a stiff (of difficult) exam; hij heeft het ~ he is having hard time of it **3** [groot, aanzienlijk] hea serious: ~ verlies a heavy loss **4** [m.b.t. ge den] heavy; deep [stem]

²**zwaar** (bw) [zeer, erg] heavily, heavy, h seriously, badly: ~ gewond badly (of: seri ously, severely) wounded || ergens te ~ aa len attach too much importance to sth.; make heavy weather of sth.; het ~ te pak hebben a) have it bad(ly); b) [ziek zijn ool have a bad case

zwaarbeladen heavy laden, heavily la

zwaarbewolkt overcast

het **zwaard** sword

de **zwaardvis** swordfish

zwaargebouwd heavily built; [mense dieren ook] heavy-set; large-boned, thic

zwaargewapend heavily armed

de ¹**zwaargewicht** (zn) [bokser] heavywei

het ²**zwaargewicht** (zn) heavyweight

zwaargewond badly, seriously wound (of: injured)

zwaarmoedig melancholy, depressed kijken look melancholy (of: depressed)

de **zwaarmoedigheid 1** depressiveness, ancholy **2** [ziekte] melancholia; depressi [tijdelijk] **3** [tijdelijke stemming] melanch gloom, dejection

de **zwaarte 1** heaviness, weight **2** [afmeti omvang] weight, size, strength

de **zwaartekracht** gravity, gravitation

het **zwaartepunt** centre, central point, m point

zwaarwegend weighty, important

zwaarwichtig weighty, ponderous

de **zwabber** mop
zwabberen mop
de **zwachtel** bandage
de **zwager** brother-in-law
zwak 1 weak, feeble: *de zieke is nog ~ op zijn benen* the patient is still shaky on his legs **2** [met weinig weerstand] weak; [m.b.t. gezondheid] delicate: *een ~ke gezondheid hebben* be in poor health **3** [niet veel presterend] weak, poor, bad: *~ zijn in iets* be bad (*of:* poor) at sth., be weak in sth. **4** [kwetsbaar] weak, vulnerable **5** [aanvechtbaar] weak, insubstantial; poor [bijv. excuus] **6** [nauwelijks waarneembaar] weak, faint ‖ *een ~ voor iem. hebben* have a soft (*of:* tender) spot for s.o.
zwakbegaafd retarded
de **zwakheid** weakness, failing
de **zwakkeling** weakling
de **zwakstroom** low-voltage current, weak current
de **zwakte** *zie* zwakheid
zwakzinnig mentally handicapped
de **zwakzinnigheid** mental defectiveness (*of:* deficiency)
zwalken drift about, wander
de **zwaluw** swallow: *één ~ maakt nog geen zomer* one swallow does not make a summer
de **zwam** fungus
zwammen [inf] drivel, jabber
de **zwamneus** [inf] gasbag, windbag
de **zwanenhals** [buis] U-trap, gooseneck
de **zwanenzang** swan song
de **zwang**: *in ~ zijn* be in vogue, be fashionable, be in fashion
zwanger pregnant, expecting
de **zwangerschap** pregnancy
de **zwangerschapsgymnastiek** antenatal exercises
de **zwangerschapsonderbreking** termination of pregnancy, abortion
de **zwangerschapstest** pregnancy test
het **zwangerschapsverlof** maternity leave
zwart 1 black, dark: *een ~e bladzijde in de geschiedenis* a black page in history; *~e goederen* black-market goods **2** [vuil] black, dirty: *iem. ~ maken* blacken s.o.'s reputation ‖ *~ op wit* in writing, in black and white
het **zwartboek** black book
de **zwartepiet** knave (*of:* jack) of spades
zwartgallig melancholic, morbid
de **zwarthandelaar** black marketeer, profiteer
de **zwartkijker 1** pessimist, worrywart **2** [iem. die geen kijkgeld betaalt] TV licence dodger
zwartmaken: *iem. ~ blacken s.o.'s good name (*of:* someone's character)
zwart-op-wit in black and white, in writing
zwartrijden 1 [m.b.t. autoverzekering, wegenbelasting] evade paying road tax;

[Am] evade paying highway tax **2** [in bus, trein] dodge paying the fare
de **zwartrijder 1** [m.b.t. wegenbelasting] road-tax dodger **2** [m.b.t. tram, bus, trein] fare-dodger
het **zwartwerk** moonlighting
zwartwerken moonlight, work on the side
zwart-wit black-and-white
de **zwavel** sulphur
het **zwaveldioxide** sulphur dioxide
het **¹zwavelzuur** (zn) sulphuric acid
²zwavelzuur (bn) sulphuric acid
Zweden Sweden
de **Zweed** Swede, Swedish woman
Zweeds Swedish
de **zweefduik** [sport] swallow dive; [Am] swan dive
de **zweefmolen** whirligig
de **zweeftrein** levitation train, maglev train
zweefvliegen glide
de **zweefvlieger** glider pilot
het **zweefvliegtuig** glider
de **zweefvlucht** glide
de **zweem** trace, hint: *zonder een ~ van twijfel* without a shadow of a doubt
de **zweep** whip, lash; [rijzweep] crop
de **zweepslag 1** lash, whip(lash) **2** [spierverrekking] whiplash (injury)
de **zweer** ulcer; [ettergezwel] abscess; boil
het **zweet** sweat: *het ~ breekt hem uit* he's in a (cold) sweat; *baden in het ~* swelter
de **zweetband** sweatband
de **zweetdruppel** drop (*of:* bead) of sweat
de **zweethanden** sweaty hands
de **zweetlucht** body odour
de **zweetvoeten** sweaty feet
zwelgen wallow
zwellen swell: *doen ~* **a)** swell; **b)** [doen bollen] belly, billow; **c)** [doen opbollen] bulge
de **zwelling** swell(ing)
het **zwembad** (swimming) pool
de **zwemband** water ring
het **zwembandje** [scherts; vetrol] spare tyre, love handles
de **zwembroek** [mv] bathing trunks, swimming trunks
het **zwemdiploma** swimming certificate
zwemen incline to, tend to
de **zwemles** swimming lesson: *op ~ zitten* take swimming lessons
zwemmen swim: *verboden te ~* no swimming allowed; *gaan ~* go for a swim
de **zwemmer** swimmer
het **zwempak** swimming suit, swimsuit
het **zwemvest** life jacket (*of:* vest)
het **zwemvlies 1** [m.b.t. dieren] web **2** [m.b.t. mensen] flipper
de **zwemvogel** web-footed bird
de **zwemwedstrijd** swimming competition (*of:* contest)

de **zwendel** swindle, fraud
de **zwendelaar** swindler, fraud
zwendelen swindle
de **zwengel** handle; [draaikruk] crank
zwenken swerve; [scheepv] sheer: *naar rechts ~* swerve to the right
zweren 1 swear; [gelofte afleggen] vow: *ik zou er niet op durven ~* I wouldn't take an oath on it; *ik zweer het (je)* I swear (to you) **2** [van gezwel] ulcerate; [van wond, zweer] fester
de **zwerfkat** stray cat
het **zwerfkind** young vagrant, vagrant child, runaway
de **zwerftocht** ramble; [grote wandeling] wandering
het **zwerfvuil** (street) litter
de **zwerm** swarm; flock [troep]
zwermen swarm
zwerven 1 wander, roam, rove **2** [landlopen] tramp (about), knock about **3** [rondslingeren] lie about
de **zwerver 1** wanderer, drifter **2** [landloper] tramp, vagabond
zweten sweat
zweterig sweaty
zwetsen blather; [opscheppen] boast; brag: *hij kan enorm ~* he talks a lot of hot air
de **zwetser** boaster, bragger
zweven 1 [hangen] be suspended: *boven een afgrond ~* hang over an abyss **2** [in de lucht] float; [glijden, zweven] glide **3** [heen en weer gaan] hover
zwevend 1 floating: *een ~ plafond* a false ceiling **2** [onzeker] floating: *~e kiezer* floating voter
zweverig 1 woolly, free-floating **2** [in het hoofd] dizzy
zwichten yield, submit; [toegeven] give in: *voor de verleiding ~* yield to the temptation
zwiepen bend: *de takken zwiepten in de wind* the branches swayed in the wind
de **zwier**: *aan de ~ gaan* go on a spree
zwieren sway, reel; whirl
zwierig elegant, graceful; [opzichtig] dashing; flamboyant
het **¹zwijgen** (zn) silence: *het ~ verbreken* break the silence; *er het ~ toe doen* let sth. pass
²zwijgen (onov ww) be silent: *~ als het graf* be silent as the grave; *zwijg!* hold your tongue!, be quiet!
het **zwijggeld** hush money
de **zwijgplicht** oath of secrecy
zwijgzaam silent, incommunicative, reticent
de **zwijm**: *in ~ liggen* be in a dead faint; *in ~ vallen* go off in a swoon
zwijmelen swoon
het **zwijn** swine: *een wild ~* a wild boar
zwijnen [inf] be lucky
de **zwijnenstal** pigsty

zwikken sprain, wrench
de **Zwitser** Swiss
Zwitserland Switzerland
Zwitsers Swiss
zwoegen 1 [ploeteren] plod; drudge, slave (away); [zwaar werk doen] toil; labour **2** [hijgen] heave, pant
zwoel sultry; [benauwd] muggy
het **zwoerd** rind

houdsopgave supplement

ematische woordgroepen

tijd
he

jaargetijden
e seasons

ente *spring*
omer *summer*

herfst *autumn*
winter *winter*

dagen van de week
e days of the week

aandag *Monday*
insdag *Tuesday*
oensdag *Wednesday*
onderdag *Thursday*

vrijdag *Friday*
zaterdag *Saturday*
zondag *Sunday*

maanden van het jaar
months of the year

nuari *January*
bruari *February*
aart *March*
oril *April*
ei *May*
ni *June*

juli *July*
augustus *August*
september *September*
oktober *October*
november *November*
december *December*

e laat is het?
at is the time?

one o'clock

a quarter past one

half past one

uarter to two

twenty-five past one

twenty-five to two

De belangrijkste tijdsaanduidingen
The most important indications of time

seconde *second*
minuut *minute*
kwartier *(a) quarter (of an hour)*
uur *hour*

dag *day*
week *week*
maand *month*
jaar *year*
eeuw *century*

dag *day*
nacht *night*
morgen *morning*
middag *afternoon*
avond *evening*

's morgens *in the morning*
's middags *in the afternoon*
's avonds *in the evening, at night*
's nachts *at night*

om twaalf uur 's middags *at noon*
om twaalf uur 's nachts *at midnight*
voormiddags *a.m. (ante meridiem)*

namiddags *p.m. (post meridiem)*
om de andere dag *every other day*
dagelijks *daily*
wekelijks *weekly*
maandelijks *monthly*
jaarlijks *annually*

eergisteren *the day before yesterday*
gisteren *yesterday*
vandaag *today*
morgen *tomorrow*
overmorgen *the day after tomorrow*
verleden week *last week*
volgende maand *next month*
vóór morgen *before tomorrow*
over tien minuten *in ten minutes*
om twee uur *at two o'clock*
gedurende vier maanden *for four months*
tijdens de wedstrijd *during the match*
tegen vijven *by five o'clock*
binnen een week *within a week*
vandaag over een week *today week*
vandaag over veertien dagen *today fortnight*
2 april 2007 *April 2nd, 2007*

Feestdagen
Holidays

Nieuwjaar *New Year*
Pasen *Easter*
eerste paasdag *Easter Sunday*
tweede paasdag *Easter Monday*
Hemelvaartsdag *Ascension Day*
Pinksteren *Whitsun(tide)*

Kerstmis *Christmas*
kerstavond *Christmas Eve*
eerste kerstdag *Christmas Day*
tweede kerstdag *Boxing Day*
oudejaarsavond *New Year's Eve*

‌eveelheden

‌eveelheden
‌antities

‌ofdtelwoorden
‌rdinal numbers

1	one	21	twenty-one
2	two	22	twenty-two
3	three	30	thirty
4	four	40	forty
5	five	50	fifty
6	six	60	sixty
7	seven	70	seventy
8	eight	71	seventy-one
9	nine	72	seventy-two
10	ten	80	eighty
11	eleven	90	ninety
12	twelve	91	ninety-one
13	thirteen	92	ninety-two
14	fourteen	100	a (one) hundred
15	fifteen	200	two hundred
16	sixteen	300	three hundred
17	seventeen	1.000	a (one) thousand
18	eighteen	100.000	a (one) hundred thousand
19	nineteen	1.000.000	a (one) million
20	twenty		

‌gtelwoorden
‌inal numbers

‌erste *first, 1st*
‌veede *second, 2nd*
‌erde *third, 3rd*
‌erde *fourth, 4th*
‌fde *fifth, 5th*
‌sde *sixth, 6th*
‌vende *seventh, 7th*
‌htste *eighth, 8th*
‌egende *ninth, 9th*
‌ende *tenth, 10th*
‌fde *eleventh, 11th*

twaalfde *twelfth, 12th*
dertiende *thirteenth, 13th*
veertiende *fourteenth, 14th*
twintigste *twentieth, 20th*
eenentwintigste *twenty-first, 21st*
dertigste *thirtieth, 30th*
veertigste *fortieth, 40th*
tweeënveertigste *forty-second, 42nd*
vijftigste *fiftieth, 50th*
zestigste *sixtieth, 60th*
honderdste *hundredth, 100th*
duizendste *thousandth, 1000th*

‌voornaamste maten en gewichten
‌ most important weights and measures

‌nch = *2,54 cm*
‌oot = *0,3048 m = 12 inches*
‌ard = *0,9144 m = 3 feet*
‌mile = *1,609 km*

1 ounce = *28,35 gram*
1 pound = *0,4536 kg = 16 ounces*
1 stone = *6,350 kg = 14 pounds*

‌oint = *0,5683 dm³ (liter)*
‌quart = *1,137 dm³ = 2 pints*

1 gallon (UK) = *4,546 liter = 4 quarts*
1 gallon (VS) = *3,785 liter*

Grammaticale hoofdlijnen

Zelfstandige naamwoorden

Vorming van het meervoud
Algemene regel: zet een *s* achter het zelfstandig naamwoord.

hand	*hands*	*month*	*months*
minute	*minutes*	*day*	*days*

▶ Uitzonderingen
1 Eindigt een z.nw. op een medeklinker + *y*, dan wordt de *y* vervangen door *ies*.

story	*stories*	*lady*	*ladies*	▶ *boy*	*boys*

2 Bij sommige woorden die eindigen op *f* of *fe*, wordt *f* of *fe* vervangen door *ves*.

knife	*knives*	*wife*	*wives*	▶ *safe*	*safes*
thief	*thieves*	*life*	*lives*		
half	*halves*	*shelf*	*shelves*		

3 Woorden die eindigen op een sisklank, krijgen de meervoudsuitgang *es*.

glass	*glasses*	*box*	*boxes*	*church*	*churches*

4 Onregelmatige meervoudsvormen.

child	*children*	*mouse*	*mice*	*foot*	*feet*
ox	*oxen*	*louse*	*lice*	*tooth*	*teeth*
man	*men*			*goose*	*geese*
woman	*women*				

5 Sommige woorden die eindigen op *o*, hebben als meervoudsvorm *oes*.

hero	*heroes*	*potato*	*potatoes*

Bezitsvorm
1 Namen van mensen en dieren krijgen '*s* om bezit aan te geven.
That car belongs to John. Die auto is van John.
It's John's car. Het is de auto van John.
My friend's car. De auto van mijn vriend.
Those men's wives. De vrouwen van die mannen.
The cat's tail. De staart van de kat.
2 De bezitsvorm van dingen wordt gevormd met behulp van *of*.
This key belongs to that room. It's the key of that room.
The door of the living room. De deur van de huiskamer.
The pages of your book. De bladzijden van jouw boek.
The days of the week. De dagen van de week.
▶ In het meervoud komt in plaats van '*s* alleen een ' (als het meervoud eindigt op *s*).
My parents' car. De auto van mijn ouders.
A seven days' journey. Een reis van zeven dagen.

De bezitsvormen '*s* en ' komen ook voor zonder hoofdwoord:
Is this your book? No, it is John's book. It is John's.
Is this your book? No, it is my father's book. It is my father's.
Is this your book? No, it is his parents' book. It is his parents'.

Persoonlijke en bezittelijke voornaamwoorden

I am in my house.	*It belongs to me.*	*It's mine.*
You are in your house.	*It belongs to you.*	*It's yours.*
He is in his house.	*It belongs to him.*	*It's his.*
She is in her house.	*It belongs to her.*	*It's hers.*
We are in our house.	*It belongs to us.*	*It's ours.*
They are in their house.	*It belongs to them.*	*It's theirs.*

This book isn't mine. Dit boek is niet van mij.
Is it yours? Is het van jou?
Is this coat mine or yours? Is deze jas van mij of van jou?
He is an old friend of mine. Hij is een oude vriend van mij.

We gebruiken het woord *it* als we het niet over personen hebben.
*Where is the bird? **It** is in **its** cage.* Waar is de vogel? Hij zit in zijn kooi.
*The space craft and **its** crew.* Het ruimtevaartuig en zijn bemanning.
***It's** cold.* Het is koud.
*The town and **its** old houses.* De stad en haar oude huizen.
*Have you seen this film? No, I haven't seen **it**.* Heb je deze film gezien? Nee, ik heb hem niet gezien.

aanwijzende voornaamwoorden

Enkelvoud		Meervoud	
this	dit, deze	*these*	deze
that	dat, die	*those*	die

vragende voornaamwoorden

who
Gebruikt voor personen
Who is that? It is John Smith.

what
Gebruikt voor dieren, dingen
What is that? It's a cat. It's a book.

which
which wordt gebruikt als je uit een groep moet kiezen (je weet uit hoeveel je moet kiezen).
Which of these boys is John? The one in the middle. Wie van deze jongens is John? Die in het midden.
Which of those dogs is yours? The one with the long tail. Welke van die honden is van jou? Die met de lange staart.
Which of these biros shall I give to dad? The thin one on the left. Welke van deze pennen zal ik aan pappa geven? Die dunne aan de linkerkant.

whose
Whose pencils are those? Van wie zijn die potloden?
Whose car is this? Van wie is deze auto?

werkwoorden en hulpwerkwoorden

vervoeging

zijn

	o.t.t.	o.v.t.	v.t.t.	v.v.t.
I	am	was	have been	had been
you	are	were	have been	had been
he	is	was	has been	had been
we	are	were	have been	had been
you	are	were	have been	had been
they	are	were	have been	had been

hebben

	o.t.t.	o.v.t.	v.t.t.	v.v.t.
I	have	had	have had	had had
you	have	had	have had	had had
he	has	had	has had	had had
we	have	had	have had	had had
you	have	had	have had	had had
they	have	had	have had	had had

work werken

	o.t.t.	o.v.t.	v.t.t.	v.v.t.
I	work	worked	have worked	had worked
you	work	worked	have worked	had worked
he	works	worked	has worked	had worked
we	work	worked	have worked	had worked
you	work	worked	have worked	had worked
they	work	worked	have worked	had worked

De spelling van de derde persoon enkelvoud in de onvoltooid tegenwoordige tijd (o.t.t.)
In de 3e persoon enkelvoud komt achter het werkwoord een *s*. Na een *s*-klank komt *es* en als h◄ werkwoord eindigt op een medeklinker + *y*, wordt de uitgang: medeklinker + *ies*.

I live, he lives   *I come, he comes*
you dress, he dresses   *we close, he closes*
I stay, he stays   *I study, he studies*

De spelling van de onvoltooid verleden tijd (o.t.t.) en het voltooid deelwoord
De onvoltooid verleden tijd en het volt. deelwoord worden gevormd door *ed* te plaatsen achte◄ grondvorm van het werkwoord.

work, worked   *look, looked*   *wait, waited*

De slotmedeklinker wordt verdubbeld als de laatste lettergreep één klinkerteken bevat en de klemtoon heeft.

stop, stopped   *admit, admitted*   *prefer, preferred*

In het Engels wordt de *l* altijd verdubbeld: *travelled* (in het Amerikaans niet: *traveled*).

Een *y* voorafgegaan door een medeklinker wordt *ie*:
try, tried   *cry, cried*

Stomme *e* valt weg:
precede, preceded   *smoke, smoked*

Het gebruik van de tijden
1 De o.t.t. wordt in het Engels op nagenoeg dezelfde wijze gebruikt als in het Nederlands.

2 De o.v.t. wordt gebruikt wanneer je *alleen maar* aan het verleden denkt (er is *geen* verbinding met het heden).
I lived there for four years. Ik heb daar vier jaar gewoond. (Ik woon er nu niet meer.)
Yesterday he came to see me. Gisteren kwam hij me opzoeken.
Vaak staat in de zin een tijdsbepaling zoals: *yesterday, a week ago, in 2013.*

3 De voltooid tegenwoordige tijd (v.t.t.) wordt in het Engels gevormd door *have* + voltooid deel-woord en wordt gebruikt in de volgende gevallen:

a) Wanneer iets in het verleden begonnen is en nog steeds voortduurt.
I've lived here since 2010. Ik woon hier sinds 2010. (Ik woon hier nog steeds.)
He has been ill very long. Hij is al lang ziek. (Hij is nog steeds ziek.)

▶ *He was ill last year.* Vorig jaar was hij ziek. (Hij is nu beter.)

45

hematisch:

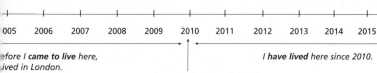

| 005 | 2006 | 2007 | 2008 | 2009 | 2010 | 2011 | 2012 | 2013 | 2014 | 2015 |

*efore I **came to live** here,
ived in London.

*I **have lived** here since 2010.*

*I **came to live** here in 2010.*

Wanneer iets gebeurt in een periode die nog niet voorbij is (bijv. deze week, vandaag).
I've been to the disco twice this week. Ik ben deze week (al) twee keer naar de disco geweest.
(De week is nog niet om.)
I haven't seen much of him this month. Ik heb hem deze maand haast niet gezien.

I went to the cinema twice last week. Ik ben vorige (de voorbije) week twee keer naar de bioscoop geweest.

Wanneer we denken aan het resultaat van iets dat in het verleden is gebeurd.
It has rained (alles is nu buiten nat).
I've lost my watch (mijn horloge is weg).
I've already read that book (ik heb het uit).

I read it last week. I lost my watch last week. (Er staat een tijdsbepaling bij.)

Toekomst wordt in het Engels aangegeven met de hulpwerkwoorden *will* en *would*, vaak afgekort
tot respectievelijk *'ll* en *'d*.
I'll see you tomorrow.   *He said he'd see me next month.*
He will be home at six.   *He promised he would be home at six.*

Hulpwerkwoorden
can/could worden gebruikt om aan te geven
dat iemand in staat is iets te doen:
I can swim. Ik kan zwemmen.
He said he could swim. Hij zei dat hij kon zwemmen.
dat iets niet mogelijk is:
I can't keep any money in my pocket. Ik kan geen geld in mijn zak houden.
We concluded that the story couldn't be true. We kwamen tot de conclusie dat het verhaal niet
waar kon zijn.

may/might worden gebruikt om aan te geven
dat iets mogelijk is:
He may be ill. Hij is misschien wel ziek.
You might think I'm crazy but I'm not. Je zou kunnen denken dat ik gek ben, maar dat ben ik
niet.
dat toestemming wordt/werd gegeven:
You may go to the disco tonight. Je mag vanavond naar de disco.
Father said that I might go to the disco. Vader zei dat ik naar de disco mocht.

must geeft aan
een bevel of opdracht:
You must not bring food and drink into the library. Het is verboden eten en drinken mee te brengen in de bibliotheek.
een logische gevolgtrekking:
If he isn't here, he must be still at home. Als hij niet hier is, moet hij nog thuis zijn.
He must be eighty by now. Hij moet nu wel tachtig zijn.

should/ought to geven aan wat raadzaam is:
I should go to the doctor at once, if I were you. Ik zou meteen naar de dokter gaan als ik jou was.
Let's hurry! We ought to be home at six! Laten we opschieten! We moeten om zes uur thuis zijn.

Speciale werkwoordsvormen
Een vorm van *be* + voltooid deelwoord wordt gebruikt om de lijdende vorm te maken.

	Bedrijvende vorm	Lijdende vorm
o.t.t.	The postman delivers the post. De postbode bezorgt de post.	The post **is delivered** by the postman. De post wordt door de postbode bezorgd.
o.v.t.	The postman delivered the post. De postbode bezorgde de post.	The post **was delivered** by the postman. De post werd door de postbode bezorgd.
v.t.t.	The postman has delivered the post. De postbode heeft de post bezorgd.	The post **has been delivered** by the postman. De post is door de postbode bezorgd.
v.v.t.	The postman had delivered the post. De postbode had de post bezorgd.	The post **had been delivered** by the postman. De post was door de postbode bezorgd.
toekomst	The postman will deliver the post. De postbode zal de post bezorgen.	The post **will be delivered** by the postman. De post zal door de postbode bezorgd worden.

Dikwijls wordt in het Nederlands de constructie met *er* of *men* gebruikt.
It is said that the president will resign. Men zegt dat de president zal aftreden.
The thief was seen running away. Men zag de dief wegrennen.
A lot of time is being devoted to this project. Er wordt veel tijd aan dit project gewijd.

Een vorm van *be* + *-ing*-vorm wordt gebruikt:
1 wanneer iets gedurende een bepaalde tijd aan de gang is (in het Nederlands vinden wij dan va constructies als: bezig met..., aan het..., zit/ligt enz. te...).
I'm reading a book at the moment. Ik ben nu een boek aan het lezen.
He's not doing anything now. Hij zit nu niets te doen.
He's playing the piano. Hij zit piano te spelen.
She's staying at that hotel. Zij verblijft in dat hotel.

2 om nabije toekomst aan te geven.
I'm leaving for the airport at six. Ik ga om zes uur naar het vliegveld.
Are you coming tonight? Kom je vanavond?

3 *Be going to* geeft toekomst aan.
They are going to send him to prison. Hij gaat de gevangenis in.
They are going to build an office block here in 2015. Ze gaan hier in 2015 een kantoorgebouw neerzetten.

Andere constructies eindigend op *ing* ('gerund') worden:
1 gebruikt als onderwerp van een zin.
Swimming is great fun. Zwemmen is erg leuk.
Reading books improves your grammar and vocabulary. Het lezen van boeken is goed voor je grammatica en je woordenschat.

2 gebruikt na een aantal werkwoorden o.a. *like, enjoy, hate, keep (on), avoid, finish, stop, go or start.*
We consider going abroad this summer. We overwegen om dit jaar naar het buitenland te ga
They stopped talking when you came in. Ze hielden op met praten toen jij binnenkwam.
I enjoy sailing during my holidays. Ik ga graag zeilen in mijn vakanties.

3 gebruikt na voorzetsels.
After cleaning his teeth he went downstairs. Toen hij zijn tanden had gepoetst, ging hij naar beneden.
I'm interested in buying a boat. Ik denk erover een boot te kopen.

Constructies met werkwoord - zelfstandig naamwoord of voornaamwoord - onbepaalde wijs komen voor na werkwoorden als: *hear, see, feel, find, watch* en na *let, have, make* (in de betekenis van *laten*).

*The waiter would like to **see us go**.* De kelner zou ons graag zien vertrekken.
*I **saw my friend come** downstairs.* Ik zag mijn vriend de trap af komen.
*I **had him clean** my car.* Ik liet hem mijn auto wassen.
*I **made John repeat** his words.* Ik liet John zijn woorden herhalen.

Na *hear, see* enz. komt ook de constructie met een *-ing*-vorm voor. Deze is meer beschrijvend dan die met een onbepaalde wijs.

*I **heard him coming** back last night.* Gisteravond hoorde ik hem terugkomen.
*I **saw the car driving** up the lane.* Ik zag de auto de weg op komen rijden.

Constructies met werkwoord - zelfstandig naamwoord of voornaamwoord - voltooid deelwoord. Deze constructies komen voor na werkwoorden die een wil of wens aangeven en na *to see, hear, feel* enz.

*He **had a new house built**.* Hij liet een nieuw huis bouwen.
*Father **wants it done** immediately.* Vader wil dat het meteen gedaan wordt.
*I'll **get my car washed** tomorrow.* Ik zal morgen mijn auto laten wassen.
*He **saw the plane shot** down.* Hij zag dat het vliegtuig neergeschoten werd.

Bijwoorden

De meeste bijwoorden worden gevormd door *ly* achter een bijvoeglijk naamwoord, een deelwoord of een zelfstandig naamwoord te plaatsen.

pleasant - pleasantly
excited - excitedly
week - weekly

Hierbij kan de spelling veranderen:
y wordt *i*: *speedy - speedily*
maar: *gay - gayly* of *gaily, shy - shyly, dry - dryly* of *drily*
maar: *day - daily*
e wordt *-ly* na een medeklinker: *terrible - terribly*
e verdwijnt soms: *whole - wholly, due - duly, true - truly*
lly bestaat niet, dus je schrijft: *full - fully*

Soms verandert de betekenis:
close - close (nabij) of *closely* (nauwlettend)
hard - hardly (bijna niet)
late - late (laat) of *lately* (de laatste tijd)
near - near (nabij) of *nearly* (bijna)

Het bijwoord van *good* is *well*.

Voegwoorden en enkele andere verbindingswoorden

en*	and*	*Here's your dictionary **and** there's mine.*
		Hier is uw woordenboek en daar is 't mijne.
dat	that	*She said **that** it didn't make any difference.* (5)
		Ze zei dat het geen verschil maakte.
want*	for*	*He's going by boat, **for** he doesn't like flying.*
		Hij gaat met de boot, want hij houdt niet van vliegen.
maar*	but*	*John is here, **but** where's Mary?*
		Jan is hier, maar waar is Mary?
dus	so	*It was a very long walk, **so** we were very tired.* (4)
		Het was een lange wandeling, dus waren we erg moe.
of*	or*	*Do you prefer coffee **or** tea?*
		Heb je liever koffie of thee?

omdat	because	*I went shopping, **because** I needed some milk.* (4)
		Ik ging boodschappen doen, omdat ik melk nodig had.
wanneer	when	*I don't know **when** the train leaves.* (1)
		Ik weet niet wanneer de trein vertrekt.
voor(dat)	before	*Wash your hands **before** you start eating.* (1)
		Was je handen voordat je gaat eten.
nadat	after	***After** I've got dressed, I'll have breakfast.* (1)
		Nadat ik me heb aangekleed, ga ik ontbijten.
sinds/sedert	since	***Since** when have you lived here?* (1)
		Sinds/sedert wanneer woon je al hier?
waar	where	*Do you know **where** the nearest bus stop is?* (2)
		Weet u waar de dichtstbijzijnde bushalte is?
of	if	*I'm not sure **if** he can come.* (5)
		Ik weet niet zeker of hij kan komen.
of ... of	whether ... or	*I don't know **whether** I'll send a letter **or** not.* (5)
		Ik weet niet of ik een brief zal sturen of niet.
als/indien	if	***If** that's a real leather jacket, I'll eat my hat.* (3)
		Als dat een echt leren jack is, ben ik een boon.
anders	otherwise	*Please phone before nine, **otherwise** I'll be out.*
		Bel vóór negenen op, anders ben ik weg.
hoewel/ofschoon	(al)though	*I'm going there anyway, **although** I know it's dangerous.*
		Ik ga er hoe dan ook heen, hoewel ik weet dat het gevaarlijk

De met een sterretje gemerkte voegwoorden verbinden elementen van gelijk belang (d.w.z. zijn nevenschikkend). De andere verbinden elementen van ongelijk belang, meestal hoofd- en bijzinne Er zijn bijzinnen van tijd (1), plaats (2), voorwaarde (3), reden of oorzaak (4), lijdendvoorwerpszin- nen (5) enz.

Trappen van vergelijking

Bijvoeglijke naamwoorden van één lettergreep en tweelettergrepige bijvoeglijke naamwoorden c eindigen op *-le, -er, -ow*, medeklinker + *y* en *-some*, vormen hun trappen van vergelijking door achtervoeging van *er*, respectievelijk *est*. Alle andere vormen hun trappen van vergelijking door h woord *more*, respectievelijk *most* voor het bijvoeglijk naamwoord te plaatsen:

Eén lettergreep

new	newer	newest	nieuw
big	bigger	biggest	groot
nice	nicer	nicest	aardig

Twee lettergrepen

able	abler	ablest	bekwaam
easy	easier	easiest	gemakkelijk
certain	more certain	most certain	zeker

Meer dan twee lettergrepen

| beautiful | more beautiful | most beautiful | mooi |

Onregelmatige trappen van vergelijking

good	better	best	goed
bad	worse	worst	slecht
little	less	least	weinig
much	more	most	meer (bij enkelvoud)
many	more	most	meer (bij meervoud)

▶ even ... als *as ... as: He is **as tall as** his father.*
niet zo ... als *not so ... as: He is **not so tall as** his father.*
Hij lijkt sprekend op z'n moeder. *He's **just like** his mother.*

Zinspatronen

Ontkennende zinnen
Met het werkwoord *be*:
*His name is Peter. His name is **not** Peter. His name **isn't** Peter.*
*They are here. They **are not** here. They **aren't** here.*

Met de werkwoorden *can, could, may, might, will* (en *be going to*), *should* en *ought to, must* en *have to, need to, want to, 'd better, 'd rather, 'd like to.*
*I can swim. I **cannot** swim. I **can't** swim.*
*He ought to go so late. He **ought not** to go so late. He **oughtn't** to go so late.*
*You **had better not** do that again.*
*I**'d rather not** go now.*
*They **don't want to** help their parents.*
*You **don't have to** wait for me.*
*I **wouldn't like to** live in that country.*

Met het werkwoord *do*:
*I speak English. I **do not** speak English. I **don't** speak English.*
*Peter saw him in London yesterday. Peter **did not** see him in London yesterday.*
*John knows German. John **does not** know German.*

Met het werkwoord *have*:
*I **have not** much money.*
*They **hadn't** listened to their teacher.*
*They **didn't have** trouble with their spelling.*

Vraagzinnen
Met het werkwoord *be*:
*His name is Peter. **Is** his name Peter?*
*They were here. **Were** they here?*
*It was cold. **Was** it cold?*

Met de werkwoorden *can, could, may, might* enz.
*John can swim. **Can** John swim?*
***Do** we **have to** be there at 10?*
***Do** you **want to** go there alone?*
***Do** we **need to** wait very long?*
***Would** you **rather** go at once?*
***Would** you **like to** stop the lesson now?*

Met het werkwoord *do*:
*They know German. **Do** they **know** German?*
*They knew German. **Did** they **know** German?*
*Peter goes home at eight. **Does** Peter **go** home at eight?*
*Peter went home at eight. **Did** Peter **go** home at eight?*

Woordvolgorde

De plaats van bijwoorden:
***Yesterday** the two astronauts landed **on the Moon**.*
*The two astronauts landed **on the Moon yesterday**.*

De plaats van bijwoorden die een niet-bepaalde tijd aanduiden (bijwoorden als: *always, never, sometimes, frequently, generally* enz.):
*I go home at six. I **always** go home at six.*
*I am happy. I'm **always** happy.*
*I can ask him for help. I can **always** ask him for help.*
*We have helped them. We've **always** helped them.*

Let op dit verschil in woordvolgorde:
*There's the dog. There **it** is.*
*Where's John? There **he** is.*
*Where are John's parents? There **they** are.*

Let op de volgorde in de volgende uitdrukkingen:
*What a beautiful lady **she is**.*
*What high trees **those are**.*

Woordvolgorde in korte antwoorden:
*Is he a student? Yes, **he is**. No, he isn't.*
*Did he meet many friends? Yes, **he did**. No, he didn't.*

De plaats van woorden als *perhaps, possibly, maybe.*
***Perhaps** they're farmers.*
***Maybe** we can all go with them.*
***Possibly** he's a teacher.*

Nog wat lastige gevallen

1 *one/ones*
One en *ones* kunnen de plaats innemen van zelfstandige naamwoorden in het enkelvoud, respectievelijk het meervoud:
*Which book would you like, this **one** or that **one**? I'd like the green **one**.*
One komt hier dus in de plaats van *book*.

2 *each, every, all*
Wanneer we aan de gehele groep denken:
every + een enkelvoudig zelfst. nw.
all + een meervoudig zelfst. nw.
Nemen we de begrippen één voor één, individueel:
each + een enkelvoudig zelfst. nw.
each of + een meervoudig zelfst. nw.

▸ *every* day: yesterday and today and tomorrow, etc.
all day: from early morning till late at night.

3 *a little, little, some* (+ enkelvoud)
a few, few, some (+ meervoud)
*I want **a little** milk in my tea, but not too much.* Ik wil een beetje melk in mijn thee, maar niet veel.
*There's **little** money in my purse, so I can't even buy an ice-cream.* Ik heb weinig geld in mijn portemonnee, dus ik kan zelfs geen ijsje kopen.
▸ *a little milk = some milk.* Tegengestelde: *no milk.*
little milk = not much milk. Tegengestelde: *much milk.*

***A few** of his friends helped him to redecorate the house.* (Enkele van zijn vrienden ...)
*He borrowed **some** books from me.* (... enkele boeken)
***Few** friends were there to help. Most of them were too busy with themselves.* (Weinig vrienden ...)
*A **few** friends* en *some friends* = meer dan twee, niet veel. Tegengestelde: geen vrienden (*no friends*)
Few friends = niet veel (*not many*). Tegengestelde: veel vrienden (*many friends*)

4 *much, many, a lot of, lots of* (veel)
much, a lot of, lots of (+ enkelvoud)
*I don't have **much** money.* Ik heb niet veel geld.
*Young children should drink a **lot of** milk (**lots of** milk).* Jonge kinderen moeten veel melk drinken

many, a lot of, lots of (+ meervoud)
Many (a lot of, lots of) *people were present at the opening of the new swimming pool.* Er waren veel mensen bij de opening van het nieuwe zwembad.
lot of en *lots of* worden gewoonlijk niet gebruikt in vragen en ontkenningen; *much* of *many* worden in plaats daarvan gebruikt.
*Did he have **much** trouble with grammar?* Had hij veel moeite met grammatica?

Lijst van onregelmatige werkwoorden

onbepaalde wijs	verleden tijd	voltooid deelw.	
arise	arose	arisen	ontstaan, verrijzen
awake	awoke	awoken	ontwaken, wekken
be (am/are)	was/were	been	zijn
bear	bore	borne/to be born	(ver)dragen/geboren worden
beat	beat	beaten	(ver)slaan
become	became	become	worden
begin	began	begun	beginnen
bend	bent	bent	buigen
bet	bet(ted)	bet(ted)	wedden
bind	bound	bound	binden
bite	bit	bitten	bijten
bleed	bled	bled	bloeden
blow	blew	blown	blazen, waaien
break	broke	broken	breken
breed	bred	bred	kweken, fokken
bring	brought	brought	brengen
build	built	built	bouwen
burst	burst	burst	barsten
buy	bought	bought	kopen
cast	cast	cast	werpen
catch	caught	caught	vangen
choose	chose	chosen	kiezen
cling	clung	clung	zich vastklemmen
come	came	come	komen
cost	cost	cost	kosten
creep	crept	crept	kruipen
cut	cut	cut	snijden
deal	dealt	dealt	handelen
dig	dug	dug	graven
do	did	done	doen
draw	drew	drawn	trekken, tekenen
drink	drank	drunk	drinken
drive	drove	driven	rijden, drijven
eat	ate	eaten	eten
fall	fell	fallen	vallen
feed	fed	fed	(zich) voeden
feel	felt	felt	(zich) voelen
fight	fought	fought	vechten
find	found	found	vinden
fly	fled	fled	vluchten
fly	flew	flown	vliegen
forbid	forbade	forbidden	verbieden
forget	forgot	forgotten	vergeten
forgive	forgave	forgiven	vergeven
forsake	forsook	forsaken	in de steek laten
freeze	froze	frozen	vriezen
get	got	got	krijgen
give	gave	given	geven
go	went	gone	gaan
grind	ground	ground	malen, slijpen
grow	grew	grown	groeien, verbouwen, worden
hang	hung	hung	hangen
have	had	had	hebben
hear	heard	heard	horen
hide	hid	hidden	verbergen
hit	hit	hit	treffen

	held	held	houden
	hurt	hurt	bezeren
	kept	kept	houden
	knew	known	weten, kennen
	laid	laid	leggen
	led	led	leiden
	left	left	verlaten, laten
	lent	lent	(uit)lenen
	let	let	laten, verhuren
	lay	lain	liggen
	lost	lost	verliezen
	made	made	maken
	meant	meant	bedoelen, betekenen
	met	met	ontmoeten
	mowed	mown	maaien
	paid	paid	betalen
	put	put	leggen, zetten
	read	read	lezen
	rent	rent	(ver)scheuren
	rode	ridden	rijden
	rang	rung	bellen, klinken
	rose	risen	opstaan, opgaan, opstijgen
	ran	run	rennen, hollen
	sawed	sawn	zagen
	said	said	zeggen
	saw	seen	zien
	sought	sought	zoeken
	sold	sold	verkopen
	sent	sent	zenden
	set	set	zetten
	sewed	sewn	naaien
	shook	shaken	schudden
	shed	shed	storten (tranen, bloed)
	shone	shone	schijnen (licht, zon)
	shot	shot	schieten
	showed	shown	laten zien, tonen
	shrank	shrunk	krimpen, terugdeinzen
	shut	shut	sluiten
	sang	sung	zingen
	sank	sunk	zinken
	sat	sat	zitten
	slept	slept	slapen
	slunk	slunk	sluipen
	sowed	sown	zaaien
	spoke	spoken	spreken
	spent	spent	uitgeven, doorbrengen
	spat	spat	spuwen
	spread	spread	zich verspreiden
	sprang	sprung	springen
	stood	stood	staan
	stole	stolen	stelen
	stuck	stuck	steken, kleven, plakken
	stung	stung	steken, prikken
	stank	stunk	stinken
	struck	struck	slaan, staken
	strung	strung	rijgen, bespannen, besnaren
	strove	striven	streven
	swore	sworn	zweren, plechtig beloven
	swept	swept	vegen
	swam	swum	zwemmen

swing	swung	swung	zwaaien
take	took	taken	nemen
teach	taught	taught	onderwijzen
tear	tore	torn	scheuren
tell	told	told	vertellen, zeggen
think	thought	thought	denken
throw	threw	thrown	gooien, werpen
thrust	thrust	thrust	stoten
tread	trod	trodden	(be)treden
understand	understood	understood	begrijpen, verstaan
wear	wore	worn	dragen (aan het lichaam)
weave	wove	woven	weven
weep	wept	wept	huilen, wenen
win	won	won	winnen
wind	wound	wound	winden
wring	wrung	wrung	wringen
write	wrote	written	schrijven

Meer taaloplossingen van Van Dale

Van Dale biedt de beste taalhulp met een groot en gevarieerd aanbod van producten en diensten op taalgebied.

 | Taaltrainingen

Door het volgen van een van de **Van Dale Taaltrainingen** vergroot je je taalbeheersing. Of het nu gaat om het opfrissen van je kennis over de Nederlandse spelling en grammatica, het schrijven van leesbare teksten of het geven van een Engelse presentatie. Alle Van Dale-taalcursussen zijn te volgen als open groepstraining, in-company of individueel.

De complete en toegankelijke **woordenboeken** en **taalboeken** van Van Dale bieden de beste taalondersteuning onder hand-

bereik. Bijvoorbeeld de *Van Dale Grammatica's* voor een glashelder overzicht op elk taalniveau (ERK) of de *Van Dale Taalhandboeken* voor een overzichtelijke gebruiks-aanwijzing van het Nederlands of Engels.

Kijk op www.vandale.nl of www.vandale.be voor het complete aanbod van Van Dale.